# ÉTICA EN LOS NEGOCIOS
## CONCEPTOS y CASOS

*Séptima edición*

**Manuel G. Velasquez**
Santa Clara University

Traducción
**María de Jesús Herrero Díaz**
*Especialista en temas de Administración*

Revisión técnica
**Enrique Estrada Velázquez**
*Departamento de Estudios Empresariales*
*Universidad Iberoamericana, México*

**PEARSON**

Datos de catalogación bibliográfica

**VELASQUEZ, MANUEL G.**
**Ética en los negocios. Conceptos y casos**
Séptima edición

PEARSON, México, 2012

ISBN: 978-607-32-1312-7

Área: Administración

Formato: 20 × 25.5 cm          Páginas: 504

Authorized translation from the English language edition, entitled *BUSINESS ETHICS: CONCEPTS and cases*, 7th edition, by *Manuel Velasquez*, published by Pearson Education, Inc., publishing as Pearson, Copyright © 2012. All rights reserved.

ISBN 9780205017669

Traducción autorizada de la edición en idioma inglés, titulada *BUSINESS ETHICS*, 7[a] edición por *Manuel Velasquez*, publicada por Pearson Education, Inc., publicada como Pearson, Copyright © 2012. Todos los derechos reservados.

Esta edición en español es la única autorizada.

Dirección Educación Superior:     Mario Contreras
Editor:                           Guillermo Domínguez Chávez
                                  e-mail: guillermo.dominguez@pearson.com
Editor de desarrollo:             Felipe Hernández Carrasco
Supervisor de producción:         Rodrigo Romero Villalobos
Gerencia editorial
    Educación Superior Latinoamérica: Marisa de Anta

SÉPTIMA EDICIÓN, 2012

D.R. © 2012 por Pearson Educación de México, S.A. de C.V.
    Avenida Antonio Dovalí Jaime No. 70,
    Torre B, Piso 6, Colonia Zedec Ed Plaza Santa Fe,
    Delegación Álvaro Obregón, México, Distrito Federal, CP 01210
    E-mail: editorial.universidades@pearsoned.com

Cámara Nacional de la Industria Editorial Mexicana. Reg. Núm. 1031

ISBN VERSIÓN IMPRESA: 978-607-32-1312-7
ISBN E-BOOK: 978-607-32-1313-4
ISBN E-CHAPTER: 978-607-32-1314-1

Este libro se terminó de imprimir en octubre de 2015 en Ultradigital Press, S.A. de C.V., Centeno 195, Col. Valle del Sur, 09819, México, D.F.

Impreso en México. *Printed in Mexico.*

# Contenido

# Prefacio

*Ética en los negocios: Conceptos y casos* es uno de los libros de texto sobre el tema más utilizado y de mayor aceptación entre los estudiantes, por su estilo accesible y claridad al explicar teorías y conceptos complejos. Expresar con lucidez las ideas sin simplificarlas en exceso es un gran reto para los libros de texto en este campo (como lo sabe cualquier profesor que haya examinado varios de ellos). Los profesores que usaron las ediciones anteriores consideran que este libro representa un trabajo sobresaliente al enfrentar este reto, al mismo tiempo que ofrece un equilibrio excelente entre las teorías éticas y la práctica gerencial. Pero el mundo no se detiene. No solo han cambiado las tecnologías, las formas organizativas y las prácticas gerenciales en los últimos años; también ha evolucionado la forma de entender el razonamiento ético, en tanto que nuevos asuntos morales plantean desafíos inusitados a las empresas. Así que era necesario revisar el texto, y dar tratamientos frescos y actualizados a estos y otros asuntos éticos que perduran en los negocios. Para facilitar el estudio de tales asuntos, esta edición incorpora una serie de recursos pedagógicos valiosos y atractivos, que incluyen:

- Seis casos nuevos y siete casos actualizados de fin de capítulo.
- Doce casos breves completamente nuevos y seis actualizaciones de la sección "Al margen", en el cuerpo de los capítulos.
- Ocho nuevos casos breves ilustrados.
- Nuevas gráficas y tablas, fotografías y otros materiales visuales.
- Preguntas para análisis al principio de cada capítulo.
- Definiciones de términos clave en los márgenes y el glosario.
- Resúmenes al margen de las ideas básicas analizadas en el libro.
- Nuevos análisis sobre: razonamiento moral, responsabilidad social corporativa, impedimentos para el comportamiento moral, influencia de los procesos inconscientes en el comportamiento moral, globalización, tecnología, guerra de precios, el triángulo del fraude, sustentabilidad, el valor del trabajo, los escándalos recientes en los negocios y mucho más.
- Datos estadísticos e información actualizados en todos los capítulos.
- Recursos en Internet al final de cada capítulo.

Aunque esta nueva edición actualiza los contenidos de la anterior, conserva tanto la organización básica como el marco conceptual de las versiones precedentes.

Las metas principales del texto son las mismas que en las ediciones anteriores: **1.** introducir al lector a los conceptos éticos relevantes, para resolver aspectos morales en los negocios; **2.** comunicar las habilidades de razonamiento y análisis necesarios para aplicar los conceptos éticos en las decisiones de negocios; **3.** identificar los aspectos morales implicados en la administración de áreas problemáticas específicas en las empresas; **4.** ayudar a comprender los entornos social, tecnológico y natural donde surgen los asuntos morales en los negocios, y **5.** presentar estudios de caso de dilemas morales actuales que enfrentan los negocios y las personas que participan en ellos.

El libro está organizado en cuatro partes, cada una de las cuales cuenta con dos capítulos. La parte uno presenta una introducción a la teoría ética básica. Una perspectiva fundamental que se desarrolla aquí es el punto de vista de que el comportamiento ético es la mejor estrategia de negocios a largo plazo para una compañía. Con esto no quiero decir que el comportamiento ético no implique costos. Tampoco significa que el comportamiento ético siempre se recompense o que aquel que no sea ético siempre se castigue. De hecho, es evidente que el comportamiento no ético algunas veces brinda recompensas, mientras que la conducta ética en ocasiones impone a la compañía pérdidas considerables. Cuando afirmo que el comportamiento ético es la mejor estrategia de negocios a la larga, quiero decir, simplemente, que en el largo plazo, y en su mayor parte, puede dar a una compañía una ventaja competitiva importante sobre aquellas que no actúan con ética. Presento y doy argumentos de esto en el capítulo 1, donde también se explica cómo llegamos a aceptar los estándares éticos y la forma en que se pueden incorporar en nuestros procesos de razonamiento moral. El capítulo 2 analiza de manera crítica cuatro tipos de principios morales: los utilitarios, los que se basan en los derechos morales, los de justicia y los de la ética del cuidado. Aquí se afirma que esos cuatro tipos de principios morales, ofrecen un marco de referencia para resolver casi todo tipo de dilemas y aspectos éticos que surjan en los negocios. Además, el capítulo 2 analiza la teoría de la virtud como alternativa a un enfoque que se basa en principios, y analiza la toma de decisiones moral automática y la casuística.

Después de definir la naturaleza y el significado de los estándares éticos e identificar los cuatro criterios básicos para resolver los aspectos morales en los negocios, se aplica la teoría resultante como apoyo para asuntos morales específicos. Así, la segunda parte del libro examina la ética de los mercados y precios; la tercera analiza los aspectos ambientales y de los consumidores, y la cuarta se ocupa de diversos aspectos relacionados con los empleados. En cada parte se inicia con la suposición de que, para aplicar una teoría moral al mundo real, debemos tener cierta información (y teoría) acerca de cómo es el mundo en realidad. Como resultado, en las últimas tres partes de cada capítulo, se dedican varias páginas a la exposición de la información empírica que el encargado de tomar decisiones debe considerar para aplicar la moralidad a la realidad. El capítulo de ética en el mercado, por ejemplo, incluye un análisis neoclásico de la estructura del mercado; el capítulo dedicado a la discriminación presenta varios indicadores estadísticos e institucionales sobre este fenómeno; el capítulo sobre el individuo en la organización se apoya en tres modelos de estructura organizacional.

Cada capítulo del libro contiene dos tipos de materiales. El texto principal del capítulo establece el material conceptual necesario para comprender y estudiar algunos tipos específicos de aspectos morales. Además, en el cuerpo principal de cada capítulo se incluyen casos breves y, al final del mismo, casos más detallados que describen situaciones de negocios del mundo real en las que surgen esos aspectos morales. Estos casos tienen la finalidad de que el lector los analice, y se basan en la suposición pedagógica de que la habilidad de una persona para razonar acerca de los asuntos morales mejorará si intenta pensar con detenimiento en algunos problemas morales específicos y acepta el desafío de otros individuos que resolvieron el problema con base en diferentes estándares morales. Esos desafíos, cuando surgen del diálogo y la discusión con otros, nos obligan a confrontar lo adecuado de nuestras normas morales y nos motivan a buscar principios más pertinentes cuando se demuestra que los propios son inadecuados. Parte del razonamiento de estas suposiciones pedagógicas se analiza en el capítulo 1, en la sección acerca del desarrollo moral y el razonamiento moral. Espero haber proporcionado materiales suficientes para permitir al lector desarrollar, mediante la discusión y el diálogo con los demás, un conjunto de normas éticas que pueda aceptar como adecuadas.

## Lo nuevo en esta edición

Aunque se han hecho docenas de revisiones grandes y pequeñas en todos los capítulos de esta edición, quienes ya eran usuarios de este texto deben tomar en cuenta los siguientes cambios con respecto al texto de las ediciones anteriores.

El capítulo 1 incluye nuevos análisis sobre la responsabilidad social corporativa, la teoría de contratos sociales integradores, el vínculo entre las emociones y el razonamiento moral, así como acerca de los impedimentos al comportamiento moral. Se agregó un nuevo caso corto "al margen", titulado "Un negocio tradicional" y se eliminó uno anterior titulado "¿National Semiconductor era moralmente responsable?", el cual, al igual que todos los demás casos eliminados, se archivó en la guía del sitio Web. Se añadió el caso de final de capítulo "Aaron Beam y el fraude en HealthSouth" y se eliminó y archivó "La caída de Enron".

El capítulo 2 presenta un análisis más amplio de los errores que las personas suelen cometer cuando se enfrentan a la teoría utilitaria por primera vez. Como novedades destacan: una discusión acerca de la afirmación de que es el contexto, y no el carácter, el que determina el comportamiento moral; una sección sobre la influencia de los procesos mentales inconscientes en el comportamiento moral; y una discusión de la relación entre el razonamiento moral consciente, por un lado, y la toma de decisiones morales inconsciente, la intuición moral y las influencias culturales, por el otro. El caso breve de la sección "Al margen" titulado "Diamantes en conflicto" se eliminó y se añadió uno nuevo titulado "¿Las empresas deben tirar sus desechos en países pobres?". Se retiró y archivó el caso de final de capítulo titulado "Publius", y se añadió uno nuevo titulado "Triodos Bank y las pruebas de medicamentos de Roche en China".

El capítulo 3 incluye una introducción revisada y una discusión amplia sobre el tema de la alienación en la obra de Marx. Los nuevos casos breves de la sección "Al margen" incluyen "Mercantilización o qué tan libres deberían ser los mercados libres" y "Los niños de Marx", mientras que "La franquicia de Brian" se retiró y archivó. El caso de final de capítulo de la edición anterior "Glaxo-SmithKline, Bristol-MyersSquibb y el SIDA en África" se remplazó por uno nuevo, titulado "El rescate de GM".

El capítulo 4 incluye una introducción revisada, incorpora un análisis sobre la discriminación predatoria de precios y una nueva sección sobre "Incentivos, oportunidades y racionalizaciones". El caso de final de capítulo "Las 'devoluciones' de Intel y otras formas en que 'ayudó' a sus clientes" remplaza al anterior recuadro sobre Microsoft y el juego del monopolio.

La introducción del capítulo 5 también se revisó, así como sus análisis sobre contaminación y agotamiento de los recursos, los cuales se actualizaron por completo con nuevas tablas y gráficas. Además, se añadió una sección sobre sustentabilidad. El caso breve de la sección "Al margen" "Desechos tóxicos de Ford" remplaza al recuadro "El aroma de Tacoma". Por otra parte, el caso breve "Las compañías automotrices en China" se revisó ampliamente y se actualizó, al igual que ocurrió con los dos casos de final de capítulo.

Se revisó la introducción del capítulo 6. Se agregó el caso breve "Venta de genética personalizada" y se revisaron los otros dos casos sobre la industria tabacalera. Se añadió el caso al final del capítulo "Reducción de deudas con Credit Solutions of America" y se retiró el caso "La debacle de Ford/Firestone".

En el capítulo 7 se actualizó todo el material estadístico y se añadieron varias gráficas nuevas, mientras que se eliminó la sección de programas de valor comparable. Dos nuevos casos breves de la sección "Al margen" de este capítulo son "Ayuda a los pacientes en el Centro de Salud Plainfield" y "Conducir para Old Dominion". El anterior caso breve "Wall Street: El mundo de un hombre" se retiró y se archivó. Ambos casos de final de capítulo se actualizaron.

En el capítulo 8 todas las estadísticas se actualizaron, y se revisaron las discusiones sobre los conflictos de interés; la antigua sección "Condiciones de trabajo: Satisfacción laboral" se eliminó y, en su lugar, se incluyó una nueva discusión sobre el valor del trabajo. Se eliminaron todos los anteriores casos breves de la sección "Al margen" y se agregaron tres casos cortos completamente nuevos, titulados: "Los secretos de HP y la nueva contratación de Oracle", "Información privilegiada o ¿para qué están los amigos?" y "Los mensajes de texto del sargento Quon". El caso de final de capítulo "Muerte en Massey Energy Company" remplaza al de la edición anterior titulado "Problemas laborales en Gap".

### Manual del profesor con exámenes (en inglés)

Para cada capítulo del texto, este recurso valioso provee resúmenes detallados, una lista de objetivos y preguntas de análisis. Además, incluye preguntas de examen para cada capítulo en formatos de opción múltiple, falso/verdadero, llenado de espacios en blanco y de respuestas breves; en las respuestas se hace referencia a las páginas del texto.

### Diapositivas para presentaciones de ética en PowerPoint: Teoría y práctica (en español)

Estas diapositivas en PowerPoint ayudan a los profesores a transmitir los principios éticos de una manera clara y atractiva. Para un fácil acceso, están disponibles en **www.pearsonenespañol.com/velasquez**.

### Generador de exámenes MyTest (en inglés)

Este software computarizado permite a los profesores crear sus propios exámenes personalizados, editar cualquiera o todas las preguntas de examen existentes y agregar nuevas preguntas. Otras características especiales del programa incluyen la generación aleatoria de preguntas acerca del texto, la creación de versiones alternativas del mismo examen, la posibilidad de cambiar la secuencia de preguntas y obtener una imagen previa del examen antes de imprimirlo.

### Agradecimientos

Al igual que otros autores de libros de texto, tengo una gran deuda de gratitud con los numerosos colegas y otros especialistas alrededor del mundo de quienes tomé prestados ideas y materiales. Todos ellos, espero, tienen el debido reconocimiento en las notas. Gracias a Marc Orlitzky, de la Universidad de Redlands, a Barbara Fechner, de South East Community College, y Rodney Stevenson, de la Universidad de Wisconsin-Madison, por su retroalimentación. Tengo una deuda especial con mis colegas en el Departamento de Administración en el que imparto cátedra, especialmente con Dennis Moberg. Pero mi mayor deuda es con mi esposa y mi familia, quienes con mucha paciencia (y a veces no tanta) me han tenido que soportar mientras permanecía obsesivamente preocupado con la escritura y revisión de la presente edición de este libro. A Maryann, Brian, Kevin y Daniel: gracias.

Manuel G. Velasquez
*Aptos, California*

# PARTE **UNO**

# *Principios básicos*

LA ÉTICA EN LOS NEGOCIOS ES ÉTICA APLICADA. ES LA APLICACIÓN DE LO QUE ENTENDEMOS QUE ES BUENO Y CORRECTO PARA LA VARIEDAD DE INSTITUCIONES, TECNOLOGÍAS, TRANSACCIONES, ACTIVIDADES Y BÚSQUEDAS LLAMADAS *NEGOCIOS*. UN ANÁLISIS DE LA ÉTICA EN LOS NEGOCIOS DEBE COMENZAR POR ESTABLECER UN MARCO DE REFERENCIA DE LOS PRINCIPIOS BÁSICOS PARA ENTENDER QUÉ SIGNIFICAN LOS TÉRMINOS *BUENO* Y *CORRECTO*; SOLO ENTONCES SE PODRÁ REALIZAR UN ANÁLISIS PRODUCTIVO SOBRE LAS IMPLICACIONES QUE TIENEN EN EL MUNDO DE LOS NEGOCIOS. ESTOS DOS PRIMEROS CAPÍTULOS PRESENTAN ESE MARCO DE REFERENCIA. EL CAPÍTULO 1 DESCRIBE, DE MANERA GENERAL, QUÉ ES LA ÉTICA EN LOS NEGOCIOS, Y EXPLICA EL ENFOQUE GLOBAL DEL LIBRO. EL CAPÍTULO 2 DESCRIBE VARIOS ENFOQUES ESPECÍFICOS DE LA ÉTICA EN LOS NEGOCIOS, LOS CUALES, EN CONJUNTO, APORTAN UNA BASE PARA EL ANÁLISIS DE LOS ASPECTOS ÉTICOS EN LOS NEGOCIOS.

# 1

# Ética y negocios

¿Qué es la ética en los negocios?

¿Qué es la responsabilidad social corporativa?

¿Es correcto el relativismo ético?

¿Cómo ocurre el desarrollo moral?

¿Qué papel desempeñan las emociones en el razonamiento ético?

¿Cuáles son los impedimentos al comportamiento moral?

¿En qué circunstancias una persona es moralmente responsable de actuar mal?

*En los negocios, estrecharse la mano es una expresión de confianza, y el comportamiento ético es la base de dicha confianza.*

Quizá la mejor manera de iniciar un análisis de ética en los negocios es observar cómo una compañía real la ha incorporado en sus operaciones. Consideremos la forma en que Merck & Co., Inc., una empresa estadounidense de productos farmacéuticos, manejó el problema de la ceguera de río.

La ceguera de río es una enfermedad mortal que afecta a unos 18 millones de personas sin recursos, que viven en lugares remotos cerca de los cauces de los ríos, en las regiones tropicales de África y América Latina. La causa del mal es un pequeño gusano parásito que se transmite de una persona a otra mediante el piquete de la mosca negra, que se reproduce en las aguas rápidas de los ríos. Los diminutos gusanos se introducen debajo de la piel, donde, al crecer, llegan a medir hasta 60 centímetros, y se enrollan dentro de nódulos que miden entre 1 y 2.5 centímetros de diámetro. Dentro de los nódulos, el gusano se reproduce dejando millones de descendientes microscópicos, llamados *microfilarias*, que se abren paso por todo el cuerpo bajo la piel, decolorándola a su paso; además, causan lesiones y una comezón tan intensa que las víctimas han llegado a suicidarse. Con el tiempo, las *microfilarias* invaden los ojos y provocan ceguera en la víctima. En algunas aldeas de África occidental, el parásito ha llegado a cegar a más del 60 por ciento de los habitantes mayores de 55 años de edad. De acuerdo con estimaciones de la Organización Mundial de la Salud (OMS), la enfermedad ha provocado ceguera a unas 270,000 personas y discapacidad visual a otras 500,000.

El esparcimiento de pesticidas para erradicar la mosca negra fracasó cuando esta desarrolló inmunidad a ellos. Más aún, los únicos medicamentos disponibles para tratar el parásito en los humanos eran muy costosos, tenían efectos secundarios severos y requerían de una larga hospitalización, de manera que el tratamiento resultaba impráctico para las humildes víctimas que vivían en las comunidades aisladas. En muchos países, los jóvenes han abandonado las áreas cercanas a los ríos, que por lo general son tierras fértiles. Quienes se quedaron a vivir a la orilla de los ríos aceptaron la posibilidad de infestarse, la tortura de la comezón y el peligro de contraer ceguera como parte irremediable de la vida.

En 1980 los doctores Bill Campbell y Mohammed Aziz, científicos investigadores que trabajaban para Merck, descubrieron que el Ivermectín —uno de los medicamentos para animales de mayor venta de la compañía— podía matar el parásito que causa la ceguera de río. El doctor Aziz, quien ya había trabajado en África y conocía la ceguera de río, viajó a Dakar, Senegal, donde probó el medicamento en aldeanos que sufrían infecciones activas. De manera asombrosa, descubrió que una dosis única del medicamento no solo exterminaba las microfilarias, sino que también hacía que el gusano quedara estéril e inmunizaba al paciente durante meses. Cuando Aziz regresó a Estados Unidos, él y el doctor Campbell visitaron al jefe de investigación y desarrollo de Merck, el doctor P. Roy Vagelos. Le mostraron sus resultados y le recomendaron que Merck desarrollara una versión del medicamento para suministrarla a los seres humanos.

En aquella época, desarrollar un nuevo medicamento, probarlo en clínicas y a gran escala, de acuerdo con los estándares que el gobierno de Estados Unidos requería, podía llegar a costar más de $100 millones.* Roy Vagelos se dio cuenta de que aun cuando la compañía tuviera éxito en el desarrollo de una versión del medicamento adecuada para administrarse a las víctimas de la ceguera de río, "tenía claro que no podrían vender el fármaco a esas personas, quienes no tenían suficientes recursos económicos para comprarlo, aun cuando el precio fuera de unos centavos de dólar al año".[1] Todavía más, en el caso de que pudieran pagar ese precio, sería casi imposible hacer llegar el medicamento a la mayoría de las víctimas, puesto que estas vivían en lugares remotos y no tenían acceso a médicos, hospitales, clínicas o expendios de medicamentos comerciales. Además, si el medicamento provocaba efectos secundarios adversos al administrarse a humanos, esto podría afectar la venta de la versión del fármaco para animales, que representaba alrededor de $300 millones

---

*En esta obra, el signo $ representa dólares estadounidenses, a menos que se especifique otra unidad monetaria.

al año. Por último, en caso de estar disponible una versión de bajo costo del medicamento, se podría introducir en los mercados negros y venderse para administrarse a animales, lo que minaría las ganancias que los veterinarios obtenían a partir de las ventas del Ivermectín.

Aunque las ventas mundiales de Merck ascendían a $2,000 millones al año, su ingreso neto como porcentaje de las ventas disminuía por varias razones, como el rápido incremento en los costos de desarrollo de nuevos medicamentos, los reglamentos cada vez más restrictivos, los elevados impuestos, la falta de descubrimientos científicos básicos y la disminución de la productividad de los programas de investigación de la compañía. Por otro lado, el Congreso de Estados Unidos estaba listo para aprobar la Ley de Regulación de Medicamentos, lo que intensificaría la competencia en la industria farmacéutica, al permitir que los competidores copiaran y comercializaran con mayor rapidez los medicamentos de otras empresas. Asimismo, el seguro de salud Medicare acababa de imponer límites máximos para el rembolso por compra de medicamentos y requería el uso de productos genéricos de menor costo en lugar de los de marca, los cuales constituían la mayor fuente de ingresos de Merck.

A la luz de esas condiciones que incidían negativamente en la industria farmacéutica, ¿era una buena idea que Merck emprendiera un proyecto costoso que no ofrecía una retribución económica considerable? Vagelos escribió después:

> Había una posible desventaja para mí en lo personal. Yo no llevaba mucho tiempo en el puesto y aún estaba aprendiendo cómo promover el desarrollo de nuevos medicamentos en un ambiente corporativo. Aunque teníamos algunos proyectos de grandes innovaciones en trámite, yo aún era un novato en el mundo de los negocios. Gastaría una considerable cantidad de dinero de la compañía en un campo, el de la medicina tropical, que pocos de nosotros —a excepción de Mohammed Aziz— conocíamos… El director general, Henry Gadsden, estaba preocupado (y con razón) en relación con los proyectos en trámite de nuevos productos de Merck, y me había contratado para resolver ese problema. Era tan evidente para mí como para Mohammed y Bill que incluso si el Ivermectín tenía éxito en la cura de la ceguera de río, no iba a incrementar las ganancias de la empresa ni a hacer felices a los accionistas. Así que la petición significaba un riesgo para mí y para los laboratorios.[2]

Vagelos sabía que enfrentaba una decisión que, como decía, "tenía un componente ético importante". Sin considerar el riesgo para la compañía y para su carrera profesional, era claro que, sin el medicamento, millones de personas estarían condenadas a una vida de sufrimiento intenso y a la ceguera total o parcial. Después de muchas discusiones con Campbell, Aziz y otros directivos, Vagelos llegó a la conclusión de que los beneficios potenciales del medicamento para evitar la ceguera de río eran demasiado significativos como para ignorarlos. A fines de 1980, aprobó un presupuesto que aportaba los fondos necesarios para desarrollar una versión del Ivermectín para administrarse a seres humanos.

Después de siete años, Merck logró desarrollar la nueva versión del medicamento, llamada Mectizán. Tomar una sola píldora una vez al año podía erradicar del cuerpo humano todo rastro del parásito que causa la ceguera de río y prevenir nuevas infecciones. Por desgracia, justo como lo había sospechado Vagelos, nadie corrió a comprar la píldora milagrosa. En los años siguientes, los ejecutivos de Merck (especialmente Vagelos, quien para entonces era el director general de Merck) solicitaron a la OMS, al gobierno de Estados Unidos, y a los gobiernos de las naciones aquejadas por el mal, que alguien —quien fuera— comprara el medicamento para proteger a los 100 millones de personas que estaban en riesgo de contraer la enfermedad. Nadie respondió a los ruegos de la compañía.

Cuando finalmente quedó claro que nadie compraría el medicamento, Merck decidió que donaría el Mectizán a las víctimas de la enfermedad.[3] Sin embargo, incluso este plan fue difícil de realizar porque, como lo temía la compañía, no había canales de distribución establecidos para hacerlo llegar a la gente que lo necesitaba. No obstante, en colaboración con la OMS, la compañía financió un comité internacional para proporcionar a las naciones en desarrollo la infraestructura adecuada de distribución del medicamento, y con la finalidad de evitar que llegara al mercado negro para administrarse a animales. Pagar por estas actividades aumentó la suma que Merck invirtió en desarrollar, probar y ahora distribuir Mectizán a más de $200 millones, sin contar el costo de fabricarlo. Para 2010, Merck había donado más de 2,500 millones de pastillas de Mectizán con un valor aproximado de $3,500 millones y donaba el medicamento a 80 millones de personas al año en África, América Latina y Oriente Medio. Además de usar el medicamento para aliviar los intensos sufrimientos de la ceguera de río, la compañía ha ampliado el programa para incluir el tratamiento contra la elefantiasis, una enfermedad parasitaria con frecuencia coexiste con la ceguera de río, y que, según descubrieron los investigadores de Merck, también se podía tratar con Mectizán. En 2010 más de 300 millones de personas recibieron Mectizán para tratar la elefantiasis, y 70 millones más lo recibieron el año siguiente.

Cuando se le pregunta por qué la compañía invirtió tanto dinero y esfuerzo en la investigación, el desarrollo, la fabricación y la distribución de un medicamento que no es redituable, el doctor Roy Vagelos, director ejecutivo, responde que, una vez que la compañía sospechó que uno de sus medicamentos para animales podía curar una grave enfermedad que asolaba a la gente, la única opción ética era desarrollarlo. También comentó que las personas de los países en desarrollo recordarán que Merck los ayudó, y en el futuro responderán de manera favorable a la compañía.[4] Con el paso de los años, la empresa ha aprendido que, a largo plazo, este tipo de acciones tienen ventajas estratégicas importantes. "Cuando fui por primera vez a Japón, hace 15 años, las personas de negocios me dijeron que había sido Merck quien llevó la estreptomicina a ese país después de la Segunda Guerra Mundial, para eliminar la tuberculosis que estaba acabando con la población. Nosotros lo hicimos. No ganamos dinero. Pero no es casualidad que hoy Merck sea la mayor compañía farmacéutica estadounidense en Japón".[5]

Ahora que vimos cómo Merck manejó el descubrimiento de una cura para la ceguera de río, regresemos a la relación entre la ética y los negocios. Algunas veces los expertos son sarcásticos al decir que la *ética en los negocios* es una contradicción de términos (un oxímoron), porque existe un conflicto inherente entre la ética y la búsqueda interesada de ganancias. Ellos insinúan que cuando la ética entra en conflicto con las ganancias, los negocios siempre elegirán a las segundas sobre la primera. No obstante, el caso de Merck sugiere una perspectiva diferente con la que cada vez más compañías se comprometen. Los directores de esa empresa gastaron $200 millones en desarrollar un producto que sabían que tendría pocas posibilidades de ser rentable; pensaron que tenían la obligación ética de ofrecer a la gente sus beneficios potenciales. En este caso, al menos, una compañía grande y de gran éxito eligió la ética sobre las ganancias. Más aún, los comentarios de Vagelos al final del caso sugieren que, a la larga, quizá no haya un conflicto inherente entre el comportamiento ético y la búsqueda de ganancias. Por el contrario, Vagelos insinuó que el comportamiento ético crea el tipo de reputación y de buena voluntad que amplía las oportunidades de una compañía para obtener ganancias.

No todas las empresas operan como Merck, incluso esta no siempre se ha conducido de manera ética. Muchas compañías —quizá la mayoría— no invertirían en un proyecto de investigación y desarrollo que no sea rentable, aun cuando prometa beneficiar a la humanidad. Todos los días los periódicos publican los nombres de compañías que eligen las ganancias sobre la ética, o que, al menos por una vez, se benefician a partir de un comportamiento que no es ético; Enron, WorldCom, Global Crossing, Rite-Aid, Oracle, ParMor, Adelphia, Arthur Andersen, Louisiana-Pacific y Qwest son solo algunas de ellas. En 2004 incluso Merck fue acusada de no revelar los problemas cardiacos asociados con su medicamento Vioxx, y en 2010 la compañía depositó $4,850 millones en un fondo para compensar a los pacientes que declararon haber sufrido infartos o apoplejía por tomar el medicamento. (A pesar de su importante fallo en relación con el Vioxx, Merck sigue comprometida a actuar de manera ética y ha ganado docenas de premios por su transparencia y sus operaciones éticamente responsables).[6]

Aunque muchas compañías en un momento u otro se comportan en una forma que no es ética, por lo general este comportamiento suele ser una mala estrategia de negocios a largo plazo. Por ejemplo, pregúntese si es más probable que usted, como consumidor, compre el producto de una empresa a la que reconoce como honesta y confiable, o el de una que se ha ganado la reputación de deshonesta y poco confiable. Pregúntese si, como empleado, es más probable que sea leal a una compañía cuyas acciones hacia usted son justas y respetuosas, o a una que habitualmente trata a sus empleados de manera injusta e irrespetuosa. Es evidente que cuando las compañías compiten entre sí por los clientes y los mejores empleados, aquellas que han forjado una reputación por comportarse de manera ética tendrán ventaja sobre las que carecen de ella.

Este libro adopta el punto de vista de que el comportamiento ético, a la larga, es la mejor estrategia de negocios para una compañía. Se trata de un punto de vista que durante los últimos años se ha aceptado cada vez más.[7] Esto no significa que nunca surjan situaciones en las que hacer lo que es ético resulte costoso para la compañía. Esas situaciones son comunes en la vida de una empresa, y en este libro se verán muchos ejemplos de ello. Tampoco significa que el comportamiento ético siempre sea recompensado o que el comportamiento que no es ético siempre reciba un castigo. Por el contrario, el comportamiento no ético en ocasiones recibe retribuciones y el "chico bueno" a veces pierde. Decir que el comportamiento ético es la mejor estrategia de negocios a largo plazo solo significa que, con el tiempo y la mayoría de las veces, ofrece a una compañía ventajas competitivas importantes sobre aquellas que no se comportan éticamente. El ejemplo de Merck así lo sugiere. Si reflexionamos sobre la manera en que nosotros, como clientes o empleados, respondemos a las compañías que se comportan sin ética, reconoceremos que estas terminan por perder apoyo. Después veremos qué se podría decir mucho más a favor y en contra de la idea de que el comportamiento ético es la mejor estrategia de negocios a largo plazo para una compañía.

El problema básico es, desde luego, que las acciones éticas no siempre son claras para los gerentes de una empresa. En el caso de Merck, Roy Vagelos decidió que la compañía tenía la obligación ética de proceder al desarrollo del medicamento. Pero quizá para otro, la cuestión no hubiera sido tan evidente. Vagelos reconoció que el proyecto implicaba gastar "una considerable cantidad de dinero de la compañía" de una manera que "no haría felices a los accionistas" y que pondría su propia carrera "en riesgo". ¿Acaso los gerentes no tienen la obligación ante los inversionistas y accionistas de invertir sus fondos de manera rentable? De hecho, si una compañía gastara todos sus fondos en proyectos de caridad que pierden dinero, ¿no quedaría pronto fuera del negocio? Entonces, ¿no se justificaría que los accionistas reclamaran que los gerentes gastaron su dinero de una manera que no era ética? ¿Y debió haber arriesgado Vagelos su carrera profesional, con las implicaciones que esto tenía para su familia? ¿Es tan evidente, entonces, que Vagelos tenía la obligación ética de invertir su dinero en un medicamento no rentable? ¿Hay razones para asegurar que Merck debía desarrollarlo? ¿Hay buenas razones para afirmar que Merck no tenía esta obligación? ¿Qué punto de vista cree usted que se apoya en las razones más convincentes?

Aunque la ética puede ser la mejor política, las acciones éticas no siempre son claras. El objetivo de este libro es ayudarle a manejar la falta de claridad. Aunque muchos aspectos éticos siguen siendo oscuros y difíciles incluso después de un gran esfuerzo de estudio, entender mejor la ética le ayudará a manejar su incertidumbre de modo más adecuado e informado.

Este libro pretende señalar los aspectos éticos con los que quizá se enfrente en una empresa, y es probable que usted forme parte de su equipo gerencial. Esto no significa que el texto esté diseñado para darle consejos morales, o que trate de persuadirlo para actuar de forma "moral". El objetivo principal es transmitirle un conocimiento más profundo de la naturaleza de los principios y los conceptos éticos, y ayudarlo a comprender cómo estos se aplican ante problemas éticos que surgen en los negocios. Este tipo de conocimiento y habilidad debe ayudarle a abrirse paso entre las decisiones éticas como la que Vagelos tuvo que tomar. Todo aquel que participe en el mundo de los negocios se enfrenta a decisiones como esa, aunque por lo general no tan importantes como lograr la cura para la ceguera de río. Incluso antes de comenzar a trabajar para una empresa, usted se enfrentará, por ejemplo, con las decisiones éticas de qué tan "creativo" debe ser el currículo que presente. Más tarde, quizá tenga que decidir si reduce tiempo o costos en su trabajo, o si daría facilidades a un pariente o amigo para firmar un contrato, o si incluye algunos gastos adicionales en un viaje que hizo por parte de la compañía. O quizá descubra que un amigo está defraudando a la empresa y tiene que decidir si lo delata o no, o encuentra que su compañía participa en alguna acción ilegal y tiene que decidir qué hacer al respecto, o tal vez su jefe le pida hacer algo que no está bien. En el mundo de los negocios, las decisiones éticas confrontan a todos. Este libro espera ofrecerle algunas pautas para enfrentar ese tipo de decisiones.

Los primeros dos capítulos lo introducen en métodos de razonamiento y principios morales fundamentales que se utilizan para analizar los aspectos morales en los negocios, así como algunos obstáculos que se pueden presentar derivados de la forma de pensar ante temas éticos. Los capítulos siguientes aplican esos principios y métodos a los tipos de dilemas morales que enfrentan las personas de negocios. Comenzamos este capítulo con un análisis de tres temas preliminares: **1.** la naturaleza de la ética en los negocios y algunos de sus aspectos, **2.** el razonamiento y la toma de decisiones morales, y **3.** la responsabilidad moral. Una vez aclarados esos conceptos, dedicaremos el capítulo siguiente a analizar algunas teorías básicas de la ética y su relación con los negocios.

## 1.1 Naturaleza de la ética en los negocios

Según el diccionario, el término *ética* tiene muchos significados. Una de sus acepciones es: "El conjunto de principios de conducta que rigen a un individuo o a un grupo".[8] Algunas veces usamos el término *ética personal*, por ejemplo, al referirnos a las reglas mediante las cuales un individuo se conduce por la vida. Se usa el término *ética contable* cuando nos referimos al código que guía la conducta profesional de los contadores.

Un segundo significado de *ética* —para nosotros el más importante— y acorde con el diccionario es "el estudio de la moralidad". Los filósofos usan el término *ética* para referirse, principalmente, al estudio de la moralidad, igual que los químicos usan el término *química* para referirse al estudio de las propiedades químicas de una sustancia. Aunque la ética tiene que ver con la moralidad, no son sinónimos. La ética es un tipo de investigación, e incluye tanto la actividad de investigación como los resultados de la misma, mientras que la moralidad es el tema del que se ocupan las investigaciones éticas.

### Moralidad

**moralidad** Los estándares que un individuo o un grupo tienen acerca de qué es correcto o incorrecto, o de lo que está bien o mal.

Entonces, ¿qué es **moralidad**? Se podría definir como los estándares que tiene un individuo o un grupo acerca de qué es correcto o incorrecto, o de lo que está bien o mal. Para aclarar qué significa esto, consideraremos otro caso, un tanto diferente al de Merck.

Hace varios años, B. F. Goodrich, un fabricante de partes para vehículos, ganó un contrato con el gobierno para diseñar, probar y fabricar frenos de aviones para el A7-D, un nuevo avión ligero que la Fuerza Aérea de Estados Unidos estaba diseñando. Para conservar el peso de la aeronave, los directivos de Goodrich garantizaron que su freno compacto pesaría no más de 48 kilogramos, contendría no más de cuatro discos pequeños de frenado o rotores, y que detendría a la aeronave dentro de cierta distancia. El contrato era potencialmente muy lucrativo para la compañía, así que sus gerentes estaban deseosos de entregar un freno que "calificara", esto es, que pasara con éxito todas las pruebas que la Fuerza Aérea requería para el A7-D.

Un ingeniero experimentado de Goodrich, John Warren, diseñó el freno. Y a un ingeniero más joven, Searle Lawson, se le encomendó la tarea de determinar el mejor material para revestirlo y probarlo con la finalidad de asegurarse de que calificara. Searle Lawson era veinteañero, se acababa de graduar en la universidad y lo habían contratado recientemente en Goodrich.

Lawson desarrolló un prototipo —un modelo de trabajo— del pequeño freno para probar los materiales del revestimiento. Descubrió que al frenar, los recubrimientos de los cuatro discos se calentaban a más de 800 grados centígrados y comenzaban a desintegrarse. Cuando probó otros recubrimientos obtuvo los mismos resultados. Lawson repasó el diseño de Warren y encontró un error. Según sus cálculos, no había suficiente área en los discos para detener el avión a la distancia requerida sin generar el calor excesivo causante de la falla del recubrimiento. Lawson se dirigió a Warren, le mostró sus cálculos y sugirió que el diseño debería remplazarse con otro nuevo para un freno más grande con cinco discos. Warren rechazó la sugerencia de un novato recién egresado de la escuela de ingeniería que había advertido un error en su diseño. Dio la instrucción a Lawson de que siguiera probando con diferentes materiales para recubrimientos de frenos hasta que encontrara uno que funcionara.

Pero Lawson no estaba dispuesto a ceder. Fue a hablar con el gerente a cargo del proyecto y le mostró sus cálculos. Este gerente había repetido varias veces a sus superiores que el desarrollo del freno estaba dentro de los tiempos establecidos, y sabía que posiblemente lo culparían si no lo entregaba de acuerdo con el cronograma. Aún más, probablemente pensó que debía confiar en Warren, quien era uno de sus mejores ingenieros, y no en alguien que acababa de graduarse de la universidad. El gerente de proyecto dijo a Lawson que si Warren decía que el freno funcionaría, entonces así sería y que debería seguir probando diferentes materiales, tal como le había indicado Warren. Lawson se sintió frustrado luego de hablar con el gerente del proyecto. Pensaba que si no contaba con el apoyo de sus superiores, simplemente tendría que seguir trabajando con el freno que Warren diseñó.

Semanas más tarde, Lawson todavía no había encontrado el recubrimiento que no se desintegrara en el freno. Habló una vez más con su gerente de proyecto. Esta vez, el gerente le dijo que se limitara a someter al freno a las pruebas requeridas para que pudiera ser aceptado en el avión A7-D. Y agregó que tenía que lograr a toda costa que el freno pasara todas las pruebas de calificación. Las órdenes de su gerente conmocionaron a Lawson, quien más tarde compartió sus pensamientos con Kermit Vandivier, un redactor técnico que debía escribir un informe sobre el freno. Lawson expresó:

> No puedo creer lo que está pasando. Esto no es ingeniería, al menos no lo que yo pensé que sería. En la universidad yo pensaba que cuando fuera ingeniero intentaría hacer mi trabajo lo mejor posible, sin importar lo que costara. Pero esto es distinto. Me dijeron que íbamos a hacer un intento más para probar el freno y punto. Gane o pierda, vamos a emitir un informe de calificación. Me dijeron que sin importar cómo se comporte el freno en las pruebas, tiene que aprobarse.[9]

Lawson armó un modelo de producción del freno y lo sometió a las pruebas docenas de veces. Siempre fallaba. En el decimotercer intento, Lawson "cuidó" el freno en la prueba usando ventiladores especiales para enfriarlo, lo desmontó en cada paso, lo limpió de manera cuidadosa y arregló cualquier deformación causada por las altas temperaturas. En algún momento, un instrumento de medición fue mal calibrado a propósito para que indicara que la presión aplicada al freno era de 1,000 libras por pulgada cuadrada (el máximo disponible para el piloto del avión A7-D), cuando en realidad la presión que había que aplicar era de 1,100 libras por pulgada cuadrada.

Kermit Vandivier, quien tenía que redactar un informe final sobre las pruebas, también estaba preocupado. Habló de las pruebas con Lawson, quien le dijo que sólo estaba haciendo lo que el gerente de proyecto le había ordenado. Vandivier decidió hablar con el ingeniero experimentado a cargo de su sección. El ejecutivo escuchó, pero luego dijo: "No es asunto mío y tampoco tuyo". Vandivier le preguntó si tendría problemas de conciencia en el caso de que, durante los vuelos de prueba, algo sucediera con el freno y el piloto resultara herido o muerto. El ejecutivo de Goodrich le contestó: "¿Por qué habría de tener problemas con mi conciencia? Yo solamente hice lo que me dijeron, y te aconsejo que tú hagas lo mismo".[10]

Cuando indicaron a Kermit Vandivier que escribiera un informe donde concluyera que el freno había pasado todas las pruebas de calidad, se negó. Sentía que un informe así sería equivalente a "falsear y distorsionar de manera deliberada" la verdad.[11] Pero poco después, cambió de opinión. Más tarde declaró:

> Mi trabajo estaba bien pagado, era agradable, suponía un reto, y el futuro se veía razonablemente brillante. Mi esposa y yo habíamos comprado una casa. Si me negaba a tomar parte en el fraude del A7-D, tendría que renunciar o me despedirían. De todas maneras, alguien escribiría el informe, pero yo tendría la satisfacción de saber que no había tomado parte en el asunto. Pero las cuentas no se pagan con satisfacción personal, ni la hipoteca de una casa se paga con principios éticos. Tomé mi decisión. A la mañana siguiente llamé por teléfono a mi superior y le dije que estaba listo para realizar el informe de calificación.[12]

Lawson y Vandivier escribieron juntos el informe final: "Presión del freno, valores del par de torsión, distancias, tiempos... todo lo que tuviera consecuencia estaba adaptado para que concordara", con la conclusión de que el freno pasaba las pruebas de calificación.[13] Unas pocas semanas después de que Goodrich publicara su informe, la Fuerza Aérea instaló los frenos en los aviones de prueba A7-D, y los pilotos comenzaron a volar con ellos.

Más adelante hablaremos sobre lo que ocurrió cuando los pilotos de prueba volaron los aviones equipados con los frenos de Goodrich. Por ahora, observe que Lawson creía que, como ingeniero, tenía la obligación de hacer su trabajo "lo mejor posible, sin importar lo que costara". Por su parte, Vandivier creía que estaba mal mentir y poner en peligro la vida de los demás, y también creía que la integridad es buena y la falsedad, mala. Estas creencias son ejemplo de estándares morales. Los **estándares morales** incluyen las *normas* que tenemos acerca de los tipos de acciones que creemos que son moralmente correctas e incorrectas, así como los *valores* que otorgamos a lo que pensamos que es moralmente bueno y malo. Las normas morales casi siempre se expresan como reglas o afirmaciones generales, como "siempre di la verdad", "es incorrecto matar a personas inocentes" o "las acciones son correctas en la medida en que producen felicidad". Los valores morales suelen expresarse como afirmaciones que describen objetos o características de objetos que tienen valor, como "la honestidad es buena" y "la injusticia es mala".

¿De dónde vienen estos estándares? Por lo general, la moral se aprende primero, desde niños, en la familia, con los amigos y a través de diferentes influencias sociales de instituciones como la iglesia, la escuela, la televisión, las revistas, la música y las asociaciones. Más adelante, conforme la persona crece, la experiencia, el aprendizaje y el desarrollo intelectual la llevan a pensar, evaluar y revisar esos estándares para decidir si los considera razonables o no. Es probable que se descarten algunos que se consideran poco razonables y quizá se adopten algunos nuevos para sustituirlos. En ese proceso de maduración, la persona desarrolla estándares que son más adecuados intelectualmente y, por ende, mejores para manejar los dilemas morales de la vida adulta. Sin embargo, el ejemplo de Lawson y Vandivier deja claro que no siempre cumplimos con los estándares morales que tenemos; es decir, no siempre hacemos lo que pensamos que es moralmente correcto, y tampoco buscamos lo que creemos que es moralmente bueno. Más adelante analizaremos cómo nuestras acciones pueden deslindarse de nuestras creencias morales.

Los estándares morales se podrían contraponer a las normas o los estándares acerca de asuntos que no son de carácter moral. En los ejemplos de **estándares y normas no**

**estándares morales** Normas acerca de los tipos de acciones que creemos que son moralmente correctas e incorrectas, así como los valores que otorgamos a lo que pensamos que es moralmente bueno y moralmente malo.

**estándares no morales** Estándares mediante los cuales juzgamos qué es bueno o malo y correcto o incorrecto de una manera no moral.

(llamados también estándares y normas "convencionales") se incluyen los estándares de etiqueta con los que juzgamos los modales como buenos o malos, las reglas de comportamiento que nuestros padres, profesores u otras autoridades nos enseñaron, y las normas que llamamos *leyes*, con las cuales juzgamos lo que es legal o ilegal. También incluyen los estándares de lenguaje, mediante los que se determina lo que es gramaticalmente correcto o incorrecto; los estándares estéticos con los que se juzga si una pintura o una canción es buena o mala, y los estándares deportivos, los cuales juzgan qué tan bien se juega un partido de futbol o de basquetbol. De hecho, siempre que juzgamos la manera correcta o incorrecta de hacer las cosas, o qué cosas son buenas o malas, mejores o peores, nuestro juicio se basa en estándares o normas de algún tipo. En el caso de Vandivier, podemos conjeturar que tal vez él creía que los informes debían escribirse con buena gramática; que tener un trabajo bien pagado, agradable y estimulante era algo bueno y que es correcto cumplir con la ley. Las normas convencionales de la gramática correcta; el valor de un trabajo bien pagado, agradable y estimulante, y las leyes gubernamentales también son estándares, pero no son morales. Como demuestra la decisión de Vandivier, algunas veces elegimos los estándares no morales sobre los morales.

¿Cómo distinguimos los estándares morales de los no morales o convencionales? Antes de seguir leyendo, observe las dos listas de normas que aparecen a continuación y diga cuáles son normas morales y cuáles son no morales:

**Grupo uno**

"No causar daño a las personas"

"No mentir"

"No robar lo que pertenece a otros"

**Grupo dos**

"No masticar con la boca abierta"

"No mascar chicle en clase"

"No llevar puestos dos calcetines de diferente color"

Durante las dos últimas décadas, numerosos estudios han mostrado que la capacidad humana de distinguir entre las normas morales y las convencionales o no morales surge en las primeras etapas de la vida y permanece por siempre.[14] El psicólogo Elliot Turiel y otros estudiosos descubrieron que a los tres años de edad, un niño normal ha adquirido la capacidad de diferenciar entre las normas morales y las convencionales. A esa edad, el niño considera que en todos lados las violaciones morales son graves y erróneas, mientras que las violaciones de las normas convencionales son menos graves y erróneas solo en los lugares donde las autoridades las establecen.[15] Por ejemplo, los niños de tres años dirán que aunque mascar chicle no está mal en las escuelas en las que los profesores no lo prohíben, sí está mal golpear a alguien aun en escuelas en las que los profesores no establecen reglas en contra de ello. Debido a que esta capacidad de distinguir entre las normas morales y convencionales se desarrolla en la infancia, no le habrá resultado fácil ver que las normas del grupo uno son normas morales, y que las del grupo dos son convencionales. Esta capacidad innata de distinguir ambos tipos de normas no es exclusiva de los estadounidenses o los occidentales; es una capacidad que todo ser humano normal desarrolla en todas las culturas.[16] Quizá las personas de todas las culturas no estén totalmente de acuerdo sobre cuáles normas son morales (aunque hay un sorprendente grado de consenso) y cuáles son convencionales, pero todas concuerdan en que unas y otras difieren, y que la diferencia es extremadamente importante.

Así que, ¿cuál es la diferencia entre las normas morales y las no morales o convencionales? No es fácil responder esta pregunta, aun cuando los niños de tres años parecen saber la diferencia. Sin embargo, los filósofos han sugerido seis características que ayudan a establecer la naturaleza de los estándares morales, y los psicólogos como Elliot Turiel y otros han obtenido conclusiones del trabajo de los filósofos para poder distinguir entre las normas morales y las no morales en sus estudios.

La primera característica es que los estándares morales tratan asuntos que son graves, es decir, cuestiones que podrían dañar o beneficiar significativamente a los seres humanos.[17] Por ejemplo, muchas personas en la sociedad estadounidense tienen estándares morales contra el robo, la violación, la esclavitud, el asesinato, el abuso de menores, el asalto, la difamación,

---

**Repaso breve 1.1**

**Normas morales y normas no morales**

- Desde los tres años de edad podemos distinguir las normas morales de las no morales.

- Desde los tres años de edad, tendemos a pensar que las normas morales son más serias que las no morales y las aplicamos siempre, independientemente de lo que digan quienes ostenten la autoridad.

- La capacidad de distinguir las normas morales de las no morales es innata y universal.

el fraude, el incumplimiento de la ley, etcétera. Todos ellos se refieren claramente a aspectos que las personas consideran formas de lesión bastante graves. Puesto que son cuestiones graves, violar los estándares morales se considera como algo muy malo, y sentimos que la obligación de obedecerlos tiene mayor peso sobre nosotros que las normas convencionales.

En el caso de Goodrich, estaba claro que tanto Lawson como Vandivier pensaron que mentir en su informe y poner en peligro las vidas de los pilotos eran daños serios y, por lo tanto, asuntos morales, mientras que cumplir con los estándares gramaticales no era una cuestión moral. Por otro lado, como los beneficios de desarrollar una cura para la ceguera de río eran tan importantes, el doctor Vagelos pensó que Merck tenía una obligación de desarrollar el Mectizán.

En segundo término, y de manera sorprendente, sentimos que los estándares morales tienen preferencia sobre otros valores y, quizá especialmente, sobre el interés propio.[18] Esto es, si una persona tiene una obligación moral de hacer algo, entonces se supone que debe hacerlo aun si esto entra en conflicto con otras normas convencionales o con su propio interés. En el caso de Goodrich, por ejemplo, sentimos que Lawson debió haber elegido los valores morales de honestidad y respeto por la vida por encima del valor interesado de conservar su trabajo. Esto no significa, por supuesto, que siempre esté mal actuar en el propio interés; solo significa que cuando creemos que determinado estándar o norma es una norma moral, entonces también sentimos que estará mal elegir el interés propio por encima de dicha norma. Esta segunda característica de los estándares morales se relaciona con la primera en que parte de la razón por la que sentimos que los estándares morales tienen prioridad sobre otras consideraciones es porque estos tratan con cuestiones serias.

La tercera característica es que, a diferencia de las normas convencionales, las normas morales no se establecen o cambian por la decisión de organismos o figuras de autoridad. La autoridad legislativa o la decisión de los votantes instauran las leyes y los estándares legales, mientras que los padres y los profesores establecen las normas de la familia o del salón de clases. Los estándares morales, sin embargo, no son establecidos por la autoridad, y su validez no se basa en las preferencias de los votantes. En vez de ello, la validez de los estándares morales se apoya en el hecho de que las razones que los respaldan o los justifican sean buenas o malas; cuando los estándares morales se basan en buenas razones, los estándares son válidos.

En cuarto lugar, los estándares morales se consideran universales.[19] Esto es, si genuinamente sentimos que determinados estándares —como "no mentir" o "no robar"— son estándares *morales*, entonces también pensaremos que todo el mundo debe tratar de vivir con ellos, y nos disgusta que se infrinjan. Cuando nos enteramos de que Bernard ("Bernie") Madoff y los directivos de Enron y Lehman Brothers mintieron al público y a sus inversionistas, y que los gerentes de Pfizer habían robado al menos mil millones de dólares de los contribuyentes, mientras los gerentes de Tenet Healthcare y HCA robaban otro tanto, pensamos que habían violado nuestros estándares morales frente a la mentira y el robo, y que su conducta era reprobable. A nadie se le ocurrió decir: "Estuvo bien que mintieran y robaran, en tanto *ellos* sintieran que estuvo bien". Y tampoco hubo quien pensara: "Aunque *yo* sienta que mentir y robar está mal, *ellos* no tienen la obligación de seguir *mis* estándares morales". Por el contrario, el público se enfadó precisamente porque sintió que los estándares en contra de la mentira y el robo son estándares *morales*, y que todo el mundo tiene que cumplirlos, lo quieran o no. Las normas convencionales, por otra parte, no se consideran universales. Las leyes, por ejemplo, se aplican solo dentro de una jurisdicción determinada; las reglas familiares rigen solamente en el seno familiar; las reglas del juego se aplican únicamente a quienes juegan, etcétera.

La quinta característica es que, por lo general, los estándares morales se basan en consideraciones imparciales.[20] El hecho de que usted se beneficie con una mentira y que yo sufra un daño es irrelevante para decidir si mentir es moralmente incorrecto. Algunos filósofos han expresado esto diciendo que los estándares morales se basan en "el punto de vista moral", es decir, un punto de vista que no evalúa los estándares según la promoción de los intereses de una persona o un grupo en particular, sino que va más allá de intereses personales; se trata de una perspectiva universal en la que los intereses de todos cuentan por igual de manera imparcial.[21] Otros filósofos concuerdan con este argumento al afirmar que los estándares morales se basan en los tipos de razones imparciales que un "observador ideal" o un "espectador imparcial" aceptaría; también sostienen que al decidir asuntos morales, "cada uno cuenta como uno y ninguno como más de uno".[22]

No obstante, como se verá en el siguiente capítulo, aunque la imparcialidad es una característica de los estándares morales, debe equilibrarse con cierto tipo de parcialidad que surge, en particular, de la preocupación legítima por aquellos individuos con quienes se tiene una relación especial, como los miembros de la familia y los amigos. Aunque la moralidad indique que debemos ser imparciales en los contextos en que se recurre a la justicia, como la asignación de salarios en una compañía de accionistas, también identifica ciertos contextos, como cuidar de la familia, en los que el interés preferencial por los individuos podría ser moralmente legítimo o, incluso, un requisito moral.

Por último, los estándares morales se asocian con emociones y vocabulario especiales.[23] Por ejemplo, si yo actúo en contra de un estándar moral, normalmente me sentiré culpable, avergonzado o con remordimientos; clasificaré mi comportamiento como inmoral o erróneo, me sentiré mal conmigo mismo y experimentaré una pérdida de mi autoestima. Una lectura cuidadosa de las declaraciones de Lawson y Vandivier, por ejemplo, sugiere que se sentían avergonzados y culpables por lo que estaban haciendo. Y si vemos que otros actúan de manera contraria a un estándar moral que aceptamos, normalmente sentimos indignación, resentimiento e, incluso, rechazo hacia esas personas; decimos que no "están a la altura" de sus "obligaciones o responsabilidades morales" y quizá los estimemos menos. Eso es quizá lo que usted sintió cuando leía lo que hicieron Lawson y Vandivier.

Los estándares morales, entonces, son los que se refieren a asuntos cuyas consecuencias creemos que son serias, se basan en las buenas razones y no en la autoridad, tienen más importancia que el interés personal, se basan en consideraciones imparciales, están asociados con sentimientos de culpa y vergüenza, y se expresan mediante un vocabulario moral especial, como los términos *obligación* y *responsabilidad*. Aprendemos estos estándares desde niños, producto de muchas influencias, y los corregimos conforme maduramos.

## Ética

Entonces, ¿qué es ética? **Ética** es la disciplina que examina los estándares morales personales o los estándares morales de una sociedad. ¿Cómo se aplican esos estándares a nuestras vidas?, ¿son o no razonables? Es decir, ¿están apoyados por buenas o por malas razones? Por lo tanto, una persona comienza a aplicar la ética cuando toma los estándares morales que ha asimilado a partir de la familia, la iglesia y los amigos, y se pregunta: ¿qué implican estos estándares para las situaciones en las que me encuentro?, ¿en realidad tienen sentido esos estándares?, ¿cuáles son las razones a su favor o en su contra?, ¿por qué debo continuar creyendo en ellos?, ¿qué se puede argumentar a su favor o en su contra?, ¿en realidad son razonables para mí?, ¿en qué situaciones son razonables sus implicaciones?

Tomemos como ejemplo el caso de Vandivier y B. F. Goodrich. Aparentemente, Vandivier aceptaba el estándar moral de que uno tiene la obligación de decir la verdad y, por lo tanto, sentía que en su situación particular estaría mal escribir un informe falso sobre el freno sometido a prueba. Pero, en sus circunstancias particulares, nos podemos preguntar si escribir lo que él sentía que era un informe falso en realidad estaba mal. Vandivier tenía obligaciones financieras importantes tanto consigo mismo como con otras personas. Él declara, por ejemplo, que acababa de casarse y de comprar una casa, así que tenía que pagar la hipoteca cada mes y debía proveer a su familia. Si no escribía el informe como le ordenaban, entonces lo despedirían y no podría cumplir con sus obligaciones. ¿Superan

**ética** Disciplina que examina los estándares morales personales o los estándares morales de una sociedad para evaluar su sensatez y sus implicaciones en la vida personal.

esas obligaciones morales hacia él mismo y su familia la obligación de escribir un informe veraz? ¿En qué se basa su obligación para decir la verdad y por qué ello tiene mayor o menor peso que la obligación de un individuo hacia sí mismo y su familia? Considere ahora las obligaciones de Vandivier hacia su empleador, B. F. Goodrich. ¿Acaso no tiene un empleado la obligación moral de obedecer a su jefe? ¿Es mayor la obligación de obedecer al jefe que "hacer el mejor trabajo posible" como ingeniero?

¿Cuál es la fuente de estas dos obligaciones y qué hace que una tenga preeminencia sobre la otra? Considere también que la compañía y todos sus gerentes experimentados insistieron en que lo mejor era escribir un informe que calificara positivamente al freno. Si algo salía mal con este dispositivo o con el contrato, la compañía, B. F. Goodrich sería responsable, no Lawson, que era un empleado joven y de un nivel relativamente inferior. Puesto que la compañía, y no Lawson, sería la responsable, ¿tenía la empresa el derecho moral de tomar la decisión final sobre el informe y no él, que acaba de terminar sus estudios universitarios? ¿El derecho moral de tomar una decisión pertenece a la parte que será responsable de esa decisión? ¿Cuál es la base de este derecho y por qué debemos aceptarlo? Considere por último que Vadivier reconoce que, al final, su rechazo personal de tomar parte en la redacción del informe le habría dado cierta satisfacción, pero no cambiaría los hechos, porque alguien más escribiría el informe. Como las consecuencias habrían sido las mismas, independientemente de que él aceptara o no, ¿tenía en realidad la obligación moral de negarse? ¿Tiene uno la obligación moral de hacer algo que no cambiará los resultados? ¿Por qué?

Observe el tipo de preguntas a las que nos llevan las decisiones de Vandivier y Lawson. Son preguntas acerca de si es razonable aplicar diferentes estándares morales a su situación, si es razonable decir que un estándar moral es más o menos importante que otro, y qué razones hay para seguir estos estándares. Cuando alguien se hace cuestionamientos de ese tipo sobre sus propios estándares morales o los de su sociedad, comienza a aplicar la ética, ya que esta es el estudio de los estándares morales, es decir, el proceso de examinar los estándares morales de una persona o sociedad para determinar si son razonables o no, y de qué manera se aplican a situaciones y asuntos concretos. Su meta fundamental es desarrollar un cuerpo de estándares morales que consideramos razonables, que hemos analizado con cuidado, y que hemos decidido que se justifican para aceptarlos y aplicarlos a las decisiones que conforman nuestras vidas.

La ética no es la única manera de estudiar la moralidad. Las ciencias sociales, como la antropología, la sociología y la psicología, también la estudian, pero lo hacen de una forma bastante diferente del enfoque característico de la ética. Mientras esta última es un estudio *normativo* de la moralidad, las ciencias sociales se encargan del estudio *descriptivo*.

**estudio normativo**
Investigación que intenta llegar a conclusiones acerca de qué cosas son buenas o malas, o qué acciones son correctas o erróneas.

Un **estudio normativo** es una investigación que intenta llegar a conclusiones normativas, es decir, conclusiones acerca de qué cosas son buenas o malas o qué acciones son correctas o incorrectas. En resumen, tiene como meta descubrir qué se *debe* hacer. Como se ha visto, la ética es el estudio de los estándares morales, y su objetivo explícito es determinar en el mayor grado posible qué estándares son correctos o se apoyan en las mejores razones y, entonces, intenta obtener conclusiones acerca de lo que, desde el punto de vista moral, es correcto o incorrecto y bueno o malo.

**estudio descriptivo**
Investigación que intenta describir o explicar el mundo, sin llegar a conclusiones acerca de cómo debe ser este.

Un **estudio descriptivo** no intenta obtener conclusiones acerca de lo que es realmente bueno o malo, correcto o incorrecto. Más bien, trata de describir o explicar el mundo sin llegar a una conclusión de lo que este último *debe* ser. Los antropólogos y los sociólogos, por ejemplo, estudian los estándares morales de una comunidad o cultura específica. Al hacerlo, tratan de desarrollar descripciones veraces de los estándares morales de esa cultura y quizás, incluso, de formular una teoría que explique cómo los aceptaron. Sin embargo, para los antropólogos y sociólogos, la meta no es determinar si esos estándares morales son correctos o incorrectos.

Por el contrario, la ética es un estudio de los estándares morales y su objetivo explícito es determinar, en el mayor grado posible, si uno en concreto (o si un juicio moral basado en ese estándar) es más o menos correcto. El sociólogo pregunta: "¿Creen los estadounidenses que el soborno es incorrecto?". En cambio, los especialistas en ética preguntan: "¿Es incorrecto el soborno?".

Entonces, la tarea del especialista en ética es desarrollar afirmaciones y teorías normativas razonables, mientras que el estudio antropológico o sociológico de la moralidad caracteriza y describe las creencias de las personas.

## Ética en los negocios

Hasta ahora se ha comentado la idea de lo que es la ética. Sin embargo, nuestra preocupación aquí no se refiere a la ética en general, sino a un campo particular de ella: la que surge en los *negocios*. La **ética en los negocios** es un estudio especializado de lo que es moralmente correcto e incorrecto que se concentra en las instituciones, organizaciones y actividades de negocios.

Es un estudio de los estándares morales y cómo estos aplican a los sistemas y organizaciones sociales (a través de los cuales las sociedades modernas producen y distribuyen bienes y servicios), y a las actividades de las personas que trabajan dentro de esas organizaciones. En otras palabras, es una forma de ética aplicada. No solo incluye el análisis de las normas y los valores morales, sino que también intenta aplicar las conclusiones de tal análisis a esa variedad de instituciones, organizaciones y actividades que llamamos *negocios*.

Como lo sugiere esta descripción de la ética en los negocios, los aspectos que abarca incluyen una amplia variedad de temas. Para introducir cierto orden en esta variedad, ayudará distinguir tres tipos de aspectos que investiga la ética en los negocios: sistémico, corporativo e individual. Los aspectos *sistémicos* son preguntas éticas que surgen acerca de las instituciones económicas, políticas, legales y de otro tipo dentro de las cuales operan los negocios. Se incluyen preguntas en relación con la moralidad del capitalismo o de las leyes, los reglamentos, las estructuras industriales y las prácticas sociales que rigen la actividad de los negocios. Un ejemplo sería preguntar acerca de la moralidad del sistema de contratación del gobierno que permitió a B. F. Goodrich realizar las pruebas de su propio diseño de frenado para el A7-D. Otro ejemplo sería una pregunta sobre la moralidad de las instituciones internacionales con las que Merck se vio obligada a negociar cuando buscaba una forma de hacer que la cura para la ceguera de río llegara a quienes más la necesitaban.

Los aspectos *corporativos* de la ética en los negocios son preguntas éticas que surgen en torno a una organización en particular. Estas incluyen preguntas acerca de la moralidad de las actividades, las políticas, las prácticas o la estructura organizacional de una compañía en concreto, considerada como un todo. Algunos ejemplos sobre este aspecto serían las preguntas sobre la moralidad de la cultura corporativa de B. F. Goodrich, o sobre la decisión corporativa de aceptar el freno para el A7-D. Por ejemplo, ¿la compañía violó los derechos de alguien al determinar que el freno era aceptable? ¿Qué efecto tuvieron las acciones de la compañía en el bienestar de las terceras partes con las que interactuó? ¿Para los demás implicados, fueron justas o injustas las acciones de la compañía? Otro conjunto de ejemplos incluye preguntas acerca de la moralidad de la decisión corporativa de Merck para invertir tantos millones de dólares en un proyecto que tal vez no generaría ganancias. Al hacerlo, ¿la compañía violó los derechos de sus accionistas? ¿Fue justa o injusta su decisión para las diferentes partes que resultarían afectadas por tal decisión? Otras preguntas podrían dirigirse hacia las políticas corporativas de B. F. Goodrich: ¿Los aspectos éticos formaban parte de su proceso continuo de toma de decisiones? ¿La compañía fomentaba o no discusiones entre los empleados acerca del efecto posible de sus decisiones sobre los derechos morales de otras personas?

Por último, los aspectos *individuales* de la ética en los negocios son preguntas éticas que surgen dentro de una compañía acerca de uno o varios individuos específicos, su comportamiento y sus decisiones. Esto incluye preguntas de moralidad sobre las decisiones, acciones o la personalidad de un individuo. Un ejemplo sería preguntar si la decisión de

**ética en los negocios**
Estudio especializado de lo correcto o incorrecto en la moral; se concentra en los estándares morales cuando se aplican en las instituciones, las organizaciones y el comportamiento en los negocios.

*Repaso breve 1.3*

**La ética en los negocios es el estudio de:**
- Nuestros estándares morales en tanto que estos aplican en los negocios.
- Qué tan razonables o irrazonables son estos estándares morales que hemos asimilado a partir de la sociedad.
- Las implicaciones que nuestros estándares morales tienen para las actividades de negocios.

Vandivier de participar en la redacción del informe del freno para el A7-D, que él sabía que era falso, estuvo moralmente justificada. Un segundo ejemplo sería la pregunta sobre si era moral que el presidente de Merck, el doctor P. Roy Vagelos, permitiera a sus investigadores desarrollar un medicamento que quizá no generaría ganancias.

Al analizar los aspectos éticos originados por una decisión o un caso en particular, es útil ordenar los aspectos en tres categorías: *sistémicos, corporativos* o *individuales*. Con frecuencia, el mundo nos presenta decisiones que implican un gran número de aspectos interrelacionados y extremadamente complejos que pueden causar confusión, a menos que antes se les ordene con cuidado y se establezcan sus diferencias. Más aún, las soluciones que son adecuadas para manejar los aspectos sistémicos o corporativos no son las mismas que convienen para manejar los aspectos individuales. Si una compañía intenta manejar un aspecto sistémico —como la cultura de un gobierno que permite el soborno—, entonces, el aspecto debe manejarse a nivel sistémico; es decir, a través de las acciones coordinadas de muchos grupos sociales. Por otro lado, los aspectos éticos corporativos se podrían resolver solo a través de soluciones corporativas o de la compañía. Por ejemplo, si la cultura de una compañía fomenta acciones morales erróneas, entonces, cambiar esa cultura requiere la cooperación de las diferentes personas que conforman la compañía. Finalmente, los aspectos éticos individuales deben resolverse mediante decisiones y acciones individuales y, quizá, la transformación individual.

Entonces, ¿qué pasó después de que Searle Lawson y Kermit Vandivier entregaron su informe y la Fuerza Aérea de Estados Unidos instaló los frenos de Goodrich en los aviones que volarían sus pilotos de prueba? Lawson fue enviado como representante de la empresa a la Base Edwards de la Fuerza Aérea de California, donde tendrían lugar los vuelos de prueba. Allí vio cómo los frenos estuvieron a punto de provocar muchos accidentes cuando los pilotos trataban de aterrizar. Observó cómo un avión patinaba por la pista cuando, al frenar, se produjo un calor tan intenso dentro del freno que sus partes se fusionaron y las ruedas se bloquearon. De manera sorprendente, ningún piloto murió. Cuando Lawson volvió a su casa, él y Vandivier se despidieron y avisaron al FBI de lo que había ocurrido; esta fue su forma de lidiar con los aspectos *individuales* que sus acciones habían provocado. Unos días después, Goodrich anunció que remplazaría el pequeño freno con uno más grande de cinco discos sin cargo para el gobierno, y de esta manera intentó lidiar con los aspectos *corporativos* que el incidente del freno había generado. Un año después, Lawson y Vandivier se presentaron ante el Congreso de Estados Unidos y testificaron sobre sus experiencias en Goodrich. Poco después, el Departamento de Defensa de ese país modificó las disposiciones para que las compañías probaran los equipos, de manera que, a partir de entonces, resultó más difícil emitir informes falaces. Estos cambios respondieron al aspecto clave *sistémico* que se hizo evidente una vez que la verdad salió a la luz.

## Aplicación de los conceptos éticos en organizaciones corporativas

La afirmación de aplicar conceptos éticos o morales a las organizaciones corporativas genera un aspecto intrigante. ¿En realidad es posible afirmar que las acciones de las *organizaciones* son morales o inmorales en el mismo sentido en que se habla de las acciones de los *individuos*? ¿Se podría decir que las corporaciones son moralmente responsables de sus actos en el mismo sentido en que lo son los individuos? O bien, ¿deberíamos decir que no tiene sentido aplicar términos morales a las organizaciones como un todo, sino solo a las personas que las conforman? Por ejemplo, hace unos años, descubrieron a unos empleados de Arthur Andersen, una empresa contable, triturando documentos que mostraban cómo los contadores de la empresa habían ayudado a Enron a ocultar sus deudas usando varios artilugios contables. Entonces, el Departamento de Justicia de Estados Unidos acusó a la ahora desaparecida *empresa* de Arthur Andersen de obstruir las labores de la justicia, en vez de acusar a los empleados que trituraron los documentos. Más tarde, los críticos alegaron que el Departamento de Justicia debió presentar cargos contra los empleados individuales de Arthur Andersen, y no contra la compañía, porque "son los individuos, y no las compañías, quienes cometen delitos".[24] ¿Los conceptos morales como *responsabilidad, maldad* y *obligación* se aplican a grupos como las corporaciones, o son los seres humanos los únicos agentes morales?

Para responder a este problema han surgido dos puntos de vista.[25] En un extremo están quienes argumentan que, si es posible decir que algo *actuó* y que lo hizo de *manera intencional*, entonces se puede decir que ese algo es un "agente moral", esto es, un agente capaz de tener derechos y obligaciones morales y de ser moralmente responsable por sus acciones, al igual que los seres humanos. El argumento de este punto de vista, en esencia, considera que las organizaciones corporativas realizan *acciones* y que las llevan a cabo de manera *intencional*. Por ejemplo, las empresas pueden fusionarse, firmar contratos, competir con otras y elaborar productos. Y estos hechos no simplemente ocurren: las compañías lo hacen con toda intención. Pero si un agente actúa con intención, entonces es moralmente responsable de sus acciones y se le puede culpar cuando hace lo que es moralmente incorrecto. Por lo tanto, de ahí se deduce que las corporaciones son moralmente responsables de sus acciones y que estas últimas son morales o inmorales, exactamente en el mismo sentido que las acciones de las personas. Sin embargo, el problema principal con este punto de vista es que las organizaciones no parecen actuar o intentar hacer algo de la misma manera que los seres humanos, y difieren de estos en que no tienen mente para formar intenciones, ni sienten dolor, ni placer, ni emociones; y, a diferencia de los individuos, las organizaciones no actúan por sí mismas, sino a través de los seres humanos.

En el otro extremo está el punto de vista de quienes sostienen que no tiene sentido hacer moralmente responsables a las organizaciones, o decir que tienen obligaciones morales. Estas personas argumentan que las organizaciones de negocios son como máquinas, cuyas partes deben obedecer ciegamente reglas formales que no tienen nada que ver con la moralidad. En consecuencia, no tiene sentido hacerlas moralmente responsables por no seguir los estándares morales, del mismo modo que no tiene sentido criticar a una máquina por no actuar con moralidad. El principal problema con este segundo punto de vista es que, a diferencia de las máquinas, al menos algunos de los miembros de la organización saben lo que están haciendo y son libres de elegir entre seguir las reglas de la organización o, incluso, modificarlas. Cuando los miembros de una organización en forma colectiva, pero libre y consciente, persiguen objetivos inmorales, suele tener absoluto sentido decir que las acciones que realizan para la organización son inmorales, y que, por lo tanto, esta es moralmente responsable por dichas acciones.

¿Cuál de estos dos criterios extremos es correcto? Quizá ninguno. La dificultad subyacente que ambos tratan de resolver es la siguiente: aunque decimos que las corporaciones existen y actúan como individuos, es evidente que no son individuos humanos. Pero las categorías morales están diseñadas para aplicarse, sobre todo, a personas que sienten, razonan y deliberan, y que pueden actuar con base en sus propios sentimientos, razonamientos y deliberaciones. Por lo tanto, ¿cómo podemos aplicar categorías morales a las corporaciones y a sus acciones? Solo podremos salvar esas dificultades si primero vemos que las corporaciones y sus actos dependen de los individuos.

Puesto que las acciones corporativas se originan en las decisiones y las acciones de los individuos, son estos quienes deben verse como los *principales* portadores de las obligaciones y la responsabilidad moral: las personas son responsables de lo que la corporación hace, porque las acciones corporativas fluyen totalmente fuera de sus elecciones y comportamientos. La elección de actuar mal o de manera moral depende de los individuos de las corporaciones. Muchos tribunales han sostenido la idea de que las acciones de una corporación son independientes de las que llevan a cabo los seres humanos; esas acciones, se encuentran en lo que llaman una *ficción legal*.[26] Se prescinde de esta ficción (al "desgarrar el velo corporativo") cuando la justicia requiere que aquellos seres humanos que realmente llevaron a cabo las acciones de la corporación se responsabilicen por los daños que la corporación causó.[27]

---

*Repaso breve 1.5*

**¿Se deben atribuir características éticas solo a las personas o también a las corporaciones?**

- Un punto de vista sostiene que las corporaciones, al igual que las personas, actúan de manera intencional, tienen derechos y obligaciones morales, y son moralmente responsables.

- Otro punto de vista afirma que no tiene sentido atribuir cualidades éticas a las corporaciones, puesto que no son como las personas, sino como las máquinas; solamente los seres humanos pueden tener cualidades éticas.

- Un punto intermedio considera que los seres humanos llevan a cabo las acciones de la corporación, por lo que son moralmente responsables de lo que hacen y las cualidades éticas se aplican en primer lugar a ellos; las corporaciones tienen cualidades éticas solo en un sentido derivado.

De cualquier forma, tiene pleno sentido decir que una corporación tiene deberes morales y que es moralmente responsable de sus actos.

Sin embargo, las organizaciones tienen obligaciones morales y son moralmente responsables en un sentido *secundario* o *derivado*: una corporación tiene un deber moral de hacer algo solo si algunos de sus miembros tienen un deber moral de asegurarse de que se realice, y una corporación es moralmente responsable solo si algunos de sus miembros son moralmente responsables de lo que ocurrió, es decir, si actuaron con conocimiento y libertad, dos temas que se estudiarán más adelante.

El aspecto central es que cuando se aplican estándares de ética a las actividades de negocios, no debemos dejar que la ficción de la corporación nuble el hecho de que son los individuos quienes controlan lo que hace la corporación. En consecuencia, ellos son los *primeros* portadores de las obligaciones y responsabilidades morales que atribuimos en sentido *secundario* a la corporación, lo cual no quiere decir, desde luego, que los seres humanos que la conforman no reciban influencia unos de otros y de su entorno corporativo. Las políticas, la cultura y las normas corporativas tienen una enorme influencia en el comportamiento de los empleados de la corporación. Sin embargo, esos elementos corporativos no toman las decisiones y, por lo tanto, no son los responsables de sus acciones. Retomaremos este aspecto cuando analicemos la responsabilidad moral al final del capítulo.

## Objeciones a la ética en los negocios

Se ha descrito la ética en los negocios como el proceso de evaluar de forma racional nuestros estándares morales y aplicarlos a las situaciones de negocios. Sin embargo, muchas personas objetan esa idea. En esta sección, se estudian algunas de esas objeciones y también se analiza qué se puede decir a favor de la introducción de la ética en los negocios.

En ocasiones la gente está en contra del punto de vista de que los estándares éticos deben aplicarse al comportamiento humano en las organizaciones de negocios. Las personas que participan en los negocios, aseguran, deben buscar en todo momento los intereses financieros de su empresa y no desviar sus energías o recursos empresariales para "hacer el bien". Se proponen tres tipos de argumentos para apoyar esta concepción.

Primero, algunos afirman que en los mercados libres perfectamente competitivos, la búsqueda de la ganancia en sí asegura que se sirva a los miembros de la sociedad en la forma socialmente más benéfica.[28] Para ser rentable, cada empresa debe producir solo lo que los miembros de la sociedad deseen, y debe hacerlo a través de los medios más eficientes disponibles. Los miembros de la sociedad —continúa el argumento— se benefician más si los gerentes no imponen sus propios valores en un negocio y se dedican plenamente a la búsqueda de ganancias y, por ende, producen con eficiencia lo que los miembros de la sociedad valoran.

Los argumentos de ese tipo encubren varias suposiciones que requieren un análisis mucho más profundo que el que es posible hacer por el momento. Debido a que muchas de esas afirmaciones se examinan con más detalle en capítulos posteriores, aquí solo se señalarán algunas de las suposiciones más cuestionables en las que se apoya ese argumento.[29] Primero, muchos mercados industriales no son perfectamente competitivos como asegura el argumento y, en la medida en que las empresas no tienen que competir, maximizan sus ganancias a pesar de una producción ineficiente. Segundo, el argumento supone que los pasos que se dan para incrementar las ganancias necesariamente benefician a la sociedad, cuando en realidad existen maneras de incrementar las ganancias que provocan daños sociales, como permitir que la contaminación siga sin control, difundir publicidad engañosa, ocultar los peligros de los productos, cometer fraudes, sobornar, evadir impuestos, aumentar precios injustificadamente, etcétera. En tercer lugar, si bien se afirma que las empresas elaboran lo que los miembros de la sociedad desean (o lo que valoran), en realidad los deseos de grandes segmentos de la sociedad (como los pobres y los marginados) no necesariamente se cumplen, ya que no participan por completo en los mercados. Cuarto, el argumento, en esencia, hace un juicio normativo ("los gerentes *deberían* dedicarse plenamente a la búsqueda de las ganancias") con base en algunos estándares morales supuestos, pero aún no demostrados ("las personas deberían hacer cualquier cosa que beneficie a quienes participan en los mercados"). A pesar de que el argumento intenta afirmar que la ética no importa, supone un estándar moral no demostrado y no muy razonable.

Un segundo tipo de argumento que pretende demostrar que los gerentes deben buscar con denuedo los intereses de sus empresas ignorando las consideraciones éticas se encuentra en lo que Alex C. Michales llamó el *argumento del agente leal*.[30] El argumento se puede parafrasear como sigue:

1. Como agente leal de su empleador, el gerente tiene la obligación de servirle como a este le gustaría que le sirvieran (si el empleador tuviera la experiencia del agente).
2. Un empleador querrá que le sirvan de cualquier manera, siempre y cuando convenga a sus intereses personales.
3. Por lo tanto, como agente leal del empleador, el gerente tiene la obligación de servirlo de manera que prosperen los intereses personales del empleador.

A menudo los gerentes usan ese argumento para justificar su conducta no ética. Por ejemplo, en 2005, Scott Sullivan, ex ejecutivo de finanzas de WorldCom, fue acusado de cometer un fraude contable por $11,000 millones que esfumó el dinero que miles de empleados habían ahorrado para su jubilación. La defensa de Sullivan fue que su jefe, Bernie Ebbers, le había ordenado "que alcanzara las cifras". Sullivan obedeció aunque objetó: "Le dije a Bernie que eso no estaba bien".[31] Betty Vinson, ex ejecutiva contable de WorldCom, trató de exculparse de su participación en el fraude aduciendo que Sullivan le había ordenado que "ajustara" los libros para ocultar a los inversionistas el mal estado financiero de la compañía.[32] Tanto Sullivan como Vinson pensaron que la obediencia leal a su empleador justificaba ignorar el hecho de que sus acciones eran reprobables. Observe que si en el argumento del agente leal, se sustituye *empleador* por *gobierno* y *gerente* por *funcionario*, se obtiene el tipo de argumento que los oficiales nazis usaron después de la Segunda Guerra Mundial para exculparse por el asesinato de 16 millones de judíos y de aquellos que el gobierno de Hitler calificaba como "indeseables". Cuando los capturaron y llevaron ante los tribunales, los oficiales nazis trataban de justificar sus acciones clamando de forma repetida: "Tuve que hacerlo porque tenía el deber de servir a mi gobierno siguiendo sus órdenes".

Tan solo se necesita un poco de reflexión para darse cuenta de que el argumento del agente leal se basa en suposiciones cuestionables. Primero, el argumento intenta mostrar, una vez más, que la ética no importa al suponer un estándar moral no demostrado ("el administrador *debería* servir al empleador como a este le gustaría que le sirvieran"). Pero no hay razón para suponer que ese estándar moral es aceptable tal como se expresa, y hay cierta razón para pensar que sería aceptable solo si se calificara de manera adecuada (por ejemplo "el administrador debe servir al empleador en cualquier forma *moral* y *legal* que desee ser servido"). Segundo, el argumento del agente leal supone que no hay límites en las obligaciones del administrador para servir al empleador, cuando, de hecho, esos límites son una parte explícita de las instituciones legales y sociales de donde surgen las obligaciones. Estas se definen por lo que se llama **la ley de agencia**, es decir, la ley que especifica las obligaciones de las personas (los agentes) que acuerdan actuar en nombre de otra parte (el principal o jefe). En ese sentido, abogados, gerentes, ingenieros, accionistas, u otros, actúan como agentes de sus empleadores. Al aceptar libremente un acuerdo para actuar como agente de alguien, entonces esa persona acepta una obligación legal (y moral) de guardar lealtad, obediencia y confidencialidad al cliente, como se especifica en la ley de agencia.[33] Pero esa ley establece que "para determinar si son o no razonables las órdenes del [cliente] al agente... debe considerarse la ética profesional o de negocios", y "en ningún

**ley de agencia** Ley que especifica las obligaciones de las personas que aceptan actuar en nombre de otra parte, y que están autorizadas porque así lo acordaron.

caso estará implícito que un agente tiene la obligación de realizar actos ilegales o faltos de ética".[34] Las obligaciones de un gerente de servir al empleador están limitadas, entonces, por las restricciones de moralidad, porque es mediante este entendimiento que se definen las obligaciones de un agente leal. Tercero, el argumento del agente leal supone que si un gerente está de acuerdo en servir a una empresa, entonces, este argumento justifica de alguna manera todo lo que haga el primero a nombre de la segunda. Sin embargo, esta suposición es falsa: los acuerdos para servir a otras personas no justifican de manera automática que se actúe mal en su representación. Si para mí está mal saber que pongo la vida de las personas en riesgo por venderles productos defectuosos, entonces sigue estando mal cuando lo hago a nombre de mi empleador. Los acuerdos no cambian el carácter moral de los actos injustos, ni tampoco justifican el argumento de que "seguía órdenes".

Algunas veces, se hace referencia a un tercer argumento que objeta la introducción de la ética en los negocios: para ser ético es suficiente que las personas de negocios obedezcan la ley; "si es legal, entonces es ético". Por ejemplo, recientemente se acusó a los ejecutivos de la compañía financiera Goldman Sachs de ayudar a Grecia a ocultar préstamos mayores que los que las reglas de la Unión Europea permitían, al disfrazarlos como divisas que legalmente no tenían que declararse como deuda. Finalmente, la deuda de Grecia alcanzó tal magnitud en 2010, que arrojó a ese país y a toda la Unión Europea a una crisis financiera. Se acusó a los ejecutivos de Goldman Sachs por actuar de manera poco ética porque ayudaron a Grecia a ocultar una deuda que era mayor que la que podía manejar. Pero los ejecutivos se excusaron diciendo que "esas transacciones fueron congruentes con los principios europeos [las leyes] que regían su uso y aplicación en ese momento".[35] En el fondo, dijeron que, como era legal, era ético.

Es incorrecto relacionar la ética con lo que la ley requiere. Es cierto que algunas leyes requieren el mismo comportamiento que nuestros estándares morales. Ejemplos de esto son las leyes que prohíben asesinar, violar, robar, cometer fraude, etcétera. En esos casos, la ley y la moralidad coinciden, y la obligación de obedecer esas leyes es la misma que la obligación de ser moral. Sin embargo, eso no siempre ocurre. Algunas leyes no tienen relación con la moralidad porque no manejan asuntos serios. Estas incluyen leyes de estacionamiento, códigos de vestimenta y otras leyes relacionadas con asuntos similares. Otras incluso violarían nuestros estándares morales y, de hecho, son contrarias a la moralidad. En Estados Unidos las leyes de esclavitud que estaban vigentes antes de la Guerra Civil requerían tratar a los esclavos como propiedades, y las leyes vigentes en Alemania durante el nazismo exigían el comportamiento antisemita. Actualmente, las leyes de algunos países árabes requieren que los negocios discriminen a las mujeres y a los judíos, de forma que la mayoría de la gente sin duda las calificaría de inmorales. Entonces, es evidente que la ética no consiste simplemente en cumplir las leyes.

Esto no significa, desde luego, que la ética no tenga que ver con el cumplimiento de la ley.[36] Muchos de nuestros estándares morales se incorporan a la ley cuando un número suficiente de personas consideran que un estándar moral debe imponerse mediante los castigos de un sistema legal. Por el contrario, a veces se retiran leyes de los códigos cuando es evidente que violan nuestros estándares morales. Por ejemplo, los estándares morales estadounidenses contra el soborno en los negocios se incorporaron en la Ley de Prácticas Corruptas en el Extranjero, y solo hace algunas décadas se hizo patente que las leyes que permitían la discriminación en el trabajo —igual que las leyes que permitían la esclavitud— eran definitivamente injustas y tenían que eliminarse. La moralidad, por lo tanto, ha dado forma y ha influido en muchas leyes actuales.

Incluso muchos especialistas en ética están de acuerdo en que todos los ciudadanos tienen la obligación moral de obedecer la ley, siempre y cuando esto no implique con claridad un comportamiento injusto. Ello significa que, en la mayoría de los casos, es inmoral violar la ley. Trágicamente, la obligación de obedecer la ley puede generar terribles conflictos cuando esta requiere algo que la gente de negocios sabe o cree que es inmoral. En esos casos, una persona se enfrenta al conflicto entre la obligación de acatar la ley y la obligación de escuchar su conciencia. Esos conflictos no son inusuales. De hecho, es probable que usted tenga que lidiar con conflictos similares en algún momento de su vida de negocios.

## El argumento a favor de la ética en los negocios

Se han analizado varios argumentos para intentar establecer que la ética no debe introducirse en los negocios. ¿Se puede decir algo a favor de la afirmación opuesta, es decir, que sí debe introducirse? De pronto, parecería que la ética debe introducirse en los negocios simplemente porque, como debe regir todas las actividades humanas voluntarias y puesto que hacer negocios es una de ellas, también debe regir los negocios. No parece que haya nada especial en estos que nos impida aplicar los mismos estándares éticos a sus actividades que los que se aplican a todas las actividades humanas voluntarias.

De hecho, se ha señalado que un negocio no existiría a menos que las personas que participan en él y en la sociedad de su entorno se adhieran a algunos estándares éticos mínimos. Primero, cualquier negocio se vendrá abajo si todos sus gerentes, empleados y clientes piensan que es moralmente permisible robar, mentir o quebrantar sus contratos con la compañía. Como ningún negocio puede existir sin ética alguna, todos ellos requieren al menos una adhesión mínima a la ética por parte de los interesados. Segundo, todos los negocios necesitan una sociedad estable donde puedan realizar sus tratos. Pero la estabilidad de cualquier sociedad demanda que sus miembros acepten algunos estándares éticos mínimos. En una sociedad sin ética, como alguna vez escribió el filósofo Hobbes, la desconfianza y el interés personal sin restricción crearían "una guerra de todos los hombres contra todos los hombres", y en esa situación la vida se vuelve "desagradable, cruel y breve". La imposibilidad de realizar negocios en tal sociedad —una en la que mentir, robar, hacer trampa, desconfiar y ver por el interés personal sin restricción se convierten en normas— se demuestra por la forma en que las actividades de negocios se desmoronan en sociedades desgarradas por la contienda, el conflicto, la desconfianza y la guerra civil. Debido a que los negocios no pueden sobrevivir sin ética, es la defensa de sus intereses la que promueve el comportamiento ético, tanto entre sus miembros como dentro de una sociedad mayor.[37]

¿Hay alguna prueba de que la ética es congruente con lo que la mayoría de las personas consideran que es la esencia de los negocios: la búsqueda de ganancias? Para empezar, hay muchos ejemplos de compañías en las que la ética ha convivido con un historial de operación rentable. Las compañías que han combinado una buena historia de ganancias con comportamientos éticos consistentes incluyen Intel, Timberland, Hewlett-Packard, Cisco Systems, Levi Strauss, General Mills, Patagonia, Kimberly-Clark, Interface International y Starbucks Coffee.[38] Pero hay muchos factores aleatorios (capacidad excedente en una industria en particular, recesiones, patrones del clima, tasas de interés, cambios en los gustos de los consumidores, etcétera) que afectan la rentabilidad. En consecuencia, esas compañías quizá son una muestra pequeña donde la ética y las ganancias coincidieron durante cierto periodo. ¿Existe evidencia de que la ética en los negocios es útil para ellas? Esto es, ¿se puede decir que la propuesta de la ética es también un buen negocio?

Consideremos que cuando dos personas tienen que tratar juntas de manera repetida, no tiene sentido que una de ellas le cause mal a la otra, especialmente cuando la que resulta afectada más tarde se puede vengar contra quien la ofendió. Las interacciones de negocios con empleados, clientes, proveedores y acreedores son repetitivas y duraderas. Si un negocio se aprovecha de ellos mediante un comportamiento no ético, es probable que más adelante estos encuentren la manera de desquitarse cuando se vuelvan a encontrar. La venganza puede adoptar una forma sencilla, como negarse a comprarle, a trabajar para él o a hacer negocios con la parte no ética. O puede ser más compleja, como sabotear, convencer a otros para que boicoteen al negocio no ético o vengarse causándole otros tipos de costos. Es posible que una compañía, algunas veces, o muchas, consiga sus objetivos con

*Repaso breve 1.7*

**Argumentos a favor de la ética en los negocios**

- La ética se aplica en todas las actividades humanas.
- El negocio no puede sobrevivir sin ética.
- La ética es congruente con la búsqueda de ganancias.
- Clientes, empleados y público en general se preocupan por la ética.
- Los estudios sugieren que la ética no demerita el valor de las ganancias y que incluso parece contribuir a obtenerlas.

un comportamiento no ético. Pero a la larga, si se repiten las interacciones y la venganza es una amenaza real, ese comportamiento tiende a imponer costos onerosos, mientras que el comportamiento ético puede establecer interacciones ventajosas con partes cooperativas.

A largo plazo, el comportamiento no ético en los negocios genera pérdidas, porque deteriora las relaciones cooperativas con los clientes, los empleados y los miembros de la comunidad de los que, en última instancia, depende el éxito del negocio.

Hay muchas investigaciones que indican que el comportamiento no ético tiende a generar represalias, mientras que la conducta ética ayuda a forjar relaciones de cooperación. También hay estudios que muestran que la mayoría de las personas valoran tanto el comportamiento ético que castigarán a quienes se comporten de una manera que no es ética y recompensarán a quienes perciben como personas éticas, incluso a costa de sí mismas.[39] Por ejemplo, considere el siguiente experimento de psicología. Un investigador formó pares de personas, y al primer miembro de cada una de ellas le entregó $100 para que los dividiera entre él y su compañero, de la manera en que quisiera hacerlo. Por su parte, el segundo miembro de la pareja tenía que decidir si se quedaban con el dinero o lo devolvían al investigador. Quizá ya supone lo que ocurrió. Siempre que el primer miembro dividió el dinero de manera desigual, quedándose con más y dándole al segundo menos cantidad ($5 o $10, por ejemplo), este por lo general decidía que ambos tenían que devolver todo el dinero al investigador, aun cuando eso suponía perder la cantidad que había recibido. Pero cuando el primer miembro dividía el dinero más o menos equitativamente, el segundo decidía que ambos debían conservarlo. Cuando se les preguntó después, el segundo miembro de cada pareja casi siempre decía que una división muy desigual del dinero era reprobable desde el punto de vista moral, y que castigaba al ofensor al obligarle a devolver el dinero, aunque esto significara que él también perdiera lo que había recibido. Pero cuando el dinero se dividía en partes iguales, esto le parecía moralmente bueno al segundo miembro, así que decidía que podían conservarlo.

La psicología social cuenta con mucha investigación que concluye que, en todo tipo de situaciones sociales, las personas responden con ira moral ante injusticias que perciben, ya sea que se dirijan contra ellas o contra otros; esa ira las motiva a intentar restaurar la justicia, y castigar a la parte que se comportó injustamente.[40] Cuando en una compañía los procesos de toma de decisiones son injustos, los empleados se ausentan más, hay mayor rotación de personal, menor productividad y demandan mayores salarios.[41] Por su parte, los clientes estarán en contra de la compañía y disminuirán su disposición a adquirir sus productos.[42] En la actualidad, es frecuente encontrar sitios Web donde clientes y empleados critican a las compañías que no actúan de manera ética; como ejemplos encontramos los siguientes: *complaintsboard.com*, *ripoffreport.com*, *pissedconsumer.com* y *screwedcentral.com*. Sin embargo, cuando las personas sienten que una organización trata a las personas con honestidad y justicia, la recompensan con su lealtad y compromiso. Por ejemplo, cuando los empleados consideran que el proceso de toma de decisiones de una organización es justo, muestran menores niveles de rotación y de ausentismo, demuestran mayores niveles de confianza y compromiso con la organización y su administración, y no exigen grandes aumentos salariales.[43] Cuando los empleados creen que una organización es justa, están más dispuestos a seguir a sus gerentes y a responder a sus solicitudes, y consideran legítimo su liderazgo.[44] En resumen, el comportamiento no ético genera represalias, mientras que el ético fomenta la cooperación.

¿Qué pasa con la propuesta de que "las compañías que se comportan éticamente son más rentables que las que no lo son"? ¿Hay pruebas que apoyen ese punto de vista? Al tratar de explicar lo anterior hay muchas dificultades inherentes, debido a las diversas formas que existen para definir lo que es *ético*, medir las ganancias, y decidir si las acciones de alguien cuentan como acciones de la compañía; eso sin contar la variedad de factores que pueden afectar las ganancias de la empresa, o la existencia de muchas dimensiones éticas con las que se podrían comparar las compañías.

A pesar de esas dificultades, varios estudios han tratado de descubrir si la rentabilidad se correlaciona con el comportamiento ético. Los resultados han sido contradictorios.

Aunque la mayoría de los estudios encuentran una relación positiva entre el comportamiento socialmente responsable y la rentabilidad,[45] hay otros que no la han encontrado.[46] Sin embargo, ningún estudio muestra una correlación negativa, lo que indica que la ética no es un obstáculo para generar ganancias. Otros estudios analizan el desempeño en el mercado de valores de las empresas socialmente responsables y concluyen que las compañías éticas ofrecen mayores rendimientos que las otras.[47] Esos estudios sugieren que, por mucho, la ética no obstaculiza a las ganancias y, más bien, parece contribuir a ellas.

Por lo tanto, existen buenas razones para pensar que la ética se debe introducir en los negocios. Los argumentos anteriores —algunos filosóficos y otros más empíricos— sugieren que las compañías son miopes cuando no consideran los aspectos éticos en sus actividades.

## Ética en los negocios y responsabilidad social corporativa

A veces se confunde la ética en los negocios con la *responsabilidad social corporativa* (RSC). Aunque ambas están relacionadas, no son lo mismo. Es importante entender en qué se diferencian y en qué se parecen. En primer término explicaremos qué es la responsabilidad social corporativa, porque esto nos ayudará a entender la relación entre la ética y los negocios. Más aún, se pueden ofrecer respuestas a la importante pregunta: ¿cuál es el propósito del negocio?

El término *responsabilidad social corporativa* se refiere a las responsabilidades u obligaciones de una organización corporativa hacia la sociedad. Hay desacuerdos sobre lo que incluyen estas obligaciones. ¿Tienen las empresas alguna responsabilidad de hacer donativos a programas de caridad, de pagar a sus empleados salarios más altos o de dar a sus clientes productos más seguros? ¿Están obligadas a maximizar sus ganancias para sus accionistas o grupos de interés?

En un extremo está el punto de vista del economista Milton Friedman, quien argumenta que en "un sistema de libre empresa y propiedad privada", los ejecutivos corporativos trabajan para los dueños de la compañía, y ahora esos dueños son sus accionistas. Como empleado, el ejecutivo tiene una responsabilidad directa de operar la compañía "de acuerdo con los deseos de los dueños, los cuales generalmente consistirán en hacer tanto dinero como sea posible mientras se cumpla con las reglas básicas de la sociedad, tanto las que marca la ley como las que expresa la costumbre ética".[48]

Desde el punto de vista de Friedman, la *única* responsabilidad de una empresa es generar de manera legal y ética "tanto dinero como sea posible" para sus dueños, es decir, maximizar el rendimiento de la inversión de los accionistas. Se podría decir que este punto de vista de la responsabilidad social corporativa es el de los accionistas. La razón principal por la que Friedman sostiene esta teoría es que, desde su punto de vista, los accionistas son dueños de la compañía. Puesto que es de su propiedad, y solo suya, tienen el derecho moral de decidir para qué se va a usar la compañía. Los dueños contratan a sus ejecutivos para que operen el negocio en su nombre, así que estos tienen la obligación moral de hacer lo que los accionistas quieren, lo cual, según Friedman, consiste en ayudarles a ganar tanto dinero como sea posible. Sin embargo, Friedman no dice que no haya límites a la actuación de los ejecutivos encaminada a lograr que los accionistas ganen tanto como sea posible. Los ejecutivos, dice explícitamente, deben operar dentro de las reglas de la sociedad, y eso incluye las reglas de la ley y de la costumbre ética.

Según el punto de vista de los accionistas acerca de la responsabilidad social corporativa —sostiene Friedman—, un gerente no tiene el derecho de donar dinero de la compañía a causas sociales si, al hacerlo, se reducen las ganancias de los accionistas, porque es a estos últimos a quienes pertenece ese dinero. Desde luego, los gerentes pueden, y deben, pagar salarios más altos a los empleados, ofrecer mejores productos a los clientes, dar dinero a grupos comunitarios locales o a otras causas, si todo esto ayuda a que los accionistas obtengan mayores ganancias. Por ejemplo, quizá con salarios más altos los empleados trabajen más, los mejores productos incrementarán las ventas, y donar dinero a la comunidad local permitirá deducir impuestos o contar con mejores servicios en la ciudad. Pero si al usar los recursos de la compañía para beneficiar a empleados, clientes o a la comunidad se reducen las ganancias de los accionistas, entonces no es conveniente hacerlo porque tales recursos pertenecen a estos últimos y su finalidad es generar más dinero. Siempre es incorrecto que los administradores empleen los recursos de la compañía para ayudar a otros a expensas de los accionistas.

Aunque Friedman no cree que los gerentes deban usar los recursos de la compañía para beneficiar a los demás a expensas de los accionistas, hace notar que las empresas finalmente ofrecen grandes beneficios a la sociedad. Argumenta que cuando una organización trata de maximizar los beneficios de los accionistas en una economía de libre empresa, se ve obligada a usar los recursos de manera más eficiente que los competidores, a pagar a los empleados un salario competitivo y a ofrecer a los clientes productos que sean mejores, más baratos y más seguros que los de la competencia. Así que cuando los gerentes se concentran en maximizar las ganancias de los accionistas en mercados competitivos, las compañías benefician a la sociedad.

Friedman ha recibido muchas críticas. Algunos objetan que el gerente o ejecutivo sea empleado de los accionistas. Estas críticas señalan que, legalmente, el ejecutivo es empleado de la corporación y, por lo tanto, está obligado a cuidar los intereses de esta, su verdadero empleador, y no los de sus accionistas. Otros critican el razonamiento de Friedman de que los accionistas son los dueños de la corporación y que esta es su propiedad. Señalan que los accionistas solo poseen acciones y esto les otorga unos cuantos derechos limitados, como el derecho a elegir al consejo directivo, a votar en las decisiones importantes de la compañía y a recibir su parte correspondiente de liquidación después de pagar a los acreedores si la empresa cae en bancarrota. Pero no tienen ninguno de los demás derechos que los verdaderos propietarios tendrían, así que en realidad no son los dueños de la corporación. Una tercera objeción critica la afirmación de Friedman acerca de que la responsabilidad central del ejecutivo es operar la corporación de acuerdo con los deseos de los accionistas. En realidad, es probable que el ejecutivo no tenga idea de cómo los accionistas quieren que la compañía funcione; además, está obligado legalmente a velar por muchos otros intereses (entre ellos, los de los empleados y consumidores), y no solamente por los de los accionistas. Finalmente, también hay argumentos en contra del punto de vista de Friedman que señala que al buscar maximizar el rendimiento de la inversión de los accionistas, la corporación servirá mejor a la sociedad. Algunas veces las fuerzas competitivas no favorecen que las empresas otorguen beneficios sociales, sino, por el contrario, las llevan a actuar de una manera que resulta nociva para la sociedad. Por ejemplo, al pretender ser más competitiva, una empresa podría contaminar conscientemente un vecindario con una sustancia que todavía no es ilegal, de manera que pueda ahorrarse el gasto que implica la eliminación de los contaminantes.

Un punto de vista muy diferente de responsabilidad social corporativa es la que ahora se denomina "teoría de los grupos de interés". Según Edward Freeman y David Reed, los fundadores de esta teoría, un **grupo de interés** es "cualquier individuo o grupo identificable que puede afectar el logro de los objetivos de una organización, o bien, que puede verse afectado por el logro de tales objetivos".[49] En otras palabras, un grupo de interés es cualquier entidad a la que una corporación puede perjudicar, beneficiar o influir, o bien, cualquier entidad que es capaz de perjudicar o beneficiar a la corporación o de ejercer influencia sobre ella. En resumen, un grupo de interés es cualquiera que, por cualquier razón, tenga interés en lo que la compañía hace.

Por ejemplo, General Motors influye en la vida de otros: en sus clientes al decidir sobre la seguridad que incorporará a sus vehículos, en sus empleados cuando fija sus salarios, en la comunidad local cuando cierra una planta y en sus accionistas cuando aumenta sus dividendos. Pero también hay quienes influyen en General Motors: el gobierno mediante las leyes y regulaciones que aprueba, los acreedores cuando suben sus tasas de interés o le exigen rembolsar un préstamo, y los proveedores cuando aumentan sus precios o disminuyen la calidad de las partes que le suministran.

Así, los grupos de interés de General Motors son los clientes, los empleados, las comunidades locales, los accionistas, el gobierno, los acreedores y los proveedores. Por supuesto, las influencias entre la compañía y los grupos de interés se ejercen en ambos sentidos. Por ejemplo, aunque la compañía influya en sus clientes y empleados, los primeros también pueden influir en General Motors al negarse a comprar sus vehículos, mientras que los segundos pueden ejercer influencia sobre ella poniéndose en huelga. A veces, otros grupos pueden influir en GM. Por ejemplo, los ecologistas o los medios de comunicación podrían afectarla negativamente si organizan manifestaciones o informan de un defecto de seguridad en sus vehículos. Por lo tanto, las organizaciones de activistas, los medios de comunicación y otras asociaciones también pueden ser grupos de interés de General Motors.

A diferencia del punto de vista de Friedman de acuerdo con el cual las corporaciones deben operar para el beneficio *único de sus accionistas*, la teoría de los grupos de interés indica que el beneficio debe encauzarse precisamente hacia *todos los grupos de interés*. Según esta teoría, un gerente debe tomar en cuenta los intereses de todas las partes al tomar decisiones, es decir, debe tratar de equilibrar los intereses de los accionistas para que cada uno reciba una participación justa de los beneficios que la corporación produce. El gerente, por lo tanto, tiene la responsabilidad de conducir la compañía de tal forma que sirva de la mejor manera posible a los intereses de todas las partes.

Observe que la teoría de los grupos de interés no afirma que los gerentes no deban esforzarse por generar ganancias, o que no deban tratar de maximizarlas. Las afirmaciones de esta teoría se centran en *quiénes deben obtener* las ganancias. De acuerdo con Friedman, el gerente debe tratar de maximizar el dinero que llega a los accionistas, lo cual significa que debe minimizar lo que se destina a los otros grupos de interés (excepto, claro está, cuando otorgar beneficios a algunos de ellos redunde en el incremento de las ganancias de los accionistas). La teoría de los grupos de interés también sostiene que el gerente debe dar a los accionistas una parte justa de las ganancias, pero de tal forma que permita a todos los demás grupos de interés obtener también su parte justa. Esto puede significar, por ejemplo, invertir en mejores condiciones de trabajo para los empleados o en productos más seguros para los consumidores, o en reducir la contaminación de la comunidad local, incluso si esto disminuye la parte de ganancias que reciben los accionistas. Por consiguiente, la teoría de los grupos de interés rechaza el punto de vista de Friedman de que los recursos no se deben usar para el beneficio de otras partes a costa de los accionistas.

Los dos argumentos principales que apoyan el punto de vista de los grupos de interés de la responsabilidad social corporativa son los argumentos *instrumentales* y los *normativos*. Los primeros afirman que ser sensible a todos los grupos de interés redunda en el mayor beneficio de la corporación, aun cuando quizá no sea en beneficio de sus accionistas. La idea aquí es que si una empresa toma en cuenta las preocupaciones de todos sus grupos de interés, estos, a la vez, se mostrarán dispuestos a hacer su parte para apoyar a la compañía y favorecer sus intereses. Por ejemplo, tratar a los empleados con respeto y pagarles buenos salarios, los hará leales a la compañía, mientras que tratarlos mal los inducirá a holgazanear o incluso a tener comportamientos destructivos. De manera similar, cuando una empresa es sensible a las asociaciones ecologistas u otros activistas, es menos probable que estos grupos emprendan actividades que puedan dañar su imagen o su reputación. Pero pagar salarios más altos e invertir en satisfacer las demandas de los ambientalistas puede obligar a una compañía a reducir los dividendos de los accionistas. En resumen, los argumentos instrumentales a favor de la teoría de los grupos de interés afirman que ser sensible a todos estos es bueno para el negocio, aun cuando esto pueda reducir las ganancias de los accionistas.

*Repaso breve 1.8*

**La responsabilidad social corporativa es una obligación social de los negocios**

- De acuerdo con Friedman, los accionistas consideran que la única responsabilidad de un gerente es generar, legal y éticamente, tanto dinero como sea posible para ellos.
- La teoría de las partes interesadas afirma que los gerentes deben dar a todas las partes interesadas una parte justa de los beneficios que un negocio produce.
- La ética en los negocios considera la responsabilidad social corporativa y la justicia.

Por otra parte, los argumentos normativos afirman que la compañía tiene la obligación moral o ética de ser sensible con todos sus grupos de interés. Este argumento, desarrollado por Robert Phillips, se basa en el "principio de justicia",[50] el cual afirma que si un grupo de personas trabaja en conjunto para proveer algunos beneficios que signifiquen algún costo para ellas mismas, entonces, cualquiera que aproveche esos beneficios tiene la obligación de contribuir con el grupo.

¿Cómo apoya el principio de justicia a la teoría de los grupos de interés? Esta teoría afirma que los grupos de interés de una empresa trabajan juntos para asegurar las condiciones que esta necesita para operar con éxito, y que lo hacen a algún costo para ellos. Las comunidades contribuyen con carreteras, un sistema de agua, un sistema legal, seguridad, etcétera; los empleados aportan trabajo y experiencia; los inversionistas suministran el capital, y así sucesivamente. La compañía aprovecha los beneficios que le proporcionan los grupos de interés a algún costo para ellos, así que, a la vez, tiene la obligación de aportar su parte al grupo. Esto lo hace siendo sensible a las necesidades e intereses de los grupos de interés, y cada uno de estos últimos es sensible —a su manera— a las necesidades de la empresa.

¿Cuál de estos dos puntos de vista es correcto: la teoría de los accionistas o la de los grupos de interés? Actualmente, muchos negocios aceptan esta última, y la mayoría de las entidades que conforman Estados Unidos han aprobado leyes que reconocen las obligaciones de los negocios con sus grupos de interés, incluso a costa de los intereses de los accionistas. Pero los lectores tendrán que decidir por sí mismos qué teoría tiene más sentido y parece más razonable. Las dos son esenciales para el punto de vista personal ante la pregunta importante: ¿cuál es el propósito del negocio? La teoría de los accionistas sostiene que dicho objetivo consiste en servir a los intereses de los accionistas y que, al hacerlo así, los negocios de mercados competitivos generalmente acabarán generando importantes beneficios a la sociedad. La teoría de los grupos de interés, por su parte, afirma que el objetivo consiste en servir a los intereses de todas las partes interesadas y, de ese modo, esos intereses se tratan explícitamente incluso cuando los mercados competitivos no logren asegurarlos. No podemos seguir analizando estas importantes preguntas. Nuestro objetivo aquí es explicar la responsabilidad social corporativa para que podamos demostrar cómo se relaciona con la ética en los negocios.

Así que, ¿cómo se relacionan estos dos conceptos? Ser ético, según los eruditos, es una de las obligaciones que las compañías tienen frente a la sociedad. En ese sentido, la ética en los negocios es una *parte* de la responsabilidad social corporativa. Por ejemplo, de acuerdo con una definición ampliamente aceptada de Archie Carroll, "la responsabilidad social del negocio engloba las expectativas económicas, legales, éticas y discrecionales que la sociedad tiene en las organizaciones...".[51] Entonces, la responsabilidad social corporativa es la idea más inclusiva, y la ética en los negocios es solo una parte de esa idea más amplia. Además de sus obligaciones éticas, la responsabilidad social corporativa de una empresa incluye las obligaciones legales, las contribuciones económicas y aquellas otras discrecionales o filantrópicas que la sociedad espera de ella. Observe que tanto el punto de vista de los accionistas como el de los grupos de interés pueden aceptar esta forma de definir lo que incluye la responsabilidad social corporativa. Por ejemplo, Friedman dice explícitamente que una compañía debe colmar las expectativas éticas y legales de la sociedad, y que al hacerlo mediante la búsqueda de las ganancias de los accionistas, logrará el mayor aporte económico a la sociedad; además, la empresa debería hacer cualquier otra contribución discrecional que considere necesaria para que la sociedad le permita operar con rentabilidad. La teoría de los grupos de interés dice que las empresas deben ser sensibles a todos los grupos con los cuales se relacionan, y eso incluye hacer las aportaciones económicas y discrecionales que la sociedad espera, así como comportarse ética y legalmente hacia sus grupos de interés.

Pero la relación entre ética y responsabilidad social corporativa es más complicada de lo que se ha sugerido hasta ahora. Como se ha visto, los argumentos que subyacen en los distintos puntos de vista de las obligaciones de los negocios frente a la sociedad —ya sea exclusivamente con los accionistas o con todas las partes interesadas— son argumentos éticos.

Friedman, por ejemplo, sostiene que los dueños tienen el *derecho* de decir cómo operar la corporación porque esta es de su propiedad y, por lo tanto, los gerentes tienen la *obligación* de hacer lo que los accionistas quieran. Y el argumento normativo de la teoría de los grupos de interés, como vimos, afirma que la *justicia* implica que el negocio tiene *obligaciones* con todas las partes interesadas. Todos estos conceptos —derechos, obligaciones y justicia— son conceptos éticos, así que la ética no solo es parte de las responsabilidades sociales de una empresa, sino que también brinda las razones normativas básicas para la responsabilidad social corporativa. Por lo tanto, y aunque suene paradójico, la ética es una de las responsabilidades sociales de los negocios, las cuales existen porque la sociedad así lo demanda.

## 1.2 Cuestiones éticas en los negocios

### Tecnología y ética en los negocios

La tecnología consiste en todos aquellos métodos, procesos y herramientas que los seres humanos inventan para manipular y controlar su entorno, y en la actualidad esto se logra en un grado que no se había visto antes en la historia. Asimismo, los negocios y las sociedades contemporáneos se transforman continua y radicalmente por la rápida evolución de las nuevas tecnologías, las cuales imponen la necesidad de actualizar diversos aspectos éticos en los negocios.

Esta no es la primera vez que las nuevas tecnologías tienen un efecto revolucionario en los negocios y la sociedad. Hace algunos miles de años, durante la llamada *Revolución Agrícola*, nuestros antepasados desarrollaron tecnologías para cultivar que les permitieron dejar de depender de una actividad tan azarosa como la cacería; gracias a la agricultura, desarrollaron métodos para abastecerse de alimento de manera razonablemente constante. Durante ese periodo, y tras el invento de la irrigación, la canalización de la fuerza del agua y el viento, y el desarrollo de palancas, cuñas, elevadores y engranes, la agricultura permitió que las personas acumularan más bienes de los que podían consumir. Como había excedentes de producción, algo había que hacer con ellos; así surgieron el trueque, el comercio y los primeros negocios. Y junto con el comercio surgieron las primeras cuestiones relacionadas con la ética; por ejemplo, había que ser equitativos en el trueque, fijar precios justos, y usar pesos y medidas bien calibrados.

En el siglo XVIII, la tecnología de la Revolución Industrial de nuevo transformó a la sociedad occidental y a los negocios, mediante la introducción de las máquinas electromecánicas impulsadas por combustibles fósiles, como la máquina de vapor, el automóvil, el ferrocarril y la desmontadora de algodón. Antes de la Revolución Industrial, casi todos los negocios eran pequeñas organizaciones que operaban en mercados locales y estaban administradas por sus dueños, quienes supervisaban relativamente a pocos empleados que ensamblaban los productos a mano. La Revolución Industrial trajo consigo nuevas formas de producción con la ayuda de máquinas, las cuales permitieron a los negocios fabricar cantidades masivas de bienes para enviar y vender en los mercados nacionales. Estos cambios, a la vez, requirieron la existencia de grandes organizaciones para administrar ejércitos de personas que trabajaban al frente de las máquinas, en largas líneas de ensamble dentro de enormes fábricas. Como resultado, se constituyeron las grandes corporaciones que llegaron a dominar nuestras economías y dieron origen a una multitud de cuestiones éticas nuevas en los negocios; por ejemplo, comenzó a hablarse de temas como la explotación de los trabajadores que laboraban en las nuevas máquinas, la manipulación de los nuevos mercados financieros que respaldan a las grandes empresas y el daño ambiental masivo.

Las nuevas tecnologías desarrolladas en las últimas décadas del siglo XX y el inicio del XXI están transformando una vez más a la sociedad y a los negocios, y montan el escenario para el surgimiento de nuevos problemas éticos.

En primer lugar, entre estos desarrollos destacan las revoluciones en biotecnología y en el campo que suele llamarse **tecnología de la información**, que incluye no solo el uso de computadoras sumamente poderosas y compactas, sino también el desarrollo de

**tecnología de la información** El uso de tecnologías como computadoras extremadamente poderosas y compactas, Internet, sistemas de comunicación inalámbrica y digitalización, entre otras muchas, que permiten almacenar, manipular y transmitir información en formas nuevas y creativas.

Internet, las comunicaciones inalámbricas, la digitalización y otras numerosas tecnologías que permiten almacenar, manipular y transmitir información en formas nuevas y creativas. Estas tecnologías suscitaron una gran cantidad de cambios, como la creciente globalización, la decreciente importancia de la distancia, y el surgimiento de nuevas formas para comunicarse y transferir cualquier tipo de información —películas, periódicos, música, libros, correo— de manera instantánea de un lugar a otro.

Los cambios se aceleran y la vida de los productos se acorta, porque se inventan y venden otros nuevos y revolucionarios aún más rápidos. El hombre ha desarrollado la habilidad de crear nuevas formas de vida y mecanismos, cuyos beneficios y riesgos son impredecibles.

Para hacer frente a los vertiginosos cambios, las organizaciones de negocios se han hecho más pequeñas, menos jerarquizadas y más ágiles. Algunas se modificaron por completo al entrar al mundo del comercio electrónico (que permite comprar y vender bienes y servicios a través de Internet), dejando atrás sus operaciones de "pico y pala", para transformarse en entidades basadas en Internet que existen en gran medida en el **ciberespacio**, un término usado para denotar la existencia de información en una red electrónica de sistemas de computadoras eslabonados. Estos desarrollos han obligado a las compañías a manejar un gran número de aspectos éticos nuevos e insospechados.

Casi todos los asuntos éticos que se generan a partir de las nuevas tecnologías se relacionan de una u otra manera con cuestiones de riesgo: ¿son predecibles los riesgos de una nueva tecnología?, ¿qué tan grandes son estos?, ¿acaso son reversibles?, ¿los beneficios compensan los riesgos potenciales?, ¿quién debe tomar una decisión al respecto?, ¿las personas en quienes recaen los riesgos, los conocen y están de acuerdo en asumirlos?, ¿tendrán una compensación justa por sus pérdidas?, ¿los riesgos están distribuidos de manera justa entre las distintas partes de la sociedad, incluyendo pobres y ricos, jóvenes y viejos, generaciones actuales y futuras?

Muchos de los aspectos éticos que se han derivado del uso de las nuevas tecnologías —en especial las tecnologías de la información, como las computadoras— se relacionan con el respeto a la vida privada. Las computadoras permiten recopilar información detallada de los individuos en una escala que antes no era posible. Actualmente, es factible rastrear la navegación de los usuarios de Internet, reunir datos de los clientes en las cajas registradoras, recopilar información de compras hechas con tarjetas de crédito, obtener información de solicitudes de licencias, cuentas bancarias y correo electrónico, y supervisar a los empleados que trabajan con computadoras. Además, es posible vincular rápidamente esa información con otras bases de datos que contienen información financiera, historial de compras, direcciones, números telefónicos, registros de manejo y de arrestos, expedientes médicos y académicos, historial crediticio o información sobre la pertenencia a diversas asociaciones. También, para cualquiera que tenga acceso a una computadora, es posible filtrar, ordenar o recuperar cualquier parte de esa información. Debido a que las tecnologías permiten a otros reunir ese tipo de información detallada y potencialmente peligrosa sobre cada individuo, muchos argumentan que esas tecnologías violan el derecho a la privacidad: el derecho a impedir que otros conozcan datos propios que son de carácter privado.

Las tecnologías de la información también han generado aspectos éticos difíciles de resolver debido a la naturaleza del derecho a la propiedad, cuando la propiedad en cuestión es información (como software, códigos de computadora, textos, números, fotos y sonidos que se han codificado en una archivo de computadora) o servicios de cómputo (acceso a una computadora o a un sistema de computadoras). Es posible copiar la información computarizada (como un programa de software o una foto digitalizada) un número incontable de veces, sin modificar en forma alguna el original. ¿Qué tipo de derechos de propiedad tiene uno cuando posee una de estas copias? ¿Qué tipo de derechos de propiedad tiene el creador original de la información y en qué difiere de los derechos de propiedad de alguien que adquiere una copia? ¿Es incorrecto hacer una copia, sin permiso del creador original, cuando hacerlo no cambia el original de ninguna manera? ¿Qué daños, si los hay, sufren la sociedad o los individuos si alguien puede copiar cualquier tipo de información

---

**ciberespacio** Término usado para denotar la existencia de información en una red electrónica de sistemas de computadoras eslabonados.

---

*Repaso breve 1.9*

**Las nuevas tecnologías hacen surgir nuevas cuestiones éticas para los negocios**

- Las revoluciones agrícola e industrial plantearon nuevas cuestiones éticas.
- La tecnología de la información hace surgir nuevas cuestiones éticas relacionadas con el riesgo, el respeto a la privacidad y los derechos de propiedad.
- La nanotecnología y la biotecnología originan nuevas cuestiones éticas relacionadas con el riesgo y con la dispersión de productos peligrosos.

computarizada a su antojo? ¿Dejará la gente de generar información? Por ejemplo, ¿dejará de diseñar software o de producir música? ¿Qué tipo de derechos de propiedad tiene alguien sobre los sistemas de cómputo? ¿Es incorrecto que yo utilice el sistema de cómputo de la compañía donde trabajo para asuntos personales, enviar mensajes de correo a mis amistades o entrar a páginas de Internet que no tienen que ver con mi trabajo? ¿Es incorrecto que invada de forma electrónica el sistema de cómputo de otra organización si no cambio nada en el sistema y tan solo "echo un vistazo"?

Las computadoras también han contribuido al desarrollo de la **nanotecnología**, un nuevo campo que comprende el desarrollo de estructuras artificiales diminutas, que miden unos cuantos nanómetros (un nanómetro equivale a una milmillonésima parte de un metro). Los futuristas han predicho que la nanotecnología permitirá construir estructuras diminutas que podrán ensamblarse en una pequeñísima computadora, o servir como sensores de diagnóstico capaces de viajar por el torrente sanguíneo. Pero los críticos hacen preguntas acerca del daño potencial que plantea la liberación de nanopartículas al medio ambiente. Greenpeace International, un grupo ambientalista, asegura que estas son dañinas si los humanos las respiran por accidente (por ejemplo, nanotubos de carbono han causado cáncer en las ratas que los inhalaron) o si transportan ingredientes tóxicos. A la luz de los riesgos potenciales, ¿deben los negocios abstenerse de comercializar productos nanotecnológicos?

Pero la biotecnología ha generado otra miríada de aspectos éticos preocupantes. La **ingeniería genética** se refiere a una gran variedad de nuevas técnicas que permiten modificar los genes de las células humanas, animales y vegetales. Los genes, que están compuestos por ácido desoxirribonucleico (ADN), contienen los patrones que determinan las características que tendrá un organismo. A través de la tecnología que permite recombinar el ADN, por ejemplo, se pueden retirar los genes de una especie e insertarlos en las células de otra, para crear un nuevo tipo de organismo con las características combinadas de ambas. Los negocios han usado la ingeniería genética para crear y comercializar nuevas variedades de vegetales, granos, borregos, vacas, conejos, bacterias, virus y muchos otros organismos. Se ha aplicado a las bacterias para ayudar a consumir el petróleo derramado en un desastre ecológico y a eliminar la toxicidad de algunos desechos. También ha hecho que el trigo sea más resistente a las plagas o que el pasto sea inmune a los herbicidas; y se dice que un laboratorio francés insertó genes fluorescentes de una medusa en el embrión de un conejo que nació con la capacidad de resplandecer en la oscuridad, justo como ese animal marino. ¿Es ético este tipo de tecnología? ¿Es incorrecto que un negocio modifique y manipule la naturaleza de esa manera? Cuando una compañía crea un nuevo organismo mediante la ingeniería genética, ¿debería patentarlo de modo que realmente sea *dueño* de esta nueva forma de vida? Con frecuencia, las consecuencias de liberar al mundo organismos genéticamente modificados son impredecibles. Los animales que resulten de un proceso de ingeniería genética podrían eliminar especies naturales, y las plantas así creadas podrían envenenar a los organismos silvestres. Por ejemplo, se encontró que el polen de las especies de maíz genéticamente modificadas para matar ciertas plagas también exterminaba ciertas mariposas. ¿Es ético que los negocios comercialicen y distribuyan en el mundo estos organismos modificados, cuando las consecuencias son tan impredecibles?

### Cuestiones internacionales en la ética de los negocios

Hasta el momento hemos analizado algunas de las cuestiones con las que la ética en los negocios ha tenido que lidiar durante la historia de la humanidad. Pero la mayoría de ellas surgen dentro de las fronteras nacionales de un único país. A continuación se analizarán algunas de las cuestiones éticas en los negocios que surgen en el escenario internacional.

### Globalización y ética en los negocios

Muchas de las cuestiones más apremiantes de la ética en los negocios actualmente se relacionan con el fenómeno de la **globalización**, la cual ha permitido una mayor vinculación entre las naciones de manera que bienes, servicios, capital, conocimiento y cultura circulen a través de sus fronteras a mayor ritmo.

**nanotecnología** Un nuevo campo que comprende el desarrollo de estructuras artificiales diminutas, que miden unos cuantos nanómetros (un nanómetro equivale a una milmillonésima parte de un metro).

**ingeniería genética** Una gran variedad de nuevas técnicas que permiten cambiar los genes de las células humanas, animales y vegetales.

**globalización** Proceso mundial mediante el cual se han conectado los sistemas económicos y sociales de las naciones, lo que facilita entre ellas el flujo de bienes, dinero, cultura y personas.

Desde luego, durante siglos, la gente ha transportado y vendido bienes cruzando fronteras. Los comerciantes llevaban bienes por las rutas comerciales de Europa, Asia y América casi desde el surgimiento de la civilización en estos lugares. Pero el volumen de bienes que se comercian a través de las fronteras comenzó a crecer de manera casi exponencial al terminar la Segunda Guerra Mundial, transformando el rostro de nuestro mundo. La globalización ha dado como resultado un fenómeno familiar para quienquiera que viaje fuera de su país: los mismos productos, música, comida, ropa, inventos, libros, revistas, películas, marcas, tiendas, autos y compañías que son familiares en casa están disponibles y se disfrutan ahora en todo el mundo. Es posible consumir hamburguesas de McDonald's y pollo Kentucky en Moscú, Londres, Beijing, París, Tokio, Jerusalén o Bangkok; niños y adultos de India, Japón, China, Italia y Alemania leen las novelas británicas de *Harry Potter*; personas de todo el mundo están familiarizadas con conjuntos musicales, canciones, cantantes, actores y películas que entretienen a los estadounidenses.

Las corporaciones multinacionales están en el corazón del proceso de globalización y son responsables de un enorme volumen de transacciones internacionales que tienen lugar en la actualidad. Una **corporación multinacional** es una compañía que realiza operaciones de manufactura, comercialización, servicios o administrativas en muchos países. Las corporaciones multinacionales ensamblan y venden sus productos en las naciones que ofrecen ventajas de manufactura y mercados abiertos; obtienen capital, materias primas y mano de obra de cualquier parte del mundo donde se encuentren disponibles a bajo costo. Prácticamente las 500 corporaciones industriales más grandes de Estados Unidos son ahora multinacionales. General Electric, por ejemplo, que fundó Thomas Edison y cuyas oficinas generales están en Nueva York, realiza operaciones en más de 100 países alrededor del mundo y obtiene casi la mitad de sus ingresos fuera de Estados Unidos. Tiene plantas metalúrgicas en Praga, realiza operaciones de software en India, cuenta con oficinas de diseño de productos en Budapest, Tokio y París, y efectúa operaciones de ensamble en México.

La globalización ha dado al mundo enormes beneficios. Cuando multinacionales como Nike, Motorola, General Electric y Ford construyen fábricas y establecen operaciones de ensamble en países con mano de obra de bajo costo, llevan trabajo, capacitación, ingresos y tecnología a regiones subdesarrolladas del mundo, elevan el nivel de vida en esas áreas y ofrecen a los consumidores de todas partes bienes a un menor precio. Según el Banco Mundial, entre 1981 y 2005 (los años durante los cuales la globalización inició una carrera a toda velocidad), el porcentaje de pobreza en las naciones en desarrollo se redujo a la mitad, del 52 al 25 por ciento.[52] Por lo tanto, ha ayudado a millones de personas a salir de la pobreza en países como China, India, Bangladesh, Brasil, México y Vietnam. Entre 1981 y 2005 (los años más recientes para los que hay cifras disponibles), el número de personas que vivían con menos de $1.25 al día en los países en desarrollo disminuyó en 500 millones. Como grupo, las economías de estas naciones crecieron a una tasa del 5 por ciento per cápita, mientras que en las naciones desarrolladas, como Estados Unidos, el crecimiento fue de solo el 2 por ciento.

La globalización también ha permitido la especialización de las naciones en elaborar y exportar de manera más eficiente determinados bienes y servicios, en tanto que otras compran lo que no producen. Por ejemplo, India se especializa en la producción de software, Francia e Italia en el diseño de ropa y calzado, Alemania en la producción química, Estados Unidos en computadoras y hardware, y México en el ensamble de televisores. Muchas regiones en desarrollo como América Central y el sureste de Asia se han especializado en la fabricación de ropa y calzado, así como en otras operaciones de ensamble que requieren baja capacitación. Esta especialización ha aumentado la productividad global en el mundo, lo que, a la vez, significa que todas las naciones participantes están una mejor posición que si cada una tratara de producir todo por sí misma.

Pero también se culpa a la globalización de infligir daños significativos en el mundo. Sus críticos argumentan que, aunque ha sido especialmente benéfica para los países desarrollados que tienen productos de alto valor para vender (como productos de alta tecnología), ha

---

**corporación multinacional**
Compañía que mantiene operaciones de manufactura, comercialización, servicios o administrativas en muchos países.

---

*Repaso breve 1.10*

**La globalización**
- Es un proceso que impulsaron en gran medida las multinacionales.
- Ha llevado grandes beneficios a los países en desarrollo, incluyendo trabajo, capacitación, ingresos, tecnología, disminución de la pobreza y especialización.
- Se considera causa de muchos males, como el aumento de la desigualdad, la pérdida de identidad cultural, el deterioro de los estándares ambientales, laborales y salariales, y la introducción de tecnologías inadecuadas en países en desarrollo.

dejado atrás a muchos países pobres de África, ya que solo cuentan con productos agrícolas de bajo costo para comercializar. Más aún, el Banco Mundial informa que al propagarse la globalización, la desigualdad ha aumentado tanto entre las naciones como dentro de ellas.[53] Y las multinacionales globalizadoras han llevado la cultura occidental a todas partes mediante películas, libros, canciones, juegos, juguetes, programas de televisión, aparatos electrónicos, bailes, comida rápida, marcas, arte, revistas y ropa, haciendo a un lado a las culturas y tradiciones locales distintivas que están en peligro de reducirse o desaparecer por completo. Por ejemplo, en vez de comer sus platillos típicos, los habitantes de todas partes del mundo comen hamburguesas con papas de McDonald's. En lugar de disfrutar las formas tradicionales de las danzas étnicas, todo el mundo va al cine a ver *Avatar, Harry Potter* y *Batman*.

También se culpa a la globalización de allanar el camino para que las multinacionales tengan un tipo de movilidad que, según los críticos, provoca efectos adversos. Las multinacionales ahora son libres de mudar sus fábricas de un país a otro que ofrezca mano de obra de menor costo, menos restricciones legales o tasas impositivas más bajas. Esta habilidad de cambiar operaciones de una nación a otra, aseguran los críticos, permite a la multinacional poner a un país en contra de otro. Por ejemplo, si la corporación no acepta las leyes ambientales o laborales de un país, o las tasas salariales, podría trasladarse (o amenazar con hacerlo) a otro que no tenga esas leyes. El resultado es una competencia para ver "quién se hunde hasta el fondo": a medida que los países disminuyen sus estándares para atraer a compañías extranjeras, el resultado es un deterioro global de los estándares laborales, ambientales y salariales. Los críticos afirman que las compañías que han establecido operaciones de ensamble en países en desarrollo, por ejemplo, han introducido condiciones de trabajo de esclavitud y salarios de explotación. Todavía más, conforme estas compañías cambian sus operaciones de manufactura a otros países en busca de mano de obra más barata, cierran fábricas en sus países de origen y dejan a miles de trabajadores sin empleo.

Los críticos también aseguran que algunas veces las multinacionales transfieren tecnologías o productos a las naciones en desarrollo que no están listas para asimilarlos. A algunas corporaciones de la industria química, por ejemplo, Amvac Chemical Corporation, Bayer y BASF, se les acusa de comercializar pesticidas tóxicos en países en desarrollo, donde los campesinos no conocen los problemas de salud que esas sustancias podrían causar y no pueden protegerse contra ellos. Las campañas publicitarias de ciertas compañías de alimentos —como Nestlé, Mead Johnson y Danone— han convencido a las madres en naciones pobres que deben gastar su escaso presupuesto de alimentación en fórmulas de leche en polvo para bebés. Pero en los países en desarrollo, donde por lo general se carece de suministro de agua que cumpla con los requisitos sanitarios, las mamás no tienen otra opción que mezclar la fórmula con agua que no es potable, lo que, según la Organización Mundial de la Salud, ocasiona anualmente diarreas y la muerte a más de 1.5 millones de recién nacidos. Las compañías tabacaleras —como Philip Morris, British American Tobacco e Imperial Tobacco— han realizado intensas campañas para la venta de cigarrillos en países en desarrollo, cuyas poblaciones no conocen bien los efectos a largo plazo del tabaquismo sobre la salud.

Por lo tanto, la globalización es un paquete mixto. Aunque ha llevado enormes beneficios económicos a muchas naciones pobres, lo ha hecho a un precio. Y tanto los beneficios como los costos de la globalización, en gran medida, se deben a las actividades de las multinacionales.

**Diferencias entre las naciones** La globalización también ha obligado a las compañías a operar en naciones con leyes, gobiernos, prácticas, niveles de desarrollo e interpretaciones culturales que a veces son muy diferentes a los que conocen sus directivos.[54] Esto les genera importantes dilemas. Por ejemplo, las leyes a las que los gerentes de Dow Chemical Company están acostumbrados en Estados Unidos son muy diferentes a las que rigen en México o en otros países anfitriones. Las leyes que regulan la exposición de los trabajadores a sustancias tóxicas en el lugar de trabajo y otros peligros de seguridad son estrictas en Estados Unidos, mientras que son imprecisas, laxas o incluso inexistentes en países como

*Repaso breve 1.11*

**Diferencias entre las naciones**
- Incluye diferencias en cuanto a leyes, gobiernos, prácticas, niveles de desarrollo e interpretaciones culturales.
- Hacen surgir la pregunta de si los gerentes que operan en el extranjero deben seguir los estándares locales o los de su país de origen.

México. La seguridad de los productos de consumo y las leyes de etiquetado, que requieren cuidadosos controles de calidad, rigurosas pruebas de producto y avisos de riesgo en Estados Unidos, son muy diferentes en México, donde todos esos requisitos son menos estrictos. Las leyes de contaminación ambiental del gobierno de Estados Unidos son rigurosas, mientras que las de México son prácticamente inexistentes o no siempre se hacen cumplir.

Incluso gobiernos enteros pueden ser totalmente diferentes del tipo al que están acostumbrados los directivos en las naciones industrializadas. Aunque el gobierno de Estados Unidos tiene sus deficiencias, es sensible a las necesidades de sus ciudadanos. No se puede decir lo mismo de los gobiernos de muchas otras naciones. Algunos son tan corruptos que su legitimidad es cuestionable.

Por ejemplo, hace algunas décadas, el gobierno de Haití, era notoriamente corrupto y promovía de manera consistente los intereses y la riqueza de una reducida élite gubernamental, a costa de las necesidades de la población en general.

Los directivos a menudo se encuentran en países que no están muy desarrollados en comparación con el suyo.[55] Las naciones industrializadas tienen niveles relativamente altos de recursos tecnológicos, sociales y económicos, mientras que los recursos de las más pobres pueden estar bastante subdesarrollados. El avance tecnológico, los sindicatos, los mercados financieros, el seguro de desempleo, la seguridad social y la educación pública están muy extendidos en las naciones más desarrolladas, a diferencia de lo que sucede en algunas en vías de desarrollo. La ausencia de tales condiciones significa que las acciones gerenciales pueden incidir de manera muy diferente en los países en vías de desarrollo en comparación con los desarrollados. Por ejemplo, los despidos en las naciones en vías de desarrollo que no ofrecen la protección de un seguro de desempleo suponen mayores penurias para los trabajadores en comparación con lo que sucede en Estados Unidos, donde sí se otorga un subsidio por despido, al menos durante un tiempo. Un aviso en la etiqueta de un producto puede ser adecuado cuando se vende en Japón, cuyos consumidores tienen altos niveles educativos, pero quizá no lo sea si el mismo producto se vende a consumidores analfabetos de un país en vías de desarrollo.

Más aún, los puntos de vista culturales de algunas naciones a las que ingresan los directivos de las multinacionales pueden ser tan diferentes de los suyos, que con frecuencia estos malinterpretan o no entienden muchos de los comportamientos con los que se topan. Por ejemplo, en Estados Unidos se considera una falta grave que una compañía presente ante el gobierno estados de pérdidas y ganancias que subestimen considerablemente sus ganancias reales. Sin embargo, en algunos periodos de la historia de Italia se aceptaba por norma que todos los negocios subestimaran sus ganancias anuales en un tercio cuando presentaban su declaración fiscal al gobierno. Consciente de ello, el gobierno aumentaba de manera automática las cifras de los estados de pérdidas y ganancias por un tercio, y cobraba impuestos con base en la cantidad estimada. Así, debido a esta práctica cultural en la que convenían tanto la comunidad de negocios como el gobierno, las compañías italianas en realidad no mentían a su gobierno cuando subestimaban sus ingresos: lo que parecía una mentira ante los ojos de un extranjero, en ese contexto cultural, era una señal claramente entendida del ingreso real de una compañía.

Cuando un directivo llega a un país cuyas leyes, gobierno, nivel de desarrollo y cultura son significativamente diferentes a los que prevalecen en su país de origen, ¿qué debe hacer? Algunos estudiosos sugieren que cuando los directivos de países desarrollados llegan a trabajar a países con menor grado de desarrollo, deben tratar de apegarse a los niveles más elevados que sean típicos de sus países de origen.[56] Pero esta sugerencia ignora la posibilidad real de que introducir prácticas que han evolucionado en un país desarrollado puede hacerle más mal que bien a una nación menos desarrollada. Por ejemplo, si una compañía estadounidense que opera en México paga a los empleados locales salarios que se encuentran al nivel de los que prevalecen en Estados Unidos, es posible que atraiga a todos los trabajadores capacitados de las compañías locales mexicanas que no están en condiciones de pagar los mismos sueldos. Otros estudiosos se van al extremo opuesto y argumentan que las multinacionales deben seguir siempre las prácticas y las leyes locales. Pero hacerlo puede ser peor que tratar de operar con base en los estándares más altos de un país desarrollado. Por ejemplo, los inferiores estándares ambientales de México pueden permitir niveles de contaminación que dañen seriamente la salud de los residentes locales. Aún más, los gobiernos de muchos países, como ya se hizo notar, son corruptos y sus leyes sirven a los intereses de las élites de gobierno y no al interés público.

Es evidente, entonces, que resultan inadecuadas tanto una regla general de apegarse siempre a las prácticas locales, como otra que siempre trate de actuar con base en los estándares más altos de las naciones desarrolladas. En vez de ello, los directivos que quieran operar éticamente en otros países deben juzgar cada caso según suceda.

Cuando juzguen la ética de una política, práctica o acción determinada en otro país, deben tener en cuenta la naturaleza de las leyes de ese país, su nivel de corrupción y qué tan representativo es su gobierno; también deben considerar cuál es el nivel de desarrollo tecnológico, social y económico, y qué interpretación cultural afecta el significado de la política, práctica o acción que juzgan. En algunos casos, seguir las prácticas locales tal vez sea lo correcto, mientras que en otros quizá sea mejor adoptar los estándares de las naciones más desarrolladas. Y, en algunos casos, habrá que elegir entre permanecer en un lugar y apegarse a la práctica local que es clara y gravemente incorrecta, o hacer lo que es correcto y abandonar el país.

**Negocios y relativismo ético** Hay determinadas diferencias culturales que generan problemas especiales a los directivos de las multinacionales, a quienes a menudo les resulta difícil saber qué hacer cuando se encuentran con estándares *morales* que son diferentes de los que personalmente sostienen y que son aceptados en su país de origen. Por ejemplo, el nepotismo y la discriminación sexual, aunque se consideran moralmente malos en Estados Unidos, se aceptan como algo habitual en algunos entornos de negocios extranjeros. Las personas de ciertas sociedades árabes sostienen que el soborno en los negocios es moralmente aceptable, aunque los estadounidenses piensan que es inmoral. ¿Qué debería hacer un directivo cuando un funcionario del gobierno le pide un soborno por hacer una tarea rutinaria que es parte de sus funciones? ¿O cuando el departamento de contrataciones de una fábrica estadounidense en Tailandia parece contratar solo a parientes de quienes ya trabajan ahí? ¿O cuando un grupo de gerentes sudamericanos no aceptan a una mujer como su superior porque sienten que las mujeres no pueden ser buenas gerentes?

El hecho de que las diferentes culturas tengan diversos estándares morales, lleva a muchas personas a adoptar la teoría del **relativismo ético**, la cual afirma que no hay estándares éticos que sean absolutamente válidos, es decir, que la verdad de todos los estándares éticos depende de (o es relativa a) lo que acepta una cultura determinada. En consecuencia, no hay estándares morales para evaluar la ética de las acciones de los demás sin importar a qué cultura pertenezcan. En vez de ello, el relativismo ético sostiene que la acción de un individuo es moralmente correcta si está de acuerdo con los estándares éticos aceptados en la cultura de ese individuo. Para decirlo de otra manera: el relativismo ético es el punto de vista de que, puesto que las diferentes sociedades tienen distintas creencias éticas, no existe una manera racional para determinar si una acción es moralmente correcta (o incorrecta), a menos que se pregunte si los miembros de la sociedad del individuo piensan que es moralmente correcta (o no).

Por ejemplo, el relativismo ético dirá que está mal que un directivo estadounidense practique el nepotismo en Estados Unidos porque todo el mundo allí cree que es una acción reprobable; sin embargo, por ejemplo, para una persona en Tailandia se trata de una conducta admisible porque los tailandeses no ven el nepotismo como algo incorrecto. El relativista ético aconsejaría al directivo de una multinacional que trabaje en una sociedad cuyos estándares morales son diferentes de los suyos, que siga los que prevalecen en la sociedad en la que se encuentra. Después de todo, como los estándares morales difieren y no hay otros estándares absolutos acerca de lo correcto y lo incorrecto, lo mejor que podría hacer es seguir el viejo refrán: "A la tierra que fueres, haz lo que vieres". Sin embargo, ¿el relativismo ético es razonable como para seguirlo?

**relativismo ético** Teoría que afirma que no existen estándares éticos que sean absolutamente válidos y que se apliquen o deban aplicarse a las compañías y personas de todas las sociedades.

Es claro que existen numerosas prácticas que se juzgan inmorales en algunas sociedades y que en otras se consideran moralmente aceptables, como la poligamia, el aborto, el infanticidio, la esclavitud, el soborno, la homosexualidad, la discriminación racial y sexual, el genocidio, el parricidio y la tortura de animales. Pero los críticos del relativismo ético señalan que de ahí no se deduce que *no* haya estándares morales aplicables a todas las personas de todas partes. Aunque las sociedades no concuerden en algunos estándares morales, están de acuerdo en otros.

De hecho, los críticos del relativismo ético reconocen la existencia de ciertos estándares morales básicos que los miembros de cualquier sociedad deben aceptar, si esa sociedad ha de sobrevivir y si sus miembros tienen que interactuar de manera eficaz.[57] Así, todas las sociedades tienen normas que prohíben lesionar o matar a otros de sus miembros, normas sobre el uso del lenguaje veraz al comunicarse con los demás, y normas que prohíben disponer de los bienes personales de otros. Además, los antropólogos han descubierto numerosos valores y normas que son universales, es decir, que todos los grupos humanos conocidos reconocen. Entre ellos se encuentran los siguientes: la cooperación, la prohibición del incesto, la prohibición de la violación, la empatía, la amistad, la diferencia entre lo correcto y lo incorrecto, la justicia, el requisito de compensar las injusticias, lo bueno del valor, el requisito de que los padres se ocupen de sus hijos, las restricciones a algunas formas de violencia; la prohibición del asesinato, el cumplimiento de las promesas, el sentir culpa y vergüenza por hacer el mal, tener orgullo por los logros conseguidos, y el requisito de que las acciones que el individuo puede controlar se traten de manera diferente de las que no se controlan.

Además, cuando se examinan de cerca muchas diferencias morales aparentes entre las sociedades, en realidad se descubre que esconden similitudes esenciales más profundas. Por ejemplo, los antropólogos relatan que en algunas sociedades inuit de Alaska era moralmente aceptable que, en tiempos difíciles, las familias abandonaran a los ancianos fuera de la casa y los dejaran morir, mientras que en otras sociedades de India sentían que abandonar a alguien hasta morir de frío es equivalente a cometer un asesinato. Pero un examen más detallado revela que tras esa diferencia entre las sociedades inuit e india se esconde el mismo estándar moral: el deber de asegurar la supervivencia a largo plazo de la familia. En su duro ambiente, quizá los inuit no tuvieron otra manera de asegurar que su familia sobreviviera, cuando el abastecimiento de comida era escaso, que abandonando a los ancianos. Las sociedades indias creen que la supervivencia de sus familias requiere proteger a los mayores, ya que ellos llevan consigo la sabiduría y la experiencia necesarias para la familia. Las diferencias entre los inuit y los indios no se deben a una diferencia real en los valores, sino al hecho de que el mismo valor pueda llevar a dos juicios morales diferentes cuando el valor se aplica en dos situaciones muy distintas.

Otros críticos de la teoría del relativismo ético señalan que, cuando las personas tienen diferentes creencias morales sobre el mismo asunto, no se deduce que sea inexistente una verdad objetiva acerca del mismo, ni que todas las creencias sobre ello sean igualmente aceptables. Lo que hay que ver es que cuando dos personas o dos grupos tienen diferentes creencias, al menos una de estas es incorrecta. Por ejemplo, el filósofo James Rachels estableció esta cuestión de manera sucinta:

> El hecho de que diferentes sociedades tengan códigos morales distintos no demuestra nada. También existen desacuerdos de una sociedad a otra en asuntos científicos: en algunas culturas se cree que la Tierra es plana, y que los espíritus malignos causan las enfermedades. Y sin embargo, no concluimos que no existe una verdad en geografía o en medicina. Más bien, se concluye que en algunas culturas las personas están más informadas que en otras. De manera similar, el desacuerdo en la ética solo señala que algunas personas tienen menos conocimientos que otras. En última instancia, el hecho de que exista un desacuerdo no implica que la verdad no exista. ¿Por qué habríamos de suponer que, si existe la verdad ética, todos deberían conocerla?[58]

# Un negocio tradicional

En más de 28 países, la mayoría de ellos naciones del norte de África, se acepta la circuncisión femenina (o mutilación genital femenina, como la llaman sus críticos), la cual se practica a niñas de entre 7 y 12 años de edad. La operación consiste en extirpar la mayor parte de los genitales externos de la niña, entre ellos el clítoris y los labios menores. En la mayoría de esos países, el procedimiento lo realiza una practicante femenina, que usa un pequeño cuchillo o una navaja de afeitar sin aplicar anestesia. Por lo general, las niñas se resisten, así que varias mujeres las sujetan mientras se efectúa la operación. Quien realiza las circuncisiones cobra por el servicio y considera su trabajo como un negocio. Se estima que en los países en los que se acepta ampliamente esta práctica, las tarifas anuales de todos los negocios que proporcionan servicios de circuncisión totalizan decenas de millones de dólares.

Las madres en estos países sienten que deben circuncidar a sus hijas porque, de otra manera, ningún "buen hombre" querría casarse con ellas. Muchas creen que la circuncisión controla los deseos sexuales de la mujer y purifica su espíritu, de forma que los demás puedan comer lo que ella cocina. Aunque la práctica no se menciona en el Corán, muchos musulmanes del norte de África creen que se requiere la circuncisión femenina por ciertas aseveraciones que atribuyen a Mahoma, el fundador del Islam. Los estudiosos islámicos discuten la autenticidad y la interpretación de tales afirmaciones.

Muchos estadounidenses y europeos creen firmemente que la mutilación genital femenina es una agresión inmoral a una niña indefensa y reacia a aceptarla, que no le proporciona ningún beneficio médico, pero sí riesgos de contraer graves infecciones, además de privarla permanentemente de la capacidad de sentir placer sexual. Ellos han presionado a los gobiernos extranjeros para que eliminen la práctica y tomen medidas estrictas contra las mujeres que hacen negocio con ello, porque violan los derechos humanos de miles de niñas.

Quienes están a favor de la circuncisión femenina arguyen que los occidentales que quieren prohibirla tratan de imponerles su propia moralidad. Una practicante somalí declaró: "Es una gran ofensa y una gran interferencia en nuestras vidas y nuestros estilos de vida. Durante mucho tiempo, los europeos han venido a nuestros países y nos han dicho cómo vivir nuestras vidas y cómo comportarnos, y nosotros creemos que eso es totalmente inaceptable. Ya no permitiremos que los extranjeros nos digan cómo comportarnos o que pongan nuestros negocios en riesgo. Para que nuestras hijas sean libres, deben someterse a este procedimiento. Es su derecho como mujeres, y nuestra obligación como adultos es hacer de ellas las mejores jóvenes que podamos. La circuncisión es una parte fundamental de convertirse en joven y no les negaremos eso por algún sentido de moralidad inapropiado de los extranjeros".

Phillip Waites, médico y analista de salud de un servicio de noticias comentó: "El tema central aquí es si los europeos tienen o no el derecho de entrar en un país y exigir que los habitantes cambien sus tradiciones y cultura". Al comentar sobre las muchas practicantes para las que la circuncisión femenina es un negocio, dijo: "No hay muchos empleos en Somalia. En realidad no hay abundancia en ningún sector, y estas mujeres tienen una especialidad que no solo les permite vivir bien, sino que también les confiere cierto estatus en el país que, de otro modo, no tendrían".

---

1. ¿Ofrecer servicios de circuncisión femenina es un negocio moralmente incorrecto? ¿Por qué? Si una practicante pidiera un modesto crédito a un "prestamista occidental de microcréditos", como *www.Kiva.org*, ¿sería incorrecto que el prestamista le negara el crédito? ¿Sería incorrecto que se lo otorgara? Explique su respuesta.

2. ¿Es incorrecto que los occidentales presionen a los gobiernos del norte de África para que impidan la práctica de la circuncisión femenina?

3. ¿Este caso apoya el relativismo ético, o sugiere que hay determinadas prácticas que son condenables sin importar cuáles sean las diferentes posiciones al respecto?

Fuentes: William Ashford, "Genital Mutilators Protest Scandinavian Efforts to Crack Down on Trade", 27 de septiembre de 2009. Documento consultado el 9 de agosto de 2010 en *http://scrapetv.com/News/News%20Pages/Business/pages-3/Genital-mutilators-protest-Scandandinavian-efforts-to-crack-down-on-trade-Scrape-TV-The-World-on-your-side.html*; Amit R. Paley, "For Kurdish Girls, A PainfulAncient Ritual", *The Washington Post*, 29 de diciembre de 2008.

Quizá las críticas más incisivas con las que debe lidiar el relativismo ético son las que aseguran que tiene consecuencias incoherentes. Si el relativismo ético fuera verdadero, afirman los detractores, entonces tendría poco sentido criticar las prácticas de otras sociedades mientras que estas cumplan con sus propios estándares.

Por ejemplo, no podríamos decir que la esclavitud de los niños, según se practica en muchas partes del mundo, es incorrecta; o que la discriminación que se practicó en las sociedades del *apartheid* en Sudáfrica en el siglo pasado fue injusta; o que matar a los judíos en la sociedad nazi durante la década de 1930 era inmoral. En cada una de esas sociedades, las personas solo hacían lo que dictaban los estándares de su sociedad.[59]

Sus detractores también afirman que si el relativismo ético fuera correcto, entonces tampoco tendría sentido —de hecho, sería moralmente incorrecto— criticar cualquiera de los estándares morales o de las prácticas aceptadas por nuestra propia sociedad. Si nuestra sociedad acepta que cierta práctica, como la esclavitud, es moralmente correcta, entonces, como miembros de esta sociedad, también deberíamos aceptarla como moralmente correcta, al menos de acuerdo con el relativismo ético. Por ejemplo, el relativismo ético implicaría que fue incorrecto que los abolicionistas del sur de Estados Unidos objetaran la existencia de la esclavitud, puesto que ese sistema era aceptado en la sociedad sureña antes de la Guerra Civil. Según los críticos, por lo tanto, la teoría del relativismo ético implica que lo que piense la mayoría de la propia sociedad sobre la moralidad es automáticamente correcto y, por lo tanto, no se pueden criticar sus creencias.

El problema fundamental del relativismo ético, alegan los críticos, es que sostiene que los estándares morales de una sociedad son el único criterio con el cual se pueden juzgar sus acciones. La teoría otorga a los estándares morales de cada sociedad un lugar privilegiado que está por encima de toda crítica que puedan hacer sus miembros, o cualquier otra persona; es decir, para el relativista, los estándares morales de una sociedad no podrían estar equivocados. Es evidente, dicen los antagonistas, que esta implicación del relativismo ético indica que la teoría está equivocada. Todos sabemos que, al menos algunos de nuestros propios estándares morales, al igual que los de otras sociedades, podrían estar equivocados.

Entonces, la teoría del relativismo ético no parece correcta. Pero incluso si en última instancia es rechazada, no significa que no tenga algo que enseñarnos: nos recuerda que aunque las diferentes sociedades tienen distintas convicciones morales, estas no pueden descartarse simplemente porque no concuerden con las propias. Sin embargo, el relativismo ético podría estar equivocado al asegurar que todas las creencias morales son igualmente aceptables, y que los únicos criterios de lo correcto y lo incorrecto son los estándares morales que prevalecen en una sociedad determinada. Y si está equivocada, entonces hay algunos estándares morales que deben aplicarse a los comportamientos de todo el mundo, sin importar la sociedad de la que se trate. En el siguiente capítulo analizaremos qué tipo de estándares podrían ser estos.

El resultado de nuestro análisis es que hay dos tipos de estándares morales: los que difieren de una sociedad a otra y los que deben aplicarse en todas las sociedades. Una forma de considerar estos dos tipos de estándares morales es adoptar un marco de referencia llamado *teoría de los contratos sociales integradores* (TCSI).[60] Según esta teoría hay dos tipos de estándares morales: **1.** las hipernormas, que son aquellos estándares morales que deben aplicarse a todas las personas de todas las sociedades, y **2.** las normas microsociales, que son las que difieren de una comunidad a otra y que deben aplicarse a las personas solo si su comunidad acepta esas normas particulares.

La TCSI sostiene que es útil considerar las hipernormas como parte de un contrato social que todas las personas han aceptado, y las normas microsociales como parte de un contrato social que aceptan los miembros de una comunidad específica. Ejemplos de las primeras podrían ser los principios de derechos humanos y los principios de justicia que se aplican a todas las personas en todas las comunidades. Por otra parte, un ejemplo de una norma microsocial es la que permite a un padre y a un hijo tener una esposa en común,

*Repaso breve 1.13*

**La teoría de los contratos sociales integradores indica que:**

- Las hipernormas se deben aplicar a las personas de todas las sociedades.
- Las normas microsociales se aplican solo en sociedades determinadas y difieren de una sociedad a otra.

una norma moral aceptada en el Tíbet, pero rechazada en todas las demás comunidades. Otra norma microsocial es que, cuando una mujer casada viaja, debe hacerlo siempre en compañía de su marido o de un pariente varón, algo aceptado en Arabia Saudita y otros países árabes, pero no en Estados Unidos ni en Europa.

La TCSI afirma que las hipernormas tienen prioridad sobre las normas microsociales. Es decir, estas últimas no deben contradecir a las primeras. Si alguna de ellas lo hace, entonces significa que no es ética y debe rechazarse. No obstante, la TCSI supone que las hipernormas deben permitir a cada comunidad tener cierto espacio moral libre, esto es, un rango de normas que una comunidad es libre de aceptar porque no viola ninguna hipernorma.

Las personas, según la TCSI, deben seguir las normas microsociales que son aceptadas en su comunidad. Sin embargo, sus miembros deben ser libres de abandonarla si están en fuerte desacuerdo con dichas normas microsociales. Más aún, según la TCSI, cuando un directivo de una corporación trabaja en una comunidad extranjera debe seguir las normas microsociales de esa comunidad en tanto no violen las hipernormas. Si las violan, entonces no debe seguirlas.

Muchos críticos rechazan el punto de vista de la TCSI de que las hipernormas deben considerarse como parte de un contrato social que todas las personas razonables han aceptado, mientras que los relativistas rechazan la idea misma de que existan hipernormas universales absolutas. No obstante, la distinción entre hipernormas y normas microsociales es útil. En el supuesto de que haya hipernormas, la distinción ofrece una forma útil de pensar en la interacción entre las normas morales absolutas que se deben aplicar a todas las personas en todas partes, y las normas locales que difieren de una sociedad a otra. Brinda un esquema útil para entender cómo lidiar con las diferencias morales. Aquí se ha argumentado que hay normas morales absolutas que deben aplicarse en todas partes; en el siguiente capítulo analizaremos cuáles podrían ser estas.

# 1.3 Razonamiento moral

Se ha dicho que la ética es el estudio de la moralidad y que una persona comienza a aplicarla cuando analiza los estándares morales que asimiló a partir de la familia, la iglesia, los amigos y la sociedad, y se pregunta si esos estándares son razonables o no y qué implican para las situaciones y los asuntos que se le presentan. En esta sección se analiza con más detalle este proceso de examinar los estándares morales propios y el proceso de razonamiento por el que se aplican los estándares a situaciones e ideas concretas. Comenzaremos por describir cómo se desarrolla la habilidad de una persona para usar y evaluar de manera crítica los estándares morales en el curso de su vida, y después describiremos algunos procesos de razonamiento mediante los cuales se emplean y evalúan estos estándares morales, así como algunas de las formas en que pueden equivocarse.

## Desarrollo moral

Algunas veces suponemos que los valores de una persona se forman en su niñez y no cambian con el tiempo. De hecho, una gran cantidad de investigación psicológica y la experiencia personal demuestran que a medida que las personas maduran, cambian sus valores de manera muy profunda. Igual que las habilidades físicas, emocionales y cognitivas de un individuo se desarrollan conforme este crece, también se desarrolla su habilidad para manejar los aspectos morales a lo largo de su vida. De hecho, de la misma forma que se identifican las etapas de crecimiento en cuanto a desarrollo físico, también la habilidad de hacer juicios morales razonados se desarrolla en etapas identificables. De niños, simplemente nos dicen lo que es correcto e incorrecto, y obedecemos para eludir los castigos.

Conforme llegamos a la adolescencia, esos estándares morales convencionales se internalizan de manera gradual y tratamos de ajustarnos a las expectativas de la familia, los amigos y la sociedad que nos rodean. Finalmente, de adultos aprendemos a reflexionar de manera crítica sobre los estándares morales convencionales que nos inculcaron la familia, los compañeros, la cultura o la religión. Entonces, comenzamos a evaluar esos estándares morales y a revisar si son inadecuados, incongruentes o irracionales. En suma, comenzamos a hacer ética, y a desarrollar principios morales que consideramos mejores y más razonables en comparación con los que aceptamos antes.

Existe mucha investigación psicológica que muestra que los puntos de vista morales de una persona se desarrollan más o menos de cierta manera. Por ejemplo, el psicólogo Lawrence Kohlberg, quien fue pionero de la investigación en este campo, concluyó con base en más de 20 años de investigación que en el desarrollo de la habilidad de una persona para manejar la moralidad existe una secuencia de seis etapas identificables.[61] Kohlberg agrupó estas etapas de desarrollo moral en tres niveles, cada uno con dos etapas. En cada nivel, la segunda etapa es la más avanzada y organizada de la perspectiva general de ese nivel. La secuencia de las seis etapas se resume de la siguiente forma.

### NIVEL UNO: ETAPAS PRECONVENCIONALES[62]

En estas dos primeras etapas, el niño es capaz de aplicar etiquetas de bueno, malo, correcto e incorrecto. Sin embargo, bueno y malo, correcto e incorrecto se interpretan en términos de lo agradables o dolorosas que son las consecuencias de las acciones, o en términos de lo que las figuras de autoridad demandan. Por ejemplo, si se pregunta a un niño de cuatro o cinco años si robar es malo, dirá que lo es; si luego se le pregunta *por qué* es malo, la respuesta será parecida a "porque mamá me castigará si lo hago". El niño en este nivel percibe las situaciones sólo desde su punto de vista y, por lo tanto, la primera motivación se centra en sí mismo.

**Etapa uno: Orientación al castigo y la obediencia** En esta etapa las demandas de las figuras de autoridad, o las consecuencias agradables o dolorosas de un acto, determinan lo correcto y lo incorrecto. Las razones del niño para hacer lo correcto son evitar el castigo o desviar el poder de las autoridades. Existe poca conciencia de que los demás tienen necesidades y deseos similares a los propios.

**Etapa dos: Orientación instrumental y relativa** En esta etapa las acciones correctas se convierten en aquellas que sirven como instrumento para satisfacer las necesidades del niño. Ahora está consciente de que los demás tienen necesidades y deseos similares a los suyos y usa este conocimiento para obtener lo que quiere. El niño se comporta de manera correcta con los demás, así que los demás después harán lo mismo con él.

### NIVEL DOS: ETAPAS CONVENCIONALES

En estas dos etapas siguientes, el niño mayor o el adolescente consideran lo moralmente correcto e incorrecto en términos de cumplir con las normas convencionales de su familia, el grupo de pares o la sociedad. El individuo en estas etapas es leal a estos grupos y a sus normas. Ve lo correcto y lo incorrecto en términos de "mis amigos piensan", "mi familia me enseñó", "lo que creemos los estadounidenses" o, incluso, "la ley dice que". La persona tiene la habilidad de aceptar el punto de vista de otras personas semejantes de sus grupos.

**Etapa tres: Orientación de concordancia interpersonal** El buen comportamiento en esta primera etapa convencional es vivir de acuerdo con las expectativas de aquellos a quienes se tiene lealtad, cariño y confianza, como la familia y los amigos. La acción correcta es la que cumple con lo que se espera, en general, en el rol de buen hijo, amigo, etcétera. En esta etapa el joven desea agradar y que piensen bien de él.

**Etapa cuatro: Orientación de ley y orden** Lo correcto e incorrecto en esta etapa convencional más madura se basa en la lealtad a la sociedad o al país al que se pertenece. Sus leyes y normas deben respetarse para que la sociedad funcione bien. Ahora, la persona es capaz de ver a los demás como parte de un sistema social más grande que define los papeles y las obligaciones individuales, y de distinguir estas obligaciones de las que requieren sus relaciones personales.

### NIVEL TRES: ETAPAS POSCONVENCIONALES

En estas dos siguientes etapas, la persona ya no acepta simplemente los valores y las normas de sus grupos. Ahora trata de ver lo correcto y lo incorrecto desde un punto de vista que toma en cuenta, de

---

*Repaso breve 1.14*

**Los tres niveles de Kohlberg del desarrollo moral**

- Preconvencional (castigo y obediencia; instrumental y relativo).
- Convencional (concordancia interpersonal; leyes y orden).
- Posconvencional (contrato social; principios universales).

manera imparcial, los intereses de todos. La persona cuestiona las leyes y los valores que ha adoptado la sociedad, y los redefine en términos de principios morales que cree que pueden justificarse en
términos racionales. Si se pregunta a un adulto en esta etapa por qué algo es correcto o incorrecto,
responderá en términos de que es "justo para todos" o en términos de justicia, derechos humanos o
bienestar de la sociedad.

**Etapa cinco: Orientación de contrato social** En esta primera etapa posconvencional, la persona está consciente de que la gente tiene una variedad de puntos de vista morales
en conflicto, pero cree que todos los valores y las normas morales son relativos y que, además
de establecer este consenso democrático, todos deben tolerarse.

**Etapa seis: Orientación de principios morales universales** En esta segunda
etapa posconvencional, la acción correcta se define en términos de los principios morales
elegidos por su amplitud, universalidad y congruencia. Son principios morales abstractos, que
se refieren, por ejemplo, a la justicia, el bienestar social, los derechos humanos, el respeto
a la dignidad humana y la idea de que las personas se constituyen en un fin en sí mismas y
deben ser tratadas como tales. La persona considera estos principios como los criterios para
evaluar todas las normas y los valores socialmente aceptados.

La teoría de Kohlberg es útil porque ayuda a entender el desarrollo de las capacidades
morales y revela cómo podemos madurar en la comprensión de los estándares morales que
tenemos. Su investigación y la de otros han demostrado que, aunque generalmente los individuos pasan por las etapas en la misma secuencia, no todos las recorren en su totalidad.
Kohlberg encontró que muchas personas se quedan en alguna de las primeras etapas toda
su vida. Para quienes permanecen en el nivel preconvencional, lo correcto e incorrecto
siempre estará definido en los términos egocéntricos de evitar el castigo y hacer lo que dicen las figuras de autoridad y poder. Para quienes llegan al nivel convencional, pero nunca
avanzan más, lo correcto e incorrecto continuará definido en términos de las normas y
expectativas convencionales de sus grupos sociales o de las leyes de su país o sociedad. Sin
embargo, para quienes llegan al nivel posconvencional y reflexionan con ánimo crítico sobre los estándares morales convencionales que les inculcaron, el bien o el mal moral están
definidos en términos de los principios morales que eligieron por sí mismos como los más
razonables.

Es importante observar que Kohlberg señala que el razonamiento moral de quienes
están en las últimas etapas del desarrollo moral es mejor que el de los que están en las
primeras. En primer lugar, según él, las personas en las últimas etapas tienen la habilidad
de ver las situaciones desde una perspectiva más amplia y completa que quienes están en
las primeras. Un individuo en el nivel preconvencional vería situaciones sólo desde su propio y egocéntrico punto de vista. Los individuos en el nivel convencional pueden ver las
situaciones solamente desde enfoques que son familiares a las personas de su propio grupo
social. Y la persona con un punto de vista posconvencional puede analizar las situaciones
desde una perspectiva universal que intenta tomar en cuenta a todos. Segundo, alguien
en las últimas etapas tiene mejores formas de justificar sus decisiones ante otros que la
gente en las primeras etapas. El sujeto en el nivel preconvencional tan solo justifica sus
decisiones en términos de cómo se verán afectados sus propios intereses y, por lo tanto, las
justificaciones son persuasivas únicamente para la persona. Un individuo en el nivel convencional justificaría sus decisiones en términos de las normas del grupo al que pertenece,
y por ello las justificaciones son concluyentes solo para los miembros de ese grupo. Por
último, la persona en el nivel posconvencional justificaría lo que hace con base en principios morales imparciales y razonables y que, por lo tanto, cualquier individuo razonable
aceptaría.

Sin embargo, la teoría de Kohlberg ha recibido numerosas críticas.[63] Primero, se le
criticó por asegurar que las etapas superiores son moralmente preferibles a las primeras.
Esta crítica sin duda es correcta. Aunque los niveles superiores de Kohlberg incorporan
perspectivas más amplias y justificaciones considerablemente aceptadas, no se puede concluir que esas perspectivas sean *moralmente* mejores que las de niveles más bajos.

Establecer que las etapas superiores son *moralmente* mejores requiere más argumentos de los que expone Kohlberg. En capítulos posteriores, se verán los tipos de razones que podrían esgrimirse para apoyar el punto de vista de que los principios morales característicos de las últimas etapas de Kohlberg son moralmente preferibles a los criterios que se usan en las etapas preconvencional y convencional.

Una segunda crítica significativa para Kohlberg surge del trabajo de la psicóloga Carol Gilligan, quien sugiere que, aunque la teoría del psicólogo identifica correctamente las etapas por las que pasa el hombre al desarrollarse, no identifica el patrón de desarrollo de la moralidad de la mujer.[64] Debido a que la mayoría de los sujetos de Kohlberg eran varones, Gilligan argumenta que su teoría no toma en cuenta los patrones del pensamiento moral de la mujer.

Existen, dice Gilligan, dos maneras diferentes de enfocar la moralidad: masculina y femenina. Según Gilligan, los hombres tienden a manejar los aspectos morales en términos de principios morales impersonales, imparciales y abstractos, exactamente el tipo de enfoque que Kohlberg considera característico del pensamiento posconvencional. No obstante, asegura Gilligan, existe un segundo enfoque propiamente femenino de los aspectos morales que la teoría de Kohlberg no reconoce. Las mujeres, dice ella, tienden a verse a sí mismas como parte de una red de relaciones de familiares y amigos; cuando se enfrentan a asuntos morales, se preocupan por sostener sus relaciones, evitando herir a los demás en esas relaciones y cuidando su bienestar. Para las mujeres, la moralidad es principalmente un asunto de cuidado y responsabilidad hacia aquellas personas con quienes mantienen relaciones personales, y no un asunto de adherencia a reglas imparciales. Gilligan asegura que la mujer, cuando madura y desarrolla sus puntos de vista en relación con la moralidad, sigue etapas un tanto diferentes de las que Kohlberg describe. El desarrollo moral de la mujer está marcado por el progreso hacia formas más adecuadas del cuidado y la responsabilidad de sí misma y de aquellos con quienes se relaciona. En su teoría, el primer nivel (preconvencional) del desarrollo moral de la mujer está marcado por el cuidado de sí misma. Las mujeres pasan a un segundo nivel, el convencional, cuando internalizan normas convencionales acerca del cuidado de los demás y, al hacerlo, llegan a descuidarse a sí mismas. Sin embargo, cuando avanzan al nivel más maduro o posconvencional, se vuelven críticas de las normas convencionales que antes aceptaban, y llegan a lograr un equilibrio entre cuidar de otros y cuidar de sí mismas.

¿Está Gilligan en lo correcto? Aunque la investigación ulterior ha demostrado que el desarrollo moral de hombres y mujeres no difiere de la manera que sugirió Gilligan originalmente, esa misma investigación confirma que su argumento identificó una perspectiva hacia los aspectos morales que difiere del enfoque de Kohlberg.[65] Los aspectos morales se pueden manejar desde una perspectiva de imparcialidad o desde la perspectiva del cuidado de las personas y las relaciones, y ambos enfoques son distintos. Sin embargo, tanto las mujeres como los hombres en ocasiones ven la cuestión moral desde una perspectiva u otra.[66] Aunque la investigación sobre la perspectiva del cuidado que describe Gilligan todavía es incipiente, es claro que se trata de una perspectiva moral importante que tanto hombres como mujeres deben tomar en cuenta. En el siguiente capítulo se estudiará con detalle esta perspectiva del cuidado y se evaluará su relevancia para la ética en los negocios.

Para los objetivos de este libro, lo importante en este sentido es hacer notar que tanto Kohlberg como Gilligan están de acuerdo en que existen etapas de crecimiento en el desarrollo moral. También coinciden en que el desarrollo pasa de una etapa preconvencional centrada en uno mismo, a otra convencional en la que se aceptan sin crítica los estándares morales convencionales de la sociedad que nos rodea, y se sigue a una etapa madura, posconvencional, en la que se aprende a examinar de manera crítica y reflexiva qué tan adecuados son los estándares morales convencionales que antes se aceptaban, para luego diseñar estándares propios más adecuados, tanto de cuidado como de imparcialidad.

---

**Repaso breve 1.15**

**La teoría de Gilligan del desarrollo moral femenino**

- Para las mujeres, la moralidad es primordialmente una cuestión de cuidado y responsabilidad.
- El desarrollo moral de las mujeres implica progresar hacia mejores formas de cuidar y ser responsables.
- La mujer pasa de una etapa preconvencional de cuidar solo de sí misma, a una etapa convencional de cuidar de otros y descuidarse ella, y luego a una etapa posconvencional que consiste en lograr un equilibrio entre cuidar de otros y de ella.

Ya se dijo que comenzamos a hacer ética cuando examinamos de manera crítica los estándares morales que asimilamos a partir de la familia, los amigos y la sociedad, y nos preguntamos si son razonables o no. En términos de las etapas de desarrollo moral que proponen Kohlberg y Gilligan, la ética comienza cuando uno deja atrás la simple aceptación de los estándares morales convencionales que aprendió de la sociedad para intentar desarrollar estándares más maduros, basados en razones más justificadas y que permiten manejar un amplio rango de situaciones de una manera adecuada. El estudio de la ética es el proceso mediante el cual se desarrolla la habilidad personal para manejar los asuntos de carácter moral, un proceso que debe permitir al individuo adquirir una comprensión reflexiva de lo que está "bien" y "mal", y que caracteriza las etapas posconvencionales del desarrollo moral. Estimular este desarrollo es una meta central del estudio de la ética.

Este es un aspecto importante que no se debe perder de vista. El texto y los casos siguientes están diseñados para leerse y discutirse con otros (estudiantes, maestros, amigos), con la finalidad de estimular en nosotros mismos el tipo de desarrollo moral que se ha descrito. La interacción y la discusión intensas con otros en relación con los asuntos de carácter moral desarrollan nuestra habilidad para ir más allá de la simple aceptación de los estándares morales que aprendimos de la familia, los compañeros, la nación o la cultura. Al discutir, criticar y razonar los juicios morales que hacemos, adquirimos el hábito de pensar y reflexionar para decidir por nosotros mismos cuáles son los principios morales que consideramos razonables por haberse probado al calor del debate.

Entonces, los principios morales que se producen con el tipo de análisis y reflexión que para Kohlberg y Gilligan son característicos de las últimas etapas del desarrollo moral son mejores, pero no porque lleguen en una etapa posterior. Un conjunto de principios morales es mejor que otro solo cuando se examina de manera cuidadosa y se encuentra que está apoyado por razones mejores y más poderosas, un proceso que se enriquece mediante la discusión y el desafío que plantean otras personas. De esta forma, los principios morales que aparecen en las etapas posteriores del desarrollo moral son mejores en tanto que son producto de un tipo de examen y discusión razonados, y porque surgen cuando la gente mejora sus habilidades de razonamiento, crece en la comprensión y el conocimiento de la vida humana e interactúa con otros para desarrollar una perspectiva moral más firme y madura.

Los psicólogos han ampliado la teoría de Kohlberg (y de Gilligan) del desarrollo moral al analizar cómo se relaciona este último con la identidad propia y la motivación para ser moral. Por ejemplo, William Damon encontró que "la moralidad no se convierte en una característica dominante del yo sino hasta [...] la mitad de la adolescencia".[67] Esto significa que solo entonces, comenzamos a considerar la moralidad como una parte importante de quiénes somos realmente. Esto es importante porque Damon también descubrió que cuanta más moralidad llegue a ser parte de quienes somos, más fuerte será nuestra motivación de hacer lo que es moralmente correcto. De hecho, hay personas ejemplares que tienen tan unidos el yo y la moralidad que cuando hacen lo que es moralmente correcto, "en vez de negar el yo, lo definen con base en un centro moral… [y por lo tanto, no consideran] sus decisiones morales como un ejercicio de autosacrificio".[68] El psicólogo Augusto Blasi argumenta que el proceso de hacer de la moralidad parte de quienes sentimos que somos realmente consiste en preguntarnos no solo "¿qué tipo de persona quiero ser?", sino también "¿qué tipo de persona debe ser alguien?".[69]

Blasi señala que las personas tienen "deseos reflexivos, digamos deseos sobre sus propios deseos". Es decir, otra forma de interrogarse sobre qué tipo de personas queremos ser es preguntar: "¿Qué deseo o qué quiero tener?".[70] Un hallazgo importante de la investigación sobre la identidad moral es que tiene una influencia importante en nuestro razonamiento moral. Es decir, en muchas situaciones lo que consideramos que debemos hacer depende del tipo de persona que creemos que somos. Por ejemplo, si me considero una persona honesta, entonces por lo general decidiré ser sincero cuando me sienta tentado a mentir. Los especialistas han llamado a este enfoque de la ética el *enfoque de la virtud*. Las virtudes son aspectos

*Repaso breve 1.16*

### La investigación sobre la identidad moral sugiere que:

- La moralidad no es una parte importante del yo sino hasta la mitad de la adolescencia.
- Cuanta más moralidad llegue a formar parte del yo, más fuerte será la motivación para ser moral.
- Los juicios de lo correcto y lo incorrecto dependen en parte del tipo de persona que pensamos que es el yo, es decir, de las virtudes que pensamos que son parte de nuestro ser.

# Denunciante de WorldCom

En marzo de 2002, cuando WorldCom luchaba por coordinar e integrar la compleja maraña creada por las 65 compañías que había adquirido, su sumamente respetado director financiero, Scott Sullivan, transfirió $400 millones de una cuenta de reserva y los registró como ingresos en los informes financieros públicos (de accionistas) de la compañía. Cuando Cynthia Cooper, la perfeccionista jefa del departamento de auditoría interna, lo detectó, comenzó a examinar en secreto los libros de la compañía por la noche. Pronto descubrió que Scott Sullivan (designado como el "mejor director financiero" por *CFO Magazine* en 1998) y David Myers, el contralor de WorldCom, habían reportado durante años miles de millones de dólares como gastos de capital, cuando en realidad eran costos de operación. Además, ignoraban las cuentas incobrables y reportaban como ingresos lo que en realidad eran fondos de reserva. Todo esto lo hacían con la ayuda de Arthur Andersen, la firma de auditoría y contabilidad que prestaba sus servicios a la compañía. Aunque Sullivan, furioso, la amenazó, y ella sabía que corría el riesgo de perder su trabajo y su carrera profesional, el 20 de junio de 2002, se armó de valor y se reunió con el comité de auditores del consejo directivo de WorldCom para informarles lo que estaba sucediendo. El 25 de junio los directores de WorldCom anunciaron que la compañía había inflado sus ganancias en más de $3,800 millones —una cantidad que después se elevó a $9 mil millones—, un hecho que se convirtió en el mayor fraude contable de la historia. Sullivan y Myers fueron arrestados; los accionistas de WorldCom perdieron $3 mil millones; 17,000 empleados perdieron sus trabajos, y Arthur Andersen tuvo que cerrar luego de que se descubrió que había destruido evidencias de otros fraudes en otras empresas. Actualmente, muchos directivos y empleados de WorldCom no dirigen la palabra a Cooper, y ella a veces llora. Cooper dice: "Hay un precio que pagar. [Pero] todo se reduce a los valores y la ética que aprendes… El miedo de perder mi trabajo era secundario en relación con la obligación que sentía".

1. ¿Cuál de las seis etapas de desarrollo moral de Kohlberg diría usted que Cynthia Cooper había alcanzado? Explique su respuesta.

2. ¿Las acciones y los motivos de Cynthia Cooper apoyan o debilitan los puntos de vista que sostiene Gilligan? ¿Qué diría usted que es singular en lo que ella hizo?

3. ¿Cómo aplicaría la teoría de William Damon de la identidad moral a Cynthia Cooper?

El ex presidente de WorldCom, Bernard J. Ebbers, y el director financiero, Scott Sullivan, al tomarles juramento antes de testificar ante el Congreso el 8 de julio de 2002.

Los empleados de Arthur Andersen en un mitin de apoyo a su vapuleada empresa contable, que estuvo implicada en el escándalo de WorldCom.

morales del carácter, como la honestidad y el valor. Este tipo de razonamiento difiere del razonamiento sobre los principios morales. La manera exacta en la que se diferencian se analizará en el siguiente capítulo, al estudiar el tema de la ética de las virtudes.

Es importante observar también que la ética no es solo una cuestión de lógica, razonamiento y cognición. Esto dejaría fuera el papel central que desempeñan las emociones y los sentimientos en las decisiones morales.[71] Como ya se mencionó, una de las características que definen los estándares morales es que están relacionados con emociones y sentimientos especiales, como la culpa, la vergüenza, la compasión y la empatía. Pero, además, al pensamiento moral le ayudan las emociones. Desde luego, estas a veces se pueden interponer en el camino de un pensamiento claro. Pero no es posible hacer un razonamiento moral sin la presencia de las emociones.[72] Quienes han sufrido daños en aquellas regiones del cerebro responsables de producir las emociones y que, por lo tanto, ya no las experimentan, son incapaces de realizar algún razonamiento moral. Aún pueden razonar lógicamente y pensar de manera abstracta, pero ya no son capaces de aplicar estándares morales a sus interacciones con otras personas.

Por ejemplo, Phineas Gage era un joven popular y respetado que un día en el trabajo cayó sobre una carga explosiva mientras sostenía una barra de hierro. La carga explotó con tal fuerza que instantáneamente incrustó la barra contra su mejilla, detrás de su ojo izquierdo, y atravesó la parte frontal de su cerebro, saliendo a gran velocidad por la parte superior de su cráneo. Milagrosamente, sobrevivió y se recuperó sin perder las capacidades de caminar, moverse, percibir, hablar, pensar, recordar y razonar. Pero la parte frontal del cerebro desempeña un papel esencial en la producción de las emociones, así que Gage perdió la mayor parte de su capacidad de experimentarlas. Y con esa pérdida, también perdió algo más. Según testigos, se volvió "impredecible, irreverente, a veces sumamente burlón y pícaro en su forma de hablar (algo que antes no era), irrespetuoso con sus compañeros, impaciente ante las restricciones o consejos que entraban en conflicto con sus deseos, a veces perniciosamente obstinado, pero caprichoso y vacilante; hacía muchos planes para el futuro, los cuales más tardaba en iniciar que en abandonar".[73] Junto con sus emociones, el joven Gage perdió también la capacidad de participar en cualquier tipo de pronóstico y pensamiento moral que le permitiera relacionarse éticamente con sus amigos y conocidos, como lo hacía antes. Muchas otras personas que, al igual Gage, perdieron la capacidad de sentir emociones, también dejan de tener la capacidad de razonar de manera moral. Diversos estudios ponen de manifiesto la estrecha relación que existe entre el razonamiento moral y las emociones al demostrar que, cuando se razona de manera moral, se activa una de las regiones del cerebro que también lo hace cuando se experimentan emociones, esto es, la parte del cerebro que perdió Gage.

¿De qué manera trabajan juntas las emociones y el razonamiento? Consideremos un ejemplo sencillo. Por ejemplo, la reacción emocional o empatía que experimentamos al ver cómo una mujer es maltratada frente a nosotros de pronto concentrará nuestra atención en ella, nos llevará a imaginar cómo se sentirá y lo que le sucede, acallando cualquier otra cuestión que tengamos en mente. La información que recibimos de esta percepción en la que nos concentramos quizá nos haga sentir compasión y esto nos mueva a preguntarnos si merece que la traten como lo hacen. Si consideramos que no lo merece y que la están tratando injustamente, quizá sintamos ira, lo que nos impulsará a pensar en qué podemos hacer para terminar con esa injusticia. Este es solo un ejemplo de cómo nuestros sentimientos y razonamiento trabajan juntos.

Más aún, debería ser suficiente para sugerir cómo los sentimientos pueden dar información sobre lo que pasa a nuestro alrededor. Por ejemplo, de manera empática nos permiten saber lo que siente la víctima y percibir lo que está experimentando. Las emociones como la compasión nos pueden hacer reconocer que enfrentamos una situación que genera una cuestión ética y nos motiva a entender y razonar sobre lo que ocurre. Y la ira nos impulsa a pensar sobre lo que podemos y debemos hacer, y luego nos incita a la acción.

El siguiente análisis se enfoca, en gran medida, en los procesos de razonamiento sobre los que se basan las decisiones morales. Sin embargo, es importante recordar que las emociones y los sentimientos impulsan y revisten esos procesos. El razonamiento sobre la ética es importante, pero sin las emociones, seríamos como Gage: incapaces de enfocarnos en la ética y de preocuparnos por ella, y no podríamos razonar de manera moral sobre nosotros ni sobre quienes nos rodean.

## Razonamiento moral

Hemos usado el término *razonamiento moral* repetidas veces. Pero, ¿qué significa? El **razonamiento moral** se refiere al proceso de razonamiento mediante el cual se juzga si el comportamiento humano, las instituciones o las políticas están en concordancia con los estándares morales o, por el contrario, los quebrantan. El razonamiento moral siempre incluye tres elementos esenciales: **1.** la comprensión de nuestros estándares morales y de aquello que requieren, prohíben, valoran o condenan, **2.** la evidencia o la información que muestra que una persona, una política, una institución o un comportamiento en particular tienen las características que estos estándares morales requieren, prohíben, valoran o condenan, y **3.** una conclusión o un juicio moral acerca de que la persona, la política, la institución o el comportamiento están prohibidos o son adecuados, correctos o incorrectos, justos o injustos, valiosos o condenables, etcétera. A continuación se presenta una ilustración del razonamiento moral cuyo autor nos explica las razones que le permitieron llegar al juicio moral de que algunas instituciones sociales estadounidenses son injustas.

> Afroestadounidenses y otras minorías viven en nuestra sociedad, y una cantidad desproporcionada combate en guerras que mantienen a nuestra sociedad segura: el 20 por ciento del ejército está integrado por afroestadounidenses, pero estos constituyen tan solo el 11 por ciento de la población total. Las minorías aceptan los empleos más bajos en el escalafón (el 30 por ciento de los trabajadores de limpieza son hispanos, pero estos, en total, conforman apenas el 7 por ciento de la fuerza laboral). Además, las minorías contribuyen con mano de obra barata (el 4 por ciento de los trabajadores agrícolas son hispanos), lo cual nos permite vivir y comer desproporcionadamente bien. Pero las minorías no comparten los beneficios de la sociedad. Un 26 por ciento de los afroestadounidenses y el 25 por ciento de los hispanos viven por debajo del límite de pobreza, en comparación con el 12 por ciento de los caucásicos. La mortalidad infantil es tres veces más alta entre los bebés de familias afroestadounidenses e hispanas que entre las caucásicas. Mientras que los afroestadounidenses constituyen el 11 por ciento de la fuerza laboral del país, ocupan solo un 7 por ciento de los puestos administrativos y el 6 por ciento de los ingenieriles. Es injusta la discriminación que impide que las minorías obtengan de su sociedad una retribución equiparable a su contribución.[74]

En este ejemplo, el autor tiene en mente un estándar moral que establece al final del párrafo: "Es injusta la discriminación que impide que las minorías obtengan de su sociedad una retribución equiparable a su contribución". El resto del párrafo se dedica a citar evidencias que muestran que la sociedad estadounidense exhibe el tipo de discriminación proscrita por este principio moral. El juicio moral del autor sobre la sociedad estadounidense no se declara de manera explícita, pero es evidente: la sociedad estadounidense es injusta. Así que este ejemplo de razonamiento moral tiene los componentes habituales: **1.** un estándar moral sobre el que se basa el juicio moral, **2.** evidencia o información de hechos concretos sobre la institución que se juzga, y **3.** un juicio o una conclusión moral que

**razonamiento moral** Proceso de razonamiento mediante el cual se juzga si el comportamiento humano, las instituciones o las políticas están en concordancia con los estándares morales o, por el contrario, los quebrantan.

**Figura 1.1**

Vea la **imagen** en

**mythinkinglab.com**

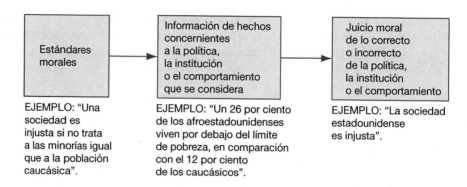

EJEMPLO: "Una sociedad es injusta si no trata a las minorías igual que a la población caucásica".

EJEMPLO: "Un 26 por ciento de los afroestadounidenses viven por debajo del límite de pobreza, en comparación con el 12 por ciento de los caucásicos".

EJEMPLO: "La sociedad estadounidense es injusta".

se obtiene a partir de los dos primeros componentes. Entonces, de manera esquemática, el razonamiento moral o ético suele tener el tipo de estructura indicado en la figura 1.1.[75]

Algunas veces no se expresan uno o más de los tres componentes incluidos en el razonamiento moral de un individuo. En el ejemplo anterior, la conclusión no se expresa explícitamente porque es muy evidente. Sin embargo, las personas no siempre declaran explícitamente los estándares morales sobre los que basan sus juicios morales, y es posible que haya que descubrirlos. Por ejemplo, tal vez alguien diga, "la sociedad estadounidense es injusta porque permite que el 26 por ciento de los afroestadounidenses vivan por debajo del límite de pobreza, en comparación con el 12 por ciento de los caucásicos". Aquí, el juicio moral es que "la sociedad estadounidense es injusta" y la evidencia es que "permite que el 26 por ciento de los afroestadounidenses vivan por debajo del límite de pobreza, en comparación con el 12 por ciento de los caucásicos". Pero, ¿en qué estándar moral se basa este juicio? El estándar que no se declara tiene que ser algo como: "una sociedad es injusta si permite que haya un porcentaje mayor de personas pobres de una raza que de otra". ¿Cómo se sabe? Porque la **información objetiva** de que *el 26 por ciento de los afroestadounidenses viven por debajo del límite de pobreza en comparación con el 12 por ciento de los caucásicos* sirve como evidencia para el juicio moral de que *la sociedad estadounidense es injusta*, pero solamente si se acepta el **estándar moral** de que una sociedad es injusta cuando permite que *haya un porcentaje mayor de personas pobres de una raza que de otra*. Sin este estándar moral, la información objetiva no tendría relación lógica con la conclusión y, por lo tanto, no sería evidencia de esta última. Así que para descubrir los estándares morales no declarados que alguien usa cuando hace un juicio moral, tenemos que determinar el origen de su razonamiento hasta llegar a sus suposiciones morales. Esto implica preguntar: *a)* qué información objetiva considera la persona que es evidencia de su juicio moral, y *b)* qué estándares morales se necesitan para relacionar lógicamente esta información de hechos con su juicio moral.[76]

Una razón por la cual los estándares morales no se expresan de manera explícita es que, en general, se supone que son evidentes. La gente se esfuerza más en analizar si hay evidencias de que una situación determinada cumple o viola los estándares morales no expresados en los que se apoya su juicio. Sin embargo, no se esfuerza en examinar los estándares morales (no expresados) de los que depende su juicio. Pero si no se hacen explícitos dichos estándares, los juicios se pueden basar en estándares morales que ni siquiera sabemos que tenemos; o, peor aún, en estándares que rechazaríamos si pensáramos explícitamente en ellos. Nuestros estándares morales no declarados pueden ser incongruentes, irracionales o tener implicaciones que no aceptamos. En el ejemplo del razonamiento moral, se ha analizado el estándar moral no declarado: una sociedad es injusta si permite que haya más proporción de pobreza en una raza que en otra. Pero ahora que se ha hecho explícito, quizá no estemos seguros de que sea correcto. Por ejemplo, algunos creen que las desigualdades en los porcentajes de pobreza de cada raza son resultado de las diferentes características naturales de cada una.

Y si son el resultado de diferencias naturales, entonces, ¿demostrarían esas desigualdades que la sociedad es injusta? Tal vez se rechace la idea de que las desigualdades son resultado de diferencias raciales naturales, pero al menos nos lleva a analizar con más cuidado si los estándares morales que se usan están justificados. Hacer explícitos los estándares morales sobre los que se basan los juicios morales es esencial para entender si aquellos que subyacen en nuestro razonamiento realmente se justifican.

Los estándares morales sobre los que los adultos basan sus juicios morales por lo general son mucho más complejos de lo que sugieren estos ejemplos sencillos. Por lo general, incluyen calificaciones, excepciones y restricciones que limitan su alcance. Además, tal vez estén combinados de distintas maneras con otros estándares morales importantes. De cualquier forma, el método general para descubrir los estándares no declarados de las personas es el mismo sin importar qué tan complejos sean estos. Debemos preguntar: ¿qué estándares morales generales se necesitan para relacionar la evidencia objetiva de esta persona con el juicio moral que hace?

Desde luego, esa explicación del razonamiento moral no sugiere que siempre sea fácil separar la información objetiva de los estándares morales en un razonamiento moral específico; nada estaría más lejos de la realidad. En la práctica, a veces los dos están interrelacionados de tal manera que es difícil separarlos. También hay dificultades teóricas al tratar de dibujar una línea precisa que los separe.[77] Aunque la diferencia entre ambos por lo general está lo suficientemente clara para fines explicativos, el lector debe estar consciente de que a veces no se pueden distinguir claramente.

## Análisis del razonamiento moral

Existen varios criterios que los especialistas en ética usan para evaluar la suficiencia del razonamiento moral. Primero, el razonamiento moral debe ser lógico. Esto sugiere que cuando se evalúa el razonamiento de un individuo, primero se deben hacer explícitos sus estándares morales no declarados. También se debe entender la evidencia que ofrece para apoyar su conclusión y saber exactamente cuál es esta. Luego, será posible determinar si todos sus estándares morales, junto con la evidencia que ofrece, apoyan lógicamente su conclusión.

Segundo, la evidencia objetiva (los hechos) citada para apoyar su juicio moral debe ser *precisa*, *relevante* y *completa*.[78] Por ejemplo, el ejemplo anterior de razonamiento moral presentó varios datos estadísticos ("mientras que los afroestadounidenses constituyen el 11 por ciento de la fuerza laboral del país, ocupan solo un 7 por ciento de los puestos administrativos y el 6 por ciento de los ingenieriles") y relaciones ("las minorías contribuyen con mano de obra barata que permite a otros vivir y comer desproporcionadamente bien") que, al parecer, existen en Estados Unidos. Si el razonamiento moral ha de ser adecuado, estos datos y relaciones deben ser *precisos*: deben apoyarse en métodos estadísticos confiables y en una teoría científica bien fundamentada. Además, la evidencia debe ser *relevante*: debe mostrar que el comportamiento, la política o la institución que se somete a juicio tiene, precisamente, esas características prohibidas por los estándares morales. Por ejemplo, los datos estadísticos y las relaciones del ejemplo del razonamiento moral anterior deben mostrar que algunas personas "no obtienen de la sociedad [estadounidense] una retribución equiparable a su contribución", esto es, la característica precisa condenada por el estándar moral que se cita en el ejemplo. Finalmente, la evidencia debe estar *completa*: debe tomar en cuenta toda la información relevante y no debe presentar en forma selectiva la evidencia de modo que tienda a apoyar un solo punto de vista.

Tercero, los estándares morales del razonamiento moral de un individuo deben ser *congruentes*. Deben estar relacionados entre sí y con los otros estándares y creencias de la persona.

*Repaso breve 1.19*

**El razonamiento moral debe:**
- Ser lógico.
- Basarse en evidencias o información que sean precisas, relevantes y completas.
- Ser congruente.

La incongruencia entre los estándares morales de una persona se puede descubrir y corregir examinando situaciones en las que esos estándares requieran cosas incompatibles. Suponga que yo creo que: **1.** es incorrecto desobedecer a un empleador a quien uno se ha comprometido a obedecer mediante un contrato, **2.** es incorrecto ayudar a alguien que pone en peligro la vida de otras personas. Entonces, suponga que un día mi empleador insiste en que venda un producto que puede ser peligroso, incluso fatal, para quien lo use. La situación ahora revela una incongruencia entre estos dos estándares morales: puedo obedecer a mi empleador y evitar la deslealtad, o puedo desobedecerlo y negarme a poner en peligro la vida de otras personas, pero no puedo cumplir ambos.

De esta manera, cuando se descubren incongruencias entre los estándares morales propios, debe modificarse uno de los dos (o ambos). En este ejemplo, puedo decidir que las órdenes del empleador deben obedecerse, excepto cuando amenazan la vida humana. Observe que, para determinar qué tipos de modificaciones se necesitan, se tienen que examinar las razones para aceptar los estándares incongruentes y sopesarlas para ver qué es más importante y valioso de conservar, y qué es menos importante y está sujeto a modificación. En este ejemplo, puedo decidir que la razón por la que la lealtad del empleado es importante es porque protege la propiedad, pero la razón del rechazo a poner en peligro seres humanos es importante porque salvaguarda la vida humana. Entonces decido que esta última es más importante que la propiedad. Este tipo de críticas y ajustes de los propios estándares morales es una parte importante del proceso a través del cual tiene lugar el desarrollo moral.

En el razonamiento ético hay otro tipo de incongruencia que es quizá más importante. La congruencia también se refiere al requisito de que uno debe estar dispuesto a aceptar las consecuencias de aplicar sus estándares morales de manera coherente a todas las personas en situaciones similares.[79] Este requisito de congruencia se puede expresar como sigue: Suponga que "hacer A" se refiere a un tipo de acción, y "circunstancias C" a las circunstancias en las que alguien lleva a cabo esa acción. Entonces, se puede decir que:

> Si juzgo que cierta persona está moralmente justificada (o no justificada) al hacer A en las circunstancias C, entonces debo aceptar que está moralmente justificado (o no justificado) que cualquier otra persona realice un acto similar a A, en cualquier circunstancia similar a C.

Esto es, se deben aplicar los mismos estándares morales a la acción de una persona en una situación que se haya aplicado a otra en condiciones similares. (Dos situaciones son similares cuando todos los factores que tienen que ver en el juicio de si una acción es correcta o incorrecta en una situación también están presentes en la otra). Por ejemplo, suponga que juzgo que es moralmente permisible que yo ajuste los precios porque deseo obtener mayores ganancias. Para ser congruente, debo establecer que es moralmente permisible que mis *proveedores* ajusten sus precios cuando quieran mayores ganancias. Si no estoy dispuesto a aceptar con congruencia las consecuencias de aplicar a otras personas similares el estándar de que ajustar los precios está moralmente justificado para quienes desean mayores ganancias, no puedo racionalmente decir que el estándar es cierto en mi caso.

El requisito de congruencia es la base de un método importante para descubrir que un estándar moral se debe modificar: el uso de contraejemplos o situaciones hipotéticas. Si hay dudas sobre si un estándar moral es aceptable o no, con frecuencia se puede someter a prueba al considerar si hay disposición para aceptar las consecuencias de aplicarlo a otros casos hipotéticos semejantes. Por ejemplo, suponga que yo afirmo que para mí estuvo moralmente justificado mentir para proteger mis intereses porque "siempre está moralmente justificado que una persona haga cualquier cosa que le beneficie". Se puede evaluar si este principio es realmente aceptable al considerar el ejemplo hipotético de un individuo que, con conocimiento, me lastima a mí o a alguien a quien yo amo, y que asegura que estuvo moralmente justificado hacerlo porque eso le beneficiaba.

Si, como es probable, yo no creo que otra persona estuviera moralmente justificada para lastimarme a mí o a los míos simplemente porque le beneficiaba, entonces tengo que calificar o rechazar el principio de que "siempre está moralmente justificado que una persona haga cualquier cosa que le beneficie". Tengo que calificarlo o rechazarlo porque la congruencia exige que si realmente acepto la idea de que yo tengo justificación para lastimar a alguien cuando eso me beneficia, entonces tendría que aceptar que cualquiera estaría justificado para lastimarme cuando esto le beneficie. Lo importante aquí es que los ejemplos hipotéticos se pueden usar de manera efectiva para demostrar que un estándar moral no es realmente aceptable y que, por lo tanto, debe rechazarse o, al menos, modificarse.

## El comportamiento moral y sus impedimentos

Hemos dedicado algún tiempo a analizar lo que es el razonamiento moral, pero este es solo uno de los procesos que llevan al comportamiento ético o no ético. Los estudios en relación con los pasos principales que conducen a las acciones éticas o no éticas convergen en el punto de vista, que propuso el psicólogo moral James Rest, de que hay cuatro procesos principales que preceden a la acción ética: **1.** reconocer o tomar conciencia de que enfrentamos una cuestión o situación ética, es decir, una en la que podamos responder de manera ética o no; **2.** hacer un juicio sobre cuál es el curso ético de acción; **3.** tener la intención o tomar la decisión de hacer o no lo que se juzga que es correcto; y **4.** actuar según la intención o decisión que se haya tomado.[80] No es necesario que estos cuatro procesos ocurran en secuencia; de hecho, uno o todos pueden ser simultáneos. Más aún, no siempre es fácil distinguirlos, especialmente cuando son simultáneos.

Observe que el razonamiento moral se ocupa solo del segundo de estos procesos, esto es, hacer un juicio sobre cuál debe ser la respuesta ética a un asunto o una situación. Más aún, el razonamiento moral, como veremos, no es la única forma de tomar una decisión sobre qué es lo que se debe hacer. Se analizarán esas otras formas en el siguiente capítulo. En este, analizaremos los cuatro procesos principales que llevan a la acción ética (o no ética). En específico, analizaremos a detalle diversos impedimentos que pueden obstaculizar estos procesos. Entenderlos puede ayudarle a lidiar con ellos de manera más eficaz cuando surjan en su vida.

### Primer paso hacia el comportamiento ético: Reconocer una situación ética
Todos los días nos topamos con situaciones que generan cuestiones éticas. Pero incluso antes de comenzar a pensar en ellas, primero hay que reconocer que esa situación requiere un razonamiento ético. Hay muchas formas diferentes de considerar o clasificar una situación y, para lidiar con cada una, empleamos formas de pensamiento que son adecuadas para cada tipo específico. Por ejemplo, podemos considerar que una situación es de negocios y requiere reglas o razonamiento de negocios, o que es legal o familiar. Cuando se reconoce que es una situación de *negocios*, es posible que comencemos a pensar sobre lo que podemos hacer para ahorrar dinero, o sobre el efecto que nuestras acciones tendrán en los ingresos, las ventas o las ganancias. Cuando se considera que la situación es *legal*, comenzamos a pensar sobre las leyes o regulaciones que se aplican a esa situación y a preguntarnos si un curso de acción u otro será legal y lo que tenemos que hacer para cumplir con la ley. Y cuando vemos que la situación es *familiar*, pensamos qué debería hacer un padre o un hijo en dicha situación. Se puede usar la palabra *marco* para referirnos a la forma en la que vemos la situación, es decir, el tipo de situación que creemos enfrentar, *y* el tipo de pensamiento que debe emplearse para lidiar con esta. Desde luego, que la mayoría de las situaciones caerán dentro de muchos marcos. Una situación de negocios también puede ser personal, y una legal puede ser familiar.

Además de los marcos de negocios, legal y familiar, también se aplican marcos morales o éticos a las situaciones. Cuando se la enmarca como moral o ética, se reconoce que hace surgir preguntas o cuestiones éticas y se comienza a pensar sobre ella en formas morales, es decir, se empiezan a usar el razonamiento y los estándares morales para tratarla. Las situaciones que se enmarcan de manera correcta como éticas por lo general también estarán dentro de algún otro marco, como el legal o el de negocios, es decir, una situación legal o de negocios también puede ser ética. ¿Cuáles son las características de las situaciones que nos llevan a enmarcarlas como éticas? Algunos psicólogos consideran que hay seis criterios que podemos considerar para decidir enmarcar una situación como ética y que requiere un razonamiento ético.[81] Un tanto simplificados, estos criterios son:

1. ¿La situación implica infligir un daño grave a alguien?
2. ¿El daño se concentra en las víctimas de tal forma que cada una recibirá, o ya ha recibido, una cantidad significativa de daño?
3. ¿Es probable que el daño ocurra (o ha ocurrido ya)?
4. ¿Las víctimas son cercanas, es decir, las conocemos?
5. ¿Ocurrirá el daño relativamente pronto (o ya ha ocurrido)?
6. ¿Existe la posibilidad de que el hecho de infligir el daño viole los estándares morales que nosotros o la mayoría de las personas aceptamos?

Cuantas más de estas preguntas se contesten de manera afirmativa, más importante resultará la situación, y es más probable que se enmarque como ética y requiera un razonamiento acorde. Observe que se pueden usar estos criterios para determinar si se *debe* enmarcar o no una situación como ética, esto es, estas seis preguntas se pueden usar deliberadamente para determinar si la situación que enfrentamos es ética. Cuantas más de estas preguntas se contesten de manera afirmativa, más probable es que la situación se *deba* enmarcar como ética. Es posible mejorar la capacidad de reconocer situaciones éticas si nos capacitamos para prestar atención moral cuando veamos situaciones que suponen daño que es concentrado, probable, próximo, inminente y que posiblemente viole nuestros estándares morales.

Aunque hay formas de mejorar la capacidad de reconocer si una situación requiere razonamiento ético, también hay una serie de impedimentos que pueden obstaculizar ese reconocimiento. Por ejemplo, Albert Bandura reconoció seis formas de *desconexión moral*, que puede impedirnos (o que se pueden usar de manera deliberada para impedirnos a nosotros mismos) reconocer o estar conscientes de que una situación es ética.[82] Las formas principales de desconexión moral que funcionan como impedimentos para enmarcar una situación como ética son:

*Uso de eufemismos* Es posible usar eufemismos para cambiar o disimular la forma en que se considera una situación. Por ejemplo, en lugar de pensar sobre el hecho de que estamos despidiendo gente, tratamos de pensar que estamos haciendo "reducciones", un "ajuste de la planta laboral" o iniciando una "subcontratación". El ejército estadounidense se refiere a la muerte de civiles como "daños colaterales", los políticos hablan de la tortura como "técnicas mejoradas de interrogación" y de las mentiras como "aseveraciones inexactas", "declaraciones técnicamente imprecisas" o "palabras ambiguas". Al usar esos eufemismos, cambiamos la manera de ver esas situaciones y en lugar de enmarcarlas como éticas, las enmarcamos de manera personal como si solo fueran de carácter administrativo, político o militar.

*Racionalización de las acciones* Podemos decirnos que el daño previsto está justificado porque buscamos una causa digna y moral, así que no tenemos que analizar nuestras acciones por medio de un marco ético.

Por ejemplo, cuando un terrorista planea colocar una bomba que matará a civiles inocentes, quizá se considere un valiente luchador contra un brutal opresor. Por lo tanto, siente que lo que planea hacer se justifica y no tiene que enmarcar su acción como una que necesita evaluación ética. La racionalización también puede ocurrir después de haber infligido daño a los demás y, cuando eso ocurre, por lo general forma parte de un intento de eludir la responsabilidad de la lesión causada. Más adelante se analizarán los usos de la racionalización, cuando se examine la naturaleza de la responsabilidad moral.

***Disminución por comparación*** Al considerar una situación dentro de un contexto de males mayores, se puede disminuir la magnitud del acto incorrecto y hacer que los daños que infligimos parezcan menores o sin consecuencias. Por ejemplo, cuando vemos las pérdidas que nuestra empresa ocasiona a los clientes, quizá pensemos: "Bueno, no está tan mal como lo que hizo la otra compañía". O podemos robar artículos de oficina en el trabajo y pensar: "Esto no es nada comparado con lo que la compañía me ha hecho a mí". Esas comparaciones nos hacen ver los daños que causamos tan insignificantes que no necesitan considerarse mediante un marco ético.

***Remplazo de la responsabilidad*** Cuando hacemos nuestro trabajo de manera que daña a otros, podemos considerar que ese daño lo hizo quien nos dio la orden de actuar y, por lo tanto, mentalmente nos retiramos de la cadena de actores responsables. Por ejemplo, si me entero de que los clientes están sufriendo daños graves por un producto que yo ayudo a fabricar, puedo aducir que mis jefes son los responsables de las lesiones porque me ordenaron hacer lo que hice y, por lo tanto, yo no tengo nada que ver con ellas. Entonces no tengo que encuadrar mis propias acciones dentro de un marco moral puesto que "en realidad no tuve nada que ver con las lesiones de los clientes".

***Difusión de la responsabilidad*** Puedo difuminar mi participación en actividades que dañan a alguien si considero que sólo desempeño un papel menor dentro de un grupo grande que es responsable del daño. Por ejemplo, si soy miembro de un equipo de ingeniería que diseñó un producto que ha ocasionado daño a quienes lo usan, entonces puedo decirme que en realidad fue el equipo quien provocó el daño y que yo sólo tuve un papel mínimo o insignificante en lo que ocurrió. Una vez más, no tengo que aplicar un marco ético a mis propias acciones ya que "solamente soy una persona entre muchas, por lo que no tuve mucho que ver en la situación".

***Menosprecio o distorsión del daño*** Podemos negar, menospreciar o distorsionar el daño que nuestras acciones ocasionaron. Por ejemplo, tal vez afirmemos que "en realidad no hay pruebas de que alguien haya salido lastimado". O podemos desacreditar la evidencia al pensar que "no se puede creer a las víctimas, ya que probablemente exageraron los daños para exigir una indemnización". Si nos convencemos de que no existe un daño real, entonces no tenemos que enmarcar nuestras acciones para someterlas a un escrutinio ético.

***Deshumanización de la víctima*** Otro ardid consiste en pensar en las víctimas que lastimamos como si no fueran seres humanos reales o con sentimientos y preocupaciones, para así evitar reconocer que lastimamos a gente real. Durante las guerras, las naciones a menudo deshumanizan a sus enemigos, al atribuirles características no humanas para justificar la acción beligerante y no utilizar un marco ético para juzgarla. Antes de que Hitler y los nazis asesinaran a seis millones de judíos, los calificaban de "parásitos", "plaga" y "enfermedad". Cuando un banco de Berkeley, California, quiso construir un edificio en un terreno baldío que estaba ocupado por gente sin hogar que vivía en tiendas de campaña, comenzó a llamarlos "paracaidistas" y "vagabundos". En vez de pensar en los empleados que despedimos como seres humanos, quizá los consideremos "recursos humanos".

*Desvío de la culpa* Podemos culpar de nuestras acciones a nuestro adversario o a las circunstancias para, de esta forma, vernos como víctimas inocentes. Si un empleado se queja ante su departamento de recursos humanos de que su gerente está acosando a sus compañeros, este último podría enfadarse y vengarse despidiéndolo mientras piensa que "se lo merecía" por ser desleal, o que fue él "quien comenzó" y que, como su superior, se vio "obligado" a despedirlo para establecer su autoridad.

Estas formas de desconexión moral son obstáculos que, sin saberlo, nos impiden considerar como ética la situación en la que nos encontramos y, por lo tanto, nos impiden pensar en ella en términos morales o éticos. Pero también podemos usar esos mecanismos de forma deliberada para eludir el marco ético cuando, más o menos conscientemente, sospechamos que considerar una situación en términos éticos nos obligará a admitir que estamos haciendo algo incorrecto. Como seguramente ya se habrá dado cuenta, todas esas formas de desconexión son comunes en la vida humana normal y son igual de comunes en los negocios donde los empleados las invocan, especialmente cuando se descubre que sus empresas han tenido un comportamiento no ético. Es deseable que el hecho de estar consciente de estos obstáculos le ayude a evitarlos en su futura vida laboral.

### Segundo paso hacia el comportamiento ético: Juzgar cuál es el curso ético de acción

Como ya se analizó, antes de juzgar una situación se debe reunir información al respecto que sea precisa, relevante y completa. Sin embargo, nuestros intentos de hacerlo se pueden ver afectados por ciertos prejuicios o predisposiciones que nos impiden obtener esa información. Un prejuicio es una suposición que distorsiona las creencias, percepciones y comprensión de una situación. Se han estudiado algunas de sus formas y, por lo general, se dividen en tres grupos: teorías parciales sobre el mundo, sobre la gente y sobre nosotros mismos.[83]

*Teorías parciales sobre el mundo* Las teorías sobre el mundo se refieren a las creencias que se tienen acerca de cómo funciona este, las causas por las que suceden las cosas y cómo nuestras acciones lo afectan. El mundo nos satura con información compleja en la que no podemos pensar a menos que la simplifiquemos de alguna manera. Una forma de hacerlo es limitar la cantidad de información en un grado que nos permita pensar. Sin embargo, cuando reflexionamos sobre las consecuencias de nuestras acciones, estos límites pueden generar sesgos de apreciación. En particular, tendemos a ignorar las consecuencias de baja probabilidad; descartamos el papel del azar y erramos al evaluar los riesgos de nuestras acciones; no consideramos todos los grupos de interés sobre los que incidirán nuestras acciones; ignoramos la posibilidad de que el público descubra lo que hicimos; descontamos las consecuencias relativamente lejanas en el futuro; y no tomamos en cuenta los efectos indirectos de lo que hacemos.

Estos sesgos o predisposiciones nos pueden llevar a ignorar información muy importante sobre las situaciones éticas que enfrentamos. Por ejemplo, el 20 de abril de 2010, una plataforma petrolera de British Petroleum (BP) ubicada en el Golfo de México explotó y provocó la muerte a 11 trabajadores, además de liberar millones de galones de petróleo al mar y generar un desastre medioambiental. La compañía había instalado un dispositivo para evitar explosiones, pero el azar hizo que este fallara, una consecuencia de probabilidad mínima para la que BP no estaba preparada.[84] La empresa tenía tras de sí un historial de casos en los cuales había ignorado cómo sus acciones podían afectar al medio ambiente natural. Por otro lado, nunca consideró que estaría sujeta a un intenso escrutinio público después de una explosión, puesto que la mayoría de los accidentes que habían ocurrido hasta entonces fueron relativamente de escasa magnitud y la prensa no dio cuenta de ellos.[85] Un informe del gobierno sobre una explosión anterior en una torre de perforación ubicada en Texas estableció que aunque "hubo señales de aviso de un posible desastre", la compañía no había intentado impedir la posibilidad de que ocurriera un evento similar en el futuro. Y motivada por una fuerte tendencia a reducir los costos y por un falso sentido de confianza, la compañía no había realizado las inversiones necesarias en los procesos de seguridad.

*Repaso breve 1.22*

**Un juicio acerca del curso ético de acción**
- Requiere razonamiento moral que aplique nuestros estándares morales a la información que tenemos sobre una situación.
- Requiere darse cuenta de que la información sobre una situación puede estar distorsionada por las teorías parciales sobre el mundo, los demás y uno mismo.

Debido a sus muchos efectos indirectos, el derrame de petróleo de 2010 en el Golfo de México tuvo un efecto devastador y de largo plazo en la economía de los estados ribereños y en su medio ambiente. Así que este derrame ilustra todas las predisposiciones anteriores. BP no se preparó para la baja probabilidad de que ocurriera una explosión de gran magnitud y no tomó en cuenta el azar. Tampoco consideró a todos los potenciales grupos de interés, ni cómo la prensa podría difundir su historia de comportamiento falto de ética; no previó lo que podría pasar en el futuro —algo que la habría inducido a invertir más en las actividades del presente—, y no pensó en todos los efectos indirectos de sus acciones. Si la compañía hubiera tenido en cuenta toda esa información cuando decidió qué tipo de inversiones hacer en materia de seguridad, quizá la explosión nunca se habría registrado.

***Teorías parciales sobre los demás***  Las teorías sobre los demás incluyen las creencias que tenemos sobre cómo "nosotros" nos diferenciamos de "ellos", o en qué se parecen los miembros de determinados grupos. El *etnocentrismo* se refiere a una clase importante de esas creencias. Se refiere a la creencia de que lo que hace *nuestra* nación, grupo o cultura (es decir, lo que hacemos "nosotros") parece normal, habitual y bueno, mientras que lo que hacen los *otros* ("ellos"), parece extraño, desconocido y menos bueno. "Nuestra" forma es superior y la "suya" es inferior. Esas creencias llevan a discriminación no intencional. Por ejemplo, los bancos que emplean a una mayoría de agentes de créditos hipotecarios de origen caucásico tienden a rechazar a una mayor proporción de solicitantes afroestadounidenses, en comparación con los de piel blanca. Incluso después de tomar en cuenta las diferencias en el ingreso, empleo, historial crediticio, etcétera, la diferencia en los índices de rechazo permanece. Cuando se les hace notar esto, los agentes niegan con firmeza que discriminen de manera intencional, y probablemente sean sinceros, porque quizá las diferencias se deban a predisposiciones inconscientes que los lleven a favorecer sin intención a solicitantes caucásicos, como ellos mismos, sobre los afroestadounidenses, quienes son "diferentes".

Los *estereotipos* son creencias que funcionan de manera similar al etnocentrismo, solo que los primeros pueden generarse en relación con los miembros de cualquier grupo, y no solamente respecto de quienes son cultural o étnicamente diferentes a nosotros. Son creencias firmes que tenemos sobre aquello en lo que se parecen todos o la mayoría de los miembros de diversos grupos, como las personas de una misma nacionalidad, o de un género, raza, religión u ocupación determinados. Los estereotipos también pueden conducir a decisiones injustas, falsas y posiblemente ilegales sobre las personas. Por ejemplo, podrían llevarnos a pensar de manera inconsciente y equivocada que los hombres son líderes más eficaces que las mujeres, que todos los afroestadounidenses son buenos deportistas, que los asiáticos siempre estudian mucho, que los mexicanos son perezosos, que los homosexuales son afeminados, que todos los musulmanes apoyan el terrorismo, que las mujeres son mejores enfermeras que los hombres, etcétera. Los estereotipos pueden dar como resultado decisiones no éticas en relación con ascensos, contrataciones, despidos, salarios, asignaciones de puestos y otras tantas que dependen de los juicios de las personas.

***Teorías parciales sobre uno mismo***  Quizá no le sorprenda saber que la investigación ha demostrado que las opiniones sobre nosotros mismos tienden a estar viciadas. Creemos —de manera general y poco realista— que somos más capaces, perspicaces, corteses, honestos, éticos y justos que los demás, y confiamos en exceso en nuestra capacidad de controlar acontecimientos fortuitos. Tendemos a creer que nos merecemos las recompensas, los bonos o los aumentos de sueldo que recibimos por nuestro trabajo, en parte porque pensamos que contribuimos más al éxito de la organización que quienes ocupan posiciones similares. Tendemos a ser demasiado optimistas sobre nuestro futuro porque sobreestimamos la probabilidad de que nos sucedan acontecimientos buenos, a la vez que subestimamos la posibilidad de que nos pase algo malo. Por ejemplo, los individuos creen que tienen menos posibilidades que otros de divorciarse, de ser alcohólicos o de sufrir un accidente automovilístico grave. Como creemos que somos inmunes a los riesgos, los directivos a veces comprometen a sus organizaciones a cursos arriesgados de acción. Los gerentes de British Petroleum, por ejemplo, decidieron arriesgarse a no invertir en medidas de seguridad, lo que encaminó a la compañía al desastre petrolero del Golfo de México en 2010.

Quizá tuvieron una falsa confianza de que si ellos estaban al frente de la compañía, las cosas no podían salir mal.

También tendemos a confiar demasiado en lo que creemos que sabemos. Por ejemplo, en una serie de experimentos psicológicos en los que se hacían preguntas objetivas sencillas (como "¿qué ciudad está más lejos, Roma o Nueva York?"), las personas por lo general sobreestimaban la probabilidad de que sus respuestas fueran correctas. También tendemos a sobreestimar nuestra capacidad de ser objetivos cuando hacemos juicios sobre una transacción entre nuestros empleados y nosotros (o alguien cercano). Suponga que soy agente de compras de una compañía y que tengo que elegir al proveedor que nos puede vender los materiales de mejor calidad, pero uno de los proveedores es una compañía propiedad de mi cónyuge. La mayoría de nosotros diremos que aun en tal caso, podemos ser lo suficientemente objetivos para evaluar. Pero los estudios demuestran que, sin importar lo confiadas que se sientan las personas sobre su capacidad de ser objetivas, en realidad sus juicios casi siempre están sesgados hacia sus propios intereses o los de aquellos que les son cercanos.[86]

Por lo tanto, hay una serie de predisposiciones sobre nosotros mismos, sobre los demás y sobre el mundo, que nos llevan a equivocar las creencias sobre las situaciones que enfrentamos. Si no estamos alerta o conscientes de su influencia, podemos pensar que tomamos nuestras decisiones a partir de información sólida cuando, de hecho, formamos nuestros juicios con base en distorsiones o falsedades. Y quizá, algo aún peor, estas predisposiciones pueden hacernos confiar en que estamos en lo correcto cuando, en realidad, estamos totalmente equivocados.

### Tercer paso hacia el comportamiento ético: Decidir hacer lo que es correcto

Incluso después de que una persona determina qué curso de acción moralmente correcto o incorrecto debería seguir en una situación determinada, no hay garantía de que decida hacer lo correcto. Los individuos a menudo deciden seguir un comportamiento no ético incluso a sabiendas, o no logran comprometerse con lo que es ético aunque sepan que es el curso recomendado de acción. De hecho, esta es la naturaleza esencial del mal: saber que algo es incorrecto, pero decidir hacerlo de todas maneras. Hay una serie de factores que influyen para que tomemos una decisión de hacer lo que sabemos que es correcto o lo que sabemos que es incorrecto.

Las decisiones de las personas para hacer lo que es ético se ven muy influidas por su entorno, particularmente por su entorno organizacional, como el *clima ético* y la *cultura ética* de la organización.[87] El primero se refiere a las creencias que tienen los miembros de una empresa sobre cómo se *espera* que se comporten. En organizaciones con climas *egoístas*, los empleados sienten que se espera que sean egoístas, y eso es lo que son; mientras que en las organizaciones con climas *benevolentes*, sus empleados sienten que se espera que hagan lo que sea mejor para los diversos grupos de interés, como empleados, clientes, proveedores y la comunidad. No es sorprendente, pues, que los miembros de las organizaciones con climas egoístas encuentren más difícil tomar decisiones éticas sobre lo que saben que es correcto que quienes se desenvuelven en organizaciones con climas benévolos.

La *cultura ética* se refiere al tipo de comportamiento que una organización *fomenta o desalienta* mediante el uso repetido de ejemplos de comportamiento adecuado, incentivos para el comportamiento ético, reglas y políticas éticas claras, recompensas por conductas ejemplares, relatos de acciones éticas notables, etcétera. Mientras que el clima ético se refiere a las creencias de los empleados sobre la organización, la cultura ética se refiere a las maneras en que una organización fomenta algunos comportamientos y desalienta otros. La cultura de algunas empresas fomenta y recompensa solo sus objetivos de negocios sin prestar atención a la ética, mientras que otras fomentan y recompensan el comportamiento ético

*Repaso breve 1.23*

**Decidir hacer lo que es ético puede verse influido por:**
- La cultura de la organización.
- La seducción moral.

y no solo los resultados financieros. Las organizaciones con una cultura ética fuerte facilitan las decisiones correctas, mientras que aquellas con fuertes culturas de negocios las dificultan.

Las organizaciones también pueden generar una forma de *seducción moral*, la cual ejerce presiones sutiles que, poco a poco, inducen a una persona ética a decidir hacer algo que sabe que es incorrecto. Por ejemplo, un equipo de psicólogos encontró que:

> La seducción moral ocurre paso a paso. Por ejemplo, un año, un auditor opta por no solicitar a su cliente que cambie una práctica de contabilidad que está en el límite de lo permitido. Al año siguiente, quizá sienta la necesidad de justificar su decisión del año anterior y se haga el desentendido cuando el cliente pase del límite de lo permitido. Al año siguiente, quizá refrende una contabilidad que claramente viole las reglas GAAP para evitar admitir los errores de los dos años anteriores y con la esperanza de que el cliente arregle el problema antes de la auditoría del año siguiente. Para el cuarto año, el auditor y el cliente están inmersos activamente en un encubrimiento para esconder sus prácticas del pasado.[88]

De esta forma, una organización que acepte prácticas no éticas podría inducir a una persona joven, de nuevo ingreso, y quizá idealista, a aceptar poco a poco algunas prácticas que antes habría rechazado sin pensar dos veces porque sabía claramente que no eran éticas. Quizá primero le pidieron que hiciera algo que tan solo era ligeramente cuestionable, tal vez como un favor o para ser el "jugador del equipo". Después, tal vez le pidieron que hiciera algo un poco más grave, luego un poco más y así sucesivamente hasta que el sujeto se encuentra inmerso por completo en las prácticas no éticas de la organización, y tan comprometido con sus acciones pasadas que sentirá que tiene que continuar en ellas. La seducción ética puede llevar a una persona a decidir hacer lo que en su interior sabe que no es ético y que no debe hacerse.

### Cuarto paso hacia el comportamiento ético: Poner en práctica la decisión

Las buenas intenciones no siempre derivan en buen comportamiento, pues a menudo fallamos en hacer lo que nos proponemos. Quizá estoy genuinamente comprometido a hacer lo correcto, pero cuando llega el momento de actuar, es posible que me falte la determinación de hacer lo que pretendía. ¿Qué factores influyen en una persona para que actúe o no según las decisiones morales que tomó?

Primero está el factor personal o individual que el filósofo griego Aristóteles llamó la *falta de voluntad* y su opuesto, la *fuerza de voluntad*.[89] Esta última se refiere a la capacidad de regular las acciones para hacer lo que se sabe que es correcto, incluso cuando emociones, deseos o presiones sociales poderosas nos instan a no hacerlo. La falta de voluntad se refiere a la incapacidad (o escasa capacidad) de regular las propias acciones, de manera que no se hace lo que se sabe que es correcto, porque las emociones, los deseos o las presiones externas nos tientan. Algunos psicólogos se refieren a esta capacidad como la *fuerza del ego*: la capacidad de resistirse a los impulsos para seguir las propias convicciones. Algunas personas tienen un nivel alto de fuerza del ego, mientras que otras lo tienen bajo. Aristóteles argumentaba que una persona desarrolla falta de voluntad al ceder repetidamente a la tentación de dejarse llevar por sus apetitos y emociones; mientras que resistir repetidamente a hacerlo desarrolla la fuerza de voluntad.[90]

Un segundo factor importante que influye en la decisión de la persona de hacer o no lo que juzga incorrecto es su creencia acerca de su *locus de control*. El locus de control es la percepción que tiene un individuo de las causas de todo aquello que le ocurre; por ejemplo, tal vez crea que lo que le ocurre está dentro de su control, o tal vez piense que todo ello es el resultado de fuerzas externas, como personas con poder, la suerte o las circunstancias. Quienes creen que controlan su propia vida tienden a tener más control de su comportamiento y es más probable que hagan lo que consideran correcto, mientras que aquellos que creen que lo que les ocurre está fuera de su control, y que son las fuerzas externas las que lo determinan, se ven influidos con más frecuencia por esas fuerzas a hacer

**Repaso breve 1.24**

**El hecho de poner en práctica una decisión puede verse influido por:**
- Nuestra fuerza o falta de voluntad.
- Lo que pensamos del *locus* de control de nuestras acciones.

lo que consideran incorrecto. En resumen, si usted cree que controla su vida, tendrá mayor control de ella y aumentará su capacidad de hacer lo que considera correcto. Pero si piensa que no la controla, esa creencia le llevará a renunciar al control que sí tiene.

Un tercer factor importante que puede impedir que una persona haga lo que sabe que es correcto es su disposición a obedecer a las figuras de autoridad. Estudios de psicología social demuestran que muchas personas están dispuestas a obedecer a esas figuras aun cuando creen o sospechan que su proceder es incorrecto. Por ejemplo, hace varios años el psicólogo Stanley Milgram sometió a prueba a varios sujetos para ver qué tan lejos llegarían cuando una figura de autoridad les ordenaba que aplicaran fuertes descargas eléctricas a una persona por medio de una "máquina de descargas".[91] Descubrió que si la figura de autoridad —en este caso el experimentador— hacía comentarios como: "es absolutamente esencial que continúe" o "no tiene elección, debe continuar" o "la responsabilidad es mía, por favor, continúe", casi dos tercios de los sujetos obedecían y continuaban aumentando el voltaje de las descargas que aplicaban a la otra persona, incluso más allá del nivel en que consideraban que podían dañarla gravemente o matarla. Los sujetos no sabían que la presunta máquina de descargas no era real y que la persona que aparentemente recibía las descargas era un actor. Después, al ser interrogados, casi todos los sujetos admitieron que sentían o sospechaban que lo que les pedían era incorrecto, pero pensaban que tenían que obedecer al experimentador, puesto que era quien estaba a cargo de la situación. Milgram concluyó que el experimento demostraba que la mayoría de las personas normales seguirían órdenes aun cuando consideraran que lo que se les pedía hacer era incorrecto, incluso matar a alguien. A la luz de estos experimentos, es fácil ver que en las organizaciones de negocios, es probable que muchas personas sientan que tienen que hacer lo que sus gerentes les pidan, incluso cuando se trate de algo moralmente incorrecto.

Entonces, existen varios factores que pueden interferir en el camino de una persona hacia al comportamiento ético, incluso en la etapa final, la cuarta, es decir, la etapa en que realmente se pone en práctica la decisión de hacer lo correcto. Esos obstáculos son su falta de voluntad, sus puntos de vista en relación con el control que tiene sobre lo que le ocurre y su disposición a obedecer a las figuras de autoridad. Hay otros factores más que podrían impedir que alguien proceda de acuerdo con lo que considera correcto, pero aquí solo mencionaremos algunos. Por ejemplo, en ocasiones las presiones de nuestros pares nos obligan a hacer lo que sabemos que es incorrecto, o quizá tengamos miedo a los costos personales de hacer lo que sabemos que es correcto. Otro impedimento es un autocontrol limitado, o bien, un control insuficiente de los impulsos.

De esta forma, todos esos factores pueden obstaculizar cualquiera de los cuatro procesos que deberían llevar al comportamiento ético: reconocer el carácter ético de una situación, juzgar cuál es el curso ético de acción, decidir emprender ese camino y poner en práctica la decisión tomada. Hemos descrito estos impedimentos para que usted, con base en el conocimiento de cómo pueden obstaculizar su camino, se encuentre mejor preparado para vencerlos.

## 1.4 Responsabilidad moral y culpa

Hasta ahora el análisis se ha centrado en juicios de lo que es correcto e incorrecto, o del bien y el mal. Sin embargo, el razonamiento moral en ocasiones se dirige a un tipo diferente de juicio: determinar si una persona es *moralmente responsable* del daño o de un error.[92] Un juicio acerca de la responsabilidad moral de una persona por un acto incorrecto es el que establece que si esta actuó con intención debe ser culpada, castigada u obligada a reparar el daño.

El tipo de responsabilidad moral que se estudia aquí no debe confundirse con una segunda forma distinta de responsabilidad moral. El término *responsabilidad moral* se usa algunas veces como deber moral u obligación moral. Por ejemplo, cuando se dice, "Vandivier tenía la responsabilidad moral de no mentir", el término *responsabilidad moral* significa *obligación moral*. Este *no* es el tipo de responsabilidad moral del que hablamos aquí.

Lo que estudiaremos ahora es el tipo de responsabilidad moral que tiene una persona cuando decimos que *es culpable* de algo. Por ejemplo, si decimos, "Vandivier fue moralmente responsable de la muerte de cinco pilotos que se estrellaron al tratar de aterrizar el avión A7-D", entonces el término *moralmente responsable* se usa con el significado de *culpable*. Ahora, este segundo significado es el que analizaremos.

Aclarar lo que implica la responsabilidad moral (en el sentido de culpabilidad) es importante por diversas razones. La primera y más importante es que determinar quién es moralmente responsable de lo incorrecto nos permite identificar quién debe reparar el daño. Por ejemplo, si usted es moralmente responsable de lastimar a su vecino, entonces es usted quien debe compensarlo por sus pérdidas, al menos al grado en el que estas se puedan compensar. Segunda, determinar si alguien es o no moralmente responsable de, digamos, infringir una ley o norma nos permite asegurar que no se castigará, penalizará o culpará equivocadamente a alguien inocente. Por ejemplo, la mayoría de las empresas tienen reglas contra los conflictos de interés, y los empleados a veces las rompen sin darse cuenta de que lo hacen. Sería un error castigarlos si en realidad no son moralmente responsables de lo que hicieron. En tercer lugar, determinar si usted es o no moralmente responsable del daño de otro ayuda a asegurar que usted no terminará sintiendo vergüenza o culpa cuando no debería sentir esas emociones. Por ejemplo, si usted causa daños graves a un compañero de trabajo mientras opera una máquina, probablemente se sentirá muy mal por lo ocurrido. El hecho de que usted se sienta culpable o avergonzado dependerá de que sea moralmente responsable de ello; pero si las heridas fueron resultado de un accidente, entonces usted no es moralmente responsable y, por lo tanto, no es culpable. En cuarto lugar, saber exactamente qué es la responsabilidad moral puede ayudar a evitar que tratemos de racionalizar equivocadamente nuestra conducta. Cuando alguien se da cuenta de que sus acciones provocaron lesiones graves a otros, quizá no quiera aceptar su responsabilidad por lo que hizo. En situaciones así, a veces tratamos de evadir la responsabilidad de nuestras acciones al recurrir a racionalizaciones para engañarnos a nosotros y engañar a los demás. Es de esperar que aclarar lo que supone la responsabilidad moral nos ayudará a ver nuestra propia responsabilidad más claramente y a evitar racionalizaciones y el autoengaño.

Los individuos no siempre son moralmente responsables de los daños que ocasionan a otros. Alguien que, por ejemplo, lesiona a otro por accidente está eximido de la culpa. Entonces, ¿cuándo una persona es moralmente responsable, o culpable, de una lesión? El punto de vista tradicional se puede resumir como sigue: una persona es moralmente responsable por una lesión cuando la *provoca* con *conocimiento* y *libertad*. Pero esta determinación ignora el hecho de que los individuos algunas veces son responsables de lesiones que no ocasionaron, pero que pudieron o debieron evitar; es decir, son moralmente responsables de sus omisiones cuando tenían el deber de actuar. Así que una manera más exacta —aunque más complicada— de determinar la responsabilidad moral es la siguiente:

Una persona es moralmente responsable de una lesión o un mal si:

1. los provocó o ayudó a provocarlos, o no los evitó cuando podía y debía hacerlo;
2. lo hizo a sabiendas; y
3. lo hizo por su libre voluntad.

Para expresarlo de manera breve, nos referiremos a los tres elementos de la responsabilidad moral como los requisitos de: **1.** causalidad, **2.** conocimiento y **3.** libertad. Esto significa que la ausencia de cualquiera de ellos eliminará por completo la responsabilidad de una persona ante una lesión y la eximirá totalmente de cualquier culpa de la lesión.[93] Por ejemplo, hace poco varios fabricantes de asbesto fueron declarados responsables por las enfermedades pulmonares que sufrieron algunos de sus empleados.[94] En parte, el juicio se basó en que se encontró que los fabricantes debían haber avisado a sus trabajadores de los peligros conocidos al manipular asbesto; sin embargo, a pesar de que lo sabían, no cumplieron con su deber, y las enfermedades pulmonares fueron el resultado previsible de no haberles avisado. En su defensa, algunos de los fabricantes negaron los requisitos de *causalidad* aduciendo que las lesiones pulmonares de sus empleados no fueron causadas por trabajar con asbesto, sino por fumar. Otros negaron el requisito de conocimiento señalando que no sabían que las condiciones en sus plantas causarían cáncer de pulmón a sus trabajadores. Y otros negaron el requisito de *libertad* alegando que ellos no eran libres de evitar las lesiones porque habían intentado hacer que sus trabajadores utilizaran mascarillas protectoras, pero que estos se habían negado a usarlas, así que resultaron perjudicados debido a circunstancias que los fabricantes no podían cambiar. La mayoría de los tribunales no aceptaron tales argumentos. Pero lo importante aquí es que si alguno de estos fuera cierto, entonces los fabricantes podrían no ser moralmente responsables de las enfermedades pulmonares de sus trabajadores.

Es importante entender bien estas tres condiciones para juzgar si una parte es moralmente responsable de algo. Comencemos por examinar el primer requisito para la responsabilidad moral: la persona causó la lesión o el mal, o falló en evitarlos cuando podía y debía hacerlo. En muchos casos, es fácil determinar si las acciones de una persona provocaron una lesión o un mal (esas acciones son *comisiones*). Pero no es tan sencillo cuando una parte no causa una lesión, sino simplemente no la evita (esas fallas son *omisiones*). Por ejemplo, Nike, la compañía de calzado deportivo, fue hace tiempo el centro de una controversia sobre su responsabilidad por tratar mal a los empleados que elaboran el producto. Nike en realidad no fabrica el calzado deportivo que vende. En vez de ello, diseña los productos en Seattle, Washington, y luego paga a compañías en naciones en vías de desarrollo para que los fabriquen de acuerdo con los diseños. Estas compañías de proveedores ubicadas en el extranjero (en China, Indonesia, India, etcétera) son las que directamente trataban mal y explotaban a sus trabajadores. Nike argumentó que no era moralmente responsable por este maltrato, porque fueron los proveedores quienes causaron las lesiones, no Nike. Los críticos respondieron que aunque es cierto que esta empresa no causó directamente las lesiones, las pudo haber evitado obligando a sus proveedores a tratar humanamente a su personal. Si es cierto que Nike tenía el poder de evitar las lesiones y debía hacerlo, entonces cumplía el primer requisito de responsabilidad moral. Pero si en realidad no tenía el poder de evitar esas lesiones, si verdaderamente no tenía control sobre las acciones de sus proveedores, entonces, no cumplía la primera condición y, por lo tanto, no era moralmente responsable de la forma en que se trataba a los empleados.

Observe que la primera condición dice que las personas son moralmente responsables de una lesión cuando no la evitan, *solo si* debían evitarla. Esta calificación es necesaria porque las personas no pueden ser moralmente responsables de todas las lesiones que conocen y no evitan. Cada uno de nosotros no es moralmente responsable, por ejemplo, por no salvar a todos los miembros de los grupos que mueren de hambre en el mundo de los que tenemos conocimiento a través de los periódicos, aun cuando pudiéramos salvar a algunos de ellos. Si fuéramos moralmente responsables por todas esas muertes, todos seríamos homicidas muchas veces, lo cual es erróneo. Más bien, debemos decir que alguien es moralmente responsable por no evitar una lesión solo cuando, por alguna razón, esa persona tiene la obligación de evitar esa lesión específica. Esta obligación, en general, requiere cierto tipo de relación especial con la lesión o con la parte lesionada. Por ejemplo, si yo sé que soy la única persona suficientemente cerca para salvar a un niño que se está ahogando, y puedo hacerlo con facilidad, entonces mi relación física especial con el niño crea en mí la obligación de salvarlo y, por ello, soy moralmente responsable de la muerte del niño si no la evito.

*Repaso breve 1.25*

**Una persona es moralmente responsable de una lesión solo si**

- Causó o contribuyó a causar la lesión, o no la evitó cuando podía y debía hacerlo.
- La causó con pleno conocimiento de lo que estaba haciendo.
- Lo hizo de acuerdo con su libre voluntad.

O si soy un oficial de policía y presencio un crimen que puedo evitar con facilidad, porque mi trabajo consiste en impedir tales delitos, tengo la obligación específica de evitarlo y soy moralmente responsable si no lo hago. De la misma manera, los empleadores tienen una obligación especial de impedir que su personal sufra lesiones laborales y, por lo tanto, son moralmente responsables por las lesiones que podían haber evitado.

El segundo requisito para la responsabilidad moral es el siguiente: la persona debe saber lo que hace. Esto significa que si una persona ignora que sus acciones lesionarán a alguien, entonces no puede ser moralmente responsable de la lesión. Sin embargo, la ignorancia no siempre exime. Una excepción es cuando una persona deliberadamente permanece en la ignorancia acerca de cierto asunto para eludir la responsabilidad. Por ejemplo, si los gerentes de Nike dijeron a sus proveedores que no querían saber lo que ocurría en sus fábricas, serían moralmente responsables por el maltrato que hubieran podido evitar. Una segunda excepción es cuando un individuo, por negligencia, falla en dar los pasos necesarios para informarse de un asunto que sabe que es importante. Por ejemplo, un gerente de una compañía de asbesto, que tiene razones para sospechar que este material es peligroso, pero no investiga al respecto por desidia, después no podrá aducir ignorancia como excusa.

Hay dos tipos de ignorancia. Un individuo puede ignorar los *hechos* relevantes o los *estándares morales* relevantes. Por ejemplo, tal vez yo esté seguro de que el soborno es incorrecto (estándar moral), pero puedo no ser consciente de que al dar una propina a un funcionario de aduanas en realidad lo estoy sobornando para que cancele ciertos pagos de impuestos (hecho). Por el contrario, tal vez sea genuina mi ignorancia de que sobornar a oficiales del gobierno es incorrecto (estándar moral), aunque sé que al dar propina al funcionario de aduanas lo estoy sobornando para que reduzca los impuestos que debo (hecho).

La ignorancia de un *hecho* elimina la responsabilidad moral por la sencilla razón de que un sujeto no puede ser responsable de algo sobre lo que no tiene control.[95] Debido a que no es posible controlar asuntos que se ignoran, la responsabilidad moral en relación con ese asunto se elimina. La ignorancia o la negligencia deliberadas son una excepción a este principio porque se pueden controlar. En tanto que podamos controlar el grado de nuestra ignorancia, nos convertimos en moralmente responsables de ella, y por lo tanto, también de sus consecuencias dañinas. En general, la ignorancia de los *estándares morales* relevantes también elimina la responsabilidad, porque una persona no es responsable de no cumplir obligaciones que genuinamente ignora. Sin embargo, en el grado en que la ignorancia de los estándares morales sea resultado de elegir libremente no averiguar cuáles son estos, somos responsables de nuestra ignorancia y de sus consecuencias incorrectas o nocivas.

El tercer requisito de la responsabilidad moral es que la persona debe actuar por voluntad propia, es decir, deliberadamente o a propósito, y sus acciones no son el resultado de algún impulso mental incontrolable o de una fuerza externa. En otras palabras, un individuo actúa por voluntad propia cuando elige hacer algo por una razón o un propósito, y no se ve obligado a hacerlo por la existencia de una fuerza interna o externa sobre la que no tiene control. Una persona no es moralmente responsable, por ejemplo, si causa una lesión porque no tenía poder, habilidad, oportunidad o recursos para impedirla. Tampoco es moralmente responsable cuando es obligada físicamente a infligir una lesión a alguien, o cuando su mente está incapacitada psicológicamente de forma que no pueda controlar sus acciones. Por ejemplo, un empleado tal vez lesione a un compañero de trabajo cuando una máquina que creyó que sabía operar, de pronto se sale de su control. Un gerente que trabaja en circunstancias de estrés extremas puede estar tan tenso que un día, bajo el dominio de su enojo con un subalterno, no puede controlar sus acciones contra él. Un ingeniero que forma parte de un comité de operación más grande tal vez no sea capaz de impedir que otros miembros del comité tomen una decisión que provocará lesiones a otros.

En todos estos casos, la persona no es moralmente responsable por el mal o la lesión, porque no eligió actuar deliberadamente o a propósito, o porque se vio obligada a actuar como lo hizo. Este tipo de incapacidades mentales o fuerzas externas eliminan su responsabilidad porque, de nuevo, no se es posible tener responsabilidad moral por algo sobre lo que no se tiene control.

Aunque la ausencia de cualquiera de estos tres requisitos (causalidad, conocimiento y libertad) elimina por completo la responsabilidad moral de una persona por el mal causado, también hay varios factores mitigantes que disminuirían esa responsabilidad dependiendo de la gravedad del mal. Estos factores incluyen: *a*) circunstancias que minimizan pero no eliminan por completo la participación de la persona en el acto (tales circunstancias afectan el grado en que el individuo en realidad *causó* la lesión); *b*) circunstancias que dejan a una persona con cierta incertidumbre de lo que está haciendo (es decir, el *conocimiento* de la persona se ve alterado); y *c*) circunstancias que hacen difícil pero no imposible que la persona evite hacer lo que hace (esto afecta al grado en que la persona actuó libremente). El grado en que estos tres factores podrían disminuir la responsabilidad de una persona por la lesión depende de un cuarto factor: *d*) la gravedad del mal. Para aclarar todo esto, analizaremos cada uno.

Primero, la responsabilidad de una persona se puede mitigar por las circunstancias que disminuyen su *participación* activa en el acto que ocasionó la lesión. Un ingeniero podría contribuir, por ejemplo, a que un producto no sea seguro si, a sabiendas, idea un diseño no seguro, con lo que contribuye totalmente al acto que causa lesiones futuras. Por el contrario, el ingeniero tal vez esté consciente de las características de inseguridad en el diseño de alguien más, pero no hace nada al respecto porque "ese no es su trabajo". En estos casos, el ingeniero no participa de manera activa al causar lesiones futuras. En general, cuanto menos contribuyan las acciones propias al resultado de una acción, menor es la responsabilidad moral por ese resultado (dependiendo, sin embargo, de qué tan grave sea el mal). No obstante, si a una persona se le asigna la tarea específica de informar sobre ciertos actos incorrectos o de intentar evitarlos, entonces es moralmente responsable por actos que no reporte o no intente evitar aun cuando no participe de otra manera en ellos. Por ejemplo, un contador cuyo trabajo consiste en informar sobre cualquier actividad fraudulenta que observe, no puede alegar responsabilidad disminuida por un fraude del que tenía conocimiento pero que no reportó, diciendo que él no cometió de manera activa el fraude. En casos en que la persona tiene un deber especial (asignado de manera específica) de impedir una lesión, es incorrecto que teniendo libertad y conocimiento no lo evite. Uno es responsable de la acción (junto con las otras partes culpables), si uno debía y podía haberla evitado y no lo hizo.

Segundo, las circunstancias quizá generen *incertidumbre* acerca de distintos asuntos. Una persona puede estar bastante convencida de que hacer algo es incorrecto y aun así dudar de la importancia de los hechos, o quizá tenga dudas acerca de los estándares morales respectivos, o de la gravedad de lo incorrecto de la acción. Por ejemplo, se pide a un empleado de una compañía que entregue información protegida a un competidor y él siente, con bastante certeza, que eso es incorrecto, pero quizá también tenga dudas legítimas sobre la gravedad del asunto. Este tipo de incertidumbre en ocasiones disminuye la responsabilidad moral de la persona por el acto incorrecto.

Tercero, a una persona tal vez le parezca *difícil evitar* cierto curso de acción porque está sujeta a amenazas o coacción de algún tipo, o porque evitarlo le impondrá un costo alto. Los mandos medios, por ejemplo, algunas veces tienen una presión intensa o son amenazados por sus superiores para mantener a los empleados ignorantes de ciertos peligros en el lugar de trabajo, una actitud que, a todas luces, no es ética.[96] Si las presiones sobre los administradores son tan fuertes que para ellos es sumamente difícil desobedecer, entonces su responsabilidad disminuye en proporción. Aunque son culpables del mal, su culpa se mitiga.

*Repaso breve 1.26*

**En función de la gravedad del mal, la responsabilidad moral puede mitigarse por:**
- Contribución mínima.
- Incertidumbre.
- Dificultad.

Cuarto, el grado en que estas tres circunstancias mitigantes disminuyen la responsabilidad de una persona por una lesión depende de la *gravedad* de la lesión. Por ejemplo, si hacer algo es gravemente incorrecto, entonces aun las presiones fuertes y la participación mínima tal vez no reduzcan de manera sustancial dicha responsabilidad. Si, por ejemplo, mi empleador me amenaza con despedirme a menos que venda productos defectuosos que sé que matarán a alguien, obedecerlo sería un acto reprobable, aun cuando la pérdida del empleo me imponga altos costos. Sin embargo, si solo se trata de un asunto relativamente menor, la amenaza de perder mi trabajo mitiga de modo sustancial mi responsabilidad. Al determinar la responsabilidad moral por un acto incorrecto, debe juzgarse la incertidumbre, la dificultad de evitar o impedir el acto y el grado de participación, y luego, habrá que ponderar estos tres factores frente a la gravedad del mal. Es evidente que con frecuencia es difícil hacer tales juicios.

Resumir los aspectos esenciales de este largo y complicado análisis de la responsabilidad moral de un individuo por una lesión o un mal resultará útil. Primero, un individuo es moralmente responsable de una lesión si: **1.** ocasiona la lesión o no la evita cuando podía y debía hacerlo, **2.** sabe lo que hace, y **3.** actúa por voluntad propia. Segundo, la responsabilidad moral se elimina por completo (es decir, se exime al individuo) cuando cualquiera de estos tres elementos está ausente. Tercero, la responsabilidad moral por una lesión o un mal se mitiga por: *a*) una participación mínima (aunque esto no mitiga la culpa si se tiene un deber específico de evitar el mal), *b*) incertidumbre, y *c*) dificultad. Sin embargo, el grado en que estos tres factores disminuyen la responsabilidad depende de un cuarto factor: *d*) la gravedad de la lesión o el mal; cuanto mayor sea la gravedad, menos culpa mitigarán los primeros tres factores.

Los críticos han discutido mucho acerca de si los tres factores mitigantes analizados aquí en realidad afectan la responsabilidad de un individuo. Algunos afirman que nunca debe hacerse el mal, sin importar qué presiones se ejerzan sobre una persona.[97] Otros aseguran que un sujeto es responsable cuando se abstiene de detener un mal, lo mismo que cuando lo realiza, porque *permitir en forma pasiva* que ocurra algo no es moralmente diferente de *provocarlo de manera activa*.[98] Si estos críticos están en lo correcto, entonces la participación pasiva en algo no mitiga la responsabilidad moral. Aunque ninguno de estos críticos parece estar en lo correcto, usted deberá decidir qué piensa al respecto.

Cuando se nos acusa de tener la responsabilidad de alguna acción incorrecta, ya sea que los acusadores seamos nosotros mismos o alguien más, a menudo recurrimos a la racionalización, esperando que esta excuse de alguna manera lo que hemos hecho, es decir, que elimine o disminuya nuestra responsabilidad. Pero, a diferencia de los factores analizados anteriormente (causalidad, conocimiento y libertad), muchas racionalizaciones no afectan la responsabilidad del acto equivocado. Por ejemplo, estas son algunas racionalizaciones más comunes que se utilizan: "¡Todo el mundo lo hace!", "¡No hay regla que lo prohíba!", "Si no lo hacía yo, otro lo hubiera hecho", "¡La compañía me lo debe!", "¡Hay cosas peores!", "Sólo seguía órdenes", "¡Mi jefe me obligó a hacerlo!", "¡Ese no es mi trabajo!", "La gente se merece lo que le pasa". Algunas de estas racionalizaciones, en circunstancias especiales, pueden justificar un daño causado. Pero para la mayoría de ellas son intentos inadecuados de eludir una responsabilidad que, en realidad, es nuestra.

## Responsabilidad por cooperar con el mal

Dentro de las empresas actuales, la responsabilidad por un acto corporativo con frecuencia se distribuye entre cierto número de partes que cooperan. Los actos corporativos suelen producirse por las acciones y omisiones de muchas personas que trabajan juntas, de manera que sus acciones y omisiones, en conjunto, generan el acto corporativo.

Por ejemplo, cada miembro de un comité ejecutivo puede votar a favor de hacer algo fraudulento, y cada uno sabe que su voto tiene el poder de autorizar una actividad corporativa que defraude a los accionistas; un equipo de ingenieros diseña un automóvil, otro equipo lo prueba y un tercero lo fabrica; una persona ordena algo ilegal y los empleados acatan estas órdenes; un grupo defrauda a los compradores a sabiendas, y otro grupo, en silencio, disfruta las ganancias obtenidas; una persona aporta los medios para algo y la otra ejecuta el acto; un grupo hace el mal mientras que el otro lo oculta. Las variaciones de cooperación son interminables.

¿Quién es moralmente responsable de estos actos incorrectos que se producen de manera conjunta? El punto de vista tradicional es que quienes, con conocimiento y libertad, colaboran para producir el acto corporativo son, todos y cada uno, moralmente responsables de él.[99] Desde esta perspectiva, las situaciones en las que una persona necesita ayuda de los demás para realizar un acto corporativo incorrecto no son diferentes, en principio, de las situaciones en las que una persona necesita ciertas herramientas o instrumentos para cometer un mal. Por ejemplo, si quiero disparar un arma de fuego contra alguien, debo confiar en que la pistola dispare; de igual forma, si yo quiero defraudar a mi compañía, debo confiar en que otros hagan su parte. En ambos casos, si con conocimiento y libertad realizo el mal, aun cuando dependo de otras personas o cosas, entonces soy moralmente responsable de los daños que cause, incluso si esta responsabilidad se comparte con otros.

Los críticos de este punto de vista tradicional de la responsabilidad individual por las acciones corporativas argumentan que cuando los miembros de un grupo organizado como una corporación actúa en conjunto, la acción corporativa debe atribuirse al grupo; en consecuencia, debe ser el grupo corporativo, y no los individuos que lo conforman, el responsable del acto.[100] Por ejemplo, es usual dar crédito por la manufactura de un automóvil defectuoso a la corporación que lo fabricó y no a cada uno de los ingenieros que participaron en dicha manufactura. Es común que la ley atribuya los actos de los gerentes a la corporación (siempre que actúen dentro de su autoridad) y no a cada uno de ellos. Los tradicionalistas, sin embargo, pueden responder que, aunque algunas veces atribuimos los actos a grupos corporativos, este hecho lingüístico y legal no cambia la realidad moral detrás de esos actos: son los individuos los que llevan a cabo las acciones específicas cuyo resultado es el acto corporativo. Puesto que ellos son moralmente responsables por las consecuencias conocidas e intencionales de sus acciones libres, cualquiera que con conocimiento y libertad una sus acciones a las de otros, con la intención de realizar cierto acto corporativo, será moralmente responsable de ese acto.[101]

Sin embargo, algunos sugieren que cuando un subalterno actúa siguiendo las órdenes de un superior legítimo, queda absuelto de toda responsabilidad por esa acción: tan solo el superior es moralmente responsable por el acto incorrecto, aun cuando el subalterno sea el agente que lo realiza. El argumento del agente leal que se analizó anteriormente se basa en esta misma premisa: el argumento sostiene que si el empleado hace con lealtad lo que la compañía le pidió hacer, entonces es esta, y no el empleado, quien debe hacerse responsable. Por ejemplo, hace algunos años, los gerentes de una empresa que fabricaba partes para computadoras ordenaron a sus empleados que escribieran un informe para el gobierno asegurando que las partes que la compañía le vendía se habían sometido a prueba en busca de defectos, cuando, de hecho, no había ocurrido así.[102] Algunos empleados se opusieron a falsear los informes, pero cuando los gerentes les insistieron que eran órdenes de la compañía, los empleados cumplieron. Cuando se descubrió que los informes se habían falseado, los gerentes argumentaron que los empleados no deberían considerarse moralmente responsables porque solo habían seguido órdenes.

Pero la idea de que seguir órdenes de alguna manera absuelve a una persona de cualquier culpa por lo que hace es errónea. Como ya se vio, un individuo es responsable de cualquier lesión que causa, mientras sepa lo que hace y actúe por su libre voluntad. Por

*Repaso breve 1.27*

**La responsabilidad moral no se elimina ni se mitiga por:**
- La colaboración de otros en el mal causado.
- Seguir órdenes.

# Los fabricantes de armas y la responsabilidad

Durante 2002, John Allen Muhammad y John Lee Malvo dispararon y mataron a 13 personas en Alabama, Georgia, Louisiana, Maryland, Virginia y Washington, D.C. Usaron un rifle de asalto semiautomático que fabricó Bushmaster Firearms, Inc. Los dos homicidas compraron el rifle en Bull's Eye Shooter Supply, una tienda de armas en Tacoma, Washington, aun cuando la ley federal prohibía a la tienda vender armas tanto a Muhammad, quien tenía antecedentes de ejercer violencia doméstica, como a Malvo, que era menor de edad. Las víctimas sobrevivientes han alegado que si bien Muhammad y Malvo fueron directamente responsables de las muertes, tanto Bushmaster Firearms, Inc., como Bull's Eye Shooter Supply (y sus dueños) también "debían considerarse responsables". Las auditorías que realizó el Bureau of Alcohol, Tobacco, and Firearms mostraron que Bull's Eye había "perdido" armas (238 en un periodo de tres años) o documentos —incluyendo sus registros de la venta Muhammad y Malvo— y aun así, Bushmaster Firearms siguió vendiéndole armas. Los sobrevivientes alegaron que Bushmaster Firearms tenía la obligación de no crear un riesgo poco razonable de daños previsibles al distribuir sus armas. Argumentaban que la compañía falló en la investigación o en la revisión adecuada del registro del manejo de armas de este distribuidor, que falló en supervisar adecuadamente la venta de armas del distribuidor y que falló al no brindar capacitación o incentivos para que el distribuidor cumpliera con las leyes de armas de fuego. Si Bull's Eye y Bushmaster hubieran actuado como tenían la obligación de hacerlo, habrían podido impedir que Muhammad y Malvo obtuvieran el rifle de asalto que utilizaron para matar a sus víctimas, ya que la ley federal prohibía a ambos la compra de armas. Bull's Eye y Bushmaster ayudaron a provocar las muertes, asegura la esposa de una víctima, y por ello "comparten la responsabilidad de la muerte de mi esposo y de muchos otros".

> 1. ¿Son moralmente responsables Bull's Eye y Bushmaster por las muertes de las víctimas de Washington, D.C.? ¿Por qué?
>
> 2. ¿En alguna ocasión son moralmente responsables los fabricantes o distribuidores de armas por las muertes que se ocasionan por el uso de las mismas? Explique su respuesta.
>
> 3. ¿Los fabricantes son alguna vez moralmente responsables por las muertes que causa el uso de sus productos? ¿Por qué?

Fuente: Chris Mcgann, "Families of 2 Sniper Victims Sue Arms Dealer, Manufacturer", *Seattle Post-Intelligencer*, 17 de enero de 2003, p. 1A.

consiguiente, cuando alguien, a sabiendas y libremente, causa una lesión, el hecho de que estuviera siguiendo órdenes en el momento de hacerlo no cambia la realidad de que cumplía las tres condiciones que la califican como moralmente responsable de sus acciones: causalidad, conocimiento y libertad; por lo tanto, es moralmente responsable de tales acciones. Esto no quiere decir que siempre sea fácil negarse a seguir órdenes. De hecho, a menudo es extremadamente difícil y puede acarrear grandes costos personales. Y como mostró el experimento de Milgram, la mayoría de las personas están dispuestas a obedecer a una autoridad, incluso cuando saben que lo que les ordenan hacer es algo incorrecto. No obstante, cuando sabemos que si seguimos una orden, estaremos colaborando con el mal, debemos hacer todo lo que podamos para reunir la fuerza y el valor necesarios para negarnos.

## Preguntas de repaso y análisis

1. Defina los siguientes conceptos: estándares morales, estándares no morales, ética, ética en los negocios, estudio normativo, estudio descriptivo, cuestión ética sistémica, cuestión ética corporativa, cuestión ética individual, responsabilidad social corporativa, grupos de interés, teoría de los grupos de interés, teoría de los accionistas, globalización, relativismo ético, teoría de los contratos sociales integradores, moralidad preconvencional, moralidad convencional, moralidad posconvencional, razonamiento moral, requisito de congruencia, enmarcar una situación, uso de eufemismos, racionalización de las acciones, disminución por comparación, remplazo de la responsabilidad, difusión de la responsabilidad, distorsión del daño, deshumanización de la víctima, teoría de las predisposiciones, seducción moral, falta de voluntad, fuerza de voluntad, locus de control, responsabilidad moral, responsabilidad mitigada.

2. "La ética no tiene un lugar en los negocios". Analice esta afirmación.

3. En su opinión, ¿los directivos de Merck tenían la obligación moral de invertir dinero para desarrollar el medicamento contra la ceguera de río? ¿Puede establecer el estándar o los estándares morales generales en los que basó su respuesta? ¿Está dispuesto a aplicar el "requisito de congruencia" a sus estándares morales?

4. Lea otra vez el relato de B. F. Goodrich, Lawson y Vandivier. ¿Cuál de de los "obstáculos al comportamiento moral" considera que aparece en esta situación de B. F. Goodrich?

5. "Los puntos de vista de Kohlberg sobre el desarrollo moral indican que cuanto más moralmente madura es una persona, más probable es que obedezca las normas morales de su sociedad". Analice esta afirmación.

## Recursos en Internet

Si usted desea investigar de forma general el tema de la ética en los negocios a través de Internet puede comenzar visitando algunas páginas Web. El sitio del Masrkkula Center for Applied Ethics de la Universidad de Santa Clara incluye artículos sobresalientes y otros contenidos, además de cientos de vínculos con otros sitios sobre ética; la dirección es *www.scu.edu/ethics*. La actualización de la ética de Larry Hinman de la Universidad de San Diego también tiene una gran colección de artículos y vínculos con numerosos temas de ética en *ethics.sandiego.edu*. Otro recurso útil para la investigación de la ética en los negocios en la Web es *www.web-miner.com/busethics.htm*, el sitio de Sharon Stoeger, que incluye enlaces con varios casos de ética en los negocios. La Essential Organization incluye vínculos a numerosas organizaciones y recursos de datos que manejan la responsabilidad social corporativa; la dirección es *www.essential.org*. Corporate Watch tiene información sobre diversas compañías y temas relacionados con la ética en los negocios en *www.corpwatch.orG*. También encontrará información valiosa en Resources for Activists (*www.betterworldlinks.org/book100.htm*), World Watch (*www.worldwatch.org*), y el sitio Web de Mallenbaker acerca de responsabilidad social corporativa (*www.mallenbaker.net/csr*).

# C A S O S

## *Esclavitud en la industria del chocolate*[1]

El 45 por ciento del chocolate del mundo se elabora con granos de cacao que crecen y se cosechan en los campos de Costa de Marfil, una pequeña nación en el occidente de África. Pocos se dan cuenta de que una parte de esos granos, que luego se convierten en el chocolate que consumimos, los cultivaron y cosecharon niños esclavos: niños de 12 a 16 años —a veces incluso de nueve— que son secuestrados por traficantes en las aldeas de naciones vecinas y luego los venden a los cultivadores del cacao, quienes se valen de látigos, golpizas e inanición para forzarlos a realizar, en medio del calor, el difícil trabajo de limpiar los campos, cosechar los granos y secarlos al sol. Trabajan desde el amanecer hasta que el sol se oculta, y en la noche se les encierra en cuartos sin ventanas donde duermen sobre tablones de madera. Lejos de casa y sin saber dónde están, sin hablar el idioma de la región, aislados en las áreas rurales y amenazados con duras golpizas si tratan de escapar, los niños rara vez intentan huir de esta situación de pesadilla. Quienes lo intentan, casi siempre son localizados, los golpean severamente como ejemplo para otros y luego los encierran en confinamientos solitarios. Aunque las cifras exactas se desconocen, cada año mueren o son asesinados muchos de ellos en los campos de cacao de los que se obtiene nuestro chocolate.

El infortunio de los niños esclavizados se dio a conocer en todo el mundo a principios del siglo XXI cuando True Vision, una compañía televisiva inglesa, les tomó videos en los campos de Costa de Marfil e hizo un documental que mostraba sus sufrimientos. En septiembre de 2000 el documental se transmitió al aire en Gran Bretaña, Estados Unidos y otras partes del mundo. El Departamento de Estado de Estados Unidos, en su *Informe Anual de Derechos Humanos, 2001*, estimó que más de 15,000 niños de los países vecinos de Benín, Burkina Faso, Malí y Togo habían sido vendidos como esclavos a gente de Costa de Marfil. La Organización Internacional del Trabajo (OIT) informó el 11 de junio de 2001 que la esclavitud de niños estaba "generalizada" en Costa de Marfil y una investigación del periódico *Knight-Ridder*, publicada el 24 de junio de 2001, lo corroboró. En 2006 *The New York Times* reportó que la esclavitud infantil seguía siendo un problema en África Occidental. En 2007 *BBC News* publicó muchas historias de "miles" de niños que trabajaban todavía como esclavos en los campos de cacao de Costa de Marfil. La revista *Fortune Magazine* informó en 2008 que la esclavitud en ese país africano seguía igual y un documental de la BBC llamado *Chocolate: The Bitter Truth*, difundido el 24 de marzo de 2010, una década después de que se revelara por primera vez que niños esclavos trabajaban en los campos de Costa de Marfil, mostraba que la práctica aún prevalecía.

Aunque la esclavitud es ilegal en Costa de Marfil, rara vez se aplica la ley. Fronteras abiertas, escasez de policías y la disposición de los funcionarios del lugar a aceptar sobornos de quienes trafican con niños contribuyen al problema. Además, desde 1996, los precios del grano de cacao han bajado en los mercados mundiales. Conforme los precios declinaban, los ya de por sí pobres cultivadores de cacao recurrieron a la esclavitud para disminuir sus costos de mano de obra. Aunque los precios comenzaron a subir durante los primeros años del siglo XXI, volvieron a caer otra vez en 2004 y permanecieron bajos hasta el verano de 2010, cuando de nuevo subieron.

La pobreza que motivó que muchos cultivadores de cacao de Costa de Marfil compraran niños como esclavos se agravó por otros factores además de los precios. Al trabajar en campos aislados, los cultivadores no se pueden comunicar entre sí ni con el mundo exterior para saber en cuánto podría venderse su cosecha. En consecuencia, están a merced de los intermediarios locales, quienes llegan a los campos, compran el cacao a la mitad de su precio real en el mercado, y se lo llevan en camiones. Incapaces de poder comprar esos camiones, los cultivadores dependen de los intermediarios para que el cacao llegue a los mercados.

El chocolate es una industria que genera $13,000 millones en Estados Unidos, que consume 3,100 millones de libras al año. Los nombres de sus cuatro fabricantes más grandes —los que usan los granos de cacao moralmente "contaminados" de Costa de Marfil en sus productos— son bien conocidos: Hershey Foods Corp. (que elabora el chocolate de leche Hershey's, Reeses y Almond Joy), M&M Mars, Inc. (fabricante de M&Ms, Mars, Twix, Dove y Milky Way), Nestlé USA (que fabrica Nestlé Crunch, Kit Kat, Baby Ruth y Butterfingers), y Kraft Foods (que usa chocolate en sus productos para hornear y para el desayuno). Menos conocidos, pero aún significativos para la industria, son los nombres de Archer Daniels Midland Co., Barry Callebaut y Cargill Inc.; todos ellos sirven como intermediarios que compran, muelen y procesan los granos de Costa de Marfil, y luego venden el cacao procesado a los fabricantes de chocolate.

Aunque todas las compañías importantes de chocolate empleaban granos de los campos de Costa de Marfil, parte de los cuales provenían del trabajo de niños esclavos, muchas fábricas más pequeñas evitaban hacerlo y, en vez de ello, usaban granos "no contaminados" que se cultivaban en otras partes del mundo. Estas compañías incluyen: Clif Bar, Cloud Nine, Dagoba Organic Chocolate, Denman Island Chocolate, Gardners Candies, Green and Black's, Kailua Candy Company, Koppers Chocolate, L.A. Burdick Chocolates, Montezuma's Chocolates, Newman's Own Organics, Omanhene Cocoa Bean Company, Rapunzel Pure Organics y The Endangered Species Chocolate Company. Otras compañías pequeñas recurren a emplear chocolate de comercio justo y chocolate orgánico porque están hechos de granos cultivados en campos que se supervisaron de manera regular y, por lo tanto, también están hechos de granos "no contaminados".

Los fabricantes de chocolate de Estados Unidos ya sabían que campesinos de Costa de Marfil se valen de niños esclavos para cultivar el cacao, desde que los medios de comunicación publicaron los primeros informes. En 2001 la Chocolate Manufacturers Association, un grupo comercial de fabricantes de chocolate (entre cuyos miembros están Hershey, Mars, Nestlé y otros) admitió a los periódicos que estaba consciente del uso del trabajo de niños esclavos en los campos de cacao de Costa de Marfil. Presionada por diferentes grupos antiesclavitud, el 22 de junio de 2001 la asociación declaró que "condenaba estas prácticas" y estuvo de acuerdo en financiar un estudio de la situación.

El 28 de junio de 2001, Eliot Engel, congresista de Estados Unidos, propuso una iniciativa de ley que intentaba establecer un sistema de etiquetado que informara a los consumidores si los chocolates que compraban eran "libres de esclavitud", es decir, que garantizara que estos no habían sido producidos por niños esclavos. La medida se aprobó en la Cámara de Representantes por 291 votos contra 115. Sin embargo, antes de que una medida pueda convertirse en ley, debe ser aprobada tanto por la Cámara de Representantes como por el Senado. El senador de Estados Unidos Tom Harkin se preparó para introducir la misma iniciativa en el Senado. Antes de que este pudiera considerar la ley, la industria chocolatera de Estados Unidos (liderada por Mars, Hershey, Kraft Foods y Archer Daniels Midland, con la ayuda de los cabildeadores Bob Dole y George Mitchell), montó una gran campaña de cabildeo para combatir el sistema de etiquetado "libre de esclavitud". Las empresas argumentaban que ese sistema no solo afectaría sus propias ventas, sino que a largo plazo perjudicaría a los pobres cultivadores africanos de cacao al reducir sus ventas y obligarles a bajar sus precios, lo que añadiría más presión a la situación que los llevó a utilizar trabajo de esclavos. Como resultado del cabildeo de la industria, el Senado nunca aprobó la iniciativa de etiquetado "libre de esclavitud". No obstante, el representante Engel y el senador Harkin amenazaron con introducir una nueva iniciativa que prohibiría la importación de cacao producido por trabajo esclavo, a no ser que las empresas chocolateras eliminaran de manera voluntaria ese tipo de trabajo de sus cadenas de producción.

El primero de octubre de 2001, los miembros de la Chocolate Manufacturers Association y la World Cocoa Foundation, atrapados en el centro de atención de los medios de comunicación, anunciaron que tenían la intención de establecer un sistema que eliminara "las peores formas de trabajo infantil", incluyendo la esclavitud. En la primavera de 2002, las dos organizaciones, junto con los principales productores de chocolate (Hershey's, M&M Mars, Nestlé y World Finest Chocolate) y los mayores procesadores de cacao (Blommer Chocolate, Guittard Chocolate, Barry Callebaut y Archer Daniels Midland), firmaron un acuerdo para establecer un sistema de certificación que verificara y certificara que los granos de cacao utilizados no fueran producidos por niños esclavos. Conocido como el Protocolo Harkin-Engel, el acuerdo también establecía que las empresas chocolateras financiarían programas para capacitar a los productores de cacao en técnicas de cultivo, a la vez que les enseñaran la importancia de evitar el utilizar trabajo esclavo. Los miembros de la Chocolate Manufacturers Association también acordaron investigar las condiciones de las plantaciones y establecer una fundación internacional para supervisar y mantener los esfuerzos con la finalidad de eliminar de ellas la esclavitud infantil. En julio de 2002, la primera evaluación que patrocinó Chocolate Manufacturers Association concluyó que aproximadamente 200,000 niños, no todos ellos esclavos, trabajaban en condiciones peligrosas en las plantaciones y que la mayoría de ellos no asistían a la escuela.

Por desgracia, en 2002, Costa de Marfil se vio envuelta en una guerra civil que continuó hasta que en 2005 se inició un complicado proceso de pacificación que finalizó en 2007; sin embargo, las fuerzas rebeldes continuaban controlando la mitad norte del país. Los informes indicaban que buena parte del dinero con el que se financiaba la violencia, tanto del gobierno como de los grupos rebeldes durante los años de guerra, provenía de las ventas de cacao y que los compradores de "cacao sangriento" de Costa de Marfil sostuvieron esta violencia.

Llegó el año 2005, fecha límite que habían fijado las principales empresas chocolateras y sus asociaciones, sin que se estableciera el prometido sistema de certificación que asegurara que los granos no eran producidos por trabajo de niños esclavos. Entonces, las empresas chocolateras enmendaron el protocolo para darse ellas mismas más tiempo y extender el plazo hasta julio de 2008, aduciendo que el proceso de certificación se había complicado mucho más de lo previsto, especialmente a causa del estallido de la guerra civil. Aunque las empresas no establecieron un sistema de certificación mientras duró el conflicto, sí maniobraron para asegurarse suficientes granos de cacao que les permitieran mantener sus fábricas funcionando a toda velocidad.

A principios de 2008 las compañías no habían comenzado aún a trabajar en el establecimiento de un sistema de certificación o de cualquier otro método que asegurara que no se había empleado trabajo de esclavos para producir los granos de cacao que usaban. Emitieron una nueva declaración en la que ampliaban hasta 2010 el plazo para cumplir con su promesa de establecer un sistema de certificación. Según las compañías, habían estado invirtiendo varios millones de dólares al año en una fundación que trabajaba en el problema del trabajo infantil. Sin embargo, un reportero investigador descubrió y dio a conocer, en un artículo publicado en *Fortune Magazine* el 15 de febrero de 2008, que la fundación tenía solo un miembro de su personal trabajando en Costa de Marfil y que sus actividades se limitaban a dar talleres de sensibilización a los habitantes locales, durante los cuales él explicaba que el trabajo infantil era reprobable. La fundación también ayudaba a un albergue que brindaba casa y educación a niños de la calle. El reportero no encontró ningún indicio de que se estuviera trabajando en algún sistema de certificación. Actualmente, el sistema de supervisión que se usa en el comercio legal y en la industria de productos orgánicos ha sido funcional por varios años, pero las grandes empresas que trabajan en Costa de Marfil parecen ser incapaces o no estar interesadas en aprender de su ejemplo

La existencia de un gran y bien organizado sistema de tráfico de niños de los países vecinos hacia las plantaciones de Costa de Marfil quedó de manifiesto el 18 de junio de 2009. En esa fecha, la organización policiaca internacional, INTERPOL, llevó a cabo una serie de redadas en varias plantaciones en las que se creía que trabajaban niños esclavos y logró rescatar a 54. Con edades entre los 11 y los 16 años, los niños trabajaban 12 horas al día sin salario; muchos eran golpeados regularmente y ninguno había recibido instrucción escolar.

En una declaración pública, la INTERPOL estimó que "cientos o miles de niños trabajan ilegalmente en las plantaciones".

El 30 de septiembre de 2010, el Centro Payson, en la Universidad de Tulane, emitió un informe sobre el progreso que se había alcanzado en el sistema de certificación que la industria chocolatera había prometido establecer en 2002, y el progreso que la industria había logrado con respecto a su promesa de eliminar "las peores formas de trabajo infantil", incluyendo su esclavitud, en las plantaciones de las cuales la industria surte su cacao. El informe fue encargado por el Departamento del Trabajo de Estados Unidos, a quien el Congreso había pedido evaluar los avances en el "Protocolo Harkin-Engel" y quien entregó a la Universidad de Tulane un financiamiento por $3.4 millones iniciales en 2006 y $1.2 millones adicionales en 2009 para integrar el informe. Según este último, "la industria se encuentra lejos de instaurar un proceso de certificación verificado en forma independiente y amplia en el sector [...] a finales de 2010". El informe reveló que entre 2002 (la fecha del acuerdo original) y septiembre de 2010, la industria había logrado entablar contacto solo con 95 de las comunidades con plantaciones de cacao (el 2.3 por ciento) en Costa de Marfil, y que, para completar sus esfuerzos de solución, tendría que entrar en contacto con otras 3,655 comunidades productoras. Aunque el grupo Tulane confirmó que se seguía utilizando trabajo forzado en las plantaciones de cacao, también encontró que no se había hecho ningún esfuerzo formal por parte de la industria para remediar el asunto del trabajo forzado.

No es sorprendente pues, que el problema de la certificación continúe sin resolverse en 2011. Después de que la atención de los medios de comunicación se desviara del asunto, los fabricantes y distribuidores que compran granos de cacao de Costa de Marfil parecen incapaces de encontrar una manera de certificar que no se usó el trabajo de esclavos para cosechar esos granos. Representantes de las empresas chocolateras argumentaron que el problema de la certificación era difícil porque hay más de 600,000 plantaciones de cacao en Costa de Marfil; la mayoría de ellas en pequeñas granjas familiares localizadas en remotas regiones rurales del país a las que es difícil llegar y que carecen de buenos caminos y otras infraestructuras. Sin embargo, los críticos señalan que estas mismas dificultades no parecen ser ningún obstáculo para obtener los granos de esas numerosas y dispersas plantaciones. Los productores de granos de cacao, pobres y lacerados por los bajos precios, continúan usando el trabajo de niños esclavos, aunque son sigilosos al respecto. Para empeorar las cosas, en febrero de 2011, estallaron de nuevo los enfrentamientos entre los rebeldes ubicados en el norte y el gobierno de Costa de Marfil en el sur, por un breve periodo, en una disputa acerca de quién era el legítimo ganador de la elección presidencial de 2010. Los enfrentamientos terminaron en abril de 2011 cuando uno de los candidatos finalmente reconoció los resultados de la elección, permitiendo que Allassane Ouattarra fuera declarado el presidente legítimo.

En 2010 un documental, titulado *The Dark Side of Chocolate*, dio cuenta una vez más del continuo uso del trabajo de niños esclavos en las plantaciones de ese país. Sin embargo, los representantes de las compañías chocolateras entrevistados en el documental negaron el problema o declararon no saber nada del asunto. Los granos amancillados con el trabajo de niños esclavizados continúan mezclándose silenciosamente con los cosechados por trabajadores libres y remunerados, de tal manera que ambos son indistinguibles. De ahí que estos granos continúen su camino hasta los dulces de chocolate que Hershey's, M&M Mars, Nestlé y Kraft Foods fabrican y que se compran en Estados Unidos y Europa. Sin un sistema eficaz de certificación, prácticamente todo el chocolate producido con granos de cacao del oeste de África (Costa de Marfil y Ghana) aún contiene granos que cosechan pequeños niños esclavos.

## Preguntas

1. ¿Cuáles son los aspectos éticos sistémicos, corporativos e individuales generados por este caso?
2. Desde su punto de vista, el tipo de esclavitud infantil analizada en este caso, ¿está absolutamente mal o está solo relativamente mal, es decir, si uno vive en una sociedad (como la nuestra) que desaprueba la esclavitud?
3. ¿Quién comparte la responsabilidad moral de la esclavitud que tiene lugar en la industria del chocolate?
4. Considere la iniciativa que el congresista Engel y el senador Harkin intentaron convertir en ley, pero que nunca se materializó por los esfuerzos de cabildeo de la industria chocolatera. ¿Qué revela este incidente acerca del punto de vista de que "para que los empresarios sean éticos es suficiente que se apeguen a la ley"?

## Nota

1. Sudarsan Raghavan y Sumana Chatterjee, "Child Slavery and the Chocolate Trade", *San José Mercury News*, 24 de junio de 2001, p. 1A; Stop Child Labor, "There's Nothing Sweet About Child Slave Labor in the Cocoa Fields", fecha de acceso: 26 de abril de 2004 en *http://www.stopchildlabor. org/internationalchildlabor/chocolate.htm*; Sharon LaFraniere, "Africa's World of Forced Labor in a 6 Year-Old's Eyes", *The New York Times*, 29 de octubre de 2006; Rageh Omaar, "The World of Modern Child Slavery", *BBC News* [Online], 27 de marzo de 2007, fecha de acceso: 29 de abril de 2010 en *http://news.bbc.co.uk/2/hi/programmes/this_world/6458377. stm*; Christian Parenti, "Chocolate's Bittersweet Economy", *Fortune Magazine*, 15 de febrero de 2008; Payson Center for International Development and Technology Transfer Tulane University, *Fourth Annual Report: Oversight of Public and Private Initiatives to Eliminate the Worse Forms of Child Labor in the Cocoa Sector in Cote d'Ivoir and Ghana*, 30 de septiembre de 2010, fecha de acceso: 30 de marzo de 2011 en *http://www. childlabor-payson.org/Final%20Fourth%20Annual%Report.pdf*.

## *Aaron Beam y el fraude de HealthSouth*

Después de titularse del Ourso College of Business, Aaron Beam continuó su formación hasta graduarse como contador público certificado en 1978, y dos años después conoció a Richard Scrushy a quien describió como un líder "carismático, simpático, encantador y un brillante hombre de negocios". En ese tiempo Scrushy trabajaba para Lifemark Corporation, una empresa de cuidados de la salud donde había escalado posiciones hasta llegar a ser director de operaciones, después de haber impartido cátedra por un breve periodo en el programa de terapia respiratoria de la Universidad de Alabama y en Wallace State Community College. En 1983 Scrushy invitó a Beam a unírsele para fundar HealthSouth, una nueva empresa que brindaría servicios médicos de rehabilitación a hospitales y sus pacientes ambulatorios en Birmingham, Alabama. Scrushy creía que podrían dar terapia de rehabilitación a los pacientes a un costo más bajo que en los hospitales regulares y, de esa forma, estos estarían encantados de enviarles sus pacientes de rehabilitación. Resultó que tuvo razón.[1]

Fundaron la empresa en 1984, con Scrushy como director ejecutivo y Beam como director de finanzas. Este diría después que el primero conducía la empresa como un "dictador", y con una autoconfianza que intimidaba a los demás y algunas veces haría que Aaron y otros estuvieran temerosos de contradecirlo. Después, diría que era "casi una figura de culto", que inspiraba una lealtad intensa y a quien las personas seguían afanosamente, dispuestas a cumplir sus seguras órdenes.[2] Otro empleado dijo que el director ejecutivo "tenía energía ilimitada" y "era un gran motivador" que trabajaba "muy arduamente, era casi como si uno no pudiera dejarlo atrás".[3]

Desde el principio, Scrushy y Beam sabían que la empresa tenía que parecer rentable para satisfacer a los inversionistas y a los prestamistas, y para después emitir y vender acciones con éxito en la bolsa de valores. Aunque la empresa iba razonablemente bien, Scrushy dijo a Beam que debía hacer cualquier cosa que pudiera para que los informes financieros se vieran aún mejor. Aunque Beam estaba renuente en un principio, se sintió presionado y amedrentado, y finalmente movió algunos de los costos de inicio de la empresa de la columna de gastos a la columna de inversiones de capital, lo que magnificaba sus ganancias netas.[4] Aunque Beam sentía que esto podría ser un poco engañoso, también pensaba que estaba técnicamente dentro de los límites de las reglas contables, y que los inversionistas serían lo suficientemente inteligentes para entender lo que estaba pasando. Se dijo a sí mismo que el movimiento era "contabilidad agresiva", pero que definitivamente "no era fraudulenta".

En 1986 la empresa cotizó en bolsa con gran éxito, y tanto Scrushy como Beam y los inversionistas obtuvieron una gran cantidad de dinero. Más aún, la empresa continuó expandiéndose rápidamente y las utilidades continuaron ascendiendo igual de rápido. Con su nueva riqueza, Beam pudo comprarse una casa en la playa, un condominio en el barrio francés de Nueva Orleans, un avión privado, lujosos automóviles, y podía permitirse gastar $30,000 en corbatas Hermes. A cualquier lugar al que iba era conocido y respetado:

> Yo era una estrella de rock. Podía entrar a cualquier restaurante y ver a las personas haciéndome señas, diciendo que querían hablar conmigo, reunirse conmigo y decirme qué gran trabajo estaba haciendo. En verdad, ¡era algo fabuloso![5]

Scrushy también celebró su nueva riqueza. Se había divorciado de su primera esposa y se había casado con la segunda, una mujer llamada Karen, con quien tuvo cuatro hijos y una relación apasionada, pero tormentosa. Compró dos aviones jet Cessna, autos Lamborghini y Rolls Royce, 10 yates, costosas obras de arte, varias casas multimillonarias y mandó construir una mansión de 1,300 metros cuadrados con 20 habitaciones y helipuerto. Hizo espléndidas donaciones a la caridad, donó dinero a escuelas que, en agradecimiento, pusieron su nombre en varios edificios e hizo una donación tan grande a una universidad local, que nombraron el plantel entero como "Richard M. Scrushy Campus". En la preparatoria, Scrushy había aprendido él solo a tocar la guitarra y había tocado en algunas pequeñas bandas; así que se le ocurrió reclutar a varios músicos profesionales, formó un grupo de música country, llamado Dallas County Line, donde él era el cantante, grabó un CD y financió una gira mundial para el grupo.

Durante los siguientes 10 años, la empresa HealthSouth creció hasta convertirse en una empresa de las 500 de *Fortune*, con un valor de $3 mil millones. Con 22,000 empleados, era el mayor proveedor a nivel nacional de servicios de rehabilitación, cirugía y terapia para pacientes ambulatorios. Beam continuó usando sus prácticas de "contabilidad agresiva" en los reportes financieros de la empresa. Cuando esta se expandió a otros sitios, él capitalizó algunos de los costos en vez de considerarlos como gastos, y en ocasiones las utilidades añadidas de las nuevas ubicaciones estaban listadas como crecimiento de utilidades de las ubicaciones previas de la empresa. Y en vez de registrar las deudas por cobrar como tales, Beam simplemente las mantuvo en libros como activos. Continuó reafirmándose a sí mismo con el pensamiento de que "los inversionistas astutos sabían lo que estábamos haciendo", y lo vio como "astucia en el juego y no como un fraude descarado".[6]

Pero a mediados del segundo trimestre de 1996, Scrushy y Beam se dieron cuenta de que la empresa, por primera vez, se quedaría corta en alcanzar las expectativas de los analistas de Wall Street con utilidades trimestrales de cerca de $50 millones. Los dos estaban seguros de que esto sería un evento único y que la empresa volvería a cumplir las metas de los analistas el siguiente trimestre financiero, como había sucedido en los últimos 40 trimestres. Pero en ese momento la empresa estaba negociando un nuevo acuerdo crediticio con un sindicato de 32 prestamistas de todo el mundo y, aunque los bancos habían accedido a extender una línea de crédito a HealthSouth por un total de $1,250 millones, también habían dejado claro que la empresa tenía que entregarles estados financieros trimestrales favorables.[7] Scrushy aseguró a Beam que si los bancos percibían vientos de déficit, esto mutilaría la empresa por la que tanto habían trabajado, así que tenía qué hacer todo lo que pudiera para evitar que se filtrara tanta información como fuera posible acerca del déficit. Scrushy pensaba que si podían pasar el trimestre, todo estaría bien.[8]

Al estar de acuerdo con la evaluación de la situación que hizo Scrushy, Beam decidió arreglar los libros de la empresa "por única vez". "Yo sabía que si reportábamos malas utilidades sería desastroso", dijo Beam después, así que "me dejé arrastrar a estar de acuerdo en cometer fraude". Convenció a dos de las personas que trabajaban con él en el departamento de finanzas de unirse al plan: Bill Owens, el contralor, y Mike Martin, el tesorero. Con la ayuda de unos cuantos empleados, revisaron los informes de utilidades que cada una de las docenas de clínicas de HealthSouth, dispersas por todo el país, enviaban a la matriz cada trimestre financiero. Inflaron cuidadosamente los números insertando muchas pequeñas ganancias adicionales en cada informe. Después, consolidaron todos los informes en un único reporte corporativo.[9] Todas las numerosas adiciones ficticias que hicieron eran pequeñas, porque sabían que los auditores externos solo verificarían la validez de las grandes entradas de ingresos, y era muy poco probable que revisaran todos los modestos ingresos ficticios incluidos.[10] Más aún, Scrushy había dicho antes a Beam que él no permitiría que los propios auditores internos de la empresa tuvieran acceso a los libros de contabilidad general, en los cuales se había realizado el fraude.

Aunque se dio cuenta de que estas acciones violaban los principios de contabilidad generalmente aceptados, Beam sintió que lo que estaba haciendo era por el bien de todos en la empresa. Si esta fallaba, muchas personas resultarían perjudicadas. Y de cualquier modo, solamente iba a hacerlo una vez.

Por desgracia, en el siguiente trimestre, los ingresos volvieron a quedar por debajo de las expectativas de Wall Street. Esta vez, Scrushy no tuvo que persuadir a Beam, quien diría más tarde: "Después de la primera vez, era más fácil seguir la pendiente de ese camino".[11] El fraude se ejecutó de una manera muy parecida a como se había hecho el trimestre anterior, excepto que esta vez había más

personas en el esquema. Ken Livesay, el asistente del contralor, ayudó descargando todos los informes de las clínicas del país a su computadora y dio forma a la brecha entre las verdaderas utilidades de la empresa y lo que Wall Street esperaba (cerca de $70 millones esta vez).[12] Él reportó esas cifras a Bill Owens y Mike Martin. Entonces, Beam, Owens, Martin, Livesay y unos cuantos más hicieron su trabajo con los informes de las clínicas insertando suficientes entradas de ingresos ficticias para reducir la brecha. Como los ingresos siguieron quedándose cortos con respecto a la expectativa de Wall Street, el proceso tuvo que repetirse cada trimestre. Con el tiempo, más personal del área de finanzas se sumó al grupo hasta que creció a unas 15 personas, quienes comenzaron a llamarse a sí mismos "la familia".

En 1997 HealthSouth era la empresa de servicios de rehabilitación más grande en la industria y, con una remuneración total de $106 millones, Scrushy era el tercer director ejecutivo mejor pagado en Estados Unidos. Un año antes, su segunda esposa se había divorciado de él y ahora estaba casado con su tercera esposa, Leslie, con quien había tenido dos hijos más. Él se convirtió en miembro activo de la Iglesia de la Luz Guiadora a la que hizo importantes donaciones, y él y su esposa finalmente comenzaron a presentar diariamente un programa evangélico de televisión que era transmitido desde la iglesia.

Aunque ahora se mostraba muy vacilante de alterar los reportes de la empresa, Beam todavía se sentía angustiado y culpable:

> Simplemente no tenía el valor o la compostura ética para oponerme a Richard. Yo nunca dije: "No, esto está mal". Mi vida cambió. No podía dormir. Había cruzado la línea, y había hecho algo que no podía enfrentar y era terrible.[13]

Avergonzado por lo que ahora tan voluntariamente estaba haciendo, Beam decidió retirarse de la empresa en 1997. Compró varios acres de tierra en el campo, y él y su esposa construyeron su casa de los sueños de 465 metros cuadrados. Beam supuso que las ganancias de la empresa finalmente mejorarían, y que una vez más le iría lo suficientemente bien como para detener la falsificación de los reportes financieros. Se equivocaba.

La contabilidad fraudulenta en HealthSouth continuó por otros seis años más, hasta que en 2003, el FBI comenzó a investigar si Scrushy podría ser parte de un esquema de maquinación interna. Como parte de su investigación, el FBI se entrevistó con Weston Smith, quien había remplazado a Beam como director de finanzas. Smith tenía poco qué decir acerca del esquema de maquinación interna; en vez de ello, informó a los sorprendidos investigadores acerca del fraude que se había realizado en HealthSouth.

Para cuando el gobierno intervino y en 2003 acusó a los ejecutivos de HealthSouth, las ganancias de la empresa se habían exagerado en $2,700 millones. En 2005

Scrushy aseguró que él no tenía conocimiento de las entradas fraudulentas que se habían asentado en los libros de contabilidad, y a pesar de ser acusado por Beam, Martin, Owens, Livesay y otros de haber tenido conocimiento del esquema, un jurado lo declaró inocente de cualquier delito. Beam y los otros miembros de "la familia" no tuvieron tanta suerte. Él y otros 15 empleados de HealthSouth que habían ayudado a maquinar el fraude fueron sancionados y encarcelados, o puestos en libertad condicional.

Aunque Scrushy no fue sentenciado por ninguna responsabilidad en el fraude de HealthSouth, en 2006 se le encontró culpable de pagar $500,000 en sobornos al gobernador de Alabama, Don Siegelman, a cambio de un asiento en el consejo regulador de hospitales del estado. Scrushy fue sentenciado a siete años de prisión por soborno, sentencia que comenzó a cumplir en 2007. Él creía que los fiscales del gobierno habían hecho los cargos de soborno contra él en venganza porque no habían sido capaces de demostrar su culpabilidad en el juicio de HealthSouth, pero sus abogados fallaron al intentar ganar las apelaciones que presentaron en su nombre. En 2009, mientras cumplía su sentencia en la cárcel, perdió una demanda civil por $2,800 millones que presentaron contra él los accionistas de la empresa; al final de ese juicio, el juez dijo que le quedaba claro que "Scrushy no solo estaba al tanto, sino que participó activamente en el fraude". Sus cuentas bancarias fueron confiscadas y sus casas, yates, autos y otras propiedades fueron subastadas para pagar los $2,800 millones que debía. Perturbado por el resultado de las demandas que dejaron a su esposa y sus hijos sin un centavo, Scrushy continuó sosteniendo su inocencia tanto en el fraude de HealthSouth como en el caso de soborno de Siegelman. Su esposa siguió siéndole fiel y llevaba a sus hijos a visitarlo cada semana mientras cumplió su sentencia en prisión. Tanto su esposa como el pastor de la Iglesia de la Luz Guiadora continúan creyendo en su inocencia.

Aunque pudo haber recibido una sentencia de hasta 30 años de cárcel y una multa de un millón de dólares, Aaron Beam pasó sólo tres meses en una prisión federal y pagó $285,000 en multas y otros $250,000 en honorarios de abogados. Después de salir de prisión en 2006, Beam dijo que su experiencia le había dado una dura lección, pero todavía culpaba a Scrushy de mucho de lo que pasó:

> Hay muchos sociópatas dirigiendo grandes corporaciones. Tienen egos gigantescos, intimidan a las personas, creen firmemente que tienen la razón en todo lo que hacen o dicen, y no tienen ninguna empatía por otras personas. Si en su trabajo usted tiene un jefe como ese, tenga cuidado. Piense que algún día le puede pedir algo que no debe hacer. No se deje influir demasiado por otros hasta el punto de hacer algo incorrecto. Hay que tener algo de carácter moral sobre cómo se conduce uno mismo en el mundo de los negocios.

> La presión para hacer ganancias, por generar dinero, podría llevarlo cuesta abajo por una pendiente por la que uno no debe caminar.[14]

Ahora Aaron Beam es dueño de un servicio de podado de césped en Alabama, llamado Green Beam Lawn Service, y que inició con una cortadora de césped que adquirió luego de vender sus últimas 50 corbatas Hermes. Dice lo siguiente con respecto a su vida actual:

> No tengo empleados, trabajo solo. Pero ahora vivo mi vida honestamente y tengo una gran paz mental por ello. Cuando podo el césped de alguien, y me paga $50 luego de haber trabajado bajo el sol del sur de Alabama, sé que me he ganado ese dinero, y duermo bien esa noche.[15]

## Preguntas

1. ¿Cuál de los obstáculos para el comportamiento moral cree usted que aparecen en el comportamiento y pensamiento de Aaron Beam? ¿Y en el de Scrushy?

2. Explique cómo Aaron Beam podría haber usado el argumento del agente leal para justificar sus acciones. ¿Cree que en la situación de Beam el argumento del agente leal podría haber sido válido? Explique su respuesta.

3. En términos de la teoría de Kohlberg sobre el desarrollo moral, ¿en qué etapa de desarrollo moral ubicaría usted a Aaron Beam? Explique por qué. ¿Y a Richard Scrushy?

4. ¿Aaron Beam era *moralmente responsable* de participar en los métodos de "contabilidad agresiva" que usó? Explique. ¿Se *mitiga* su responsabilidad de alguna forma? Explique por qué. ¿Era él *moralmente responsable* por modificar los informes de las clínicas para incrementar las ganancias de la empresa? ¿Se *mitigó* su responsabilidad en esto? Explique. ¿Quienes *cooperaron* con sus acciones eran moralmente responsables de ellas? ¿Se mitigó su responsabilidad? ¿Cree usted que Richard Scrushy era moralmente responsable por el fraude contable? Explique su respuesta.

## Notas

1. Seth Fox, "A World Unrevealed", *Business Report*, 1 de agosto de 2006, fecha de acceso: 3 de septiembre de 2010 en *http://www.bus.lsu.edu/accounting/faculty/lcrumbley/unraveled.htm*; John Helyar, "The Insatiable King Richard. He started as a nobody. He became a hotshot CEO. He tried to be a country star. Then it all came crashing down. The bizarre rise and fall of HealthSouth's Richard Scrushy", *Fortune*, 7 de julio de 2003.

2. Jeanine Ibrahim, "American Greed", *CNBC*, [Producer's Notes], fecha de acceso: 3 de septiembre de 2010 en *http://www.cnbc.com/id/27087295*; Jimmy DeButts, "Crossing the Line: HealthSouth CFO Aaron Beam Speaks Out", *Birmingham Business Journal*, 2 de octubre de 2009.

3. Helyar, "The Insatiable King Richard".
4. *Fox*, "A World Unrevealed".
5. *University of Texas News*, "Auditors Get an Insider's View of Corporate Fraud", 12 de abril de 2010, fecha de acceso: 3 de septiembre de 2010 en *http://www.utdallas.edu/news/2010/4/12-2391_Auditors-Get-an-Insiders-View-of-Corporate-Fraud_article.html*
6. Aaron Beam, *HealthSouth: The Wagon to Disaster*, (Fairhope, Alabama: Wagon Publishing [libro publicado por el autor], 2009).
7. *U.S. Department of Justice*, "Former HealthSouth Chief Financial Officer Aaron Beam Charged with Ban Fraud", 24 de abril de 2003, [boletín de prensa], fecha de acceso: 3 de septiembre de 2010 en *http://www.justice.gov/opa/pr/2003/April/03_crm_255.htm*
8. Steve Chiotakis, "How HealthSouth Started a Fraud", *American Public Media Marketplace*, 6 de enero de 2010, fecha de acceso: 3 de septiembre de 2010 en *http://marketplace.publicradio.org/display/web/2010/01/06/am-scrushy/*
9. "Accountant Describes How HealthSouth Fraud Happened", *USA Today*, 28 de enero de 2005.
10. John A. MacDonald, "Video Depositions Fill Much of Afternoon in First Day of Richard Scrushy Civil Trial", *The Birminham News*, 11 de mayo de 2009.
11. Aaron Beam, *HealthSouth: The Wagon to Disaster*.
12. Jay Reeves, "Ex-HealthSouth Exec Details Fraud", *The Seattle Times*, 24 de febrero de 2005.
13. *University of Texas News*, "Auditors Get an Insider's View of Corporate Fraud".
14. Aaron Beam, "Aaron Beam, Former Chief Financial Officer of HealthSouth", del sitio Web de Aaron Beam, fecha de acceso: 3 de septiembre de 2010 en *http://aaronbeam.net/bio.html*
15. Chiotakis, "How HealthSouth Started a Fraud".

# Principios éticos en los negocios

¿Cuál es la pregunta central que plantea el enfoque utilitario para la toma de decisiones morales?

¿Cómo se aplican los derechos humanos a las situaciones de negocios?

¿Qué es la justicia?

¿Por qué las relaciones personales son esenciales para la ética del cuidado?

¿Es posible integrar los diferentes enfoques de la evaluación de la moral?

¿Qué papel desempeña el carácter en la moralidad?

¿Por qué muchas de las decisiones morales parecen ser automáticas e inconscientes?

*Incluso al comprar las hortalizas en un mercado local, los clientes esperan que se les trate con honestidad, justicia y respeto.*

A mediados del siglo pasado, en 1948, el Partido Nacional (conformado solamente por blancos) obtuvo por primera vez el control del gobierno de Sudáfrica. En las primeras leyes raciales se decreta que solo los blancos —el 10 por ciento de la población— tenían el derecho de votar, y se negaba la participación política a los negros, quienes integraban aproximadamente el 80 por ciento de la población, así como a los individuos "de raza mixta" y a los indios que, en conjunto, conformaban el 10 por ciento restante. El Partido Nacional, constituido únicamente por blancos, aprobó una rigurosa legislación *apartheid* tan pronto como llegó al poder. El nuevo gobierno redactó sus leyes con la finalidad de preservar la pureza racial y la supremacía de los blancos al separarlos social y físicamente de las otras razas. A partir de entonces, la población que no era blanca solo podía tener acceso a empleos, viviendas y tierras de calidad inferior. El sistema del *apartheid* privaba al total de la población negra de todo derecho político: no tenían libertad de expresión ni de reunión, ni derecho a sindicalizarse. Negros, mestizos e indios debían vivir en áreas segregadas racialmente, recibían salarios discriminatorios, no se podían casar con blancos ni ser sus jefes, debían asistir a escuelas de menores recursos, usar baños separados y entradas diferentes en los edificios públicos, comer en restaurantes específicos y se les prohibía socializar con blancos.

Estas leyes raciales opresoras generaron un gran movimiento de resistencia que el gobierno acalló por la fuerza. Al pasar los años, conforme la población de color hacía repetidas manifestaciones contra un régimen cada vez más cruel, el gobierno respondía con una represión aún mayor, matanzas y arrestos. Al principio del mandato del primer ministro Strijdom, conocido por ser un racista de línea dura, honesto, pero inflexible y beligerante, el gobierno mató sin piedad a cientos de jóvenes activistas de color y encarceló a miles de ellos. Nelson Mandela, el carismático y valiente hijo de un jefe tribal negro, estaba entre los encarcelados. Los partidos políticos de oposición eran ilegales y sus líderes también fueron encarcelados. Estas políticas de supremacía blanca del gobierno del *apartheid* se mantuvieron hasta principios de la década de 1990.

Mientras el régimen del *apartheid* estaba en el poder, Caltex, una compañía petrolera estadounidense en Sudáfrica, operaba una cadena de gasolineras y varias refinerías que se abastecían con petróleo importado de otros países. De propiedad conjunta entre Texaco y Standard Oil, Caltex había ampliado varias veces sus operaciones en Sudáfrica, dando a su gobierno mayor acceso al petróleo que necesitaba. La economía del país africano dependía del petróleo en un 25 por ciento para cubrir sus necesidades energéticas, y sus leyes requerían que las refinerías destinaran parte del petróleo para el gobierno. Además, los rígidos impuestos corporativos aseguraban que un alto porcentaje de los ingresos anuales de Caltex quedara en manos del gobierno del *apartheid*.

Muchos accionistas de Texaco y Standard Oil se opusieron con fuerza a que Caltex continuara sus operaciones de refinería en Sudáfrica. En 1983, 1984 y 1985, aprobaron resoluciones que requerían que la empresa rompiera relaciones con el gobierno de Sudáfrica, o bien, que saliera del país por completo.[1] Un líder de los accionistas disidentes había declarado antes por qué Caltex y otras compañías estadounidenses debían salir de Sudáfrica:

En Sudáfrica quienes no son blancos son personas sin derechos en la tierra donde nacieron. [El negro de Sudáfrica] no tiene derechos en las "áreas blancas". No puede votar ni poseer tierras, y tampoco tener a su familia con él a menos que tenga permiso del gobierno. [...] Los dos partidos políticos más importantes están proscritos y se detiene a cientos de individuos por considerárseles transgresores políticos, [...] las huelgas de sudafricanos y los acuerdos colectivos significativos se declaran ilegales. [...] Al invertir en Sudáfrica, las compañías norteamericanas dan fuerza, de manera inevitable, al *statu quo* de la supremacía blanca. [...] Rentar una computadora, establecer una nueva planta, vender suministros a los militares, en todo hay implicaciones políticas. [...] Entre la comunidad blanca del país la meta dominante de la política es mantener el control. Así lo indicó el primer ministro John Vorster: "Estamos construyendo una nación únicamente para blancos".[2]

La administración de Caltex, sin embargo, no consideraba que debía dejar de vender productos de petróleo al gobierno de Sudáfrica, ni tampoco que debía salir de ahí. La compañía reconoció que sus operaciones suministraban recursos estratégicos al gobierno racista. Pero también aseguraba que sus operaciones ayudaban, en última instancia, a la población de color de Sudáfrica, en particular a los empleados de la compañía con quienes esta tenía responsabilidades especiales. En una de las declaraciones que se oponía a una de las muchas resoluciones de los accionistas, los gerentes de Caltex dejaron en claro su posición:

> Texaco considera que la continuación de las operaciones de Caltex en Sudáfrica cumple con los mejores intereses de todas las razas de Sudáfrica. [...] En la opinión de la administración, si Caltex se saliera de Sudáfrica en un intento por lograr cambios políticos en ese país, como indica la propuesta, [...] ese retiro pondría en peligro el futuro de todos los empleados de Caltex en Sudáfrica, sin importar su raza. Estamos convencidos de que el desorden y las tribulaciones resultantes redundarían negativamente sobre todo en las comunidades que no son blancas. A este respecto, y al contrario de lo que han declarado los accionistas, las políticas de empleo de Caltex incluyen el pago de salarios iguales por trabajos iguales, el otorgamiento del mismo nivel de prestaciones para todos los empleados, así como un programa continuo y exitoso para promover a los empleados a puestos de responsabilidad con base en su habilidad, y no en su raza.[3]

Los directivos de Caltex argumentaban que las corporaciones extranjeras en Sudáfrica habían ayudado a elevar el ingreso de la población de color en más del 150 por ciento durante la década de 1970. Más aún, afirmaban que las corporaciones estadounidenses con sus políticas internas de pagar "salarios iguales por trabajos iguales" habían ayudado a disminuir significativamente la brecha entre los ingresos de la población blanca y de color.

Entre quienes apoyaban con vigor las resoluciones que pedían que las compañías estadounidenses salieran de Sudáfrica estaba Desmond Tutu, un obispo anglicano franco y sincero que ganó el premio Nobel de la Paz en 1984. Descrito como un "hombre de fe, modesto y alegre, con una gran pasión por la justicia", Tutu abogaba por una oposición no violenta al *apartheid* y dirigía muchas protestas, marchas y boicots contra el régimen racista y contra lo que más tarde llamaría "abusos que laceraban los derechos humanos". Aunque su vida estaba en constante peligro, con valor, hizo un llamado a las compañías multinacionales para que presionaran económicamente al gobierno blanco de Sudáfrica y lo amenazaran con salir y no regresar hasta que terminara el régimen *apartheid*. Decir que las compañías estadounidenses debían quedarse en Sudáfrica porque pagaban salarios más altos y otorgaban otros beneficios económicos, dijo Tutu, era como "intentar pulir mis cadenas y hacerlas más cómodas. Yo quiero cortar mis cadenas y arrojarlas muy lejos".

La discusión con respecto a que Caltex continuara operando en Sudáfrica durante el régimen del *apartheid* era un debate moral. No se trataba de lo que requería la ley de Sudáfrica, ya que los requisitos de la ley estaban claros. Más bien, el debate se centraba en si estas leyes eran moralmente aceptables y si las compañías debían apoyar al gobierno responsable de ellas. Los argumentos de ambos lados apelaban a consideraciones morales. Reclamaban, de hecho, cuatro tipos básicos de estándares morales: utilitarismo, derechos, justicia y cuidado. Además, en varios puntos, el debate se refería a las virtudes y los vicios de las personas implicadas en la lucha contra el *apartheid*.

Por ejemplo, quienes consideraban que Caltex debía abandonar Sudáfrica decían que la compañía estaba apoyando de manera activa políticas de desigualdad que eran injustas porque discriminaban a la población de color y colocaban sobre ella toda la carga que los blancos no querían soportar. También argüían que esas políticas violaban los derechos humanos de la gente de color, incluyendo sus derechos a participar en la vida política de la nación, de hablar con libertad, circular libremente, sindicalizarse, y de no sufrir humillaciones de segregación racial. Y afirmaban que el régimen *apartheid* dividía a las familias y comunidades destruyendo así relaciones humanas moralmente importantes.

Esos argumentos apelaban a dos tipos de principios morales. Los juicios sobre la *justicia* se basaban en principios morales que identifican maneras justas de distribuir los beneficios y las responsabilidades entre los miembros de una sociedad. Los juicios sobre los *derechos* humanos se basan en los principios morales que abogan por el respeto a la libertad y el bienestar. Finalmente, los juicios sobre la importancia de las relaciones humanas se basan en lo que se llama la *ética del cuidado*.

**ética del cuidado**
Ética que hace hincapié en el interés y la preocupación por el bienestar concreto de quienes están cerca de nosotros.

Los argumentos de los directivos de Caltex también apelaban a consideraciones morales. Ellos afirmaban que si la compañía se quedaba en Sudáfrica, entonces a los empleados de color, así como a los blancos, les iría mejor porque la empresa les proveería de beneficios sociales y económicos que les permitirían llevar una vida con más recursos y más gratificante. Por otro lado, argumentaban que si la compañía abandonaba el país, la población de color sufriría la peor parte porque se vería privada de muchos beneficios económicos. Con esos argumentos, los directivos de Caltex apelaban a lo que se conoce como estándar *utilitario* de moralidad. El utilitarismo es el punto de vista moral que asegura que el curso correcto de acción es el que ofrece a las personas la mayor cantidad de beneficios y el menor daño posible. Además, los directivos de Caltex también argumentaron que se preocupaban especialmente por sus trabajadores de color, y la responsabilidad especial por el bienestar de sus empleados implicaba que no debían abandonarlos. Estas consideraciones están ligadas de manera estrecha a lo que se llama *ética del cuidado*, la cual hace hincapié en el valor de las relaciones humanas y en la preocupación por el bienestar de aquellos que dependen de nosotros.

Por último, al debate se integraron numerosas referencias a las virtudes morales y a los vicios de las diversas personas que participaban en la lucha contra el *apartheid*. Al obispo Tutu, por ejemplo, lo describían como modesto, valiente, no violento, alegre y con pasión por la justicia. Al primer ministro Strijdom, que usaba la fuerza para proteger el *apartheid*, se le conocía como un racista honesto, inflexible y beligerante, que también podía ser despiadado. A Nelson Mandela se le caracterizó como enérgico, impetuoso, inspirador, valiente, fuerte y carismático. Los rasgos de personalidad que se atribuyeron a esas personas son ejemplos de virtudes y vicios que se destacan de acuerdo con una *ética de la virtud*.

**ética de la virtud**
Ética basada en las evaluaciones del carácter moral de las personas o de los grupos.

Esos enfoques diferentes para evaluar la moral constituyen los tipos más importantes de estándares éticos que estudian los filósofos de la moral, aunque, como se verá después, existen otros enfoques. Como lo demuestra el caso de Caltex en Sudáfrica, esos enfoques son la forma común y natural de discutir y debatir sobre la moralidad de lo que hacemos. Cada enfoque que evalúa la moral utiliza conceptos morales diferentes, y cada uno pone de relieve aspectos del comportamiento moral que otros no toman en cuenta o no destacan. El objetivo de este capítulo es explicar los enfoques de los juicios morales. Se describirá cada uno y se explicarán los tipos de conceptos e información que usan, se identificarán sus fortalezas y debilidades, y se analizará cómo se utilizan para discernir los aspectos morales que enfrentan las personas en los negocios.

## 2.1 Utilitarismo: Ponderación de los costos y beneficios sociales

Primero analizaremos el enfoque sobre la toma de decisiones morales que eligieron los directivos de Caltex cuando aseguraron que debían permanecer en Sudáfrica porque implicaría consecuencias más benéficas y menores daños en comparación con la decisión de abandonar el país. En ocasiones, se hace referencia a esa perspectiva como enfoque *consecuencialista* de la ética y, otras veces, como enfoque *utilitario*. Para ver con más claridad su significado, a continuación se expone una situación en la que el enfoque fue básico para tomar una decisión de negocios que tuvo un efecto drástico sobre la vida de muchas personas.

Durante las últimas décadas del siglo xx, Ford perdió un porcentaje del mercado frente a las compañías japonesas que fabricaban autos compactos y eficientes en el uso de combustible. Lee Iaccoca, presidente de Ford en esa época, tomó la determinación de recuperar el mercado de la empresa desarrollando con rapidez un nuevo auto pequeño llamado Pinto.[4] El Pinto pesaría menos de 900 kilogramos, costaría menos de $2,000 y entraría al mercado en dos años, en lugar de los cuatro que habitualmente tardaba el lanzamiento de nuevos productos. Como el Pinto era un proyecto para realizarse a corto plazo, las consideraciones de estilo determinaron el diseño de ingeniería en un grado mayor que el normal. En particular, el estilo requirió que el tanque de gasolina se colocara atrás del eje trasero donde era más vulnerable a perforaciones en caso de colisión. Cuando se sometió el primer modelo de Pinto a las pruebas de impacto, se encontró que, al pegarle por atrás a 30 kilómetros por hora o más, el tanque de gasolina a veces se fracturaba y el combustible se esparcía por la cabina de pasajeros. En un accidente real, cualquier chispa podría prender fuego a la gasolina y quizá quemar a cualquier ocupante atrapado, particularmente si, como ocurre en los accidentes, las puertas del vehículo se bloquean.

Los gerentes de Ford decidieron, de todas formas, seguir adelante con la producción del Pinto sin modificar su diseño, por varias razones. Primero, el diseño cumplía con todos los estándares legales y gubernamentales vigentes. En ese momento, los reglamentos gubernamentales solo requerían que el tanque de gasolina permaneciera intacto en una colisión de menos de 32 kilómetros por hora. Segundo, los directivos de Ford sentían que el auto era comparable en seguridad con los que producían y comercializaban otras compañías. Tercero, según un estudio interno de costos y beneficios que realizó Ford, modificar el diseño sería más costoso que dejarlo como estaba. El estudio mostraba que si se modificaba el tanque de gasolina de los 12.5 millones de autos que se construirían, el costo sería de alrededor de $11 por unidad. Entonces, el costo total de modificar todos los Pinto que la compañía planeaba fabricar era fácil de calcular:

**Costos**

$11 × 12.5 millones de autos = $137 millones

¿Qué beneficios obtendrían los clientes de los $137 millones que pagarían si el tanque de gasolina del Pinto se modificara? Los datos estadísticos indicaban que la modificación evitaría cerca de 180 muertes, 180 lesiones graves por quemaduras y pérdidas por 2,100 vehículos quemados. En ese tiempo (1970), el gobierno valuaba oficialmente la vida humana en $200,000, una cifra que tenía que usar para decidir si gastaba el dinero en un proyecto que podría salvar muchas vidas o en algún otro que pudiera ahorrar muchos millones de dólares en impuestos. Las compañías de seguros valuaban una lesión grave por quemaduras en $67,000 (incluyendo los daños por dolor y sufrimiento), y el valor residual promedio de los autos subcompactos se estimaba en $700. Entonces, en términos monetarios, la modificación habría tenido el beneficio de evitar pérdidas por un total de solo $49.15 millones:

**Beneficios**

(180 muertes × $200,000) + (180 lesiones × $67,000) + (2,100 vehículos × $700) = $49.15 millones

Por lo tanto, si se modificara el tanque de gasolina, los clientes tendrían que pagar $137 millones por un beneficio de $49.15 millones, y enfrentar una pérdida neta de $87.85 millones. El estudio de Ford argumentaba que no era correcto que la sociedad invirtiera en modificar el tanque de gasolina del Pinto, pues la pérdida sería mayor que si se dejaba intacto el diseño. Esto es, el hecho de respetar el modelo original generaría pérdidas por $49.15 millones, un costo menor frente a la pérdida neta de $87.85 millones que implicaría la modificación del diseño.

Los directivos de Ford continuaron con la producción del Pinto sin modificarlo. Se estima que en la década siguiente, al menos 60 personas murieron en terribles accidentes relacionados con Pintos y el doble sufrió quemaduras graves en gran parte de su cuerpo; muchas de ellas necesitaron años de dolorosos injertos de piel. Sin embargo, Ford mantuvo al Pinto en el mercado hasta 1980.

**utilitarismo** Término general para designar cualquier punto de vista que sostenga que las acciones y las políticas se deben evaluar con base en los beneficios y costos que impondrán a la sociedad.

El tipo de análisis que usaron los directivos de Ford en su estudio de costos y beneficios es una versión de lo que, comúnmente, se llama *utilitarismo*. El **utilitarismo** es un término general para cualquier punto de vista que sostenga que las acciones y las políticas se deben evaluar con base en los beneficios y costos que impondrán en la sociedad. En específico, sostiene que el curso de acción moralmente "correcto" es el que, comparado con todas las demás acciones posibles, producirá el mayor equilibrio de beneficios frente a los costos de los afectados.

Los directivos de Ford solo consideraron los costos y los beneficios de carácter económico (como costos médicos, pérdida del ingreso y daños a edificios) y estos se midieron en términos monetarios. Pero los beneficios de una acción también incluyen cualquier bien deseable (placer, salud, vida, satisfacción, conocimiento, felicidad) que se produce por la acción, y los costos incluyen los males no deseados, como dolor (que de hecho el estudio de Ford tomó en cuenta), enfermedad, muerte, insatisfacción, ignorancia o infelicidad. **Utilidad** es el término inclusivo que se emplea para referirse a los beneficios netos de cualquier tipo que produce una acción. De esta forma, el término *utilitarismo* se emplea para referirse a cualquier teoría que aboga por la selección de una acción o política que maximiza la utilidad.

**utilidad** Término inclusivo que se emplea para referirse a los beneficios netos que produce una acción.

Es importante hacer notar que los directivos de Ford en ningún momento dijeron que el hecho de no modificar el tanque de gasolina les ahorraría dinero. Esto es, no decían que dejar el diseño sin cambios era lo que más convenía a la empresa (recuerde que finalmente serían los compradores del Pinto quienes pagarían todos los costos). Si ese hubiera sido su argumento, entonces se habría basado en el interés propio y no en la ética del utilitarismo. En vez de ello, su argumento era que dejar el diseño como estaba era lo mejor para la *sociedad en su conjunto*. Desde el punto de vista de la sociedad, y considerando los mejores intereses de todos, era mejor mantener el diseño. El utilitarismo no es una teoría de egoísmo calculado: simplemente dice que se debe hacer lo que es mejor para el conjunto de las personas en una sociedad, y que la acción recomendada es aquella que sea mejor para todos cuando se toma en cuenta la totalidad de los beneficios y males que incidirán sobre los miembros de la sociedad como resultado de las acciones.

Muchos analistas de negocios sostienen que la mejor manera de evaluar la conveniencia ética de una decisión de negocios —o de cualquier otro tipo— es confiar en el análisis utilitario de costos y beneficios.[5] La decisión socialmente responsable que tome un negocio es la que producirá los mayores beneficios netos para la sociedad o impondrá los costos netos más bajos. Varias dependencias del gobierno, así como muchos teóricos del derecho, moralistas y analistas de negocios abogan por el utilitarismo.[6] Iniciaremos el estudio de los principios éticos examinando este difundido enfoque.

## Utilitarismo tradicional

Habitualmente se considera que Jeremy Bentham (1748-1832) y John Stuart Mill (1806-1873) son los fundadores del utilitarismo tradicional.[7] Bentham y Mill buscaron una base objetiva para hacer juicios de valor que sirvieran como una norma común y públicamente aceptada para determinar la mejor política y legislación sociales, así como el curso de acción que fuera moralmente el mejor. Creían que la manera más prometedora de alcanzar esa base objetiva de toma de decisiones social y moral era analizar las diferentes políticas o los cursos de acción que se podrían elegir, y comparar sus consecuencias benéficas y dañinas. El curso de acción correcto desde un punto de vista ético sería elegir la política o acción que genere la mayor cantidad de utilidad. En resumen, el principio del utilitarismo sostiene que:

Desde el punto de vista ético una acción es correcta si, y solo si, la suma total de utilidades producida por ese acto es mayor que la suma total de utilidades producida por cualquier otro acto que el agente pueda realizar en lugar del primero.

El principio utilitario supone que, de alguna manera, es factible medir y sumar los beneficios de una acción y restar de ellas las cantidades del daño que provocará tal acción y, en consecuencia, determinar qué acción produce los mayores beneficios totales o los menores costos totales. Esto es, el principio supone que todos los beneficios y los costos de una acción son mensurables en una escala numérica común, y que luego pueden sumarse o restarse entre sí.[8] Por ejemplo, las satisfacciones que genera entre los empleados un mejor entorno de trabajo podrían ser equivalentes a 500 unidades positivas de utilidad, mientras que las cuentas resultantes que llegan al mes siguiente serían equivalentes a 700 unidades negativas de utilidad. Por lo tanto, la utilidad total combinada de este acto (mejorar el entorno de trabajo) será de 200 unidades de utilidad *negativa*.

Cuando se emplea el utilitarismo como enfoque, es importante observar tres errores. Casi todo el mundo los comete cuando empieza a reflexionar sobre ese principio, así que es importante considerarlos. Primero, cuando el principio utilitario dice que la acción correcta para una ocasión específica es la que produce más utilidad que cualquier otra acción posible, no significa que la acción correcta es la que produce la mayor utilidad para la *persona que realiza* la acción. Más bien, una acción es correcta si produce la mayor utilidad para *todas las personas* afectadas por la acción (incluyendo aquella que la realiza). Como escribió John Stuart Mill:

> La felicidad que forma el estándar utilitarista de lo que es correcto en la conducta no es la felicidad del propio agente, sino la de todos los afectados. Entonces, entre su propia felicidad y la de otros, el utilitarismo le exige ser un espectador tan estrictamente imparcial como desinteresado y benevolente. En la regla de oro de Jesús de Nazaret, leemos el espíritu completo de la ética de la utilidad: "No hagas a los demás lo que no quieras que te hagan a ti" y "ama a tu prójimo como a ti mismo"; esto constituye la perfección ideal de la moralidad utilitarista.[9]

Un segundo malentendido es pensar que el principio utilitario nos exige considerar solo las consecuencias directas e inmediatas de nuestras acciones. En vez de ello, deben tomarse en cuenta los costos y beneficios inmediatos y *todos los previsibles en el futuro* que cada alternativa ofrecerá a cada individuo, así como cualquier efecto indirecto importante.

Sin embargo, el error más importante al que hay que prestar atención es que el principio utilitario no dice que una acción es correcta en tanto que *sus* beneficios sean mayores que *sus* costos. En vez de ello, sostiene que la acción correcta es aquella cuyos beneficios y costos combinados superan los costos y beneficios combinados de *cualquier otra acción* que el agente pudiera llevar a cabo. En otras palabras, el utilitarismo sostiene que para determinar la acción moralmente correcta en una situación determinada, *hay que comparar* la utilidad de todas las acciones que se podrían llevar a cabo en esa situación; solo entonces se puede determinar cuál producirá más utilidad. Observe que si el utilitarismo dijera que cualquier acción es correcta en tanto que sus beneficios superen a sus costos, entonces en cualquier situación, muchas acciones serían correctas porque podrían tener beneficios que superaran sus costos. Sin embargo, el utilitarismo afirma que en cualquier situación solo una acción es moralmente correcta: aquella cuya *utilidad es la mayor en comparación con la utilidad de todas las demás alternativas.*

En consecuencia, para determinar cómo debo comportarme en una ocasión determinada según el utilitarismo, debo seguir cuatro pasos. Primero, determinar qué acciones o políticas alternativas tengo disponibles en esa situación. Los directivos de Ford, por ejemplo, estaban considerando, de manera implícita, dos opciones: rediseñar el Pinto cubriendo el tanque con un revestimiento de hule o dejarlo según el diseño original. Segundo, para cada acción alternativa, hay que estimar los beneficios y costos directos e

# ¿Las empresas deben tirar sus desechos en países pobres?

Lawrence Summers, director del Consejo Económico Nacional de la Casa Blanca bajo la administración del presidente Barack Obama, escribió una vez un memorando afirmando que el bienestar mundial mejoraría si se enviaran los desechos de los países ricos a los países pobres. Dio cuatro argumentos para esta afirmación que se pueden resumir como sigue:

1. Es evidente que sería mejor para todos si se envía la contaminación al país donde sus efectos sobre la salud tengan los menores costos. Los costos de "los daños a la salud por contaminación" dependen de los salarios perdidos cuando la contaminación enferma o mata a las personas. Así que, el país con los salarios más bajos será el país donde los efectos de la contaminación sobre la salud sean menores. Así que, con una "lógica económica impecable", podemos inferir que sería mejor para todos si tiramos nuestros desechos tóxicos en los países con los salarios más bajos.

2. Añadir más contaminación a un ambiente que ya está muy contaminado tiene peores efectos que poner la misma contaminación en un ambiente limpio donde puede dispersarse. Así que podemos reducir las causas de contaminación nociva transfiriéndola de las ciudades altamente contaminadas, como Los Ángeles, a países de África que no tienen problemas de contaminación. Esto hará un mejor uso de la calidad del aire limpio de esos países que ahora estamos usando "con gran ineficiencia" y mejorará el "bienestar mundial".

3. La misma contaminación causará más daño en un país en el que las personas tienen "una larga expectativa de vida", que en uno en el que mueren jóvenes. Cuando los individuos tienen "largas expectativas de vida", sobreviven lo suficiente como para padecer enfermedades, como el cáncer de próstata, por ejemplo, que no padecen quienes mueren jóvenes. Así que la contaminación causará más enfermedades como el cáncer de próstata en países donde las personas tienen vidas largas que en donde mueren jóvenes. Esto implica que podemos reducir las enfermedades que la contaminación causa desplazándola de los países ricos, donde las personas tienen vidas largas, a los países pobres, donde sus habitantes mueren jóvenes.

4. La contaminación puede causar un daño "estético", como aire que se ve sucio, que "pudiera tener muy poco efecto directo en la salud". Ya que los ricos están más dispuestos a pagar más que los pobres por un aire que se ve limpio, un aire de estas características vale más para los ricos que para los pobres. Así que sería posible para las personas en los países ricos encontrar en las naciones pobres a quienes estarían dispuestos a cambiar su aire limpio por el dinero que los ricos les ofrecen. Este tipo de intercambio "mejoraría el bienestar" en ambos tipos de países.

Fuente: "Let Them Eat Pollution", *The Economist*, 8 de febrero de 1992.

*El controvertido economista estadounidense Lawrence Summers, director del Consejo Económico Nacional del presidente Obama hasta 2010, testifica ante el Congreso.*

*Desperdicios de las economías occidentales.*

*Río contaminado con basura.*

*Desperdicios de los países occidentales llegan como desechos a los países pobres.*

1. Explique qué partes del razonamiento de este memorando tendría que aceptar un utilitarista y cuáles podría rechazar.

2. Suponiendo que los cuatro argumentos sean correctos, ¿está usted de acuerdo o en desacuerdo con la conclusión de que los países ricos deben enviar sus desechos a los países pobres (tal vez pagándoles para que los acepten)? Explique por qué.

indirectos probables en el futuro predecible. Por ejemplo, los cálculos que hizo Ford para conocer los costos y los beneficios que tendrían todas las partes afectadas si se cambiaba o no el diseño del Pinto.

Tercero, para cada acción debo restar los costos de los beneficios con la finalidad de determinar la utilidad neta de cada una. Esto es lo que los directivos de Ford hicieron cuando calcularon los costos sociales netos de no modificar el diseño del Pinto ($49.15 millones) y los costos sociales netos de modificarlo ($87.85 millones). Cuarto, la acción que produzca la mayor suma total de utilidad se debe elegir como el curso de acción éticamente adecuado. Los directivos de Ford, por ejemplo, determinaron que la acción que impondría los menores costos y los mayores beneficios sería no modificar el diseño del Pinto.

Aunque fácilmente puede malinterpretarse, el utilitarismo es una teoría atractiva en muchos sentidos. Por un lado, se ajusta bastante a los puntos de vista que tendemos a defender al discutir la elección de políticas y bienes públicos del gobierno. Mucha gente está de acuerdo, por ejemplo, que cuando el gobierno trata de determinar en qué proyectos públicos debe gastar el dinero de los impuestos, la acción correcta sería realizar estudios objetivos que muestren cuáles brindarían los mayores beneficios para los miembros de la sociedad al menor costo. Desde luego, esta es solo otra forma de decir que las políticas acertadas del gobierno son las que tendrán la mayor utilidad mensurable para la gente o, en palabras de un famoso eslogan acuñado por Bentham, las que produzcan "el mayor bien para el mayor número de personas".

El utilitarismo también se ajusta con facilidad al criterio intuitivo que las personas emplean cuando analizan la conducta moral.[10] Por ejemplo, cuando explican por qué tienen una obligación moral de realizar alguna acción, con frecuencia señalan los beneficios y los daños que impone esa acción a las personas. Todavía más, la moralidad requiere que se tome en cuenta el interés de todos de manera imparcial e igualitaria. El utilitarismo cumple con este requisito al tomar en cuenta los efectos que tienen las acciones sobre todos y al requerir que se elija imparcialmente la acción con mayor utilidad neta, sin importar sobre quién inciden los beneficios o los costos.

El utilitarismo también tiene la ventaja de poder explicar por qué sostenemos que determinadas actividades en general son moralmente incorrectas (mentir, cometer adulterio, matar), mientras que otras son moralmente correctas (decir la verdad, ser fiel, cumplir promesas). Sostiene que, por lo común, mentir es incorrecto por los costosos efectos que tiene sobre las personas. Cuando estas mienten están menos dispuestas a confiar unas en otras y a cooperar. Por lo tanto, a menor confianza y cooperación, más declinará el bienestar. Decir la verdad generalmente es correcto porque fortalece la cooperación y la confianza, lo que deriva en bienestar de todos. Entonces, es una buena regla decir la verdad y abstenerse de mentir. Sin embargo, quienes defienden el utilitarismo tradicional negarán que existan acciones que son siempre correctas o incorrectas. Por ejemplo, negarían que ser deshonesto o robar siempre es incorrecto. Si en cierta situación hay mejores consecuencias por ser deshonesto que con cualquier otra acción que pueda realizar una persona, entonces, según la teoría del utilitarismo tradicional, la deshonestidad sería moralmente correcta en esa situación particular.

Los puntos de vista del utilitarismo también han tenido una gran influencia en la economía.[11] A principios del siglo XIX, una larga lista de economistas sostuvieron que el comportamiento económico podía explicarse suponiendo que los seres humanos siempre intentan maximizar su utilidad, y que las utilidades de los bienes se miden por los precios que las personas están dispuestas a pagar por ellos. Con esta y otras suposiciones simplificadas (como el uso de curvas de indiferencia), los economistas podían obtener las conocidas curvas de oferta y demanda de vendedores y compradores en los mercados, y explicar por qué los precios en un mercado perfectamente competitivo gravitan hacia un equilibrio. Y algo más importante, los economistas también fueron capaces de demostrar que un sistema de mercado perfectamente competitivo lleva al uso de recursos y variaciones en los precios que permite que los consumidores maximicen su utilidad (definida en términos del óptimo de Pareto) a través de sus compras.[12]

En términos utilitarios, estos economistas concluyeron que tal sistema de mercado es mejor que cualquier otra alternativa.

El utilitarismo también es la base de las técnicas económicas de **análisis de costos y beneficios**.[13] Este tipo de análisis se usa para determinar si es deseable invertir en un proyecto (como una presa, una fábrica o un parque público). Para ello, considera si los beneficios económicos presentes y futuros de dicho proyecto son mayores que sus costos, y establece una comparación con los costos y beneficios de otras maneras de invertir el dinero. Para calcular estos costos y beneficios, se estiman los precios monetarios descontados de todos los efectos que pueda tener el proyecto en el entorno presente y futuro, y sobre las poblaciones presentes y futuras. No siempre es sencillo hacer este tipo de cálculos, pero se han desarrollado varios métodos para determinar los precios monetarios incluso de beneficios intangibles, como la belleza de un bosque (por ejemplo, se pregunta a la gente cuánto pagaría por ver la belleza de un parque similar de propiedad privada). Si los beneficios monetarios de cierto proyecto público superan a los costos monetarios, y si esa cifra es mayor que la cifra excedente que produciría cualquier otro proyecto factible, entonces debe emprenderse. En esta forma de utilitarismo, el concepto de utilidad se restringe a los costos y beneficios que son susceptibles de medición en términos económicos monetarios.

Por último, se observa que el utilitarismo se ajusta bien a un valor que la gente aprecia. La **eficiencia** tiene acepciones distintas para diferentes personas, pero para muchas quiere decir operar de manera que se produzca la cantidad máxima posible con los recursos que se tienen. Esto es, una operación eficiente es la que genera la producción deseada con la menor entrada de recursos. Esta eficiencia es precisamente lo que defiende el utilitarismo, pues sostiene que siempre debe adoptarse la acción que produzca los mayores beneficios al menor costo. Si se lee "producción deseada" en vez de "beneficios", y "entrada de recursos" en lugar de "costos", el utilitarismo implica que el curso de acción correcto siempre es el más eficiente.

**análisis de costos y beneficios** Tipo de análisis que se usa para determinar si es deseable invertir en un proyecto determinado; consiste en calcular si los beneficios económicos presentes y futuros de dicho proyecto son mayores que sus costos económicos presentes y futuros.

**eficiencia** Operar de tal manera que se genere una producción deseada con la menor entrada de recursos.

## Problemas de medición

Uno de los mayores problemas con el utilitarismo se centra en las dificultades que se encuentran al tratar de medir la utilidad.[14] Un problema es el siguiente: ¿cómo pueden medirse y compararse las utilidades que tienen las diferentes acciones para diferentes personas, como lo requiere el utilitarismo? Suponga que usted y yo disfrutamos de la asignación de cierto trabajo. ¿Cómo podemos decidir si la utilidad que obtendría usted al obtener el trabajo es mayor o menor que la utilidad que yo obtendría? Tal vez cada uno de nosotros tenga la seguridad de que sería el que más se beneficiaría del trabajo, pero como no podemos estar en el lugar del otro, este juicio carece de una base objetiva. Los críticos afirman que no es posible hacer medidas comparativas de los valores que tienen los objetos para diferentes personas, y que, por lo tanto, no hay manera de saber si la utilidad se maximizará al asignar el trabajo a usted o a mí. Si no podemos saber qué acciones generarán las mayores cantidades de utilidad, no podemos aplicar el principio del utilitarismo.

Un segundo problema es que algunos beneficios y costos no se pueden medir. Por ejemplo, preguntan los críticos, ¿es posible medir el valor de la salud o de la vida?[15] Suponga que instalar un costoso sistema de salida de gases en una planta eliminará una gran parte de ciertas partículas cancerígenas a las que están expuestos los trabajadores. Suponga que, como resultado de esta acción, algunos de ellos vivirán 10 años más. ¿Cómo se calcula el valor de esos años adicionales de vida y cómo se compara este valor con los costos de instalar el sistema de salida de gases? Más aún, como no es posible predecir todos los beneficios y costos futuros de una acción, no hay forma de medirlos.[16]

Pero otro problema es que no está claro exactamente lo que se debe considerar como beneficio y como costo.[17] Esta falta de claridad es problemática en especial ante asuntos sociales, por ejemplo, cuando distintos grupos culturales reciben evaluaciones significativamente diferentes. Suponga que un banco debe decidir si amplía la línea de crédito al administrador de un teatro pornográfico o al administrador de un bar exclusivo para homosexuales. Es probable que un grupo de personas vea como beneficio social el incremento de la diversión para los aficionados a la pornografía o para los homosexuales. Sin embargo, tal vez un grupo religioso conservador piense que ese incremento en la diversión de esos grupos es dañino y, por ende, lo considere como un costo.

Por último, la suposición utilitaria de que todos los bienes son mensurables implica que todos se pueden intercambiar por sus equivalentes. Para una cantidad determinada de cualquier bien específico, existe alguna cantidad de sus equivalentes que tiene el mismo valor. Por ejemplo, imagine que para usted, disfrutar de comer dos rebanadas de pizza en este momento tiene el mismo valor que media hora de escuchar su cd favorito. Entonces, estaría dispuesto a cambiar uno por otro (al menos por el momento), puesto que para usted actualmente tienen el mismo valor. Entonces, el utilitarismo afirmaría que lo que es verdad para la pizza y la música es verdad para todo lo demás. Como el valor de cada bien es susceptible de medición, debemos ser capaces de medir el valor de cantidades determinadas de lo que apreciamos de X y el valor de determinadas cantidades de lo que disfrutamos de Y, sin importar qué sean los bienes X y Y. Por lo tanto, una vez que se mide el valor de una cierta cantidad de gozo de X, debemos poder medir cuánto gozo de Y tendrá el mismo valor que la cantidad de gozo de X. Y una vez que sepamos cuánto gozo de X es igual a una cantidad determinada de Y, debemos estar dispuestos a cambiar uno por otro, sin importar qué sean X y Y. El utilitarismo implica, entonces, que todos los bienes son intercambiables por cierta cantidad de algún otro bien.

Los críticos consideran que esto demuestra que el utilitarismo es erróneo. Por ejemplo, esta teoría implica que si uno disfruta al dedicar su tiempo a su hijo (o a su madre o a su amante), y también disfruta tomar una cerveza, entonces uno estaría dispuesto a intercambiar todo el tiempo que dedicará a estar con su hijo (o madre o amante) por cierta cantidad del gozo que obtiene al tomar cerveza. Pero, en este punto —argumentan los críticos—, el utilitarismo nos ha llevado a una conclusión errónea y ridícula: ¿quién estaría de acuerdo en cambiar todo el tiempo que tendrá para disfrutar con su hijo (o madre o amante) por el gozo de beber cerveza? Existen algunos **bienes no económicos**, como el gozo de vivir, la libertad, la salud o la paternidad, que no estaríamos dispuestos a cambiar por ninguna cantidad del gozo de bienes económicos, porque los primeros no se pueden medir en términos de estos últimos.[18] Por ejemplo, no importa la cantidad de dinero que me ofrezca, nunca estaría dispuesto a cambiar todas las horas de gozo con mi hijo, por el gozo de tener en mis manos esa cantidad de dinero. Los críticos del utilitarismo afirman que el gozo que producen algunas situaciones no se puede cambiar por el de otras; se trata, pues, de valores *inconmensurables*.

Los críticos del utilitarismo aseguran que estos problemas de medición destruyen cualquier afirmación que haga la teoría utilitaria para constituir una base que determine cuestiones morales. Consideran que, en muchos casos, no hay medidas cuantitativas objetivas de los valores que apreciamos, y hay demasiadas diferencias de opinión incluso sobre lo que se debe valorar.[19] Una forma de resolver estos problemas es aceptar de manera arbitraria las valoraciones de un grupo social u otro. Pero esto, de hecho, hace que el análisis utilitario de costos y beneficios se base en los sesgos subjetivos y los gustos específicos de ese grupo.

**bienes no económicos** Bienes como vida, amor, libertad, igualdad, salud y belleza, cuyo valor es tal que no se puede medir en términos económicos.

## Respuestas del utilitarismo a las objeciones de medición

Los defensores del utilitarismo tienen un conjunto de respuestas listas para rebatir las objeciones de medición que se mencionaron.

Primero, un defensor del utilitarismo diría que, aunque de manera ideal se requieren mediciones cuantificables exactas de todos los costos y los beneficios, este requisito se podría relativizar cuando esas mediciones son imposibles.[20] El utilitarismo insiste en que es posible establecer las consecuencias de cualquier acto propuesto en forma explícita con tanta claridad y exactitud como sea humanamente posible, y que toda la información relevante respecto de esas consecuencias se puede presentar de modo que permita compararlas de forma sistemática y ponderarlas de manera imparcial entre sí. Expresar esta información en términos cuantitativos facilita esas comparaciones y ponderaciones. Sin embargo, cuando no se dispone de datos cuantitativos, es legítimo apoyarse en el juicio compartido y de sentido común que la mayoría de las personas valora. Por ejemplo, de sobra se sabe que el cáncer es una enfermedad más grave que la gripe, sin importar quiénes sean los enfermos. De manera similar, un trozo de carne tiene un valor mayor que un cacahuate, sin importar quién tenga hambre.

El defensor del utilitarismo también señalaría varios criterios de sentido común que sirven para determinar los valores relativos que se deben dar a las diferentes categorías de bienes. Un criterio, por ejemplo, depende de la distinción entre bienes *intrínsecos* e *instrumentales*.[21] Los **bienes instrumentales** son aquellos que se consideran valiosos porque conducen a otros bienes. Una visita al dentista, por ejemplo, es solo un bien instrumental (¡a menos que uno sea masoquista!): se desea únicamente como un medio para obtener salud. Por otro lado, los **bienes intrínsecos** son bienes deseables, independientemente de cualquier otro beneficio que puedan generar. Así, la salud es un bien intrínseco: se desea por sí misma. (Desde luego, muchos bienes son, a la vez, intrínsecos e instrumentales. Yo puedo, por ejemplo, usar una tabla para practicar *surf* no solo porque me gusta y es un medio de transporte rápido, sino también porque me gusta este deporte en sí). Ahora, está claro que los bienes intrínsecos tienen prioridad sobre los instrumentales. En casi todas las circunstancias, por ejemplo, el dinero, que es un bien instrumental, no debe tener prioridad sobre la vida o la salud, que tienen valores intrínsecos. En consecuencia, cuando se comparan, un bien instrumental (que es un medio para lograr algún bien intrínseco) y uno intrínseco, sabemos que este último tiene más valor que el primero.

Un segundo criterio de sentido común que resulta útil para ponderar bienes es la distinción entre necesidad y deseo.[22] Decir que alguien necesita algo es decir que, sin ello, el individuo sufriría un perjuicio de alguna manera. Las necesidades básicas de las personas consisten en todo aquello sin lo cual sufrirán un daño fundamental, como lesión, enfermedad o muerte. Entre las necesidades básicas se encuentran el alimento, el vestido y la vivienda que se requieren para subsistir; el cuidado médico y un entorno higiénico que nos permite conservar la salud; y la seguridad requerida para seguir libres de lesiones. Sin embargo, decir que una persona quiere algo es decir que lo desea: esa persona piensa que mejorarán sus intereses de alguna manera. En ocasiones, una necesidad también constituye un deseo: si yo sé que necesito algo, entonces, tal vez también lo quiera. No obstante, muchos deseos no son necesidades, sino tan solo anhelos por cosas sin las cuales el individuo no sufre un daño fundamental. Quizás una persona quiera algo simplemente porque lo disfruta, aunque sea un lujo innecesario para vivir. Los deseos de este tipo, es decir, aquellos que no son al mismo tiempo necesidades se llaman deseos *puros*. En general, satisfacer las necesidades básicas de una persona es más valioso que satisfacer sus deseos. Si la gente no obtiene algo que constituye una necesidad básica, tal vez sufra un daño que le imposibilite disfrutar la satisfacción de deseos puros. Como la satisfacción de las necesidades básicas de una persona hace realidad no solo los valores intrínsecos de la vida y la salud, sino también el disfrute de muchos otros valores intrínsecos, la satisfacción de las necesidades básicas tiene un valor mayor que satisfacer deseos puros.

Sin embargo, estos métodos de sentido común para ponderar bienes se crearon solo como ayuda en situaciones donde los métodos cuantitativos fallan. En realidad, las consecuencias de muchas decisiones son relativamente fáciles de cuantificar; así lo asegurará el defensor convencido del utilitarismo. Esto constituye la segunda réplica importante del utilitarista a las objeciones de medición que ya se mencionaron. El método más flexible para obtener una medida cuantitativa de los beneficios y los costos asociados con una decisión, diría el defensor del utilitarismo, se da en términos de sus equivalentes monetarios.[23] Básicamente,

**bienes instrumentales** Bienes que se consideran valiosos porque conducen a otros.

**bienes intrínsecos** Bienes que son deseables independientemente de otros beneficios que puedan generar.

esto implica que el valor que tiene algo para una persona se mide por el precio que está dispuesta a pagar por ello. Si alguien está dispuesto a pagar el doble por un objeto que por otro, entonces, para esa persona, ese objeto tiene exactamente el doble del valor que el otro. Para determinar los valores promedio que tienen los artículos para un grupo de personas, solo es necesario ver los precios promedio de esos artículos cuando todos están en condiciones de hacer ofertas por ellos en el mercado abierto. En resumen, los precios del mercado sirven para tener una medida cuantitativa de los diferentes beneficios y costos asociados con una decisión. En general, para determinar el valor de algo, solo se necesita preguntar en cuánto se vende en el mercado. Si el artículo no se vende en el mercado abierto, entonces se pregunta cuál es el precio de venta de artículos similares. Para determinar el valor de un objeto para una persona específica, tenemos que preguntarle lo que estaría dispuesta a pagar por ello.

El uso de valores monetarios también tiene la ventaja de permitir que se tomen en cuenta los efectos del paso del tiempo y de la incertidumbre. Si los costos y los beneficios monetarios conocidos están en el futuro, entonces sus valores presentes netos se determinan descontando la tasa de interés adecuada. Si los costos o los beneficios solo son probables y no son seguros, entonces los valores esperados se calculan multiplicando los costos o beneficios monetarios por el factor de probabilidad adecuado.

Una objeción común contra el uso de valores monetarios para medir todos los costos y beneficios es que es imposible poner precio a ciertos bienes, en particular a la salud y la vida. Sin embargo, el utilitarismo argumentaría que no solo es posible poner precio a la salud y a la vida, sino que lo hacemos todos los días. Cada vez que una persona pone un límite en lo que está dispuesta a pagar para reducir el riesgo que supone algún suceso en su vida, le está atribuyendo un precio implícito. Por ejemplo, suponga que está dispuesto a pagar $25 por cierto equipo de seguridad que reducirá la probabilidad de morir en un accidente automovilístico de .00005 a .00004, pero no está dispuesto a pagar más que eso. Entonces, de hecho, ha decidido de manera implícita que .00001 de una vida vale $25; en otras palabras, una vida vale $2,500,000. El utilitarismo sostiene que este tipo de valoración es inevitable y necesario, mientras vivamos en un entorno en el que los riesgos de la salud y la vida disminuyen con solo renunciar a otros bienes que quizá queramos y que tienen un precio claro. Usar dinero para medir el valor de todo aquello que realmente apreciamos no está mal en sí mismo. Lo que está mal es fallar en asignar cualquier valor cuantitativo a los objetos y, como resultado, intercambiar sin reflexionar algo de un valor mayor por algo de uno menor porque nos rehusamos averiguar *cuánto* valía cada uno.

Por último, el utilitarismo diría que, cuando los precios en los mercados no brindan un dato cuantitativo para comparar los costos y los beneficios de diferentes decisiones, se dispone de otras fuentes de medidas cuantitativas.[24] Por ejemplo, si los individuos no estuvieran de acuerdo (como ocurre con frecuencia) en los aspectos dañinos o benéficos de las diferentes actividades sexuales, entonces se utilizarían los estudios sociológicos o los votos políticos para medir la intensidad y extensión de las actitudes de las personas. Los expertos en economía también ofrecen juicios informados de los valores cuantitativos relativos de varios costos y beneficios. Por lo tanto, el utilitarismo garantizará que los problemas de mediciones que se encuentran sean suficientemente reales, es decir, que al menos de manera parcial se resuelvan por los métodos mencionados. Pero todavía existen otras críticas al utilitarismo.

## Problemas con los derechos y la justicia

La dificultad principal con el utilitarismo, según algunos críticos, es que no logra manejar dos tipos de asuntos morales: los que se relacionan con los derechos y los que se relacionan con la justicia.[25] Esto es, el principio utilitario implica que ciertas acciones son moralmente correctas cuando, de hecho, son injustas o violan los derechos de las personas. Algunos ejemplos sirven para indicar el tipo de contraejemplos difíciles que los críticos presentan al utilitarismo.

Primero, suponga que su tío tiene una enfermedad incurable y dolorosa, de manera que es bastante infeliz, pero no elige morir. Aunque está hospitalizado y probablemente morirá en un año, continúa operando su planta química. Motivado por su propia desdicha, deliberadamente hace la vida imposible a sus empleados y se ha negado a instalar dispositivos de seguridad en su planta, aunque sabe que, como resultado, seguramente se perderá una vida durante el siguiente año. Usted, su único pariente vivo, sabe que a la muerte de su tío heredará el negocio y no solo será rico e inmensamente feliz, sino que también tiene la intención de evitar cualquier pérdida de vida en el futuro instalando los dispositivos de seguridad necesarios. Usted tiene sangre fría y juzga correctamente que podría matar a su tío con discreción sin que lo culparan y sin que su felicidad quedara afectada posteriormente. Si es posible que mate a su tío sin que disminuya la felicidad de nadie más, entonces, según el utilitarismo, tiene la obligación moral de hacerlo. Al matarlo, está intercambiando su vida por la de un empleado, y usted gana su felicidad al mismo tiempo que le quita a él su infelicidad y su dolor; la ganancia en el sentido de utilidad es evidente. Sin embargo, los críticos del utilitarismo aseguran que está bastante claro que el homicidio de su tío sería una violación fuerte de su derecho a la vida. El utilitarismo nos condujo a la aprobación de un acto de homicidio, que es una violación evidente del derecho más importante de un individuo.

Segundo, el utilitarismo también podría equivocarse, aseguran los críticos, cuando se aplica a situaciones que incluyen justicia. Por ejemplo, suponga que los salarios de subsistencia obligan a un pequeño grupo de inmigrantes a continuar haciendo los trabajos agrícolas más indeseables en una economía; sin embargo, producen cantidades inmensas de satisfacción a la vasta mayoría de los miembros de la sociedad, porque estos encuentran en el mercado vegetales a buen precio, lo que les permite hacer ahorros para satisfacer otros deseos. Suponga también que las cantidades de satisfacción producidas de esa forma, cuando se equiparan con la infelicidad y el dolor impuesto al pequeño grupo de trabajadores, da una utilidad neta mayor de la que existiría si todos tuvieran que compartir el peso del cultivo. Entonces, de acuerdo con los criterios utilitarios, sería moralmente correcto continuar con este sistema de salarios de subsistencia para los trabajadores agrícolas. Sin embargo, para los críticos, un sistema social que impone tal desigualdad en las cargas es claramente inmoral y un agravio contra la justicia. Los grandes beneficios que podría tener el sistema para la mayoría no justifica la carga extrema que se impone a un pequeño grupo. El defecto que revela este contraejemplo es que el utilitarismo permite que los beneficios y las cargas se distribuyan entre los miembros de una sociedad de cualquier manera, siempre que la cantidad total de beneficios se maximice. De hecho, algunas formas de distribuir los beneficios y las cargas (como la distribución extremadamente desigual del contraejemplo) son injustas sin importar qué tan grandes sean los beneficios que produzca dicha distribución. El utilitarismo ve solo cuánta utilidad se produce en una sociedad y falla en tomar en cuenta cómo se distribuye esa utilidad entre sus miembros.

Para ver con más claridad la forma en que el utilitarismo ignora las condiciones de justicia y los derechos, considere ahora cómo manejaron los directivos de Ford el diseño del Pinto. Si hubieran decidido cambiar el diseño y agregar $11 al costo de cada vehículo, de manera obligada, los compradores del auto habrían compartido el pago de los $137 millones que hubiera costado el cambio. Cada comprador habría pagado una parte igual del costo total necesario para este aspecto del diseño del Pinto. Pero, al no modificarlo, los directivos de Ford en realidad estaban forzando a que las 180 personas que morirían absorbieran todos los costos. Entonces debemos preguntar: ¿es más justo hacer que 180 compradores soporten todos los costos del diseño del Pinto por sí mismos, o es más justo distribuirlos por igual entre todos los compradores? ¿Cuál es la manera más justa de distribuir esos costos?

Considere ahora que cuando los administradores de Ford decidieron no hacer cambios, no solo estaban haciendo al Pinto más barato, sino que también estaban fabricando un producto que implicaba cierta cantidad de riesgo (para la vida): quienes lo manejaran estarían conduciendo un auto que presentaba un riesgo un poco mayor de morir que lo que razonablemente se podría suponer. Es posible que los conductores del Pinto hubieran aceptado gustosos el mayor riesgo para su vida a cambio del precio más bajo del auto. Pero no tuvieron opción en el asunto, porque no sabían que el vehículo que compraban tenía ese riesgo añadido. Entonces debemos preguntar: ¿las personas tienen derecho a saber lo que compran cuando eligen un producto? ¿Tienen derecho a decidir si sus vidas corren un riesgo mayor? ¿Los fabricantes del Pinto violaron el derecho básico de los clientes de elegir si aceptaban o no un auto que implicaba mayor riesgo a cambio de un precio menor?

Así, el caso del Pinto deja claro que el utilitarismo parece ignorar ciertos aspectos importantes de la ética. Consideraciones acerca de la **justicia** (la cual observa cómo se distribuyen los beneficios y las cargas entre las personas) y los **derechos** (esto es, las facultades de los individuos de tener libertad de elección y bienestar) parecen ignorarse en el análisis que ve solo los costos y los beneficios de las decisiones.

## Respuestas del utilitarismo a las objeciones de justicia y derechos

Para manejar los tipos de contraejemplos que plantean los críticos del utilitarismo tradicional, los partidarios de este último han ofrecido una versión alternativa importante e influyente del utilitarismo, llamada **regla utilitaria**.[26] La estrategia básica de la regla utilitaria es limitar el análisis utilitario a las evaluaciones de las reglas morales. De acuerdo con la regla utilitaria, cuando se trata de determinar si una acción determinada es ética, no se supone que haya que preguntarse si esa acción particular producirá la mayor cantidad de utilidad. En vez de ello, se supone que se pregunta si se debe realizar la acción de acuerdo con las reglas morales que todos deben seguir. Si estas reglas requieren tal acción, entonces se debe llevar a cabo. Pero, ¿cuáles son las reglas morales "correctas"? Es esta segunda pregunta, de acuerdo con la regla utilitaria, la que debe contestarse en referencia a la maximización de la utilidad. Las reglas morales correctas son aquellas que producirán la mayor cantidad de utilidad si todos las siguen. Un ejemplo aclarará esto.

Suponga que intento decidir si es ético para mí fijar precios en conjunto con un competidor. Entonces, según la regla utilitaria, no debo preguntar si este caso específico de fijar precios producirá más utilidad que cualquier otra acción que pueda tomar. En vez de ello, debo primero preguntarme: ¿cuáles son las reglas morales correctas en relación con el hecho de fijar precios? Después de reflexionar, tal vez concluya que la siguiente lista de reglas incluye todas las posibilidades:

1. Los gerentes nunca deben reunirse con los competidores para fijar precios.
2. Los gerentes siempre deben reunirse con los competidores para fijar precios.
3. Los gerentes pueden reunirse con los competidores para fijar precios cuando están perdiendo dinero.

¿Cuál de las tres es la regla moral correcta? Según la regla utilitaria, es la que producirá la mayor cantidad de utilidad para todos los afectados. Suponga que después de analizar los efectos económicos de fijar precios, concluyo que en el marco de nuestra economía y circunstancias sociales las personas se beneficiarán mucho más si todos siguen la regla 1 en lugar de las reglas 2 o 3. Si esto es cierto, entonces, la regla 1 es la regla moral correcta en relación con la práctica de fijar precios. Ahora que conozco la regla moral correcta para fijar precios, puedo hacer otra pregunta: ¿debo participar en esta acción específica de fijar precios? Para responderla, necesito preguntar: ¿qué requieren las reglas morales correctas? Como ya se observó, la regla correcta es que los gerentes nunca deben reunirse con sus competidores para fijar los precios. En consecuencia, aun cuando en esta ocasión en particular fijar precios de hecho generará más utilidad que no hacerlo, estoy obligado éticamente a no hacerlo porque así lo requieren las reglas con las que todos en mi sociedad obtienen los mayores beneficios.

La teoría de la regla utilitaria tiene dos partes que se resumen en los dos siguientes principios:

I. Una acción es correcta desde el punto de vista ético si, y solo si, las reglas morales que son correctas requieren esa acción.

---

**justicia** Distribución justa de los beneficios y las cargas entre las personas.

**derecho** Facultad individual de tener libertad de elección y bienestar.

**regla utilitaria** Forma de utilitarismo que limita el análisis utilitario a la evaluación de las reglas morales.

**II.** Una regla moral es correcta si la suma total de las utilidades producidas, cuando todos siguen esa regla, es mayor que la suma total de las utilidades producidas si todos siguieran una regla alternativa.

Entonces, de acuerdo con la regla utilitaria, el hecho de que cierta acción maximice la utilidad en una ocasión específica no demuestra que sea correcta desde el punto de vista de la regla utilitaria.

Para la regla utilitaria, la falla en los contraejemplos que ofrecen los críticos del utilitarismo tradicional es que, en cada caso, el criterio utilitario se aplica a las acciones particulares y no a las reglas. Más bien, la regla utilitaria debe exigir que se use el criterio utilitario para encontrar cuál es la regla moral correcta para cada contraejemplo, y luego evaluar las acciones particulares implicadas en él solo en términos de esta regla. Hacer esto permite al utilitarismo escapar incólume del desafío que plantean los contraejemplos.

El contraejemplo que incluye al tío rico y al heredero homicida, por ejemplo, es una situación en la que se mata a una persona enferma. En estas situaciones, la regla utilitaria argumenta que está claro que una regla moral que prohíbe matar sin el debido proceso de la ley, a la larga, tendrá una utilidad mayor para la sociedad que otros tipos de reglas. Por lo tanto, esa regla es la correcta para aplicar en el caso. Sería incorrecto que el heredero matara a su tío porque, al hacerlo, violaría la regla moral correcta, y el hecho de que el homicidio —en esta ocasión específica— maximice la utilidad es irrelevante.

En el caso sobre los salarios de subsistencia, la regla utilitaria indicaría que debe tratarse de manera similar. Está claro que una ley que prohíbe los salarios de subsistencia innecesarios en una sociedad, a la larga, generará una utilidad mayor que una ley que los permita. Sería correcto invocar esa regla al preguntar si la práctica de salarios de subsistencia es moralmente permisible, y entonces la práctica se rechazaría como éticamente incorrecta aun cuando maximice la utilidad en una situación específica.

La táctica de la regla utilitaria, sin embargo, no satisface a los críticos del utilitarismo que han señalado una dificultad importante en la posición de esta regla: según los críticos, la regla utilitaria es utilitarismo tradicional disfrazado.[27] Ellos argumentan que las reglas que permiten excepciones (benéficas) producirán más utilidad que las reglas que no las permiten. No obstante, toda vez que una regla permita excepciones, afirman, permitirá las mismas injusticias y violaciones de los derechos que el utilitarismo tradicional. Algunos ejemplos aclaran lo que estos críticos quieren decir. Ellos aseguran que si una regla permite a las personas hacer una excepción siempre que esta maximice la utilidad, entonces, producirá mayor utilidad que una regla que no tenga excepciones. Por ejemplo, se genera más utilidad mediante una regla que dice "no se debe matar a las personas sin el debido proceso *excepto cuando al hacerlo se produzca más utilidad que al no hacerlo*", que con una regla que establece simplemente que "no se debe matar a las personas sin el debido proceso". La primera regla *siempre* maximiza la utilidad, mientras que la segunda maximizará la utilidad solo *la mayor parte del tiempo* (porque requiere la realización de un juicio o debido proceso, aun cuando prescindir de este produzca más beneficios). Como la regla utilitaria sostiene que la regla moral correcta es la que produce más utilidad, debe sostener que es la regla moral correcta la que permite excepciones cuando estas maximizan la utilidad. Una vez que la cláusula de excepción se hace parte de la regla, señalan los críticos, entonces aplicarla a una acción tendrá exactamente las mismas consecuencias que aplicar el criterio del utilitarismo tradicional directamente a la acción, porque este es ahora parte de la regla.

En el caso del tío enfermo y el heredero homicida, por ejemplo, la regla de que "no se debe matar a las personas sin el proceso debido *excepto cuando hacerlo produzca más utilidad que no hacerlo*" ahora permite al heredero homicida matar a su tío justo como lo permitía el utilitarismo tradicional. De manera similar, se genera más utilidad con una regla que dice "los salarios de subsistencia se prohíben *excepto en aquellas situaciones en que maximicen la utilidad*", que la que se genera por una regla que simplemente establece que "los salarios de subsistencia están prohibidos". Por lo tanto, la regla que permite excepciones será la "correcta".

*Repaso breve 2.2*

**Críticas al utilitarismo**
- Los críticos afirman que no todos los valores son mensurables.
- Sus defensores responden que las medidas monetarias y las de sentido común permiten medir todo.
- Los críticos sostienen que el utilitarismo falla en manejar situaciones relacionadas con los derechos y la justicia.
- Sus defensores responden que la regla utilitaria permite manejar los derechos y la justicia.

Pero esta regla "correcta" ahora permite a la sociedad descrita instituir salarios de esclavos como lo hizo el utilitarismo tradicional. La regla utilitaria, entonces, es una forma disfrazada del utilitarismo tradicional, y los contraejemplos que ponen en dificultades a una parecen hacerlo también para la otra.

Muchos defensores de la regla utilitaria no admiten que las reglas produzcan más utilidad cuando permiten excepciones. Como la naturaleza humana es débil y tiene intereses personales, aseguran, los humanos se aprovecharán de cualquier excepción permitida, y esto dejará a todos en peores condiciones. Otros utilitarios consideran que los contraejemplos de los críticos no son correctos. Afirman que si matar a una persona sin el debido proceso en realidad produce más utilidad que todas las demás alternativas factibles, entonces, todas esas otras alternativas deben tener peores consecuencias. Si esto es cierto, entonces, matar a una persona sin el proceso debido en realidad sería moralmente correcto. De igual manera, si en ciertas circunstancias los salarios de subsistencia en realidad son el medio que ocasiona el menor daño (social) para conseguir que el trabajo se realice, entonces, en esas circunstancias, serán moralmente correctos, justo como lo implica el utilitarismo.

Por lo tanto, el utilitarismo enfrenta dos dificultades principales. Primero, nos pide medir valores que es difícil —tal vez imposible— cuantificar. Segundo, parece incapaz de manejar de forma adecuada las situaciones relacionadas con los derechos y la justicia. Un tercer asunto que apenas hemos analizado, pero que no debemos soslayar, es que el utilitarismo supone que los encargados de tomar decisiones —como los directivos de Ford que diseñaron el Pinto— no necesitan consultar a las personas implicadas: si la decisión de un gerente maximizará la utilidad, es moralmente correcta, incluso si no consulta a quienes se verán afectados por ella. Los críticos objetan que se comete una injusticia y se violan los derechos de las personas cuando a estas no se les da la opción de opinar en decisiones que afectarán sus vidas.

## 2.2 Derechos y obligaciones

El 17 de mayo de 2009, Yiu Wah, un muchacho de 17 años, murió aplastado mientras trataba de limpiar una máquina atascada en la fábrica de un proveedor chino que hacía productos para Walt Disney Company, el segundo conglomerado de medios del mundo. La empresa contrató al chico dos años antes.[28] Testigos reclamaron que el uso de mano de obra infantil era una violación a los derechos humanos y que era algo común en la fábrica del proveedor de Disney.

Esta no era la primera vez que se acusaba a Walt Disney Company de violar derechos humanos en su cadena de suministro. El 3 de marzo de 2004, un grupo de accionistas preocupados por la información sobre los derechos humanos de la compañía en China confrontaron a sus ejecutivos. Además de ser dueños de varios parques de diversiones, redes de televisión y radio (ABC, Disney Channel, ESPN), y estudios de filmación, Walt Disney vende mercancía que se inspira en sus personajes y películas, incluyendo juguetes, ropa, relojes, productos electrónicos y accesorios. Gran parte de esa mercancía se manufactura en China, en fábricas que firman contratos con Disney para producir los artículos de acuerdo con las especificaciones de la compañía. En 2001 el Congreso de Estados Unidos estableció una Comisión Ejecutiva sobre China, la cual informó lo siguiente en 2003:

> El mal historial de China para proteger los derechos reconocidos internacionalmente de sus trabajadores no cambió de manera significativa durante el año pasado. Los empleados chinos no pueden formar organizaciones sindicales ni afiliarse a sindicatos independientes, y quienes intentan corregir las malas acciones que cometen sus empleadores con frecuencia se enfrentan a acoso y cargos criminales. Más aún, la mano de obra infantil continúa siendo un problema en algunos sectores de la economía y es común el trabajo forzado de los prisioneros.

En el informe titulado *Country Reports on Human Rights Practices*, emitido en marzo de 2003, el Departamento de Estado de Estados Unidos dijo que la economía de China también hacía uso masivo de trabajos forzados de los prisioneros.[29] Un gran número de disidentes políticos se encontraban en prisiones y se les forzaba a realizar trabajos pesados, peligrosos y sin paga con la finalidad de "reformarlos" o "reeducarlos". Los materiales que se producen en las prisiones con frecuencia son adquiridos por fábricas que los incorporan a sus productos.

Incluso antes, en 2001, el Comité Industrial Cristiano de Hong Kong realizó visitas personales encubiertas a una docena de fábricas chinas de Walt Disney e informó que el panorama estaba caracterizado por "un número excesivo de horas de trabajo, salarios de pobreza, multas irracionales, condiciones de trabajo peligrosas, mala comida y dormitorios donde prevalece el hacinamiento". Otro informe que publicó en 2002 el National Labor Committee, titulado "Toys of Misery" ("Juguetes de la miseria") observó las terribles condiciones de trabajo en las 19 fábricas de Disney que investigó. Según el informe, no solo se pagaba por debajo del estándar a los empleados, sino que "estos se enfrentaban a largas horas de tiempo extra forzado, que solo se les dejaba dormir durante dos o tres horas en la noche" y que "estaban constantemente expuestos a sustancias químicas que los enfermaban". En 2004 el National Labor Committee volvió a publicar su informe, ahora titulado "Toys of Misery 2004", en el que se afirmaba que las fábricas de Disney seguían realizando las prácticas que se habían descubierto dos años antes.

Alarmados por los informes de las condiciones de las fábricas chinas que producían la mercancía de Disney y preocupados porque estuvieran usando materiales hechos con trabajo forzado, un grupo de accionistas presionó para que todos los accionistas votaran a favor de hacer que la compañía adoptara 11 principios "diseñados para comprometer a la empresa a un conjunto detallado y ampliamente aceptado de estándares de derechos humanos y del trabajo en China". Los seis principios más importantes son los siguientes:

1. Ningún bien o producto fabricado dentro de las instalaciones de nuestra compañía o de nuestros proveedores debe hacerse con trabajo obligado o forzado, ni tampoco dentro de prisiones o como parte de programas de reforma o reeducación a través del trabajo.

2. Nuestras instalaciones y las de nuestros proveedores deben adherirse a un sistema de salarios que permitan cubrir las necesidades básicas de los empleados, y a un horario de trabajo justo y adecuado. También habrán de respetar, como mínimo, los salarios y los horarios de trabajo que determinan las leyes laborales en China.

3. Nuestras instalaciones y las de nuestros proveedores deben prohibir el uso del castigo corporal, y cualquier abuso o acoso físico, sexual o verbal contra los empleados.

4. Nuestras instalaciones y las de nuestros proveedores deben usar métodos de producción que no tengan efectos negativos en la seguridad y la salud ocupacional de los empleados.

5. En nuestras instalaciones y las de nuestros proveedores no se debe recurrir a la fuerza policiaca o militar para evitar que los empleados ejerzan sus derechos.

6. Emprenderemos la promoción de las siguientes libertades entre nuestros empleados y los de nuestros proveedores: libertad de asociación y asamblea, incluyendo los derechos a formar sindicatos y negociar colectivamente; libertad de expresión y libertad de no ser arrestados o detenidos de manera arbitraria.[30]

Los directivos de Disney se mostraron renuentes a firmar esos principios de derechos humanos porque señalaban que la compañía ya tenía un código ético e inspeccionaba las fábricas para garantizar su cumplimiento. Los críticos, sin embargo, contestaron que era evidente que el código de Disney era demasiado limitado y que su sistema de inspección tenía fallas; además, advirtieron, si la compañía no adoptaba los principios de derechos humanos, seguramente continuarían los problemas. Los acontecimientos siguientes parecieron apoyar a los críticos. En 2005, 2006 y 2007 la organización Students and Scholars against Corporate Misbehavior publicó informes denunciando las condiciones de explotación y las violaciones a los derechos humanos que prevalecían en una gran cantidad de fábricas chinas que hacían juguetes para Disney.[31] China Labor Watch, un grupo dedicado a vigilar los derechos de los trabajadores, emitió un informe en 2007 que detallaba las "brutales" condiciones en muchas fábricas chinas donde se producían juguetes para Disney.[32] En 2008, el National Labor Committee informó que una de esas fábricas claramente explotaba a los empleados y abusaba de sus derechos.[33] Y en 2009 llegó la noticia de la terrible muerte de Yiu Wah, el joven de 17 años.

El concepto de *derecho* tiene un papel crucial en muchos de los argumentos y las afirmaciones morales que se citan en las discusiones de ética en los negocios. Los empleados, por ejemplo, argumentan que tienen derecho a recibir "salarios iguales por trabajos iguales". Los gerentes aseguran que los sindicatos violan sus "derechos a administrar". Los inversionistas se quejan de que los impuestos violan su "derecho a la propiedad", mientras que los consumidores afirman que tienen el "derecho a estar informados". Más aún, muchos documentos históricos con frecuencia emplean la noción de *derecho*. La Constitución de Estados Unidos consagra una larga lista de derechos, definidos en su mayor parte en términos de la obligación que el gobierno federal tiene de no interferir en ciertas áreas de la vida de sus ciudadanos. La Declaración de Independencia se basó en la idea de que " [...] el Creador dotó a todos los hombres con ciertos derechos inalienables [...] entre ellos están la vida, la libertad y la búsqueda de la felicidad". En 1948, la Organización de las Naciones Unidas (ONU) aprobó la "Declaración Universal de los Derechos Humanos", que asegura que "todos los seres humanos" tienen:

el derecho a tener propiedades en forma individual o en asociación con otros...

el derecho a trabajar, a la libre elección del empleo, a condiciones de trabajo justas y favorables, y a la protección contra el desempleo...

el derecho a la remuneración justa y favorable que asegure para [el trabajador] y su familia una existencia de dignidad humana...

el derecho a formar organizaciones sindicales o a unirse a sindicatos...

el derecho a descansar y divertirse, incluyendo la limitación razonable de las horas de trabajo y vacaciones periódicas pagadas...

## AL MARGEN

## ¿Cómo se someten a prueba los medicamentos de Eli Lilly & Company?

Antes de aprobar la venta de un medicamento recién descubierto, la U.S. Food and Drug Administration (FDA) requiere que el fármaco se pruebe en seres humanos sanos para determinar si tiene efectos secundarios peligrosos. Como es fácil suponer, la mayoría de las personas sanas no tomarán una sustancia que no se ha probado y que podría causarles incapacidad o incluso la muerte. Los sujetos de prueba podrían morir, sufrir parálisis, daño en los órganos y otras lesiones crónicas debilitantes. Sin embargo, Eli Lilly, una gran compañía farmacéutica, descubrió un grupo de "voluntarios" dispuestos a tomar los medicamentos no probados por solo $85 al día más alojamiento y alimentos gratis. Se trata de alcohólicos, sin hogar, necesitados de dinero, a quienes se reclutó de las cocinas de caridad, los refugios y las prisiones. Como las pruebas duran meses, esas personas llegan a ganar hasta $4,500, una suma cuantiosa para alguien que sobrevive de la caridad. Las pruebas suponen enormes beneficios para la sociedad y muchas no se realizarían si no fuera por el grupo de alcohólicos sin hogar. Más aún, proporcionar a esos individuos una cama, comida y buen cuidado médico, antes de sacarlos de las adicciones a las drogas y al alcohol, y dejarlos con algo de dinero en sus bolsillos parece benéfico. La FDA requiere que los participantes en estas pruebas médicas den su "consentimiento informado" y tomen una decisión "verdaderamente voluntaria y no coaccionada". Es cuestionable si las circunstancias desesperadas de los alcohólicos sin hogar, hambrientos y sin dinero les permiten tomar una decisión verdaderamente voluntaria y no coaccionada. Cuando se preguntó a uno de ellos, contratado para participar en una prueba, dijo que no tenía idea de qué tipo de fármaco estaba probando, aun cuando había firmado una forma de consentimiento informado.

1. Analice la práctica de Eli Lilly desde la perspectiva del utilitarismo y los derechos.

2. A su juicio, ¿es moralmente adecuada la política de incluir a alcohólicos sin hogar como sujetos en las pruebas?

Fuente: Laurie P. Cohen, "Stuck for Money", *Wall Street Journal*, 14 de noviembre de 1996, p. 1.

Por lo tanto, el concepto de *derecho* y la noción correlativa de *obligación* residen en el corazón de nuestro discurso moral. La siguiente sección se ocupa de examinar esos conceptos y algunos principios éticos y métodos de análisis que fundamentan su uso.

## El concepto de derecho

En general, un ***derecho*** es la prerrogativa que tiene un individuo para algo.[34] Una persona tiene un derecho cuando tiene la facultad de actuar de cierta manera o tiene la prerrogativa de que otros actúen de cierta manera hacia ella. En ocasiones, la prerrogativa se deriva de un sistema legal que permite o autoriza a una persona para actuar de una forma específica, o que requiere que otros actúen de cierta manera hacia ella; en tal caso, la prerrogativa se llama **derecho legal**. La Constitución de Estados Unidos, por ejemplo, concede a todos los ciudadanos el derecho a la libertad de expresión, y los contratos comerciales especifican que cada parte que lo suscribe tiene derecho a que los demás firmantes se desempeñen según lo acordado. Desde luego, los derechos legales están limitados a la jurisdicción particular dentro de la cual es válido el sistema legal.

Algunas prerrogativas se derivan de un sistema de estándares morales independientes de cualquier sistema legal. El derecho a trabajar, por ejemplo, no está garantizado por la Constitución estadounidense, pero muchos argumentan que este es un derecho que todos los seres humanos poseen. Estos derechos, que se llaman ***derechos morales*** o ***derechos humanos***, se basan en normas y principios morales que especifican que todos los seres humanos están autorizados a hacer algo o tienen la prerrogativa de que se haga algo para ellos. Los **derechos morales**, a diferencia de los legales, suelen entenderse como universales en el sentido de que son derechos que todos los seres humanos de cualquier nacionalidad poseen en el mismo grado simplemente porque son seres humanos. Además, a diferencia de los legales, los derechos morales no están limitados a una jurisdicción en particular. Si los seres humanos tienen el derecho moral a no ser torturados, por ejemplo, entonces este es un derecho que tienen todos sin importar la nacionalidad o el sistema legal en el que vivan.

Los derechos son dispositivos poderosos cuyo objetivo principal es permitir al individuo elegir con libertad los intereses que habrá de buscar o las actividades que desea realizar, y proteger esas elecciones. En el discurso ordinario, el término *derecho* se usa para referirnos a una variedad de situaciones en que las personas pueden hacer esas elecciones de maneras muy diferentes. Primero, algunas veces se usa el término *derecho* para indicar simplemente la ausencia de disposiciones que prohíben la búsqueda de algún interés o la realización de cierta actividad. Por ejemplo, yo tengo el derecho de hacer lo que sea siempre que la ley o la moralidad no lo prohíban. En ese sentido débil de un derecho, los aspectos de permitir y proteger son mínimos. Segundo, algunas veces se usa el término *derecho* para indicar que una persona está autorizada o tiene la facultad de hacer algo, ya sea para asegurar los intereses de otros o los propios. Un oficial del ejército o de la policía, por ejemplo, adquieren derechos legales de dar órdenes a sus subordinados en aras de buscar la seguridad de otros, mientras que el dueño de un terreno adquiere el derecho legal de propiedad que le permite disponer de esa superficie como quiera. Tercero, el término *derecho* se usa en ocasiones para indicar la existencia de prohibiciones o requisitos sobre otros que permiten al individuo buscar ciertos intereses o actividades. Por ejemplo, se dice que la Constitución estadounidense otorga a los ciudadanos el derecho a la libre expresión porque contiene una prohibición en contra de que el gobierno la limite, y se dice que la ley federal otorga a los ciudadanos el derecho a la educación porque contiene requisitos de que cada estado proporcione educación pública gratuita para todos sus ciudadanos.[35]

Observe que aunque la violación a los derechos humanos a menudo supone infligir daños a los individuos, puede haber violación de esos derechos sin que el individuo salga perjudicado o afectado de una manera evidente. Este aspecto de los derechos es una de las formas en que las consideraciones referentes a estos difieren de las consideraciones utilitaristas, puesto que hacer

**derecho** La prerrogativa de un individuo a algo.

**derecho legal** Prerrogativa que se deriva de un sistema legal que permite o autoriza a una persona para actuar de una forma específica o que requiere que otros actúen de cierta manera hacia ella.

**derechos morales o derechos humanos** Derechos que todos los seres humanos de cualquier nacionalidad poseen en el mismo grado simplemente porque son seres humanos.

lo incorrecto en esta última teoría siempre implica infligir daño. Para ver cómo se pueden violar los derechos sin lastimar directamente, tomemos el ejemplo del derecho a la privacidad; para que nos sirva como tal, supongamos que se trata de un derecho que todo el mundo tiene.

Supongamos entonces que, un día, una pareja realizó actividades que ellos (y nosotros) consideramos privadas y de las que se sentirían avergonzados si eso se conociera públicamente. Ellos se comportan así solo cuando están seguros de que nadie puede verlos porque están detrás de puertas y ventanas aseguradas y cubiertas. Pero un día, usted se sube a un árbol y con unos potentes binoculares se las ingenia para ver a través de una pequeña abertura en las cortinas de la ventana lo que están haciendo. Aunque lo que usted ve le disgusta, continúa mirando lo que hacen los vecinos dentro de su casa por un tiempo y luego se baja del árbol y vuelve a su casa. Después de eso, usted no comenta el incidente con nadie, y no tiene ningún tipo de contacto con la pareja ni tampoco ejerce algún tipo de influencia en sus vidas; además, la pareja nunca descubre que usted los vio. Felizmente, siguen pensando por el resto de sus vidas que nadie supo lo que hicieron y nunca sintieron la menor incomodidad, pena o agravio acerca de lo que pasó ese día. Es evidente que usted violó los derechos de la pareja —su derecho a la privacidad—, pero esta aparentemente no sufrió ningún tipo de daño por parte de usted.

Tomemos otro ejemplo. Su amigo Joe posee un gran diamante que vale cientos de miles de dólares y lo guarda en su casa en una caja de seguridad con una combinación. Usted descubre la combinación de la caja fuerte y toma el diamante sin que Joe lo sepa. Usa el diamante como garantía para pedir prestados $10,000 que invierte en el mercado de valores; gracias a esa inversión, usted obtiene una ganancia de $100,000. Con este dinero, usted recupera el diamante y lo vuelve a colocar en la caja fuerte de Joe sin que haya cambiado nada. Jamás cuenta a Joe lo que sucedió y él nunca lo descubre; más aún, lo que usted hizo nunca afecta a su amigo de ninguna manera ni repercute en sus interacciones o en su amistad con él. Una vez más, es evidente que aquí usted violó los derechos de su amigo, aun cuando este no haya resultado lastimado. Por lo tanto, los derechos de una persona se pueden violar a pesar de que esta última no resulte afectada o lastimada de una manera evidente. Desde la perspectiva de los derechos, se puede hacer daño a una persona sin que resulte perjudicada de forma patente. Observe también que esto implica que, en lo que se refiere a las violaciones de los derechos, es un error que alguien diga que no hizo nada incorrecto porque "nadie salió lastimado". La ausencia de "daño" no demuestra por sí misma que no se hayan violado los derechos de alguien.

Los derechos morales más importantes —y los que nos ocupan en este capítulo— son aquellos que imponen prohibiciones o requisitos sobre otros y que, por ello, permiten a los individuos elegir con libertad entre seguir o no sus intereses o actividades. Estos derechos morales (y cuando usamos el término *derechos morales* queremos decir estos tipos de derechos) identifican aquellas actividades o intereses que el individuo tiene la facultad de buscar, o debe tener la libertad de buscar, o debe recibir ayuda para buscar, según elija. Además, esos derechos protegen su búsqueda de estos intereses y actividades dentro de los límites que los derechos especifican. Por ejemplo, la libertad de religión identifica las actividades religiosas como actividades protegidas porque los individuos son libres de realizarlas según su elección. Estos tipos de derechos morales tienen tres características importantes que definen las funciones de permitir y proteger.

Primero, los derechos morales tienen una relación estrecha con las obligaciones.[36] Esto se debe a que los derechos morales de una persona generalmente se definen —al menos en forma parcial— en términos de los deberes morales que otros individuos tienen hacia ella. Tener un derecho moral necesariamente implica que otros tienen ciertas obligaciones hacia el titular de ese derecho. Por ejemplo, mi derecho moral de ser devoto como yo elija se define en términos de las obligaciones morales que tienen otras personas de no interferir en la práctica religiosa que elegí. El derecho moral a un nivel de vida adecuado (si se supone que este es un derecho moral) se define en términos de la obligación que tienen los gobiernos (o algún otro agente de la sociedad) de asegurar un nivel de vida adecuado para sus ciudadanos. Así que las obligaciones, en general, son el otro lado de los derechos morales: si yo tengo un derecho moral de hacer algo, entonces otras personas tienen una obligación moral de no interferir conmigo cuando lo hago; si yo tengo un derecho moral de que alguien haga algo por mí, entonces, esa otra persona (o ese grupo) tiene una obligación moral de hacerlo por mí. De esta forma, los derechos morales imponen obligaciones correlativas sobre otros, ya sea obligaciones de no interferencia, o bien, obligaciones de desempeño positivo.

En algunos casos, las obligaciones correlativas que impone un derecho no recaen en un individuo específico, sino en todos los miembros de un grupo. Por ejemplo, si una persona tiene el "derecho a trabajar" (un derecho que se menciona en la Declaración Universal de los Derechos Humanos de las Naciones Unidas), no necesariamente significa que un empleador específico tenga la obligación de dar trabajo a esa persona. Más bien, significa que todos los miembros de la sociedad, a través de sus organismos públicos, tienen la obligación de asegurar que haya trabajos disponibles para todos aquellos que quieran trabajar.

Segundo, los derechos morales brindan a los individuos autonomía e igualdad en la libre búsqueda o consecución de sus intereses.[37] Esto es, un derecho identifica las actividades o los intereses ante los cuales las personas deben tener libertad de elección (o bien, deben recibir ayuda de otros para buscar aquellos que elijan libremente). Esa consecución no debe estar subordinada a los intereses de otros, excepto por razones especiales y excepcionalmente poderosas. Si yo tengo el derecho de elegir una religión, por ejemplo, esto implica que soy libre de practicar mi credo si así lo elijo y no dependo del permiso de nadie para hacerlo. También implica que, en general, no me pueden obligar a abandonar mi religión con base en que la sociedad tendrá más beneficios si yo no soy devoto: los beneficios de otros no justifican la interferencia en la consecución de los intereses o la realización de actividades de un individuo cuando esa búsqueda está protegida por un derecho moral. Reconocer un derecho moral de una persona, entonces, es reconocer que existe cierta área en la que esa persona no está sujeta a mis deseos y en la que sus intereses no están subordinados a los míos. En resumen, existe una esfera dentro de la cual somos autónomos e iguales.

Tercero, los derechos morales constituyen una base para justificar las acciones propias y para pedir la protección o ayuda de otros.[38] Si yo tengo un derecho moral para hacer algo, entonces cuento con una justificación moral. Más aún, si tengo un derecho para hacer algo, entonces no se justifica que otros interfieran conmigo. Por el contrario, los demás tienen justificación de alejar a cualquier persona que intente evitar que yo ejercite mi derecho, y tienen la obligación de ayudarme a ejercer mi derecho. Por ejemplo, cuando una persona más fuerte ayuda a una débil a defender sus derechos, en general, se reconoce que el acto de la persona más fuerte se justifica.

Puesto que los derechos morales tienen esas tres características, constituyen la base para hacer juicios morales que difieren de manera sustancial de los estándares del utilitarismo. Primero, los derechos morales expresan los requisitos de moralidad desde el punto de vista *individual*, mientras que el utilitarismo los expresa desde el punto de vista de la *sociedad como un todo*. Los estándares morales que se refieren a los derechos indican lo que otros deben a un individuo, promueven el bienestar de este y protegen sus elecciones de la interferencia de la sociedad. Los estándares utilitarios promueven la utilidad agregada o colectiva de la sociedad, y son indiferentes al bienestar individual, excepto cuando este afecta al agregado social. Segundo, los derechos limitan la validez de la apelación de los beneficios sociales y los números. Es decir, si una persona tiene el derecho de hacer algo, entonces es incorrecto que alguien interfiera, aunque un gran número de personas pueda ganar una mayor utilidad con la interferencia. Si yo tengo derecho a la vida, por ejemplo, es moralmente incorrecto que alguien me mate aunque muchos otros ganen más con mi muerte de lo yo ganaría viviendo. Si los miembros de una minoría tienen el derecho a la libre expresión, entonces, la mayoría debe dejar que la minoría hable con libertad, aun cuando disienta claramente de lo que la minoría quiera decir.

Aunque los derechos en general invalidan los estándares del utilitarismo, no son inmunes a todas sus consideraciones: si las pérdidas o los beneficios utilitarios que se imponen

<aside>

**Repaso breve 2.4**

**Derechos morales**
- Se pueden violar aun cuando "nadie salga lastimado".
- Tienen una relación estrecha con las obligaciones.
- Proporcionan a los individuos autonomía e igualdad en la libre consecución de sus intereses.
- Constituyen una base para justificar las propias acciones y para solicitar la protección o ayuda de otros.
- Aseguran los intereses del individuo, a diferencia de los estándares del utilitarismo, los cuales se enfocan en la utilidad que obtienen todos los integrantes de una sociedad.

</aside>

sobre una sociedad se vuelven considerablemente grandes, tal vez sean suficientes para romper los muros de protección que establecen los derechos alrededor de la libertad de una persona para buscar sus propios intereses. En tiempos de guerra o de emergencias públicas importantes, por ejemplo, es legítimo restringir los derechos civiles en pro del "bienestar público". Los derechos a la propiedad de los dueños de fábricas se pueden restringir para evitar la contaminación que provoca grandes daños a la salud de otros. Cuanto más importante sea un interés protegido por un derecho, mayores serán las compensaciones que tenga que buscar el utilitarismo. Los derechos erigen muros más altos para proteger intereses más importantes, por lo que el nivel de beneficios o costos sociales para romper esas paredes debe ser mayor.

**derechos negativos**
Obligaciones que tienen otros de no interferir en ciertas actividades de la persona que tiene el derecho.

**derechos positivos**
Obligaciones de otros agentes (no siempre está claro de quién) de brindar al titular del derecho lo que necesite para buscar sus intereses con libertad.

**Derechos negativos y positivos** Un grupo importante de derechos, llamados **derechos negativos**, son aquellos que se definen por completo en términos de las obligaciones que tienen los demás de no interferir en ciertas actividades de la persona que tiene el derecho en cuestión.[39] Por ejemplo, si yo tengo un derecho a la privacidad, esto significa que todas las demás personas, incluyendo a mi empleador, tienen la obligación de no interferir en mis asuntos privados. Si tengo el derecho de usar, vender o destruir los activos de mi negocio, esto significa que todas las demás personas tienen la obligación de no evitar que los use, venda o destruya, según elija.

Por el contrario, los **derechos positivos** hacen más que imponer obligaciones negativas. También implican que algunos otros agentes (quizá la sociedad en general) tienen una obligación positiva de brindar a los titulares del derecho lo que necesitan para buscar lo que este les garantiza.[40] Por ejemplo, si yo tengo derecho a un nivel de vida adecuado, esto no significa solamente que los demás no deban interferir; también quiere decir que si no puedo obtener el ingreso adecuado, entonces alguien más (quizá el gobierno) deba proveer ese ingreso. De manera similar, el derecho a trabajar, a la educación, a un cuidado de la salud adecuado y a la seguridad social son, todos ellos, derechos que van más allá de la no interferencia y que también imponen una obligación positiva de proveer algo a los individuos cuando ellos mismos no están en condiciones de conseguirlo.

En los siglos XVII y XVIII, los escritores de manifiestos (como la Declaración de Independencia de Estados Unidos y la Declaración de Derechos Fundamentales), quienes estaban deseosos de proteger a los individuos contra los abusos de las monarquías, con frecuencia hicieron mención de los derechos negativos. Por otra parte, durante el siglo XX, las personas solo invocaban los derechos positivos (el derecho a la protección frente a la violencia del Estado, por ejemplo, es un derecho positivo ampliamente aceptado mucho antes del siglo XX). Los derechos positivos cobraron importancia en el siglo pasado, cuando la sociedad se vio impelida a suministrar lo necesario para vivir a aquellos de sus miembros que no podían subsistir por sí mismos. Estos incluían el derecho a la educación y a la seguridad social. La Declaración de los Derechos Humanos de las Naciones Unidas, por ejemplo, está influida por esta tendencia cuando otorga los derechos de obtener "alimento, vestido, vivienda y cuidado médico". El cambio en el significado de la frase *derecho a la vida* es otra indicación de la creciente importancia de los derechos positivos. Mientras que en el siglo XVIII se interpretaba el derecho a la vida como el derecho negativo a no ser asesinado (este es el significado que tiene la frase en la Declaración de Independencia de Estados Unidos), el siglo XX reinterpretó la frase para referirla al derecho positivo de ser provisto con lo mínimo necesario para la vida.

Gran parte del debate sobre derechos morales se ha concentrado en si se debe dar prioridad a los derechos positivos o a los negativos. Este es el centro del debate sobre si los esfuerzos del gobierno se deben restringir a proteger la propiedad y asegurar la ley y el orden (es decir, a proteger los derechos negativos de la gente), o si los gobiernos también deben suministrar a los necesitados empleo, capacitación, vivienda, servicios médicos y otros beneficios sociales (es decir, proteger los derechos positivos de la gente). Los llamados

---

*Repaso breve 2.5*

**Tres tipos de derechos morales**
- Derechos negativos que requieren que otros nos dejen actuar.
- Derechos positivos que requieren que otros nos ayuden.
- Derechos contractuales o especiales que requieren que otros cumplan los acuerdos.

autores "conservadores", por ejemplo, afirman que los esfuerzos del gobierno se deben limitar a hacer cumplir los derechos negativos y no extenderse a proveer los derechos positivos.[41] Por el contrario, los llamados autores "liberales" sostienen que se deben cumplir por igual los derechos positivos y los negativos y, en consecuencia, los gobiernos tienen la obligación de garantizar ambos.[42] Los autores liberales señalan que el gobierno debe garantizar a sus ciudadanos los derechos positivos de protección de la propiedad y del orden público. Por lo tanto, la idea de que el gobierno debe hacer cumplir los derechos negativos y no los derechos positivos de las personas es incongruente, porque el gobierno solo puede hacer cumplir los derechos negativos si brinda servicios de seguridad.

**Derechos y obligaciones contractuales** Los derechos y las obligaciones contractuales (también llamados *derechos y obligaciones especiales* u *obligaciones especiales*) son los derechos limitados y las obligaciones correlativas que surgen cuando una persona participa en un acuerdo con otra.[43] Por ejemplo, si usted me contrata para hacer algo, entonces usted tiene derecho a mi desempeño, esto es, usted adquiere un *derecho* contractual para recibir lo que yo haya prometido, al tiempo que yo tengo una *obligación* contractual para actuar como lo prometí.

Los derechos y las obligaciones contractuales se distinguen, primero, por el hecho de que se asocian a individuos *específicos* y las obligaciones correlativas se imponen solo a otros individuos *específicos*. Si yo estoy de acuerdo en hacer algo para usted, los demás no adquieren por ello nuevos derechos sobre mí, ni yo asumo nuevas obligaciones hacia ellos. Segundo, los derechos contractuales surgen de una transacción determinada entre personas *específicas*. A menos que en realidad yo haga una promesa o participe en algún otro arreglo similar con usted, usted no adquiere derechos contractuales sobre mí.

Tercero, los derechos y las obligaciones contractuales dependen de un sistema públicamente aceptado de reglas que definen las transacciones que originan esos derechos y obligaciones.[44] Los contratos, por ejemplo, crean derechos y obligaciones especiales entre las personas solo si estas reconocen y aceptan el sistema de convenciones que especifica que, al proceder de cierta manera (como firmar un documento), se adquiere una obligación de cumplir lo acordado. Cuando una persona realiza las acciones adecuadas, otros saben que esa persona está adquiriendo una obligación porque el sistema públicamente reconocido de reglas especifica que esas acciones cuentan como un acuerdo contractual. Como el sistema públicamente reconocido obliga o requiere que la persona actúe según lo acordado, o sufra las penalizaciones pertinentes, todos entienden que se puede confiar en que ella cumplirá su contrato y que otros actuarán de acuerdo con el convenio.

Los negocios en las sociedades modernas no podrían operar sin la institución de contratos, derechos y obligaciones. Prácticamente, todas las transacciones de negocios requieren en algún momento que una de las partes confíe en la palabra de la otra respecto a pagos, entrega de servicios, transferencia de bienes con cierta calidad y cantidad. Sin la institución social del contrato, los individuos en esas situaciones no estarían dispuestos a confiar en la palabra de la otra parte, y las transacciones nunca se llevarían a cabo. La institución de contratos ofrece una manera de asegurar que los individuos cumplan su palabra, y esto, a la vez, hace posible que las sociedades de negocios operen. Los empleadores, por ejemplo, adquieren derechos contractuales sobre los servicios de sus empleados en virtud del contrato de trabajo que aceptan, y los comerciantes adquieren derechos contractuales sobre el efectivo que en el futuro pagarán los compradores a quienes otorgan crédito.

Los derechos y las obligaciones contractuales también conforman una base para los derechos y las obligaciones especiales que las personas adquieren cuando aceptan un puesto dentro de una institución u organización social legítima. Por ejemplo, los padres casados tienen una obligación especial de cuidar de los hijos que están criando, los médicos tienen una obligación especial de cuidar la salud de sus pacientes, y los gerentes tienen una obligación especial de cuidar la organización que administran. En cada caso, existe una

*Repaso breve 2.6*

**Derechos y obligaciones contractuales**
- Se generan mediante acuerdos específicos y conciernen solo a las partes implicadas.
- Requieren reglas públicamente aceptadas sobre lo que constituyen los acuerdos y las obligaciones que estos imponen.
- Subyacen los derechos y las obligaciones especiales que se derivan de aceptar una posición o un rol en una institución u organización.
- Requieren: **1.** que las partes sepan qué es lo que acuerdan, **2.** que no haya distorsión, **3.** que no haya intimidación ni coacción, **4.** que no haya acuerdo para realizar un acto inmoral.

institución (familiar, médica o corporativa) que acepta de manera pública y define cierta posición o rol (como padre, médico o gerente) de la que depende el bienestar de ciertas personas vulnerables (los hijos de los padres, los pacientes del médico, la corporación del gerente).

La sociedad vincula los papeles institucionales a la obligación especial de cuidar a los dependientes vulnerables y protegerlos de lesiones; las personas aceptan esas obligaciones y saben que se espera que cumplan. Cuando un individuo acepta libremente el papel y conoce las obligaciones que la sociedad vincula a la aceptación del mismo, se compromete a cumplir con esas obligaciones a través de un acuerdo. La existencia de un sistema de obligaciones contractuales asegura que los individuos cumplan esos acuerdos y establece obligaciones públicas para que todos los acuerdos se realicen. Como resultado, esas instituciones —familiar, médica y corporativa— continúan existiendo y protegen a sus miembros vulnerables contra daños. Debemos recordar que las obligaciones institucionales de una persona no son ilimitadas. En el primer capítulo se observó que como "agente leal", las obligaciones de un gerente de cuidar a la corporación están limitadas por los principios éticos que rigen a cualquier persona. De manera similar, un médico no puede asesinar a una persona para obtener órganos vitales para pacientes que están a su cargo.

¿Qué tipo de reglas éticas rigen los contratos? El sistema de reglas que fundamenta los derechos y las obligaciones contractuales, por tradición, se ha interpretado de manera que incluye varias restricciones morales:[45]

1. Ambas partes que suscriben un contrato deben tener amplio conocimiento de la naturaleza del acuerdo que están aceptando.
2. Ninguno de los contratantes debe malinterpretar de manera intencional los hechos de la situación contractual con la otra parte.
3. Ninguno de los contratantes debe forzar al otro a aceptar el contrato bajo intimidación o coerción.
4. El contrato no debe obligar a las partes a cometer un acto inmoral.

Los contratos que violan una o más de estas cuatro condiciones, por tradición, se han considerado inválidos.[46] La base de este tipo de condiciones se analiza en seguida.

## Una base para los derechos morales: Kant

¿Cómo sabemos que los individuos tienen derechos? Esta pregunta se contesta de manera bastante directa cuando se plantea en términos de los derechos legales: una persona tiene ciertos derechos legales porque vive dentro de un sistema legal que los garantiza. Sin embargo, ¿cuál es la base de los derechos morales?

Los seguidores del utilitarismo consideran que los principios utilitarios constituyen una base satisfactoria para los derechos morales: las personas tienen derechos morales porque estos maximizan la utilidad. Pero es dudoso que el utilitarismo pueda servir como base adecuada para los derechos morales. Decir que alguien tiene un derecho moral de hacer algo equivale a decir que tiene la facultad de hacerlo sin importar los beneficios utilitarios que brinde a otros. No sería fácil que el utilitarismo apoyara este concepto que escapa a su marco de referencia.

**imperativo categórico** De acuerdo con Kant, es un principio moral que obliga a todos, sin importar sus deseos, y que se basa en la idea de tratar a todos como personas libres e iguales.

Un fundamento más satisfactorio para los derechos morales es el que ofrece la teoría ética que desarrolló Emmanuel Kant (1724-1804).[47] Kant, de hecho, demuestra que existen ciertos derechos y obligaciones morales que poseen todos los seres humanos, sin importar los beneficios utilitarios que su ejercicio pueda brindar a los demás.

La teoría de Kant se basa en un principio moral que llamó **imperativo categórico**, el cual implica tratar a todas las personas como libres e iguales. Es decir, cada uno tiene un derecho moral a este tratamiento, y cada uno tiene la obligación moral correlativa de tratar a los demás de esta manera. Kant presenta más de una manera de formular este principio moral básico; cada formulación sirve como explicación del significado de ese derecho moral básico y su obligación correlativa.

## Primera formulación del imperativo categórico de Kant

La primera formulación de Kant del imperativo categórico es: "Obra sólo de forma que puedas desear que la máxima de tu acción se convierta en una ley universal".[48] Una **máxima** para Kant es la razón que tiene una persona en cierta situación para hacer lo que planea. Una máxima se "convierte en ley universal" si todas las personas en una situación similar eligen hacer lo mismo por la misma razón. Entonces, la primera versión de Kant del imperativo categórico se expresa en el siguiente principio:

> Una acción es moralmente correcta para una persona en cierta situación si, y solo si, esa persona considera que la razón que tiene para realizar la acción es válida para todos los individuos que se encuentren en una situación similar.

Un ejemplo ayudará a clarificar el significado del principio de Kant. Suponga que intento decidir si debo despedir a un empleado porque no me gusta la gente de su raza. Según el principio de Kant, debo preguntarme a mí mismo si estaría dispuesto a aceptar que un empleador despidiera a cualquier empleado siempre que no le gustara su raza. En particular, debo preguntarme si estaría dispuesto a que me despidieran si a mi empleador no le gustara mi raza. Si no estoy dispuesto a aceptar que alguien trate de esa manera a los demás, incluido yo, entonces, es moralmente incorrecto que yo actúe de esta manera con otros. Por lo tanto, las razones de una persona para actuar deben ser *reversibles*: uno debe estar dispuesto a que otros usen esas razones, incluso contra uno mismo. Existe una similitud evidente entre el imperativo categórico y la llamada *regla de oro*: "Trata a los demás como te gustaría que ellos te trataran a ti".

Kant señala que algunas veces no es siquiera posible *concebir* que todos actúen por cierta razón, y mucho menos estamos *dispuestos* a que todos actúen por esa razón.[49] Para entender esto, consideremos un segundo ejemplo. Suponga que estoy pensando en no cumplir un contrato, porque me compromete a hacer algo que no quiero. Entonces, debo preguntarme si estaría dispuesto a que todos dejaran de cumplir un contrato que no quieran cumplir. Pero es imposible concebir que todos firmen contratos y luego quebrantarlos; si así se hiciera, entonces la gente dejaría de realizar contratos (¿de qué servirían?) y dejarían de existir. En consecuencia, como es imposible concebir que todos firmen y rompan contratos de esta manera, también es imposible que yo esté dispuesto a que todos actúen así (¿cómo puedo querer algo que ni siquiera puedo concebir?). Por lo tanto, sería incorrecto no cumplir el contrato simplemente porque no quiero. Entonces, las razones de una persona para actuar también se deben convertir en *universales*: debe ser posible, al menos en principio, que todos actúen por esas razones.

La primera formulación del imperativo categórico incorpora dos criterios para determinar el bien y el mal moral: la universalidad y la reversibilidad.

UNIVERSALIDAD: Las razones de una persona para actuar deben ser razones por las que todos puedan actuar, al menos en principio.

REVERSIBILIDAD: Las razones de una persona para actuar deben ser razones que esa persona estaría dispuesta a aceptar que otros usaran, incluso como base del trato hacia ella.

Esta formulación del imperativo categórico de Kant es atractiva por varias razones. Una de las principales es porque parece captar algunos aspectos fundamentales de nuestras concepciones morales.

**máxima** La razón que tiene una persona en cierta situación para hacer lo que planea.

---

*Repaso breve 2.7*

**Primera versión del imperativo categórico de Kant**
- Debemos actuar solo por razones que consideremos válidas para todos los individuos que se encuentren en una situación similar.
- Requiere universalidad y reversibilidad.
- Equivale a preguntar: "¿Qué sucedería si todos actuaran así?" y "¿Aceptaría que alguien se comportara así con usted?"

Por ejemplo, con frecuencia preguntamos a una persona que hizo algo incorrecto o que está a punto de hacerlo: "¿Te gustaría que él te hiciera lo mismo a ti?" o "¿te gustaría si estuvieras en su lugar?". Con estas preguntas se invoca la reversibilidad. Estamos diciendo que una acción no puede ser correcta si no pasa la prueba de reversibilidad, que es la base del imperativo categórico de Kant. Por otra parte, podemos preguntar a quien está considerando hacer algo incorrecto: "¿Qué sucedería si todos actuaran así?". Cuando hacemos esta pregunta, se apela a la universalidad. En efecto, estamos diciendo que es incorrecto hacer algo si no pasa la prueba de la universalidad, la cual, otra vez, es un requisito del imperativo categórico de Kant.

¿Cómo defiende Kant el imperativo categórico? Para empezar, consideremos que su teoría se enfoca en las motivaciones internas de una persona y no en las consecuencias externas de sus acciones. El bien y el mal moral para la teoría kantiana se distinguen no por lo que una persona logra, sino por las razones que tiene para actuar. Kant argumenta que una acción "no tiene valor moral", si se realiza *solamente* por el interés propio o *solo* porque le provoca placer. En otras palabras, la moralidad no consiste en buscar el interés propio ni en hacer lo que genera placer, sino en hacer lo que es correcto tanto si es en nuestro interés propio como si no lo es, o independientemente de que nos haga sentir bien o no. La acción de una persona tiene valor moral solo en la medida en que *también* esté motivada por un sentido del deber, es decir, la creencia de que es la manera correcta de comportarse para todas las personas en circunstancias similares. Por lo tanto, dice Kant, estar motivado por el sentido del deber es estar motivado por razones que yo desearía que todos tuvieran al encontrarse en situaciones similares. En consecuencia, mi acción tiene valor moral (es decir, es moralmente correcta) solo en la medida en que esté motivada por razones que yo estaría dispuesto a que todas las personas siguieran. De ahí el imperativo categórico.

## Segunda formulación del imperativo categórico de Kant

La siguiente es la segunda formulación del imperativo categórico de Kant: "Obra de tal manera que siempre trates a la humanidad, ya sea en tu propia persona o en la de otros, como un fin y nunca solamente como un medio".[50] O nunca trates a las personas *solo* como un medio, sino *también* como un fin. Lo que Kant quiere decir con "tratar a la humanidad como un fin" es que todos deben tratar a cada ser humano como una persona libre y racional. Para Kant, esto implica dos hechos: *a*) respetar la libertad de cada persona tratándola solo como haya consentido libre y racionalmente ser tratada de antemano, y *b*) desarrollar la capacidad de cada persona para buscar aquellos fines que haya elegido libre y racionalmente.[51] Aquí la frase "libre y racionalmente" se refiere al tipo de elecciones que una persona hace cuando sus decisiones no son obligadas, y sabe y elige lo que más le conviene. Por otra parte, tratar a las personas *solo* como un medio implica considerarlas como un instrumento para hacer prosperar los intereses propios, sin tener en cuenta las decisiones y los intereses de ellas. Esto *no* respeta su libertad de elegir lo que harán, *ni* contribuye a su capacidad de buscar lo que libre y racionalmente han elegido buscar. Por lo tanto, la segunda versión de Kant del imperativo categórico se expresa en el siguiente principio:

Una acción es moralmente correcta para una persona si, y solo si, al realizarla, esta no considera a otros *únicamente* como un medio para prosperar en sus propios intereses, sino también: **1.** los trata como ellos han consentido ser tratados de manera libre y racional y **2.** contribuye a su capacidad de buscar lo que libre y racionalmente han decidido buscar.

Esta versión del imperativo categórico implica que los seres humanos tienen una dignidad que los diferencia de los objetos, como las herramientas o las máquinas. Esa dignidad es incompatible con el hecho de ser víctimas de la manipulación, el engaño o la explotación contra su voluntad, para satisfacer los intereses personales de alguien más. De hecho, el principio dice que los individuos no deben ser tratados como objetos incapaces de elegir con libertad. Por este principio, es legítimo solicitar a un empleado que realice tareas desagradables (o incluso peligrosas) si este aceptó libre y racionalmente el trabajo a sabiendas de que implicaba esas tareas. Pero sería incorrecto someter a un empleado a riesgos de salud sin su conocimiento. En general, el engaño, la fuerza y la coerción no respetan la libertad de las personas para elegir y, por ello, no son éticas (a menos, quizá, que una persona haya dado su consentimiento para que se usara la fuerza contra ella).

Kant argumenta que hacer contratos fraudulentos engañando a otros es incorrecto, al igual que lo es el hecho de dejar de ayudar deliberadamente a los demás cuando lo necesitan. Al engañar a una persona para que firme un contrato que, de otra manera, no firmaría, se le trata deliberadamente de un modo en que ella no ha consentido de manera libre y racional que la traten; por lo tanto, en este caso, solo se le considera como un medio para satisfacer el propio interés. Al no prestar la ayuda necesaria a otra persona, no se contribuye a su capacidad de buscar los fines que ha elegido.

La segunda formulación del imperativo categórico, según Kant, en realidad es equivalente a la primera.[52] La primera versión dice que lo que es moralmente correcto para mí debe ser moralmente correcto para los demás: todas las personas son iguales en valor. Si esto es cierto, entonces no se debe subordinar la libertad de una persona a la de otros y usarla para satisfacer los intereses ajenos. Puesto que todos tienen el mismo valor, no se puede sacrificar la libertad de elección de una persona en aras de satisfacer los intereses de los demás. Esto, desde luego, es lo que requiere la segunda versión del imperativo categórico. Ambas formulaciones se reducen a lo mismo: las personas se deben tratar unas a otras como seres igualmente libres de buscar la consecución de los intereses que han elegido.

## Derechos kantianos

Diversos autores sostienen que el imperativo categórico (en cualquiera de sus formulaciones) explica por qué la gente tiene derechos morales.[53] Como se ha visto, los derechos morales identifican intereses que todos los individuos deben tener libertad para elegir (o deben recibir ayuda para buscarlos si así lo han elegido) y cuya búsqueda no debe estar subordinada a los intereses de los demás. Esto es precisamente lo que ambas formulaciones del imperativo categórico de Kant requieren, al sostener que las personas deben ser respetadas como libres y racionales en la consecución de sus intereses. En resumen, los *derechos morales* identifican las áreas específicas principales en las que las personas deben interactuar unas con otras como libres y racionales, y el *imperativo categórico* de Kant implica que los individuos deben interactuar justo de esta manera.

Sin embargo, el imperativo categórico, por sí mismo, no nos dice qué derechos morales particulares tienen los seres humanos. Para conocerlos, son indispensables dos requisitos. Primero, debemos determinar qué intereses específicos tienen los seres humanos por el simple hecho de serlo. Segundo, debemos determinar qué intereses particulares son tan importantes para que se consideren un derecho. A la luz de las dos versiones de Kant del imperativo categórico, un interés tendría tal importancia **1.** si no estamos dispuestos a que nadie (incluyéndonos a nosotros mismos) nos prive de la libertad de buscar ese interés, y **2.** si la libertad de buscar ese interés es necesaria para vivir como seres libres y racionales. Por ejemplo, para establecer que los humanos tienen derecho a la libre expresión, se debe mostrar que existe interés en la libertad de decir lo que uno elija, y que ese derecho es tan importante que no estamos dispuestos a que nadie nos prive de él y, aún más, que es necesario para vivir como personas libres y racionales. Muchos consideran que la libertad de expresión, de hecho, es de importancia esencial por muchas razones: protege contra el gobierno y otras entidades poderosas; posibilita que se conozcan las injusticias y la maldad; permite gobernarnos a nosotros mismos; nos ayuda a llegar a la verdad mediante la discusión; y es necesaria para expresar nuestros verdaderos sentimientos y convicciones.[54] Por estas razones, la libertad de expresión parece tan importante que no estaríamos dispuestos a que alguien (incluyéndonos a nosotros mismos) nos privara de ella, además de que parece necesaria para vivir como seres libres y racionales. Si esto es cierto, entonces nuestro interés en la libertad de expresión se puede elevar al estatus de derecho y, por consiguiente, podemos concluir que los humanos tienen un derecho moral a la libertad de expresión. Sin embargo, el derecho a la libre expresión se debe limitar en el grado en que esa libertad entre en conflicto con otros intereses humanos que tienen la misma o mayor importancia (como nuestro derecho a no ser calumniados o difamados).

Aunque en capítulos posteriores se presentan varios argumentos en apoyo de algunos derechos particulares, resulta útil presentar un bosquejo general de cómo se han podido defender algunos derechos con base en las dos formulaciones de Kant del imperativo categórico. Primero, los seres humanos tienen un claro interés en que se les ayude brindándoles trabajo, alimento, vestido, vivienda y servicios médicos necesarios para vivir, cuando ellos mismos no pueden proveerse estos bienes. Suponga que acordamos que no estaríamos dispuestos a que se prive de esa ayuda a alguien (en especial nosotros mismos) cuando la necesita, y que esa ayuda es necesaria si se quiere desarrollar la capacidad de una persona para elegir libre y racionalmente e, incluso, necesaria para sobrevivir.[55] (Es difícil elegir libre y racionalmente si se tiene hambre, se carece de un hogar y se está enfermo). Si es así, entonces no se debe negar esa ayuda a ningún individuo. Esto es, los seres humanos tienen derechos morales o humanos *positivos* de tener trabajo, comida, vestido, vivienda y cuidado médico necesarios para vivir cuando no pueden proveerse a sí mismos y cuando estos bienes están disponibles.

Segundo, los seres humanos también tienen un claro interés de estar libres de maltrato y de no ser víctimas de fraude; además, desean ser libres para pensar, tener privacidad y poder asociarse como decidan. Suponga que se acuerda que no estamos dispuestos a que se prive a nadie de estas libertades, y que interferir en ellas limita la capacidad de una persona de elegir libre y racionalmente por sí misma lo que hará.[56] Si es así, entonces los principios morales de Kant implican que todo el mundo debería estar libre de la interferencia de los demás en esas áreas. Esto es, los seres humanos tienen los derechos negativos siguientes: el derecho a estar libres de lesión o fraude, a la libertad de pensamiento, a la libertad de asociación y expresión, y a la privacidad.

Tercero, como se ha visto, los seres humanos tienen un claro interés en preservar la institución de los contratos. Suponga que se acuerda que esta institución se eliminara (a lo que no estamos dispuestos) si todos dejaran de cumplir sus contratos, o si todos tuvieran que cumplir incluso los contratos firmados bajo coerción o sin la información completa. Suponga que se acuerda mostrar respeto por la libertad y racionalidad de las personas cumpliendo los contratos que hacen libremente con nosotros, y dejándolas libres y con la información completa sobre los contratos que firman.[57] Si es así, entonces, todos deben cumplir sus contratos y todos deben estar completamente informados y celebrar los contratos con libertad. Es decir, los seres humanos tienen un derecho contractual a lo que les promete el contrato, y también todos tienen derecho a ser libres y a estar completamente informados al aceptar los contratos.

Tan solo hemos bosquejado de manera general algunos de los derechos que encuentran apoyo en los principios morales de Kant. Cada uno de esos derechos requiere más precisiones, ajustes con otros intereses (en conflicto) y argumentos que los apoyen por completo. Sin embargo, la descripción anterior, aunque sea somera, da cierta idea de cómo el imperativo categórico de Kant puede explicar y justificar los derechos positivos, negativos y contractuales.

## Problemas con Kant

A pesar de lo atractivo de la teoría de Kant, los críticos argumentan que, al igual que el utilitarismo, tiene limitaciones y defectos. Un primer problema que señalan es que la teoría de Kant no es suficientemente clara para utilizarse siempre. Una dificultad radica en tratar de determinar (como lo requiere la primera formulación) si uno estaría "dispuesto a que todos siguieran" cierta conducta. Aunque el impulso general de este requisito suele estar claro, algunas veces conduce a problemas. Por ejemplo, suponga que soy un homicida. ¿Acaso estaría dispuesto a que se aceptara de manera general la disposición de que todos los homicidas deben ser castigados? En un sentido, yo estaría dispuesto, porque querría estar protegido de otros homicidas; pero, en otro sentido, no lo estaría porque no quiero que me castiguen. ¿Qué sentido es correcto?[58] Además, algunas veces es difícil determinar si (según la segunda formulación) una persona considera a otra "solo como un medio". Suponga, por ejemplo, que la señora Jones, una empleadora, solo paga salario mínimo a sus empleados y se niega a instalar el equipo de seguridad que requieren. Sin embargo, asegura que "respeta la capacidad de los empleados de elegir libremente por sí mismos", porque está dispuesta a dejarlos trabajar en otro lado si así lo deciden. ¿Ella está tratándolos solo como un medio o también como un fin? Los críticos se quejan de que no es posible responder a esas preguntas porque la teoría de Kant es demasiado vaga.[59] Entonces, hay casos donde los requisitos de la teoría de Kant no están claros.

Segundo, algunos críticos aseguran que, aunque tal vez podamos estar de acuerdo con los tipos de intereses que tienen el estatus de derechos morales, existe un desacuerdo notable en cuanto a los límites de cada uno de estos derechos y en cuanto a cómo deben equilibrarse los derechos en conflicto.[60] La teoría de Kant no ayuda a resolver estos desacuerdos. Por ejemplo, todos estamos de acuerdo en que debe existir el derecho de asociación, al igual que el derecho a no ser lesionados por otros. Sin embargo, ¿cómo deben equilibrarse estos derechos entre sí cuando cierta asociación de personas comienza a lesionar a otros? Por ejemplo, suponga que la música estridente de un grupo que toca trombones perturba a otros, o suponga que una corporación (o una asociación cualquiera de personas) contamina el aire y el agua de los que depende la salud de otros. El imperativo categórico de Kant no nos dice cómo deben ajustarse los derechos en conflicto: ¿qué derecho debería ceder a favor del otro?

No obstante, tal vez un defensor de Kant contradiga esta segunda crítica afirmando que el imperativo categórico no intenta decirnos cómo deben limitarse y ajustarse los derechos en conflicto. Para decidir si un derecho se debe restringir en favor de otro, hay que examinar la importancia relativa de los intereses que protege cada derecho. ¿Qué argumentos se pueden dar para demostrar, por ejemplo, que los intereses de una corporación en las ganancias financieras son más o menos importantes que la salud de sus vecinos? La respuesta a esta pregunta determina si el derecho de una corporación a usar su propiedad para obtener ganancias financieras debe limitarse en favor del derecho de los vecinos a que no se dañe su salud. Lo que quiere decir el imperativo categórico de Kant es que todos deben tener derechos morales iguales, y que todos deben mostrar tanto respeto por los intereses protegidos de los demás como cada quien quiera que otros muestren respeto por los propios. No dice qué intereses tienen las personas ni cuál es su importancia relativa.

Un tercer grupo de críticas a la teoría de Kant es que existen contraejemplos que demuestran que a veces está equivocada. La mayoría de los contraejemplos se centran en el criterio de universalidad y reversibilidad.[61] Suponga que un empleador logra que no se den cuenta que discrimina a los empleados de color pagándoles salarios más bajos que a los blancos por el mismo trabajo. Suponga también que es tan fanático en su antipatía por la gente de color que está dispuesto a aceptar la proposición de que si su propia piel fuera oscura, los empleadores deberían discriminarlo.

> *Repaso breve 2.10*
>
> **Críticas a Kant**
> - Las dos versiones de los imperativos categóricos son poco claros en algunos sentidos.
> - Los derechos pueden entrar en conflicto y la teoría de Kant no los puede resolver.
> - La teoría de Kant implica ciertas conclusiones morales equivocadas.

Entonces, de acuerdo con la teoría de Kant, la acción del empleador sería moral. La teoría de Kant, en este caso, nos condujo a una falsa conclusión porque, evidentemente, la discriminación es inmoral.

Los defensores del enfoque de Kant de la ética, desde luego, responderían que son los críticos y no Kant quienes están equivocados. Si el empleador genuina y conscientemente está dispuesto a universalizar los principios sobre los que actúa, entonces, la acción en realidad es moralmente correcta para él.[62] Para nosotros, que no estaríamos dispuestos a universalizar el mismo principio, la acción sería inmoral. Quizá también descubramos que sería moralmente correcto imponer sanciones al empleador para impedir su discriminación. En la medida en que el empleador siga sus propios principios universales, actúa conscientemente y, por lo tanto, de una manera moral.

### La objeción libertaria: Nozick

Varios **filósofos libertarios** han planteado algunos puntos de vista importantes sobre los derechos, diferentes a los descritos. Los filósofos libertarios van más allá de la presunción general de que la libertad de las restricciones humanas en general es buena; ellos aseguran que esa libertad es necesariamente buena y que todas las restricciones que imponen otros constituyen un mal, excepto cuando se requieren para evitar la imposición de mayores restricciones humanas. El filósofo estadounidense Robert Nozick, por ejemplo, afirmaba que el único derecho básico que todo individuo posee es el derecho negativo a estar libre de que otros seres humanos lo coercionen.[63] Este derecho negativo a ser libre de coerción, según Nozick, se debe reconocer si se trata a los individuos como personas distintas con vidas separadas, cada una de las cuales tiene el mismo peso moral, de manera que no se puede sacrificar para beneficio de otros. La única circunstancia para ejercer coerción sobre una persona es para evitar que coaccione a otros.

De acuerdo con Nozick, prohibir a la gente ejercer coerción sobre otros constituye una restricción moral legítima que se apoya en "el principio fundamental kantiano de que los individuos son fines y no medios; [los individuos] no deben sacrificarse ni usarse para lograr otros fines sin su consentimiento".[64] De esta forma, Nozick parece sostener que la teoría de Kant apoya sus propios puntos de vista acerca de la libertad.

Nozick afirma que el derecho negativo a ser libre de la coerción de otros implica que las personas son libres para hacer lo que quieran con su propio trabajo y con los productos que fabrican a partir de este.[65] A la vez, ello implica que las personas deben ser libres para adquirir propiedades, usarlas en la forma que deseen e intercambiarlas por otros bienes en mercados libres (siempre que la situación de los demás no se dañe por ello o "empeore"). La perspectiva libertaria de que las restricciones coercitivas sobre la libertad son inmorales (excepto cuando se necesitan para restringir la coerción) también justifica la libertad para usar la propiedad, la libertad de contratación, el mercado libre y la eliminación de impuestos para los programas de beneficio social. Sin embargo, no hay una base para los derechos positivos ni para los programas de beneficio social que pudieran requerirse.

No obstante, Nozick y otros libertarios pasan demasiado rápido por el hecho de que la libertad de una persona necesariamente impone restricciones sobre otras. Esas restricciones son inevitables porque cuando se garantiza libertad a una persona, se puede restringir a otras porque interfieren con ella. Si soy libre para hacer lo que quiero con mi propiedad, por ejemplo, otras personas deben restringirse de entrar a ella y quitármela. Incluso el sistema de libre mercado que Nozick defiende depende de un sistema subyacente de coerción: puedo vender algo sólo si primero lo poseo, y la posesión depende, en esencia, de un sistema (coercitivo) de leyes de la propiedad. En consecuencia, puesto que garantizar libertad a una persona necesariamente impone restricciones sobre otras, se deduce que si las restricciones requieren justificación, la libertad también la requerirá.

---

**filósofos libertarios** Creen que la libertad de no tener restricciones humanas es necesariamente buena y que todas las restricciones que imponen otros constituyen un mal, excepto cuando se requieren para evitar la imposición de mayores restricciones humanas.

---

*Repaso breve 2.11*

**Robert Nozick**

- Afirma que el único derecho moral es el derecho negativo a la libertad, el cual implica que las restricciones a la libertad son injustificadas, excepto para impedir mayores restricciones a la libertad.
- Sostiene que el derecho a la libertad requiere propiedad privada, libertad de contratación, mercados libres y la eliminación de impuestos para solventar programas de bienestar social.
- Puesto que la libertad de un individuo siempre restringe la de otros, la afirmación de Nozick de que las restricciones a la libertad están injustificadas implica que la libertad, en sí misma, está injustificada.

Es posible plantear el mismo argumento de otra manera. Como existen muchos tipos de libertad, es posible que la libertad de un grupo de agentes para buscar algunos de sus intereses restrinja la libertad que tienen otros para trabajar en pro de intereses que estén en conflicto con los primeros. Asimismo, la libertad de las corporaciones para usar su propiedad y contaminar el ambiente restringe la libertad de los individuos para respirar aire limpio cuando ellos quieran. La libertad de los empleados para formar sindicatos está en conflicto con la libertad de los empleadores para contratar a personal no sindicalizado. En consecuencia, permitir un tipo de libertad a un grupo implica restringir algún otro tipo de libertad para otro grupo: una decisión en favor de la libertad para buscar los propios intereses implica una decisión contra la libertad de otro tipo de interés. Esto significa que no podemos apoyar cierto tipo de libertad afirmando simplemente que las restricciones siempre constituyen un mal y que debemos sustituirlas por libertad. En vez de ello, defender una libertad específica debe mostrar que los intereses que se satisfacen con ese tipo de libertad son, de alguna manera, mejores o más valiosos que los intereses opuestos de otro tipo de libertad. Ni Nozick ni otros libertarios dan esos argumentos.

Más aún, no es que los principios kantianos puedan apoyar la perspectiva libertaria de Nozick. Kant sostiene, como se vio, que se debe respetar la dignidad de cada persona y contribuir a su capacidad para alcanzar los objetivos que libre y racionalmente haya elegido. Como tenemos estas obligaciones unos con otros, la coerción del gobierno es legítima cuando sea necesario asegurar el respeto a la dignidad de los ciudadanos, o cuando sea necesario ayudar a las personas a conseguir los fines que libre y racionalmente eligieron. Esto, como Kant afirma, significa que el gobierno puede, de manera legítima, establecer límites en el uso de la propiedad y en los contratos, e imponer restricciones de mercado e impuestos obligatorios cuando así se requiera para velar por el bienestar y el desarrollo de las personas "que no están en condiciones de mantenerse a sí mismas".[66] Kant no da razón para pensar que solo existen derechos negativos. La gente también tiene derechos positivos, y la teoría de Kant apoya esto tanto como los derechos negativos.

## 2.3 Justicia y equidad

Hace varios años, un subcomité del Senado de Estados Unidos escuchó el testimonio de varios empleados que habían contraído bisinosis (también conocida como fiebre del lunes), una enfermedad causada por respirar polvo de las fibras de algodón, al trabajar en los molinos del sur.[67] La bisinosis es una enfermedad pulmonar crónica con síntomas similares al asma o al enfisema y es una causa de muerte prematura. Los trabajadores incapacitados buscaban una ley federal que les facilitara el proceso de obtener de los molinos de algodón una indemnización por incapacidad, similar a las leyes federales referentes a la neumoconiosis, una enfermedad pulmonar que se contrae al trabajar en las minas de carbón.

**Senador Strom Thurmond:**

Varias personas me han hablado de esto y sienten que si el gobierno federal entró al campo de la neumoconiosis, debería entrar al campo de la bisinosis; si quienes han sufrido por la neumoconiosis reciben la consideración federal, entonces parece justo que quienes sufren por la bisinosis reciban también consideración federal. [...] Si nuestros empleados [de los molinos de algodón del estado] tienen lesiones y no se les ha indemnizado de manera adecuada, entonces deben tomarse medidas para proceder en consecuencia. Queremos que se les trate de manera justa y honesta, por lo que hoy esperamos [...] el testimonio.

**Señora Beatrice Norton:**

Comencé a trabajar en el molino cuando tenía 14 años y tuve que salir en 1968. [...] Trabajé en medio del polvo año tras año, igual que mi madre. Cada día me enfermaba más. [...] De pronto, ya no tenía trabajo ni dinero y estaba enferma, demasiado enferma para volver a trabajar. [...] Los legisladores del estado demostraron en dos sesiones sucesivas que no iban a actuar para ayudar a las víctimas de la bisinosis, por eso estamos en Washington y pedimos ayuda. Hemos esperado mucho tiempo, y muchos de mis compañeros murieron esperando. No quiero morir por una injusticia.

**Señora Vinnie Ellison:**

Mi esposo trabajó 21 años en [el molino de] Spartanburg, en las zonas con más polvo del molino: en la desfibradora y en la limpieza de conductos de aire acondicionado. [...] A principios de la década de 1960 comenzó a tener dificultades para conservar su trabajo debido a problemas respiratorios. Su jefe le dijo que había sido un buen empleado, pero que ya no valía nada y lo despidió. [...] No tenía pensión ni de qué vivir y tuvimos que solicitar asistencia social. [...] Mi esposo trabajó mucho y muy duro, y perdió su salud y muchos años de salario por el polvo. No es justo que lo haya echado como basura humana cuando no pudo con el trabajo por estar enfermo a causa del polvo. No pedimos limosna; queremos lo que le deben a mi esposo por 25 años de trabajo arduo.

Las disputas entre individuos en los negocios con frecuencia se entrelazan con referencias a la *justicia* o la *equidad*. Este es el caso, por ejemplo, cuando una persona acusa a otra de discriminarla *injustamente*, mostrando favoritismos *injustos* hacia alguien más, o no tomando una parte *justa* de la carga en un proyecto cooperativo. Resolver disputas como estas requiere comparar y ponderar las demandas en conflicto de cada parte, y encontrar un equilibrio entre ellas. Justicia y equidad, en esencia, implican hacer comparaciones. Son conceptos que se centran en cómo se compara el trato que se otorga a los miembros de un grupo con el trato que recibe otro grupo cuando se distribuyen los beneficios y las cargas, cuando se aplican los reglamentos y las leyes, cuando se trabaja en cooperación o en competencia, y cuando se castiga a las personas por los errores que cometen o se las compensa por los males que sufren. Aunque los términos *justicia* y *equidad* se usan casi como sinónimos, se tiende a reservar la palabra *justicia* para asuntos especialmente serios, aunque algunos autores sostienen que el concepto de *equidad* es más fundamental.[68]

Los estándares de justicia suelen considerarse más importantes que los del utilitarismo.[69] Si una sociedad es injusta para muchos de sus miembros, entonces, por lo común, condenamos a esa sociedad, aun cuando las injusticias aseguren más beneficios utilitarios para todos. Si pensamos que la esclavitud es injusta, por ejemplo, entonces condenamos a la sociedad donde esta existe, aun cuando el sistema esclavista haga que esa sociedad sea más productiva. Mayores beneficios para algunos no justifican las injusticias para otros. De cualquier forma, parece que hay una tendencia a pensar que si las ganancias sociales son suficientemente considerables, es legítimo tolerar cierto nivel de injusticia.[70] Tendemos a pensar, por ejemplo, que en los países con pobreza extrema es conveniente renunciar a cierto grado de equidad para obtener mayores ganancias económicas que mejoren la situación de todos.

Los estándares de justicia, en general, no invalidan los derechos morales individuales. Parte de la razón es que, en cierto grado, la justicia se basa en esos derechos. El derecho moral a ser tratado como una persona libre e igual a los demás, por ejemplo, es parte de lo que está detrás de la idea de que los beneficios y las cargas deben distribuirse de forma equitativa.[71]

---

*Repaso breve 2.12*

**Tipos de justicia**
- Justicia distributiva: se refiere a la distribución de beneficios y cargas.
- Justicia retributiva: se refiere a la imposición de castigos y sanciones.
- Justicia compensatoria: se refiere a la compensación por lesiones o actos incorrectos.

Pero todavía más importante es el hecho de que, como se vio, un derecho moral identifica los intereses de las personas, cuya búsqueda libre no se puede subordinar a los intereses de otros, excepto cuando haya razones especiales y excepcionalmente fuertes. Esto significa que, en su mayor parte, los derechos morales de algunos individuos no se deben sacrificar en aras de asegurar una distribución un poco mejor de los beneficios para otros. Sin embargo, corregir las injusticias extremas podría justificar restringir los derechos de algunos individuos. Por ejemplo, es legítimo redistribuir los derechos de propiedad en aras de la justicia. Analizaremos los intercambios de este tipo con mayor detalle después de tener una mejor idea de qué significa la *justicia*.

Los aspectos que incluyen preguntas de justicia y equidad suelen clasificarse en tres categorías. **Justicia distributiva**, la primera categoría básica, se ocupa de la distribución equitativa de los beneficios y las cargas de una sociedad. En las audiencias de los casos de bisinosis, por ejemplo, el senador Thurmond señaló que si la ley federal ayudaba a los trabajadores que padecen neumoconiosis, entonces, era *justo* que también ayudara a los trabajadores que sufren bisinosis. **Justicia retributiva**, la segunda categoría, se refiere a la imposición justa de castigos y sanciones a quienes actúan incorrectamente: una pena justa es aquella que en algún sentido merece la persona que actúa mal. Estaríamos en el marco de la justicia retributiva si preguntáramos si sería justo penalizar a los molinos del algodón por causar neumoconiosis entre sus empleados. **Justicia compensatoria**, la tercera categoría, concierne a la forma justa de compensar a la gente por lo que perdió cuando otros actuaron mal: una compensación justa es aquella que, en cierto sentido, es proporcional a la pérdida que sufrió la persona a la que se debe compensar (como pérdida del sustento). Durante las audiencias sobre los casos de neumoconiosis, por ejemplo, tanto la señora Norton como la señora Elliot alegaban que, por justicia, los molinos de algodón les debían una compensación por las enfermedades causadas.

Esta sección examina cada uno de estos tres tipos de justicia. La sección comienza con un análisis de un principio básico de la justicia distributiva (los iguales deben tratarse como iguales) y luego examina varios puntos de vista sobre los criterios relevantes para determinar si dos personas son iguales. Después, se hace una breve presentación de la justicia retributiva y, finalmente, se realiza un análisis de la justicia compensatoria.

**justicia distributiva** Requiere la distribución de los beneficios y las cargas de una sociedad de manera equitativa.

**justicia retributiva** Requiere culpar o castigar a las personas en forma equitativa por actos incorrectos.

**justicia compensatoria** Requiere que se restituya a una persona lo que perdió cuando alguien actuó incorrectamente contra ella.

## Justicia distributiva

Las preguntas acerca de la justicia distributiva surgen cuando personas diferentes hacen demandas en conflicto sobre los beneficios y las cargas de la sociedad y cuando no es posible satisfacer todas las demandas.[72] Los casos centrales son aquellos en los que hay escasez de beneficios —como trabajos, alimentos, vivienda, servicios médicos, ingresos y riqueza— en comparación con el número y los deseos de las personas que quieren estos bienes. El otro lado de la moneda es que tal vez se tenga demasiada carga —trabajo desagradable o pesado, vivienda por debajo del estándar, diversas afecciones de salud— y no haya suficientes personas dispuestas a compartirla. Si hubiera suficientes bienes para satisfacer los deseos de todos y suficientes personas dispuestas a compartir las cargas de la sociedad, entonces no surgirían los conflictos entre la gente y no sería necesaria la justicia distributiva.

Cuando los deseos y las aversiones de las personas no concuerdan con sus recursos, se ven forzadas a desarrollar principios para asignar de manera justa los beneficios escasos y las cargas no deseadas, para así resolver los conflictos de manera equitativa. Desarrollar esos principios es tarea de la justicia distributiva.

El principio fundamental de la justicia distributiva es que los iguales deben ser tratados como tales, y los individuos que no son iguales deben ser tratados de manera desigual.[73] En forma más precisa, el principio fundamental de la justicia distributiva se expresa como sigue:

> Los individuos que son similares en todos los aspectos relevantes al tipo de tratamiento en cuestión deberían recibir beneficios y cargas similares, incluso si son

diferentes en otros aspectos irrelevantes; y los individuos que no son similares en un aspecto relevante deben tratarse de manera diferente, en proporción a la disimilitud.

Por ejemplo, si Susan y Bill realizan el mismo trabajo y no hay diferencias relevantes entre ellos o en el trabajo que hacen, entonces, en un acto de justicia, deben recibir salarios iguales. Sin embargo, si Susan trabaja el doble de tiempo que Bill y el tiempo de trabajo es la base relevante para determinar los salarios en el tipo de trabajo que realizan, entonces debe pagarse a Susan el doble que a Bill. Para regresar al ejemplo anterior, si el gobierno federal actuó de manera correcta y ayudó a los empleados que sufrieron de neumoconiosis, y no hay diferencias relevantes entre esos trabajadores y los que sufren de bisinosis, entonces, como dijo el senador Thurmond, es "justo que quienes sufren de bisinosis [también] reciban la consideración federal".

El principio fundamental de la justicia distributiva, sin embargo, es puramente formal.[74] Se basa en la idea puramente lógica de ser congruentes en el trato que se da a las personas en situaciones similares. El principio no especifica los "aspectos relevantes" que son legítimos para constituir la base de la similitud o la diferencia del trato. Por ejemplo, ¿es relevante la raza cuando se determina quién debe realizar determinado trabajo? Casi todos diríamos que no, pero entonces, ¿qué características son relevantes al determinar qué beneficios y qué cargas deben tener las personas? Ahora se examinarán diferentes puntos de vista acerca de los tipos de características que son relevantes al determinar quién debe obtener qué. Cada punto de vista supone un principio material de justicia (es decir, un principio que da un contenido específico al principio fundamental de la justicia distributiva). Por ejemplo, un principio sencillo que se usa con frecuencia para decidir quién debe recibir un bien escaso o limitado es el principio según el cual "el primero en llegar es el primero en ser atendido", que opera cuando se espera en una fila para recibir algo, o bien, el principio que sustenta los sistemas de antigüedad laboral que usan las empresas. El principio según el cual "el primero en llegar es el primero en ser atendido" supone que ser el primero es una característica relevante para determinar quién debe ser el primero en recibir el servicio cuando resulta imposible atender a todos a la vez. Sin duda, usted pensará en muchos otros principios sencillos que se usan. No obstante, aquí nos concentraremos en varios principios que muchas veces se piensa que tienen mayor fundamento que los principios del tipo "el primero en llegar es el primero en ser atendido".

## La justicia como igualdad: Igualitarismo

Quienes defienden el igualitarismo sostienen que no hay diferencias relevantes entre las personas que justifiquen un tratamiento diferente.[75] Según el igualitarismo, todos los beneficios y las cargas se deben distribuir de acuerdo con la siguiente fórmula:

> Toda persona debe tener exactamente igual proporción de beneficios y cargas en una sociedad o un grupo.

El igualitarismo basa su perspectiva en la proposición de que todos los seres humanos son iguales en cierto aspecto fundamental y que, en virtud de esta igualdad, cada persona tiene el mismo derecho a los bienes de una sociedad.[76] Según el igualitarismo, esto implica que los bienes se deben asignar a las personas en partes iguales.

Sociedades enteras e incluso grupos u organizaciones de menores dimensiones proponen a la igualdad como principio de justicia. Dentro de una familia, por ejemplo, con frecuencia se supone que los niños deben, en el curso de sus vidas, recibir partes iguales de los bienes que los padres les procuran. En algunas compañías y en ciertos grupos de trabajo, en particular cuando tienen un fuerte sentimiento de solidaridad y trabajan en tareas que requieren cooperación, los integrantes piensan que todos deben recibir la misma compensación por el trabajo que realizan.

Cuando los miembros de un grupo reciben la misma compensación, tienden a cooperar más entre sí y a sentir mayor solidaridad entre ellos.[77] Es interesante ver que en países como Japón, que se distingue por tener una cultura colectiva, los empleados prefieren el principio de igualdad, a diferencia de lo que sucede en países como Estados Unidos, que se destaca por tener una cultura más individualista.[78]

Desde luego, la igualdad es para muchos un ideal social atractivo, y la desigualdad un defecto. "Todos lo hombres fueron creados iguales", dice la Declaración de Independencia de Estados Unidos, y el ideal de igualdad fue la fuerza que impulsó la emancipación de los esclavos, la prohibición del servilismo obligado por contrato, la eliminación de los requisitos de raza, sexo y propiedad para votar y tener un puesto político, y la institución de la educación pública gratuita. Los estadounidenses se enorgullecen de la falta de conciencia de clases en sus relaciones sociales.

A pesar de su popularidad, los puntos de vista igualitarios han estado sujetos a fuertes críticas. Una línea de ataque se centra en la afirmación igualitaria de que todos los seres humanos son iguales en algún aspecto fundamental.[79] Los críticos aseguran que no existe una cualidad que todos los seres humanos posean exactamente en el mismo grado. Los seres humanos difieren en sus habilidades, inteligencia, virtudes, necesidades, deseos y todas las demás características físicas y mentales. Si esto es así, entonces, los seres humanos son diferentes en todos los aspectos.

Un segundo conjunto de críticas argumentan que el igualitarismo ignora algunas características que se deben tomar en cuenta al distribuir los bienes, tanto en la sociedad como en grupos más pequeños: necesidad, habilidad y esfuerzo.[80] Si se da a todos exactamente lo mismo, dicen los críticos, entonces el perezoso recibirá tanto como el trabajador, aunque no lo merezca, y la persona enferma, aunque necesite más, recibirá tanto como la persona sana. Si todos reciben exactamente lo mismo, la persona discapacitada tendrá que hacer tanto como las personas capacitadas, aunque tenga menos habilidades. Si todos reciben exactamente lo mismo, entonces los individuos no tendrán incentivos para hacer un esfuerzo mayor en su trabajo. Como resultado, la productividad y la eficiencia de la sociedad declinarán.[81] Puesto que la fórmula igualitaria ignora todos estos hechos, y como está claro que se deben tomar en cuenta, aseguran los críticos, el igualitarismo debe estar equivocado.

Algunos defensores del igualitarismo han intentado fortalecer su posición al distinguir dos tipos de igualdad: la política y la económica.[82] La **igualdad política** se refiere a la participación y el trato iguales en los medios para controlar y dirigir el sistema político. Esto significa igualdad en los derechos para participar en el proceso legislativo, así como igualdad en las libertades civiles y en los derechos al proceso debido. La **igualdad económica** se refiere a la igualdad en ingreso, riqueza y oportunidades. Algunos críticos de esta postura señalan que la igualdad solo se aplica a la economía y no a la política. Aunque todos estarán de acuerdo en que las diferencias de necesidad, habilidad y esfuerzo justifican algunas desigualdades en la distribución del ingreso y la riqueza, también hay consenso acerca de que los derechos y las libertades políticas no se deben distribuir de forma desigual. Así, la posición igualitaria se refiere tanto a la igualdad política como a la económica.

Otros partidarios del igualitarismo defienden la igualdad económica si se limita de manera adecuada. Argumentan que toda persona tiene derecho a un nivel de vida mínimo, y que el ingreso y la riqueza se deben distribuir por igual hasta que todos logren ese estándar.[83] El excedente económico después de que todos logran el nivel de vida mínimo se podrá distribuir entonces con diferencias según las necesidades, el esfuerzo, etcétera. Una dificultad importante que debe enfrentar ese tipo de igualitarismo económico limitado es especificar qué significa *nivel de vida mínimo*. Las diversas sociedades y culturas tienen puntos de vista distintos sobre el significado del nivel mínimo necesario para vivir. Una economía relativamente primitiva colocará el mínimo en un punto más bajo que una relativamente abundante. De cualquier forma, la mayoría de la gente estará de acuerdo en

**igualdad política** Supone igual participación e igual trato por parte de los sistemas políticos.

**igualdad económica** Supone igualdad de ingreso, riqueza y oportunidades.

que la justicia requiere que las sociedades acaudaladas satisfagan al menos las necesidades básicas de sus miembros y no los dejen morir de hambre, frío o calor, o enfermedades.

## Justicia basada en la contribución: Justicia capitalista

Algunos autores consideran que los beneficios de una sociedad se deben distribuir en la misma proporción con la que cada individuo contribuye a esa sociedad o grupo. Cuanto más contribuya una persona a la reserva de bienes económicos de una sociedad, tanto más podrá tomar de la reserva; si un individuo contribuye menos, podrá retirar menos. Cuanto más contribuya un empleado a un proyecto, más se le deberá pagar. De acuerdo con esta perspectiva capitalista, cuando las personas participan en los intercambios económicos, lo que cada una obtiene del intercambio debe ser al menos igual en valor a su contribución. La justicia requiere, entonces, que los beneficios que recibe un individuo sean proporcionales al valor de su contribución. De modo más sencillo:

> Los beneficios se deben distribuir de acuerdo con el valor de la contribución que hace un individuo a una sociedad, una tarea, un grupo o un intercambio.

El principio de contribución es quizá el principio de la equidad que más se usa para establecer salarios y sueldos en las compañías estadounidenses. En los equipos de trabajo, en especial cuando las relaciones entre sus miembros son impersonales y el producto de cada uno es independiente de los esfuerzos de los demás, los empleados tienden a sentir que se les debe pagar en proporción al trabajo que realizan.[84] Por ejemplo, ya sea que se trate de representantes de ventas que deben viajar, o de empleados de costura independientes que elaboran prendas individuales o hacen otros trabajos por pieza, unos y otros consideran que se les debe pagar en proporción a la cantidad de bienes que cada uno vendió o confeccionó. Es interesante señalar que cuando se paga a los empleados de acuerdo con el principio de contribución, estos se muestran renuentes a cooperar con los demás e incluso surge entre ellos una atmósfera competitiva en la que no se comparten recursos o información y donde se destacan las diferencias de estatus.[85] Los empleados en los países que se caracterizan por tener una cultura más individualista, como Estados Unidos, prefieren el principio de contribución, a diferencia de lo que sucede con los empleados en países que tienen culturas colectivistas, como Japón.[86]

La pregunta principal que surge con el principio de contribución de la justicia distributiva es cómo se debe medir el "valor de la contribución" de cada individuo. Una tradición antigua sostiene que las contribuciones se deben medir en términos del *esfuerzo en el trabajo*. Cuanto más se esfuerce una persona en su trabajo, mayor será la participación de los beneficios a los cuales tiene derecho. Cuanto más arduamente se trabaje, más será lo que se merece. Esa es la suposición de la **ética puritana**, la cual sostiene que los individuos tienen una obligación religiosa de trabajar intensamente de acuerdo con su *vocación* (la carrera que Dios asigna a cada individuo), y establece que Dios recompensa de manera justa el trabajo arduo con riqueza y éxito, mientras que castiga la pereza con pobreza y fracaso.[87] En Estados Unidos, esta ética puritana ha evolucionado en una **ética del trabajo** secularizada, que concede un alto valor al esfuerzo individual; además, supone que mientras el trabajo arduo debe conducir, y de hecho conduce, al éxito, la pereza se debe castigar.[88]

No obstante, existen muchos problemas al usar el esfuerzo como base para la distribución.[89] Primero, compensar el esfuerzo de un individuo que produce algo que no tiene valor para nadie equivale a compensar la incompetencia y la ineficiencia. Segundo, si se recompensa a la gente solo por sus esfuerzos y se ignoran sus habilidades y la productividad relativa, entonces los individuos con talento y altamente productivos tendrán poco incentivo para invertir su talento y productividad en elaborar bienes para la sociedad. El resultado sería una disminución en el bienestar social.

**ética puritana** Ética según la cual cada individuo tiene la obligación religiosa de trabajar intensamente de acuerdo con su *vocación* (la carrera que Dios asigna a cada individuo).

**ética del trabajo** Punto de vista que valora el esfuerzo individual y cree que el trabajo arduo debe conducir, y de hecho conduce, al éxito.

Una segunda corriente importante sostiene que las contribuciones se deben medir en términos de la **productividad**. A mayor cantidad de productos con los que contribuye una persona, más deberá recibir. (*Producto* aquí se debe interpretar de modo que incluya servicios que se prestan, capital invertido, bienes manufacturados y cualquier tipo de trabajo literario, científico o estético).[90] Un problema crucial con esta segunda propuesta es que se ignoran las necesidades de las personas. Tal vez los individuos discapacitados, enfermos, sin formación o inmaduros no tengan la posibilidad de producir algo que valga la pena; si se recompensa a la gente por su productividad, las necesidades de los grupos en desventaja no se reconocerían. El problema fundamental con esta segunda propuesta es la dificultad para dar una medida objetiva para el valor de la producción de un individuo, en especial en campos como ciencias, artes, entretenimiento, deportes, educación, teología y cuidado de la salud. ¿Quién querrá que el precio de sus productos dependa de las estimaciones subjetivas de alguien más?

Para manejar esta última dificultad, algunos autores sugieren una tercera versión altamente influyente del principio de contribución. Afirman que el valor del producto de una persona se debe determinar por las fuerzas de la oferta y la demanda en el mercado.[91] El valor de un producto dependería no de su valor intrínseco, sino del grado en que es relativamente escaso y de qué tan deseable es para los compradores. En otras palabras, el valor de la contribución de una persona es igual al precio en que se vende esa contribución en un mercado competitivo. Por consiguiente, las personas merecen recibir ese valor de mercado por su producto. Por desgracia, este método de medir el valor del producto de un individuo todavía ignora las necesidades de la gente. Más aún, para muchas personas, los precios del mercado son un método injusto para valorar su producto precisamente porque los mercados ignoran los valores intrínsecos de los objetos. Los mercados, por ejemplo, recompensan a los artistas más que a los médicos. Además, los mercados con frecuencia recompensan a una persona que, por azar, termina con algo (como una herencia) que es escaso y que la gente desea. Para muchos, esto parece ser el grado máximo de la injusticia.

### Justicia basada en necesidades y habilidades: Socialismo

Puesto que existen tal vez tantos tipos de socialismo como socialistas, es un poco inexacto hablar de *la* posición socialista acerca de la justicia distributiva. De cualquier manera, el dictamen que propuso Louis Blanc (1811-1882) y luego Karl Marx (1818-1883) y Nikolai Lenin (1870-1924), por tradición, representa la perspectiva socialista sobre la distribución: "De cada uno según su cada capacidad, y a cada uno según sus necesidades".[92] El principio socialista, entonces, se expresa como sigue:

> Las cargas de trabajo y los beneficios se deben distribuir de acuerdo con las capacidades y las necesidades de las personas.

Este principio socialista se basa, ante todo, en la idea de que las personas desarrollan su potencial humano cuando ejercitan sus habilidades en el trabajo productivo.[93] Como el desarrollo del pleno potencial es un valor, el trabajo se debe distribuir de tal manera que una persona pueda ser tan productiva como sea posible, y esto implica distribuir el trabajo según sus capacidades. Segundo, los beneficios que se obtienen por el trabajo deben promover la felicidad y el bienestar de los seres humanos. Esto significa distribuirlos de modo que se cumplan las necesidades biológicas y de salud, y luego usar el remanente para satisfacer otras necesidades que no son básicas. Quizá lo esencial de la perspectiva socialista es la noción de que las sociedades deben ser comunidades donde los beneficios y las cargas se distribuyan según el modelo de la familia. Al igual que los integrantes de una familia están dispuestos a mantenerla, y apoyan a sus miembros necesitados, también los miembros de una sociedad contribuyen con sus capacidades aceptando sus cargas, mientras

**productividad** La cantidad que produce de manera individual una persona o un grupo de personas.

que comparten los beneficios con los necesitados. Como sugiere el ejemplo de la familia, el principio de distribución de acuerdo con las necesidades y las capacidades se usa en grupos pequeños igual que en sociedades más grandes. Sin embargo, este principio es menos reconocido en el ámbito de los negocios. En ocasiones, los gerentes de una compañía citan el principio cuando asignan las actividades más difíciles a quienes son más fuertes y capaces, pero con frecuencia se retractan cuando estos empleados se quejan de que se les asignan cargas más pesadas sin mayores compensaciones. Los gerentes también suelen citar el principio cuando hacen concesiones especiales a empleados que parecen tener necesidades especiales. (De hecho, esta fue una consideración clave cuando el Congreso estadounidense aprobó la Ley para los Ciudadanos con Capacidades Diferentes). Sin embargo, rara vez hacen concesiones de este tipo y, en esos casos, suelen recibir críticas por mostrar favoritismo.

De cualquier manera, hay algo que decir en favor del principio socialista: sin duda se deben tomar en cuenta las necesidades y capacidades al determinar cómo distribuir los beneficios y las cargas entre los miembros de un grupo o una sociedad. La mayoría de las personas, por ejemplo, estarán de acuerdo en que debemos hacer una contribución mayor a los trabajadores de los molinos de algodón con bisinosis, que tienen necesidades mayores en sus vidas que los individuos sanos que tienen todo lo necesario. Muchos también estarán de acuerdo en que los individuos deben desempeñar las actividades laborales en las cuales son más capaces, y esto significa tratar de hacer coincidir las habilidades de una persona con el trabajo adecuado. Se supone que las pruebas vocacionales en la preparatoria y la universidad ayudan a los estudiantes a encontrar las carreras que se ajustan a sus habilidades.

No obstante, el principio socialista también ha recibido críticas. Primero, los opositores señalan que, con este principio, no habría una relación entre la cantidad de esfuerzo que realiza un empleado y la remuneración que recibe (porque esta última depende de las necesidades y no del esfuerzo). En consecuencia, los detractores concluyen que los empleados no tienen incentivos para realizar un mayor esfuerzo sabiendo que al final recibirán la misma remuneración, sin importar si trabajan arduamente o no. El resultado, afirman, será una economía estancada con una productividad decreciente (aunque esta es una aseveración que no parece estar apoyada por los hechos).[94] El fundamento de esta crítica es una objeción más profunda, a saber, que no es realista pensar que una sociedad completa se puede modelar con base en las relaciones familiares. Los críticos del socialismo sostienen que la naturaleza humana, en esencia, es egoísta y competitiva, y por ello las personas no están motivadas por la voluntad fraternal de compartir y ayudar como lo hacen en el seno familiar. Los socialistas suelen responder a esta acusación diciendo que la sociedad moderna enseña a los seres humanos a adquirir los vicios del egoísmo y la competitividad, y que las instituciones económicas inculcan y promueven este comportamiento, pero las personas no tienen estos vicios por naturaleza, sino que los seres humanos nacen dentro de la familia donde, por instinto, valoran la ayuda mutua. Si estas actitudes instintivas y "naturales" se desarrollaran más y no se erradicaran, las personas seguirían valorando la ayuda incluso fuera de la familia y adquirirían las virtudes de cooperación, ayuda y generosidad. El debate sobre a qué tipos de motivaciones está sujeta la naturaleza humana todavía no finaliza.

Una segunda objeción de quienes se oponen al principio socialista es que, si ese principio se hiciera cumplir, extinguiría la libertad individual.[95] De acuerdo con ese principio, la ocupación de cada persona estaría determinada por sus capacidades y no por la libre elección. Si tuviera la capacidad de ser un profesor universitario, pero quiere ser un obrero especializado en hacer excavaciones profundas, tendrá que convertirse en profesor. De manera similar, de acuerdo con el principio socialista, los bienes que obtiene una persona están determinados por sus necesidades y no por su libre elección. Si una persona necesita una hogaza de pan, pero quiere una cerveza, tendrá que tomar el pan. El sacrificio de la libertad es aún mayor, aseguran los críticos. En una sociedad socialista, una oficina central del gobierno decide qué tareas realiza un empleado de acuerdo con sus capacidades y qué bienes obtendrá según sus necesidades. Las decisiones de la oficina central se imponen entonces sobre otras personas a expensas de su libertad de elección. El principio socialista instaura el paternalismo en lugar de la libertad.

## La justicia como libertad: Libertarismo

La última sección presentó los puntos de vista libertarios de los derechos morales; los libertarios también tienen algunas perspectivas claras y relacionadas con la naturaleza de la justicia. El libertarismo sostiene que ninguna manera de distribuir los bienes se puede llamar justa o injusta, excepto cuando los individuos realizan elecciones libres. Cualquier distribución de los beneficios y de las cargas es justa si es el resultado de una libre elección de las personas para intercambiar entre sí los bienes que cada una posee. Robert Nozick, un líder libertario, sugería el siguiente principio como básico de la justicia distributiva:

> De cada uno según lo que elija hacer, a cada uno según lo que haga para sí mismo (quizá con la ayuda de otros) y según lo que otros elijan hacer por él y darle de aquello que han recibido previamente (de acuerdo con esta máxima) y que aún no han consumido o transferido.[96]

## ExxonMobil, Amerada Hess y Marathon Oil en Guinea Ecuatorial

La gente en los países de África Occidental, entre los más pobres del mundo, sobreviven con un dólar por día y tienen un promedio de vida de 46 años. Pero en 2004, Guinea Ecuatorial tuvo un producto interno bruto (PIB) de $4,472 per cápita, el más alto en esa región. En 1995 Guinea Ecuatorial encontró petróleo en sus costas y, para 2004, ExxonMobil, Amerada Hess y Marathon Oil —todas compañías petroleras de Estados Unidos— ayudaban a ese país africano a generar $4,000 millones de ingresos por petróleo al año. El gobierno inexperto de Guinea Ecuatorial acordó dar el 80 por ciento de estos ingresos a las compañías petroleras que extrajeran el petróleo para ellos, aunque en los países en desarrollo estas compañías suelen tomar 50 por ciento de los ingresos de los proyectos de extracción de crudo. Las compañías petroleras —a través del Riggs Bank, según un informe del Senado estadounidense en 2004— canalizan cientos de millones de dólares al presidente de Guinea Ecuatorial, T. Nguema y su familia por "compras de tierras", "servicios de seguridad" y "renta de oficinas". Un informe del Departamento de Energía afirma que como Nguema y su familia controlan el gobierno, el 20 por ciento de los ingresos del petróleo se gasta en "lujos personales", de manera que la mayor parte del dinero procedente del petróleo se "concentra en las manos de los altos funcionarios gubernamentales, mientras que la mayoría de la población sigue en la pobreza". Si Nguema no hubiera recibido su pago, es seguro que el gobierno nunca habría aprobado los proyectos de extracción del petróleo. ExxonMobil afirma que ha gastado $4 millones, y Marathon Oil y Amerada Hess aseguran haber "invertido millones de dólares" en escuelas, bibliotecas, programas para la erradicación de enfermedades como la malaria, la poliomielitis y el sida, clínicas de salud, puentes, acueductos y plantas de generación de energía eléctrica. Un informe de Estados Unidos sobre derechos humanos afirma que el gobierno de Guinea Ecuatorial viola los derechos de libertad de expresión, prensa, reunión, asociación, religión y circulación de los ciudadanos, así como los derechos del proceso debido, y emplea la tortura, los azotes y otros abusos físicos en contra de sus opositores políticos.

1. ¿Qué dirían el utilitarismo, la teoría de derechos y la justicia acerca de las actividades de ExxonMobil, Amerada Hess y Marathon Oil en Guinea Ecuatorial?

AL MARGEN

Es bastante sencillo, "de cada uno según lo que elija, a cada uno según lo elijan". Por ejemplo, si yo elijo escribir una novela o esculpir una estatua en un trozo de madera, entonces, si así lo deseo, puedo conservar la novela o la estatua; o bien, puedo regalarlas o intercambiarlas por otros objetos con quien yo elija. En general, se debe permitir que las personas actúen con libertad para conservar todo lo que hacen y todo lo que les regalan. Es evidente que esto significa que sería incorrecto cobrar impuestos a alguien (esto es, tomar su dinero) para brindar beneficios sociales para alguien más. El principio de Nozick se basa en la afirmación (que ya se analizó) de que cada persona tiene derecho a la libertad y a no ser forzado; este derecho tiene prioridad sobre todos los demás derechos y valores. La única distribución justa, según Nozick, es la que se obtiene de las elecciones libres de los individuos. Por lo tanto, será injusta cualquier distribución que resulte de un intento por imponer cierto patrón en la sociedad (como imponer igualdad para todos o tomar de los que tienen para darlo a los que no tienen).

Ya se observaron algunos problemas asociados con la posición libertaria. La mayor dificultad con esta es que consagra cierto valor —ser libre de la coerción de otros— y sacrifica ante este todos los demás derechos y valores sin dar una razón persuasiva de por qué debe ser así. Quienes se oponen al punto de vista libertario aducen que se deberían garantizar otras formas de libertad, como ser libre de la ignorancia o del hambre. En muchos casos, esas otras formas de libertad tienen más importancia que el hecho de estar libre de coerción. Si un hombre se muere de hambre, por ejemplo, su derecho a ser libre de las restricciones que el hambre le impone es más importante que el derecho de un hombre satisfecho de estar libre de la restricción de ser obligado a compartir su excedente de comida. Para asegurar estos derechos más importantes, la sociedad impone cierto patrón de distribución, aun cuando esto signifique, en algunos casos, forzar a algunas personas a cumplir con la distribución. Quienes tienen excedente de dinero, por ejemplo, quizá tengan que pagar impuestos para proveer a quienes se están muriendo de hambre.

Una segunda crítica a las afirmaciones libertarias es que el principio libertario de la justicia distributiva genera un tratamiento injusto de quienes están en desventaja.[97] De acuerdo con el principio libertario, la parte de bienes de un individuo depende por completo de lo que es capaz de producir con su esfuerzo o de lo que otros elijan darle por caridad (o por algún otro motivo). Tal vez, ninguna de estas dos fuentes esté disponible para una persona, aunque no sea culpa suya. Quizás un individuo esté enfermo, discapacitado, imposibilitado para obtener las herramientas o la tierra necesarias para producir bienes, demasiado viejo o demasiado joven para trabajar o, de alguna manera, sea incapaz de producir algo mediante su esfuerzo personal. Otros individuos (quizá por avaricia) se niegan a proveer lo necesario a esa persona. De acuerdo con el principio libertario, esta última no debería obtener nada. Pero esto, dicen los críticos del principio libertario, sin duda es erróneo. Si las personas sin cometer falta alguna se encuentran incapacitadas para cuidar de sí mismas, su supervivencia no debe depender del azar externo (que otros le suministren lo que necesita). La vida de cada persona es valiosa y, en consecuencia, se debe cuidar a cada uno, incluso si esto significa forzar a otros para distribuir su excedente.

## La justicia como equidad: Rawls

Estas discusiones sugieren varias consideraciones que se deben tomar en cuenta para la distribución de los beneficios y las cargas en una sociedad: igualdad política y económica, nivel de vida mínimo, necesidades, capacidad, esfuerzo y libertad. Sin embargo, lo que se necesita es una teoría integral capaz de tomar en cuenta estas consideraciones y colocarlas en un todo lógico. John Rawls ofrece un enfoque para la justicia distributiva que al menos se aproxima a este ideal de una teoría integral.[98]

La teoría de John Rawls supone que los conflictos que se relacionan con la justicia se deben arreglar, primero, diseñando un método para establecer los principios mediante los cuales se resolverá el conflicto. A partir de ahí, los principios elegidos deberían servir como base para la justicia distributiva.

Rawls propone dos principios básicos, los cuales, dice, seleccionaríamos si tuviéramos que usar un método justo para elegir los principios que resolverán nuestros conflictos sociales.[99] Los principios de la justicia distributiva que él propone sostienen que la distribución de los beneficios y las cargas de una sociedad son justos si y solo si:

1. cada persona tiene el mismo derecho a las libertades básicas más amplias compatibles con libertades similares para todos, y

2. las desigualdades sociales y económicas se arreglan de manera que sean

   *a*) para el mayor beneficio de las personas con mayores desventajas, y

   *b*) parte de los oficios y los puestos abiertos para todos en condiciones de igualdad de oportunidad justa.

Rawls nos dice que el principio 1 debe tener prioridad sobre el principio 2; en caso de conflicto entre ambos, dentro del principio 2, el inciso *b* tiene prioridad sobre el *a*.

El principio 1 se llama **principio de igual libertad**. En esencia, dice que las libertades de cada ciudadano se deben proteger de la invasión de otros y deben ser iguales a las de estos. Dichas libertades básicas incluyen el derecho a votar, la libertad de expresión y de conciencia, y las demás libertades civiles, como la libertad de tener propiedades personales o la libertad de no ser sujeto a arresto arbitrario.[100] Si el principio de iguales libertades es correcto, entonces implica que es injusto que las empresas invadan la privacidad de los empleados, presionen a los gerentes para votar de cierta manera, ejerzan una influencia indebida en los procesos políticos usando sobornos, o violen de alguna otra forma las libertades políticas iguales de los miembros de la sociedad. Además, según Rawls, como nuestra libertad para celebrar contratos disminuiría si tuviéramos miedo de ser defraudados o de que los contratos no se cumplieran, el principio de igual libertad también prohíbe el uso de la fuerza, el fraude o el engaño en las transacciones contractuales y requiere que se cumplan los contratos justos.[101] Si esto es cierto, entonces las transacciones contractuales con los clientes (incluyendo la publicidad), en general, deben estar libres de fraude y los empleados tienen la obligación moral de prestar los servicios, de manera justa, para los que su empleador los contrató.

El inciso *a*) del principio 2 se llama **principio de diferencias**. Supone que una sociedad productiva tendrá desigualdades, pero dará los pasos necesarios para mejorar la posición de sus miembros más necesitados, como los enfermos y los discapacitados, a menos que esas mejoras impongan tal carga a la sociedad que todos, incluyendo los necesitados, empeoren sus condiciones.[102] Rawls afirma que cuanto más productiva sea una sociedad, mayores beneficios brindará a los miembros con mayores desventajas. Como el principio de diferencias obliga a maximizar los beneficios para quienes se encuentran en mayor desventaja, esto significa que las empresas deben usar sus recursos de la manera más eficiente como sea posible. Si se supone que un sistema de mercado como el nuestro es más eficiente cuando es más competitivo, entonces, el principio de diferencias implicará, de hecho, que los mercados deben ser competitivos y que las prácticas en contra de la competencia, como fijar precios y los monopolios, son injustas. Además, puesto que la contaminación y otros efectos externos dañinos para el ambiente consumen recursos de manera ineficiente, el principio de diferencias también implica que es incorrecto que las empresas contaminen.

El inciso *b*) del principio 2 se llama **principio de justa igualdad de oportunidad** y sostiene que todos deben recibir igual oportunidad para competir por los puestos más privilegiados en las instituciones de la sociedad.[103] Esto significa que la cualificación para el trabajo se debe relacionar con los requisitos de la tarea (por consiguiente, la discriminación racial y sexual se prohíben), y que cada persona debe tener acceso a la capacitación y

**principio de igual libertad** La afirmación de que las libertades de cada ciudadano se deben proteger de la invasión de otros y deben ser iguales a las de estos.

**principio de diferencias** La afirmación de que una sociedad productiva incorporará desigualdades, pero dará los pasos necesarios para mejorar la posición de los miembros más necesitados de la sociedad.

**principio de justa igualdad de oportunidad** La afirmación de que todos deben recibir una oportunidad igual para competir por los puestos más privilegiados de las instituciones sociales.

la educación necesarias para desempeñar el trabajo que desea. Los esfuerzos, las habilidades y la contribución de una persona determinarán entonces su remuneración.

Los principios de Rawls son bastante amplios y reúnen las principales consideraciones que señalan otros enfoques de la justicia que ya se analizaron. Además del conjunto de principios de justicia, Rawls también propone un método general para evaluar de manera justa cualquier principio moral. El método que propone consiste en determinar los principios que elegiría un grupo de individuos racionales con intereses personales al saber que van a vivir en una sociedad regida por esos principios, pero desconocen los resultados que daría en la práctica cada uno de ellos.[104] Por ejemplo, podría preguntarse si ese grupo de personas racionales eligen vivir en una sociedad regida por un principio que discrimina a los negros cuando ninguno de ellos sabe si en esa sociedad habrá personas de color. La respuesta clara es que ese principio racista se rechazaría y, en consecuencia, según Rawls, el principio sería injusto. Así, Rawls afirma que un principio de justicia está moralmente justificado si, y solo si, un grupo de personas con intereses personales racionales lo acepta porque sabe que vivirá en una sociedad regida por los principios aceptados, pero sin saber qué sexo, origen étnico, habilidades, religión, intereses, posición social, ingreso u otras características particulares poseerá cada uno de ellos en esa sociedad futura.

Rawls se refiere a la situación de este grupo imaginario de personas racionales como la *posición original*, y a su ignorancia sobre las particularidades acerca de sí mismos como el *velo de ignorancia*.[105] El objetivo y el efecto de decretar que las personas en la posición original no saben qué características particulares poseerá cada uno de ellos intenta asegurar que ninguno proteja sus intereses especiales. Puesto que ignoran sus cualidades particulares, quienes están en la posición original se ven obligados a ser justos e imparciales y a no mostrar favoritismos hacia grupos especiales: deben buscar el bien de todos.

De acuerdo con Rawls, los principios que aceptan los grupos imaginarios en la posición original serán, *ipso facto*, moralmente justificados,[106] porque la posición original incorpora las tres ideas morales de Kant de **reversibilidad** (los grupos eligen principios que ellos aplicarían a sí mismos), **universalidad** (los principios se deben aplicar a todos por igual), y la idea de tratar a las personas como un fin (cada persona tiene una voz igual en la elección de los principios). Los principios se justifican aún más, dice Rawls, porque son congruentes con nuestras intuiciones más profundas acerca de la justicia. Los principios que eligen los grupos en la posición original se ajustan a casi todas las convicciones morales que ya tenemos; cuando no es así, estaríamos dispuestos a cambiarlos para que se ajusten a los principios de Rawls una vez que reflexionemos sobre sus argumentos.

Rawls asegura que los grupos en la posición original, de hecho, elegirían sus principios de justicia, es decir, de iguales libertades, de diferencias y el de la justa igualdad de oportunidades.[107] El principio de iguales libertades se elegiría porque los grupos querrán ser libres para buscar sus intereses especiales, cualesquiera que estos fueren. En la posición original, cada persona ignora qué intereses especiales tendrá; de esta forma, todos querrán asegurar la máxima libertad al entrar en esa sociedad. El principio de diferencias se elegiría porque todos querrán protegerse contra la posibilidad de terminar en la peor posición. Al adoptar este principio, los grupos aseguran que se cuide incluso la posición de los más necesitados. El principio de la justa igualdad de oportunidades se seleccionaría, según Rawls, porque todos en la posición original querrán proteger sus intereses si se encuentran entre los talentosos. Este principio de igual oportunidad asegura el progreso de todos al usar sus habilidades, esfuerzos y contribuciones.

Si Rawls está en lo correcto al asegurar que si los grupos eligen los principios de la posición original, entonces, dichos principios están moralmente justificados para servir como nuestros principios de justicia y serían los adecuados de la justicia distributiva. Sin embargo, los críticos objetan varias partes de la teoría de Rawls.[108] Algunos arguyen que la

---

**posición original**

Reunión imaginaria de individuos racionales y con intereses personales que deben elegir los principios de justicia que regirán su sociedad.

**velo de ignorancia**

El requisito de que las personas en la posición original no deben saber las particularidades acerca de sí mismos que pudieran influir en sus elecciones, como su sexo, raza, religión, ingreso, estatus social, etcétera.

---

*Repaso breve 2.13*

**Principios de la justicia distributiva**

- Fundamental: distribuye los beneficios y las cargas por igual entre iguales, y con desigualdad entre desiguales.
- Igualitario: distribuye por igual entre todos.
- Capitalista: distribuye según la contribución de cada uno.
- Socialista: distribuye de acuerdo con la necesidad y la capacidad.
- Libertario: distribuye según la libre elección.
- Rawls: distribuye según igual libertad, igual oportunidad y las necesidades de quienes están en desventaja.

posición original no es un método adecuado para elegir los principios morales. Según estos críticos, el solo hecho de que grupos hipotéticos en la posición original seleccionen un conjunto de principios no nos permite saber si estos están moralmente justificados. Otros críticos argumentan que los grupos en la posición original no elegirían los principios de Rawls. Los utilitarios, por ejemplo, afirman que los grupos hipotéticos en la posición original elegirían el utilitarismo y no los principios de Rawls. Otros más aseguran que los principios de Rawls están equivocados, porque se oponen a nuestras convicciones básicas concernientes a lo que es la justicia.

A pesar de las críticas a la teoría de Rawls, sus defensores afirman que sus ventajas sobrepasan sus defectos. Por un lado, aseguran, la teoría preserva los valores básicos que se han integrado en nuestras creencias morales: libertad, igualdad de oportunidad y preocupación por quienes están en desventaja. Segundo, la teoría se ajusta con facilidad a las instituciones económicas básicas de las sociedades occidentales; no rechaza el sistema de mercados, los incentivos de trabajo ni las desigualdades consecuentes en la división del trabajo. En vez de ello, puesto que las desigualdades funcionan para beneficio de los menos privilegiados y al requerir la igualdad de oportunidad, la teoría muestra cómo se pueden compensar las desigualdades que se originan por la división del trabajo y la libertad de los mercados libres y, por ello, convertirse en justas. Tercero, la teoría incorpora las presiones comunitarias e individuales intrínsecas en la cultura occidental. El principio de las diferencias promueve que los más talentosos usen sus habilidades de manera que redunden en el beneficio de conciudadanos que son menos afortunados, lo cual promueve un tipo de preocupación comunitaria o fraternal.[109] El principio de iguales libertades deja al individuo libre para buscar sus intereses especiales. Cuarto, la teoría de Rawls toma en cuenta los criterios de necesidad, habilidad, esfuerzo y contribución. El principio de diferencias distribuye los beneficios de acuerdo con la necesidad, mientras que el principio de igualdad de oportunidad justa, en efecto, distribuye los beneficios y las cargas de acuerdo con las habilidades y las contribuciones.[110] Quinto, los defensores de Rawls argumentan que la posición original ofrece una justificación moral. Dicha posición original se define de manera que los integrantes elijan principios imparciales que tomen en cuenta los intereses iguales de todos, y esto, aseguran, es la esencia de la moralidad.

## Justicia retributiva

La **justicia retributiva** se ocupa de la justicia al culpar o castigar a las personas por hacer algo incorrecto. Los filósofos han debatido mucho sobre la justificación de la culpa y el castigo, pero no es necesario detenernos en esas discusiones aquí. Más relevante para nuestros objetivos es la cuestión de las condiciones en que es justo castigar a una persona por una acción incorrecta.

El primer capítulo examinó algunas condiciones importantes en que las personas no se consideran moralmente responsables por lo que hicieron: ignorancia e incapacidad. Estas condiciones también son relevantes para determinar la justicia de castigar o culpar a alguien por actuar indebidamente. Si las personas no saben o no eligen con libertad lo que hacen, no es justo castigarlas o culparlas por ello. Por ejemplo, si los dueños de los molinos de algodón que se mencionan al principio de esta sección no sabían que las condiciones de sus molinos causarían bisinosis, entonces, sería injusto castigarlos porque el trabajo en sus molinos provoca esa enfermedad.

Un segundo tipo de condición para los castigos justos es la certeza de que la persona a la que se va a castigar actuó de manera incorrecta. Por ejemplo, muchas empresas usan sistemas más o menos complejos para los procesos legales, cuya finalidad es asegurar si la conducta de un empleado fue en realidad tal que merece ser despedido o algún otro castigo.[111] Penalizar a un empleado con base en evidencia frágil o incompleta se considera, con razón, una injusticia.

**justicia retributiva** Consiste en culpar o castigar con justicia a las personas por sus actos incorrectos.

Un tercer tipo de condición para los castigos justos es que deben ser congruentes y proporcionales al error. Un castigo es congruente solo cuando se impone a todos la misma penalización por la misma infracción; el castigo es proporcional al error cuando la penalización no es mayor en magnitud que el daño infligido.[112] Es injusto, por ejemplo, que un gerente imponga multas fuertes por infracciones menores a las reglas o que sea tolerante con sus favoritos, pero demasiado estricto con los demás. Si el objetivo de un castigo es disuadir a otros de cometer el mismo error o evitar que quien actuó mal reincida, entonces, el castigo debe ser congruente para lograr esos propósitos.

## Justicia compensatoria

**justicia compensatoria**
Implica restituir con justicia lo que perdió una persona a causa de un acto incorrecto que otra cometió.

La **justicia compensatoria** se refiere a restituir con justicia lo que perdió una persona a causa de un acto incorrecto que otra cometió. En general, afirmamos que cuando una persona actúa con dolo y daña los intereses de otra, quien actúa mal tienen una obligación moral de compensar de alguna forma a quien resultó dañada. Por ejemplo, si yo destruyo la propiedad de alguien o le robo, seré moralmente responsable de pagarle los daños.

No existen reglas contundentes y directas para determinar lo que debe compensar el malhechor a la víctima. La justicia compensatoria requiere que la compensación deje a la víctima igual de lo que hubiera estado si el malhechor no la hubiera lastimado. Esto quiere decir que la restitución debe ser igual a la pérdida que se produjo. Sin embargo, algunas pérdidas son imposibles de medir. Si yo pongo en entredicho con malicia la reputación de alguien, por ejemplo, ¿qué restitución debo hacer? Incluso hay pérdidas que son irremplazables: ¿cómo se podría compensar la pérdida de la vida o de la vista? En situaciones como la del Ford Pinto, donde la lesión es tal que no es posible una restitución completa de la pérdida, es común determinar que el malhechor debe, por lo menos, pagar los daños materiales mensurables presentes, pasados y futuros que la víctima sufrió, además de una cantidad razonable del valor de las pérdidas intangibles o no cuantificables. Estas pérdidas podrían surgir de dolor temporal o crónico, estrés mental y sufrimiento, desfiguración, incapacidad física o mental, pérdida del gozo de vivir, pérdida de compañía, reputación dañada, etcétera.

No todos los daños merecen compensación. Supongamos, por ejemplo, que mientras camino por una calle saturada de gente sin hacer nada malo, alguien me empuja y, aunque intento evitarlo, caigo sobre usted lastimándolo. Aunque yo soy quien directamente le causó la lesión, como no soy moralmente responsable de lo que ocurrió, no estoy obligado a darle una compensación. ¿En qué condiciones tiene una persona que compensar a quien lastima? Los moralistas tradicionales argumentan que una persona tiene la obligación moral de compensar a la parte lesionada si están presentes tres condiciones:[113]

1. La acción que provocó el daño era incorrecta o negligente. Por ejemplo, si al administrar con eficiencia mi empresa vendo más barato que mi competidor y lo saco del negocio, no estoy moralmente obligado a compensarlo, ya que esa competencia no es incorrecta ni negligente; pero si robo a mi empleador, entonces le debo una compensación, o si no tengo el debido cuidado cuando manejo, debo una compensación a aquellos a quienes lesione.

2. La acción de la persona es la causa real del perjuicio. Por ejemplo, si un banquero presta dinero a un cliente y este lo utiliza para engañar a otros, el banquero no está moralmente obligado a compensar a las víctimas. Pero si el banquero defrauda a un cliente, lo debe compensar.

3. La persona infligió el daño de manera voluntaria. Por ejemplo, si deterioré la propiedad de alguien por accidente y sin negligencia, no estoy moralmente obligado a compensar a esa persona. (Pero, quizá tenga la obligación legal de hacerlo, dependiendo de cómo determine la ley que se distribuyan los costos sociales de un daño). Pero si, de manera deliberada, prendo fuego a la casa de una persona que me desagrada, entonces, estoy obligado a compensarla por las pérdidas que le causé.

## 2.4 La ética del cuidado

En la noche del 11 de diciembre de 1995, a las 8 p.m., una explosión cerca de un calentador de agua cimbró la fábrica de Malden Mills en Lawrence, Massachusetts.[114] El fuego se inició fuera del viejo edificio de ladrillo de la fábrica textil. Atizado por el viento, el incendio destruyó con rapidez tres edificios, lesionó a 25 trabajadores, devastó toda la planta y dejó sin trabajo a cerca de 1,400 personas dos semanas antes de Navidad.

Malden Mills, propiedad de una familia, se fundó en 1906. Era una de las pocas fábricas de textiles que todavía operaban en Nueva Inglaterra. Casi todos los fabricantes de textiles se habían mudado al sur y después a Asia en busca de mano de obra barata y no sindicalizada. Sin embargo, el presidente y dueño mayoritario de la compañía, Aaron Feuerstein, se había negado a abandonar la comunidad y a sus empleados, de quienes decía que eran "el activo más valioso de Malden Mills, [...] no un gasto que se puede reducir". En 1982, al salir de una inminente bancarrota, Feuerstein había reenfocado la compañía al mercado de los textiles más costosos, donde la tecnología de vanguardia y los bienes de alta calidad eran más importantes que los bajos costos. Evitando las telas que dan un escaso margen de ganancia, como el poliéster liso, la compañía se centró en un nuevo material sintético, al que denominó *Polartec*, y que los empleados descubrieron por ensayo y error durante los primeros años de la década de 1980. El nuevo material era afelpado, ligero y caliente; podía eliminar la transpiración, y requería las combinaciones precisas de hilos artificiales y de una labor de rasurado. Para elaborarlo, se necesitaban máquinas especiales (y patentadas) que operaban exactamente a la temperatura, la humedad y la velocidad correctas. Los empleados tuvieron que desarrollar habilidades especiales para lograr el tejido y la calidad perfectos. Pronto se reconoció a Polartec como la tela de más alta calidad y tecnológicamente más avanzada disponible para confeccionar prendas de vestir de alto rendimiento. Patagonia, L.L. Bean, Eddie Bauer, Land's End, North Face, Ralph Lauren y otros diseñadores de renombre adoptaron el costoso material. Las ventas de Polartec subieron de $5 millones en 1982 a más de $200 millones en 1995. Con los ingresos adicionales de las telas de tapicería de alta calidad, los ingresos de Malden Mills en 1995 sumaron $403 millones, y sus empleados, que ya eran cerca de 3,200, eran los mejores pagados de todo el país. Feuerstein, quien con frecuencia brindaba ayuda especial al personal con necesidades especiales, mantenía una política de puertas abiertas con sus empleados, a quienes trataba como miembros de una gran familia.

Sin embargo, a la mañana siguiente al incendio de diciembre, con la fábrica casi en ruinas, los periódicos predijeron que el dueño Aaron Feuerstein sería inteligente y cobraría a las aseguradoras más de $100 millones, vendería los bienes rescatables y cerraría la fábrica o la reconstruiría en un país en vías de desarrollo, donde la mano de obra es más barata. En vez de ello, Feuerstein anunció que la compañía reconstruiría la fábrica en Lawrence. Con una decisión que confundió a la industria, prometió que todo empleado que había quedado sin trabajo por el incendio continuaría recibiendo su sueldo íntegro, las prestaciones de servicio médico, y tendría garantizado su empleo cuando reiniciaran las operaciones en unos cuantos meses. Reconstruir en Lawrence costaría más de $300 millones,

*Repaso breve 2.14*

**Ética del cuidado**
- A diferencia de las teorías de ética tradicional, considera que la ética no debe ser imparcial.
- Pone énfasis en la preservación y el fortalecimiento de relaciones valiosas específicas.
- Afirma que debemos cuidar de aquellas personas que dependen de nosotros o con quienes tenemos relación cercana.
- Argumenta que, puesto que el yo requiere entablar relaciones de cuidado con otros, esas relaciones son valiosas y deberían fortalecerse.

y pagar el salario íntegro a 1,400 empleados durante tres meses costaría otros $20 millones. "Yo tengo una responsabilidad con el personal, tanto el de la planta como el administrativo", declaró Feuerstein, "tengo una responsabilidad igual con la comunidad. Poner a 3,000 empleados en la calle y entregar un certificado de muerte a las ciudades de Lawrence y Methuen sería no tener conciencia. Quizás en papel nuestra compañía valga menos [ahora] para Wall Street, pero les puedo decir que [realmente] vale más".

El incidente de Malden Mills sugiere una perspectiva de la ética que no capta en forma adecuada los puntos de vista morales que se han examinado. Considere que desde la perspectiva utilitaria, Feuerstein no tenía obligación alguna de reconstruir la fábrica en Lawrence ni de seguir pagando a sus empleados mientras no trabajaran. Más aún, ubicar las operaciones de Malden Mills en un país en vías de desarrollo, donde la mano de obra es menos costosa, no solo habría beneficiado a la compañía, sino que también habría dado empleo a los trabajadores del tercer mundo que tienen mayor necesidad que los estadounidenses. Desde una perspectiva utilitaria imparcial, entonces, se habría producido una utilidad mayor al llevar trabajo a las personas del tercer mundo que al gastar el dinero para preservar los trabajos del personal de Malden Mills en Lawrence, Massachusetts. Es cierto que los empleados de Malden Mills eran cercanos a Feuerstein y que, a través de los años, habían sido leales y tenían estrechas relaciones con él. No obstante, desde un punto de vista imparcial, el utilitarismo diría que esas relaciones personales son irrelevantes y que se deberían hacer a un lado en favor de lo que maximiza la utilidad.

Una perspectiva de los derechos tampoco apoyaría la decisión de permanecer en Lawrence ni de continuar pagando salarios íntegros al personal durante la reconstrucción. Sin duda, los empleados no podían argumentar que tenían un derecho moral a que les pagaran mientras no trabajaran. Tampoco podían decir que tenían un derecho moral a que la fábrica se reconstruyera para ellos. La perspectiva imparcial de una teoría de derechos, entonces, no sugiere que Feuerstein tenía obligaciones especiales con sus empleados después del incendio.

Por último, tampoco se podía argumentar que la justicia demandaba que Feuerstein reconstruyera la fábrica en Lawrence y continuara pagando a los trabajadores. Aunque los empleados eran el pivote del éxito de la compañía, esta los había compensado al pagarles salarios generosos durante muchos años. La justicia imparcial no parece requerir que la compañía apoye a las personas mientras no trabajan, y tampoco requeriría que Feuerstein les reconstruyera la fábrica a un costo considerable para él mismo. De hecho, siendo imparciales, parece más justo mudar la fábrica a un país en desarrollo donde las personas están más necesitadas, que mantener a los trabajos de Estados Unidos, donde las personas están relativamente bien.

### Parcialidad y cuidado

Los enfoques de la ética que hemos analizado suponen que esta debe ser imparcial y, en consecuencia, cualquier relación especial que se tenga con individuos en particular, como parientes, amigos o empleados, debe hacerse a un lado.[115] Algunos utilitarios, de hecho, afirman que si un extraño y alguno de sus padres se estuviera ahogando y usted solo puede salvar a uno de ellos, deberá salvar al que "produzca más utilidad"; tal vez el extraño es un brillante cirujano que salvará muchas vidas, por lo que usted tendrá la obligación moral de salvarlo y dejar que su padre se ahogue.[116] Muchos alegan que tal conclusión es perversa y equivocada.[117] En esa situación, la relación especial de amor y cuidado que tiene con sus padres le da una obligación especial de cuidar de ellos en una forma que invalida las obligaciones que tenga hacia los extraños. De manera similar, en el incidente de Malden Mills, Feuerstein sentía una obligación especial de cuidar de sus empleados, precisamente porque dependían de él y habían desarrollado una relación especial con él, lo ayudaron a construir su negocio y a crear telas revolucionarias que dieron a Malden Mills su asombrosa ventaja competitiva en la industria textil. Esta obligación hacia sus empleados, que tenían una relación especial con él y que dependían de él, invalidó otras obligaciones que hubiera podido tener hacia los extraños del tercer mundo.

Este punto de vista —que tenemos la obligación de prodigar un cuidado especial a las personas con quienes tenemos relaciones cercanas valiosas, en especial, a quienes dependen de nosotros— es un concepto clave en la **ética del cuidado**, un enfoque de la ética que muchos feministas han propuesto recientemente. Ya en el primer capítulo se presentó de manera breve, cuando se observó el nuevo enfoque al desarrollo moral de la psicóloga Carol Gilligan. Una moralidad del cuidado "se apoya en una comprensión de las relaciones como respuesta a otro en sus términos".[118] Según la perspectiva de "cuidado" de la ética, la tarea moral no es seguir principios morales imparciales y universales, sino atender y responder por el bien de personas específicas, y en particular, de aquellas con quienes tenemos una relación cercana y valiosa.[119] La compasión, la preocupación, el amor, la amistad y la bondad son sentimientos o virtudes que suelen manifestar esta dimensión de la moralidad. Así, una ética del cuidado destaca dos demandas morales:

**ética del cuidado**
Ética que hace hincapié en cuidar el bienestar concreto de aquellos con los que tenemos una relación cercana, en especial aquellos que dependen de nosotros.

1. Cada uno de nosotros se desenvuelve en una red de relaciones, y debemos preservar y alimentar aquellas relaciones concretas y valiosas que tenemos con personas específicas.

2. Cada uno de nosotros debe dedicar cuidado especial a aquellos con quienes tiene una relación específica, atendiendo a sus necesidades, valores, deseos y bienestar concreto —según se ve desde su propia perspectiva—, y responder de manera positiva a sus necesidades, valores, deseos y bienestar, considerando en particular a aquellos que son vulnerables y dependen de nuestro cuidado.

Por ejemplo, la decisión de Feuerstein de permanecer en la comunidad de Lawrence y cuidar de sus empleados pagándoles su salario íntegro después del incendio fue una respuesta al imperativo de preservar las relaciones concretas que había forjado con ellos y de velar de manera especial por las necesidades específicas de quienes dependían económicamente de él. Este requisito de cuidar de este grupo específico de individuos es más significativo que cualquier requisito moral de cuidar de los extraños en los países en desarrollo.

Es importante no restringir la noción de una relación concreta a las relaciones entre dos individuos o a las relaciones entre un individuo y un grupo específico. Los ejemplos de relaciones que hasta ahora se presentaron son de ese tipo. Muchos defensores de la ética del cuidado observan que también debe abarcar los sistemas más grandes de relaciones que constituyen las comunidades concretas.[120] Por lo tanto, se puede ver que una ética del cuidado engloba los tipos de obligaciones que defiende la llamada *ética comunitaria*. Una **ética comunitaria** es la que considera que las comunidades concretas y las relaciones comunales tienen un valor fundamental que se debe preservar y mantener.[121] Lo importante en una ética comunitaria no es el individuo aislado, sino la comunidad dentro de la cual los individuos descubren quiénes son al verse como parte integral de una comunidad más grande con sus tradiciones, cultura, prácticas e historia.[122] Entonces, la amplia red de relaciones concretas que conforman una comunidad en particular se debe preservar y nutrir tanto como las relaciones interpersonales más limitadas que surgen entre los individuos.

**ética comunitaria**
Ética que considera a las comunidades concretas y las relaciones comunales como un valor fundamental que se debe preservar y mantener.

¿Qué tipo de argumento se puede dar en apoyo a una ética del cuidado? Esta se apoya en la afirmación de que la propia identidad —quién soy— se basa en las relaciones que una persona tiene con otras. El individuo no existiría, ni siquiera sería quien es si se encontrara aislado y sin relaciones de cuidado.[123] Yo necesito a otros para que me alimenten y cuiden cuando nazco; necesito a otros para educarme y cuidarme mientras crezco; necesito a otros como amigos y amantes para cuidarme cuando llego a la madurez, y siempre debo vivir en una comunidad cuyo lenguaje, tradiciones, cultura y otros beneficios contribuyen a definirme y de los cuales dependo. Es en estas relaciones concretas con los demás que obtengo mi comprensión de *quién* y *qué* soy. Por lo tanto, en el grado que sea que la persona tenga valor, en ese mismo grado las relaciones que son necesarias para que el ser exista y sea lo que es también tienen valor y deben mantenerse y nutrirse. El valor del ser, entonces, se deriva en último instancia del valor de la comunidad.

También es importante en este contexto distinguir tres formas diferentes de cuidado: de *algo*, de *alguien* y *para* alguien.[124] El tipo de cuidado que demanda una ética del cuidado es el que expresa la frase "cuidado de alguien". Los especialistas en ética han sugerido que el ejemplo del paradigma de cuidado de alguien es el tipo de cuidado que una madre prodiga a su hijo,[125] el cual se enfoca en las personas y su bienestar, no en las cosas; no busca fomentar la dependencia, sino que promueve el desarrollo de la persona de manera que esta sea capaz de tomar sus decisiones y vivir su propia vida. El cuidado no implica hacerse cargo de alguien con desapego, sino que se centra en la persona, e intenta ver al mundo a través de los ojos y los valores de esta. Por el contrario, cuidar de algo implica un tipo de preocupación e interés que se puede tener por los objetos o las ideas cuando no hay una segunda persona en cuya realidad subjetiva uno quede absorto. Este cuidado por los objetos no es el tipo de cuidado que demanda una ética del cuidado. Sin embargo, uno también puede ocuparse de cuidar de las personas de tal manera que se cumplan sus necesidades, al tiempo que permanece distante de ellas, como ocurre con frecuencia en las instituciones de servicio burocrático, por ejemplo, el servicio postal o el de bienestar social. Cuidar de las personas de esta manera, aunque con frecuencia es necesario, no es el tipo de cuidado que demanda una ética del cuidado.

Es importante observar dos aspectos adicionales. Primero, no todas las relaciones tienen valor y, por consiguiente, no todas generarán las obligaciones de cuidado. Las relaciones en las que una persona intenta dominar, oprimir o dañar a otra, las que se caracterizan por odio, violencia, falta de respeto y crueldad, y las que se definen por injusticia, explotación y lesión a otros carecen del valor que requiere una ética del cuidado. Una ética de este tipo no nos obliga a cuidar y nutrir esas relaciones. Sin embargo, las que muestran virtudes de compasión, preocupación, amor, amistad y lealtad sí tienen el tipo de valor que una ética del cuidado requiere y esto implica que esas relaciones se deben mantener y atender.

Segundo, es importante reconocer que las demandas de cuidado algunas veces están en conflicto con las demandas de justicia. Considere dos ejemplos. Primero, suponga que una de las empleadas que supervisa una gerente es amiga de esta última. Suponga que un día la sorprende robando artículos de la compañía. ¿Ella debería delatar a su amiga, como lo requiere la política de la compañía? ¿O no debe reportarla para proteger su amistad? Segundo, suponga que una gerente supervisa a varias personas, una de las cuales es una amiga cercana. Suponga que ella debe recomendar a uno de sus subordinados para una promoción a un puesto particularmente deseable. ¿Debería recomendar a su amiga solo por la amistad que las une? ¿O debe ser imparcial y seguir la política de la compañía recomendando al subordinado más calificado, aun cuando esto signifique dejar a su amiga sin promoción? Es claro que, en cada caso, la justicia requiere que la gerente no favorezca a su amiga; sin embargo, las demandas de una ética del cuidado parecen requerir que la gerente favorezca a su amiga por el bien de la amistad. ¿Cómo se deben resolver los conflictos de este tipo?

Primero, observe que no existe una regla fija capaz de resolver todos estos conflictos. Uno podría imaginar situaciones en las cuales las obligaciones de justicia de la gerente hacia la compañía serían claramente más fuertes que las obligaciones que tiene con su amiga. (Imagine que su amiga robó varios millones de dólares y se preparaba para robar más). Uno también podría imaginar situaciones donde las obligaciones con su amiga son más importantes que las que tiene con la compañía. (Imagine, por ejemplo, que lo que robaba su amiga era insignificante, que ella necesitaba con desesperación lo que robó, y que la reacción de la compañía será imponer a su amiga un castigo excesivamente severo).

Aunque no hay una regla fija para resolver todos los conflictos entre las demandas de cuidado y los requerimientos de justicia, hay ciertos lineamientos que ayudarán a encontrar una solución. Considere que cuando contrataron a la gerente, voluntariamente aceptó el cargo junto con las obligaciones y los privilegios que definen su puesto. Entre las obligaciones que prometió cumplir está su deber de proteger los recursos de la compañía y acatar las políticas de la misma. Por lo tanto, la gerente traiciona su relación con las personas a quienes hizo estas promesas si ahora muestra favoritismos hacia su amiga y viola las políticas de la empresa que voluntariamente aceptó apoyar. Entonces, las obligaciones institucionales que aceptamos y a las que nos comprometemos de manera voluntaria requerirán que seamos imparciales hacia nuestros amigos y que pongamos más atención a las demandas de la justicia imparcial que a las demandas de la ética del cuidado. ¿Qué ocurre con las situaciones en las que existe un conflicto entre nuestras obligaciones institucionales y las demandas de una relación que está por encima de esas obligaciones institucionales? En tal caso, la moralidad parece requerir que renunciemos al papel institucional que voluntariamente aceptamos. Así, la gerente que se siente obligada a favorecer a su amiga y que no puede ser imparcial, como acordó por voluntad propia cuando aceptó el cargo, debería renunciar a este. De otra manera, la gerente estará, de hecho, viviendo una mentira: si conserva su trabajo mientras favorece a su amiga, parecería que cumple con su acuerdo voluntario de imparcialidad cuando en realidad es parcial hacia su amiga.

El enfoque de la ética del cuidado lo desarrollaron principalmente los éticos feministas. El enfoque del cuidado, de hecho, se originó por la afirmación de la psicóloga Carol Gilligan de que las mujeres y los hombres manejan los asuntos morales desde dos perspectivas diferentes: ellos se aproximan a estos desde un punto de vista individualista, enfocándose en los derechos y la justicia; mientras que las mujeres lo hacen desde una perspectiva no individualista, enfocándose en las relaciones y el cuidado. Sin embargo, la investigación empírica ha demostrado que esta afirmación en su mayor parte está equivocada, aunque se reconoce que existen algunas diferencias evidentes en la manera en que los hombres y las mujeres responden a los dilemas morales.[126] Casi todos los estudiosos de la ética han abandonado la perspectiva de que una ética del cuidado es exclusiva de las mujeres y, en vez de esto, argumentan que así como ellas deben reconocer las demandas de justicia e imparcialidad, también los hombres deben reconocer las demandas de cuidado y parcialidad.[127] El cuidado no es una tarea exclusiva de las mujeres, sino un imperativo moral para todos, hombres y mujeres.

## Objeciones al cuidado

El enfoque de la ética del cuidado se ha criticado por varias razones. Primero, se asegura que una ética del cuidado podría degenerar en favoritismos injustos.[128] Actuar de forma parcial, por ejemplo, hacia los miembros del grupo étnico propio, hacia una red sexista de viejos amigos, o hacia los miembros de la propia raza o nación es una forma injusta de parcialidad. No obstante, quienes defienden una ética del cuidado responderán que aunque las demandas de la parcialidad entren en conflicto con otras demandas de moralidad, esto es cierto para todos los enfoques de la ética. La moralidad consiste en un amplio espectro de consideraciones morales que podrían estar en conflicto entre sí. Tal vez las consideraciones utilitarias entren en conflicto con las consideraciones de justicia, y estas con las consideraciones de derechos morales.

Asimismo, es posible que las demandas de parcialidad y cuidado también entren en conflicto con las demandas de utilidad, justicia y derechos. Lo que requiere la moralidad no es que se eliminen todos los conflictos morales, sino que aprendamos a ponderar las consideraciones morales y a equilibrar sus diferentes demandas en situaciones específicas. Entonces, el hecho de que el cuidado, algunas veces, entre en conflicto con la justicia no hace a la ética del cuidado menos adecuada que otros enfoques; simplemente señala la

*Repaso breve 2.16*

**Objeciones al enfoque de la ética del cuidado**

- Objeción: La ética del cuidado podría degenerar en favoritismos.
- Respuesta: Las demandas morales en conflicto son una característica inherente de las opciones morales.
- Objeción: La ética del cuidado podría conducir al agotamiento.
- Respuesta: La comprensión adecuada de la ética del cuidado se refiere a la necesidad de cuidar también a quien brinda el cuidado.

necesidad de ponderar y equilibrar la importancia relativa del cuidado frente a la justicia en situaciones específicas.

Una segunda crítica importante a la ética del cuidado es que sus demandas podrían conducir a un agotamiento. Al demandar que las personas cuiden de hijos, padres, hermanos, cónyuges, amantes, amigos y otros miembros de la comunidad, la ética del cuidado parece demandar que las personas sacrifiquen sus propias necesidades y deseos para velar por el bienestar de otros. Sin embargo, quienes defienden la ética del cuidado responderían que un punto de vista adecuado equilibra el cuidado de quien lo provee con su preocupación por los demás.[129]

# 2.5 Integración de utilidad, derechos, justicia y cuidado

Las últimas tres secciones describieron los cuatro tipos principales de estándares morales que hoy son la base de casi todos nuestros juicios morales y que nos fuerzan a incluir consideraciones de distintos tipos en nuestro razonamiento moral. Los estándares utilitarios se deben usar cuando se tienen recursos limitados, pero valiosos, que se pueden usar de diferentes maneras. En esos casos es importante evitar el desperdicio de los recursos que tenemos y, por lo tanto, estamos obligados a considerar los beneficios y los costos al decidir usarlos de una u otra manera, e identificar aquella que genere más beneficios. Cuando alguien trata de tomar este tipo de decisiones utilitarias, debe incluir mediciones, estimaciones y comparaciones de los costos y los beneficios relevantes. Esas mediciones, estimaciones y comparaciones constituyen la información en la que se basa el juicio moral del utilitarismo.

Nuestros juicios morales también se basan parcialmente en los estándares que especifican cómo se deben tratar y respetar los individuos. Estos tipos de estándares se deben usar cuando es probable que las acciones y políticas afecten de manera importante los derechos positivos y negativos de los individuos. Cuando se decide llevar a cabo este tipo de acciones, el razonamiento moral debe identificar los derechos de las personas que se verán afectadas por nuestras acciones, los acuerdos o las expectativas que entran en juego y que nos imponen obligaciones especiales, y si nuestras acciones tratan a todos los afectados como personas libres y racionales. Esto, a la vez, requiere contar con la información concerniente a la forma en que el comportamiento afectará las necesidades básicas de los seres humanos implicados; saber qué tan informados están de lo que les ocurrirá; conocer el grado en que se aplicará la fuerza, la coerción, la manipulación o el engaño; y estar conscientes de qué acuerdos tenemos con ellos o qué expectativas legítimas tienen ellos de nosotros.

Tercero, nuestros juicios morales también se basan en parte en estándares de justicia que indican cómo se deben distribuir los beneficios y las cargas entre los miembros de un grupo. Estos tipos de estándares se deben emplear cuando se evalúan las acciones cuyos efectos distributivos difieren de manera importante. El razonamiento moral en el que se basan esos juicios incorpora consideraciones acerca de si el comportamiento distribuye los beneficios y las cargas por igual o de acuerdo con las necesidades, las capacidades, las contribuciones y las elecciones libres de las personas, así como acerca del grado de sus acciones incorrectas. Estos tipos de consideraciones, a la vez, se basan en las comparaciones de los beneficios y las cargas que van hacia diferentes grupos (o individuos) y en las comparaciones de sus necesidades, esfuerzos y contribuciones relativos.

Cuarto, nuestros juicios morales también se basan en los estándares que indican el tipo de cuidado que se debe a aquellos con quienes tenemos una relación especial y valiosa. Los estándares del cuidado son esenciales cuando surgen las preguntas morales que implican a personas integradas en una red de relaciones, en particular, cuando estas son cercanas o de dependencia. El razonamiento moral que cita los estándares de cuidado incorpora información sobre las características y necesidades particulares de esas personas con quienes se tiene una relación concreta, la naturaleza de las relaciones propias con esas personas, las formas de cuidado y parcialidad que requieren esas relaciones y el tipo de acciones que son necesarias para mantenerlas.

Nuestra moralidad, entonces, contiene cuatro tipos principales de consideraciones morales básicas, cada uno de los cuales destaca ciertos aspectos importantes de la moralidad de nuestro comportamiento, pero ninguno incluye todos los factores que se deben tomar en cuenta al hacer juicios morales. Los estándares utilitarios consideran solo el bienestar social agregado, pero ignoran al individuo y la manera en que se distribuye ese bienestar. Los derechos morales consideran al individuo, pero descartan tanto el bienestar agregado como las consideraciones distributivas. Los estándares de justicia contemplan aspectos distributivos, pero ignoran el bienestar social agregado y al individuo como tal. Aunque los estándares del cuidado toman en cuenta la parcialidad que se debe mostrar hacia las personas cercanas, ignoran las demandas de imparcialidad. Esos cuatro tipos de consideraciones morales no parecen ser reductibles, más bien, todos parecen ser necesarios para nuestra moralidad. Esto es, existen algunos problemas morales para los cuales las consideraciones utilitarias son adecuadas; para otros, los aspectos decisivos son los derechos individuales o la justicia de las distribuciones implicadas, y para otros lo más significativo es cómo se debe cuidar a quienes están cerca de nosotros. Esto sugiere que el razonamiento moral debe incorporar los cuatro tipos de consideraciones morales, aunque solo resulte relevante uno u otro para una situación en particular. Una estrategia sencilla para asegurar que se incorporan los cuatro tipos de consideraciones en el razonamiento moral es revisar sistemáticamente la utilidad, los derechos, la justicia y el cuidado que surgen en la situación para la que se realiza un juicio moral, como se ve en la figura 2.1. Uno puede, por ejemplo, hacerse una serie de preguntas acerca de una acción que se está examinando: *a)* ¿La acción maximiza el beneficio social y minimiza los daños? *b)* ¿La acción es congruente con los derechos morales de quienes resultan afectados? *c)* ¿La acción conducirá a una distribución justa de los beneficios y las cargas? *d)* ¿La acción muestra el interés adecuado en el bienestar de quienes tienen una relación cercana o dependen de uno?

Sin embargo, unir los diferentes estándares morales de esta manera implica recordar cómo se relacionan entre sí. Como se ha visto, los derechos morales identifican las áreas en las que otras personas no pueden interferir, aunque se demuestre que es posible derivar mayores beneficios de esa interferencia. Entonces, en términos generales, los estándares que se refieren a los derechos morales tienen mayor peso que los utilitarios o los de justicia. De manera similar, a los estándares de justicia se les otorga mayor peso que a los utilitarios. Los estándares del cuidado parecen tener mayor peso que los principios de imparcialidad en situaciones que implican relaciones cercanas (como la familia y los amigos) y los recursos propios.

Pero estas relaciones se cumplen solo en general. Si cierta acción (o política o institución) promete generar beneficios sociales suficientemente considerables o prevenir un daño grave, la dimensión de estas consecuencias utilitarias puede justificar la violación limitada de los derechos de algunos individuos.

Los grandes costos y beneficios sociales también son suficientes para justificar algunas desviaciones de los estándares de justicia. La corrección de injusticias grandes y

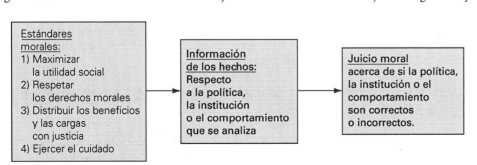

**Figura 2.1**

🔍 [Vea la **imagen** en

**mythinkinglab.com**

generalizadas en ocasiones también es tan importante como para justificar violaciones limitadas de algunos derechos individuales. Cuando están en juego una injusticia grande, una violación considerable de los derechos o incluso costos sociales importantes, las demandas de cuidado tienen que dejar libre el camino a las demandas de imparcialidad.

En este momento no se cuenta con una teoría moral completa capaz de determinar con precisión cuándo las consideraciones utilitarias se vuelven "tan importantes" que pesan más que las limitadas violaciones de un derecho en conflicto, un estándar de justicia o las demandas de cuidado. Tampoco es posible dar una regla universal que nos diga cuándo las consideraciones de justicia son "suficientemente importantes" para superar las violaciones de los derechos en conflicto o de las demandas de cuidado. Los filósofos de la moral no han podido llegar a un acuerdo sobre reglas absolutas para formular estos juicios. Sin embargo, existen varias reglas generales que sirven de guía en estos asuntos. Suponga, por ejemplo, que solamente invadiendo los derechos de privacidad de mis empleados (con cámaras escondidas y teléfonos de la oficina interferidos legalmente) podré detener los robos continuos de varios medicamentos que se usan para salvar vidas, y que es claro que algunos de ellos sustraen sin consentimiento. ¿Cómo se podría determinar si los beneficios utilitarios en este caso son suficientemente considerables para justificar la violación de los derechos del personal? Primero, habrá que preguntar si son más importantes los *tipos* de valores utilitarios implicados que los *tipos* de valores que protege el derecho (o que distribuye el estándar de justicia). Los beneficios utilitarios en este ejemplo incluyen salvar la vida humana, mientras que el derecho a la privacidad de los empleados protege (supongamos) los valores de estar libres de vergüenza o chantaje, o libres para vivir la vida que cada uno elija. Considerando esto, se llega a la conclusión de que es evidente que la vida humana es un tipo más importante de valor, porque, sin la vida, la libertad tiene poco valor. En segundo lugar, me pregunto si al asegurar el tipo más importante de valor afectará en esta situación los intereses de más (o menos) personas que las que se verían afectadas al asegurar el valor menos importante. Por ejemplo, puesto que los medicamentos recuperados salvarán (suponemos) varios cientos de vidas, mientras que la invasión de la privacidad afectará solo a una docena de personas, los valores utilitarios afectarán los intereses de muchas más personas. Tercero, me pregunto si los daños reales que recaen en las personas cuyos derechos se violaron (o que son víctimas de una injusticia) serán mayores o menores. Por ejemplo, suponga que puedo asegurar que mis empleados no sufrirán vergüenza, chantaje o restricción de su libertad como resultado de que yo averigüe información acerca de sus vidas privadas (mi intención es destruir toda esa información); de esta manera, los daños que sufran serán relativamente pequeños. Cuarto, me pregunto si la ruptura potencial de una relación de confianza como resultado de la investigación es más o menos importante que el robo de los recursos para salvar vidas. Supongamos, por ejemplo, que el daño potencial que infligirá la investigación en las relaciones de confianza de los empleados no es grande. Entonces, parecería que invadir la privacidad de los empleados se justifica.

Así, existen criterios sencillos e intuitivos capaces de guiar nuestro pensamiento cuando parece que, en cierta situación, las consideraciones utilitarias son suficientemente importantes para invalidar los derechos en conflicto, los estándares de justicia o las demandas de cuidado. Habría criterios similares para determinar si, en cierta situación, las consideraciones de justicia deben tener más peso que los derechos individuales, o en qué circunstancias las demandas de cuidado son más o menos significativas que los requerimientos de justicia. Pero estos criterios siguen siendo sencillos e intuitivos. Están en el umbral de la luz que vierte la ética sobre el razonamiento moral.

## 2.6 Una alternativa para los principios morales: Ética de la virtud

Ivan F. Boesky nació en una familia modesta y, al no conseguir trabajo como abogado en las empresas más importantes de Detroit, se mudó a la ciudad de Nueva York. Para mediados de la década de 1980, el tenaz Boesky había acumulado una fortuna personal de más de $400 millones y era director ejecutivo de una importante firma de servicios financieros. Era famoso en los círculos financieros por su extraordinaria habilidad en el arbitraje, el arte de detectar diferencias en los precios de los valores financieros en los distintos mercados del mundo y obtener ganancias al comprar acciones a precio bajo y venderlas donde el precio era alto. Como miembro prominente de la sociedad neoyorquina, Boesky tenía la reputación de ser un filántropo generoso.[130]

No obstante, el 18 de diciembre de 1987, Boesky fue sentenciado a tres años de prisión y pagó una multa de $100 millones por lucrar de forma ilegal con *información privilegiada*. De acuerdo con las sentencias, Boesky pagó a David Levine, un amigo que trabajaba en una firma especializada en gestionar fusiones y adquisiciones, para que le diera información acerca de las compañías que estaban a punto de ser compradas por otra (generalmente, una corporación) por sumas que rebasaban de forma considerable el precio actual de sus acciones en el mercado. Confiando en la información de este empleado y antes de que la noticia se hiciera pública, Boesky compraba las acciones de la compañía en el mercado de valores; de hecho, las compraba a accionistas que no estaban conscientes de que sus compañías serían adquiridas en una suma que rebasaba el precio actual de mercado. Cuando se anunciaba la compra de la compañía, el precio de las acciones subía y Boesky vendía sus acciones con una ganancia muy atractiva. Aunque comprar y vender acciones con base en información de un empleado es legal en diversos países (como Italia, Suiza y Hong Kong), y a pesar de que muchos economistas argumentan que los beneficios económicos de la práctica (tiende a hacer que los precios de las acciones de una compañía reflejen el verdadero valor de la empresa) son mayores que los daños (tiende a desalentar la participación en el mercado de valores de quienes no son accionistas de la compañía), dicha práctica es ilegal en Estados Unidos, debido a la inequidad percibida y al daño potencial al mercado de valores.

¿Que llevó a un hombre, que ya tenía cientos de millones de dólares y todo lo que la mayoría de las personas desean o necesitan, a estar tan obsesionado con ganar dinero como para quebrantar deliberadamente la ley? Gran parte de la respuesta, se asegura, está en su carácter. En palabras de un viejo amigo de Boesky, él "tal vez es avaro más allá de la más descabellada imaginación de mortales como usted y yo".[131] Boesky describió en una ocasión su obsesión de acumular cada vez más dinero como "una enfermedad que padezco y ante la cual estoy indefenso".[132] En un discurso en la Universidad de California, Berkeley, dijo a los estudiantes: "La avaricia está bien. Creo que la avaricia es saludable. Quiero que sepan que creo que la avaricia es sana. Se puede ser avaro y, aun así, sentirse bien con uno mismo".[133] Otros dijeron que:

> Le impulsaba el trabajo, era fanático y manifestaba cambios drásticos de humor. Los amigos íntimos del señor Boesky dicen que vacilaba entre "gritar, ser rudo y agresivo, y hablar con tono meloso, agradable y cortés". También era malévolo en su búsqueda de información. "Cuando alguien tenía una noticia especial, se volvía loco". Cuando se refería al dinero y a tratos de negocios, era implacable y perseguía su meta con un propósito firme. [...] Aunque su primer amor era el dinero, anhelaba ser respetado y tener un estatus que, en general, se niega a los nuevos ricos.[134]

La historia de la caída de Ivan Boesky es la historia de un hombre embargado por la avaricia. Lo sobresaliente aquí son las descripciones de su carácter moral, el carácter de un hombre impulsado por su amor obsesivo al dinero. Describen a Boesky como "avaro, enfermo, agresivo, malvado y cruel". Como lo que decía de sí mismo no era congruente con sus tratos subrepticios, algunos decían que "le faltaba integridad" y otros que era "hipócrita y deshonesto". Todas estas descripciones eran juicios acerca del carácter moral del hombre, no juicios de la moralidad de sus acciones. De hecho, aunque está claro que es ilegal utilizar información de empleados de una compañía, el hecho de que esta práctica sea legal en diversos países, aunado a la opinión de muchos economistas que la apoyan, sugiere que inherentemente es moral. Lo que sí se considera inmoral es la avaricia que llevó a Boesky a infringir la ley que tenía la obligación de cumplir.

Como deja en claro esta historia, evaluamos la moralidad del carácter de una persona al igual que sus acciones. Todos los enfoques de la ética que se han examinado hasta ahora se centran en la acción como la clave del asunto e ignoran el carácter del agente que lleva a cabo la acción. El utilitarismo, por ejemplo, nos dice que las "*acciones* son correctas en la proporción en que tienden a promover la felicidad", y la ética kantiana indica que "debo *obrar* de modo tal que pueda desear que la máxima de mi acción se convierta en una ley universal". Sin embargo, el aspecto central que surge en el caso de Boesky, y en muchos casos similares de comportamiento no ético de hombres y mujeres de negocios, no es lo incorrecto de sus acciones, sino la naturaleza fallida de su carácter.

Muchos especialistas en el tema han criticado la suposición de que las acciones son el aspecto fundamental de la ética. Esta, argumentan, debería analizar no solo los tipos de acciones que un agente tiene la obligación de realizar, sino también poner atención al tipo de persona que debe ser un agente. Un enfoque basado en el agente, esto es, centrado en lo que uno *debe ser* —al contrario de un enfoque basado en la acción, que se centra en lo que uno *debe hacer*— examinará con cuidado el carácter moral de una persona y determinará, en particular, si ese carácter moral exhibe virtudes o vicios. Un enfoque más adecuado para la ética, de acuerdo con esta postura, sería tomar las virtudes (como honestidad, valor, moderación, integridad, compasión, control personal) y los vicios (como deshonestidad, crueldad, avaricia, falta de integridad, cobardía) como los puntos de inicio básicos para el razonamiento ético.

Aunque la ética de la virtud ve los aspectos morales desde una perspectiva muy diferente que la ética basada en la acción, no se deduce que las conclusiones de la primera difieran radicalmente de las conclusiones de la segunda. Como se observa, existen virtudes que se correlacionan con el utilitarismo (por ejemplo, la benevolencia), virtudes que se correlacionan con los derechos (como el respeto), y virtudes correlacionadas con la justicia y el cuidado. Entonces, las virtudes no se deben ver como una quinta alternativa a la utilidad, los derechos, la justicia y el cuidado. Más bien, ofrecen una perspectiva que investiga lo mismo que los cuatro enfoques, pero desde un ángulo totalmente diferente. Lo que hacen los principios de utilidad, derechos, justicia y cuidado, desde el punto de vista de evaluar las acciones, también lo hace la ética de la virtud desde la perspectiva de evaluar el carácter.

## Naturaleza de la virtud

**virtud moral** Una disposición que se adquiere y valora como parte del carácter de un ser humano moralmente bueno y que se exhibe en su comportamiento habitual.

¿Qué es exactamente una virtud moral? Una **virtud moral** es una disposición que se adquiere para comportarse de ciertas maneras, que se valora como parte del carácter de un ser humano moralmente bueno y que se exhibe en su comportamiento habitual. Una persona tiene una virtud moral cuando está dispuesta a comportarse habitualmente en la manera y con las razones, sentimientos y deseos que son característicos de una persona moralmente buena. La honestidad, por ejemplo, es una virtud de las personas moralmente buenas. Un individuo es honesto cuando está dispuesto, por hábito, a decir la verdad y lo hace porque cree que es lo correcto. Además, se siente bien cuando dice la verdad e incómodo cuando miente, y siempre desea decir la verdad por respeto a la verdad misma y porque está consciente de su importancia en la comunicación humana. Si una persona dice la verdad ocasionalmente o lo hace por las razones y los deseos equivocados, no se le considera honesta. Por ejemplo, no diremos que es honesta si miente con frecuencia, si dice la verdad solo porque piensa que es la forma de quedar bien ante la gente, o si dice la verdad por miedo y con renuencia. Más aún, una virtud moral se adquiere y no es una característica natural como la inteligencia, la belleza o la fuerza. Una virtud moral es digna de elogio porque es un logro, es decir, su desarrollo requiere esfuerzo.

## Las virtudes morales

Encontramos los aspectos básicos de la ética de la virtud en las respuestas a las preguntas: ¿cuáles son los rasgos de carácter que hacen que una persona sea un ser humano moralmente bueno?, y ¿qué rasgos son virtudes morales? Al respecto, hay numerosos puntos de vista. El filósofo griego Aristóteles propuso una teoría de la virtud que aún en la actualidad tiene gran influencia.

Aristóteles aseguró que una virtud moral es un hábito que permite a un ser humano vivir de acuerdo con la razón. Esto significa que la persona sabe y elige el punto medio razonable entre ir demasiado lejos y no ir suficientemente lejos en sus sentimientos y acciones: "La virtud moral es [...] la media entre dos vicios, uno por exceso y otro por defecto, y [...] se dirige a la media en las emociones y acciones". En lo referente al miedo, por ejemplo, la *fortaleza* es la virtud de sentir un nivel de miedo apropiado a una situación y enfrentar lo que atemoriza cuando merece la pena hacerlo así. La *cobardía* es el vicio de sentir más miedo que el que amerita la situación y que impele al individuo a huir de lo que le atemoriza aun cuando debería mantenerse firme. En el extremo opuesto, la *temeridad* es el vicio de sentir menos miedo del que uno debería experimentar y que impulsa a un individuo a adentrarse en situaciones de mayor riesgo aun cuando no haya razón para ello. Con respecto al placer, la *templanza* es la virtud de disfrutar de cantidades razonables de placer, mientras que intemperancia o desenfreno es el vicio de gozar de los placeres en exceso, y la insensibilidad o autoprivación es el vicio de limitarse en exceso. Por otro lado, la justicia es la virtud de dar a la gente lo que merece, mientras que la injusticia es el vicio de darle más o menos. Además de estas tres virtudes clave (fortaleza, templanza y justicia), Aristóteles describe otras más y sus correspondientes vicios por exceso y por defecto, como se señala en la figura 2.2. Entonces, según el pensamiento clásico de este filósofo griego, las virtudes son los hábitos de manejar las propias emociones y acciones de modo que el individuo pueda ubicarse en un punto medio razonable entre los extremos de exceso y deficiencia, mientras que los vicios son los hábitos de ubicarse en los extremos, ya sea por exceso o por defecto.

Aristóteles sugiere que las virtudes, como los demás hábitos, se adquieren mediante la repetición. Al mantenerse firme de forma repetida cuando se tiene miedo, uno se vuelve

| La emoción o acción implicada | El vicio por exceso de la emoción o acción | La virtud del punto medio de la emoción o acción | El vicio por defecto de la emoción o acción |
| --- | --- | --- | --- |
| Miedo | Temeridad | Fortaleza | Cobardía |
| Placer | Intemperancia o desenfreno | Templanza | Insensibilidad o autoprivación |
| Tomar lo justo | Injusticia: tomar más | Justicia | Injusticia: tomar menos |
| Donar dinero | | Generosidad | |
| Gastar dinero | | Refinamiento | |
| Sentirse admirado | Derroche | Confianza | Avaricia |
| Buscar honor | Ostentación | Ambición | Tacañería |
| Enojo | Vanidad | Buen humor | Autodegradación |
| Vergüenza | Ambición desmedida | Autoestima | Falta de ambiciones |
| Hablar de uno mismo | Irascibilidad | Honestidad | Apatía |
| Entretener a las personas | Timidez | Ingenio | Arrogancia |
| Socializar | Fanfarronería | Simpatía | Falsa modestia |
| | Bufonería | | Rudeza |
| | Servilismo | | Espíritu pendenciero |

**Figura 2.2**
Vea la **imagen** en
**mythinkinglab.com**

fuerte; al controlar los apetitos de manera repetida, se logra la templanza; y al constantemente a las personas lo que merecen, uno se hace justo. Pero esta sugerencia de cómo se adquieren las virtudes conduce a un enigma: ¿cómo puedo participar en actos virtuosos antes de ser virtuoso? Por ejemplo, ¿cómo puedo comportarme con fortaleza antes de ser fuerte? Aristóteles señala que cuando un individuo aún no tiene una virtud, se le puede entrenar u obligar a hacer lo que una persona virtuosa haría. Por ejemplo, es posible obligar a un niño a comportarse con fortaleza aunque aún no posea esa virtud. Quien aún no tenga la virtud llegará a adquirirla, poco a poco, al actuar repetidamente conforme esta lo requiere.

Aristóteles sostenía que la persona virtuosa elige el punto medio *razonable* entre los extremos de exceso y deficiencia. ¿Cómo se determina lo que es razonable? La prudencia, sostiene Aristóteles, es la virtud de nuestro intelecto que permite saber qué es razonable en una situación determinada. Este filósofo argumentaba que el objetivo de la vida humana es la felicidad y, por lo tanto, la opción razonable en una situación es la que contribuya a una vida feliz. Un individuo con prudencia tiene la capacidad de saber qué opciones son esas, y tal capacidad se adquiere mediante el aprendizaje y la experiencia. Las virtudes morales, como la fortaleza, la templanza y la justicia, le permiten controlar sus deseos, emociones y acciones. Así, la persona tomará las decisiones que la prudencia determine que son las correctas para la situación, y se reprimirá de hacer elecciones erróneas "excesivas" que sus deseos y emociones pudieran tentarle a realizar. Por lo tanto, la prudencia y otras virtudes morales funcionan juntas. La prudencia determina las opciones que contribuirán a que la vida de una persona sea feliz, mientras que las otras virtudes la dan el autocontrol necesario para actuar en consecuencia.

Santo Tomás de Aquino, un filósofo cristiano de la Edad Media, se basó en la obra de Aristóteles y afirmó que las virtudes morales permiten a las personas seguir a la razón al manejar sus deseos, emociones y acciones. Santo Tomás aceptó que las cuatro virtudes cardinales o esenciales son fortaleza, templanza, justicia y prudencia. Pero como cristiano, y a diferencia de Aristóteles, Aquino sostenía que el objetivo de una persona no es solo la felicidad en esta vida, la cual se logra mediante el ejercicio de la razón, sino una felicidad en la siguiente vida, la cual se logra mediante la unión con Dios. Por lo tanto, a la lista de virtudes morales de Aristóteles agrega las virtudes cristianas o teologales: fe, esperanza y caridad. Según Santo Tomás, son estas virtudes las que permiten a una persona lograr la unión con Dios. Más aún, Aquino amplió la lista de Aristóteles para incluir otras virtudes morales que tienen sentido para la vida de un cristiano, pero que habrían sido muy extrañas para el ciudadano griego aristócrata en quien Aristóteles centró su atención. Por ejemplo, Aquino sostenía que la humildad es una virtud cristiana y que el orgullo es un vicio; Aristóteles, en cambio, afirmaba que, para el aristócrata griego, el orgullo era una virtud y la humildad, un vicio.

Hace menos tiempo, el filósofo estadounidense Alasdair MacIntyre aseguró que la virtud es cualquier disposición humana que se elogia porque permite a una persona lograr el bien, lo cual es el objetivo de las "prácticas" humanas:

> Las virtudes [...] se deben entender como aquellas disposiciones que no solo sustentan las prácticas y nos permiten lograr los bienes inherentes a estas, sino que también nos sostienen en los tipos relevantes de búsqueda del bien, al permitirnos superar los daños, los peligros, las tentaciones y las situaciones que encontramos, y que nos proveen un conocimiento creciente de nosotros mismos y del bien.[135]

Sin embargo, los críticos argumentan que el enfoque de MacIntyre no parece correcto. Cuando Ivan Boesky, por ejemplo, fue criticado por avaro, deshonesto, cruel, etcétera, la gente no lo culpaba por no tener las virtudes adecuadas a las prácticas dentro de las cuales él seguía su visión del bien. Los defectos morales por los que se le criticaba eran sus

---

**Repaso breve 2.18**

**Teorías de la virtud moral**

- Aristóteles: Las virtudes son hábitos que permiten a una persona vivir de acuerdo con la razón, al elegir habitualmente el punto medio entre dos extremos en sus acciones y emociones.
- Aquino: Las virtudes son hábitos que permiten a la persona vivir de manera razonable en este mundo y unirse con Dios en el siguiente.
- MacIntyre: Las virtudes son disposiciones que permiten a la persona lograr el bien, lo cual es el objetivo de las prácticas humanas.
- Pincoffs: Las virtudes son disposiciones que usamos al elegir entre las personas o los yos potenciales futuros.

supuestas fallas como ser humano, sin importar qué tan bien o mal actuara en las diferentes prácticas humanas que emprendía. Las virtudes morales parecen ser esas disposiciones que nos permiten vivir una vida humana moralmente correcta en general, y no solo las que nos permiten participar con éxito en algún conjunto de prácticas humanas.

Edmund L. Pincoffs, en particular, critica a MacIntyre por asegurar que las virtudes incluyen solamente las cualidades que se requieren en el conjunto de prácticas sociales que realizamos. En vez de ello, Pincoffs sugiere que las virtudes incluyen todas las disposiciones para actuar, sentir y pensar de cierta manera, que se usan como base para elegir entre las personas o entre los yos potenciales futuros.[136] Al decidir, por ejemplo, a quién elegir como amigo, cónyuge, empleado o gerente, observamos las disposiciones de las personas: ¿son honestas o deshonestas, sinceras o falsas, avaras o generosas, responsables o irresponsables, dignas o indignas de confianza, formales o informales? De manera similar, cuando pensamos en una decisión moral, con frecuencia no lo hacemos por obligación, sino pensando en el tipo de persona que seríamos al hacerlo: al llevar a cabo cierta acción, ¿sería yo honesto o deshonesto, sincero o hipócrita, egoísta o caritativo?

No obstante, ¿qué hace de una disposición una virtud moral, y de otra un vicio moral? No hay una respuesta sencilla a esta pregunta, asegura Pincoffs, y rechaza el punto de vista de Aristóteles de que todas las virtudes se pueden entender como "un punto medio entre dos extremos". En vez de ello, argumenta que se deben entender en términos del papel que desempeñan en la vida humana. Algunas disposiciones, señala, dan bases específicas para preferir a una persona porque la hacen buena o mala para determinadas tareas, como pintar casas. Esas disposiciones específicas que se dirigen a tareas específicas *no* son virtudes. Pero otras disposiciones son deseables, en general, porque hacen a un individuo capaz de manejar los tipos de situaciones que con frecuencia surgen en la vida humana. Las virtudes consisten en este tipo de "disposiciones generalmente deseables", que sería grato que las personas tuvieran en vista "de la situación humana, esto es, de las condiciones en las cuales los seres humanos deben vivir (considerando la naturaleza del mundo físico, la naturaleza de los humanos y las asociaciones entre estos últimos)". Por ejemplo, como la situación humana con frecuencia requiere esfuerzos combinados, es deseable que tengamos persistencia y fortaleza. Como los temperamentos muchas veces estallan, necesitamos tacto y tolerancia. Como los bienes con frecuencia se deben distribuir mediante criterios congruentes, necesitamos justicia y una actitud no discriminatoria. Sin embargo, el egoísmo, el engaño, la crueldad y la injusticia son vicios: en general son indeseables porque destruyen las relaciones humanas. Las virtudes morales, entonces, son esas disposiciones que en general se desea que las personas tengan en los tipos de situaciones con las que se suelen encontrar al vivir en comunidad. Son deseables porque son útiles, ya sea "para todos en general o para quien posee la cualidad".

La teoría de Pincoffs de la virtud parece más adecuada que una teoría como la de MacIntyre, que confina la virtud a rasgos vinculados con las prácticas, ya que las virtudes parecen ser disposiciones que nos permiten manejar adecuadamente todas las exigencias de la vida y no solo las que se asocian con las prácticas. Tanto Aristóteles como Aquino, por ejemplo, consideraban que al articular las virtudes morales, estaban organizando en un conjunto coherente esos hábitos que permiten a una persona vivir una vida buena, y no solo actuar adecuadamente en las prácticas sociales.

No obstante, como se vio, Aristóteles y Aquino tenían puntos de vista distintos en cuanto a lo que la vida humana requiere. Esto sugiere que, en cierto grado, lo que cuenta como virtud moral dependerá de las creencias personales acerca de los tipos de situaciones que enfrentan los individuos. De cualquier manera, como sugiere Pincoffs, "compartimos de manera fundamental una buena parte de los acuerdos acerca de cómo es el tipo de persona correcta en general", porque los individuos en todas las sociedades enfrentan problemas similares al vivir juntos. Los católicos, por ejemplo, tal vez reconozcan a un budista que no solo es un buen budista, sino también una persona de buen carácter moral:

"la fortaleza no es una virtud católica o budista; tanto los presbiterianos como los católicos coptos elogian la honestidad". Así, las virtudes morales incluyen esa amplia variedad de disposiciones que las personas de todas las sociedades reconocen como deseables porque "sirven como razones para las preferencias en las exigencias ordinarias y no tan ordinarias de la vida". Las cuatro virtudes cardinales en las que están de acuerdo Aristóteles y Aquino —fortaleza, templanza, justicia y prudencia— se ubican en esta clase. Sin embargo, las tres virtudes teologales —fe, esperanza y caridad— que agrega Aquino, por su importancia especial para una vida cristiana, no cuentan como virtudes morales, porque son deseables solo dentro de la vida dedicada a la búsqueda de objetivos religiosos específicos. De manera similar, el orgullo, que era una cualidad que admiró la sociedad griega, no cuenta como virtud moral porque también es deseable solo dentro de un tipo específico de sociedad.

## Virtudes, acciones e instituciones

Hasta ahora se ha ignorado un aspecto clave de la teoría de la virtud: ¿cómo nos ayuda a decidir qué debemos hacer? ¿Una ética de la virtud hace algo más que decirnos el tipo de personas que debemos ser? ¿Una ética de la virtud brinda una guía sobre cómo vivir y cómo nos debemos comportar? Una de las mayores críticas contra la teoría de la virtud, de hecho, es que no ofrece una guía de cómo debemos actuar. Cuando una mujer intenta decidir si se practica un aborto, por ejemplo, quizá pregunte a una amiga: "¿Qué debo hacer?". En tales situaciones, no ayuda que nos digan qué tipo de carácter debemos tener. En esos casos, necesitamos consejos sobre qué acciones son adecuadas, y la teoría de la virtud no brinda ese consejo. Esta crítica —de que la teoría de la virtud no da una guía de acción— es natural, porque la teoría de la virtud se aleja de manera deliberada de la acción y se centra en el carácter moral como la categoría moral fundamental. Pero aunque la virtud es la esencia de su teoría, esto no significa que no dé una guía de acción.

La **teoría de la virtud** argumenta que la meta de una vida moral es desarrollar esas disposiciones generales que se llaman *virtudes morales*, y practicarlas y exhibirlas en las muchas situaciones en las cuales nos coloca la vida. En la medida en que practiquemos las virtudes en nuestras acciones, y en la medida en que estas últimas manifiesten las virtudes o nos hagan virtuosos, esas acciones serán moralmente correctas. Pero si nuestras acciones son el resultado de la práctica de vicios o desarrollan un carácter vicioso, en ese grado, las acciones serán moralmente incorrectas. La implicación clave de guiarse por las acciones, de acuerdo con la teoría de la virtud, se resume en la siguiente afirmación:

> Una acción es moralmente correcta si, al llevarla a cabo, el agente practica, exhibe o desarrolla un carácter moralmente virtuoso, y es moralmente incorrecta en el grado en que, al realizar la acción, el agente practica, exhibe o desarrolla un carácter moralmente vicioso.

Desde esta perspectiva, entonces, lo incorrecto de una acción se determina examinando el tipo de persona que la acción tiende a producir, o el tipo de persona que tiende a realizar la acción. En cualquier caso, la ética de la acción depende de su relación con las virtudes y los vicios del agente. Por ejemplo, se ha afirmado que la moralidad del aborto, el adulterio o cualquier otra acción se deben evaluar examinando el tipo de carácter que evidencian las personas que se involucran en esas acciones. Si la decisión de emprenderlas tiende a desarrollar el carácter de una persona haciéndola más responsable, cuidadosa, con principios, honesta, abierta y dispuesta al sacrificio, entonces esas acciones son moralmente correctas. Sin embargo, si la decisión de emprender esas acciones tiende a hacer a las personas más egocéntricas, irresponsables, deshonestas, descuidadas y egoístas, entonces esas acciones son moralmente incorrectas. Las acciones no solo se evalúan por el tipo de carácter que desarrollan; también se condenan ciertas acciones precisamente porque son el resultado de

**teoría de la virtud** La teoría de que la meta de la vida moral es desarrollar esas disposiciones generales llamadas *virtudes morales*, y practicarlas y exhibirlas en las muchas situaciones en las cuales nos coloca la vida.

*Repaso breve 2.19*

**Afirmaciones de la teoría de la virtud**
- Debemos practicar, exhibir y desarrollar las virtudes.
- Debemos evitar practicar, exhibir y desarrollar vicios.
- Las instituciones deben promover las virtudes, no los vicios.

un carácter moralmente vicioso. Por ejemplo, se condenan las acciones crueles porque son evidencia de un carácter vicioso, y las mentiras porque derivan de un carácter deshonesto.

La teoría de la virtud no solo proporciona un criterio para evaluar las acciones, también ofrece un criterio útil para evaluar nuestras instituciones y prácticas sociales. Por ejemplo, se afirma que algunas instituciones económicas crean gente codiciosa, que las grandes organizaciones burocráticas hacen a los individuos menos responsables, y que la práctica del gobierno de brindar servicios asistenciales vuelve a las personas perezosas y dependientes. Todos esos argumentos evalúan las instituciones y las prácticas con base en la teoría de la virtud y, aunque sean falsos, todos apelan a la idea de que las instituciones son moralmente defectuosas cuando tienden a formar personalidades moralmente defectuosas.

Antes mencionamos que, según Pincoffs, las virtudes morales son disposiciones deseables, en general, porque se requieren en las situaciones que manejan las personas en cualquier lugar. Por ejemplo, algunas disposiciones son virtudes morales porque las personas, en todos lados, se sienten tentadas por sus emociones y deseos a no hacer lo que saben que deben hacer. La fortaleza, la templanza y, en general, las virtudes del control de uno mismo son de ese tipo. Algunas virtudes, como la honestidad, son disposiciones a comprometerse voluntariamente en tipos específicos de acciones morales que son valoradas por la sociedad. Pincoffs sugiere que algunas disposiciones se clasifican como *virtudes instrumentales* porque permiten que las personas en todos lados busquen sus metas de manera efectiva como individuos (persistencia, esmero, determinación) o como parte de un grupo (cooperación); mientras que algunas son *virtudes no instrumentales* porque son deseables por sí mismas (serenidad, nobleza, ingenio, gracia, tolerancia, sensatez, gentileza, cordialidad, modestia y cortesía). Algunas virtudes son cognitivas y consisten en comprender los requisitos de la moralidad hacia nosotros mismos y hacia otros, como la sabiduría y la prudencia. Otras son disposiciones que nos inclinan a actuar según los principios morales generales. La virtud de la benevolencia, por ejemplo, nos inclina a maximizar la felicidad de los demás, la del respeto a otros nos impulsa a tener consideración por los derechos de los individuos, la de la imparcialidad nos estimula a comportarnos de acuerdo con los principios de la justicia, y la virtud del cuidado nos incita a vivir según los principios del cuidado hacia otros.

**Objeciones a la teoría de la virtud** Algunos filósofos argumentan que la teoría de la virtud no es congruente con los hallazgos de la psicología moderna.[137] En una investigación entre estudiantes de la Escuela de Teología de la Universidad de Princeton, se les pidió que leyeran la historia de la Biblia que trata del buen samaritano, quien ayuda a un hombre herido que yace en el camino; luego, se les pidió que fueran a toda prisa a otro edificio para una cita extremadamente importante para la que apenas si tenían tiempo de llegar puntuales.[138] Cuando cada alumno se apresuraba a llegar al otro edificio, encontraba tirado en el suelo a un hombre que parecía enfermo o herido. El 90 por ciento de los estudiantes de teología miraron al hombre, lo esquivaron y siguieron deprisa su camino sin ayudarlo. Pero los estudiantes no solo acababan de leer sobre eso y, presumiblemente, pensaron en la importancia de ayudar (en especial a una persona herida que está en el suelo), también eran personas que se consideraban buenas y con un carácter virtuoso, ya que aspiraban a ser pastores. Los autores del estudio concluyeron que el comportamiento de una persona está determinado por su situación externa y no por su carácter moral.

En un estudio diferente con estudiantes de la Universidad de Stanford, se asignó de manera aleatoria a 21 estudiantes varones el papel de "prisionero" o "guardián" en una "prisión" situada en el sótano del Departamento de Psicología.[139] Los estudiantes se seleccionaron de entre 75 voluntarios y fueron sometidos a pruebas psicológicas para poder elegir, entre ellos, a los más estables emocionalmente, más maduros, menos antisociales, más normales y más sanos psicológicamente. Los guardias tenían que portar uniformes, usar lentes espejados para impedir el contacto visual, y llevar bastones de madera solo para establecer su autoridad, no para castigar a los prisioneros. A los prisioneros se les vistió con batas amplias blancas, que les llegaban hasta las rodillas y con un número en la espalda. Cada uno llevaba una cadena en los tobillos y se le llamaba por su número, no por su nombre. El experimento debía durar dos semanas, pero se detuvo después de seis días porque se salió de control. A medida que progresaba, los guardias se volvían cada vez más dominantes y abusivos, acosaban a los prisioneros, los castigaban obligándolos a hacer flexiones o a dormir en el suelo de concreto sin colchón, los desnudaban para degradarlos y los humillaron de muchas maneras. Casi un tercio de los guardianes se convirtió en sádico o cruel. Los prisioneros se volvieron cada vez más pasivos, serviles, deshumanizados, erráticos y con mayor odio hacia los guardias. Manifestaron depresión profunda, llantos, rabia y ansiedad aguda. Philip Zimbardo, el autor del experimento, concluyó que este mostró que el comportamiento de una persona no está determinado por sus rasgos psicológicos o morales personales, sino por el ambiente externo. Si se coloca a la gente en un ambiente que aprueba, legitima y apoya el comportamiento dominante y cruel, exhibirá esos comportamientos sin importar las virtudes que pueda tener. Zimbardo declaró más tarde que la tortura y el comportamiento sádico que los soldados estadounidenses infligieron a los prisioneros en la cárcel de Abu Ghraib, en 2004, fue el resultado del mismo tipo de ambiente que generó en su experimento.[140]

Sin embargo, un estudio más reciente en psicología se ha inclinado a apoyar más la teoría de la virtud.[141] Algunos psicólogos afirman que las personas pueden aprender a actuar según sus virtudes dentro de ciertos tipos familiares de situaciones, pero no más allá. Si esos psicólogos tienen razón, entonces quizá los sujetos que participaron en los estudios de Princeton y Stanford no actuaron según sus virtudes solo porque las situaciones en las que los estudios los colocaron eran extrañas y no les resultaban familiares. El comportamiento de las personas puede estar regido por sus virtudes, pero solo dentro de determinados tipos de situaciones más o menos familiares. Los estudios de ambas universidades no nos deben llevar a abandonar el estudio de las virtudes, sino que nos deberían estimular a descubrir cómo ampliar el rango de situaciones en las que entran en juego.

Aún más, otros estudios directos entre carácter y comportamiento sugieren que las virtudes influyen en nuestras decisiones morales aproximadamente como lo predice la teoría de la virtud. Un conjunto de estudios indica que las decisiones morales que armonizan con aquellos rasgos del carácter que una persona considera como parte de quién es —esto es, como parte de su identidad— son características más estables y duraderas de ella que las decisiones que entran en conflicto con esos rasgos.[142] Otros estudios indican que la comprensión de un individuo de su propio carácter o identidad moral influye en su comportamiento, porque el hecho de no vivir de acuerdo con la identidad moral de uno genera incomodidad emocional y el sentimiento de haberse traicionado a sí mismo.[143] Aunque los factores ambientales extraños o poco habituales pueden reducir la influencia de la virtud en el comportamiento (como indicaron los estudios de Princeton y Stanford), entender el carácter de uno mismo, por lo general, influirá en el comportamiento que muestre. Como sugiere la teoría de la virtud, al tomar una decisión moral, las personas que tienen una fuerte imagen de sí mismas como cuidadosas, justas, amigables, generosas, colaboradoras, trabajadoras, honestas y amables considerarán cómo debería comportarse un individuo que sea como ellas. Normalmente, su decisión será congruente con su sentido del tipo de personas que son.[144]

## Virtudes y principios

¿Cuál es la relación entre una teoría de la virtud y las teorías de la ética que se han estudiado (utilitarismo, derechos, justicia y cuidado)? Como sugiere un rápido vistazo a los muchos tipos de disposiciones que cuentan como virtudes, las virtudes morales apoyan o facilitan el apego a los principios morales, pero de diferentes maneras. Por lo tanto, no hay una relación sencilla y única entre las virtudes y nuestros principios morales. Algunas virtudes permiten a las personas hacer lo que requieren los principios morales. Por ejemplo, la fortaleza nos permite seguir nuestros principios morales aun cuando el temor a las consecuencias nos tiente a obrar de otra manera. Algunas virtudes consisten en presteza para actuar según los principios morales. La justicia, por ejemplo, es la virtud de estar dispuesto a seguir los principios de la justicia. Algunas virtudes son disposiciones que nuestros principios morales requieren que desarrollemos. El utilitarismo, por ejemplo, requiere que desarrollemos disposiciones, como la bondad y la generosidad, que nos conducirán a aumentar la felicidad de la gente.

Por consiguiente, no existe conflicto entre las teorías éticas que se basan en principios y las que se basan en virtudes. Sin embargo, una teoría de la virtud difiere de una ética de los principios en la perspectiva desde la cual realiza las evaluaciones morales. Una teoría de la virtud juzga las acciones en términos de las disposiciones que se asocian con ellas, mientras que una ética de principios juzga las disposiciones en términos de las acciones asociadas con estas. Para una ética de principios, las acciones son primordiales, mientras que para una ética de la virtud, las disposiciones son esenciales. Entonces, se puede decir que tanto una ética de principios como una de virtudes identifican de qué se trata la vida moral. No obstante, los principios analizan la vida moral en términos de las acciones que la moralidad nos obliga a realizar, mientras que las virtudes la analizan en términos del tipo de persona que la moralidad nos obliga a ser. Una ética de la virtud, entonces, cubre en gran parte los mismos fundamentos que una ética de principios, pero desde diferentes puntos de vista.

Por lo tanto, una ética de la virtud no es un quinto tipo de principio moral que debe tomar su lugar junto con los principios de utilitarismo, derechos, justicia y cuidado. En vez de ello, completa y enriquece estos principios al analizar no solo las acciones que las personas deben realizar, sino el carácter que es necesario que posean. Así, una ética de la virtud adecuada analizará las virtudes que se asocian con el utilitarismo, con los derechos, con la justicia y con el cuidado. Además, analizará (y en este sentido una ética de la virtud va más allá que una ética de principios) las virtudes que las personas deben cumplir junto con sus principios morales cuando sus sentimientos, deseos y pasiones las tientan a hacer lo contrario. Analizará las muchas otras virtudes que los principios de utilitarismo, derechos, justicia y cuidado requieren que cultive una persona. Así, una ética de la virtud trata el mismo cúmulo de aspectos que una ética de principios, pero además estudia los aspectos relacionados con la motivación y los sentimientos que la ética de principios suele ignorar.

## 2.7 Decisiones morales inconscientes

Vimos en este capítulo y en el anterior que el razonamiento moral es el proceso de aplicar nuestros principios morales al conocimiento o a la comprensión que tenemos sobre una situación, y de hacer un juicio sobre cómo conviene proceder. Por ejemplo, los directivos de Ford Motor Company se enfrentaron con el diseño de un automóvil que podía lastimar a los pasajeros en un choque real. Buscaron más información, encontraron una solución al problema y calcularon los costos y beneficios de modificarlo. Aplicaron sus principios utilitarios al conocimiento que habían reunido y juzgaron que no deberían modificar el diseño del auto.

Ahora piense por un momento en todas las veces que hoy decidió hacer lo que era moralmente correcto. Por ejemplo, probablemente mantuvo diversas conversaciones en las que dijo la verdad, en lugar de mentir, o pasó al lado de la propiedad de alguien y no se la robó, o mantuvo su promesa cuando dijo a alguien que lo vería después de clase, o devolvió la pluma que le prestaron.

Observe que cuando tomó estas decisiones éticas en este día, no realizó el proceso consciente y deliberado de razonamiento moral que hemos analizado. Al hablar, por lo general, dice la verdad sin tener que pensarlo, respeta la propiedad de los demás sin razonar lo que dicen sus principios morales, y mantiene sus promesas sin pensar en ello.

Parece que tomamos muchas de nuestras decisiones éticas sin el tipo de razonamiento moral consciente sobre la utilidad, los derechos, la justicia, el cuidado y la virtud que hemos analizado. En vez de ello, parece que tomamos muchas de nuestras decisiones morales automáticamente y sin un razonamiento consciente. ¿Qué es lo que sucede aquí?

Un gran número de estudios psicológicos del cerebro y sus procesos señalan que existen dos formas de tomar decisiones morales: mediante el razonamiento consciente y mediante procesos mentales inconscientes. El cerebro es capaz de asimilar información y luego tomar decisiones de manera automática e inconsciente, y también es capaz de emprender procesos de razonamiento consciente y deliberado. Los tipos de razonamiento moral que hemos analizado hasta ahora son parte de nuestras capacidades conscientes de razonamiento, pero muchas de nuestras decisiones éticas cotidianas parecen surgir de procesos mentales inconscientes. Ahora se analizará brevemente lo que se sabe de estos procesos inconscientes. Es importante hacerlo por dos razones. En primer término, parece que tomamos la gran mayoría de nuestras decisiones morales mediante los procesos inconscientes. Aun así, no se ha dicho casi nada acerca de ellos. Por lo tanto, para entender el razonamiento moral es importante entender estos procesos inconscientes, ya que desempeñan un papel tan importante en la toma de decisiones morales. En segundo lugar, como estos procesos son inconscientes y automáticos, es fácil concluir que no están relacionados con los procesos conscientes y lógicos de razonamiento que hemos estudiado. Sin embargo, si no están relacionados con estos últimos, ¿no estamos diciendo prácticamente que no son lógicos ni racionales? ¿Podrían incluso ser completamente irracionales? Y si la mayoría de nuestras decisiones morales se toman mediante procesos que no son lógicos ni racionales (posiblemente irracionales), entonces, ¿no se concluye que, al final, la mayor parte de nuestra vida moral se basa en un fundamento posiblemente irracional del que no somos conscientes? ¿Cuál sería el objetivo de estudiar todo esto sobre el razonamiento moral, los estándares morales, etcétera? Es importante, entonces, que se analicen estos procesos y se trate de contestar a esas preguntas apremiantes.

## Toma de decisiones morales inconscientes

El psicólogo Scott Reynolds llama sistema X a los procesos inconscientes con los que tomamos automáticamente muchas de nuestras decisiones morales, y sistema C al razonamiento consciente mediante el que tomamos otras tantas.[145] El sistema X, que Reynolds y otros han estudiado, se basa en el uso de esquemas o prototipos.[146] Los prototipos son recuerdos generales de los tipos de situaciones que se han experimentado en el pasado, junto con los tipos de sonidos, palabras, objetos o personas que estuvieron presentes en esas situaciones, el tipo de emociones experimentadas, la forma en que nos comportamos en ellas, el tipo de normas morales o reglas que seguimos, etcétera. El cerebro usa estos prototipos almacenados para analizar las nuevas situaciones que enfrentamos cada día y para determinar cómo nos comportaremos en ellas. Lo hace tratando de asociar cada nueva situación que experimentamos con alguna de su almacén de prototipos. Si la nueva situación coincide con un prototipo almacenado, entonces, el cerebro reconoce que la nueva situación es similar al prototipo. Así, usa la información almacenada en este último para identificar qué tipo de comportamiento es adecuado para esa situación, qué tipo de normas morales se aplican en ella, qué emociones son habituales para esas situaciones, etcétera.

Aunque estos procesos de acoplamiento ocurren de manera inconsciente, una vez que se establece la correspondencia, el cerebro consciente se percata de la misma. Es decir, cuando el cerebro hace corresponder una situación con un prototipo almacenado, reconocemos de manera consciente el tipo de situación en la que nos encontramos y qué comportamiento es el adecuado para ella. Por ejemplo, durante una conversación, reconocemos de manera consciente que estamos platicando y sabemos qué hacer, aunque no seamos conscientes

*Repaso breve 2.21*

**Decisiones morales inconscientes**
- Comprenden la mayoría de las decisiones morales.
- Según los psicólogos, se toman con el sistema X del cerebro, usando prototipos almacenados para identificar de manera automática e inconsciente lo que se percibe y lo que se debe hacer.

de todo lo que el cerebro tuvo que hacer para llegar a ese reconocimiento y a ese conocimiento. De esta manera, no hay que desaprovechar nuestros limitados recursos de razonamiento consciente para descubrir lo que sucede y lo que se debe hacer cada vez que se experimenta algo. Sin hacer esfuerzos de razonamiento consciente, inmediatamente sabemos en qué tipo de situación nos encontramos y cómo debemos actuar porque todo el trabajo de hacer surgir ese conocimiento consciente lo hizo el cerebro con sus procesos inconscientes de acoplamiento.

Los prototipos no son fijos ni inmutables. A medida que transcurre la vida y se experimentan los mismos tipos de situaciones una y otra vez, se añade a los prototipos cualquier nueva información que obtengamos de cada experiencia. Por ejemplo, un prototipo puede ser el que almacena información sobre las conversaciones que hemos mantenido. A medida que pasa el tiempo y sostenemos más conversaciones, podemos aprender que en esas situaciones lo adecuado es un comportamiento sincero. El prototipo almacenará esa información, y la próxima vez que conversemos, el cerebro hará corresponder esta nueva situación con ese prototipo, sabrá que está conversando y automáticamente decidirá ser sincero. Gracias a los miles de prototipos que almacenamos en el cerebro, no solo reconocemos una gran cantidad de situaciones diferentes, sino que también sabemos cómo comportarnos en ellas sin tener que pensarlo de manera consciente.

Sin embargo, una vez que estamos consciente del tipo de situación en la que nos encontramos, podemos comenzar a usar nuestros procesos de razonamiento consciente —esto es, nuestros procesos del sistema C— para manejarla. Por ejemplo, podemos ser conscientes de que estamos conversando con un amigo y que, en este tipo de situación, decimos la verdad. Pero supongamos que esta vez sabemos que, si decimos la verdad, lastimaremos los sentimientos de nuestro amigo, así que pensamos en mentir. Entonces, nuestros procesos de razonamiento consciente tienen que pasar a la acción para descubrir deliberadamente qué hacer: ¿mentimos o decimos la verdad? Estos procesos de razonamiento consciente son parte de nuestro sistema C.

Este sistema (o sistema de razonamiento consciente) realiza procesos que, como se vio en este capítulo, son más complicados que la simple correspondencia de prototipos que usa el sistema X. Como se vio en el capítulo anterior, el razonamiento moral consciente puede reunir información de manera deliberada sobre una situación que se esté considerando. Puede extraer de nuestro almacén de principios morales para ver cuáles aplicar a este tipo de situación, y luego determinará qué requieren esos principios morales para la situación que enfrentamos.

También dependemos del razonamiento consciente cuando nos encontramos en una situación nueva o poco habitual que, por lo mismo, nuestro sistema inconsciente X no logra asociar con ninguno de sus prototipos almacenados. Por ejemplo, quizá nos encontramos con un objeto que no hemos visto jamás. Entonces el sistema C toma el control e intenta razonar qué es. Tal vez conscientemente tratemos de reunir información sobre el objeto extraño, podemos recordar las reglas y los principios que conocemos para ver si alguno nos dice qué hacer con algo así. ¿Debemos tocarlo? ¿Deberíamos echarle agua? ¿Comerlo? ¿Alejarnos? Finalmente, descubrimos qué hacer y luego almacenamos un nuevo prototipo que contiene la información sobre este nuevo tipo de objeto. Por lo tanto, nuestros procesos de razonamiento consciente constituyen una fuente fundamental de los prototipos que usa el sistema X y de la información que estos contienen.

De esta forma, las incontables decisiones morales que tomamos de manera automática y sin pensar a lo largo de un día normal se pueden entender como los resultados de nuestra dependencia inconsciente de los prototipos de situaciones pasadas, los cuales incluyen información sobre las acciones que son moralmente adecuadas para la situación en la que nos encontramos. Aunque estas decisiones morales se toman sin pensar mucho, esto es posible en parte porque antes hemos experimentado situaciones similares y, por consiguiente, ya determinamos previamente de manera consciente qué hacer. Esas experiencias pasadas nos permitieron desarrollar un almacén de prototipos —una especie de sabidu-ría— que podemos usar ahora sin tener que averiguar todo otra vez de manera consciente desde el principio. De esta forma, los prototipos tienen un objetivo importante y liberador: nos eximen de tener que emprender las tareas de un razonamiento moral de manera re-petida durante el día. ¡Piense en lo imposible que se volvería la vida si tuviéramos que detenernos continuamente a realizar el tipo de razonamiento moral consciente, lógico y lento que hemos analizado en estos dos capítulos! El sistema de prototipos del cerebro nos salva —nos libera— de estar continuamente atorados en los laboriosos procesos de este tipo de razonamiento.

## Legitimidad de la toma de decisiones morales inconscientes

Si bien el uso de los prototipos es un proceso inconsciente, esto no significa que sea una clase de proceso irracional o de dudosa reputación. Para ver que no es así, hagamos una compa-ración con algunas formas conscientes de razonamiento que son muy semejantes al uso de prototipos, pero que son claramente racionales y legítimas. Una forma de razonamiento moral consciente que es similar al uso inconsciente de prototipos es la casuística, la cual se usó mucho hasta el siglo XVII, y empezó a utilizarse de nuevo hacia finales del siglo XX, especialmente en la ética médica, donde aún influye y es ampliamente aceptada como ra-cional y legítima.

La casuística es una forma de tomar decisiones morales con base en casos paradig-máticos que se presentaron con anterioridad.[147] Un caso paradigmático es una situación pasada en la que quedó claro cuál debió ser la respuesta ética y las razones para ella. El razonamiento casuístico usa esos casos claros anteriores para decidir lo que es ético en una situación nueva. Este tipo de razonamiento primero trata de identificar un caso paradig-mático anterior que se parezca a esta nueva situación. Luego, trata de determinar si esta se parece lo suficiente al paradigma para justificar que se tome la misma decisión en el presente que la que se tomó en ese caso anterior. Sin embargo, si se descubre que la nueva situación es diferente al paradigma anterior de una forma moralmente relevante, entonces, no se justifica basarse en el antiguo paradigma para resolver la situación actual, sino que se debe recurrir al razonamiento moral regular para descubrir qué hacer. Algunos ejemplos aclararán cómo funciona el razonamiento casuístico.

Supongamos que un vendedor se está preguntando si debe advertir a un cliente sobre los peligros de usar un producto que este quiere comprar, aun cuando el hecho de decír-selo podría significar perder la venta. Si el vendedor usara el razonamiento casuístico para tomar su decisión, recordaría situaciones como la que se encuentra ahora, pero en las que sabía lo que tenía que hacer. Quizá recuerde cuando consideró mentir a un cliente, pero se dio cuenta de que eso era incorrecto, porque le habría engañado en lugar de permitirle tomar una decisión informada. Su situación actual no encaja mucho con la experiencia anterior porque durante esta se trataba de mentir de forma activa, mientras que ahora, de manera pasiva, retendría información. Sin embargo, se da cuenta de que las dos situaciones son similares en tanto que ambas implican engañar al cliente e impedir que este tenga la oportunidad de tomar decisiones informadas. Puesto que su situación actual coincide con la anterior en estos aspectos morales importantes, y como el vendedor sabe que engañar al cliente hubiera sido incorrecto en el caso anterior, decide que sería igual de incorrecto retener información en la situación actual.

El razonamiento casuístico también podría concluir que una situación nueva *no* se pa-rece a un caso paradigmático. Supongamos, por ejemplo, que usted pidió prestada un arma a un amigo, quien ahora le pide que se la regrese, y usted sospecha que con ella quiere las-timarse a sí mismo o lesionar a alguien más. ¿Qué debería hacer? Usted recuerda muchos casos en los que pidió prestado algo y creyó que tenía la obligación moral de devolverlo.

---

*Repaso breve 2.22*

**Prototipos y racionalidad**

- La manera en que el cerebro usa los prototipos es similar al uso de paradigmas en la casuística o en el derecho consuetudinario; ambos son procesos racionales.
- Esta semejanza implica que el uso de prototipos también es un proceso racional.
- El razonamiento consciente también puede corregir y moldear nuestros prototipos.

Sin embargo, hay una diferencia moral importante entre su situación actual y las anteriores: en esta una persona puede morir si usted devuelve lo que pidió prestado. Como la obligación de preservar la vida supera la obligación de devolver lo que pidió prestado, usted decide que la diferencia entre esta situación y las anteriores es moralmente importante y justifica *no* seguir el mismo procedimiento de los casos anteriores. En vez de ello, considera otros casos que supusieron un daño potencial a otros. Quizás en algunos de esos casos usted estuvo seguro de que sería incorrecto cooperar en dañar a otra persona. Las semejanzas entre su situación actual y los casos que tenían que ver con cooperar para dañar a alguien son lo suficientemente significativas para que usted decida que sería incorrecto devolver el arma, porque estaría contribuyendo a un daño potencial.

Observe que el razonamiento moral casuístico usa paradigmas que funcionan de una manera muy semejante a los prototipos que usa el cerebro en sus procesos inconscientes de toma de decisiones. El razonamiento casuístico es prácticamente una versión consciente del uso inconsciente de prototipos que hace el cerebro. La casuística no es el único tipo de razonamiento que es similar a nuestra dependencia inconsciente de los prototipos. Los jueces en los sistemas legales de derecho consuetudinario, como el sistema de Estados Unidos, dependen de hechos *precedentes* para decidir qué hacer en el caso que enfrentan en el momento.[148] Un precedente es un recurso legal que sirve para decidir sobre casos similares. Si en el caso actual hay aspectos o hechos que son iguales a los que se observaron en un precedente, entonces, el juez normalmente tomará la misma decisión. Pero otra forma de razonamiento que es similar al uso de prototipos del cerebro es el *razonamiento basado en casos*, que se usa ampliamente en los sistemas de cómputo de inteligencia artificial.[149] Una vez más, el proceso implica depender de casos de correspondencia anteriores para decidir qué hacer en el caso actual.

Por lo tanto, el uso inconsciente de prototipos, que es como se toman muchas de las decisiones morales, no es un proceso irracional ni tampoco ilegítimo. Es, de hecho, una versión inconsciente de los procesos de toma de decisiones que se usan de manera legítima en muchos campos, incluyendo una forma importante de razonamiento moral consciente como la casuística. La semejanza entre el uso inconsciente de prototipos y los procesos legítimos y conscientes de razonamiento que hemos analizado constituye una buena razón para pensar que nuestros procesos de toma de decisiones basados en prototipos no son ilegítimos ni irracionales.

## Influencias culturales e intuición

Ya se mencionó que algunos de los prototipos sobre los que se basan las acciones son producto del razonamiento moral consciente. Pero no siempre es así. Al menos hay dos formas en las que adquirimos nuestras convicciones sobre lo que la moralidad requiere de nosotros. En el capítulo 1 se explicó que muchas de nuestras creencias morales se derivan de las influencias culturales que nos rodearon mientras crecíamos, esto es, las influencias que ejercieron la familia, los grupos de compañeros, historias, canciones, revistas, televisión, radio, iglesia, novelas, periódicos, etcétera. No hay duda de que estas influencias culturales se incorporan a nuestros prototipos y, por lo tanto, moldean nuestras acciones. Desde luego, el hecho de que adquiramos una creencia moral de la cultura que nos rodea no significa que esa creencia sea necesariamente correcta o incorrecta. En realidad, una de las funciones del razonamiento moral tradicional es evaluar de manera crítica las creencias que hemos captado de la familia, los amigos, etcétera, y que han llegado a formar parte de los prototipos que usamos, para determinar si tales creencias son razonables o no.

El razonamiento moral consciente y las influencias culturales no son las únicas fuentes de los prototipos que guían las acciones ordinarias. Algunas de nuestras creencias morales más fuertes y que sostenemos con mayor vehemencia se basan en la pura intuición, es decir, no las adquirimos del ambiente, ni se basan en alguna razón moral o no moral o en el razonamiento.[150] El psicólogo Jonathan Haidt sugiere que consideremos la siguiente historia que él inventó y la cual revela una creencia moral que todos compartimos, pero no se basa en el razonamiento moral consciente:

> Julie y Mark son hermanos. Viajan juntos a Francia para pasar sus vacaciones de verano de la universidad. Una noche que están solos en su cabaña cerca de la playa deciden que sería interesante y divertido si tienen relaciones. Por lo menos, será una nueva experiencia para los dos. Julie ya tomaba píldoras anticonceptivas y Mark usará condón, solo para estar seguros. Ambos disfrutan de la experiencia, pero deciden no volver a hacerlo. Guardan esa noche como un secreto especial, lo que les hace sentirse más unidos. ¿Qué opina de esto? ¿Estuvo bien que hicieran el amor?[151]

Probablemente su respuesta a la última pregunta de Haidt es que Julie y Mark hicieron algo moralmente incorrecto. (¡Esa sería también mi respuesta!). ¿Pero qué razonamiento nos llevó a esa conclusión? ¿Qué razones tenemos para estar convencidos de que el incesto fue inmoral? Nadie resultó dañado por lo que hicieron, y supongamos que ellos tampoco sufrieron consecuencias adversas, no se sintieron culpables, su relación no se vio afectada, etcétera. Además, lo que hicieron no fue injusto, ni violó los derechos morales de nadie más, ni fue falta de cuidado. Hay una razón biológica por la que los parientes muy cercanos no deben tener hijos juntos (en especial porque la endogamia aumenta la probabilidad de tener descendencia con malformaciones), pero esta situación no se aplica a Julie y Mark. ¿Qué razones tenemos usted y yo para estar convencidos de que lo que hicieron es incorrecto? La mayoría de las personas no podremos encontrar una razón clara, pero eso no cambiará nuestra opinión. Quizá acabemos diciendo algo como: "Aunque no sé por qué está mal, ¡simplemente sé que lo está!". Haidt argumenta que el hecho de que no podamos hallar una justificación para nuestra convicción de que el incesto es incorrecto implica que no adquirimos esta convicción por el razonamiento, esto es, que no se basa en razones. Aún más, el hecho de que esta convicción es compartida por casi todo el mundo y se ha aceptado en cada cultura y época sugiere que simplemente se inserta en el cerebro humano. Se basa en la intuición que parece estar "programada" en nuestros cerebros. Esto, desde luego, no significa que la convicción sea errónea o correcta; solo significa que originalmente no se basa en un proceso de razonamiento. (Para saber si la convicción es errónea o correcta, hay que examinarla con mucho más detalle con el uso del razonamiento moral consciente).

Hay otras creencias morales que parecen basarse en la intuición, al igual que la que sostiene que el incesto es incorrecto; las tenemos, pero no podemos dar ninguna razón de por qué las consideramos válidas. El psicólogo social Marc Hauser explica tres principios que, según sus estudios, la mayoría de las personas aceptan cuando juzgan sobre la moralidad de dañar a la gente:

*El principio de acción:* El daño que una acción causa es moralmente peor que el daño equivalente que provoca una omisión. (Por ejemplo, es peor matar a una persona que dejar que muera sin hacer nada para evitar su muerte).

*El principio de intención:* El daño que se quiere hacer como el medio para lograr un fin es moralmente peor que el daño equivalente previsto como un efecto colateral de un fin. (Por ejemplo, es peor saltar de un bote deliberadamente con la intención de suicidarse, que saltar del bote salvavidas para que haya espacio para otros supervivientes de un barco que se está hundiendo, aun cuando eso signifique ahogarse).

---

*Repaso breve 2.23*

**Intuiciones morales**
- Los prototipos se pueden moldear por las intuiciones morales "programadas" en el cerebro, así como por el razonamiento moral consciente y las influencias culturales.
- Las intuiciones "programadas" parecen incluir: el incesto es erróneo; dañar por acción es peor que dañar por omisión; dañar como medio para lograr un fin es peor que dañar como un efecto colateral previsto; dañar por contacto físico es peor que dañar sin él.

*El principio de contacto*: Usar el contacto físico para causar daño a una víctima es moralmente peor que causar un daño equivalente sin contacto físico. (Por ejemplo, el hecho de que un soldado acuchille y mate a un civil inocente es peor que el caso de un piloto que deja caer una bomba que sabe que va a matar a un civil inocente al que no ve).[152]

Al analizar las respuestas que dan las personas a los diferentes escenarios (como los ejemplos en los paréntesis anteriores), Hauser muestra que casi todas aceptan estos principios cuando deciden si es moralmente peor causar daño de una manera o de otra. Pero cuando se les presiona para que den las razones por las que aceptan estos principios, la mayoría no sabe dar ninguna. Parece que estos principios se aceptan, no porque se hayan razonado, sino porque se basan en la intuición.

Los prototipos que se usan de manera inconsciente para tomar la mayor parte de las decisiones morales cotidianas también pueden estar inspirados en estos principios morales que se conocen por intuición, así como por las influencias culturales del ambiente y del razonamiento moral consciente. Merece la pena recalcar que el solo hecho de que un principio se acepte con base en la intuición no significa que este sea correcto o incorrecto. Por ejemplo, el razonamiento moral puede demostrarnos en última instancia que los principios de acción, intención y contacto son correctos; o bien, el razonamiento futuro podría mostrar que son un error. De hecho, algunos filósofos argumentan que estos principios son erróneos, mientras que otros afirman lo contrario.[153] Para probar o desaprobar esos tres principios morales se utiliza, desde luego, el razonamiento moral consciente, es decir, aquel que deliberadamente reúne evidencias, apela a principios morales como el utilitarismo, y llega a un juicio ponderado. Aunque el razonamiento moral consciente probablemente no sea el que "esté al mando" todo el tiempo, desempeña un papel crucial cuando se quiere determinar si las intuiciones son correctas o incorrectas, o si las creencias que se aprenden a partir de la cultura son razonables o no.

Por lo tanto, las decisiones morales se basan en dos procesos diferentes: el uso inconsciente y automático de prototipos que se acumulan gradualmente a medida que transcurre la vida, y el uso consciente del razonamiento moral que apela a la evidencia y a estándares morales como utilidad, derechos, justicia y cuidado. Los procesos inconscientes de los prototipos son los responsables de muchas —quizá de la mayoría— de las decisiones morales automáticas cotidianas, y estos prototipos se moldean por el ambiente cultural, las intuiciones morales y el razonamiento moral consciente del pasado. Por otra parte, hay una dependencia del razonamiento moral consciente cuando hay que decidir qué hacer en una situación nueva o poco habitual (una que no encaje con ningún prototipo), así como cuando se quiere averiguar si las creencias que adquirimos por intuición o por la cultura son razonables o no. Aunque durante gran parte de la vida dependemos del tipo de comportamiento automático —e irreflexivo— que los prototipos nos permiten realizar, a menudo también nos encontramos con que es necesario recurrir al razonamiento moral para corregir o ampliar nuestros prototipos, cuando estos no brindan el tipo de guía que se necesita.

De esta forma, los procesos en los que se basan las decisiones morales pueden ser racionales aun cuando sean inconscientes. El uso inconsciente de prototipos se parece mucho a la casuística y a otras formas de razonamiento consciente que aceptamos como justificadas racionalmente. Es más, las reglas y normas que forman parte de los prototipos del cerebro a menudo se originan en episodios anteriores de razonamiento moral consciente. Y, lo más importante de todo, es posible desapegarse y pensar conscientemente sobre las normas y reglas que el cerebro parece haber incorporado a sus prototipos y preguntar si estas pueden recibir algún tipo de apoyo racional. De esta forma, es posible corregir estas reglas y normas previamente aceptadas. Esto se puede hacer no solo con las reglas y normas que hemos tomado de nuestra cultura (de padres, amigos, películas, libros y otras

*Repaso breve 2.24*

**Razonamiento moral consciente**
- Se utiliza en situaciones nuevas, extrañas o inusuales, para las cuales el cerebro no tiene prototipos.
- Consiste en procesos conscientes y lógicos, aunque lentos, del "sistema C" del cerebro.
- Evalúa qué tan razonables son nuestras intuiciones y creencias culturales, así como las normas almacenadas en los prototipos que poseemos.

influencias culturales), sino también con las normas y reglas que conocemos por intuición y que parecen estar "programadas" directamente al cerebro. Sin embargo, pensar y sopesar todas las normas que hemos acumulado a medida que envejecemos es un proceso largo y difícil. Este es el trabajo de la ética, un trabajo que dura toda la vida.

✓•—[Estudie y repase en
**mythinkinglab.com**

## Preguntas de repaso y análisis

1. Defina los siguientes conceptos: utilitarismo, utilidad, bien intrínseco, bien instrumental, necesidad básica, deseos puros, regla utilitaria, derechos, derechos legales, derechos morales, derechos negativos, derechos positivos, derechos contractuales, imperativo categórico (o formal), perspectiva libertaria de los derechos, justicia distributiva, principio fundamental (o formal) de la justicia distributiva, principio material de justicia, justicia igualitaria, justicia capitalista, justicia socialista, justicia libertaria, la justicia como igualdad, principio de igual libertad, principio de diferencias, principio de la justa igualdad de oportunidades, la "posición original", justicia retributiva, justicia compensatoria, cuidado, ética del cuidado, relación concreta, virtud, ética de la virtud, prototipo, razonamiento casuístico.

2. Un estudiante definió, incorrectamente, el *utilitarismo* como sigue: "Utilitarismo es el punto de vista de que mientras una acción me proporcione más beneficios económicos mensurables que costos, la acción es moralmente correcta". Identifique todos los errores que contiene esa definición.

3. En su opinión, ¿el utilitarismo ofrece un estándar más objetivo que los derechos morales para determinar lo correcto e incorrecto? Explique detalladamente su repuesta. ¿El utilitarismo ofrece un estándar más objetivo que los principios de justicia? Explique.

4. "Todo principio de justicia distributiva, ya sea igualitario, capitalista, socialista, libertario o de Rawls, al final defiende de manera ilegítima algún tipo de igualdad". ¿Está de acuerdo o en desacuerdo? Explique su respuesta.

5. "Una ética del cuidado está en conflicto con la moralidad porque esta última requiere imparcialidad". Analice esta crítica a la ética del cuidado.

6. "Una ética de la virtud implica que el relativismo moral es correcto, mientras que una ética centrada en las acciones no lo implica". ¿Está de acuerdo o en desacuerdo? Explique su respuesta.

## Recursos en Internet

Si usted desea realizar una investigación en Internet sobre la ética tal vez deba comenzar en los siguientes sitios Web: Council for Ethical Leadership (*http://www.businessethics.org*); Business Social Responsibility Organization (*http://www.bsr.org*); Guide to Philosophy on the Internet (*http://www.earlham.edu/~peters/gpi/index.htm*); The Stanford Encyclopedia of Philosophy (*http://www.iep.utm.edu*); Utilitarianism Resources (*http://www.utilitarianism.com*); Kant en la Web (*http://www.hkbu.edu.hk/~ppp/Kant.html*); John Rawls (*http://people.wku.edu/jan.garrett/ethics/johnrawl.htm*); y Julia Anna´s Page on Virtue Ethics (*http://u.arizona.edu/~jannas/forth/coppvirtu.htm*).

# Triodos Bank y las pruebas de medicamentos de Roche en China

C A S O S
❋ Explore el concepto en
mythinkinglab.com

El 23 de septiembre de 2010, Triodos Bank, una pequeña institución financiera británica que en 2009 obtuvo ingresos por $127.3 millones y una utilidad neta de $13.6 millones, anunció públicamente que había excluido a la compañía farmacéutica suiza Roche de su portafolio de inversiones porque "las pruebas clínicas de Roche en China con órganos trasplantados no cumplen con los criterios de selección de Triodos".[1]

Triodos Bank hizo notar en su sitio Web que era "un banco ético que ofrece cuentas de ahorros e inversiones" y que se enorgullece por ser "el banco ético y sustentable líder en el mundo". También en su sitio Web, Triodos afirma que toma decisiones cotidianas a partir de seis principios: Nosotros

- **Promoveremos el desarrollo sustentable** considerando los efectos ambientales, sociales y financieros de todo lo que hacemos.
- **Respetaremos y obedeceremos la ley** en cada país en el que hacemos negocios.
- **Respetaremos los derechos humanos** de los individuos, dentro de las diferentes sociedades y culturas, apoyando los objetivos de la Declaración Universal de los Derechos Humanos de Naciones Unidas.
- **Respetaremos el medio ambiente** haciendo todo lo que podamos para generar y fomentar efectos medioambientales positivos.
- **Seremos responsables** de todas nuestras actividades.
- **Mejoraremos continuamente** buscando siempre las mejores formas de trabajar en todas las áreas de nuestro negocio.[2]

Además de ofrecer cuentas de ahorros y otorgar préstamos a "organizaciones que llevan un beneficio social, cultural o ambiental real", Triodos Bank ofrecía 13 fondos en los que los individuos podían invertir su dinero. Los fondos, a la vez, invertían este dinero en negocios "sustentables" o compraban acciones de empresas que cumplían sus "estrictos criterios éticos" y que "ofrecen productos o servicios sustentables o alcanzan un desempeño social o ambiental por arriba del promedio, y que contribuyen activamente al desarrollo sustentable".

En 2009 Triodos Bank revisó las operaciones de Roche y determinó que la empresa farmacéutica cumplía con los criterios éticos que pedía y, por lo tanto, sus acciones podían incluirse en el portafolio de inversiones del banco. De hecho, Roche representaba un significativo incremento a su portafolio de inversiones:

Nuestros resultados colocan a Roche dentro del 50 por ciento de las empresas farmacéuticas con mejor desempeño en Europa. Consideramos que Roche es transparente en relación con los asuntos de sustentabilidad, tiene una excelente posición en el campo de la ingeniería genética y claros lineamientos éticos para realizar ensayos clínicos. Tiene instalados sistemas para monitorizar y hacer cumplir los estándares sociales en su cadena de suministros, y favorece a los proveedores con sistemas certificados de administración medioambiental. Roche también tiene ambiciosas metas para reducir el consumo de energía y las emisiones de gases de efecto de invernadero.[3]

Pero algunos meses después, el banco tuvo conocimiento acerca de los programas de investigación de Roche en China y, después de realizar algunas investigaciones, decidió que la farmacéutica ya no cumplía con sus requisitos éticos. Lo que el banco descubrió fue que en enero de 2010:

Roche recibió el Public Eye Award que otorgan la Declaración de Berna y Greenpeace. El reconocimiento nombra y ridiculiza a las corporaciones con comportamiento social o ecológico no ético… Roche recibió el premio por sus pruebas clínicas no éticas en China para el medicamento CellCept, que ayuda a evitar el rechazo de los órganos trasplantados. Ya que una gran parte de los órganos trasplantados en el país asiático provienen de prisioneros ejecutados, y como Roche no verifica el origen de los órganos en sus pruebas en China, su posición es cuestionable.[4]

Roche probaba el medicamento CellCept con pacientes chinos con trasplantes porque las leyes de ese país exigen que cualquier medicamento que se venda dentro de sus fronteras debe someterse a prueba con pacientes chinos. CellCept es un medicamento que evita que el sistema inmunitario del paciente rechace un órgano que se le trasplanta. Los órganos trasplantados se toman de individuos que acaban de morir o de aquellos que sufren muerte cerebral, o bien, de personas vivas que donan un órgano o parte de este siempre que su organismo pueda regenerarse o compensar el trabajo del órgano donado (como el riñón o una parte del hígado). En la mayoría de los países, hay estrictas regulaciones que rigen el retiro de órganos de un donador. En particular, no permiten que los órganos sean tomados de donadores, ya sea vivos o muertos, a no ser que antes hayan dado su formal consentimiento libre e informado; además, muchos países prohíben la venta de órganos. Tales requisitos son problemáticos en China, de acuerdo con el banco, porque la mayoría de los órganos trasplantados provienen de prisioneros y, con frecuencia, se desconocen las condiciones en las cuales el órgano fue retirado:

> Hasta 90 por ciento de todos los órganos trasplantados en China provienen de prisioneros ejecutados. La regulación en torno a los trasplantes en China ha mejorado en el último par de años e incluye mejores salvaguardas para los derechos de los prisioneros. Pero aun cuando un prisionero acepte donar un órgano, tal consentimiento, mientras se encuentre en prisión, no puede considerarse como plenamente libre. [...] En nuestra evaluación final sopesamos los datos obtenidos y concluimos que el enfoque de Roche en sus pruebas clínicas en China no es aceptable. El tamaño y la influencia de la empresa garantizan una posición más clara con respecto al origen de los órganos trasplantados. Puesto que la empresa ya no satisface nuestros estándares mínimos de derechos humanos, ha sido excluida del universo de inversiones sustentables de Triodos y será retirada de todas las inversiones a corto plazo.[5]

Roche estaba preocupada por la creciente controversia sobre su participación en operaciones de trasplante y sabía que, en muchos casos, los órganos provenían de convictos que no habían dado su consentimiento o que eran forzados a donarlos. Según la compañía farmacéutica, aunque era verdad que un cierto porcentaje de los órganos de sus pacientes provenía de prisioneros, no le fue posible determinar cuál era el origen de los órganos de sus pacientes chinos. Sin embargo, señaló que si no probaba su medicamento en pacientes que habían recibido un trasplante en China, cualquiera que fuera el origen de esos órganos, no podría comercializar su producto en ese país. La empresa sentía que se obtendría un bien mayor si continuaba con las pruebas de su medicamento, aun cuando muchos de los órganos trasplantados fueran de prisioneros. De otra manera, no solo se privaría a miles de futuros pacientes chinos de un trasplante, sino que, en muchos casos, los pacientes podrían sufrir efectos nocivos y costosos porque necesitarían el medicamento, pero este no estaría disponible. En un informe emitido en la reunión anual de accionistas de la empresa el 2 de marzo de 2010, Roche entregó un resumen de la declaración del doctor Schwan, su portavoz, quien dejó en claro la posición de la empresa:

> El doctor Schwan declaró que CellCept era un medicamento que había salvado y continuaba salvando las vidas de miles de pacientes al prevenir el rechazo de los órganos trasplantados. El retiro del medicamento del mercado en cualquier país sería moralmente impensable, dijo, ya que esto pondría en riesgo vidas humanas. Hizo notar que, en todos los países, instituciones independientes se encargan del proceso de donación de órganos y que la información de los donantes era confidencial. Roche no tiene manera de influir directamente

en ese proceso, expresó. [...] Roche estaba estudiando la dosis óptima de CellCept para los pacientes chinos, cuyas respuestas al medicamento pueden variar de aquellas que presentan los pacientes occidentales, debido a factores étnicos o diferencias en la constitución, afirmó Schwan. El enfoque de los estudios en pacientes chinos estaba en la seguridad y eficiencia de CellCept.[6]

En mayo de 2007, el gobierno chino prohibió la venta de órganos humanos y determinó que los donadores vivos pudieran donar sus órganos solo a cónyuges, parientes consanguíneos o miembros adoptados o políticos de la familia. De todas maneras, el tráfico de órganos continuó proliferando en China.[7] No solo eran los órganos de personas muertas (incluyendo a los prisioneros ejecutados cuyos órganos aún era legal tomar como donación) los que se vendían subrepticiamente a médicos, hospitales o comerciantes de órganos, sino también los de donadores vivos que vendían sus órganos usando documentos fácilmente falsificables que testificaban que estaban emparentados con el receptor.[8]

Un gran número de prisioneros chinos son disidentes políticos o han sido encarcelados por sus creencias políticas o religiosas, pero no porque hayan violado la ley o infligido daño a otros. Desde 2006, Falun Gong, un grupo espiritual chino cuasi budista proscrito en 1999 y al que el gobierno persigue de manera activa, ha aportado evidencias creíbles de que muchos de los cientos de miles de sus miembros que el gobierno chino encarceló, y a quienes después declaró como "desaparecidos", fueron asesinados para luego vender o donar sus órganos a pacientes que requerían algún trasplante.[9] En el verano de 2010, grupos de derechos humanos informaron que sus investigaciones habían descubierto evidencia de que más de 9,000 miembros de Falun Gong fueron ejecutados en prisiones chinas para obtener de ellos córneas, pulmones, hígados, riñones y piel. Miembros de otras religiones, incluyendo cristianos, musulmanes y budistas tibetanos, también han sido encarcelados y ejecutados para obtener sus órganos.[10] Los críticos de Roche temían que muchos de los órganos que se trasplantaron a los pacientes de las pruebas de esta compañía se hubieran obtenido de tales prisioneros de conciencia en contra de su voluntad.

## Preguntas

1. Explique cómo podría el utilitarismo sustentar la defensa de Roche y cómo la ética basada en los derechos podría, en cambio, condenar las pruebas clínicas de esa compañía en China. ¿Cuál de estos dos enfoques es más fuerte o más razonable? Explique sus razones.

2. ¿Es ético que Roche continúe probando CellCept en pacientes chinos a quienes se trasplantó un órgano?

3. ¿Está el banco Triodos éticamente justificado para excluir las acciones de Roche de los fondos que ofrece a sus clientes? Considere su respuesta a la luz del deber del banco de invertir dinero de manera sensata y a la luz de

su conclusión de que Roche estaba dentro "del 50 por ciento de las empresas farmacéuticas europeas con mejor desempeño", era "transparente en relación con los asuntos de sustentabilidad", tenía "una posición destacada en el campo de la ingeniería genética y claros lineamientos éticos para realizar ensayos clínicos", hacía cumplir "altos estándares" a sus proveedores, y se esforzaba por "reducir el consumo de energía y las emisiones de gases de efecto de invernadero".

**4.** ¿Los estándares de Triodos Bank son demasiado altos?

## Notas

1. Sitio Web de Triodos Bank, fecha de acceso: 14 de enero de 2010, en *www.triodos.com/en/about—triodos—bank/news/newsletters/ newsletter—sustainability—research/pharmaceutical—company*

2. Sitio Web de Triodos Bank, fecha de acceso: 14 de enero de 2010 en *www.triodos.co.uk/en/about—triodos/who—we—are/ mission—principles/business—principles/*

3. Sitio Web de Triodos Bank, fecha de acceso: 14 de enero de 2010 en *www.triodos.com/en/about—triodos—bank/news/newsletters/ newsletter—sustainability—research/pharmaceutical—company*

4. *Ibid.*

5. *Ibid.*

6. Minutas de la xcii Reunión Anual General de Accionistas de Roche Holding Ltd, Basel, celebrada en el Centro de Convenciones, Basel Trade Fair Complex, Basel, el 2 de marzo de 2010 a las 10:30 a.m.; fecha de acceso: 12 de enero de 2010 en *www.roche.com/annual_general_meeting_2010_en—pdf*

7. Zhen, Liu y Emma Graham—Harrison, "Organ Trafficking Trial Exposes Grisly Trade", *Reuters*, 19 de mayo de 2010.

8. Shan, Juan, "Organ Trafficking Ring to Go on Trial", *China Daily*, 17 de marzo de 2010; fecha de acceso: 15 de enero de 2011 en *http://www.chinadaily.com.con/china/2010—03/17/content_9599832.htm*

9. Matas, David y David Kilgour, *Bloody Harvest: Organ Harvesting of Falun Gong Tractitioners in China* (Woodstock, ON, Canada: Seraphim Editions, 2009).

10. "Chinese Accused of Vast Trade in Organs", *The Washington Times*, 27 de abril de 2010.

## CASOS

✳ Explore el **concepto** en **mythinkinglab.com**

# *Unocal en Birmania*[1]

La Union Oil Company of California, o Unocal, fue fundada en 1890 para explotar yacimientos petrolíferos alrededor de Los Ángeles y otras partes de California. En 1990 tenía operaciones en todos los aspectos del negocio del petróleo, incluyendo extracción, refinación, distribución, comercialización y venta al menudeo (la compañía poseía la cadena de gasolineras Union 76). Con la mayoría de sus yacimientos petrolíferos en Estados Unidos próximos a agotarse, la empresa decidió invertir en proyectos de energía fuera de ese país. Su estrategia era presentarse ante los gobiernos como una compañía experta en todos los aspectos de la producción de petróleo y gas. De acuerdo con Roger C. Beach, director ejecutivo de la empresa, "lo que a todo gobierno le gusta de Unocal es que le permite comprar con un solo proveedor, un grupo capaz de tomar el proyecto completo desde el desarrollo hasta la venta".[2]

Uno de los proyectos internacionales que atrajo la atención de la compañía fue el yacimiento de gas natural llamado Yadana, que pertenecía a Birmania. El yacimiento de Yadana se localiza en el mar Andamán a 46 metros de profundidad en la costa de Birmania. Las estimaciones indicaban que el yacimiento contenía más de cinco billones de pies cúbicos de gas natural, suficiente para la producción continua durante cerca de 30 años.[3] En 1992 el gobierno de Birmania había constituido una compañía estatal llamada Myanmar Oil and Gas Enterprise (moge) para encontrar compañías privadas que ayudaran al desarrollo del yacimiento de Yadana. En 1992 firmó un contrato con Total S.A., una compañía francesa, mediante el cual esta tendría el derecho de desarrollar el yacimiento y construir una red de tuberías para transportar el gas de Yadana a Tailandia, cuyo gobierno

lo compraría. El gobierno de Birmania había estimado que obtendría un ingreso neto de $200 a $400 millones al año durante la vida del proyecto. Una porción de estos ingresos se pagaría a las compañías que se asociaran con Birmania.

moge, la compañía estatal, firmó un contrato con Total para "brindar la protección, los derechos de vía y permisos de acceso conforme lo requieran" las compañías asociadas.[4] En tanto que las compañías asociadas se encargarían de construir el proyecto, el gobierno de Birmania brindaría seguridad con su ejército, aseguraría que los terrenos se despejaran y otorgaría los derechos de vía para el paso de la red de tubos a través de Birmania.

El proyecto de Birmania atrajo a Unocal. Birmania era atractiva por varias razones. Primero, la mano de obra era barata y relativamente capacitada. Segundo, era un país rico no solo en recursos de gas natural, sino en muchos otros que aún no se explotaban, por lo que presentaba oportunidades importantes. Tercero, era un punto de entrada a otros mercados internacionales potencialmente lucrativos. Birmania no solo ofrecía un mercado potencialmente grande, sino también ocupaba un lugar estratégico que podía servir como vínculo a los mercados de China, India y otros países del sureste de Asia. Por último, el gobierno mantenía un clima político estable. Como el ejército se encargaba de mantener la ley y el orden, el entorno político era bastante confiable.

Antes de comprometerse con el proyecto, Unocal evaluó su posición de riesgo realizando una investigación del entorno político y social del país. Birmania es un país del sureste de Asia con una población de 42 millones de habitantes y una extensión territorial equivalente al espacio que ocupa el estado de Texas. Colinda con India al noroeste,

China al norte y noreste, Laos al este, Tailandia al este y sureste, y el mar de Andamán al sur. La mayor parte de la población, cerca del 69 por ciento, es originaria de Birmania, e incluye minorías de karens, kachins, shans, chins, rakhines, indios y chinos. Los karens, agrupados en las zonas rurales del sur, han formado periódicamente grupos rebeldes contra el gobierno.

Birmania es un país pobre. El PIB es de alrededor de $200 a $300 per cápita, y la inflación rebasa el 20 por ciento. Socialmente, registra una tasa de mortalidad infantil alta (95 muertes por cada 1,000 nacidos vivos) y una baja esperanza de vida (53 años para los hombres y 56 para las mujeres). El proyecto del gas natural representaría ingresos muy necesarios y beneficios significativos para los habitantes de esa nación empobrecida.

El único problema real que identificó la compañía para iniciar el proyecto era que el gobierno de Birmania, del cual sería socio, era una dictadura militar acusada de violar continuamente los derechos humanos de su pueblo. En 1988, después de reprimir las manifestaciones a favor de la democracia en todo el país, los militares tomaron el poder y formaron, con 19 miembros, el Consejo de Estado para la Restauración de la Ley y el Orden (CERLO) como cabeza de gobierno. El CERLO, que estaba integrado por militares del más alto rango, impuso la ley marcial en todo el país. El Departamento de Estado de Estados Unidos, en su informe anual "Country Reports on Human Rights Practices, 1991", afirmaba que los militares del CERLO mantenían la ley y el orden mediante "arrestos, acoso y tortura de los activistas políticos [...] La tortura, las detenciones arbitrarias y los trabajos forzados persisten. [...] La libertad de expresión, prensa, asamblea y asociación prácticamente no existen".[5]

Muchos organismos, incluyendo el Departamento de Estado estadounidense, acusaron al CERLO de cometer numerosos abusos de derechos humanos, en particular contra las minorías de Birmania. En su informe "Country Report in Human Rights Practices, 1995", el Departamento de Estado expresó:

> El historial inaceptable del gobierno [de Birmania] en relación con los derechos humanos cambió muy poco en 1994. [...] La milicia de Birmania forzó a cientos de miles, si no es que a millones, de habitantes comunes (incluyendo mujeres y niños) a "contribuir" con su mano de obra, con frecuencia en condiciones de trabajo forzado, a los proyectos de construcción del país. La reubicación forzada de civiles también continuó. [...] El CERLO siguió restringiendo con severidad los derechos básicos de libertad de expresión, asociación y asamblea.[6]

El informe de Amnistía Internacional sobre Birmania, publicado en agosto de 1991, afirmaba que la milicia gobernante "continúa deteniendo, maltratando y ejecutando sin juicio a miembros de las minorías étnicas y religiosas en las áreas rurales del país. Las víctimas [...] incluyen personas aprehendidas [por la milicia] y forzadas a realizar acarreo —llevar alimentos, municiones y otros suministros— o trabajos de remoción de minas explosivas".[7] En respuesta a estos informes, el Congreso de Estados Unidos, el 30 de abril de 1994, votó para colocar a Birmania en la lista internacional de Estados "fuera de la ley", y en 1996 el entonces presidente Bill Clinton prohibió la entrada a Estados Unidos a los oficiales del gobierno de Birmania.

Para verificar la situación por sí misma, la empresa Unocal contrató una firma de consultores, Control Risk Group. El informe les advertía: "En todo el territorio de Birmania, el gobierno habitualmente recurre a trabajos forzados para construir carreteras. [...] En esas circunstancias, Unocal y sus asociados tendrán poca libertad para maniobrar".[8]

A pesar de los riesgos, la empresa decidió invertir en el proyecto. Uno de sus vicepresidentes, S. Lipman, declararía después que los directivos de Unocal habían discutido con Total los "peligros" que suponía tener al ejército de Birmania como responsable de la "seguridad" del proyecto: "Dijimos que [...] si el ejército de Birmania brindaba protección para la construcción de la tubería, [...] tal vez procedería [...] de una forma que nos gustaría, quiero decir, podría llegar al exceso".[9] De todas maneras, la compañía consideró que los beneficios, tanto para sí misma como para la gente de Birmania y Tailandia, pesaban más que los riesgos. Más aún, la empresa aseguraría después que el "curso de acción adecuado para lograr el cambio social y político en los países en desarrollo con gobiernos represivos" era el compromiso antes que el aislamiento.[10] La compañía declaró que "con base en casi cuatro décadas de experiencia en Asia, [Unocal] creía que el compromiso era una manera mucho más efectiva de fortalecer a las economías emergentes y promover sociedades más abiertas".[11]

En diciembre de 1992, Unocal, a través de una subsidiaria, pagó $8.6 millones a Total, S.A. como parte de su riesgo en el proyecto. Unocal se convirtió en uno de los cuatro inversionistas en el yacimiento de Yadana, cada uno de los cuales contribuiría financieramente en proporción a su participación en el proyecto. Unocal tenía el 28.26 por ciento de la inversión, Total, el 31.24 por ciento; PPT Exploration & Production Public Co. de Tailandia tenía el 25.5 por ciento, y el gobierno de Birmania (MOGE), el 15 por ciento.[12]

Se acordó que Total sería responsable de la coordinación del proyecto, construiría los pozos en Yadana y extraería el gas. Unocal construiría la tubería de 410 kilómetros que llevaría el gas de Yadana a Tailandia. La mayor parte de la tubería estaría bajo el mar, pero los 65 kilómetros finales cruzarían el sur de Birmania por una región que habitaban los karens, la minoría étnica más hostil hacia el gobierno. Los militares, al parecer, tendrían que usar la fuerza para asegurar el área antes de comenzar la construcción. También habría que construir caminos y otras instalaciones como campamentos base, edificios, barracas, bardas, pistas de aterrizaje, muelles en el río y helipuertos. El periodo entre 1993 y 1996 se dedicó a preparar el camino para la construcción de la tubería, incluyendo despejar el terreno y construir caminos, campamentos, viviendas y otras instalaciones. La construcción real de la tubería se inició en 1996 y concluyó en 1998. Durante el tiempo de preparación y construcción, grupos de derechos humanos, entre ellos Human Rights Watch y Amnistía Internacional, publicaron numerosos informes que aseguraban que el ejército de Birmania recurría a los trabajos forzados y se comportaba de manera cruel con la población de los karens, para brindar "seguridad" a los empleados y al equipo de Unocal. Los críticos afirmaban que caminos, edificios y otras estructuras se construían utilizando el trabajo forzado de los grupos karens de la región, obligados por los militares de Birmania, y cientos de los karens eran forzados a allanar el camino para instalar la tubería y a trabajar como esclavos para el proyecto. Todavía más, aseguraban, Unocal era consciente de esto y de los métodos brutales que usaban los militares para brindar "seguridad" al personal y al equipo de Unocal.[13] Varios grupos de derechos humanos, incluyendo Greenpeace, Amnistía Internacional y Human Rights Watch, se reunieron con los ejecutivos de Unocal en Los Ángeles y les informaron del trabajo forzado y otras violaciones a los derechos humanos que tenían lugar en la región de la tubería.

En mayo de 1995, Joel Robinson, un funcionario de Unocal que supervisaba el proyecto de Yadana, habló con los funcionarios de la embajada de Estados Unidos en Birmania. La embajada informó que:

> En el aspecto general de la relación de trabajo cercana entre Total/Unocal y la milicia de Birmania, Robinson [de Unocal] no tenía disculpas que pedir. Él declaró correctamente que la compañía había contratado a la milicia de Birmania para brindar seguridad al proyecto y pagaba esto a través de Myanmar Oil and Gas Enterprise (MOGE). Dijo que los oficiales de seguridad de Total se reunían con sus contrapartes militares para comunicarles las actividades del día siguiente con la finalidad de que los soldados pudieran asegurar el área y cuidar el perímetro de trabajo mientras el equipo de sondeo realizaba sus actividades. [...] Total/Unocal usa [fotos aéreas, sondeos de precisión y mapas topográficos] para mostrar a los militares [de Birmania] dónde necesitaban construir helipuertos y asegurar las instalaciones".[14]

Unocal contrató a otro consultor en 1995 para investigar las condiciones del proyecto de Yadana. El consultor informó en una carta a los funcionarios de Unocal:

> Mi conclusión es que han ocurrido enormes violaciones de los derechos humanos, y siguen ocurriendo, en el sur de Birmania. [...] Las más comunes son la reubicación forzada sin compensación de familias que se hallan en las tierras cercanas y a lo largo de ruta de la tubería; trabajo forzado para construir la infraestructura que requiere la tubería (CERLO llama a esto servicio al

gobierno a cambio de la exención del pago de impuestos); y encarcelamiento y/o ejecuciones de quienes se oponen a estas acciones.[15]

El trabajo en el proyecto continuó y la producción de gas natural en Yadana se inició en 2000. Para entonces, las compañías habían instaurado varios programas socioeconómicos para beneficiar a los habitantes que vivían alrededor de la tubería. Unocal aseguró que había generado 7,551 empleos pagados a los trabajadores de Birmania durante la construcción y que, mientras la producción continuara, seguiría empleando a 587 trabajadores de Birmania. En 2004 el proyecto entregaba de 14.1 a 16.9 millones de metros cúbicos de gas al día a Tailandia, lo que beneficiaba la economía en rápida expansión de ese país, le brindaba una fuente confiable de energía y le permitía usar gas natural para alimentar sus plantas eléctricas en vez de petróleo, el cual resulta más contaminante. Los ingresos por las ventas a Tailandia dejaron varios cientos de millones de dólares al año al gobierno militar de Birmania. Unocal reportó que, además de su inversión inicial de $8.6 millones, había gastado un total de $230 millones en la construcción de la tubería. Se estima que operar el proyecto tiene un costo de $10 millones anuales para Unocal. A cambio, la participación de Unocal de los ingresos del gas fue de $75 millones por año, que continuarán durante los 30 años del contrato. Se espera que la ganancia total de la empresa llegue a cerca de $2,200 millones.

Unocal y las otras compañías implementaron programas para beneficiar a los habitantes de la región cercana a la tubería:

> Un programa multimillonario de desarrollo socioeconómico extenso asociado con el proyecto ha traído beneficios reales e inmediatos a miles de familias que viven en la región de la tubería. Estos beneficios incluyen un cuidado de la salud que mejoró significativamente, mejoras en la educación, nueva infraestructura de transporte y oportunidades de iniciar pequeños negocios. El efecto de estos programas ha sido enorme. La mortalidad infantil en la región de la tubería, por ejemplo, bajó a 31 muertes por 1,000 niños nacidos vivos para el año 2000, en comparación con 78 muertes por 1,000 niños nacidos vivos en otras regiones del país. En 2002 la tasa de mortalidad infantil declinó de nuevo a 13 muertes por 1,000 nacimientos vivos (las cifras nacionales no están disponibles).[16]

Estas aseveraciones fueron corroboradas por Collaborative for Development Action, Inc. (CDA), un grupo independiente con sede en Massachusetts y fundado por los gobiernos de Holanda, Dinamarca, Canadá y Alemania y por el Banco Mundial. Después de tres visitas a la región, el CDA informó en febrero de 2004 que "el número de personas beneficiadas con el programa socioeconómico aumenta de manera estable".[17] Aunque "el programa ha beneficiado principalmente a la clase media" esta "clase media se ha convertido en relativamente rica" y el programa se está reenfocando con "programas para las personas más pobres en el corredor". El CDA observó, sin embargo, que "la clase media educada" todavía quiere "libertad" y un gobierno "basado en una Constitución".[18] Más aún, parece que los beneficios del proyecto de Yadana no benefician a las personas de Birmania fuera de la región de la tubería, con excepción del gobierno militar, cuya participación en el proyecto le aseguró un ingreso estable.

No todos los ciudadanos de Birmania estaban contentos con el desarrollo del yacimiento de Yadana. En octubre de 1996, 15 miembros de la minoría karen, que afirmaban que ellos o miembros de su familia habían sido sometidos a reubicación, trabajos forzados, tortura, homicidio y violación en el proyecto Yadana, interpusieron demandas contra Unocal ante las cortes de Estados Unidos; una demanda en una corte federal (*Doe contra Unocal*) y una segunda en una corte estatal de California. Ambas demandas afirmaban que Unocal debería ser reconocida como responsable por los perjuicios que la milicia de Birmania infligió a cientos de karens, porque las actividades se realizaban para desarrollar el proyecto de la tubería en el cual Unocal tenía una participación primordial y del cual se benefició. La demanda ante la corte federal se basó en el estatuto federal 1789 Alien Tort, que se ha interpretado para autorizar demandas civiles en los tribunales de Estados Unidos por violaciones a derechos humanos internacionalmente reconocidos. El 29 de junio de 2004, la Suprema Corte de Estados Unidos apoyó el derecho de los extranjeros de usar el estatuto para buscar compensación en las cortes por violaciones en el extranjero. El 20 de diciembre de 2004, Unocal anunció que llegaría a un acuerdo en la demanda federal, compensaría a los karens y otorgaría fondos para programas sociales que beneficiarían la gente de la región del corredor. Los términos del acuerdo no se revelaron.

Cuatro meses después del acuerdo, Chevron Corporation anunció que compraría Unocal por $16,200 millones y, por lo tanto, asumiría su participación en el proyecto de Yadana. Chevron fue acusada ahora de complicidad en la continuación de los abusos a los derechos humanos en la zona de la tubería. Earth Rights International (ERI), una organización no gubernamental que había ayudado a los habitantes con sus demandas, afirmó en una serie de informes que el ejército birmano todavía brindaba seguridad a las compañías petroleras y que, al hacerlo, cometía abusos a los derechos humanos, entre ellos, "torturas, violaciones, asesinatos y trabajos forzados". En 2007 el régimen militar reprimió brutalmente manifestaciones en contra de su gobierno, disparando y matando a miles de monjes budistas que dirigían las protestas pacíficas; también encarcelaron a otros miles. ERI afirmó que los ingresos del proyecto Yadana financiaron estas y otras brutalidades del régimen militar. En el informe de 2009 titulado *Total Impact*, ERI calculó que la participación del régimen de los ingresos de Yadana fue de $1,020 millones en 2008. Desde el año 2000, según un informe de ERI de 2010, *Energy Insecurity*, el proyecto dio al régimen $9 mil millones. ERI afirmaba que buena parte de ese dinero ingresó a las cuentas bancarias que los generales birmanos poseían en el extranjero, mientras que los gastos públicos en salud y educación seguían siendo los más bajos de la región, y la pobreza estaba muy extendida.

## Preguntas

1. Evalúe si desde la perspectiva del utilitarismo, los derechos, la justicia y el cuidado, Unocal actuó correctamente al decidir invertir en la tubería y luego realizar el proyecto como lo hizo. Suponiendo que no había manera de modificar el resultado de este caso y que el resultado era previsible, ¿Unocal tenía justificación para decidir invertir en la tubería?

2. Desde su punto de vista, ¿Unocal es moralmente responsable por las lesiones provocadas en algunos miembros del pueblo karen? Explique su respuesta. ¿Lo es Chevron?

3. ¿Está o no de acuerdo con la perspectiva de Unocal de que "el curso de acción adecuado para lograr el cambio social y político en países en desarrollo con gobiernos represivos" es el compromiso antes que el aislamiento. Explique su respuesta.

## Notas

1. En este caso fue coautor, Matthew Brown, ex alumno de leyes en Santa Clara University.
2. A. Pasztor y S. Kravetz, "Unocal is Shifting Strategy to International Operations", *The Wall Street Journal*, 20 de noviembre de 1996, p. B4.
3. Unocal, "Background: The Yadana Project & The Activist Lawsuits", 2 de diciembre de 2003, fecha de acceso: 26 de mayo de 2003, en *http://www.unocal.com/myanmar/suit.htm*.
4. *Doe v. Unocal*, 110 F. Supp. 2d 1294 (2000); fecha de acceso: 22 de febrero de 2003, en *http://www.earthrights.org/unocal/index.shtml*; también disponible como 2000 U. S. Dist. Lexis 13327.
5. fecha de acceso: abril de 2003, en *http://www.state.gov/www/global/human_rights/brp_reports_mainhp.html*.
6. *Ibid.*
7. Amnistía Internacional, "Myanmar (Burma): Continuing Killings and Ill—treatment of Minority Peoples", agosto de 1991, fecha de acceso: 20 de mayo de 2004, en *www.web.amnesty.org/library/index/engasa160051991*.
8. *Doe v. Unocal*.
9. *Ibid.*
10. Declaración de Unocal, fecha de acceso: 20 de junio de 2004, en *http://www.unocal.com/myanmar/index.htm*.
11. *Ibid.*
12. Unocal, "Background: The Yadana Project & The Activists Lawsuits", 2 de diciembre de 2003, fecha de acceso: 5 de junio de 2004 en *http://www.unocal.com/myanmar/suit.htm*.
13. U.S. Department of Labor, Bureau of International Labor Affairs, "Report on Labor Practices in Burma", fecha de acceso: 20 de abril de 2004, en *http://purl.access.gpo.gov/GPO/LPS5259*
14. *Doe v. Unocal*.
15. *Ibid.*
16. Unocal, "Background: The Yadana Project", *loc. cit.*
17. Zandvliet, Luc y Doug Fraser, "Corporate Engagement Project, Field Visit Report, Third Visit, Yadana Gas Transportation Project", (Cambridge, MA: Collaborative for Development Action, febrero de 2004), p. 5; fecha de acceso: 20 de junio de 2004, en *http://www.cdainc.com/cep/publications.php*
18. *Ibid.*, p. 13.

# PARTE **DOS**

# *El mercado y los negocios*

Los negocios se llevan a cabo en los mercados. Las empresas adquieren suministros, materias primas y maquinaria en los mercados industriales; se dirigen a los mercados de trabajo para encontrar empleados; venden sus productos terminados a las tiendas de menudeo en los mercados de mayoreo, y la venta final a los consumidores se hace en los mercados minoristas. Los siguientes dos capítulos examinan la ética de los mercados. El capítulo 3 analiza la ética del sistema de mercado como un todo: sus justificaciones morales, fortalezas y debilidades. El capítulo 4 estudia la ética de varias prácticas de mercado; en este caso, el énfasis ya no es en la ética del sistema de mercado considerado como un todo, sino en la ética de las prácticas específicas dentro del sistema de mercado, como la fijación de precios, la venta a precios muy bajos con la finalidad de perjudicar a la competencia, los sobornos y la concentración del mercado.

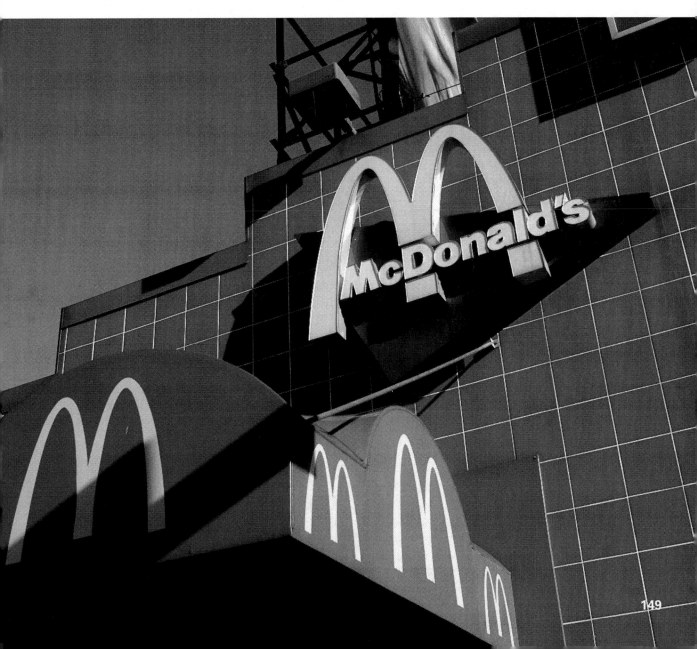

# 3

# El sistema de negocios: Gobierno, mercados y comercio internacional

¿Por qué dijo John Locke que el gobierno no tiene el derecho de quitarle a nadie sus propiedades privadas?

¿Por qué Adam Smith creía que el gobierno no debería interferir con el libre mercado?

¿Qué beneficios atribuía David Ricardo al libre comercio?

¿Qué injusticias dijo Karl Marx que son inherentes al capitalismo de libre mercado?

La **globalización** tuvo un auge en la década de 1980 y, desde entonces, ha avanzado en un grado que no tiene precedente en la historia mundial.[1] Ha vinculado a las naciones para que los bienes, los servicios, el capital y el conocimiento se desplacen cada vez con más libertad entre ellas, gracias a los sistemas de transporte y comunicación que son menos costosos y más rápidos, y estos flujos se facilitan por acuerdos de libre comercio e instituciones internacionales como la Organización Mundial del Comercio (OMC) y el Banco Mundial (BM). Conforme las naciones abren sus fronteras al libre comercio, los negocios enfrentan muchos desafíos. En todos los países, diversas empresas e industrias enteras fueron aniquiladas conforme la globalización las obligó a competir con compañías de otras partes del mundo. Los empleados quedaron sin trabajo cuando sus empleadores reubicaron las fábricas en otros países con salarios más bajos. Y se ha acusado a las compañías de manipular a las instituciones que regulan el comercio entre las naciones con la finalidad de enriquecerse a expensas de los pobres. Para entender estas acusaciones consideremos cómo dos compañías, Swingline —un fabricante de engrapadoras— y Abbott Labs —una compañía farmacéutica— aprovecharon, cada una de diferente forma, las oportunidades de negocios que ofrece la globalización.

Jack Linsky, un inmigrante ucraniano, inventó la moderna engrapadora fácil de usar Swingline. En 1925 construyó una fábrica de engrapadoras en Nueva York y contrató a inmigrantes de todas partes del mundo. Agradaba a sus empleados y, con el trabajo de estos, la compañía prosperó hasta 1987, año en que Linsky la vendió por $210 millones.[2] Pero la globalización y los acuerdos de la OMC del año 1995 comenzaron a permitir que las compañías extranjeras importaran y vendieran libremente en Estados Unidos las engrapadoras que copiaban a partir de los modelos originales. En 1997 la compañía se esforzaba por competir contra esas empresas que tenían costos de mano de obra mucho más bajos que los suyos. En 2000 la compañía despidió a todos sus empleados de la planta de Nueva York, cerró la fábrica y trasladó sus operaciones a Nogales, Sonora, en México.[3] Allí, el nuevo Tratado de Libre Comercio de América del Norte (TLCAN) le permitía fabricar las engrapadoras Swingline con mano de obra barata de México y luego importarlas a Estados Unidos sin pagar aranceles.[4] La mano de obra barata era abundante en Nogales porque el TLCAN también permitía que los agricultores estadounidenses vendieran su maíz en México. Como el gobierno de Estados Unidos otorga a los cultivadores de maíz subsidios anuales de entre $5,000 y $10 mil millones, era posible vender el maíz estadounidense a un precio más bajo que el de los productores mexicanos.[5] Esto provocó que 1.5 millones de agricultores mexicanos perdieran, entre 1994 y 2004, su única fuente de ingresos, así que migraron a Nogales y a otras ciudades fronterizas para trabajar en compañías estadounidenses como Swingline. Pero en 2003 las compañías instaladas en México comenzaron a abandonar el país para dirigirse a China,[6] un país cuyos obreros aceptan menores salarios que los mexicanos, y quienes a menudo trabajan en terribles condiciones de explotación laboral. En 2010 la fábrica Swingline volvió a despedir a todos sus empleados, cerró su planta en Nogales y contrató a una fábrica china para que hiciera sus engrapadoras.

El ejemplo de Swingline suscita varias preguntas de carácter moral. ¿Es correcto que una compañía abandone a los empleados que le han dedicado durante décadas parte de sus vidas para hacerla exitosa? ¿Qué obligaciones tiene una compañía, si es que tiene alguna, con los empleados que deja atrás cuando se traslada a otro país? ¿Debería el gobierno permitir que las compañías trasladaran de esta manera sus operaciones a otros países? ¿Qué tipo de obligaciones tienen las compañías hacia sus empleados extranjeros? A medida que las empresas buscan mano de obra cada vez más barata, ¿se generará una competencia por ver quién baja más los salarios, cuyo resultado será la reducción del nivel de vida de los empleados de todo el mundo? ¿Es bueno o malo para los países que entren en acuerdos de libre comercio que amenazan el sustento de su fuerza laboral? ¿El libre comercio, por sí mismo, es bueno o malo?

Se ha criticado al libre comercio mundial no solo por las repercusiones que ha tenido en la fuerza laboral, como los empleados de Swingline, sino también por el efecto que ha tenido en todas las personas, en especial, aquellas que viven en los países pobres. Muchos críticos del libre comercio argumentan que los acuerdos y las instituciones internacionales benefician a las empresas multinacionales, pero perjudican a los pobres e indefensos del

**globalización** Proceso mediante el cual los sistemas económico y social de las naciones se conectan para que bienes, servicios, capital y conocimiento se desplacen con libertad entre ellas.

mundo. Para entender estas críticas, consideremos cómo respondió Abbott Laboratories cuando el gobierno de Tailandia anunció una nueva política cuyo objetivo era suministrar a sus ciudadanos más pobres un medicamento vital.

El 21 de marzo de 2007, Abbott Laboratories, un fabricante estadounidense de medicamentos con ingresos anuales de $26 mil millones y utilidades de $4,500 millones, anunció que no permitiría que siete de sus nuevos medicamentos especiales se vendieran en Tailandia, entre los que se encontraba el medicamento para el VIH/SIDA, Aluviathat, que (a diferencia de otros medicamentos similares) no tenía que refrigerarse en el clima cálido de ese país. Abbott estaba castigando a Tailandia porque había decidido fabricar una versión de bajo costo del Kaletra, un medicamento que la compañía había desarrollado y del cual tenía la patente. El jefe de AIDS Healthcare Foundation dijo: "Me horroriza pensar que Abbott va a privar a los pobres que necesitan esos medicamentos vitales, en particular, a aquellos que viven con VIH/SIDA en un país tan castigado por la epidemia como Tailandia".[7]

Con aproximadamente 600,000 individuos enfermos de VIH/SIDA y un ingreso anual promedio de solo $2,190 per cápita, Tailandia luchaba para suministrar a sus pacientes los medicamentos llamados antirretrovirales. Aunque esta enfermedad es incurable, en 1996 los científicos descubrieron que si los pacientes de VIH tomaban de manera regular una combinación de tres antirretrovirales, la cantidad del virus presente en sus cuerpos disminuía al grado que podían seguir vidas normales y saludables. Pero las compañías farmacéuticas cobraban tanto por la combinación de los medicamentos antirretrovirales (de $10,000 a $15,000 anuales en 2000), que las víctimas del SIDA de los países pobres en vías de desarrollo no podían afrontar los gastos.[8]

Sin embargo, en 2001, Cipla, una compañía farmacéutica india, comenzó a elaborar versiones genéricas de las combinaciones de medicamentos antirretrovirales, de manera que podía ofrecer la dotación necesaria para un año por la módica suma de $350; en 2007 su precio estaba por debajo de $100.[9] Un producto genérico es una copia químicamente equivalente de un medicamento de marca, pero la compañía que lo produce no posee la patente del mismo. Las grandes compañías farmacéuticas descubren, desarrollan y prueban nuevos medicamentos de marca a un costo estimado de aproximadamente $800 millones por fármaco,[10] y pueden solicitar a sus gobiernos la patente, la cual, si se concede, deja en claro que la fórmula del medicamento es propiedad de la compañía y que solo esta tiene el derecho de producirlo durante determinado número de años. Las grandes compañías farmacéuticas de Estados Unidos y Europa sostienen que, sin las patentes y el respeto por sus derechos de propiedad, no podrían recuperar los elevados costos de desarrollar y probar nuevos medicamentos; es más, ni siquiera tendrían incentivos para pagar esos costos, con lo que la investigación farmacéutica terminaría. Estas compañías, como era de esperarse, objetaron la acción de Cipla, especialmente cuando esta comenzó a vender las versiones genéricas de bajo precio de sus medicamentos en otros países.

Hasta 1994, la ley de patentes estadounidense daba a un nuevo medicamento solo 17 años de protección y únicamente dentro de ese país. Pero a principios de la década de 1990, las compañías farmacéuticas iniciaron un intenso cabildeo para lograr que el gobierno estadounidense presionara a todos los países para hacer que las leyes de patentes formaran parte de la normativa para la Organización Mundial del Comercio (OMC), que apenas estaba en formación en aquel entonces.[11] La OMC estaría conformada por un grupo de países que acordaban sujetarse a unas reglas para establecer mercados libres y abiertos entre ellas. Presionados por las compañías farmacéuticas de su país, que hicieron espléndidas donaciones a los políticos, los funcionarios del gobierno estadounidense insistieron en que las reglas de la OMC debían requerir a todos sus países miembros que adoptaran estrictas leyes de patentes y de derechos de autor, como las vigentes en Estados Unidos. Aunque las naciones pobres objetaron la medida con vehemencia, cuando se constituyó la OMC en 1995, sus reglas incluyeron un capítulo titulado "Aspectos comerciales relacionados con los derechos de propiedad intelectual", el cual requería que todos los países pertenecientes a la OMC adoptaran leyes de patente y de derechos de autor similares a las de Estados Unidos.[12] Como es difícil para un país vender sus bienes a las naciones de la OMC a menos que también pertenezca a este organismo, la mayoría de los países se adhirieron a la OMC a pesar de sus objeciones al capítulo referente a las patentes.

De acuerdo con ese documento, cuando alguno de los miembros de la OMC concede una patente a una compañía farmacéutica, los demás países miembros tienen que respetarla durante 20 años. Sin embargo, los países menos desarrollados y los más pobres, como India y Brasil, no tenían que cumplir con esa disposición sino hasta 2006, aunque después esa fecha límite se extendió hasta 2016. El capítulo referente a la propiedad intelectual también incluyó el artículo 31, que permitía una excepción a sus estrictas reglas de patentes. De acuerdo con ese artículo, en caso de "emergencias nacionales" o de "otras circunstancias de extrema urgencia", un país pobre puede elaborar un medicamento patentado sin la autorización de la compañía que posee la patente. En 2001 la OMC emitió una norma que afirmaba que el artículo 31 del capítulo referente a las patentes permitía a una nación pobre proteger la salud de sus habitantes otorgando a su propia compañía farmacéutica una "licencia obligatoria" para elaborar un medicamento de patente (una licencia obligatoria es aquella que el poseedor de una patente tiene que conceder a un gobierno en circunstancias especiales). El reglamento de la OMC también estableció que una nación pobre que no esté en condiciones de fabricar medicamentos puede, en vez de ello, importar un medicamento de patente que otro país pobre elabore bajo una "licencia obligatoria". Aún más, la OMC declaraba que cada nación tenía el derecho "de determinar las bases sobre las que se otorgaban dichas licencias". Las compañías farmacéuticas europeas y estadounidenses habían cabildeado mucho para eliminar el artículo 31, pero al final hubo suficientes países del organismo que lo apoyaron y se convirtió en una de sus reglas oficiales. Sin embargo, las compañías juraron que seguirían oponiéndose al artículo y a su uso, especialmente por parte de Cipla, una compañía que se amparaba en esta disposición para elaborar y vender a bajo costo copias de medicamentos con patente.

El 25 de enero de 2007, Tailandia anunció que emitiría una "licencia obligatoria" para una de sus compañías farmacéuticas estatales de manera que pudiera elaborar una versión genérica de Kaletra, de Abbott. Este medicamento formaba parte de un nuevo grupo de antirretrovirales caros de "segunda línea" que Abbott había desarrollado y patentado. Cuando una víctima del SIDA inicia el tratamiento, los medicamentos antirretrovirales que recibe se llaman tratamiento de primera línea, y son relativamente baratos puesto que compañías, como Cipla, están en condiciones de ofrecer versiones genéricas económicas. Sin embargo, a menudo el VIH del paciente se hace resistente a los medicamentos de primera línea y estos dejan de tener efecto, por lo que hay que administrar una nueva combinación de antirretrovirales, que se conoce como la "segunda línea" de tratamiento. Como era de esperarse, los medicamentos de segunda línea eran costosos, ya que solo las grandes compañías farmacéuticas fabricaban esos medicamentos. El gobierno de Tailandia estimaba que aproximadamente 800,000 pacientes con SIDA necesitaban en ese momento un medicamento de segunda línea como el Kaletra de Abbott. Sin embargo, de acuerdo con el gobierno tailandés, esos pacientes no podían siquiera pagar el precio "de descuento" de $2,200 que la compañía insistía en que pagaran los países pobres por el suministro de dosis de Kaletra suficientes para un año de tratamiento.

Abbott Laboratories dijo que si Tailandia comenzaba a fabricar una versión del Kaletra, estaría usurpando la propiedad de la compañía, ya que esta poseía la patente y había descubierto, desarrollado y probado el medicamento usando varios cientos de millones de dólares de su propio dinero. Además, afirmó que, de acuerdo con su interpretación del capítulo referente a patentes de la OMC, Tailandia no tenía el derecho de ignorar la patente de la compañía simplemente porque no quería pagar el medicamento; la renuncia a pagar no constituía una "emergencia".[13] El jefe de la organización Médicos sin Fronteras en Tailandia habló sobre la postura de Abbott: "Para mí, es simplemente una actitud maliciosa. Es vergonzoso… Da una pésima imagen de las compañías multinacionales".[14]

El conflicto entre Tailandia y Abbott Laboratories muestra la controversia de la globalización y el libre comercio en asuntos bastante más diferentes al tema de mano de obra que surgió al trasladar Swingline primero a México y luego a China. Muchas naciones pobres argumentan que las reglas del libre comercio benefician a las compañías multinacionales al mismo tiempo que los ponen a ellas en desventaja. Afirman que las multinacionales —como las grandes farmacéuticas— influyen en las reglas que rigen el comercio internacional y favorecen sus propios intereses corporativos. En nombre del libre comercio, las naciones ricas obligan a las pobres a aceptar reglas que benefician a sus compañías, a la vez que ignoran el bienestar de los habitantes de las naciones pobres. Aún más, los críticos aseguran que las nuevas formas de propiedad —como las patentes de los medicamentos— se han desarrollado de tal forma que parece que en realidad entran en conflicto con el libre comercio, puesto que restringen el libre flujo de las fórmulas y el conocimiento que constituyen estas nuevas formas de "propiedad intelectual".

Tales controversias sobre la globalización y el libre comercio no son más que el último episodio de un gran debate que lleva siglos: ¿deberían los gobiernos imponer restricciones sobre las actividades empresariales y los intercambios económicos, o debería dejarse a las compañías en libertad de satisfacer sus propios intereses en los mercados libres, y permitirles también comerciar libremente con miembros de otras naciones? ¿Los gobiernos se alinean con los intereses de las compañías ricas y, si es así, es correcto que lo hagan? Una parte afirma que los mercados y el comercio libres tienen defectos porque son incapaces de enfrentar muchos de los problemas que generan las prácticas de negocios, como la competencia injusta, la contaminación mundial, prácticas laborales de explotación e indiferencia al bienestar de los pobres. Otra parte asevera que las restricciones de los gobiernos a las empresas son nocivas porque violan los derechos que estas tienen a la propiedad y a la libertad, conducen a la injusticia y empeoran la situación. Este capítulo examina esos argumentos morales en favor y en contra de permitir que los negocios operen en sistemas de mercado y de comercio libres.

## Sistemas económicos

Los argumentos acerca de los mercados y el comercio libres se refieren a sistemas económicos. Un **sistema económico** es el sistema del que se vale una sociedad para proveer los bienes y servicios que necesita para sobrevivir y progresar.[15] Este sistema debe lograr dos tareas económicas básicas. La primera consiste en producir bienes y servicios, lo que significa determinar qué producir, cómo hacerlo y quién se encargará de ello. La segunda tarea es distribuir esos bienes y servicios entre sus miembros, lo que requiere determinar quién obtendrá qué y en qué cantidad. Para cumplir estas dos tareas, los sistemas económicos se apoyan en tres tipos de dispositivos sociales: tradiciones, autoridad y mercados. Cada uno representa una manera de organizar las actividades de las personas, una manera de motivarlas y una forma de decidir quién tiene o controla los recursos productivos de la sociedad.

Las llamadas sociedades primitivas tienen sistemas económicos basados primordialmente en la tradición. Las **sociedades basadas en la tradición** son pequeñas y se apoyan en los roles, las costumbres y las tradiciones colectivas para realizar las dos tareas económicas básicas. Los individuos están motivados por las expresiones de aprobación o desaprobación de la comunidad y con frecuencia los recursos productivos —como sus moradas— son de propiedad comunitaria. Por ejemplo, una tribu nómada pequeña que sobrevive a partir de la caza y el pastoreo se basa en los roles tradicionales de esposo, esposa, madre, padre, hijo o hija para decidir quién realiza qué actividades y quién obtiene qué, además de que se sostiene su rebaño en común. Aún en la actualidad existen sociedades que se basan casi por completo en sus tradiciones, como los bushem, los inuit, los cazadores kalahari y las tribus beduinas.

Las grandes sociedades modernas realizan las dos tareas económicas primordiales con dos maneras muy diferentes de organizarse: la autoridad y los mercados.[16] En un sistema económico basado de manera primordial en la **autoridad**, esta reside en un gobierno (ya sea una persona o un grupo), que se encarga de tomar las decisiones económicas sobre lo que las empresas deben producir, cuáles lo harán y quién obtendrá los productos.[17] Los recursos productivos, como la tierra y las fábricas, en su mayoría, son propiedad del gobierno o están bajo su control, y se considera que pertenecen al público o "al pueblo". El gobierno establece las recompensas y los castigos, los cuales, junto con las exhortaciones a servir a la sociedad, motivan a los individuos para hacer el esfuerzo que se requiere. China, Vietnam, Corea del Norte, Cuba, la ex Unión Soviética y otras naciones en diferentes épocas han manejado sus economías primordialmente con base en la autoridad.

Por el contrario, en un sistema basado en los **mercados**, las compañías privadas toman las decisiones principales acerca de qué producirán y quién obtendrá los productos.[18]

**sistema económico** El sistema del que se vale una sociedad para proveer los bienes y servicios que necesita para sobrevivir y progresar.

**sociedades basadas en la tradición** Sociedades que se apoyan en los roles, las costumbres y las tradiciones colectivas para realizar tareas económicas básicas.

**economía dirigida** Sistema económico que se basa principalmente en una autoridad de gobierno (ya sea una persona o un grupo) que toma las decisiones económicas acerca de lo que se debe producir, quién lo producirá y quién lo obtendrá.

**economía de mercado** Sistema económico basado principalmente en individuos que toman las decisiones importantes de qué producirán y quién obtendrá los productos.

Los recursos productivos, como la tierra y las fábricas, son propiedad y están bajo la administración de los particulares (no del gobierno) y se consideran propiedad privada de los individuos. Las personas están motivadas a trabajar más que nada por el deseo de obtener un pago a cambio de ofrecer de manera voluntaria los bienes que otros están dispuestos a adquirir. Inglaterra en el siglo xix se cita con frecuencia como el ejemplo más sobresaliente de una economía que se basó en su mayor parte en un sistema de mercado.

Actualmente las economías presentan rasgos de estos tres elementos: tradiciones, autoridad y mercados.[19] Estados Unidos, por ejemplo, está muy orientado al mercado, pero todavía algunos de sus ciudadanos consideran ciertos trabajos como "propios de la mujer" (como la de profesoras de primaria o enfermeras) o "del hombre" (como policías y camioneros), así que para ellos la tradición determina quién realiza esos trabajos. Aún más, el gobierno de Estados Unidos no solo emite mandatos que regulan las actividades empresariales, la mano de obra y el comercio internacional, sino que también es dueño de varios negocios importantes, como el Export—Import Bank, el servicio postal, las Industrias de Prisiones Federales, Ginnie Mae, el Tennessee Valley Authority, Amtrak, la Corporation for Public Broadcasting y algunos otros. En 2010 el gobierno estadounidense adquirió en propiedad parcial o total docenas de negocios en quiebra, incluyendo compañías automovilísticas (General Motors), bancos (Citigroup) y de seguros (AIG).

De hecho, no sería deseable manejar una economía basada exclusivamente en las tradiciones, en la autoridad o en los mercados. Por ejemplo, si una economía fuera un sistema de mercado puro, sin intervenciones económicas del gobierno, no habría restricciones sobre la propiedad individual o sobre lo que se podría hacer con esta. La esclavitud sería totalmente legal, así como la prostitución y todas las drogas, incluyendo las que causan adicción física y psicosocial. En la actualidad, incluso los gobiernos de las economías más orientadas al mercado establecen ciertas restricciones a la propiedad, por ejemplo, la prohibición de la esclavitud y la limitación de determinadas acciones con la propiedad, como producir contaminación. También señalan que algunos intercambios son ilegales, como hacer uso de la mano de obra infantil, en tanto que otros son obligatorios, como el pago de impuestos. Estas limitaciones sobre los mercados son intrusiones de un sistema de autoridad: la preocupación del gobierno por el bienestar público lleva a establecer mandatos en relación con los bienes que está permitido fabricar o intercambiar. De manera análoga, en un sistema de autoridad como el régimen de la ex Unión Soviética —bajo el gobierno de Stalin—, existían mercados locales —muchos de ellos llamados "mercados negros"—, donde los trabajadores podían intercambiar sus salarios por los bienes que querían.

Desde el siglo xviii, ha habido acalorados debates acerca de si las economías se deben basar en la autoridad o en los mercados.[20] ¿Deberíamos tener más mandatos gubernamentales en la forma de más reglamentos económicos y más control gubernamental sobre las actividades empresariales, o el gobierno se debe retirar y confiar la economía más al trabajo del mercado y a las decisiones de los dueños de las empresas? Algunas veces estos debates se expresan en términos de si las actividades económicas deberían estar más o menos libres de las intrusiones del gobierno, y entonces la discusión gira en torno a los **mercados libres** (es decir, libres de los límites de gobierno) y el libre comercio.[21] En ocasiones el debate se centra en las políticas de *laissez faire*, que en francés significa "dejar hacer" o "dejar actuar" sin los controles del gobierno.

En la actualidad esos debates continúan en dos niveles: **1.** si la economía interna de una nación se debe organizar como economía de libre mercado, y **2.** si los intercambios entre las naciones se deben basar en los principios del libre comercio. El lector no debe confundir los dos niveles diferentes de estos debates, aunque estén relacionados. En un primer nivel, cabe preguntar si el gobierno de una nación debe regular los intercambios comerciales entre sus ciudadanos o permitir que estos intercambien bienes libremente. En un segundo nivel, cabe preguntar si el gobierno de una nación debe permitir a sus ciudadanos intercambiar bienes de manera libre con los ciudadanos de otras naciones, o si debe imponer aranceles o cuotas sobre los bienes que sus ciudadanos quieran comprar a ciudadanos extranjeros. Nos podemos referir a la primera cuestión como el debate sobre el libre mercado y al segundo sobre libre comercio. En este capítulo se examinarán los

**mercados libres** Mercados en los que cada individuo puede intercambiar los bienes en forma voluntaria con otros y decidir qué hará con lo que posee, sin interferencia del gobierno.

argumentos de ambos debates, que versan, en última instancia, sobre el papel adecuado de los gobiernos y los mercados, tanto en la dimensión nacional como en la internacional.

Al analizar estos argumentos sobre los mercados y el comercio libres, o sobre la autoridad gubernamental y los mercados, de hecho se examina lo que los sociólogos llaman *ideologías*.[22] Una **ideología** es un sistema de creencias normativas que comparten los miembros de un grupo social. La ideología expresa las respuestas del grupo a preguntas acerca de la naturaleza humana (por ejemplo, ¿solo se motiva a los seres humanos con incentivos económicos?), el propósito básico de nuestras instituciones sociales (¿cuál es el objetivo del gobierno, de las empresas, del mercado?), la forma como funcionan las sociedades actuales (¿son los mercados realmente libres?, ¿las grandes empresas controlan al gobierno?), y acerca de los valores que la sociedad debe tratar de proteger (libertad, productividad e igualdad).

Las ideologías que sostienen los estadounidenses en la actualidad incorporan ideas del pensamiento de Adam Smith, John Locke, David Ricardo y otros pensadores influyentes, cuyas perspectivas normativas se examinan y evalúan en este capítulo. Se analizarán estas ideas no solo por su influencia significativa en nuestras ideologías, sino porque muchos afirman actualmente que estas se deben ajustar para satisfacer las necesidades contemporáneas de las empresas y la sociedad.[23] Conforme avance en el estudio de este capítulo, el lector podrá hacer un ejercicio valioso de identificar la ideología que sostiene para examinar y criticar sus elementos.

Comenzaremos por analizar dos argumentos importantes a favor de los mercados libres en las secciones 3.1 y 3.2. El primer argumento, que se examina en la sección 3.1, se deriva del pensamiento de John Locke y se basa en una teoría de derechos morales que incorpora muchos de los conceptos que se estudiaron en la segunda sección del capítulo 2. El segundo argumento a favor de los mercados libres, que se examina en la sección 3.2, tiene claramente su origen en el pensamiento de Adam Smith y se basa en los principios utilitarios que se estudiaron en la primera sección del capítulo 2. En la sección 3.3 se dejan a un lado los argumentos del libre mercado para centrarnos en los del libre comercio internacional. Ahí se analizan las ideas de David Ricardo, quien fue contemporáneo de Adam Smith y que, al igual que este último, basó sus puntos de vista acerca del libre comercio en ciertos principios utilitarios. Por último, en la sección 3.4, se estudian los importantes argumentos —opuestos a los anteriores— de Karl Marx, quien sostenía que sin controles del gobierno, los sistemas de libre mercado promueven la injusticia tanto nacional como internacional.

**ideología** Sistema de creencias normativas que comparten los miembros de algún grupo social.

# 3.1 Mercados libres y derechos: John Locke

Uno de los argumentos más difundidos que justifican que el gobierno desempeñe sólo un papel muy limitado en los mercados se deriva de la idea de que los seres humanos tienen ciertos *derechos naturales* que solamente se preservan en un sistema de libre mercado. Los dos derechos naturales que, según este argumento, protegen los mercados libres son el derecho a la libertad y el derecho a la propiedad privada. Se supone que los mercados libres protegen el primero en la medida en que permiten que cada individuo intercambie bienes con otros de forma voluntaria y libre del poder coercitivo del gobierno. Se supone que preservan el derecho a la propiedad privada en la medida en que cada individuo es libre de decidir qué hará con lo que le pertenece sin interferencia del gobierno.

En general, se reconoce a John Locke (1632-1704), un filósofo político inglés, como el precursor de la idea de que los seres humanos tienen un derecho natural a la libertad y un derecho natural a la propiedad privada.[24] Locke afirmó que, sin gobiernos, los seres humanos se encontrarían en un *estado de naturaleza*, en el cual cada individuo estaría en igualdad política con respecto a todos los demás y se vería perfectamente libre de cualquier restricción que no fuera la *ley de la naturaleza*, es decir, los principios morales que Dios confirió a la humanidad y que cada individuo puede descubrir mediante la razón que Dios le otorgó. Como él declara, en un estado de naturaleza, todos estarían en:

un *estado de libertad perfecta* para ordenar sus acciones y disponer de sus posesiones y personas como consideren que es adecuado, dentro de los límites de la ley de la naturaleza, sin pedir permiso o depender de la voluntad de otro hombre. También [sería] un estado de igualdad, en el que todo el poder y la jurisdicción serían recíprocos, nadie tendría más que otro [...] sin subordinación o sujeción [a otro]. Pero [...] el estado de naturaleza tiene una ley de la naturaleza que lo rige y que obliga a todos; y la razón, que es esa ley, enseña a toda la humanidad, que sin duda la consultará, que al ser todos iguales e independientes, nadie debe dañar a otro en su vida, salud, libertad o posesiones.[25]

Según Locke, la ley de la naturaleza "enseña" que cada uno tiene el derecho a la libertad y que, en consecuencia, "nadie puede ser despojado de este estado [natural] y sujeto al poder político de otro sin su consentimiento".[26] La ley de la naturaleza también nos informa que todos los individuos tienen derechos de propiedad sobre sus cuerpos, su trabajo y los productos de este, y que tales derechos de propiedad son "naturales", es decir, que no los inventa o crea un gobierno, ni son el resultado de una concesión gubernamental:

Cada hombre detenta la propiedad de su persona: nadie tiene derecho sobre esta, excepto él mismo. El trabajo de su cuerpo y el trabajo de sus manos, podemos decir, son suyos. Cualquier cosa que él obtenga del estado que la naturaleza le otorgó y le dejó, y que mezcle con su trabajo y una a algo que es suyo, esto la hace de su propiedad. [Ya que] este trabajo es de incuestionable propiedad del trabajador, ningún hombre, más que él, puede tener derecho a lo que alguna vez se unió [al trabajo], al menos donde hay suficiente, e igualmente bueno, que queda en común para los demás.[27]

### Repaso breve 3.1

**El estado de naturaleza de Locke**
- Todas las personas son libres e iguales.
- Cada persona es dueña de su cuerpo, su trabajo y del resultado de lo que mezcle con este último.
- El disfrute de las personas de la vida, la libertad y la propiedad es inseguro.
- Las personas acuerdan formar un gobierno para proteger su derecho a la vida, la libertad y la propiedad.

**derechos lockeanos**
El derecho a la vida, la libertad y la propiedad.

Sin embargo, el estado de naturaleza es un estado riesgoso en el que los individuos están en constante peligro de que alguien les dañe, "porque siendo todos reyes tanto como él, todo hombre su igual, y [puesto que] la mayor parte no observa de manera estricta la equidad y la justicia, el disfrute de la propiedad que tiene en este estado es muy inseguro".[28] En consecuencia, los individuos inevitablemente se organizan en un cuerpo político y crean un gobierno, cuyo propósito fundamental es brindar la protección de sus derechos naturales, una condición ausente en el estado de naturaleza. Como el ciudadano acepta que exista el gobierno "solamente con la intención [...] de preservarse a sí mismo, su libertad y su propiedad [...], el poder de la sociedad o de la legislatura constituida por ellos no debería extenderse más allá" de lo que es necesario para preservar estos derechos.[29] El gobierno no puede interferir con los derechos naturales de los ciudadanos a la libertad y a la propiedad, excepto cuando esa interferencia sea necesaria para proteger la libertad o propiedad de una persona de sufrir la invasión de otros.

Aunque Locke nunca usó de manera explícita su teoría de los derechos naturales para defender el libre mercado, varios autores de siglo xx la emplearon con esta finalidad.[30] Friedrich A. Hayek, Murray Rothbard, Gottfried Dietze, Eric Mack y muchos otros aseguran que cada persona tiene el derecho a la libertad y la propiedad que Locke asignaba a cada ser humano y que, en consecuencia, el gobierno debe dejar a los individuos libres para intercambiar de manera voluntaria su trabajo y su propiedad como lo elijan.[31] Solo una economía de intercambio de empresas privadas libres, en la que el gobierno queda fuera del mercado y protege los derechos de propiedad de los individuos, permite esos intercambios voluntarios. Entonces, la existencia de los **derechos lockeanos** a la libertad y la propiedad implica que las sociedades deben incorporar las instituciones de propiedad privada y los mercados libres.

También es importante observar que los puntos de vista de Locke sobre el derecho a la propiedad privada han tenido una influencia significativa en las instituciones estadounidenses de la propiedad, incluso en la sociedad computarizada de nuestros días. Primero, y lo más importante, desde el principio de su historia, la ley estadounidense ha sostenido la teoría de que los individuos tienen un derecho casi absoluto a hacer lo que deseen con su propiedad, y que el gobierno solo tiene un derecho limitado de interferir o de confiscar la propiedad privada de un individuo aun cuando sea por el bien de la sociedad. La quinta enmienda a la Constitución de Estados Unidos establece que "ninguna persona debe ser [...] privada de la vida, la libertad o la propiedad sin el debido proceso de la ley; tampoco se tomará la propiedad privada para uso público sin la justa compensación". Esta enmienda (que cita la frase de Locke, "vida, libertad y propiedad") en última instancia se deriva del punto de vista de que los derechos a la propiedad privada se establecen "por naturaleza" (cuando un individuo mezcla su trabajo con algún objeto), por lo que son anteriores al gobierno. Este último no otorga ni crea los derechos de propiedad privada. En vez de ello, debe respetar y proteger los derechos a la propiedad que se generan de manera natural a través del trabajo y el comercio.

Solo hasta hace relativamente poco, en los siglos XIX y XX, este punto de vista de Locke dejó su lugar en Estados Unidos a la perspectiva más "socialista" de que el gobierno puede limitar los derechos a la propiedad privada de un individuo por el bien de la sociedad. Incluso en la actualidad, en ese país, existe una fuerte presunción de que el gobierno no crea los derechos a la propiedad, sino que debe respetarlos y cuidar que se cumplan esos derechos que generaron los individuos con su propio esfuerzo. Por ejemplo, la ley estadounidense reconoce explícitamente que si una persona escribe un texto literario, este es de su propiedad incluso sin el registro de derechos de autor que emite el gobierno. Es importante ver que este punto de vista de Locke de la propiedad no es universal. En algunos países, como Japón, los recursos no se conciben como objetos sobre los cuales los individuos tienen un derecho absoluto de propiedad privada. Más bien, allí y en muchas otras sociedades de Asia, los recursos se consideran como una función primaria para servir a las necesidades de la sociedad como un todo, y por ello los derechos a la propiedad de los individuos deben ceder el paso a las necesidades de la sociedad cuando hay un conflicto entre ambos.

Segundo, como fundamento de muchas leyes estadounidenses respecto a la propiedad está el punto de vista de Locke de que, cuando una persona consume trabajo y esfuerzo para crear o mejorar un objeto, esa persona adquiere "por naturaleza" los derechos de propiedad sobre este. Si una persona escribe un libro o desarrolla un programa de software, por ejemplo, entonces automáticamente estos se convierten en su propiedad porque mezcló su trabajo en él. Por supuesto, es factible que una persona esté de acuerdo en vender su trabajo a un empleador, y con ello acuerda que este último obtendrá la propiedad de lo que crea. Sin embargo, incluso esos acuerdos laborales suponen que el empleado tiene el derecho de vender su trabajo, y esto significa que el empleado es el propietario original del trabajo para crear el objeto. Así por ejemplo, quienes desarrollan programas de software son los propietarios legítimos de estos, no solo porque han invertido gran cantidad de tiempo y energía en su diseño, sino también porque pagaron a los ingenieros de software quienes les vendieron su trabajo para desarrollar esos programas. Se debe observar que todos estos puntos de vista de la propiedad suponen, desde luego, que un derecho a la propiedad privada en realidad es un conjunto de derechos. Decir que X es mi propiedad privada equivale a decir que tengo el derecho de usarla, consumirla, venderla, regalarla, prestarla, rentarla, conservar cualquier resultado que produzca, modificarla, destruirla y, lo más importante, excluir a otros de hacer cualquiera de las acciones anteriores sin mi consentimiento.

Consideremos las acciones de Abbott Laboratories a la luz de los puntos de vista de Locke. Recordemos que la farmacéutica retiró varios medicamentos vitales al pueblo de Tailandia cuando su gobierno anunció que tenía la intención de fabricar un medicamento que Abbott había patentado, ya que reclamaba que ese país estaba "robando la propiedad intelectual" de la compañía.[32] Abbott insistía en que, sin importar lo que cualquier gobierno u otro organismo regulador pudiera decir, había creado la fórmula para el medicamento e invertido el dinero necesario para desarrollarlo, y por lo tanto era de su propiedad y nadie más tenía el derecho a usarlo sin su consentimiento. La postura de Abbott se basaba en el punto de vista lockeano de que la propiedad privada se genera a partir del trabajo propio y no porque el gobierno la conceda. El derecho a la propiedad, así como el derecho a la libertad, existen antes que la autoridad del gobierno (o son más básicos que ella) y, como Locke insistía, el gobierno se crea para proteger esos derechos fundamentales. El director de una asociación farmacéutica, que representaba a Abbott y a otras compañías multinacionales del ramo, declaró: "Después de que la compañía dedicó 10 años a la investigación, repentinamente al gobierno tailandés le gustaría imponer una licencia obligatoria, arrebatándole su propiedad y sus activos. Eso no es correcto".[33]

Por otra parte, el gobierno de Tailandia emitió un informe en el que declaraba que "había cumplido plenamente con [todos] los marcos legales nacionales e internacionales", incluyendo el capítulo referente a las patentes.[34] Señaló que la Organización Mundial del Comercio (OMC) había declarado explícitamente que para proteger la salud de sus ciudadanos, un país podía emitir una licencia obligatoria y elaborar un medicamento sin la autorización de la compañía poseedora de la patente. En consecuencia, dijo Tailandia, no fue incorrecto que fabricara el medicamento aunque Abbott tuviera la patente, puesto que el marco legal que la creó, y que convirtió la fórmula del medicamento en un tipo de "propiedad", les permitía explícitamente usar la fórmula. Por lo tanto, el punto de vista de Tailandia era que los derechos de propiedad los crea el gobierno y sus leyes, un punto de vista que decididamente no es lockeano.[35] También a diferencia de Locke, Tailandia sostenía que los derechos de propiedad no son absolutos. En su informe explicaba que su decisión se basó en su "compromiso de poner el derecho a la vida por encima de los intereses comerciales". Entonces, los derechos de propiedad están limitados por el "derecho a la vida", porque la vida humana es más importante que las reglas internacionales que protegen los "intereses comerciales" mediante los derechos de propiedad.

Fue así como los puntos de vista de Abbott Laboratories y de Tailandia se moldearon por sus ideologías, esto es, por sus puntos de vista sobre qué derechos son más básicos, sobre la finalidad del gobierno y sobre la naturaleza de la propiedad privada.

## Críticas a los derechos lockeanos

Las críticas a la defensa del derecho a la libertad de Locke dentro y fuera de los mercados se centran en cuatro de sus debilidades más importantes: *a*) la suposición de que los individuos poseen los "derechos naturales" que Locke afirma, *b*) el conflicto entre estos derechos positivos y los negativos, *c*) el conflicto entre los derechos lockeanos y los principios de justicia, y *d*) la suposición individualista que hace Locke y sus conflictos con las demandas de cuidado.

En primer término, la defensa de Locke de los mercados libres se apoya en la suposición de que las personas tienen derechos a la libertad y la propiedad, y que estos son prioritarios frente a todos los demás derechos. Si los humanos no tienen los derechos primordiales a la libertad y la propiedad, entonces el hecho de que los mercados libres los preserven no significa mucho. No obstante, ni Locke ni sus seguidores del siglo XX ofrecen los argumentos necesarios para establecer que los seres humanos tienen tales derechos "naturales". Locke simplemente asevera que "la razón [...] enseña a toda la humanidad, que sin duda la consultará", que estos derechos existen.[36] En vez de argumentar a favor de estos derechos, Locke se quedó en la escueta aseveración de que la existencia de estos derechos es "evidente por sí misma": se supone que todos los seres humanos racionales son capaces de intuir que los supuestos derechos a la libertad y la propiedad existen. Sin embargo, muchas personas racionales han tratado de tener esta intuición y no lo han logrado.[37]

El fracaso de Locke de brindar argumentos a favor de su punto de vista principal surge con mayor claridad si se observa con más detalle lo que dice sobre el derecho natural a la propiedad. Locke asegura que cuando una persona "mezcla" su trabajo en un objeto que no está reclamado, este se convierte automáticamente (de forma natural) en su propiedad. Por ejemplo, si encuentro una pieza de madera que flota en la orilla del mar y tallo en ella una escultura, esta se convierte en mi propiedad porque tomé algo mío (mi trabajo) y lo mezclé con la madera para hacer algo más valioso. Invertir esfuerzo y trabajo para hacer algo más valioso hace que ese objeto sea mío. Pero, ¿por qué debe ser así? Como el filósofo Robert Nozick pregunta, si yo "mezclo" mi trabajo en algo que no es mío, ¿por qué esto no es solo una forma de perder mi trabajo?[38] Suponga que yo tengo una taza llena de agua y la arrojo al mar, de manera que mezclo mi agua con el agua *sin dueño* del océano. ¿Esto hace al océano mío? Como es evidente, al menos en este caso, mezclar algo mío con algo que no lo es, es solo una manera de perder lo que es mío, no una manera de adquirir algo que no era mío. ¿Por qué cuando invierto mi trabajo en mejorar o modificar un objeto para que sea más valioso, este se convierte en mi propiedad? Locke no da una respuesta a esta pregunta, al parecer, porque piensa que es "evidente por sí misma".

Segundo, incluso si los seres humanos tienen un derecho natural a la libertad y la propiedad, no se deduce que este derecho deba invalidar los demás derechos. El derecho a la libertad y la propiedad es un derecho negativo en el sentido que se definió en el capítulo 2. Como se vio, los derechos negativos en ocasiones entran en conflicto con el derecho positivo de una persona. Por ejemplo, el derecho negativo a la libertad podría estar en conflicto con el derecho positivo de alguien más a obtener alimento, asistencia médica, vivienda o aire limpio. ¿Por qué debemos creer que en esos casos el derecho negativo tiene prioridad sobre el positivo? Los críticos argumentan, de hecho, que no existe una razón para creer que los derechos a la libertad y la propiedad tienen más peso. En consecuencia, tampoco tenemos una razón para inclinarnos por el argumento de que deben preservarse los mercados libres porque protegen esos derechos.[39]

La tercera crítica importante que se dirige a Locke como defensor de los mercados libres se basa en la idea de que estos crean desigualdades injustas.[40] En una economía de libre mercado, el poder productivo de un individuo está en relación directa con la cantidad de trabajo o propiedad que ya posee. Los individuos que han acumulado una gran cantidad de riqueza y que tienen acceso a educación y capacitación podrán acumular aún más riqueza al adquirir más activos productivos. Los individuos que no tienen propiedades, que no pueden trabajar o que no tienen habilidades (como los discapacitados, enfermos, pobres o ancianos) no podrán adquirir bienes sin ayuda del gobierno. Como resultado, sin la intervención gubernamental, la diferencia entre los más ricos y los más pobres crecerá hasta que surjan grandes disparidades en la riqueza. A menos que el gobierno intervenga para ajustar la distribución de la propiedad que se deriva de los mercados libres, enormes grupos de ciudadanos permanecerán en el nivel de subsistencia, mientras que otros serán cada vez más ricos.

Para probar su argumento, los críticos citan los altos niveles de pobreza y las grandes desigualdades evidentes en las naciones de libre mercado como Estados Unidos. En 2008, por ejemplo, 39.8 millones de estadounidenses, que representan el 13.2 por ciento de la población, vivían en la pobreza; ese mismo año, el 20 por ciento más rico de los hogares estadounidenses tenía un ingreso promedio de $171,057.[41] En 2008 el 20 por ciento más pobre tenía un ingreso promedio de $11,984, mientras que el ingreso promedio del 5 por ciento más rico de los hogares fue de $322,881, esto es, 27 veces el promedio del 20 por ciento más pobre.[42] Cerca de 17 millones de hogares estadounidenses —alrededor de 51 millones de personas— sufrieron hambre durante 2008 porque no tuvieron suficiente alimento para satisfacer las necesidades básicas de todos los miembros de la familia.[43] Cerca de 46.3 millones de personas no tenían seguro de salud durante 2008.[44] Entre 2.3 y 3.5 millones de personas (1.35 millones de los cuales son niños) no tienen casa en un año determinado.[45] En contraste, el 1 por ciento de la población de nivel más alto tenía en sus manos cerca de la mitad de la riqueza financiera del país, poseía más de un tercio del valor de la nación, recibió la quinta parte de los ingresos del país y vivía en casas con valor promedio de $18,529,000.[46] Los críticos señalan la distribución tan desigual del ingreso y la riqueza en Estados Unidos, tal como lo muestra la tabla 3.1. Según las medidas estándar de desigualdad, como el llamado *índice de Gini*, la desigualdad en ese país se ha acentuado a ritmo constante (véase las figuras 3.1 y 3.2). La figura 3.3 muestra cómo el 20 por ciento que corresponde a las familias más ricas del país ahora recibe más ingresos que todos los demás grupos juntos.

La desigualdad a nivel mundial también ha aumentado, en parte debido a las fuerzas de la globalización. Recuerde el caso de Swingline, la compañía que fabrica engrapadoras y grapas. Cuando liquidó a sus empleados de Nueva York y se trasladó a México, disminuyó la posición económica de los trabajadores a los que se abandonó. Luego, cuando la compañía abandonó México y se instaló en China atraída por sus políticas de salarios más bajos, una vez más descendió el nivel de vida de los trabajadores que abandonó. De esta forma, los acuerdos de libre comercio y la globalización han permitido a las compañías transferir

| Tabla 3.1 | *Distribución del ingreso y la riqueza entre los estadounidenses en 2007* | | | | |
|---|---|---|---|---|---|
| | Porcentaje del ingreso total de EUA | Porcentaje de riqueza financiera total en EUA | Porcentaje de riqueza neta total en EUA | Promedio de la riqueza neta por familia | Porcentaje del total de acciones de capital de EUA |
| **Grupo** | | | | | |
| 1% superior | 21.3 | 42.7 | 34.6 | $18,529,000 | 38.3 |
| 20% superior | 61.4 | 93.0 | 85.0 | $2,278,000 | 91.1 |
| Segundo 20% | 17.8 | 6.8 | 10.9 | $291,000 | 6.4 |
| Tercer 20% | 11.1 | 1.3 | 4.0 | $71,200 | 1.9 |
| 40 % inferior | 9.6 | −1.0 | 0.2 | $2,200 | 0.6 |

(El "20 por ciento superior" incluye el "1 por ciento superior"; el signo negativo bajo riqueza financiera indica deuda).

Fuente: Edward N. Wolff "Recent Trends in Households Wealth in the United States: Rising Debt and the Middle-Class Squeeze—An Update to 2007", documento de trabajo 589 de Levy Economics Institute Paper Collection, marzo de 2010, fecha de consulta: 2 de junio de 2010 en *www.levyinstitute.org/pubs/wp_589.pdf.*

**Figura 3.1**

Vea la **imagen** en **mythinkinglab.com**

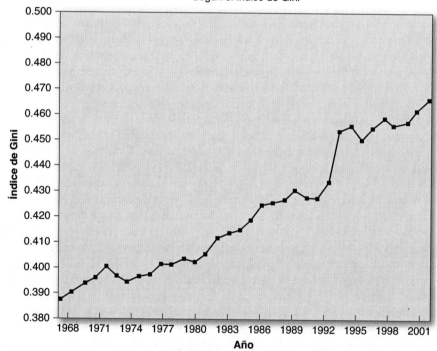

Creciente desigualdad en Estados Unidos desde 1968
Según el índice de Gini

*Repaso breve 3.2*

**Debilidades del punto de vista de Locke sobre los derechos**

- Locke no demuestra que los individuos tienen derechos "naturales" a la vida, a la libertad y a la propiedad.
- Los derechos naturales de Locke son negativos y no demuestra que estos tengan más importancia que los positivos cuando ambos entran en conflicto.
- Los derechos de Locke implican que los mercados deben ser libres, pero estos pueden ser injustos y llevar a desigualdades.
- Locke supone de manera errónea que los seres humanos son individuos atomísticos.

sus operaciones de un país a otro y, como resultado, los trabajadores pobres del mundo se empobrecen cada vez más, y esto, finalmente, aumenta la desigualdad.

Por último, dicen los críticos, el argumento de Locke supone que los seres humanos son individuos atomísticos con derechos personales a la libertad y la propiedad, los cuales emanan de su naturaleza personal de modo independiente de sus relaciones con la comunidad más grande. Como se supone que estos derechos son precedentes e independientes de la comunidad, esta última no está en condiciones de reclamar la propiedad o libertad del individuo. Sin embargo, los críticos aseguran que estas suposiciones individualistas son completamente falsas: ignoran el papel clave del cuidado de las relaciones en las sociedades humanas y las demandas de cuidado que surgen de estas relaciones. Los críticos de Locke

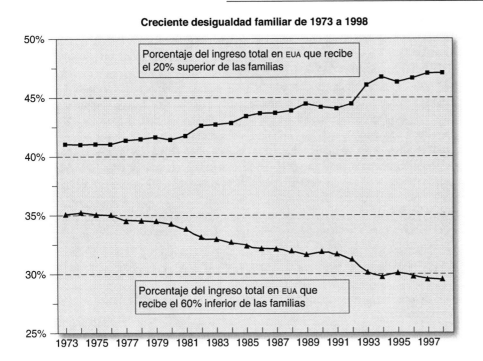

**Creciente desigualdad familiar de 1973 a 1998**

**Figura 3.2**
Vea la **imagen** en

**mythinkinglab.com**

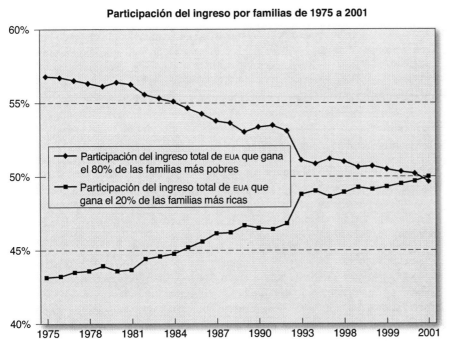

**Participación del ingreso por familias de 1975 a 2001**

**Figura 3.3**
Vea la **imagen** en

**mythinkinglab.com**

señalan que los seres humanos nacen dependientes del cuidado de otros; mientras crecen, son dependientes del cuidado de otras personas para adquirir lo que necesitan hasta convertirse en adultos. Pero incluso en la edad adulta dependen de la cooperación de otros en sus comunidades, casi para todo lo que hacen o producen. Incluso su libertad depende de otros. El grado de libertad que tiene un individuo depende de lo que es capaz de hacer: cuanto menos pueda hacer, menos libre es para hacerlo. Pero sus habilidades dependen de lo que aprende de quienes lo han cuidado y de lo que los otros quieran ayudarlo o le permitan hacer.

De manera similar, la "propiedad" que un individuo genera con su trabajo depende, en última instancia, de las habilidades que adquirió de quienes lo cuidaron y del trabajo cooperativo de otros en la comunidad, como los empleados. Incluso la propia identidad —el sentido personal de quién es uno como miembro de diferentes comunidades y grupos a los que pertenece— depende de las relaciones personales con otros en la comunidad. En resumen, las suposiciones individualistas integradas en el punto de vista de Locke de los seres humanos ignoran las relaciones de cuidado específicas de las que surge la identidad de una persona y la posibilidad de los derechos individuales. Los humanos no son individuos atomísticos con derechos que son independientes de los demás; más bien, en ellos están implícitas las relaciones de cuidado que posibilitan esos derechos y que hacen de una persona lo que es. Más aún, continúan los críticos, las personas tienen un requisito moral de mantener esas relaciones y de cuidar de los demás como otros cuidaron de ellas. La comunidad puede hacer reclamaciones legítimas sobre la propiedad de los individuos y restringir su libertad precisamente porque la comunidad y el cuidado que esta ha brindado son la fuente fundamental de esa propiedad y libertad.

## 3.2 Mercados libres y utilidad: Adam Smith

La segunda defensa más importante del libre mercado se apoya en el argumento utilitario de que los mercados libres y la propiedad privada generan mayores beneficios que cualquier interferencia gubernamental. En un sistema con mercados libres y propiedad privada, los consumidores buscan comprar lo que quieren para sí mismos al menor precio que puedan encontrar. Por esa razón, será rentable para las empresas privadas fabricar y vender lo que los consumidores quieren y al menor precio posible. Para mantener los precios bajos, las empresas privadas intentarán reducir los costos de los recursos que consumen. Así, el mercado libre, en conjunto con la propiedad privada, asegura que la economía produzca lo que los consumidores desean, que los precios sean tan bajos como sea posible y que los recursos se usen de manera eficiente. De esta forma, la utilidad económica de los miembros de la sociedad se maximiza.

Adam Smith (1723-1790), el padre de la economía moderna, es quien ideó este argumento utilitario a favor del mercado libre.[47] Según Smith, cuando se deja libres a los individuos para buscar sus propios intereses en los mercados libres, será inevitable que mejoren el bienestar público mediante una **mano invisible**:

**mano invisible** De acuerdo con Adam Smith, la mano invisible es la competencia del mercado que impulsa a los individuos con intereses personales a actuar de maneras que sirven a la sociedad.

> Al dirigir [su] industria de tal manera que su producto sea el de mayor valor, [el individuo] persigue sólo su propia ganancia, y en esto, como en muchas otras cosas, es guiado por una mano invisible para promover un fin que no era parte de su intención. [...] Al buscar su propio interés, con frecuencia promueve el de la sociedad con mayor eficacia que cuando en verdad desea promover este último.[48]

La "mano invisible", desde luego, es la competencia del mercado. Todo productor intenta obtener una ganancia mediante la utilización de los recursos privados para elaborar y vender los bienes que considera que la gente quiere comprar. En un mercado competitivo, una multiplicidad de estas empresas privadas deben competir entre sí por los mismos compradores. Así que, para atraerlos, cada vendedor se ve obligado no solo a ofrecer lo que los compradores quieren, sino también a bajar el precio de los bienes acercándose tanto como sea posible al "costo real para la persona que los pone en el mercado".[49] Para aumentar las ganancias personales, cada productor debe reducir los costos, y con ello los recursos que consume. La competencia que generan los múltiples vendedores privados con intereses personales sirve para bajar los precios, conservar los recursos y hacer que los productores respondan a los deseos del consumidor. Motivadas inicialmente por el interés personal, las empresas privadas terminan por servir a la sociedad. Como afirmó Smith sobre este asunto en un pasaje famoso:

> No es de la benevolencia del carnicero, el panadero y el cervecero que esperamos nuestra comida, sino de la atención de todos ellos a su propio interés. Nos

dirigimos no a su humanidad, sino al amor por sí mismos, y nunca les hablamos de nuestras necesidades, sino de sus beneficios.[50]

Smith también aseguraba que un sistema de mercados competitivos asigna recursos de manera eficiente entre las distintas industrias de la sociedad.[51] Cuando el suministro de ciertos bienes no es suficiente para satisfacer la demanda, los compradores hacen que el precio suba más allá del *precio natural* del que hablaba Smith (es decir, el precio que sólo cubre los costos de producir el bien, incluyendo la tasa de utilidad que se puede obtener en otros mercados). Los productores de ese bien entonces cosechan ganancias más altas que las disponibles para los productores de otros bienes. Las ganancias más altas inducen a los fabricantes de otros productos a destinar sus recursos a la producción del bien más rentable. Como resultado, la escasez de ese bien desaparece y su precio baja a su nivel natural. Por el contrario, cuando el abastecimiento de un bien es mayor que la cantidad demandada, el excedente resultante hace que su precio caiga, lo que induce a los productores a dirigir sus recursos a la producción de otros bienes más rentables. La fluctuación de los precios de los bienes en un sistema de mercados competitivos fuerza a los productores a asignar sus recursos a las industrias con mayor demanda y a retirar esos recursos de las que tienen un sobreabastecimiento relativo de bienes. En resumen, el mercado asigna los recursos para satisfacer la demanda de los consumidores de la manera más eficiente y, de esta forma, promueve la utilidad social.

La mejor política de un gobierno que espere avanzar hacia el bienestar público es no actuar: dejar que cada individuo busque su "libertad natural", para que sea libre de comprar y vender lo que desee.[52] Cualquier intervención del gobierno en el mercado solo interrumpiría el efecto de autorregulación de la competencia y reduciría sus muchas consecuencias benéficas al generar escasez y excedentes. Cuando Abbott Laboratories objetó la decisión de Tailandia de elaborar el medicamento que había patentado en realidad sostenía el punto de vista de que las intervenciones del gobierno en el mercado no son beneficiosas. La compañía argumentaba que los elevados precios de sus medicamentos eran necesarios para recuperar los altos costos de desarrollarlos, y si las compañías no cobraban esos precios no tendrían incentivos para continuar haciéndolos, lo cual conduciría a una escasez de desarrollo de nuevos medicamentos. Cuando el gobierno de Tailandia intervino en el mercado de medicamentos al tomar la patente, interfirió con la capacidad de la compañía de recuperar sus costos y, en cierto grado, eliminó sus incentivos de seguir desarrollando nuevas soluciones para el SIDA, disminuyendo así potencialmente el suministro futuro de nuevos medicamentos para esta enfermedad. Por lo tanto, a largo plazo, la intervención del gobierno en el mercado, como argumentaba Smith, siempre acabará dañando a los consumidores.

A principios del siglo xx, los economistas Ludwig von Mises y Friedrich A. Hayek complementaron las teorías de mercados de Smith con un ingenioso razonamiento.[53] Argumentaron que un sistema de libre mercado y propiedad privada no solo sirve para asignar recursos con eficiencia, sino que, en principio, es imposible que el gobierno o un individuo asignen esos recursos con la misma eficiencia. Los seres humanos son incapaces de asignar recursos con eficiencia porque nunca tendrán suficiente información ni podrán efectuar cálculos tan rápido como para coordinar de forma eficiente los cientos de miles de intercambios diarios que se requieren en una economía industrial compleja. En un mercado libre, los precios altos indican que se necesitan recursos adicionales para satisfacer la demanda del consumidor, y eso motiva a los productores a asignar sus recursos a esos consumidores. Entonces, el mercado asigna recursos con eficiencia de un día a otro a través del mecanismo de fijación de precios. Si un gobierno intentara hacer lo mismo, aseguran Von Mises y Hayek, tendría que saber qué productos desean los consumidores cada día, qué materiales necesitaría cada fabricante para elaborar los numerosos bienes que desean los consumidores, y luego tendría que calcular la mejor manera de asignar los recursos entre los productores interrelacionados para permitirles satisfacer los deseos de los consumidores.

# Mercantilización o qué tan libres deberían ser los mercados libres

Mercantilizar algo significa convertir un bien en algo que se puede comprar y vender, o tratarlo como si esto fuera posible. Muchas personas creen que se debería ser libre de mercantilizar todo lo que queramos. Citemos al juez Richard Posner, del Tribunal de Apelaciones del Séptimo Circuito de Chicago, Estados Unidos, quien en su artículo "La economía de la escasez de bebés: Una propuesta modesta" afirma que hay más parejas que quieren adoptar un bebé que bebés disponibles para la adopción. Sugiere que esta "escasez" se podría arreglar si se inicia un "mercado de bebés" en el cual se pudieran vender los bebés disponibles, y las parejas que quisieran uno los pudieran comprar. En tal "mercado de bebés", señala, una escasez haría que su precio aumentara, y los precios al alza llevarían a que se pusieran más bebés a la venta y menos parejas se ofrecerían a comprarlos, con lo que la escasez disminuiría. Hay otros bienes, además de los bebés, que a las personas les gustaría mercantilizar, pero el gobierno no lo permite; por ejemplo, partes del cuerpo, sexo y drogas duras. En Estados Unidos hay 80,000 personas enfermas en listas de espera para recibir un trasplante de riñón, pero no hay suficientes donantes para otorgar los órganos de manera gratuita (o fallecidos dentro del tiempo necesario o cadáveres disponibles), así que aproximadamente 3,500 de ellas mueren cada año. Algunos emprendedores de negocios han iniciado servicios de correduría (ilegales) en los que los estadounidenses pueden comprar riñones (o córneas, ojos, piel y partes de hígados) a las personas pobres de India, Pakistán, Irak, Moldavia, Rumania, China, Perú y Rusia. El corredor cobrará al estadounidense $150,000 por un trasplante de riñón, pagará aproximadamente $10,000 al donante pobre que esté dispuesto a vender el órgano a ese precio, y hará que la operación se realice en Sudáfrica. Por ejemplo, un iraquí, Raad Bader al-Muhssin, con problemas para mantener a su familia cuando a su esposa le diagnosticaron cáncer, aceptó rápidamente cuando le ofrecieron $12,000 por uno de sus riñones:

> Toda mi vida he sido pobre y temía que mis hijos fueran a tener el mismo destino, y que mi esposa muriera por no tener el dinero para ayudarla. Era [mi] única oportunidad en la vida. Todavía tengo un riñón sano y con el dinero que me dieron nunca me volverán a humillar otra vez. Mis hijos volvieron a la escuela y nuestra vida cambió.

A muchas personas les gustaría que el gobierno permitiera la venta abierta de las relaciones íntimas sexuales, pero puesto que vender sexo es ilegal en todas las entidades de Estados Unidos, excepto en Nevada, "los trabajadores sexuales" deben comercializar sus servicios en secreto y anunciarlos en los directorios bajo la categoría de "acompañantes". A otros les gustaría que los gobiernos permitieran la compra y venta de drogas duras, esto es, las que causan dependencia tanto física como psíquica, por ejemplo, la cocaína y la heroína.

---

1. ¿La mercantilización de un bien cambia la forma en la que lo conceptualizamos? ¿Hay algo que no debería mercantilizarse? ¿Por qué?

2. Explique por qué cada una de las propuestas anteriores para ampliar el mercado libre es una buena o una mala idea. ¿Qué dirían John Locke y Adam Smith de las explicaciones que usted da?

---

Fuentes: Afif Sarhan, "Helpless Iraquis Sell Their Organs", *QatarLiving.com*, 17 de octubre de 2009, fecha de consulta: 15 de junio de 2010 en *http://www.qatarliving.com/nodel/754107*; Larry Rohter, "The Organ Trade: A Global Black Market", *The New York Times*, 23 de mayo de 2004; "The International Organ Trafficking Market", *National Public Radio*, 30 de julio de 2009, fecha de acceso de la transcripción: 15 de junio de 2010 en *http://www.npr.org/templates/story/story.php?storyId=111379908*; Larry Smith, "Does the War on Drugs Still Make Sense?", *The New Black Magazine*, fecha de consulta: 10 de junio de 2010 en *http://www.the-newblackmagazine.com/view.aspx?index=638*.

Von Mises y Hayek consideran que la cantidad infinita de información detallada y el número exorbitante de cálculos que necesitaría un gobierno en tal caso está más allá de la capacidad de cualquier grupo de seres humanos. Así, los mercados libres no solo asignan los bienes con eficiencia, sino que es prácticamente imposible que la planeación del gobierno iguale su desempeño.

Por último, es importante observar que, aunque Adam Smith no analizó la idea de la propiedad privada con profundidad, es una suposición clave de sus puntos de vista. Antes de que los individuos estén en condiciones de operar juntos en los mercados para vender bienes entre sí, deben tener algún acuerdo acerca de lo que cada uno posee y de lo que tiene derecho de vender a otros. Solo si una sociedad tiene un sistema de propiedad privada que asigne sus bienes a los individuos, podrá tener un sistema de libre mercado. Por esta razón, Adam Smith supuso que la sociedad con mercados libres tendría un sistema de propiedad privada, aunque no dio argumentos explícitos que demostraran que un sistema de propiedad privada era mejor que, por ejemplo, un sistema en el que todos los recursos productivos fueran propiedad común o del gobierno. Sin embargo, filósofos anteriores habían dado argumentos utilitarios en apoyo de un sistema de propiedad privada que, como los propios argumentos de Smith a favor de los mercados libres, se basaban en consideraciones utilitarias. En el siglo XIII, por ejemplo, el filósofo Tomás de Aquino argumentó que la sociedad no debería tener un sistema en el que todos los bienes fueran propiedad común. En su opinión, la mejor forma de que la sociedad prosperara sería que sus recursos fueran propiedad de los individuos que, de esa manera, tendrían un interés en mejorar y cuidar tales recursos. Un sistema de propiedad privada, dijo:

> [...] es necesario para la vida humana por tres razones. Primero, porque cada hombre tiene más cuidado de procurarse lo que es para sí mismo que lo que es común a muchos o a todos, ya que cada uno eludirá el trabajo y dejará a otro lo que se refiere a la comunidad. [...] Segundo, porque los asuntos de los seres humanos se realizan de una manera más ordenada si cada uno se encarga de cuidar cierto objeto específico para sí mismo, mientras que habrá confusión si todos tienen que cuidar lo mismo de manera indeterminada. Tercero, porque se asegura un estado más pacífico si cada quien está contento con lo suyo. Así, debe observarse que surgen pleitos con más frecuencia cuando no hay división de las cosas que se poseen.[54]

Desde la perspectiva de Tomás de Aquino, la propiedad privada no es algo que se produzca de manera "natural" cuando se "mezcla" el trabajo con los objetos, como afirma Locke. Más bien, la propiedad privada es una construcción social, una institución social artificial, pero útil, que creamos y que es susceptible de formarse de muchas maneras. Estos argumentos utilitarios en favor de un sistema de propiedad privada sobre un sistema de propiedad común se han repetido con frecuencia. En particular, muchos filósofos han esgrimido el argumento de que, sin un sistema de propiedad privada en el que los individuos obtienen los beneficios que resultan de cuidar de los recursos que poseen, la gente dejaría de trabajar porque no tendría incentivo para hacerlo.[55] Un sistema de propiedad privada es el mejor porque brinda incentivos para que los individuos inviertan su tiempo, trabajo y esfuerzo en mejorar y explotar los recursos que poseen y cuyos beneficios saben que recibirán personalmente.

## Críticas a Adam Smith

Desde diversos frentes, los críticos han atacado el argumento utilitario clásico de Smith que defiende los mercados libres y sus suposiciones referentes a la propiedad privada. La crítica más común es que el argumento se apoya en suposiciones no realistas.[56] Los argumentos de Smith suponen, primero, que las fuerzas impersonales de la oferta y la demanda hacen que los precios bajen hasta niveles mínimos porque los vendedores de productos son tan numerosos y cada empresa es tan pequeña que ningún vendedor, por sí mismo, es

**Repaso breve 3.4**

**Apoyo adicional a Adam Smith**
- Hayek y Von Mises argumentan que los gobiernos no deben interferir en los mercados porque no pueden tener la información suficiente para asignar los recursos de manera tan eficiente como los mercados libres.
- Smith supone un sistema de propiedad privada como el que defiende Aquino con el argumento utilitario de que la propiedad privada lleva a cuidar y usar los recursos de una mejor manera que la propiedad común.

capaz de controlar el precio de un producto. Esta suposición quizás era cierta en la época de Smith, cuando las empresas más grandes empleaban solo a unas cuantas docenas de hombres, y una multitud de tiendas pequeñas y comercios insignificantes competían por la atención del consumidor. Sin embargo, en la actualidad, muchas industrias y mercados están monopolizados por completo o parcialmente, y la pequeña empresa ya no es una regla. En estas industrias monopolizadas, donde una o varias empresas grandes están en condiciones de establecer sus precios, ya no siempre es cierto que estos desciendan hacia sus niveles ínfimos. El poder del monopolio de los gigantes industriales permite mantener de manera artificial los precios a niveles altos y la producción a niveles bajos.

Por ejemplo, muchos observadores han señalado que las patentes son una forma de monopolio. Un monopolio es un mercado en el que solo hay un vendedor. Cuando una compañía recibe la patente de un medicamento, solo ella tiene el derecho de venderlo, así que tiene su monopolio. Si el medicamento es capaz de curar algunas enfermedades importantes, la compañía podrá fijar el precio tan alto como quiera. En un mercado libre no hay límites al precio que un monopolio puede cobrar por sus medicamentos. Como vimos en el caso de Abbott Laboratories, la empresa que tenía las patentes de determinados medicamentos que podían mantener bajo control el SIDA, el precio de venta era tan alto que quedaba fuera del alcance de las personas de países pobres como Tailandia. Por ejemplo, Abbott fijó el precio de Kaletra, su medicamento para el SIDA, en $7,000 al año en la mayoría de los países, y en $2,200 para el caso de Tailandia. Otras compañías que contaban con patentes de sus propios medicamentos para el SIDA —lo que también podría considerarse como un monopolio— vendían hasta en $12,000 la cantidad del fármaco suficiente para un año de tratamiento. En mercados libres y monopolizados como esos, los precios no se desplazan hacia sus niveles más bajos como sugería Adam Smith.

En segundo lugar, aseguran los críticos, los argumentos de Smith suponen que el fabricante pagará todos los recursos que se emplean para elaborar un producto y que tratará de reducir estos costos para maximizar sus ganancias. Como resultado, existe una tendencia hacia una utilización más eficiente de los recursos de la sociedad. También se ha demostrado que esta suposición es falsa cuando los fabricantes de un producto consumen recursos que no tienen que pagar y que, por lo tanto, no intentan economizar. Por ejemplo, cuando los fabricantes utilizan aire limpio y lo contaminan, o cuando generan problemas de salud al desechar sustancias químicas dañinas en ríos, lagos y mares, están usando recursos de la sociedad por los que no pagan. En consecuencia, no existe una razón para que intenten minimizar estos costos, y el resultado es el desperdicio social. Ese desperdicio es un ejemplo particular de un problema más general que el análisis de Smith ignoró, ya que él no tomó en cuenta los efectos externos que las actividades de negocios tienen con frecuencia sobre el entorno inmediato. La contaminación es un ejemplo, pero hay otros, como los efectos en la sociedad de introducir tecnología avanzada, el efecto psicológico de la creciente mecanización sobre los trabajadores, los efectos dañinos que el manejo de materiales peligrosos provoca sobre la salud de los empleados, y la conmoción económica que surge cuando los recursos naturales se agotan al buscar obtener ganancias en el corto plazo. Por ejemplo, los trabajadores de Estados Unidos que la compañía de engrapadoras Swingline dejó sin empleo en Nueva York cuando se trasladó a México, y los mexicanos que dejó en Nogales cuando se fue a China, pagaron los costos de los movimientos de la empresa conforme esta buscaba mano de obra más barata. Smith ignoró esos costos externos como los que impone la empresa a otras partes, y supuso, en vez de ello, que esta es un agente autocontenido cuyas actividades solo repercuten sobre sí misma y sobre sus clientes. Sin embargo, las actividades empresariales a menudo tienen efectos indirectos que dañan a terceras partes, incluso cuando estas ayudan a las empresas a disminuir sus costos y aumentar sus beneficios.

En tercer lugar, afirman los críticos, el análisis de Smith erróneamente supone que todo ser humano está motivado por un deseo de interés personal y "natural" de obtener ganancias. Smith, al menos en su libro *La riqueza de las naciones*, supone que una persona, en todos sus tratos, "busca solo su propia ganancia".[57] La naturaleza humana sigue la regla de la "racionalidad económica": dar tan poco como sea posible a cambio de tanto como se pueda obtener. Ya que el ser humano "busca solo su propia ganancia" de todas maneras, el mejor arreglo económico es el que reconoce esta motivación "natural" y permite su juego libre en los mercados competitivos que fuerzan al interés personal a servir al interés público. No obstante, esta teoría de la naturaleza humana, dicen los críticos, es falsa a todas luces. En primer término, porque los seres humanos, por lo regular, muestran preocupación por el bien de otros y restringen su interés personal en beneficio de otros. Aun cuando compramos y vendemos en los mercados, las restricciones de honestidad y equidad afectan nuestra conducta. Segundo, aseguran los críticos, no es necesariamente racional el hecho de seguir la regla de "dar tan poco como sea posible a cambio de tanto como se pueda obtener". En numerosas ocasiones, todos los individuos están en mejor posición cuando muestran preocupación por los demás, y entonces es racional manifestar esa preocupación. Tercero, los críticos afirman que si los seres humanos muchas veces se comportan como "hombres económicos racionales", no es porque ese comportamiento sea natural, sino porque la amplia adopción de las relaciones del mercado competitivo los obliga a relacionarse como tales. El sistema de mercado de una sociedad hace a los humanos egoístas, y este egoísmo generalizado hace que piensen que el motivo de las ganancias es "natural".[58] Son las instituciones del capitalismo las que engendran egoísmo, materialismo y competitividad. En realidad, los seres humanos nacen con una tendencia natural a mostrar preocupación por otros miembros de su especie (como sus familias). De hecho, un defecto moral importante de una sociedad edificada alrededor de mercados competitivos es que, en el seno de tales sociedades, esta tendencia benevolente natural hacia la virtud se sustituye de forma gradual por el interés personal hacia el vicio. En resumen, esas sociedades son defectuosas desde el punto de vista moral, porque promueven un carácter moralmente malo.

En cuanto al argumento de Von Mises y Hayek —referente a que quienes planean no pueden asignar recursos de manera eficiente—, los ejemplos de los franceses, holandeses y suecos han demostrado que la planeación dentro de algunos sectores de la economía no es tan imposible como imaginaron esos analistas.[59] Más aún, el argumento de Von Mises y Hayek recibió respuesta en términos teóricos por parte del economista socialista Oskar Lange, quien demostró que un consejo de planeación central podría asignar bienes con eficiencia en una economía sin tener que conocer todo acerca de los consumidores y productores, y sin hacer cálculos elaborados imposibles.[60] Todo lo que se necesita es que los encargados de hacer la planeación central reciban informes de las dimensiones de los inventarios de los productores y que determinen los precios de sus bienes en concordancia. Un superávit en los inventarios indica que es necesario bajar los precios, mientras que un déficit indica que los precios deberían elevarse. Al fijar los precios de todos los bienes de esa manera, el consejo central de planeación creará un flujo eficiente de recursos en toda la economía. Se debe reconocer, sin embargo, que el tipo de planeación a gran escala que se ha intentado en algunas naciones socialistas —en particular en la ex Unión Soviética— dio como resultado un fracaso también a gran escala. Parece que la planeación es posible siempre que sea solo un componente dentro de una economía donde la mayor parte de los intercambios se basen en las fuerzas del mercado.

## La crítica keynesiana

La crítica más sobresaliente a los argumentos clásicos de Adam Smith la emprendió John Maynard Keynes (1883-1946), un economista inglés.[61] Smith suponía que sin ayuda del gobierno, el juego automático de las fuerzas del mercado aseguraría el empleo total de todos los recursos económicos, incluida la mano de obra. Si algunos recursos no se utilizan, entonces, sus costos bajan y esto induce a los empresarios a aumentar su producción usando estos recursos de menor costo. La compra de tales recursos, a la vez, genera los ingresos que permiten a los individuos adquirir los productos que se elaboran con ellos. Así se emplean todos los recursos disponibles, y la demanda siempre crece para absorber la oferta de bienes elaborados a partir de ellos (una relación que ahora se llama **ley de Say**).

---

**Repaso breve 3.5**

**Críticas al argumento de Smith**

- Se apoya en la suposición poco realista de que no hay monopolios.
- Supone falsamente que el fabricante paga todos los costos relevantes, lo que ignora, por ejemplo, los costos de la contaminación.
- Supone falsamente que los seres humanos solo están motivados por el deseo de obtener ganancias para sí mismos.
- A diferencia de lo que Hayek y Von Mises dijeron en apoyo de Smith, es posible y deseable cierta planeación gubernamental y regulación de los mercados.

**ley de Say** En una economía se usan todos los recursos disponibles, y la demanda siempre se expande para absorber la oferta de bienes elaborados a partir de ellos.

**demanda agregada**
Según John Maynard Keynes, la suma de la demanda de tres sectores de la economía: las familias, las empresas y el gobierno.

**economía keynesiana**
La teoría de John Maynard Keynes según la cual los mercados libres, por sí solos, no necesariamente son el medio más eficiente para coordinar el uso de recursos de una sociedad.

**escuela post-keynesiana**
Corriente encabezada por economistas que intentaron desafiar y modificar la economía keynesiana.

---

*Repaso breve 3.6*

**Críticas de Keynes a Smith**

- Keynes decía que Smith suponía, de manera equivocada, que la demanda siempre es suficiente para absorber la oferta de bienes.
- Pero si las familias renuncian a gastar, la demanda puede ser menor que la oferta, lo que conduce a recortes en el gasto, desempleo y depresión económica.
- El gasto gubernamental puede compensar esa reducción en el gasto de las familias, así que la intervención del gobierno en los mercados está justificada.
- Pero los puntos de vista de Keynes se vieron desafiados cuando el gasto público no mitigó el alto desempleo y solo generó inflación.

---

No obstante, desde Keynes, los economistas han argumentado que, sin las intervenciones del gobierno, es probable que la demanda de bienes no sea suficientemente alta para absorber la oferta. El resultado es el desempleo y una depresión económica.

Keynes consideraba que la demanda total de bienes y servicios es la suma de la demanda de tres sectores de la economía: las familias, las empresas y el gobierno.[62] La **demanda agregada** de estos tres sectores tal vez sea menor que la cantidad agregada de bienes y servicios que la economía suministra a un nivel de pleno empleo. Esta falta de equilibrio entre la demanda y la oferta agregadas ocurre cuando las familias prefieren ahorrar parte de su ingreso en valores en vez de gastarlo en bienes y servicios. Cuando, como consecuencia, la demanda agregada es menor que la oferta agregada, el resultado es una contracción de la oferta. Los negocios se dan cuenta de que no están vendiendo todos sus bienes, de manera que frenan la producción y, con esto, reducen el empleo. Conforme la producción se reduce, disminuyen los ingresos de las familias, pero la cantidad que estas destinan al ahorro disminuye con mayor rapidez. Con el tiempo, la economía llega a un punto de equilibrio estable en el que la demanda de nuevo se iguala a la oferta, pero donde hay un desempleo generalizado de mano de obra y otros recursos.

El gobierno, según Keynes, tiene la posibilidad de influir en la tendencia a ahorrar (la cual disminuye la demanda agregada y genera desempleo), ya que es capaz de prevenir el exceso de ahorro a través de su política de tasas de interés, y de ejercer control en estas últimas regulando la oferta de dinero: cuánto más alta sea la oferta de dinero, menores serán las tasas de interés a las que se presta. Segundo, el gobierno tiene influencia directa sobre la cantidad de dinero que las familias tienen disponible al elevar o bajar los impuestos. Tercero, el gasto de gobierno permite reducir cualquier disparidad entre la demanda y la oferta agregadas al compensar la reducción en la demanda de familias y empresas (lo que, por cierto, genera inflación).

Así, en oposición a las afirmaciones de Smith, la intervención del gobierno en la economía es un instrumento necesario para maximizar la utilidad de la sociedad. Los mercados libres, por sí solos, no siempre son los medios más eficientes para coordinar el uso de los recursos de una sociedad. El gasto público o gubernamental y las políticas fiscales sirven para generar la demanda necesaria que permita disminuir el desempleo. Estos puntos de vista fueron el núcleo de la **economía keynesiana**.

No obstante, los puntos de vista de Keynes han enfrentado tiempos difíciles. Durante la década de 1970, Estados Unidos (y otros países occidentales) experimentaron de manera simultánea inflación y desempleo, un fenómeno llamado *estanflación*. El análisis estándar de Keynes lleva a creer que estos dos fenómenos no ocurren juntos: un mayor gasto del gobierno, aunque inflacionario, aumenta la demanda y con ello alivia el desempleo. Sin embargo, en la década de 1970, el remedio estándar de Keynes para el desempleo (mayor gasto gubernamental) tuvo el efecto esperado de generar más inflación, pero no redujo el desempleo.

En particular durante los años 70 se presentaron varios diagnósticos que señalaron el fracaso aparente de la economía de Keynes para manejar los problemas gemelos de la inflación y el desempleo persistente.[63] Al respecto, destacan los nuevos enfoques keynesianos de la llamada **escuela post-keynesiana**.[64] Por ejemplo, John Hicks, un entusiasta keynesiano y, a la vez, un post-keynesiano, sostiene que en muchas industrias actuales los precios y salarios ya no están determinados por las fuerzas del mercado competitivo, como supuso Keynes. En vez de ello, se establecen por acuerdos convencionales entre productores y sindicatos.[65] El efecto final de esas convenciones para fijar precios es una inflación continua frente a un desempleo continuo. Sin considerar por ahora si el análisis de Hicks es correcto, una floreciente escuela post-keynesiana ha desarrollado nuevos enfoques a la teoría de Keynes que pretenden dar cuenta de los problemas de estanflación. Las teorías post-keynesianas, como las de Hicks, conservan la afirmación clave de Keynes de que el desempleo se reduce si se aumenta la demanda agregada (el principio de demanda efectiva) mediante el gasto público. A diferencia de Keynes, Hicks y otros post-keynesianos toman más en serio la naturaleza oligopólica de la mayoría de las industrias modernas y los mercados de trabajo sindicalizados, al igual que el papel que tienen las convenciones sociales y los acuerdos en estos mercados de oligopolios, donde los fuertes sindicatos y las grandes compañías luchan por la participación de los ingresos. Así, el papel del gobierno es todavía mayor que el que previó Keynes. El gobierno no solo debe impulsar la demanda agregada con mayor gasto, sino que también debe frenar el poder de los grandes oligopolios.

Durante la llamada Gran Recesión que se registró entre 2008 y 2009, los gobiernos de todo el mundo regresaron con entusiasmo a las políticas de Keynes. Por ejemplo, Estados Unidos inyectó más de $700 mil millones a su economía para tratar de sacarla de la recesión. Los gobiernos europeos y asiáticos también inyectaron enormes cantidades de dinero a sus economías. Aunque el mundo se ha recuperado poco a poco de la Gran Recesión, aún no está del todo claro si lo logró gracias a las medidas keynesianas implementadas.

## La utilidad de la supervivencia del más apto: Darwinismo social

El darwinismo social del siglo XIX imprimió un nuevo giro a las justificaciones utilitarias de los mercados libres, al afirmar que estos tienen consecuencias benéficas más allá de las que Adam Smith identificó. El argumento es que la competencia económica genera progreso humano. Las doctrinas del **darwinismo social** recibieron su nombre en honor de Charles Darwin (1809-1882), quien afirmaba que las diferentes especies de seres vivos evolucionaron como resultado de la acción de un entorno que favorecía la supervivencia de unos mientras que aniquilaba a otros: "A esta preservación de las diferencias y variaciones individuales favorables y la destrucción de aquellas que son perjudiciales la he llamado selección natural o supervivencia del más apto".[66] Los factores ambientales que dieron como resultado la *supervivencia del más apto* fueron las presiones competitivas del mundo animal. Darwin sostiene que, como resultado de esta "lucha por la existencia" competitiva, las especies cambian de manera gradual porque solo los más aptos sobreviven para transmitir sus características favorables a sus descendientes.

Aun antes de que Darwin publicara sus teorías, el filósofo Herbert Spencer (1820-1903) y otros pensadores habían sugerido que el proceso evolutivo que describía Darwin también se aplicaba a las sociedades humanas. Spencer afirmaba que, al igual que la competencia en el mundo animal asegura que solo sobrevive el más apto, la libre competencia en el mundo económico asegura que solo los individuos más capaces sobreviven y llegan a la cima. La implicación es que:

> Inconveniencia, sufrimiento y muerte son las penas que impone la Naturaleza a la ignorancia, lo mismo que a la incompetencia; pero también son los medios para subsanarlos. Al eliminar a los de menor desarrollo, y al someter a los que quedan a la disciplina continua de la experiencia, la Naturaleza asegura el crecimiento de una raza que deberá entender las condiciones de la existencia y será capaz de actuar según ellas.[67]

De acuerdo con esta perspectiva, aquellos individuos cuyo trato agresivo en los negocios les permite tener éxito en el competitivo mundo empresarial son los "más aptos" y, por lo tanto, los mejores. Al igual que la supervivencia del más apto asegura el progreso continuo y la mejora de una especie animal, también la libre competencia que enriquece a algunos individuos y reduce a otros a la pobreza da como resultado una mejora gradual de la raza humana. No debe permitirse al gobierno interferir con esta competencia severa porque solo impediría el progreso. En particular, el gobierno no debe prestar ayuda económica a quienes se quedan atrás en la competencia por sobrevivir. Si sobreviven los individuos que no son aptos económicamente, transmitirán sus cualidades inferiores y la raza humana declinará.

Las deficiencias del punto de vista de Spencer eran evidentes, incluso para sus contemporáneos. Los críticos se apresuraron en señalar que las habilidades y los rasgos que ayudan a los individuos y a las empresas a avanzar y "sobrevivir" en el mundo de los negocios no son necesariamente las que ayudan a la humanidad a sobrevivir en el planeta. El avance en el mundo de los negocios en ocasiones se logra a través de la cruel indolencia

**darwinismo social** Creencia de que la competencia económica genera el progreso humano.

**supervivencia del más apto** Término que utilizó Charles Darwin para referirse al proceso de selección natural.

frente a otros seres humanos. Sin embargo, la supervivencia de la humanidad bien podrá depender del desarrollo de las actitudes de cooperación y de la disposición de los individuos para ayudarse unos a otros.

Pero el problema básico que fundamenta esta perspectiva del darwinismo social es la suposición normativa de que *supervivencia del más apto* significa *supervivencia del mejor*. Es decir, cualesquiera que sean los resultados del trabajo de la naturaleza son necesariamente buenos. La falacia —que los autores modernos llaman *falacia naturalista*— implica, desde luego, que cualquier suceso natural es siempre para bien. Sin embargo, es una falla de lógica básica inferir que lo que es debería ser así, o lo que hace la naturaleza es lo que se debería hacer.

Sin embargo, a pesar de sus muchas deficiencias, muchas personas de negocios actualmente creen firmemente en una versión del darwinismo social. Esto es, muchos empresarios creen que las compañías deben competir por sus vidas en un ambiente económico en el que solo los fuertes sobrevivirán. Las versiones modernas del spencerismo sostienen que la competencia es buena, no porque aniquile al individuo débil, sino porque elimina a las empresas débiles. La competencia económica asegura que las "mejores" empresas de negocios sobrevivan y, como resultado, el sistema económico mejorará poco a poco. La conclusión de los modernos darwinistas sociales es la misma: el gobierno debe quedar fuera del mercado porque la competencia es benéfica. Por esa razón, muchas personas de negocios objetan los "rescates" gubernamentales. Durante las últimas décadas, cuando las empresas muy grandes fracasaron y parecía que tendrían que cerrar y despedir a todos sus empleados, el gobierno de Estados Unidos intervino dándoles dinero suficiente para rescatarlas de sus problemas. Esto ocurrió a menudo durante la recesión que se registró entre 2008 y 2009, cuando el gobierno estadounidense aportó $700 mil millones para apoyar a docenas de bancos, compañías de seguros y automotrices, y a otros negocios. Los darwinistas sociales objetaron que lo que hizo esta medida fue apoyar compañías débiles e ineficientes que debían haberse dejado hundir.

## 3.3 Libre comercio y utilidad: David Ricardo

Hasta ahora, el análisis se ha centrado en los argumentos a favor y en contra de los mercados libres. Pero los argumentos utilitarios también han avanzado en favor del libre comercio entre las naciones. De hecho, el trabajo más importante de Adam Smith, *La riqueza de las naciones*, en principio estaba dirigido a demostrar los beneficios del libre comercio. En esa obra, Smith escribió:

> Es la máxima de cualquier jefe de familia prudente, nunca intentar hacer en casa lo que le costará más hacer que comprar. El sastre no hace sus propios zapatos, sino que los compra al zapatero. [...] Lo que se ve como prudencia en la conducta de toda familia, podría ser absurdo en un gran reino. Si un país extranjero está en condiciones de suministrarnos un bien a un precio más bajo que si lo hacemos nosotros, es mejor comprarlo con cierta parte del producto de nuestra industria, de manera que tengamos alguna ventaja.[68]

Aquí el argumento de Adam Smith es sencillo. Al igual que los individuos, los países difieren en su habilidad para producir bienes. Tal vez uno produzca un bien a menor costo que otro y entonces, se dice que tiene una **ventaja absoluta** al elaborar ese bien. Tales diferencias en costos se basan en las diferencias en mano de obra y habilidades, en el clima, la tecnología, el equipo, la tierra o los recursos naturales. Supongamos que, a causa de estas diferencias, nuestro país elabora un producto con menos dinero que otro, y que este último fabrica otro producto con menos dinero que nosotros. Entonces, es claro que sería mejor para ambas naciones especializarse en hacer el producto para el que cada una tiene ventaja absoluta e intercambiarlo por bienes para los que otro país tiene una ventaja absoluta al producirlos.

Pero, ¿qué sucede si un país produce todo más barato que otro? David Ricardo (1772-1823), un economista inglés, recibe el crédito por demostrar que, aun cuando un país tenga

---

**falacia naturalista** La suposición de que lo que ocurre de manera natural siempre es para bien.

---

*Repaso breve 3.7*

**Perspectivas de Herbert Spencer**

- La evolución opera en la sociedad cuando la competencia económica asegura que solo los más aptos sobreviven, lo cual mejora la raza humana.
- Si el gobierno interviene en la economía para proteger de la competencia a los individuos, los no aptos sobrevivirían y la raza humana declinaría, así que el gobierno debe abstenerse de hacerlo.
- Spencer supone que quienes sobreviven en los negocios son "mejores" personas que los que no.

---

**ventaja absoluta** Situación en la que los costos de producción de un bien (costos en términos de los recursos consumidos al elaborar el artículo) son más bajos para un país que para otro.

una ventaja absoluta al producir todo, es mejor para él especializarse y comerciar. En su trabajo más importante, *Principios de economía política y tributación*, Ricardo cita el ejemplo de Inglaterra y Portugal para demostrar que incluso si Inglaterra es mejor que Portugal al producir tela y vino, es mejor para ambos países especializarse y comerciar:

> Inglaterra se limita a producir tela y sabe que para ello requiere de la mano de obra de 100 personas durante un año; si intenta elaborar vino, requerirá la mano de obra de 120 personas el mismo tiempo. Entonces, Inglaterra se dará cuenta de que es conveniente importar el vino y comprarlo con lo que obtiene por la exportación de tela.
>
> Producir vino en Portugal podría requerir solo la mano de obra de 80 personas durante un año, y producir tela en ese país tal vez requiera la mano de obra de 90 personas durante el mismo tiempo. Entonces, habría una ventaja para Portugal al exportar el vino a cambio de telas. Este intercambio sería posible incluso a pesar de que el bien que Portugal importaría podría fabricarse ahí con menos mano de obra que en Inglaterra. Aunque podría fabricar la tela con el trabajo de 90 personas, la importaría de un país que requiere la mano de obra de 100 hombres porque sería ventajoso usar su capital en la producción de vino por el cual obtendrá más tela de Inglaterra que la que fabricaría si destinara una parte de su capital de la elaboración de vinos a la manufactura textil.[69]

El argumento de Ricardo nos pide imaginar un mundo que consiste en solo dos países, Inglaterra y Portugal. A Inglaterra le cuesta la mano de obra de 120 personas que trabajan durante un año producir cierta cantidad de vino (de forma arbitraria suponga que esa cantidad es 100 barriles), mientras que a Portugal le cuesta solo la mano de obra de 80 personas durante un año producir la misma cantidad. Y mientras que Inglaterra necesita 100 personas para fabricar cierta cantidad de tela (por ejemplo, una cantidad arbitraria de 100 rollos), Portugal necesita solo 90 personas para fabricar la misma cantidad. Es evidente que Portugal tiene una ventaja absoluta al elaborar el vino y la tela, ya que es capaz de hacer ambos con menor costo que Inglaterra.

|  | **100 barriles de vino** | **100 rollos de tela** |
|---|---|---|
|  | **Costo en años-hombre** | **Costo en años-hombre** |
| Inglaterra: | 120 | 100 |
| Portugal: | 80 | 90 |

Suponga que Portugal rehúsa comerciar con Inglaterra porque es capaz de elaborar tanto el vino como la tela a menor costo. Entonces, ambos países deciden producir todo por sí mismos y ninguno comercia con el otro. Suponga que Inglaterra solo tiene 220 trabajadores disponibles para dedicarse a la producción de vino o tela, mientras que Portugal tiene 170 trabajadores para esas actividades. Y suponga que ambos países deciden no especializarse y poner cada uno a sus trabajadores a producir 100 barriles de vino y 100 rollos de tela. Entonces, al final del año, cada uno habrá producido las cantidades que aparecen en la siguiente tabla, para generar una producción total de 200 barriles de vino y 200 rollos de tela:

|  | **Vino** | **Tela** |
|---|---|---|
| Inglaterra: | 100 barriles | 100 rollos |
| Portugal: | 100 barriles | 100 rollos |
| Producción total: | 200 barriles | 200 rollos |

Fue el ingenio de Ricardo el que se dio cuenta de que ambos países podían beneficiarse con la especialización y el comercio aun cuando uno de ellos fuera capaz de hacer todo a un menor costo que el otro. Considere que si Inglaterra usa la mano de obra que requiere producir un barril de vino (1.2 años-hombre) para fabricar tela, podría hacer 1.2 rollos de tela. Entonces, para que Inglaterra produzca un barril de vino debe dejar de producir 1.2 rollos de tela (el llamado "costo de oportunidad" de un barril de vino). En Portugal, la mano de obra que requiere producir un barril de vino (0.8 años-hombre) podría utilizarse para fabricar 0.89 rollos de tela; entonces, para producir un barril de vino, Portugal debe dejar de producir 0.89 rollos de tela. Como Portugal deja de producir menos (0.89 rollos de tela) para elaborar un barril de vino que la tela que deja de producir Inglaterra (1.2 rollos de tela),

**ventaja comparativa** Situación donde los costos de oportunidad (costos en términos de otros bienes que no se producen) de elaborar un bien son menores para un país que para otro.

Portugal tiene una **ventaja comparativa** en la producción de vino. Por otro lado, en Inglaterra la mano de obra requerida para fabricar un rollo de tela podría hacer 0.83 barriles de vino, mientras que para Portugal la mano de obra para fabricar un rollo de tela sería capaz de elaborar 1.1 barriles de vino. Como Inglaterra deja de producir menos vino (0.83 barriles) para elaborar un rollo de tela que Portugal (1.1 barriles de vino), Inglaterra tiene la ventaja comparativa en la producción de tela. En resumen, comparados entre sí, Portugal es más eficiente al elaborar vino e Inglaterra es más eficiente al fabricar tela.

Ricardo comprendió que Inglaterra y Portugal se beneficiarían si cada uno se especializaba en aquello que hacía con mayor eficiencia, y si ambos comerciaban para obtener lo que el otro producía de modo más eficiente. Suponga que cada país se especializa y que Inglaterra tiene 220 trabajadores y Portugal 170. Entonces, al final de cada año, habrán producido las cantidades que aparecen en la siguiente tabla. Observe que esto tiene como resultado una producción total *mayor* que cuando ninguno estaba especializado:

|  | Vino | Tela |
| --- | --- | --- |
| Inglaterra: | 0 | 220 rollos |
| Portugal: | 212 barriles | 0 |
| Producción total: | 212 barriles | 220 rollos |

Ahora, si Inglaterra intercambia 106 de sus rollos de tela por 102 barriles de vino de Portugal (se supone que la tasa de intercambio es de 1.04 rollos de tela por un barril de vino, que está justo entre el 1.2 rollos de tela que le cuesta a Inglaterra elaborar un barril de vino y los 0.89 rollos de tela que le cuesta a Portugal elaborar un barril de vino), entonces, ambos países terminarían con las cantidades que se indican a continuación:

|  | Vino | Tela |
| --- | --- | --- |
| Inglaterra: | 102 barriles | 114 rollos |
| Portugal: | 110 barriles | 106 rollos |
| Producción total: | 212 barriles | 220 rollos |

*Repaso breve 3.8*

**Libre comercio**
- Apoyado por Smith, quien demostró que todo el mundo prospera si las naciones se especializan en elaborar y exportar los bienes cuyos costos de producción les resultan menores que a las otras naciones.
- Apoyado por Smith, quien demostró que todo el mundo prospera si las naciones se especializan en elaborar y exportar los bienes cuyos costos de oportunidad son menores que los que enfrentan otras naciones para fabricar los mismos bienes.
- Los argumentos de Smith y Ricardo apoyan la globalización.

Es importante observar que después de especializarse y comerciar, ambos países tienen *más* de ambos productos que lo que tenían cuando no se habían especializado ni comerciaban. La especialización en ventajas comparativas aumenta la producción total de bienes producidos por los países y, mediante el comercio, todos tienen la posibilidad de compartir esta recompensa agregada.

El ingenioso argumento de Ricardo se reconoce como el descubrimiento económico "más importante" y "más significativo" que jamás se haya hecho. Algunos consideran que es el concepto más sorprendente en economía, ya que se opone a lo que sugiere el sentido común. Sin duda, la ventaja comparativa es el concepto más importante de la teoría de comercio internacional actual y es el corazón de los argumentos económicos más significativos que se utilizan cuando se defiende la globalización. De hecho, es el argumento clave para esta y para el libre comercio. Todos los argumentos que sostienen los políticos y los economistas en favor de ambos se reducen al argumento de Ricardo: la globalización es buena porque la especialización y el libre comercio impulsan la producción económica total y todos tienen la posibilidad de compartir esta producción mayor.

## Críticas a Ricardo

Aunque la mayoría de los economistas aceptan el argumento básico de Ricardo como correcto desde el punto de vista teórico, muchos cuestionan si su argumento utilitario se aplica en la práctica al mundo real de la actualidad. Desde luego, Ricardo hace varias suposiciones simplificadoras que no se cumplen en el mundo real, como por ejemplo, que hay solo dos países que fabrican únicamente dos productos con un número fijo de trabajadores. Pero estas son nada más suposiciones que hizo en aras de la simplificación para explicar sus ideas con mayor facilidad, y su conclusión resiste las pruebas sin estas suposiciones.

Sin embargo, existen otras suposiciones que no son tan fáciles de sortear. En primer término, Ricardo supone que los recursos empleados para elaborar los bienes (mano de obra, equipo, fábricas, etcétera) no se desplazan de un país a otro. Pero las compañías multinacionales existentes sí pueden mover su capital productivo entre los países y, de hecho, lo hacen con facilidad. En segundo lugar, Ricardo supone que los costos de producción de cada país son constantes y no declinan cuando se incrementa la producción (es decir, no existen las economías de escala) o cuando adquieren nueva tecnología. Pero sabemos que los costos de producir bienes siempre disminuyen cuando las compañías incrementan su producción y cuando desarrollan mejores tecnologías de fabricación.

Tercero, Ricardo supone que para los empleados es posible moverse de una industria a otra con facilidad y sin costo (por ejemplo, de hacer vino a fabricar tela). Pero cuando una compañía en un país cierra porque no está en condiciones de competir con las importaciones de otro que tiene ventajas comparativas en esos bienes, hay despido de trabajadores, quienes sufren las graves consecuencias de esto, necesitan capacitarse de nuevo, y no es frecuente que encuentren empleos comparables. Por esa razón, muchas personas rechazan la globalización y el libre comercio. Como vimos anteriormente, los trabajadores estadounidenses de la fábrica de engrapadoras Swingline tuvieron que soportar grandes cargas y costos cuando el fabricante cerró su planta en Nueva York y se trasladó a Nogales, México. Y unos cuantos años después, esos empleados sufrieron un destino similar cuando la compañía se trasladó a China.

Por último, y quizá lo más importante, Ricardo ignora a quienes establecen las reglas internacionales. Es inevitable que el comercio internacional lleve a desacuerdos y conflictos, y por lo tanto, los países acuerdan acatar algún conjunto de reglas. En la actualidad, la principal organización que establece los reglamentos que rigen la globalización y el comercio es la Organización Mundial del Comercio (OMC), aunque también el Banco Mundial y el Fondo Monetario Internacional imponen reglas a los países que les solicitan fondos en préstamo. Los críticos aseguran que estas organizaciones imponen requisitos que dañan a los países pobres en vías de desarrollo, mientras que benefician a las naciones ricas más desarrolladas y a sus compañías. Por ejemplo, durante los últimos años de la década de 1980 y principios de la siguiente, Abbott Laboratories y otras grandes compañías farmacéuticas destinaron millones de dólares a los políticos estadounidenses y consiguieron que su gobierno buscara la aceptación mundial de las protecciones de patente que ellos disfrutaban en Estados Unidos. Como resultado, cuando se negociaron los acuerdos de la OMC en esos años, Estados Unidos insistió en que todos los países de la organización reconocieran e hicieran cumplir las patentes para medicamentos durante 20 años. Como los países en desarrollo eran demasiado pobres para emprender la costosa investigación necesaria para inventar nuevos medicamentos, las patentes obligatorias de medicamentos no les beneficiaban. Por el contrario, reconocerlas les obligaría a pagar a las compañías farmacéuticas por los medicamentos cuyas fórmulas antes copiaban libremente. No obstante, los países en vías de desarrollo aceptaron el requisito que les obligaba a respetar las patentes de medicamentos, porque la OMC les ofreció la oportunidad de exportar hacia los mercados de Estados Unidos y de otras naciones industrializadas, que eran, por mucho, los mercados más grandes del mundo. Pero al final, las reglas de patente de la OMC obligaron a las personas pobres de las naciones en vías de desarrollo a pagar en total aproximadamente $60 mil millones al año a las compañías farmacéuticas de las naciones ricas e industrializadas.[70]

*Repaso breve 3.9*

### Objeciones a la teoría de Ricardo
- Su argumento ignora el fácil movimiento de capital que hacen las compañías.
- Supuso equivocadamente que los costos de producción de un país son constantes.
- Ignoró la influencia de quienes establecen las reglas internacionales.

Tailandia, como vimos antes, intentó evitar estas costosas condiciones, apelando a una excepción incluida en el artículo 31 de las reglas de patentes de la OMC.

Es difícil decir qué tan convincentes son estas críticas. Muchos apoyan el libre comercio con entusiasmo y repiten el argumento de "ventaja comparativa" de Ricardo. Muchos otros se han convertido en severos críticos de la globalización. De hecho, se han organizado manifestaciones violentas en su contra en las calles de ciudades de todo el mundo, muchas de las cuales han afectado directamente a importantes reuniones de la OMC.

## 3.4 Marx y la justicia: Crítica a los mercados y el comercio libres

Karl Marx (1818-1883), sin duda, es el crítico más influyente y más severo de las instituciones de propiedad privada, los mercados libres, el libre comercio y las desigualdades que estos provocan. Al escribir en el momento culminante de la Revolución Industrial, Marx fue testigo de los efectos de represión y explotación que ocasionó la industrialización en las clases trabajadoras de campesinos en Inglaterra, Europa continental y el resto del mundo. En sus escritos detalló el sufrimiento y la miseria que el capitalismo imponía en sus trabajadores: horarios de trabajo de explotación, enfermedades pulmonares y muertes prematuras provocadas por las condiciones insalubres de las fábricas, niños de 7 años que trabajaban de 12 a 15 horas al día, y ejemplos como el de las 30 costureras que trabajaban 30 horas sin descanso en una habitación que solo podía albergar a 10 personas.[71]

Marx aseguraba que la explotación de los trabajadores eran meros síntomas de los extremos de desigualdad que produce el capitalismo. De acuerdo con él, los sistemas capitalistas ofrecen solo dos fuentes de ingreso: la venta del propio trabajo y la propiedad de los **medios de producción** (edificios, maquinaria, tierra y materia prima por medio de los cuales se producen los bienes). Como los trabajadores no producen si no tienen acceso a los medios de producción, se ven obligados a vender su trabajo a los dueños de estos a cambio de un salario. Sin embargo, el empleador no les paga el valor completo de su trabajo, sino solo lo que necesitan para subsistir, y conserva la diferencia (o plusvalía) entre el valor de su trabajo y el salario de subsistencia que reciben y que es la fuente de sus ganancias. Así, el empleador explota a los trabajadores al adueñarse del excedente de lo que producen, usando el poder que le da la propiedad de los medios de producción. Como resultado, aquellos que poseen los medios de producción se vuelven cada vez más ricos y los trabajadores relativamente más pobres. El capitalismo promueve la injusticia y la desigualdad.

### Alienación

Las condiciones de vida que imponía el capitalismo en los trabajadores contrastaban de manera tajante con la perspectiva de Marx de cómo debían vivir los seres humanos. De acuerdo con Marx, el capitalismo y su sistema de propiedad privada generan **alienación** entre los trabajadores.

Marx usaba la palabra *alienar* (que significa *volverse ajeno*) para referirse a la condición de estar separado o alejado del verdadero yo o de la verdadera naturaleza propia de cada uno. Marx creía que la naturaleza del ser humano implicaba determinarse a sí mismo y ser capaz de satisfacer sus verdaderas necesidades, esto es, controlar su propia vida y lograr satisfacer las verdaderas necesidades humanas propias de cada uno. Si una persona pierde el control de su vida y la capacidad de sentirse plena mediante la satisfacción de sus necesidades humanas, y en vez de ello, es controlada por algún poder externo y obligada a cumplir las necesidades de alguien más, esa persona es "alienada" de su propia naturaleza. Las críticas fundamentales de Marx al capitalismo señalaban que este sistema económico alienaba a los trabajadores al robarles el control de sus vidas y obligarles a satisfacer necesidades que no eran las suyas.

**medios de producción** El conjunto de edificios, maquinaria, tierra y materias primas que se emplean en la producción de bienes y servicios.

**alienación** En la perspectiva de Marx, la condición de estar separado o alejado de la verdadera naturaleza de uno o del verdadero ser humano.

Según Marx, las economías capitalistas alienan a los trabajadores de cuatro maneras.[72] En primer lugar, el capitalismo aliena a los trabajadores de su propio trabajo productivo, ya que por lo general son obligados a trabajar para otro y a servir bajo la supervisión o el control de ese otro. Como el propósito de su trabajo es hacer dinero para el dueño o los dueños de su lugar de trabajo, su actividad laboral no está diseñada para ser una forma gratificante de productividad y satisfacer sus propias necesidades:

> Entonces, ¿en qué consiste la alienación de la mano de obra? Primero, en el hecho de que esta es externa al trabajador, es decir, no pertenece a su naturaleza; por consiguiente, el obrero no se realiza en su trabajo, sino que se niega a sí mismo, tiene un sentimiento de miseria y no de bienestar, no desarrolla libremente sus energías físicas y mentales, sino que está físicamente exhausto y mentalmente deprimido. [...] Su trabajo, por lo tanto, no es voluntario, sino obligado, forzado. No es la gratificación de su necesidad, sino solo un medio para gratificar las necesidades de alguien más. Finalmente, el carácter externo del trabajo para el obrero aparece en el hecho de que este no es de su propiedad, sino de otro, es decir, no le pertenece, por lo que él no se pertenece a sí mismo, sino a otro.[73]

Segundo, las sociedades capitalistas enajenan a los individuos de los productos de su trabajo porque estos no tienen el control de lo que hacen con sus propias manos. Cuando los obreros de una fábrica terminan de hacer algo, su empleador se queda con el producto terminado y lo usa para aumentar sus propias ganancias al venderlo. Lo único con lo que se quedan los obreros es con el desgaste que el trabajo provoca en sus cuerpos y mentes:

> El trabajo, sin duda, produce cosas maravillosas para los ricos, pero al obrero le produce privación. Genera palacios para los ricos, pero casuchas para el trabajador. Produce belleza, pero deja lisiado al trabajador. Remplaza el trabajo por máquinas, pero lanza a algunos obreros a un tipo de trabajo bárbaro y convierte a otros en máquinas. Produce sofisticación, pero en los trabajadores genera deficiencia mental e imbecilidad.[74]

Tercero, el capitalismo aliena a los individuos al darles poco control sobre cómo se deben relacionar unos con otros y al obligarlos a entablar relaciones antagónicas entre sí. El empleador los organiza de modo que deben trabajar con quien él quiera, y no con quien ellos deseen. Luego, se les hace enfrentarse entre sí cuando se les obliga a competir en busca de empleo. Y las sociedades capitalistas alienan a las personas unas de otras al separarlas en clases sociales antagónicas y desiguales que rompen a las comunidades y las relaciones de cuidado.[75] Según Marx, el capitalismo divide a la humanidad en una clase trabajadora *proletaria* y una clase *burguesa* de dueños y empleadores: "La sociedad como un todo está cada vez más dividida en dos grandes campos hostiles, en dos grandes clases enfrentadas de manera directa: la burguesía y el proletariado".[76]

Y cuarto, el capitalismo aliena a los trabajadores de sí mismos al inculcarles ideas falsas sobre cuáles son sus necesidades humanas reales. El capitalismo nos hace pensar que nuestra plenitud radica en hacer cada vez más dinero cuando, de hecho, esto no satisface nuestras propias necesidades, sino las del mismo capitalismo. Cuanto más dinero haga, dice sarcásticamente, "más podrá ahorrar y mayor será su tesoro, de modo que ni la polilla ni el polvo corromperán su capital. Cuanto menos sea, cuanto menos de usted exprese en su vida, mayor será la alienación de su vida, y mayor será el ahorro de su ser alienado".[77] Marx describe la alienación producida por esta incesante lucha por el dinero y los bienes económicos como "la renuncia de la vida y de las necesidades humanas".[78] Una causa clave de la alienación, afirmaba Marx, era la forma en que las sociedades capitalistas llegaban a ver todo en términos de sus precios de mercado. Las interacciones humanas,

**Repaso breve 3.10**

**La alienación según Marx**
- En el capitalismo, los trabajadores llegan a alienarse cuando pierden el control de las actividades de su propia vida y la capacidad de satisfacer sus verdaderas necesidades humanas.
- El capitalismo aliena a los individuos de su propio trabajo productivo, de los productos de su trabajo, de sus relaciones con los demás y de sí mismos.
- La alienación ocurre también cuando el valor de todo se considera en términos de su precio de mercado.

# Los niños de Marx

Las terribles condiciones en las cuales los obreros —particularmente los niños— del siglo XIX tenían que trabajar inspiraron gran parte de los escritos de Marx. Pero muchas de esas condiciones continúan actualmente. La Organización Internacional del Trabajo (OIT) estima que 218 millones de niños trabajan en la actualidad. Según un informe de 2010 de Human Rights Watch, muchas compañías agrícolas estadounidenses tienen a niños trabajando para ellas:

Sudas. Caminas hasta que te duelen los pies, te salen ampollas y tienes las manos llenas de cortadas. Las edades [de los compañeros de trabajo] siempre variaron, 11 y 12 años, incluso de 10. [...] Los cultivadores saben [que los niños están ahí]. Ven eso, pasan de largo cuando ellos dormitan en el agua. Nadie iba a decir nada. [...] La paga [menos del salario mínimo] era terrible. Tenías que apurarte realmente. Tenías que agacharte durante horas hasta la siguiente pausa. Hubo quienes se enfermaron [por los pesticidas]. Nunca nos dijeron que estaban rociando [pesticidas], solo decían que estaban "regando". Un verano los vimos rociar algo que no sabíamos que eran. Oímos que eran sustancias químicas.

En los países en vías de desarrollo, es habitual que los niños trabajen. En Uzbekistán, aproximadamente 2 millones de niños son obligados a trabajar en los campos de algodón cada año, particularmente en la época de cosecha. Durante la temporada de crecimiento de las plantas, tienen que retirar la maleza y rociar los cultivos con pesticidas. Un niño dijo: "Hace mucho calor en los campos y los químicos queman la piel si los tocas". Aunque muchas compañías estadounidenses han acordado no usar algodón de Uzbekistán, otras han rehusado boicotear el algodón cultivado con mano de obra infantil obligada, entre ellas Cargill y Fruit of the Loom.

En la industria del futbol *soccer*, la mano de obra infantil se sigue usando para coser los balones, a pesar de que en 1997 la industria acordó no hacerlo. Un informe de 2010 de International Labor Rights Forum indica que la mano de obra infantil es común en China e India, donde la costura se hace en las casas de los trabajadores y no en las fábricas. Geeta, una niña de 12 años, costurera de Kamalpur, India, dijo: "He cosido balones desde que puedo recordar. Las manos me duelen constantemente. Siento que me arden". Los niños deben trabajar en una posición encorvada de 5 a 7 horas para hacer los balones por 3 o 4 rupias por balón (un total de $0.075 a $0.10). Nike, Adidas y Puma están entre las compañías más grandes que compran balones a los fabricantes indios.

*Niños que trabajan en los campos de algodón de Uzbekistán (arriba); niños tejiendo alfombras en Nepal (derecha).*

1. ¿Cómo calificaría Marx lo que ocurre con estos niños? ¿Está usted de acuerdo?

2. ¿Cómo explicaría Marx por qué hay tanta mano de obra infantil en el mundo actualmente?

3. ¿Qué obligaciones éticas tienen que enfrentar Adkin Blue Ribbon Packing Company, Cargill, Fruit of the Loom, Nike, Adidas y Puma con estos temas? ¿Por qué?

*Manifestaciones en contra del trabajo infantil en los campos de algodón en Uzbekistán (arriba a la derecha); niños en clases financiadas por el fabricante paquistaní de balones de soccer aki, que brinda educación a los hijos de los empleados (foto al centro).*

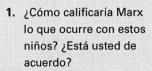

Fuentes: Human Rights Watch, *Fields of Peril: Child Labor in US Agriculture*, (2010); International Labor Rights Forum, *Missed the Goal for Workers: The Reality of Soccer Ball Stitchers in Pakistan, India, China and Thailand*, (2010).

decía, se han comercializado y mercantilizado tanto que todo el mundo y todo tiene su precio. En su *Manifiesto comunista*, Marx escribió que el capitalismo burgués:

> No ha dejado tras de sí ningún otro vínculo entre los hombres que el frío interés, el cruel "pago al contado". Ha ahogado el más sagrado éxtasis del fervor religioso, el entusiasmo caballeresco o el sentimentalismo ignorante en las aguas heladas del cálculo egoísta. Ha transformado el valor personal en un simple valor de cambio y, en lugar de las incontables libertades decretadas, ha establecido esa única libertad poco escrupulosa: el libre comercio.[79]

Como ejemplo de lo que quería decir, Marx podría haber señalado que cuando los directivos de Swingline consideraron mudar la fábrica a México, no pensaron en sus relaciones con el personal; lo único que importaba era si harían más dinero en Nueva York o en México. En vez de pensar en su relación con las personas que les rodeaban, estos directivos usaron "el cálculo egoísta" para hallar si "el pago al contado" de trasladarse a México era mayor que el "pago al contado" de quedarse en Nueva York. Quizá Marx también hubiera señalado cómo actualmente tendemos a valorar nuestro "valor personal" en términos de cuánto podemos ganar, esto es, nuestro "valor de intercambio". Así, el capitalismo parece valorar todo en términos de su precio de mercado y aparentemente convierte todo en bienes que se puedan mercantilizar. Marx pensaba que, al tratar los objetos de esa manera, pareciera que estos tuvieran valor y vida por sí mismos, un proceso que llamó *fetichismo de la mercancía*.

El capitalismo y los mercados libres no regulados, por lo tanto, necesariamente producen desigualdades de riqueza y poder: una clase burguesa de propietarios que son dueños de los medios de producción y acumulan cada vez más grandes cantidades de capital, y una clase proletaria de obreros que deben vender su trabajo para subsistir y están enajenados de lo que producen, de su propio trabajo, de sus necesidades humanas y de otros seres humanos con quienes deberían constituir una comunidad de cuidado. Aunque la propiedad privada y los mercados libres aseguran la libertad de la clase rica, lo hacen creando una clase trabajadora alienada. Y tanto el capitalista como el trabajador consideran que todo tiene un precio. Esta enajenación es injusta y está en conflicto con las demandas de cuidado.

Marx no dudó en aclarar que sus puntos de vista implicaban que la propiedad privada de los medios de producción era incorrecta. Sostenía que esos sistemas eran la base de la alienación y de las grandes desigualdades que caracterizan a las sociedades capitalistas:

> Ustedes se horrorizan porque intentamos que no haya propiedad privada. Pero en su sociedad de propiedad privada, esta no existe para nueve décimos de la población; su existencia para los pocos solo se debe a su inexistencia en las manos de esos nueve décimos. Nos reprochan entonces que intentemos eliminar una forma de propiedad privada, cuya condición necesaria para existir es la inexistencia de propiedad para la inmensa mayoría de la sociedad.[80]

En este párrafo Marx no dice que quiera que la gente elimine la propiedad privada de su ropa, casas o comida, esto es, él no objeta "el poder de apropiarse de los productos de la sociedad".[81] En vez de ello, objeta la propiedad privada de fábricas, compañías, minas, granjas y otras entidades productivas, esto es, del *capital*. La propiedad productiva debería beneficiar a todo el mundo y, por lo tanto, debería ser propiedad de todos. Al argumento utilitario de que sin la propiedad privada de los activos de producción no hay incentivo para que los individuos trabajen, Marx respondió:

> Se ha objetado que con la abolición de la propiedad privada todo el trabajo cesará y la pereza universal se adueñará de nosotros. De acuerdo con esto, la sociedad burguesa hace mucho que debería estar inmóvil por el ocio puro; ya que aquellos de sus miembros que trabajan, no adquieren nada, y aquellos que adquieren algo, no trabajan.[82]

---

*Repaso breve 3.11*

**Marx y la propiedad privada**
- La propiedad privada de los medios de producción es la fuente de la pérdida de control de los obreros sobre el trabajo, los productos, las relaciones y su yo.
- La propiedad productiva debe servir a las necesidades de todos y no debería ser propiedad privada, sino de todos.

De acuerdo con Marx, la propiedad debe verse con un propósito social: algo que pertenece a la comunidad y que debe servir a las necesidades de todos. La propiedad no debe ser privada, sino que debería ser común y para el disfrute de todos. Si no hubiera propiedad privada de los medios de producción, creía Marx, las personas seguirían siendo productivas porque el deseo de serlo y de expresarnos a través de lo que hacemos con nuestras manos y mentes es un instinto integrado en nuestra misma naturaleza.

## Propósito real del gobierno

La función real que históricamente han desempeñado los gobiernos, según Marx, es la de proteger los intereses de la clase en el poder. Quizá pensemos que el gobierno moderno existe para proteger la libertad y la igualdad y que gobierna por consentimiento (como insistía Locke), pero de hecho esas creencias son mitos ideológicos que ocultan la realidad: la clase pudiente controla el proceso político y moldea nuestras creencias. Para apoyar esta afirmación, Marx ofreció un detallado y asombroso análisis de la sociedad, que aquí solo bosquejamos.

De acuerdo con Marx, toda sociedad es susceptible de analizarse en términos de sus dos componentes principales: la **infraestructura económica** y la **superestructura social**.[83] La infraestructura económica de una sociedad consiste en los materiales y los controles sociales que usa para producir sus bienes económicos. Marx se refiere a los materiales (tierra, mano de obra, recursos naturales, maquinaria, energía, tecnología) que se emplean en la producción como las *fuerzas de producción*. Las sociedades de la Edad Media, por ejemplo, se basaban en las economías agrícolas en las que las fuerzas de producción eran métodos de cultivo primitivos, mano de obra y herramientas manuales. Las fuerzas de producción de las modernas sociedades industrializadas son las técnicas de manufactura de líneas de ensamblaje, electricidad y maquinaria fabril.

Marx llamó *relaciones de producción* a los controles sociales que se usan para producir los bienes (es decir, los controles sociales mediante los cuales la sociedad organiza y controla a sus trabajadores). Marx sugiere que existen dos tipos principales de relaciones de producción: *a*) el control que se basa en la propiedad de los materiales necesarios para producir bienes, y *b*) el control que se basa en la autoridad para dar órdenes. En la sociedad industrial moderna, los capitalistas controlan a los obreros de sus fábricas porque *a*) poseen la maquinaria en la que los obreros deben laborar si quieren sobrevivir, y *b*) los trabajadores deben firmar un contrato de salario mediante el cual otorgan al dueño (o administrador) la autoridad legal de mando. Según Marx, las relaciones de producción de una sociedad definen las clases principales que existen en ella. En la sociedad medieval, por ejemplo, las relaciones de producción crearon la clase gobernante de los señores feudales y la nobleza, y la clase explotada de los siervos, mientras que en la sociedad industrial, las relaciones de producción dieron origen a la clase capitalista de propietarios (que Marx llamaba *burguesía*) y la clase trabajadora explotada de los asalariados (que llamaba *proletariado*).

Marx también aseguraba que los tipos de relaciones de producción que adopta una sociedad dependen de los tipos de sus fuerzas de producción. Esto es, los métodos que usa una sociedad para producir bienes determinan la manera en que organiza a su fuerza laboral. Por ejemplo, el hecho de que la sociedad medieval tuviera que depender de los métodos manuales de cultivo para sobrevivir la obligaba a adoptar un sistema social en el que una pequeña clase de señores feudales organizaba y dirigía a la gran clase de siervos que proveía la mano de obra que se requería en los feudos. De manera similar, el hecho de que la sociedad moderna dependa de los métodos de producción en masa le ha exigido adoptar un sistema social —el capitalismo— en el que una pequeña clase de propietarios acumula el capital necesario para construir grandes fábricas, donde la gran clase de obreros provee la mano de obra que necesitan las líneas de ensamblaje mecanizadas. En resumen, las fuerzas de producción de una sociedad determinan sus relaciones de producción, y estas, por su parte, determinan sus clases sociales.

**infraestructura económica** Conjunto de materiales y controles sociales que la sociedad utiliza para producir sus bienes económicos.

**superestructura social** El gobierno de una sociedad y sus ideologías imperantes.

**fuerzas de producción** Los materiales (tierra, mano de obra, recursos naturales, maquinaria, energía, tecnología) empleados en la producción.

**relaciones de producción** Los controles sociales usados en la producción de los bienes (es decir, los controles sociales mediante los cuales la sociedad organiza y controla a sus trabajadores).

# La revolución que perdió Napster

En 1999 Shawn "Napster" Fanning, que en ese entonces tenía 18 años y cursaba el primer año de la carrera en Northwestern University, fundó Napster, Inc. e inició una revolución de la propiedad. En la universidad desarrolló un software y un sitio Web que permitían a los usuarios conectarse entre sí y luego copiar sin pagar (esto es, descargar) música en sus computadoras por la que hubieran tenido que pagar en las tiendas. Muchos estudiantes sentían que la música que descargaban les pertenecía a todos y que estaba bien copiarla porque no afectaba a los originales. Sin embargo, dos grupos industriales de música demandaron a Napster por ayudar a otros a robar su propiedad y argumentaron que si sus derechos de propiedad no se respetaban, los músicos tal vez dejarían de componer música. El 12 de febrero de 2001, las cortes determinaron que el sitio Web de Napster contribuía de manera activa a violaciones de los derechos de autor, y en 2002 la compañía fue obligada a bloquear a los usuarios que querían descargar música registrada con derechos de autor. Pero Napster había allanado el camino para el desarrollo de los programas descentralizados para compartir archivos "P2P" que permiten a los usuarios conectarse entre sí directamente; así surgieron compañías como Grokster, StreamCast, Freenet, Gnutella, eDonkey, Kazaa, Poisoned, Morpheus, BitTorrent y LimeWire. Algunas compañías de música demandaron a las dos primeras. En 2004 la corte federal de distrito determinó que Grokster y StreamCast eran diferentes porque sus programas dejaban a los usuarios conectarse directamente sin pasar por su sitio Web, de modo que ninguna de las dos podía controlar lo que los usuarios hicieran con su programa. Las compañías de música ahora demandan a usuarios individuales. Una víctima comentó: "Me asusta, uno no tiene poder contra estas personas". Aún más, las compañías de música apelaron la sentencia de Grokster/StreamCast en la Suprema Corte de Estados Unidos, y el 23 de junio de 2005 esta determinó que ambas compañías habían creado su software P2P con la "intención" de "inducir" a los consumidores a descargar materiales con derechos de autor y, por lo tanto, violaron las leyes que protegen esos derechos. En 2007 se ordenó a StreamCast que distribuyera un nuevo software que bloqueara a los usuarios para que no pudieran descargar material con derechos de autor. No obstante, los jóvenes seguían descargando material con derechos de autor al recurrir a otros proveedores de software como BitTorrent y LimeWire. Pero las compañías disqueras demandaron a esta última en 2006, y el 12 de mayo de 2010 una corte del distrito de Manhattan determinó que la empresa había cometido violaciones a los derechos de autor e inducido a otros a hacerlo también. BitTorrent decidió cambiar su modelo de negocios y el 25 de febrero de 2007 anunció que vendería material legal de video en su sitio Web, con la cooperación de diferentes estudios, entre ellos Paramount. La compañía afirmó: "Vemos esto como un primer paso en el mundo P2P, para intentar dirigir a la gente joven hacia contenido legítimo". Pero el 7 de noviembre de 2008, BitTorrent tuvo que despedir a la mitad de su plantilla, y dijo que cerraría su sitio Web de videos para concentrarse en la distribución de juegos de video por Internet. PirateBay, un sitio Web sueco para compartir archivos, continuó en actividad, aunque el 17 de abril de 2009, sus fundadores fueron sentenciados a prisión y sancionados con una multa de $3.6 millones por ayudar a copiar material ilegalmente en el marco de un proceso judicial que aún está en curso al momento de escribir este texto. En 2011 PirateBay.org todavía está en operación.

1. Si bien lo que hicieron Napster, Grokster, StreamCast, LimeWire y PirateBay fue ilegal, ¿también fue inmoral? Explique su respuesta.

2. ¿Es moralmente incorrecto descargar material con derechos de autor sin pagar por él y sin la autorización de la parte que posee los derechos? Explique su respuesta.

3. ¿Deberíamos considerar el entretenimiento digitalizado como la música, las películas o los juegos en línea de acuerdo con la concepción de Locke acerca de la propiedad, con la de Santo Tomás de Aquino, o con la de muchos socialistas que defienden la propiedad colectiva? ¿El punto de vista de usted es congruente en el sentido que se definió en el capítulo 1? ¿De qué manera el tipo de libre descarga que Napster, Grokster, StreamCast, LimeWire y BitTorrent hicieron posible encaja con cada uno de estos tres puntos de vista sobre la propiedad?

Para Marx, la superestructura social consiste en el gobierno de una sociedad y sus ideologías imperantes. Marx afirmaba que la clase gobernante que surgía de la infraestructura económica controlaba de manera inevitable la superestructura. Es decir, los miembros de la clase en el poder controlan el gobierno y lo usan para proteger su propiedad e intereses y para dominar a las clases inferiores (Marx escribió: "El poder político, llamado así adecuadamente, es tan solo el poder organizado de una clase para oprimir a la otra").[84] La clase gobernante también difundirá (a través de los medios de comunicación, por ejemplo) ideologías que justifican su posición privilegiada (como él decía: "las ideas de la clase gobernante son en todas las épocas las ideas que rigen").[85] Por ejemplo, en las sociedades modernas la clase de los propietarios es instrumental para la selección de los funcionarios del gobierno, y el gobierno entonces refuerza el sistema de propiedad privada del que depende la riqueza de esa clase y mantiene a raya a la clase trabajadora. Más aún, la clase de capitalistas inculca la ideología de la libre empresa y del respeto a la propiedad privada, que apoya su propia clase social. El gobierno moderno, entonces, no se constituye por consentimiento, como decía Locke, sino por un tipo de determinación económica.

Entonces, el punto de vista de Marx es que el gobierno de una sociedad y sus ideologías están diseñados para proteger los intereses de sus clases económicas en el poder, creadas a partir de las relaciones de producción, las cuales, a la vez, están determinadas por sus fuerzas de producción. Finalmente, las fuerzas de producción determinan cómo es una sociedad, esto es, sus creencias, su gobierno y sus clases sociales. De hecho, señala Marx, todos los cambios históricos importantes se producen, en última instancia, por cambios en las fuerzas de producción de la sociedad, esto es, por sus fuerzas *materiales*. Esto ha sido particularmente cierto en el caso del capitalismo, el cual inventa constantemente nuevas fuerzas innovadoras de producción para ampliar y aumentar la producción. Conforme se inventan nuevas fuerzas de producción materiales (como la máquina de vapor, la electricidad o la línea de ensamblaje), las fuerzas anteriores se ven obligadas a hacerse a un lado o a quedar en el olvido (como la energía hidráulica, los molinos de viento y el trabajo manual), y la sociedad se reorganiza alrededor de estas nuevas fuerzas innovadoras de producción. Se crean nuevas estructuras legales y clases sociales (como la corporación y la clase administrativa), y las estructuras legales y clases sociales del pasado se extinguen (como los feudos medievales y su aristocracia). Se libraron grandes batallas ideológicas para ganar la mente de los individuos durante estos periodos de transformación, pero las nuevas ideas siempre triunfan: la historia siempre sigue el impulso de las fuerzas de producción y acaba con las anteriores. El capitalismo, con sus constantes luchas competitivas entre los negocios, siempre está innovando, y así destruye continuamente las viejas formas de vida y crea otras nuevas. Este punto de vista marxista de que la historia está determinada por los cambios en los métodos económicos con los cuales la humanidad produce los materiales de los que debe vivir se conoce como **materialismo histórico**.

## Depauperación de los trabajadores

Marx también asegura que siempre que la producción en una economía moderna no esté planeada, sino que dependa de la propiedad privada, y mientras no haya restricciones a los mercados libres, el resultado solamente será una serie de desastres relacionados que dañarán a la clase trabajadora.[86]

En primer término, los sistemas capitalistas modernos exhiben una concentración creciente del poder industrial global en relativamente pocas manos.[87] Conforme los propietarios privados centrados en sus intereses luchan por aumentar los activos que controlan, los pequeños negocios serán absorbidos de manera gradual por empresas más grandes que seguirán en expansión. Conforme los negocios se expandan, finalmente tendrán que traspasar las fronteras de su nación de origen y pasar a los mercados internacionales. El comercio internacional acabará con el "aislamiento nacional y la autosuficiencia" y los remplazará con la "interdependencia universal de las naciones", esto es, lo que hoy llamamos *globalización*. Conforme el capitalismo se globaliza, se concentrará cada vez más poder y riqueza en menos manos.

---

*Repaso breve 3.12*

**Materialismo histórico de Marx**

- Los métodos que una sociedad usa para producir sus bienes determinan cómo organiza esa sociedad a su fuerza laboral.
- La forma en que una sociedad organiza a sus trabajadores determina sus clases sociales.
- La clase social gobernante de una sociedad controla el gobierno de esa sociedad y sus ideologías, y usa estas últimas en provecho de sus propios intereses y para controlar a las clases trabajadoras.

**materialismo histórico** Punto de vista marxista que considera que la historia está determinada por los cambios en los métodos económicos con los cuales la humanidad produce los materiales de los que debe vivir.

Segundo, las sociedades capitalistas experimentarán ciclos repetidos de depresión o crisis económicas.[88] Como los obreros se organizan en líneas de ensamblaje masivo, las empresas generan grandes cantidades de excedente. Puesto que los dueños están centrados en sus intereses y son competitivos, cada uno intentará producir en sus empresas cuanto sea posible sin coordinar su producción con la de los otros dueños. Como resultado, las empresas generarán periódicamente una sobreoferta de bienes. Estos inundarán el mercado y sobrevendrá una depresión económica o recesión cuando la economía se desacelere para absorber el excedente en la producción.

En tercer lugar, Marx afirma que la posición de la fuerza laboral en las sociedades capitalistas empeorará de manera paulatina.[89] Este deterioro gradual será el resultado del deseo egoísta de los capitalistas de aumentar sus bienes a expensas de sus empleados. Este interés personal llevará a los capitalistas a sustituir la mano de obra por máquinas, lo que provocará un nivel creciente de desempleo. El interés personal también hará que los capitalistas no aumenten los salarios de sus empleados en relación con el aumento de la productividad que hace posible la mecanización. Los efectos combinados de mayor concentración de la riqueza, crisis cíclicas, desempleo creciente y menor remuneración relativa conducen a lo que Marx llamó **depauperación** de la clase trabajadora. La solución a todos estos problemas, según Marx, es la propiedad colectiva de los activos productivos de la sociedad y el uso de la planeación central en sustitución de los mercados no regulados.[90]

La respuesta de Marx al capitalismo se refleja en el enunciado con el que termina su obra más famosa, *El manifiesto comunista*: "¡Trabajadores del mundo, uníos!". Los problemas del capitalismo surgen del conflicto entre clases propietaria y trabajadora, así que la única solución real es librarse de ellas. En otras palabras, la forma de superar el capitalismo es suprimir el sistema de clases y, en su lugar, establecer una sociedad que carezca de ellas. Para lograrlo, pensaba Marx, se requería una revolución en la que los trabajadores derrocaran a los capitalistas. Escribió que el proletariado podía lograr sus fines "solo al derrocar por la fuerza todas las condiciones sociales existentes. Que las clases gobernantes tiemblen ante la revolución comunista. Los trabajadores no tienen nada que perder, excepto sus cadenas".

En la sociedad sin clases, pensaba Marx, los medios de producción ya no serían privados, sino que serían propiedad colectiva de todos los trabajadores. Todo el mundo contribuiría según sus capacidades, y recibiría de acuerdo con sus necesidades. Esta sería una sociedad donde no habría explotación, desempleo, pobreza, ni desigualdades. Sería una sociedad "donde nadie tendría una esfera exclusiva de actividad, sino que todos se podrían realizar de la forma en que deseen; una sociedad que regularía la producción general y, por lo tanto, haría posible que yo hiciera una cosa hoy y otra mañana, cazar en la mañana, pescar en la tarde, apacentar el ganado en la noche y criticar después de la cena según mis pensamientos, sin nunca llegar a ser cazador, pescador, pastor o crítico".[91]

### Respuestas a las críticas de Marx

Los defensores del libre mercado casi siempre han respondido a las críticas marxistas de que los mercados libres generan injusticias con el argumento de que Marx supone equivocadamente que la justicia significa ya sea igualdad o distribución de acuerdo con las necesidades. Aseguran que esta afirmación es imposible de probar.[92] Existen demasiadas dificultades para establecer principios de justicia aceptables. ¿Se debería determinar la justicia distributiva en términos de esfuerzo, habilidad o necesidad? Resulta imposible contestar estas preguntas de una manera objetiva, afirman, por lo que cualquier intento de sustituir los mercados libres con algún principio distributivo, en el análisis final, será una imposición de las preferencias subjetivas de alguien sobre los demás miembros de la sociedad. Esto, desde luego, violará el derecho (negativo) que todo individuo tiene de estar libre de la coerción de otros.

Otros críticos de Marx argumentan que la justicia tiene un significado claro que apoya los mercados libres. La justicia, en realidad, significa distribución de acuerdo con la contribución.[93] Algunos aseveran que cuando los mercados son libres y funcionan de manera

**depauperación** Los efectos combinados de mayor concentración de la riqueza, crisis cíclicas, desempleo creciente y remuneración relativa decreciente.

---

*Repaso breve 3.13*

**Depauperación de los trabajadores**

- Marx afirmaba que el capitalismo concentra el poder industrial en las manos de unos cuantos que organizan a los trabajadores para la producción en masa.
- La producción en masa en las manos de unos cuantos ocasiona excedentes, los cuales, a la vez, generan depresión económica.
- Los dueños de las fábricas remplazan la mano de obra con máquinas, lo que genera desempleo; además, mantienen los salarios bajos para aumentar las utilidades.
- Los efectos combinados de las causas anteriores provocan la depauperación de los trabajadores.
- La única solución es una revolución que establezca una sociedad sin clases donde todos sean dueños de los medios de producción.

competitiva pagarán a cada trabajador el valor de su contribución, porque el salario de cada individuo se determinará por lo que este agrega a la producción de la economía. En consecuencia, afirman, la justicia requiere de mercados libres.

Un tercer tipo de réplica que han hecho los defensores de los mercados libres y la propiedad privada a la crítica de que estos generan desigualdades injustas es que, aunque tal vez las desigualdades sean inherentes a la propiedad privada y los mercados libres, los beneficios que generan son más importantes.[94] El libre mercado permite asignar los recursos de manera eficiente sin coerción, y este es un beneficio mayor que la igualdad.

Los partidarios de los mercados libres también han respondido a la crítica de que las estructuras del libre mercado dividen a las comunidades. Los mercados libres, argumentan, se basan en la idea de que las preferencias de quienes están en el gobierno no deberían determinar las relaciones de los ciudadanos. Por ejemplo, el gobierno no debe favorecer un tipo de comunidad religiosa o determinar las relaciones de una iglesia con otra, ni favorecer los valores de una comunidad o sus formas de relación sobre los de otras. En las sociedades caracterizadas por esa libertad, las personas tienen la posibilidad de unirse en asociaciones para cultivar los valores —religiosos o no religiosos— que elijan.[95] En esas asociaciones libres, apoyadas por el derecho a la libertad de asociación, florecen las verdaderas relaciones de la comunidad. En resumen, la libertad que fundamenta los mercados libres brinda la oportunidad de constituir comunidades plurales libremente. Esas comunidades no son posibles en sociedades como la ex Unión Soviética, donde los gobernantes deciden qué asociaciones están permitidas y cuáles no. Así, el carácter convincente del argumento de que hay que apoyar los mercados no regulados porque son eficientes y protegen el derecho a la libertad y la propiedad depende, al final, de la importancia que se atribuya a varios factores éticos. ¿Qué tan importantes son los derechos a la libertad y a la propiedad comparados con una distribución justa del ingreso y la riqueza? ¿Qué tan importantes son los derechos negativos de libertad y propiedad comparados con los derechos positivos de la necesidad de los trabajadores y de quienes no poseen propiedades? ¿Qué tan importante es la eficiencia comparada con las demandas de justicia? ¿Qué tan importantes son los bienes de la comunidad y del cuidado comparados con los derechos individuales?

La crítica más convincente a Marx es que la depauperación de los trabajadores que predijo, de hecho, no ocurrió. Los trabajadores en los países capitalistas están en una situación mucho mejor que sus antepasados hace un siglo. De todas formas, los marxistas contemporáneos señalan que buena parte de lo que Marx dijo sigue siendo cierto en la actualidad. Muchos individuos encuentran su trabajo inhumano, carente de significado y falto de satisfacción personal, esto es, el trabajo para ellos es enajenante.[96] Aún más, como afirmaba Marx, el desempleo, las recesiones y otras crisis continúan asediando nuestra economía.[97] La publicidad intenta infundirnos deseos por bienes que en realidad no necesitamos y puntos de vista falsos de nuestras verdaderas necesidades y deseos humanos, así que nos convertimos en consumidores centrados en acumular los objetos materiales que las empresas quieren vendernos.[98] Marx habría dicho que el impulso de los negocios para obtener beneficios crea la "renuncia de la vida y de las necesidades humanas" a través de la publicidad. Finalmente, un problema fundamental que Marx señalaba se encuentra todavía entre nosotros: la desigualdad.[99] De hecho, en una escala internacional, al expandirse el libre comercio a través de la globalización, el abismo en el mundo entre los que tienen y los desposeídos parece haber aumentado.[100]

## 3.5 Conclusión: La economía mixta, la nueva propiedad y el fin del marxismo

El debate en favor y en contra de los mercados libres, el libre comercio y la propiedad privada aún continúa. Algunas personas aseguran que el colapso de los regímenes socialistas en el mundo a finales del siglo xx ha demostrado que el capitalismo, con su énfasis en los mercados libres, es el ganador indiscutible.[101] Sin embargo, otros observadores sostienen que el surgimiento de economías fuertes en naciones que dan importancia a la

*Repaso breve 3.14*

**Críticas a Marx**
- Los argumentos de Marx de que el capitalismo es injusto son imposibles de probar.
- La justicia requiere de mercados libres.
- Los beneficios de la propiedad privada y los mercados libres son más importantes que la igualdad.
- Los mercados libres fortalecen a la comunidad en vez de causar alienación.
- La depauperación de trabajadores no ha ocurrido; en vez de ello, su situación ha mejorado.

intervención del gobierno y los derechos de propiedad colectiva, como China y Singapur, demuestran que los mercados libres, por sí solos, no son la clave de la prosperidad.[102] Tal vez sea inevitable que la controversia lleve a muchos economistas a defender la permanencia de los sistemas de mercado y la propiedad privada, pero con una modificación en su funcionamiento a través de la regulación del gobierno para eliminar sus defectos más evidentes. La amalgama resultante de regulación gubernamental, mercados parcialmente libres y derechos de propiedad limitados se conoce como **economía mixta**.[103]

**economía mixta**
Economía que se basa en un sistema de mercado y propiedad privada, pero que se apoya fuertemente en las políticas del gobierno para remediar sus deficiencias.

En términos generales, una economía mixta se basa en un sistema de mercado y propiedad privada, pero se apoya fuertemente en las políticas del gobierno para remediar sus deficiencias. Las transferencias del gobierno (del ingreso privado) se usan para eliminar los peores aspectos de la desigualdad, al obtener dinero de los ricos en la forma de impuestos para distribuirlo entre los más desprotegidos en la forma de asistencia pública o servicios sociales. Las leyes de salarios mínimos y de seguridad, los sindicatos y otras formas de legislación laboral se utilizan para proteger a los trabajadores de la explotación. Los monopolios se regulan, nacionalizan o declaran ilegales. Las políticas monetaria y fiscal gubernamentales intentan asegurar el pleno empleo. Los cuerpos legislativos del gobierno vigilan a las empresas para asegurar que no emprendan un comportamiento que perjudique a la sociedad.

¿Qué tan efectivos son estos tipos de políticas? Una comparación de la economía estadounidense con otras economías que han llegado más lejos en el camino hacia la instauración de políticas de una economía mixta resultará útil. Suecia, Noruega, Francia, Irlanda y Suiza son todas economías mixtas con altos niveles de intervención gubernamental. Ya hay datos estadísticos disponibles que comparan el desempeño de las economías de estos países con el de Estados Unidos. Los datos son interesantes. Para comenzar, Estados Unidos tiene mayor desigualdad que cualquiera de estos países. Por ejemplo, según cifras de la CIA, el 10 por ciento superior de todas las familias en Estados Unidos recibe 15 veces el ingreso del 10 por ciento inferior, mientras que en Suecia la razón es de 7 veces, en Francia es de 8 veces, y en Irlanda y en Suiza es de 9 veces.[104] Aunque la desigualdad en Estados Unidos es alta, este país no ha tenido un nivel relativamente elevado de crecimiento económico. Según el informe *CIA World Factbook* para 2010, las tasas de crecimiento de la productividad industrial de Suiza, Irlanda y Noruega sobrepasan la de Estados Unidos, y el producto interno bruto de Noruega, Suiza y Francia igualmente supera el de Estados Unidos. La tasa de mortalidad infantil de este país (6.14 muertes por cada 1,000 nacidos vivos) es mayor que la de Irlanda (4.9 muertes), Dinamarca (4.29 muertes), Suiza (4.12 muertes), Francia (3.31 muertes) y Suecia (2.74 muertes). La esperanza de vida en Estados Unidos (78.2) es menor que en Irlanda (78.4), Dinamarca (78.4), Noruega (80.1), Suiza (81), Suecia (81) y Francia (81).

Aunque estas breves comparaciones no cuentan la historia completa, al menos indican que una economía mixta tiene ciertas ventajas. Más aún, si comparamos el desempeño de la economía de Estados Unidos en distintos periodos de su historia, se obtiene la misma conclusión. Antes de la introducción de las regulaciones del gobierno y de los programas de asistencia social, la tasa más alta de crecimiento per cápita del PIB que experimentó ese país durante una década fue del 22 por ciento en el periodo comprendido entre 1900 y 1910. Durante la década de 1940, cuando la economía de Estados Unidos se manejó como una economía de guerra (por su participación en la Segunda Guerra Mundial), la tasa de crecimiento per cápita del PIB llegó al 36 por ciento (la más alta de la historia); durante la década de 1960, cuando Estados Unidos puso en marcha sus programas de asistencia social más importantes, la tasa de crecimiento per cápita del PIB fue del 30 por ciento. De nuevo, estas comparaciones no cuentan la historia completa, pero sugieren que los niveles altos de participación gubernamental característica de una economía mixta no son del todo malos.

## Sistemas de propiedad y nuevas tecnologías

Los debates también versan sobre el equilibrio adecuado entre los sistemas de propiedad que resaltan las nociones de Locke de la propiedad privada individual y los conceptos socialistas que favorecen la propiedad colectiva. Este debate nunca ha sido más agudo que en el campo de las nuevas formas de **propiedad intelectual** que la tecnología moderna —como la informática y la ingeniería genética— ha creado. La *propiedad intelectual* se ejerce sobre un objeto abstracto no físico, como un programa de software, una canción, una idea, un invento, una receta, una imagen o un sonido digital, un código genético o cualquier otro tipo de información. A diferencia de lo que sucede con los objetos físicos, la propiedad intelectual no es exclusiva. Esto es, en contraste con lo que pasa con los objetos físicos, el uso que hace un individuo de una propiedad intelectual no excluye el uso simultáneo por parte de otras personas de esa misma propiedad. Un objeto físico, como una casa, una pizza, un auto o un metro cuadrado de tierra, solo lo puede utilizar una persona o unas cuantas al mismo tiempo, y lo que una de ellas usa o consume del objeto no lo podrá utilizar ni consumir otra. Por el contrario, en el caso de la propiedad intelectual, como una canción, una idea o alguna información, varios individuos tienen la posibilidad de copiar, usar o consumir esa creación al mismo tiempo. Si usted diseña un programa o una imagen digital y los guarda en su computadora, otros pueden llegar y hacer millones de copias de ese programa o imagen, las cuales operan y se ven exactamente igual que su original. Millones de personas podrán usar y disfrutar esos millones de copias exactas sin limitar la habilidad del creador de usar o disfrutar su original.

¿Qué tipo de sistemas de propiedad deberían adoptar las sociedades para determinar los derechos de propiedad sobre las creaciones intelectuales? Por un lado, están quienes adoptan el punto de vista de Locke o la visión utilitaria de que la propiedad intelectual se debe tratar como propiedad privada. Quienes adoptan una perspectiva lockeana argumentan que si una persona desarrolla un programa de software o compone una canción, entonces, esto se debe considerar como la propiedad privada de esa persona por el simple hecho de que es un producto de su trabajo mental. De esta forma, si alguien trata de usar o copiar ese programa o canción sin permiso del autor, el acto debe verse como una violación a los derechos "naturales" de propiedad de este último. Los utilitarios también defienden la propiedad intelectual, pero por otras razones; afirman que la propiedad privada sobre una creación intelectual constituye un incentivo necesario para que las personas trabajen con ahínco en la generación de nuevas obras intelectuales. Requiere mucho trabajo que una compañía como Microsoft cree un programa de procesamiento de texto o que un músico componga una pieza musical original. Las compañías y los individuos no harían el esfuerzo ni la inversión que se requiere si no obtuvieran ganancias a partir de sus obras mediante los derechos de propiedad, los cuales les otorgan el derecho exclusivo de copiar sus creaciones y evitan que otros lo hagan sin su permiso. Sin esos derechos de propiedad privada, las creaciones intelectuales dejarían de existir.

En el otro lado de este debate están quienes toman una posición marxista que apoya la propiedad colectiva o común de las creaciones intelectuales, particularmente de la propiedad que puede usarse para producir un valor adicional. Al igual que Marx, muchos críticos modernos de la propiedad privada de las creaciones intelectuales aseguran que la creatividad no requiere de los incentivos financieros de un sistema de propiedad privada. Antes del periodo moderno de la historia, se consideraba que los relatos, los poemas, las canciones, los inventos y la información que la gente comunicaba se convertían en propiedad común que cualquiera tenía derecho a utilizar o reproducir. A pesar de la falta de una recompensa financiera, estos artistas, escritores y pensadores continuaron con su trabajo. Incluso hoy muchas personas desarrollan software o componen música y los ponen a la libre disposición de otros en Internet —quizá bajo el lema "¡la información quiere ser libre!"—, a pesar de no recibir incentivos financieros por su creatividad. De hecho, existe un importante grupo de desarrolladores de software que promueven el software de código abierto (como el sistema operativo Linux, Firefox y OpenOffice), que es software que cualquiera puede copiar, usar o cambiar con toda libertad. Otros argumentan que se sirve mejor al bien común de la sociedad si las creaciones intelectuales se manejan como propiedad pública o comunal con disponibilidad libre para que otros las usen con la finalidad de desarrollar nuevos productos intelectuales o de generar beneficios para la sociedad.

**propiedad intelectual** La propiedad que no se ejerce sobre un objeto físico, sino sobre bienes abstractos, como el conocimiento o la información; tal es el caso de fórmulas, planes, música, historias, textos, software, etcétera.

Los nuevos descubrimientos científicos o los nuevos desarrollos de ingeniería no se deben atesorar o esconder bajo el disfraz de la propiedad privada, sino que deben estar disponibles libremente para beneficiar a la sociedad. Esta es la posición de muchos países en desarrollo, donde la propiedad intelectual todavía se concibe como propiedad común. El especialista en ética Paul Steidlmeir, por ejemplo, considera que los "países en desarrollo defienden que los reclamos individuales sobre la propiedad intelectual están subordinados a afirmaciones más fundamentales del bien social y que, aunque las personas tengan derecho al fruto de su trabajo, tienen una obligación de compensar a la sociedad que posibilita esa fertilidad del trabajo".[105] No es de sorprender que la piratería de software prevalezca en muchos países en desarrollo, donde las copias de software que en Estados Unidos cuestan $300, $400 y $500 están disponibles en las calles por tan solo $5 o $10.

El sistema de propiedad para las creaciones intelectuales en Estados Unidos todavía está en evolución, aunque en muchos aspectos tienda más hacia un sistema lockeano/utilitario que a uno marxista/socialista. En ese país se hace una importante distinción entre una *idea* y la *expresión* de la idea. Las ideas no se poseen ni se convierten en propiedad privada, sino que permanecen como propiedad común de todos. Sin embargo, una *expresión* particular de una idea, como el texto, las palabras o el software que se usan para expresar la idea, puede estar bajo el amparo de los ***derechos de autor*** o ***copyright***, lo que indica que esa expresión particular de la idea se convierte en la propiedad privada de un individuo o de una compañía. Cualquier escrito tangible (es decir, que se pueda ver o tocar físicamente) es susceptible de ampararse por derechos de autor; esto incluye libros, revistas, periódicos, discursos, música, obras de teatro, películas, programas de radio y televisión, mapas, pinturas, dibujos, fotografías, tarjetas de felicitación, grabaciones de sonido en cintas o discos compactos, programas de software y las plantillas usadas para imprimir circuitos de computadora. De acuerdo con el punto de vista de Locke, la ley estadounidense dice que registrar los derechos de autor con el gobierno no crea esos derechos, sino que la misma autoría de un trabajo genera los derechos (esto es, la propiedad) sobre el trabajo. De todas formas, actualmente los derechos de autor expiran después de 120 años de la creación y 95 años después de su publicación, y entonces, al igual que las ideas, se convierten en propiedad pública.[106]

Una segunda manera de crear derechos de propiedad sobre las creaciones intelectuales es tramitar una *patente*. Los inventos nuevos, no evidentes y útiles de máquinas, medicamentos, químicos u otras "composiciones de la materia", procesos, programas de software, artículos manufacturados, plantas reproducidas asexualmente, materia viva desarrollada por una persona y los diseños de productos también son susceptibles de convertirse en propiedad privada si se les otorga una patente. No obstante, las patentes expiran después de un periodo comprendido entre 14 (para patentes de un nuevo diseño a partir de un producto existente) y 20 años (para patentes de nuevos productos), y después de ese lapso también se convierten en propiedad común.[107] Muchas personas critican este sistema con el argumento de que las patentes y los derechos de autor evitan que otros desarrollen versiones mejoradas del software protegido o que aprovechen un nuevo fármaco para hacer descubrimientos importantes, una crítica que recuerda el punto de vista marxista de que la propiedad debe servir al bien de la comunidad. Otras personas consideran que las patentes expiran demasiado pronto y que los nuevos inventos se deberían quedar como propiedad privada del inventor durante más tiempo, un punto de vista tipo lockeano. Así pues, el debate entre Locke y Marx continúa en ebullición.

### ¿El fin del marxismo?

Los defensores de los mercados libres se animan por lo que algunos han llamado "la caída del socialismo" en varias naciones, en particular en los ex miembros de la URSS. El 24 de septiembre de 1990, la legislatura soviética votó por renunciar a 70 años de economía comunista, que había llevado a ineficiencias y escasez, en favor de una economía de libre mercado. En el verano de 1991, el Partido Comunista fue derogado después de que sus líderes intentaran tomar el gobierno soviético. La Unión Soviética se fragmentó y sus estados reorganizados

**derechos de autor (o *copyright*)** Una concesión que indica que una expresión particular de una idea es la propiedad privada de un individuo o una compañía.

descartaron las ideologías radicales de marxismo-leninismo en favor de las perspectivas mundiales que incorporaban elementos del capitalismo y del socialismo. Las nuevas naciones emprendieron intentos experimentales para integrar la propiedad privada y los mercados libres en sus economías todavía socialistas. Algunos observadores, como Francis Fukuyama, interpretaron estos sucesos como un indicador del "final de la historia".[108] Fukuyama y otros sugerían que, con el fin del socialismo, no habría más "progreso" hacia un sistema económico mejor o más perfecto: el mundo entero ahora está de acuerdo en que el mejor sistema es el capitalismo.

Sin embargo, estas reformas socialistas históricas no implican un abandono completo de Marx o del socialismo. Sin excepción, todas las reformas están encaminadas a acercar a los sistemas socialistas hacia las economías basadas en las mejores características de la ideología socialista y del mercado libre. En resumen, se han dirigido a acercar a los países socialistas hacia la misma ideología de economía mixta que domina en los países occidentales. El debate actual en el mundo ex socialista, al igual que en Estados Unidos, intenta definir la mejor mezcla de regulación gubernamental, derechos de propiedad privada y mercados libres, y no si un sistema de mercados es mejor o peor que un sistema de economía dirigida.

Los seguidores de Smith y Locke aún insisten en que el nivel de intervención del gobierno que tolera la economía mixta causa más daño que bien. Sus oponentes sostienen que, en nuestra economía mixta, el gobierno favorece los intereses de los negocios, y que permitir que estos últimos operen sin una supervisión regulatoria exacerba nuestros problemas económicos. No obstante, el equilibrio se podría encontrar en que la economía mixta se acercara a la combinación de beneficios utilitarios de los mercados libres con respeto por los derechos humanos, la justicia y el cuidado, que son fortalezas características de la regulación gubernamental.

## Preguntas para repaso y análisis

✔•⌐Estudie y repase en
**mythinkinglab.com**

1. Defina los siguientes conceptos: ideología, ideología individualista, ideología comunitaria, economía dirigida, sistema de libre mercado, sistema de propiedad privada, estado de naturaleza, derechos naturales, derecho natural a la propiedad según Locke, plusvalía, alienación, burguesía, proletariado, infraestructura económica, superestructura social, fuerzas de producción, relaciones de producción, materialismo histórico, depauperación de los trabajadores, mano invisible, precio natural, libertad natural, demanda agregada, oferta agregada, economía keynesiana, supervivencia del más apto, darwinismo social, falacia naturalista, economía mixta, propiedad intelectual.

2. Compare los puntos de vista de Locke, Marx, Smith, Keynes y Spencer en cuanto a la naturaleza y las funciones propias del gobierno, y su relación con los negocios. ¿Qué puntos de vista le parece que ofrecen el análisis más adecuado de las relaciones contemporáneas entre las empresas y el gobierno? Explique detalladamente su respuesta.

3. "Es evidente que las perspectivas de Locke sobre la propiedad, de Smith sobre los mercados libres, y de Marx sobre el capitalismo no son ciertas cuando se aplican a la estructura organizacional y las operaciones de las corporaciones modernas". Comente esta afirmación. ¿Qué reformas, si acaso, defenderían Locke, Smith y Marx respecto a la organización corporativa actual y su desempeño?

4. "Igualdad, justicia y respeto por los derechos son características del sistema económico estadounidense". ¿Está de acuerdo o en desacuerdo con esta afirmación? ¿Por qué?

5. "Los mercados libres asignan los bienes económicos de la manera más benéfica para la sociedad y aseguran el progreso". ¿En qué grado es cierta esta afirmación? ¿En qué grado cree que es falsa?

## Recursos en Internet

Los lectores interesados en investigar el tema general de la globalización encontrarán valiosos análisis introductorios en *http://www.globalization101.org*, así como análisis más detallados en *http://www.globalissues.org* y *http://yaleglobal.yale.edu*. También encontrarán estadísticas y datos sobre la globalización en *http://globalization.kof.ethz.ch*. Internet contiene abundante material sobre Locke, Marx y Smith (*http://users.ox.ac.uk/~word0337/philosophers.html* y *http://www.epistemelinks.com/index.aspx*).

## El rescate de GM

Para mediados de diciembre de 2008, GM, el segundo fabricante de automóviles más grande del mundo, perdía $2,000 millones por mes. Rick Wagoner, su director general desde el año 2000, sabía que la compañía no tenía dinero suficiente para sobrevivir por más tiempo. El año 2008, cuando se cumpliría el aniversario número 100 de GM, resultó el peor de su historia.[1] Wagoner ya sabía que GM terminaría el año con pérdidas de aproximadamente $31,000 millones. Pero eso era una mejoría en comparación con 2007, cuando las pérdidas ascendieron a $38,700 millones, la cuarta mayor pérdida corporativa de su historia. Estas sumas, aunadas a las pérdidas por $1,000 millones en 2006 y $10 mil millones en 2005, significaban que la empresa que él dirigía perdió la sorprendente cantidad de $80 mil millones en cuatro años.

Wagoner era un hombre dedicado, afable y agradable. En la preparatoria había sido excelente en todos los deportes; su estatura de 1.92 metros le ayudó a convertirse en una estrella del basquetbol, y para el momento de la graduación, esperaba secretamente en convertirse en jugador profesional. Pero como jugador de primer año en la Universidad de Duke, le quedó claro que no tenía el talento ni el impulso para convertirse en un deportista profesional. En vez de ello, se graduó en economía, y también comenzó a salir con Kathleen Kaylor con quien finalmente se casó. Después de graduarse en la Universidad de Duke y obtener una maestría en administración en la Universidad de Harvard, se fue a trabajar a GM. Rápidamente ascendió dentro del escalafón y en 2000 lo nombraron director ejecutivo; era la persona más joven en alcanzar ese puesto en la historia de la empresa.

Wagoner culpa de los infortunios de GM a varios factores. Siente que uno de los más importantes fue la "Gran Recesión" de 2008 que perjudicó las ventas de todos los fabricantes de automóviles, particularmente cuando los bancos, que ya tenían muchos problemas, dejaron de prestar dinero, así que los clientes ya no podían obtener créditos para comprar autos. Por desgracia, GM no anticipó el resquebrajamiento del crédito y en 2006 vendió su participación (que le daba el control) en GMAC, la empresa financiera que había extendido créditos baratos a sus clientes compradores de autos. Después de que GM vendiera el 51 por ciento de las acciones de GMAC a Cerberus por $7.4 millones, esta se negó a dejar que GMAC continuara ofreciendo los mismos créditos fáciles a sus clientes, lo que dio por resultado un significativo golpe a las ventas de GM.

Otro problema que enfrentó la empresa fueron los costos laborales. En 2008 GM pagaba en promedio $70 por hora de trabajo, de los cuales el empleado recibía $30 en forma de salario, y $40 se destinaban a financiar otros costos laborales, incluyendo prestaciones, gastos médicos y pensiones a cerca de 432,000 jubilados de GM. Debido a que GM había estado operando durante 100 años, su número de pensionados era mucho más grande que el de las compañías automotrices de fundación más reciente. Toyota, por ejemplo, pagaba $53 por hora de trabajo en sus plantas de manufactura en Estados Unidos, de los cuales $30 se destinaban al salario de los empleados y $23 al pago de prestaciones y pensiones; el monto de este último rubro no era muy alto, ya que el número de retirados de la empresa era relativamente bajo. En algunas de sus plantas, dijo un portavoz, Toyota pagaba solo $48 por hora de trabajo.

Pero quizá la mayor causa de las dificultades de GM fue su autoimpuesta alta dependencia de las grandes camionetas SUV (vehículos utilitarios deportivos). Los fabricantes japoneses de autos podían fabricar autos pequeños y medianos por menos de lo que le costaba a GM fabricar autos similares. Para competir, esta tuvo que bajar sus precios hasta que los márgenes de utilidad en sus autos medianos y pequeños se desvanecieron casi por completo. Pero durante la década de 1980, cuando la gasolina era barata, GM descubrió que las SUV eran un gran éxito entre los clientes masculinos y parejas con familias en crecimiento. Más aún, a diferencia de lo que sucedía con sus modelos pequeños y medianos, los márgenes de utilidad de sus grandes SUV eran elevados, hasta de $10,000 o $15,000 por vehículo. Conforme sus ventas de SUV experimentaban un auge en la década de 1990, GM expandió su línea y dedicó enteramente muchas de sus plantas a la producción de los grandes y lucrativos vehículos. En 2003 la mayor parte de sus utilidades provenía de las ventas de SUV. Pero conforme el precio de la gasolina se incrementaba gradualmente, los costos de poseer una SUV también se elevaron, de manera que su mercado dejó de crecer y luego comenzó a declinar. En 2004 las SUV no vendidas comenzaban a apiñarse en las distribuidoras. Cuando en 2005 los precios de la gasolina subieron como resultado del huracán Katrina, las ventas de las SUV finalmente colapsaron. Así, GM terminó 2005 con una pérdida de $10,400 millones. En 2006 la situación mejoró de alguna manera, pero entonces las pérdidas escalaron a una cifra récord de $38,700 millones en 2007 y $30,900 millones en 2008. Por desgracia, todo en ese momento dentro de GM —las plantas, los planes estratégicos, los programas de investigación y desarrollo e incluso su actitud mental— estaba anclado en la producción de las SUV y tomaría años modificarlo.

Debido a la dependencia de ese producto, GM había dejado de invertir en los pequeños autos de consumo eficiente, los cuales llamaban más la atención del público consciente de los costos de la gasolina en 2005. En la década de 1990, GM había desarrollado la tecnología para un auto totalmente eléctrico, el EV1. El EV1 era, de hecho, el primer auto eléctrico moderno producido en masa por una empresa grande. Para 1999 GM había gastado $500 millones produciendo el EV1 y $400 millones comercializándolo, aunque solo había arrendado 800 vehículos. Convencida de que el auto nunca alcanzaría la rentabilidad de las suv, la empresa detuvo su producción en 2002, recuperó todos los vehículos que había arrendado y congeló el proyecto. Al mismo tiempo, tanto Toyota como Honda estaban introduciendo en Estados Unidos sus pequeños autos híbridos con motores eléctricos y de gasolina. Los híbridos se convirtieron en un éxito comercial y, lo que es más importante, la producción de los autos les permitió a ambas ganar casi una década de experiencia en la tecnología híbrida, mientras que GM continuaba enfocándose en sus suv devoradoras de gasolina. En una entrevista en 2006, publicada en Motor Trend, Rick Wagoner confesó que su peor decisión durante su paso por GM fue "desechar el programa del auto eléctrico EV1 y no destinar los recursos adecuados al proyecto de los vehículos híbridos".

Todos estos problemas habían culminado en la pérdida de $80 mil millones, que puso a GM en la situación difícil que Wagoner sabía que tendría que enfrentar en las últimas semanas de 2008. Muchos analistas vaticinaban que GM se iría a la bancarrota, de manera que los bancos (que apenas si lograban sobrevivir a la peor crisis financiera en décadas) se mostraron renuentes a prestar más dinero a la empresa. Al ritmo en que sus reservas de efectivo se agotaban, Wagoner sabía que el riesgo de bancarrota crecía diariamente. Ante la tenebrosa ruta, la empresa decidió que solo podía salvarla un rescate del gobierno.

Los rescates del gobierno no gozaban de gran aceptación. En septiembre de 2008, la administración de George W. Bush pidió al Congreso que aprobara una legislación para crear un fondo de $700 mil millones, llamado el *Programa de Alivio para Activos en Problemas* (*Troubled Asset Relief Program*, TARP). Un Congreso reticente aprobó el proyecto de ley TARP que autorizaba al Departamento del Tesoro de Estados Unidos a usar los fondos "para comprar [...] activos con problemas de cualquier institución financiera". Los "activos con problemas" eran millones de préstamos hipotecarios que los bancos habían extendido a compradores de casas que ahora eran incapaces de hacer sus pagos mensuales de la hipoteca, y cuyas casas valían menos que sus hipotecas porque los precios de los inmuebles habían colapsado a principios de 2007. Ya que las casas valían menos que los préstamos hipotecarios, las hipotecas no podían pagarse por completo cuando los propietarios morosos las vendían o cuando los bancos las confiscaban. Al sufrir enormes pérdidas, muchos bancos de Estados Unidos estaban al borde de la bancarrota, como lo estaban los bancos europeos que anteriormente habían tomado miles de las ahora hipotecas "con problemas" de Estados Unidos. Muchos economistas predijeron que estas fallas bancarias diseminadas convertirían la profunda

recesión en una depresión global peor que la Gran Depresión de la década de 1930.

A pesar de la amenaza en ciernes de una crisis financiera, muchos se opusieron al plan de rescate de los bancos. Un centenar de destacados economistas enviaron una carta al Congreso de Estados Unidos, donde afirmaban que la falta de "justicia" era un "defecto de funestas consecuencias" del plan porque era un "subsidio a los inversionistas a costa de los contribuyentes. Los inversionistas que asumieron riesgos para obtener ganancias también deberían soportar las pérdidas".[2] Al llamar a los rescates bancarios "el socialismo para los ricos", el economista ganador del Premio Nobel, Joseph Stiglitz, escribió que "esta nueva versión del capitalismo, en la cual las pérdidas se socializan y los beneficios se privatizan, está condenada al fracaso. Los incentivos están distorsionados [y] no hay disciplina de mercado".[3]

Sin embargo, si los bancos estadounidenses eran capaces de obtener dinero de rescate de Washington, quizá GM podía hacer lo mismo. Así que Rick Wagoner y dos miembros del consejo volaron a esa ciudad el 13 de octubre de 2008 para reunirse con funcionarios de la administración del presidente George W. Bush. Durante la reunión, Wagoner resumió la precaria situación de la compañía y solicitó un préstamo del fondo TARP. El gabinete de Bush se mostró reacio a la solicitud, argumentando que la legislación decía explícitamente que los fondos TARP eran para instituciones financieras, así que no podían emplearse para otorgar préstamos a fabricantes de automóviles. Frente al rechazo de la administración, un desesperado Wagoner recurrió al Congreso de Estados Unidos. Los días 18 y 19 de noviembre, él y los directores generales de Chrysler y Ford, las otras dos compañías de autos estadounidenses que también atravesaban momentos difíciles, se presentaron ante los comités del Congreso y pidieron una legislación que autorizara fondos gubernamentales para ayudar a la industria automotriz. Sin embargo, los miembros de los comités mostraron enfado, en particular cuando los ejecutivos admitieron que no habían preparado planes que detallaran cómo usarían esos fondos, ni qué cambios planeaban hacer para asegurar que podrían tener una rentabilidad. Al final, dijeron a los tres directores generales que regresaran en diciembre con planes financieros detallados para sus compañías. A principios de dicho mes, los tres regresaron diligentemente al Congreso con planes en mano y repitieron sus solicitudes de ayuda financiera. Unos cuantos días después, tanto la Cámara de Representantes como el Senado propusieron una legislación para ayudar a las compañías automotrices. Por desgracia, aunque la Cámara de Representantes aprobó el 10 de diciembre la propuesta de ley para ayudar a la industria automotriz, el Senado votó en contra. Sin el apoyo de ambas cámaras, la legislación propuesta estaba desahuciada.

Wagoner se sentía aturdido y desesperado por el futuro de la compañía a la que había servido durante más de 30 años. Pero su desesperación se convirtió en euforia cuando recibió una llamada de la administración Bush, la cual había decidido que, después de todo, el Tesoro podía usar los fondos TARP para otorgar préstamos a GM y a Chrysler. (Ford había determinado que podía sobrevivir sin dinero del gobierno). El 19 de diciembre de 2008, el presidente Bush anunció que el Tesoro otorgaría a GM un préstamo de $13,400 millones del fondo TARP, mientras que Chrysler obtendría uno de $4,000 millones. Al anunciar la ayuda a las compañías automotrices, la administración Bush dijo que "los costos directos de que los fabricantes estadounidenses de autos quebraran y despidieran a su personal darían como resultado una reducción de más del 1 por ciento en el crecimiento real del PIB y una pérdida de aproximadamente 1.1 millones de empleos".[4] Para obtener el dinero, Wagoner tuvo que acordar que, el 17 de febrero de 2009, GM presentaría un plan detallado en el que debía especificar cómo lograría "viabilidad financiera", y el plan tenía que ser aceptable para los funcionarios del Tesoro de Estados Unidos. Puesto contra la pared, Wagoner aceptó los términos, y el 31 de diciembre de 2008 GM consiguió una primera entrega de $4,000 millones del total del préstamo que le fue asignado; recibió otros $5,400 millones el 16 de enero de 2009, y una última entrega de $4,000 millones el 17 de febrero de ese mismo año.

Muchos objetaron que el rescate violaba la filosofía de libre mercado que bastantes estadounidenses adoptaban y la remplazaba con una especie de socialismo. El senador republicano Bob Corker declaró que el rescate de GM "daría escalofríos a todos los estadounidenses que creyeran en la libre empresa".[5] Algunos miembros republicanos del Congreso presentaron una resolución sobre los rescates donde afirmaban que estos "hacían que [la] economía [estadounidense] basada en el libre mercado diera otro peligroso paso más hacia el socialismo".[6]

El 17 de febrero de 2009, la administración del recién electo presidente Barack Obama, ya en el cargo, tuvo que concluir el rescate de las empresas automotrices que el gobierno anterior había puesto en marcha. Como parte del "plan de viabilidad" que había acordado presentar el 17 de febrero, Wagoner tuvo que emprender varias acciones: renegociar los contratos del sindicato de GM para hacer que sus costos de mano de obra fueran competitivos frente a los fabricantes de automóviles extranjeros en Estados Unidos, reducir el número y modelos de los vehículos fabricados, reducir su deuda no asegurada de $27,500 millones a $9,200 millones al hacer que los acreedores cancelaran parte de su deuda a cambio de acciones de GM, e invertir en vehículos eléctricos e híbridos eficientes en el consumo de combustible.[7]

Wagoner había entrado rápidamente en negociaciones con el Sindicato de Trabajadores de la Industria Automotriz, el principal sindicato de GM, y con los acreedores. Pero estos se habían negado tenazmente a reducir su deuda en la cantidad que quería el gobierno. Al final, GM no alcanzó los objetivos de reducción de deuda que el Tesoro quería para el 17 de febrero. No obstante, en el último "plan de viabilidad" que presentó al Tesoro de Estados Unidos el 17 de febrero, GM anunció que reduciría 37,000 puestos de planta y 10,000 de oficina, cerraría 14 plantas en los siguientes tres años, eliminaría cuatro de sus ocho marcas de autos, recortaría los salarios de los directivos en 10 por ciento y los del resto del personal entre el 3 y 7 por ciento, y cambiaría los costos del seguro de salud de los jubilados a un fondo independiente financiado en parte con acciones de GM y en parte con deuda. Sin embargo, el plan añadía, GM necesitaría $22,500 millones adicionales para seguir operando hasta 2011.[8]

El grupo de trabajo para la industria automotriz que Obama había reunido para revisar el plan propuesto de GM no estaba contento con este. Steven Ratner, quien encabezaba el equipo de trabajo, declaró:

> A partir del "plan de viabilidad" que las compañías presentaron el 17 de febrero, nos quedó claro que GM y Chrysler estaban en un estado de negación. Ambas compañías necesitaban enormes reducciones en sus costos y pasivos. Tenían demasiadas plantas y empleados para los volúmenes esperados de automóviles. Y sus costos de mano de obra estaban fuera de lugar con los de sus competidores más directos. [...] Me quedé consternado por la extraordinaria deficiente administración que encontramos, en particular en GM, donde hallamos, entre otras cosas, quizá la operación financiera más débil que cualquiera de nosotros hubiera visto en una compañía importante.[9]

El "Team Auto", como se autonombró el equipo de trabajo de Obama, dedicó más de un mes a estudiar el plan y concluyó que las suposiciones optimistas de GM de que su participación de mercado crecería en el futuro, sus costos declinarían y, en unos cuantos años, tendría flujos de efectivo positivos estaban fuera de la realidad. El 30 de marzo de 2009, la administración Obama dijo a la compañía que su plan no era aceptable y que "no garantizaba las importantes inversiones adicionales [...] requeridas". No obstante, dieron a GM un plazo de 60 días, hasta el 1 de junio, para tratar de obtener mayores concesiones de sus acreedores, y también otorgaron otro préstamo de $6,360 millones, que se entregaría en los siguientes dos meses. Aunque GM siguió tratando de negociar con sus acreedores, el equipo de trabajo de Obama pronto se dio cuenta de que la única manera de que GM podía obligar a sus acreedores a condonar la deuda de la compañía era que esta se declarara en bancarrota.[10] Esto daría a un juez federal la autoridad para cancelar tanta deuda como fuera necesario para que la compañía volviera a ser un negocio viable. El 31 de marzo, el Tesoro informó al consejo directivo de la compañía que si se declaraba en bancarrota, el gobierno otorgaría el financiamiento necesario para surgir como una compañía viable.

Para ese momento, el destino de Rick Wagoner se había sellado. A mediados de marzo, Steven Ratner le preguntó sobre sus planes y este replicó: "No planeo quedarme hasta los 65, pero creo que me quedan al menos unos cuantos años, [...] aunque dejé en claro a la administración [de Bush] que si mi salida era útil para salvar a General Motors, estaba preparado para hacerlo".[11] El viernes 27 de marzo, Wagoner acudió a una reunión con el equipo de trabajo gubernamental para analizar los planes de reestructuración de GM. Antes de la reunión, Steven Ratner lo llevó a un lado y le dijo: "En nuestra última reunión usted muy gentilmente se ofreció a hacerse a un lado si eso fuera útil. Por desgracia, nuestra conclusión es que sería lo mejor si usted lo hiciera". Wagoner estuvo de acuerdo, y el 30 de marzo presentó su dimisión.

El 1 de junio de 2009, GM entró en bancarrota. El Tesoro creó una nueva compañía llamada "General Motors Company" y la antigua GM, ahora en bancarrota, vendió sus marcas más rentables y sus instalaciones más eficientes a la nueva "General Motors Company", la cual empleó $30 mil millones del dinero del gobierno para comprarlas. Los acreedores de la antigua GM recibieron el 10 por ciento de participación de la nueva compañía, más lo proveniente de la venta de los activos de la antigua empresa. Una participación del 17 por ciento de la nueva GM se colocó en un fondo de inversiones para pagar las prestaciones de cuidado de la salud de los jubilados sindicalizados; el fondo de inversiones del sindicato también recibió un pagaré por $2,500 millones de la nueva GM y $6,500 millones de sus acciones preferentes. El gobierno de Canadá, que había contribuido con $10 mil millones para rescatar algunas de las plantas en Ottawa y Ontario, obtuvo el 12 por ciento de la nueva compañía. El resto, el 61 por ciento de la compañía, pasó a ser propiedad del gobierno de Estados Unidos a cambio del total de $50 mil millones que había inyectado a la empresa. El gobierno también retuvo el derecho a elegir a 10 de los 12 miembros del consejo directivo de la nueva GM; ahora, el gobierno era el dueño principal de una compañía automotriz.[12]

GM no fue la única empresa que llegó a ser una compañía (parcialmente) propiedad del estado durante la crisis financiera. El 27 de febrero de 2009, se anunció que, a cambio de $25 mil millones, el Tesoro de Estados Unidos adquiría el 36 por ciento de la propiedad de Citigroup, Inc., una gran compañía bancaria al borde de la quiebra debido a la crisis financiera. El 16 de septiembre de 2008, American International Group, una compañía de seguros que también estaba al borde del desastre por la crisis financiera, anunció que el gobierno, mediante su Banco de la Reserva Federal, tomaba la propiedad del 80 por ciento de la compañía a cambio de $85 mil millones.

Muchos observadores afirmaron que la propiedad gubernamental de las compañías es el tipo de propiedad gubernamental de los "medios de producción" que Marx y otros socialistas defendían. Por ejemplo, Robert Higgs, editor de *The Independent Review*, escribió que "el gobierno está recurriendo a un socialismo declarado al tomar posiciones de propiedad de las compañías rescatadas".[13] Y el Mackinac Center, un conservador instituto de investigación dedicado a promover el libre mercado, publicó un artículo de Michael Winther que afirmaba:

> Hay solo dos sistemas económicos en el mundo. Estos dos sistemas económicos se describen, por lo general, como el libre mercado y el socialismo. Este último se caracteriza y define por cualquiera de estas dos características: propiedad del gobierno o control de capital, o centralización obligada y redistribución de la riqueza. [El] actual rescate podría describirse como "supersocialismo" porque implica todos los elementos posibles del socialismo: la redistribución obligada de la riqueza, el mayor control del gobierno sobre el capital, e incluso el extremo del socialismo, que es la propiedad gubernamental del capital. Nuestro gobierno federal no se contenta sólo con regular los mercados (de capital), sino que también está dando el siguiente paso al comprar participaciones de propiedad en compañías que antes eran privadas.[14]

## Preguntas

1. ¿Cómo evaluarían Locke, Smith y Marx los diversos acontecimientos de este caso?
2. Explique las ideologías de los enunciados de: la carta del Congreso de Estados Unidos firmada por 100 destacados economistas, Joseph Stiglitz, Bob Corker, la resolución republicana sobre el rescate, Robert Higgs y Michael Winther.
3. Desde su punto de vista, ¿se debería haber rescatado a GM? Explique por qué. ¿Fue el rescate ético en términos del utilitarismo, la justicia, los derechos y el cuidado?
4. En su opinión, ¿fue positivo o negativo para el gobierno tomar la propiedad del 61 por ciento de GM? Explique las razones en términos de las teorías de Locke, Smith y Marx.

## Notas

1. Tom Krisher y Kimberly S. Johnson, "GM Posts $9.6 Billion Loss", *Associated Press*, 26 de febrero de 2009; fecha de acceso: 30 de mayo de 2010 en *http://www.thestar.com/Business/article/593350*.
2. Justin Wolfers, "Economists on the Bailout", *The New York Times*, 23 de septiembre de 2008.
3. Joseph Stiglitz, "America's Socialism for the Rich", *The Guardian*, 12 de junio de 2009.
4. Congressional Oversight Panel, *September Oversight Report, The Use of TARP Funds in the Support and Reorganization of the Domestic Automotive Industry*, 9 de septiembre de 2009, p. 8.
5. Michael D. Shear y Peter Whoriskey, "Obama Touts Auto Bailout during Michigan Trip", *The Washington Post*, 31 de julio de 2010.
6. Molly Henneberg, "Resolution Opposing Bailouts as 'Socialism' Airs Rift in GOP", *Fox News*, 31 de diciembre de 2008.
7. Robert Snell, "GM's Wagoner, UAW's Gettelfinger Interviewed on 'Today'", *Detroit News*, 9 de enero de 2009; Robert Snell, "Reaction Mixed to GM's Financial Plan", *Detroit News*, 17 de enero de 2009.
8. Véase General Motors Corporation, *2009—2014 Restructuring Plan*, 17 de febrero de 2009; fecha de acceso: 19 de enero de 2011 en *http://www.treasury.gov/initiatives/financial—stability/investment—programs/aifp/Documents_Contracts_Agreements/GMRestructuring—Plan.pdf*.
9. Steven Ratner, "The Auto Bailout: How We Did It", *Fortune Magazine*, 21 de octubre de 2009.
10. *Ibid.*
11. *Ibid.*
12. General Motors Corporation, *2009-2014 Restructuring Plan*, p. 13.
13. Chris Mitchell, "The Great Bailout Brouhaha, Free Market Economists Weigh in on Paulson's Plan", *Reason Magazine*, 25 de septiembre de 2008.
14. Michael R. Winther, "Five Principles that Are Violated by the Bailouts", *Mackinac Center of Public Policy*, 13 de marzo de 2009; fecha de acceso: 19 de enero en *www.mackinac.org/10363*.

## *Accolade contra Sega*[1]

Accolade, Inc. es una pequeña compañía de software que se localiza en San José, California, la cual prosperó con el desarrollo y la venta de juegos compatibles con las consolas Sega. Su juego más popular era el llamado "Ishido: The Way of Stones". Sega no había otorgado licencia a Accolade para desarrollar juegos para sus consolas y no obtenía ingresos de las ventas de los juegos de Accolade.

A principios de la década de 1990, Sega lanzó al mercado una nueva consola llamada "Genesis" y los ingenieros de Accolade descubrieron que sus juegos ya no funcionaban en las nuevas consolas, porque Sega había insertado en ellas nuevos códigos secretos y dispositivos de seguridad que impedían que se pudieran correr otros programas de juegos que no fueran los de Sega. Para sortear este problema, los ingenieros de Accolade aplicaron ingeniería inversa a la nueva consola de Sega y a varios de sus juegos. La ingeniería inversa es un proceso para analizar un producto y descubrir cómo está hecho y cómo funciona. Primero, Accolade desarmó varias consolas Genesis para ver cómo funcionaba su mecanismo de seguridad. Después, decodificó varios programas de juegos de Sega.

Para entender lo que esto implica, es necesario comprender que el software que constituye un juego se produce mediante un proceso de dos pasos. Primero, los ingenieros escriben un programa para el juego mediante un lenguaje de software sencillo para un ingeniero que lo conoce y que consiste en una serie de instrucciones detalladas como "GOTO línea 5". Esta versión del programa se llama *código fuente*. Una vez terminado el código fuente, los ingenieros lo introducen en una computadora que compila el código —en esencia, lo traduce al lenguaje propio de la máquina—, el cual se constituye solo por ceros y unos (como "00011011001111001010"). Aunque es prácticamente imposible que un humano entienda el nuevo código compilado, es posible leer las series de ceros y unos que lo integran en la computadora de la consola de juegos para conocer las instrucciones básicas que operan el juego.

Los programas de software para juegos (y de hecho, todos los programas de software) que se venden en las tiendas consisten en ese tipo de códigos compilados. Decodificarlos es un intento de invertir los dos pasos que los produjeron originalmente. En esencia, el código compilado o código "máquina" que compone un software se introduce en una computadora que intenta traducir el lenguaje de la máquina (es decir, la serie de ceros y unos) en el código fuente original (esto es, las instrucciones como "GOTO línea 5") que fácilmente entiende un ingeniero. Este último, entonces, estará en condiciones de examinar el código fuente y descubrir exactamente cómo funciona el programa y cómo se integró. El proceso de decodificación no siempre

es exacto y algunas veces los ingenieros tienen que trabajar mucho para encontrar cuál es el código fuente original. Muchos ingenieros creen que la ingeniería inversa, en particular la decodificación, no es ética en esencia.

De cualquier forma, los ingenieros de Accolade tuvieron éxito al generar la información que querían y, con este conocimiento, pronto estuvieron en condiciones de desarrollar juegos que funcionaran en las nuevas consolas Genesis de Sega. Pero Sega demandó de inmediato a Accolade, aduciendo que esta última había infringido sus derechos de propiedad. En un principio, la Corte de Distrito en San Francisco estuvo de acuerdo con Sega y emitió una orden para que Accolade retirara del mercado sus juegos compatibles con Sega.

Los abogados de Sega argumentaron que cuando Accolade aplicó la ingeniería inversa a su software había hecho copias ilegales del código fuente de Sega. Como este código fuente era propiedad de Sega, Accolade no tenía derecho a aplicarle ingeniería inversa y, de hecho, había robado la propiedad de Sega al hacerlo. Además, los nuevos juegos que desarrolló Accolade tenían que incluir códigos secretos que se requerían para permitir que el software funcionara en la consola Genesis. Estos códigos secretos, afirmaba Sega, también eran de su propiedad, ya que era la titular de los derechos de autor, por lo que Accolade no los podía copiar ni insertar en sus programas de juegos.

No obstante, Accolade apeló la decisión de la Corte de Distrito en una corte superior, el Tribunal de Apelaciones del Noveno Circuito. Accolade afirmaba que los códigos secretos y dispositivos de seguridad que Sega había usado y que debían conocerse para que los juegos funcionaran en la consola Genesis eran en realidad una interfaz pública estándar. Una *interfaz estándar* es un mecanismo estandarizado que debe usar un tipo de producto para ser capaz de trabajar en otro. (Las clavijas estándar que debe tener un cable eléctrico para enchufarse en un contacto son un ejemplo de una interfaz estándar sencilla). Estas interfaces estándar no son propiedad privada de nadie en particular, sino propiedad pública y, por lo tanto, se permite que todos hagan uso de ellas y que incluso las dupliquen. Así, en opinión de los abogados de Accolade, estaba permitido duplicar el código fuente porque esto era solo una manera de tener acceso a la interfaz estándar de las consolas Genesis. Era permisible que Accolade incluyera copias de estos códigos secretos en sus juegos porque eran propiedad pública. Estos argumentos, con el tiempo, ganaron cuando la empresa apeló la decisión de la Corte de Distrito en el Tribunal de Apelaciones del Noveno Circuito, quien revocó la decisión anterior y, en esencia, estuvo de acuerdo con Accolade.

Sin embargo, muchos expertos legales disentían del Tribunal de Apelaciones. Consideraban que los argumentos de Accolade eran incorrectos y que, de hecho, la empresa había robado la propiedad de Sega. Los dispositivos de seguridad y los códigos secretos que Sega había desarrollado no eran como las interfaces estándar que diferentes compañías deben acordar cuando trabajan en productos que van a ser compatibles entre sí. Es cierto que cuando las compañías trabajan en productos compatibles, como los neumáticos que deben embonar en los automóviles o las clavijas eléctricas que deben entrar en los contactos, tienen que acordar una interfaz pública estándar que nadie posee y que todos pueden usar con libertad. Sin embargo, algunos expertos legales argumentaron que la consola Genesis de Sega era un producto que pertenecía solo a Sega y para el cual tendría que ser el único proveedor de juegos. Entonces, este no era un caso de compañías diferentes que llegan a un acuerdo sobre un estándar público; era el caso de una sola compañía que usaba su propia tecnología para hacer sus juegos. Así que, según los críticos de la sentencia del tribunal, no había una interfaz pública estándar de por medio.

## Preguntas

1. Analice este caso desde la perspectiva de cada teoría de la propiedad privada que se describió en este capítulo (es decir, desde la perspectiva de la teoría de Locke, la teoría utilitaria y la teoría marxista sobre la propiedad privada). ¿Con cuál de estos puntos de vista está más de acuerdo y cuál piensa que es el más adecuado para analizar este caso?

2. ¿Considera que Accolade en realidad robó la propiedad de Sega? Explique por qué.

3. En su opinión, ¿fue Accolade demasiado lejos al tratar de descubrir el código fuente de los programas de Sega? ¿Tiene la compañía derecho a aplicar ingeniería inversa a cualquier producto que quiera?

## Nota

1. Este caso se basa en Richard A. Spinello, "Software Compatibility and Reverse Engineering," en Richard A. Spinello, *Case Studies in Information and Computer Ethics* (Upper Saddle River, NJ: Prentice Hall, 1997), pp. 142-145.

# 4

# Ética en el mercado

¿Por qué se dice que un mercado libre perfectamente competitivo es muy deseable desde un punto de vista ético?

¿Qué son los mercados monopólicos y por qué son éticamente cuestionables?

¿De qué manera los mercados oligopólicos brindan oportunidades para los comportamientos anticompetitivos que son éticamente cuestionables?

¿Qué se puede hacer para remediar los defectos éticos de los monopolios y los oligopolios?

*Bill Gates es el fundador y ex director general de Microsoft Corporation, la cual se vio sujeta a la supervisión gubernamental hasta mayo de 2011, como resultado de un juicio que en abril de 2000 celebró una corte distrital de Estados Unidos. De acuerdo con la corte, la empresa "mantenía su poder monopólico por medios anticompetitivos e intentaba monopolizar el mercado de navegación de la Web". En marzo de 2004 la Unión Europea multó a Microsoft con $794 millones, $448 millones adicionales en 2006 y $1,440 millones más en 2008 por seguir "abusando de su poder monopólico".*

Considere las siguientes historias recientes:

Un ejecutivo surcoreano de LG Display aceptó declararse culpable y pasar un año en prisión por participar en una conspiración con la finalidad de fijar los precios de los paneles de TFT-LCD (pantalla de cristal líquido de transistor de película delgada), anunció el Departamento de Justicia de Estados Unidos. Bock Kwon, quien trabajaba en diferentes roles ejecutivos en LG Display, conspiró con empleados de otros fabricantes de este tipo de paneles para fijar los precios entre septiembre de 2001 y junio de 2006. Al respecto, el Departamento de Justicia declaró: "Los participantes de la conspiración de las pantallas LCD cometieron un fraude grave a los consumidores estadounidenses al fijar los precios de un producto que está en casi todos los hogares de este país". Cuatro compañías y nueve individuos fueron acusados. Se impusieron multas por más de $616 millones, y cuatro personas fueron declaradas culpables y sentenciadas a prisión. Kwon fue acusado de participar en reuniones con los competidores para analizar los precios de las LCD y convenir en cuáles les convenía imponer.[1]

Por otra parte, el Departamento de Justicia declaró culpable a Kent Robert Stewart, presidente de una compañía de concreto premezclado de Iowa, por participar en una conspiración para fijar los precios y manipular las ofertas para la venta de ese tipo de concreto entre enero de 2008 y agosto de 2009. Según una demanda que se presentó el 6 de mayo de 2010 en la corte de distrito en la ciudad de Sioux, Iowa, Stewart participó en conversaciones con representantes de otras compañías con quienes acordó presentar ofertas a los clientes del producto a precios no competitivos. Stewart está acusado de violar la ley Sherman, lo que implica una pena máxima de 10 años de cárcel y una multa de un millón de dólares por persona.[2]

El Departamento de Justicia anunció que Bruce McCaffrey, el ejecutivo de mayor rango del área de envío de cargas de Qantas Airways Limited empleado en Estados Unidos, aceptó declararse culpable, pasar 8 meses en prisión y pagar una multa monetaria por participar en una conspiración con otras compañías para fijar las tarifas de los envíos internacionales por vía aérea. Según los cargos que se presentaron en la corte distrital del Distrito de Columbia, las tarifas establecidas en contubernio estuvieron vigentes al menos desde enero de 2000 y continuaron hasta febrero de 2006, en violación de la ley Sherman.[3]

Un gran jurado federal de San Francisco emitió una acusación formal contra un ex ejecutivo de una gran compañía fabricante de monitores de televisión CDT (*color display tube*), con sede en Taiwán. Según los cargos, Alex Yeh, ex director de ventas y sus cómplices acordaron cobrar los precios de los monitores CDT dentro de determinado rango y reducir la oferta cerrando las líneas de producción por un tiempo. La acusación formal señala que Yeh y sus cómplices también acordaron asignar cuotas de mercado para los monitores CDT en general y para ciertos clientes del producto. Los conspiradores están acusados de haber intercambiado información de ventas, producción, participación de mercado y fijación de precios de los CDT con la finalidad de implementar los acuerdos y vigilar su cumplimiento. Según la acusación, Yeh y quienes conspiraron con él establecieron un sistema de auditoría que les permitía visitar las instalaciones de producción de los demás para verificar que las líneas de producción de CDT estuvieran cerradas, según lo acordado.[4]

En vista del papel clave de la competencia en la economía estadounidense, es sorprendente que las prácticas anticompetitivas sean tan comunes. Un informe acerca de las compañías que cotizan en la Bolsa de Valores de Nueva York indicó que el 10 por ciento de ellas habían estado involucradas en demandas anticompetitivas durante los cinco años anteriores.[5] Una encuesta a ejecutivos de corporaciones importantes reveló que el 60 por ciento de la muestra creía que muchos negocios participaban en la fijación de precios.[6] Otro estudio encontró que en un periodo de solo dos años, los organismos federales habían juzgado y acusado por prácticas anticompetitivas a 60 empresas importantes, y cientos más fueron perseguidas por funcionarios estatales.

Si los mercados libres se justifican, se debe a que asignan los recursos y distribuyen los bienes de formas justas que maximizan la utilidad económica de los miembros de la sociedad y respetan la libertad de elección, tanto de compradores como de vendedores. Estos aspectos morales de un sistema de mercado dependen, de manera crucial, de la naturaleza competitiva del sistema. Si las empresas se unen y usan su poder combinado para fijar precios, eliminar competidores con prácticas injustas u obtener ganancias monopólicas a costa de los consumidores, el mercado deja de ser competitivo y los resultados son injusticia, un decremento en la utilidad social y la restricción de la libertad de elección de las personas. Este capítulo examina la ética de las prácticas anticompetitivas, el razonamiento que fundamenta su prohibición y los valores morales que la competencia de mercado debe lograr.

Antes de estudiar la ética de las prácticas anticompetitivas, es esencial que se comprenda de manera clara el significado de *competencia de mercado*, en particular lo que se llama *competencia perfecta*. Sin duda, todos tenemos una comprensión intuitiva de competencia: es una rivalidad entre dos o más partes que intentan obtener algo que solo una de ellas llegará a poseer. La competencia existe en las elecciones políticas, en los partidos de fútbol, en el campo de batalla y en los cursos en los que las calificaciones se distribuyen "de acuerdo con una curva". La competencia de mercado, sin embargo, implica más que una mera rivalidad entre dos o más empresas. Para dar una idea más clara de la naturaleza de la competencia de mercado, se examinarán tres modelos económicos que describen tres grados de competencia en un mercado: **competencia perfecta**, **monopolio puro** y **oligopolio**.

Si ha tenido la suerte de haber tomado algún curso de introducción a la economía, quizás haya estudiado algunos de estos modelos de competencia de mercados. Pero su curso seguramente no explicó los conceptos éticos que se relacionan con ellos, en especial con el modelo de competencia perfecta. Como veremos, los conceptos éticos de utilidad, justicia y derechos están muy vinculados con el modelo de competencia perfecta; esto es, la competencia perfecta de mercado tiende a producir resultados justos, a respetar los derechos morales y a satisfacer el utilitarismo (con más precisión, los mercados perfectamente competitivos logran cierto tipo de justicia, satisfacen cierta versión de utilitarismo y respetan ciertos tipos de derechos morales). Es sorprendente y beneficioso que los mercados perfectamente competitivos tengan estas tres características éticas. La mayor parte de las naciones han adoptado y se han esforzado mucho para mantener los sistemas de mercado competitivos precisamente porque estos tienden a maximizar la utilidad, son justos y respetan los derechos morales de las personas. Entonces, si vamos a entender por qué la competencia de mercados es moralmente deseable, tendremos que entender por qué este sistema maximiza la utilidad, genera justicia y respeta los derechos humanos. Pero para entender por qué se tiende a esos resultados hay que comprender de qué manera la competencia perfecta se encamina hacia un punto de equilibrio, y por qué los resultados en los mercados maximizan la utilidad, establecen justicia y respetan los derechos humanos de las personas.

Después de conocer por qué los mercados competitivos llevan a esos tres resultados morales, podremos ver también por qué los mercados y sus comportamientos que se *apartan* de la competencia perfecta tienden a disminuir la utilidad, a ser injustos y a violar los derechos morales de las personas. Esto es, se verá por qué un sistema que va dejando atrás a la competencia perfecta tiende a ser moralmente imperfecto. Y eso, a la vez, nos permitirá

**competencia perfecta** Un mercado libre donde ningún comprador o vendedor tiene poder para afectar de manera significativa los precios a los que se intercambian los bienes.

**monopolio puro** Un mercado donde solo una empresa vende y se excluye a otras de hacerlo.

**oligopolio** Un mercado donde existe un número relativamente pequeño de empresas grandes, las que, en conjunto, ejercen cierta influencia en los precios.

ver por qué no es ético actuar con esos comportamientos —como fijar precios y realizar otras actividades anticompetitivas— que minan o destruyen la competencia de los mercados.

Por lo tanto, para entender verdaderamente la ética de los comportamientos de los mercados, es absolutamente necesario entender primero por qué la competencia perfecta de mercados es moralmente deseable y, para ello, hay que conocer algunas ideas básicas de economía. Por desgracia, no hay atajo para entender con solidez la ética de los mercados y sus comportamientos. Sin tener un conocimiento elemental sobre algunos principios de economía, cualquier intento de entender la ética, por ejemplo, al fijar los precios, será superficial y se verá fácilmente rebasado cuando se presente en la vida real una situación similar. Al desconocer ideas básicas de economía, no será posible comprender realmente lo que es incorrecto de los comportamientos como fijar precios y no se podrán racionalizar con facilidad. En los casos descritos antes observamos que la fijación de precios y otros comportamientos anticompetitivos son sorprendentemente comunes entre la gente de negocios. Parte de la razón es que quienes se ven involucrados en una conspiración de ese tipo a menudo racionalizan su comportamiento y aseguran que no creían que lo que estaban haciendo era moralmente incorrecto.[7] De hecho, con frecuencia afirman que trataban de ser ciudadanos moralmente honrados al prevenir la competencia despiadada que perjudicaría a todos, o que estaban intentando obtener un "rendimiento razonable" o un "precio justo" en el mercado, o que no estaban tratando de estafar a los consumidores, sino solo de ejercer su derecho a competir de manera agresiva en una economía de libre empresa. Sin entender muy bien la ética de la competencia de mercados, es fácil verse inmerso en el engaño de esas racionalizaciones, las cuales, después de todo y a primera vista, parecen tener mucho sentido. Pero como se verá ahora, al entender la ética de la competencia de mercados, quedará claro que fijar los precios y otras prácticas anticompetitivas son exactamente lo opuesto a lo que esas racionalizaciones afirman.

## 4.1 Competencia perfecta

**mercado** Cualquier foro en el que las personas se reúnen con la finalidad de intercambiar la propiedad de bienes; un lugar donde se compran y venden bienes o servicios.

Un **mercado** es cualquier foro en el que las personas se reúnen con la finalidad de intercambiar la propiedad de bienes, servicios o dinero. Los mercados pueden ser muy pequeños y temporales (dos amigos que intercambian ropa constituyen un pequeño mercado transitorio) o muy grandes y relativamente permanentes (el mercado de petróleo se extiende por varios continentes y ha operado durante décadas).

Un mercado libre perfectamente competitivo es aquel en el que ningún comprador o vendedor tiene el poder para afectar de manera significativa los precios a los que se intercambian los bienes.[8] Los mercados perfectamente competitivos se caracterizan por los siguientes siete aspectos:

1. Existen numerosos compradores y vendedores; ninguno de ellos tiene una participación sustancial en el mercado.
2. Todos los compradores y los vendedores pueden entrar o salir del mercado con libertad y de inmediato.
3. Todo comprador y vendedor tiene un conocimiento completo y perfecto de lo que hace cada uno de los otros compradores y vendedores, lo que implica conocer los precios, las cantidades y la calidad de todos los bienes que se compran y se venden.
4. Los bienes que se venden en el mercado son tan similares entre sí que nadie se preocupa de quién compra o a quién se vende.
5. Los costos y los beneficios de producir o usar los bienes que se intercambian están apoyados por completo por quienes los compran o venden y no por agentes externos.
6. Todos los compradores y vendedores desean maximizar su utilidad: cada uno intenta obtener tanto como sea posible, a cambio de una cantidad mínima.

**7.** Ninguna parte externa (como el gobierno) regula el precio, la cantidad o la calidad de ningún bien que se compra y se vende en el mercado.

Los primeros dos aspectos son las características básicas de un mercado *competitivo* porque aseguran que los compradores y los vendedores tienen, en esencia, el mismo poder y ninguno puede obligar a otros a aceptar sus términos. El séptimo aspecto es el que hace que un mercado califique como *libre*: es un mercado libre de cualquier regulación impuesta sobre el precio, la cantidad o la calidad. (Los llamados mercados *libres*, sin embargo, no necesariamente están exentos de todas las restricciones, como se verá más adelante). Observe que el término *libre empresa* en ocasiones se usa para hacer referencia a mercados libres perfectamente competitivos.

Además de esas siete características, los mercados competitivos libres también necesitan un sistema de propiedad privada que se cumpla cabalmente (de otra manera, los compradores y los vendedores no tendrían derechos de propiedad para realizar el intercambio), un sistema subyacente de contratos (que les permita celebrar acuerdos que transfieran la propiedad) y un sistema fundamental de producción (que genere los bienes y los servicios cuya propiedad se intercambia).

En un mercado libre perfectamente competitivo, el precio que los compradores están dispuestos a pagar por los productos sube cuando se dispone de menos bienes, lo que induce a los vendedores a ofrecer mayor cantidad de estos. De esta forma, conforme se dispone de más bienes, los precios tienden a bajar y esto lleva a los vendedores a disminuir las cantidades que ofrecen. Tales fluctuaciones producen un resultado sorprendente: en un mercado perfectamente competitivo, los precios o las cantidades siempre se dirigen hacia lo que se llama el *punto de equilibrio*, que es aquel en el cual la cantidad de bienes que desean los compradores es exactamente igual a la cantidad que desean vender los vendedores, y el punto en el que el precio más alto que los compradores están dispuestos a pagar es igual al precio más bajo que los vendedores están dispuestos a aceptar. En el punto de equilibrio, todo vendedor encuentra a un comprador dispuesto, y todo comprador encuentra a un vendedor dispuesto. Pero este resultado asombroso de los mercados libres perfectamente competitivos tiene un resultado aún más sorprendente, ya que satisface tres de los criterios morales: justicia, utilidad y derechos. Es decir, el mercado libre perfectamente competitivo logra cierto tipo de justicia, satisface determinada versión del utilitarismo y respeta ciertos tipos de derechos morales.

¿Por qué los mercados perfectamente competitivos logran estos tres resultados morales asombrosos? Para explicar el fenómeno, recurriremos a las conocidas curvas de oferta y demanda que con frecuencia utilizan los economistas. La explicación se presentará en dos etapas. Primero, veremos por qué los mercados libres perfectamente competitivos siempre se dirigen hacia el punto de equilibrio. Después, veremos por qué los mercados que se encaminan hacia el punto de equilibrio logran de esta manera estos tres resultados morales.

## Equilibrio en mercados perfectamente competitivos

Una **curva de demanda** es una línea trazada sobre una gráfica que indica la mayor cantidad que los consumidores (o compradores) estarían dispuestos a pagar por una unidad de algún producto cuando compran diferentes cantidades de este. Como se mencionó, cuanto menor sea el número de unidades de cierto producto que compren los consumidores, más estarán dispuestos a pagar por ellas, de manera que la curva de demanda tiene una pendiente descendente hacia la derecha. Por ejemplo, en la curva imaginaria de la figura 4.1 los compradores están dispuestos a pagar $1 por una canasta de papas si compran 600 millones de toneladas del producto, pero están dispuestos a pagar hasta $5 por canasta si solo compran 100 millones de toneladas de papa.

Observe que la curva de demanda tiene una pendiente descendente hacia la derecha, lo que indica que los consumidores están dispuestos a pagar menos por cada unidad de un bien cuando compran más de esas unidades; el valor de una papa disminuye para los consumidores cuando compran más. ¿Por qué? Este fenómeno se explica por un principio que se supone que la naturaleza humana sigue siempre, el llamado **principio de utilidad marginal**

**punto de equilibrio**
En un mercado es el punto donde la cantidad de bienes que los compradores desean comprar es exactamente igual a la cantidad de bienes que los vendedores desean vender, y donde el precio más alto que los compradores están dispuestos a pagar es igual al precio más bajo que los vendedores están dispuestos a aceptar.

**curva de demanda**
Línea trazada sobre una gráfica que indica la *cantidad* de un producto que los compradores estarían dispuestos a pagar al *precio* al cual se puede vender; también indica el precio más alto que los compradores, en promedio, estarían dispuestos a pagar por una cantidad determinada de producto.

**principio de utilidad margen decreciente** Cada unidad adicional de un bien que una persona consume es menos satisfactorio que cada una de las unidades que consumió antes.

**Figura 4.1**
Curva de demanda
de papas

🔍 Vea la **imagen** en

**mythinkinglab.com**

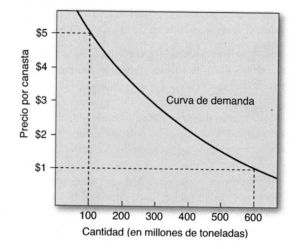

decreciente. Tal principio establece que cada artículo adicional que consume una persona es menos satisfactorio que cada uno de los que consumió antes: cuanto más consumimos, menos utilidad o satisfacción obtenemos de consumir más. La segunda pizza que come una persona en el almuerzo, por ejemplo, es menos satisfactoria que la primera; una tercera será sustancialmente menos sabrosa que la segunda, mientras que la cuarta llegará a ser realmente desagradable. Debido a este principio de utilidad marginal decreciente, cuanto mayor sea la cantidad de bienes que compra un consumidor en un mercado, menos satisfactorios le resultarán los bienes adicionales y menos valor les dará. Así, la curva de demanda del comprador tiene una pendiente descendente hacia la derecha, porque el principio de utilidad marginal decreciente asegura que el precio que los consumidores están dispuestos a pagar por los bienes disminuye cuando aumenta la cantidad que compran.

La curva de demanda, entonces, indica el valor que dan los consumidores a cada unidad de un producto conforme compran más unidades. En consecuencia, si el precio de un producto se ubicara por arriba de la curva de demanda, los compradores promedio resultarían perdedores, es decir, tendrían que pagar más por el producto de lo que vale para ellos. En cualquier punto por debajo de la curva de demanda, los compradores son ganadores porque pagan menos por un producto de lo que vale para ellos. Por lo tanto, si los precios se ubican por arriba de la curva de demanda, los compradores tienen pocos motivos para comprar y tenderán a salir del mercado para gastar su dinero en otros mercados. Pero si los precios estuvieran por debajo de la curva de demanda, nuevos compradores tenderían a invadir el mercado al percibir una oportunidad de comprar el producto por menos de lo que vale para ellos.

Ahora se observará el otro lado del mercado: el lado de la oferta. Una **curva de oferta** es una línea trazada sobre una gráfica que indica los precios que los productores deben cobrar para cubrir los costos promedio de proveer una cantidad determinada de un bien. Más allá de cierto punto (que se explicará a continuación), cuanto mayor sea el número de unidades que produzcan los fabricantes, mayores serán los costos promedio de elaborar cada unidad, por lo que la curva tiene una pendiente ascendente hacia la derecha. En la curva que se ilustra en la figura 4.2, por ejemplo, si los agricultores cultivan 100 millones de toneladas de papa, una canasta del producto les costará $1 en promedio, pero si cultivan 500 millones de toneladas, el costo unitario será de $4.

A primera vista, parece extraño que los productores o los vendedores cobren precios más altos cuando producen grandes volúmenes que cuando producen cantidades pequeñas. Estamos acostumbrados a pensar que cuesta menos producir bienes en cantidades grandes. No obstante, los costos de producción crecientes se explican por el **principio de costos marginales crecientes**. El principio establece que, después de cierto punto, cuesta más producir cada artículo adicional que produce un vendedor. ¿Por qué? Debido a una característica desafortunada de nuestro mundo físico: los recursos productivos son

**curva de oferta** Una línea trazada sobre una gráfica que indica la cantidad de un producto que los vendedores ofrecerán a cada precio al cual podrían venderlos; también señala los precios que los productores deben cobrar para cubrir los costos promedio de proveer una cantidad determinada de un bien.

**principio de costos marginales crecientes** Después de cierto punto, cuesta más producir cada artículo adicional que produce un vendedor.

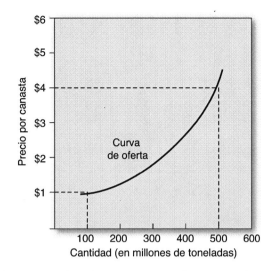

**Figura 4.2**
Curva de oferta
de papas

Vea la **imagen** en

**mythinkinglab.com**

limitados. Un productor usará los mejores recursos y los más productivos para elaborar los primeros bienes; en este punto los costos, sin duda, disminuyen al aumentar la producción. Por ejemplo, un agricultor que cultiva papas en un valle comenzará por labrar la extensión más fértil, lo que le permitirá disminuir los costos por unidad a medida que aumente el número de acres cultivados. Pero si el cultivo continúa en expansión, el campesino se quedará sin estos recursos altamente productivos y deberá usar tierra menos productiva. Conforme se desgasta el suelo del valle, el agricultor se ve obligado a cultivar en las laderas, cuya tierra suele ser menos fértil, ya que tal vez sea rocosa y requiera mayor irrigación.

Si la producción continúa aumentando, el agricultor tendrá que comenzar a plantar en las faldas de las montañas, y los costos serán aún más altos. Con el tiempo, el campesino llegará a una situación en la que cuanto mayor sea la producción, más costosa será cada unidad, porque se verá obligado a usar materiales cada vez menos productivos. El predicamento del agricultor que cultiva papas ilustra el principio de los costos marginales crecientes: después de cierto punto, la producción adicional siempre conlleva costos crecientes por unidad. Esta es la situación que representa la curva de la oferta, la cual asciende hacia la derecha porque representa el punto en el que los vendedores deben comenzar a cobrar más por unidad para cubrir los costos de suministrar bienes adicionales.

La curva de la oferta, entonces, indica cuánto deben cobrar los productores por unidad para cubrir los costos de llevar determinadas cantidades de un producto a un mercado. Es importante observar que estos costos incluyen algo más que los costos normales de mano de obra, materiales, distribución, etcétera. Los costos de producir un bien también incluyen las ganancias que los vendedores deben obtener para sentirse animados a invertir sus recursos en la producción del bien y renunciar a la oportunidad de obtener ganancias invirtiendo en otros productos. Así que los costos de un vendedor incluyen los costos de producción más la ganancia normal que podría haber obtenido en otros mercados, pero a la que renunció por elaborar este producto. Las ganancias normales que se sacrifican son el costo de llevar un producto al mercado. ¿Cuál es una ganancia "normal"? Una ganancia normal es el promedio de las ganancias que logran obtener los productores en otros mercados con riesgos similares. Así, los precios en la curva de la oferta son suficientes para cubrir los costos normales de producción más una ganancia normal que el vendedor podría haber logrado si hubiera invertido en otros mercados similares. Las ganancias normales se cuentan como parte de los costos necesarios de llevar un producto al mercado.

Entonces, los precios sobre la curva de oferta representan el mínimo que los productores deben recibir para cubrir sus costos ordinarios y obtener una ganancia normal. Cuando los precios se ubican por debajo de la curva de oferta, los productores resultan perdedores: reciben menos de lo que les costó fabricar el producto (recuerde que los costos incluyen los costos normales más una ganancia normal). En consecuencia, si los precios se

**Figura 4.3**
Curvas de la oferta y
demanda de papas

🔍 **Vea** la **imagen** en

**mythinkinglab.com**

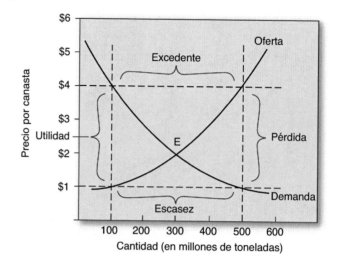

ubican por debajo de la curva de oferta, los productores tenderán a abandonar el mercado para invertir sus recursos en otros mercados más rentables. Pero si los precios se ubican por arriba de la curva, nuevos productores desearán ingresar al mercado, atraídos por la oportunidad de invertir sus recursos para obtener ganancias mayores.

Los vendedores y los compradores, desde luego, intercambian productos en los mismos mercados, de manera que sus respectivas curvas de oferta y demanda se superponen en la misma gráfica. Al hacerlo, ambas curvas se encuentran en algún punto. El punto donde se cruzan es aquel donde el precio que los compradores están dispuestos a pagar por cierta cantidad de bienes es justo igual al que los vendedores deben cobrar para cubrir los costos de producir la misma cantidad (esto es, el precio de equilibrio).

Este punto de intersección se indica en el punto E de la figura 4.3, que es donde las curvas de oferta y demanda se intersecan; es el **punto de equilibrio** o precio de equilibrio. En la gráfica corresponde a un precio de $2 por canasta para una cantidad de 300 millones de toneladas.

Antes se mencionó que en un mercado libre perfectamente competitivo, los precios, las cantidades ofrecidas y las cantidades de demanda tienden a dirigirse hacia el punto de equilibrio. ¿Por qué ocurre esto? Observe que en la figura 4.3 si los precios de las papas rebasan el punto de equilibrio, digamos a $4 por canasta, los productores enviarán más bienes (500 millones de toneladas) que con el precio de equilibrio (300 millones de toneladas). Pero con ese precio alto, los consumidores comprarán menos bienes (solo 100 millones de toneladas) que con el precio de equilibrio. El resultado será un excedente de bienes no vendidos (500 – 100 = 400 millones de toneladas de papas no vendidas). Para eliminar el excedente no vendido, los vendedores se verán obligados a bajar los precios y disminuir su producción. Con el tiempo se logrará el equilibrio de precios y cantidades.

Por el contrario, si el precio se ubica por debajo del punto de equilibrio en la figura 4.3, digamos en $1 por canasta, entonces los productores comenzarán a perder dinero y, a ese precio, la oferta será menor que la demanda de los consumidores. El resultado será una demanda excesiva y habrá escasez. La escasez lleva a los consumidores a querer pagar más. Entonces los precios suben, y este incremento atraerá a más productores al mercado, lo que elevará la cantidad ofrecida de producto. Con el tiempo, de nuevo, el equilibrio se restablecerá por sí mismo.

Observe también lo que ocurre en la figura 4.3 si la cantidad que se ofrece, digamos 100 millones de toneladas, por alguna razón es menor que la cantidad de equilibrio. El costo de proveer esa cantidad ($1 por canasta) es menor de lo que los consumidores están dispuestos a pagar ($4 por canasta) por esa cantidad. Los productores podrán elevar sus precios hasta el nivel que los consumidores pagarían con gusto ($4) y se embolsarán la diferencia ($3) como ganancias anormalmente altas (esto es, ganancias muy por arriba de la ganancia normal que ya definimos). Sin embargo, las ganancias anormalmente altas

**punto de equilibrio**
Punto de la gráfica en el que se encuentran las curvas de oferta y demanda, de tal forma que la cantidad que los compradores desean adquirir es igual a la cantidad que los vendedores quieren vender, y el precio que los compradores están dispuestos a pagar es igual al precio que los vendedores están dispuestos a aceptar.

atraerán a productores externos al mercado, lo que aumentará la cantidad suministrada y ocasionará una disminución correspondiente en el precio que los consumidores pagarían por las cantidades más grandes. En forma gradual, las cantidades surtidas aumentarán al punto de equilibrio y los precios bajarán a los precios de equilibrio.

Lo opuesto ocurre si la cantidad ofrecida, digamos 500 millones de toneladas, por alguna razón, es mayor que la cantidad de equilibrio. En tales circunstancias, los vendedores tendrán que bajar sus precios a los niveles más bajos que los clientes desearían pagar por esas grandes cantidades. A esos precios bajos, los productores se retiran del mercado para invertir sus recursos en otros mercados más rentables, lo que baja la oferta y eleva el precio hasta restablecer una vez más los niveles de equilibrio.

En este punto, piense en alguna industria que se ajuste a la descripción de la competencia perfecta que se acaba de dar. Tendrá cierta dificultad para encontrar una. Solo los mercados de pocos bienes, incluyendo los mercados agrícolas como granos y papas, se acercan a los seis aspectos que definen un mercado perfectamente competitivo.[9] En realidad, el modelo de la competencia perfecta es una construcción teórica de los economistas que caracteriza solo a unos cuantos mercados reales. Aunque el modelo no describe muchos mercados reales, sí permite comprender de manera clara las ventajas de la competencia y por qué es deseable mantener los mercados tan competitivos como sea posible.

## La ética en los mercados perfectamente competitivos

Como se ha visto, los mercados libres perfectamente competitivos incorporan las fuerzas que, de manera inevitable, impulsan a compradores y vendedores hacia el llamado *punto de equilibrio*. Al hacerlo, logran tres valores morales importantes: *a*) llevan a compradores y vendedores a intercambiar sus bienes de manera justa (en un sentido determinado de *justicia*); *b*) maximizan la utilidad de compradores y vendedores al llevarlos a asignar, usar y distribuir sus bienes con eficiencia perfecta, y *c*) hacen esto de manera que se respetan con libertad los derechos de consentimiento de compradores y vendedores. Al examinar cada una de tales características morales de la competencia perfecta es importante recordar que estas corresponden solo al mercado libre perfectamente competitivo, es decir, a los mercados que cumplen con los siete aspectos indicados. Los mercados que fallan en uno de ellos no necesariamente logran estos tres valores morales.

Para entender por qué los mercados libres perfectamente competitivos llevan a los compradores y vendedores a hacer intercambios justos, comenzaremos por recordar el significado capitalista de *justicia* que se describió en el capítulo 2. De acuerdo con tal definición, los beneficios y las cargas se distribuyen de manera justa cuando los individuos reciben en compensación una cantidad que equivale, al menos, al valor de la contribución que hicieron a una empresa: justicia es obtener una paga completa a cambio de una contribución. Esta es la forma de justicia (y solo esta) la que se logra en los mercados libres perfectamente competitivos.

Los mercados libres manifiestan la justicia capitalista porque necesariamente convergen en el punto de equilibrio, que es el único punto donde compradores y vendedores reciben en promedio el valor de su contribución. ¿Por qué es cierto esto? Considere el asunto, primero, desde el punto de vista del vendedor. La curva de oferta indica el precio que los productores deben recibir para cubrir sus costos de producción de una cantidad determinada de bienes. En consecuencia, si los precios (y las cantidades) quedan por debajo de la curva de oferta del vendedor, los consumidores están haciendo un intercambio injusto para el vendedor porque pagan menos de la cantidad que este tuvo que gastar para producir los bienes en esas cantidades. (Por lo general, el vendedor no ofrecería esos bienes si recibiera menos de lo que le costó elaborarlos, aunque se verá obligado a venderlos si, por ejemplo, ya tiene productos en existencia y perdería mucho más si no los vendiera). Por otra parte, si los precios se ubican por arriba de la curva de oferta, el vendedor promedio estaría cobrando de manera injusta a los consumidores, porque estos pagarían más de lo que el vendedor sabe que valen los bienes, en términos del costo de producción. Así, desde la

*Repaso breve 4.2*

**Justicia en los mercados perfectamente competitivos**

- Para el comprador, los precios son justos (en el sentido capitalista) solo si se ubican en la curva de demanda.
- Para el vendedor, los precios son justos (en el sentido capitalista) solo si se ubican en la curva de oferta.
- Los mercados perfectamente competitivos impulsan el precio a un punto de equilibrio ubicado en las curvas de oferta y demanda, de manera que se trata de un precio justo tanto para el comprador como para el vendedor.

*Repaso breve 4.3*

**Utilidad en los mercados perfectamente competitivos**

- Los precios en el sistema de mercados perfectamente competitivos atraen los recursos cuando la demanda es alta, y los aleja cuando la demanda es baja, de manera que los recursos se asignan de manera eficiente.
- Los mercados perfectamente competitivos alientan a las empresas a usar los recursos de manera eficiente para mantener bajos los costos y altas las utilidades.
- Los mercados perfectamente competitivos permiten que los consumidores compren el conjunto más satisfactorio de bienes, así que distribuyen estos últimos de tal manera que maximicen la utilidad.

perspectiva de la contribución del vendedor, el precio es justo (esto es, es igual a los costos de su contribución) solo si está en algún punto de la curva de oferta del vendedor.

Ahora consideraremos el asunto desde el punto de vista del comprador o consumidor promedio. La curva de demanda permite identificar el precio más alto que los consumidores están dispuestos a pagar por cantidades determinadas de bienes y, por lo tanto, indica el valor total que esas cantidades tienen para ellos. Entonces, si los precios (y las cantidades) de los bienes están por arriba de la curva de demanda del consumidor, el precio sería mayor que el valor que se otorga a esos bienes (en esas cantidades).

Por lo general, el consumidor no comprará los bienes cuando su precio esté por encima de su curva de demanda, lo que indica que el precio es mayor que el valor que los bienes tienen para él. Si se viera obligado a comprarlos (por ejemplo, porque el vendedor le condicione la venta de algún producto que necesite desesperadamente a la compra de los productos con el precio alto), entonces el consumidor estaría contribuyendo de manera injusta con el vendedor, porque pagaría más de lo que los bienes valen para él. Por otro lado, si los precios (y las cantidades) caen por debajo de la curva de demanda, el consumidor promedio contribuye injustamente con los vendedores, porque pagaría menos del valor (para el consumidor) de los bienes que recibe. Así, desde la perspectiva del valor que el consumidor promedio asigna a diferentes cantidades de bienes, su contribución es justa (es decir, el precio que el consumidor paga es igual al valor que otorga a los bienes) solo si esa contribución cae en algún punto de la curva de demanda del consumidor.

Es evidente que solo hay un punto en el cual el precio y la cantidad de un bien están tanto en la curva de demanda del comprador (y es justo desde la perspectiva del valor que da el consumidor promedio a los bienes) como en la curva de oferta del vendedor (y es justo desde la perspectiva de lo que cuesta al vendedor promedio producir esos bienes): el punto de equilibrio. Entonces ese punto de equilibrio es el único punto donde los precios son justos (en términos de justicia capitalista) para ambos puntos de vista: el del comprador y el del vendedor. Cuando los precios se desvían del punto de equilibrio, el comprador promedio, o bien, el vendedor promedio reciben un intercambio injusto: uno u otro contribuye con más de lo que recibe. Pero como se vio, en los mercados perfectamente competitivos, los precios y las cantidades están en el punto de equilibrio o, de lo contrario, las fuerzas se encargan de impulsarlos hacia ese nivel. El mercado perfectamente competitivo restablece de manera continua —casi mágica— la justicia capitalista para sus participantes, al llevarlos siempre a comprar y vender bienes según la cantidad y el precio al que cada uno recibe el valor de su contribución, ya sea que se calculen a partir del comprador o del vendedor promedio.[10]

Además de establecer una forma de justicia, los mercados competitivos también maximizan la utilidad de compradores y vendedores al llevarlos a asignar, usar y distribuir sus bienes con eficiencia perfecta. Para entender este aspecto de los mercados perfectamente competitivos, se debe considerar lo que ocurre no en un mercado aislado, sino en una economía que consiste en un sistema de muchos mercados. Un sistema de mercados es perfectamente eficiente cuando todos los bienes en todos los mercados se asignan, usan y distribuyen de manera que se produce el nivel más alto de satisfacción posible. Un sistema de mercados perfectamente competitivo logra esa eficiencia de tres maneras.[11]

Primero, un sistema de mercados perfectamente competitivos alienta a las empresas a invertir recursos en esas industrias donde la demanda del consumidor es alta y a abandonar aquellas donde la demanda es baja. Los recursos se dirigirán a mercados donde la alta demanda de los consumidores genera escasez que eleva los precios por arriba del punto de equilibrio, mientras que los recursos abandonarán aquellos sectores donde la escasa demanda genera excedentes que hacen descender los precios por debajo del punto de equilibrio. Este sistema de mercados asigna los recursos con eficiencia, de acuerdo con las demandas y las necesidades del consumidor; el consumidor es el "soberano" del mercado.

Segundo, los mercados perfectamente competitivos alientan a las empresas a minimizar la cantidad de recursos que se consumen al producir un bien y a utilizar la tecnología más eficiente disponible. Las motivan a usar los recursos con moderación porque las empresas quieren reducir sus costos para aumentar su margen de utilidades. Más aún, para no perder a sus clientes, cada empresa reducirá sus ganancias al nivel más bajo congruente con su supervivencia. Estos mercados también promueven un uso eficiente de los recursos del vendedor.

Tercero, los mercados perfectamente competitivos distribuyen los bienes entre los compradores de tal manera que todos reciban el conjunto más satisfactorio de productos que puedan comprar, en función, desde luego, de los bienes que están disponibles y del dinero que los consumidores tengan para gastar. Cuando un consumidor se encuentra en un sistema de mercado de este tipo, comprará las proporciones de cada bien que corresponden a sus deseos luego de ponderar sus deseos por otros bienes. Cuando los compradores realizan sus compras, sabrán que no las pueden mejorar al intercambiar sus bienes con otros consumidores porque es posible que todos adquieran los mismos productos a precios iguales. De esta forma, los mercados perfectamente competitivos permiten a los consumidores lograr el mejor nivel de satisfacción considerando las restricciones de sus presupuestos y la gama de bienes disponibles. Con esto se logra una distribución eficiente de los bienes.

Por último, los mercados perfectamente competitivos establecen la justicia capitalista y maximizan la utilidad de una manera que respeta los derechos negativos de compradores y vendedores. Primero, en un mercado perfectamente competitivo ambos son libres (por definición) de entrar al mercado o salir de este, de acuerdo con sus decisiones. Esto es, no se obliga a los individuos a entrar ni se les prohíbe emprender ciertos negocios, siempre que tengan la experiencia y los recursos financieros necesarios.[12] Así, estos mercados apoyan los derechos negativos de la libertad de oportunidad.

Segundo, en el mercado libre perfectamente competitivo todos los intercambios son voluntarios y se basan en el consentimiento para comprar o vender. Esto es, no se obliga a los participantes a comprar o vender nada que ellos no quieran comprar o vender de manera libre y consentida. Todos los participantes tienen el conocimiento completo de qué compran o venden, y ninguna organización externa (como el gobierno) los fuerza a comprar o vender bienes que no quieran a precios que no elijan en cantidades que no desean.[13] Más aún, los compradores y vendedores en un mercado libre perfectamente competitivo no están obligados a pagar por bienes que otros disfrutan. En estos mercados, por definición, los costos y los beneficios de producir y usar los bienes inciden sobre quienes los compran o los venden, y no sobre otros agentes externos. Los mercados libres competitivos, por lo tanto, incorporan el derecho negativo a la libertad de consentimiento.

Tercero, ningún vendedor o comprador dominará el mercado libre perfectamente competitivo para forzar a otros a aceptar los términos o a no hacer negocio.[14] En dichos mercados, el poder industrial está descentralizado entre numerosas empresas, de manera que los precios y las cantidades no dependen del capricho de un negocio o de unos cuantos. En resumen, los mercados libres perfectamente competitivos incorporan los derechos negativos de libertad de consentimiento.

Entonces, estos mercados son perfectamente morales en tres aspectos importantes: **1.** cada uno establece de manera continua una forma capitalista de justicia; **2.** juntos maximizan la utilidad en la forma de mercado eficiente; y **3.** cada uno respeta ciertos derechos negativos importantes de compradores y vendedores.

Sin embargo, es necesario hacer algunas advertencias al interpretar estas características morales de los mercados libres perfectamente competitivos. Primero, no establecen otras formas de justicia. Por ejemplo, como no responden a las necesidades de quienes están fuera del mercado o de quienes tienen poco intercambio, no pueden establecer la justicia que se basa en las necesidades. Todavía más, estos mercados no imponen restricciones sobre cuánta riqueza acumula cada participante en relación con los demás; en consecuencia, ignora la justicia igualitaria y se pueden generar grandes desigualdades.

Segundo, los mercados competitivos maximizan la utilidad de quienes llegan a participar en el mercado, considerando las restricciones de presupuesto de cada participante. Sin embargo,

---

*Repaso breve 4.4*

**Derechos en los mercados perfectamente competitivos**
- Los mercados perfectamente competitivos respetan el derecho a elegir libremente los negocios en los que cada quien incursiona.
- En un mercado perfectamente competitivo, los intercambios son voluntarios y, por lo tanto, se respetan los derechos de libre elección.
- En un mercado perfectamente competitivo, ningún vendedor ejerce coerción imponiendo precios, cantidades o tipos de bienes que los consumidores deben comprar.

lo anterior no significa que necesariamente se maximiza la utilidad total de una *sociedad*. El conjunto de bienes que un sistema de mercado competitivo distribuye a cada individuo depende, en última instancia, de la habilidad de cada uno para participar en ese mercado y de cuánto gaste ahí. Pero esta manera de distribuir bienes tal vez no produzca la mayor satisfacción para todos en la sociedad. El bienestar social aumenta, por ejemplo, al dar más bienes a quienes no pueden participar en el mercado porque no tienen qué intercambiar (quizá son demasiado pobres, viejos, enfermos, discapacitados o demasiado jóvenes para tener algo que intercambiar en el mercado); o el bienestar general aumenta cuando se distribuyen más bienes a quienes tienen poco para gastar o se logra limitar el consumo de quienes están en condiciones de gastar mucho.

Tercero, aunque los mercados libres competitivos establecen ciertos derechos negativos para quienes están dentro, en realidad pueden atenuar los derechos positivos de quienes están fuera (por ejemplo, quienes no pueden competir) o de aquellos cuya participación es mínima. Las personas que tienen dinero para participar en los mercados llegan a consumir bienes (como comida o recursos educativos) que quienes están fuera del mercado, o tienen muy poco dinero, necesitan para desarrollar y ejercer su propia libertad y racionalidad. Así, aunque los mercados libres perfectamente competitivos aseguran la justicia capitalista, maximizan la utilidad económica y respetan ciertos derechos negativos, hacen esto solo para quienes tienen los medios (el dinero o los bienes) para participar de lleno en esos mercados, mientras que ignoran las necesidades, la utilidad y los derechos de quienes se quedan fuera.

Cuarto, los mercados libres competitivos ignoran e incluso ocasionan conflictos con las demandas de cuidado. Como se ha visto en capítulos anteriores, una ética del cuidado implica que las personas se desenvuelven en una red de relaciones interdependientes y que deben cuidar de quienes tienen una relación cercana con ellos. Pero un sistema de mercado libre opera como si los individuos fueran completamente independientes de otros y no toma en cuenta las relaciones humanas que pudieran existir entre ellos. Más aún, como se mencionó, un mercado libre presiona a los individuos para gastar sus recursos (tiempo, trabajo y dinero) con eficiencia. Un sistema de mercados competitivos los presiona a invertir, usar y distribuir bienes de forma que produzcan el máximo rendimiento económico. Si las personas no invierten, usan y distribuyen sus recursos con eficiencia perderán en la competencia que generan los mercados libres. Lo anterior significa que si los individuos desvían sus recursos para gastarlos en el cuidado de aquellos con quienes tienen relaciones cercanas, en lugar de invertirlos, usarlos y distribuirlos con eficiencia, perderán. Por ejemplo, cuando un empleador a quien le gusta cuidar de sus empleados les paga salarios más altos que los que pagan otros, los costos se elevan. Entonces, deberá cobrar más por sus bienes que otros empleadores, por lo que los clientes se irán a otro lado, o bien, tendrá que conformarse con menores ganancias, lo cual permitirá a las empresas competidoras invertir en mejoras y, con el tiempo, sacar a dicho empleador del negocio. En resumen, las presiones hacia la eficiencia económica que crea un sistema de mercados libres perfectamente competitivos no solo ignoran las demandas de cuidado, sino que también entran en conflicto con estas.[15]

Quinto, los mercados libres competitivos llegan a tener efectos perniciosos en el carácter moral de los individuos. Las presiones de la competencia logran hacer que la gente ponga atención constante en la eficiencia económica. Los productores están constantemente presionados para reducir sus costos y aumentar sus márgenes de ganancia. Los consumidores siempre se sienten presionados para conservar a los vendedores que ofrecen el mayor valor al menor costo. Los empleados están siempre bajo la presión de buscar a empleadores que paguen salarios más altos para abandonar a los de salarios bajos. Se ha argumentado que esas presiones llevan a los individuos a desarrollar rasgos de carácter asociados con la maximización del bienestar económico individual y a descuidar los asociados con el desarrollo de relaciones cercanas con otros. Las virtudes de lealtad, bondad y cuidado se difuminan, mientras que se promueven los vicios de la avaricia y el egoísmo, y la mentalidad calculadora.

Por último, y lo más importante, se debe observar que los tres valores de justicia capitalista, la utilidad y los derechos negativos se producen en los mercados libres solo si

## Repaso breve 4.5

### Mercados libres perfectamente competitivos

- Logran la justicia capitalista (pero no otros tipos de justicia, como la que se basa en las necesidades).
- Satisfacen una versión determinada del utilitarismo (al maximizar la utilidad de los participantes del mercado, pero no de toda la sociedad).
- Respetan algunos derechos morales (por lo general, derechos negativos, pero no los positivos).
- Pueden llevar a ignorar las demandas de cuidado y valor de las relaciones humanas.
- Pueden fomentar los vicios de avaricia y egoísmo, y desanimar las virtudes de bondad y cuidado.
- Se puede decir que adoptan la justicia, utilidad y derechos solo si se presentan las siete características que los definen.

incorporan las siete condiciones que definen a la competencia perfecta. Si una o más de tales condiciones no están presentes en un mercado real, entonces ya no es posible asegurar que estos tres valores existan. Como se verá en el resto de este capítulo —de hecho, en el resto del libro—, esta es la limitación más importante de la moralidad de los mercados libres, porque no son perfectamente competitivos y, en consecuencia, podrían no lograr los tres valores morales que caracterizan la competencia perfecta. Sin embargo, a pesar de dicha limitación crucial, el mercado libre perfectamente competitivo brinda una idea clara de cómo se debe estructurar el intercambio económico en una economía de mercado de manera que las relaciones entre compradores y vendedores aseguren los tres logros morales indicados. Ahora se verá qué ocurre cuando falta alguna de las características de la competencia perfecta.

## 4.2 Monopolio y competencia

¿Qué ocurre cuando un mercado libre (es decir, sin intervención del gobierno) deja de ser perfectamente competitivo? La respuesta a esta pregunta comienza por examinar el extremo opuesto de un mercado perfectamente competitivo: el mercado libre (no regulado) con monopolio. Después se analizan algunas variedades menos extremas de la ausencia de competencia.

Ya se observó que un mercado perfectamente competitivo se caracteriza por siete condiciones.[16] En un monopolio no existen dos de ellas. Primero, en lugar de "numerosos vendedores, ninguno de los cuales tiene una parte sustancial del mercado", el monopolio incluye a un solo vendedor dominante, quien tiene una parte sustancial del mercado. Técnicamente, una compañía debe tener el 100 por ciento del mercado para ser un monopolio, sin embargo, en la práctica, una que tenga menos de ese porcentaje se puede considerar un monopolio; esto es, un mercado monopólico puede consistir en una empresa dominante con, digamos, el 90 por ciento del mercado y docenas de otras compañías con menos del 1 por ciento. La característica clave que determina si una compañía tiene poder monopólico es que esta posea el control sobre un producto de manera que tenga la capacidad de decidir en gran parte quién puede obtenerlo y cuánto costará.

La segunda forma en la que un monopolio se diferencia de un mercado perfectamente competitivo es que, en vez de ser un mercado donde otros vendedores "pueden entrar o salir con libertad y de inmediato", en el mercado monopólico es muy difícil que ingresen otras compañías. Más bien, hay barreras para entrar, como las leyes de patente, que dan a un único vendedor el derecho de producir un bien, o altos costos de entrada, que hacen demasiado costoso o arriesgado que un nuevo vendedor inicie un negocio en esa industria. Una compañía monopólica puede erigir barreras para mantener a otras fuera del mercado. Por ejemplo, podría amenazar con infligir un daño económico sustancial a cualquier otra compañía que intente entrar en su mercado (por ejemplo, al inundar el mercado con el producto de tal forma que los precios caigan hasta que ya no merezca la pena estar en el negocio), o podría cultivar una reputación de estar dispuesta a contraatacar con fiereza a cualquier compañía que entre en el mercado.

Dos ejemplos contemporáneos de mercados monopólicos son el mercado mundial de sistemas operativos para computadoras personales y el mercado para software de oficina. El mercado de sistemas operativos está dominado por Windows de Microsoft, el cual tuvo en 2010 una participación total del mercado del 92 por ciento. También tiene un monopolio en el mercado mundial para el software de oficina; su suite MS Office dirigía el 94 por ciento del mercado ese mismo año. Aunque no posee el 100 por ciento de ninguno de esos mercados, la mayoría de los observadores califican su control como un monopolio. Cualquier compañía que quiera participar en esos mercados debe superar muchas barreras para entrar. Una barrera es la que constituyen el costo y el riesgo totales: hoy cuesta más de $10 mil millones desarrollar un nuevo sistema operativo como el de Windows y sería extremadamente arriesgado que una compañía estuviera dispuesta a gastarlos para tratar superar el dominio de Microsoft del mercado.[17] Una segunda barrera se da en las economías de escala que ocurren cuando la cantidad de producto que una compañía fabrica ha crecido tanto que cuesta menos fabricar cada unidad de su producto que lo que le costaría a una empresa más pequeña. Puesto que Microsoft fabrica y vende muchas más unidades de Windows y de ms Office que sus competidores, sus costos por unidad (por ejemplo, sus costos de investigación, o de marketing o administrativos) son menores que los de sus competidores. Otra barrera es la lealtad de marca: si una compañía tratara de tomar parte del 95 por ciento de la participación de mercado que tiene Microsoft, tendría que superar la fuerte lealtad a la marca que infunde, y esto requeriría otra gran y arriesgada inversión en desarrollo de marca.

Otra barrera es el llamado *efecto de red* en el cual el valor de un producto se incrementa a medida que aumenta el número de usuarios. Los consumidores prefieren Windows por encima de cualquier otro sistema operativo como Unix, porque hay muchos más programas de software disponibles para el primero que para el segundo. Y la razón por la que hay muchos más programas para uno que para otro es porque los desarrolladores de software prefieren hacer programas para los muchos usuarios de Windows que para los pocos de Unix. Así, cuantos más usuarios de Windows haya, más programas escribirán para él, y más valioso será para sus usuarios. Un nuevo sistema operativo como Unix se enfrenta a muchas dificultades para competir con Windows porque los efectos de red hacen que este sea continuamente más valioso para los usuarios que Unix. Y, finalmente, hay que hacer notar que algunos observadores dicen que a otras compañías no les entusiasma entrar en los mercados de Microsoft porque esta tiene la reputación de responder con agresividad en contra de quienes intentan competir. La reputación sirve como una barrera que mantiene a las otras compañías fuera de los mercados de Microsoft.

Aunque hay pocas compañías que tienen monopolios de la magnitud de Microsoft, hay muchas que tienen monopolios locales o regionales, esto es, sobre mercados que sirven a áreas geográficas específicas como una ciudad, un municipio o un estado. Ejemplos de compañías con monopolios locales o regionales incluyen las empresas de servicios públicos, las compañías de cable, las recolectoras de basura, las de construcción de carreteras, los servicios postales, las compañías de suministro de agua, las telefónicas, las de energía eléctrica, etcétera.

Los mercados monopólicos, entonces, son aquellos en los que una sola empresa domina y controla la totalidad, o casi la totalidad, del mercado de un producto, y a este último no pueden entrar nuevos vendedores o tienen muchas dificultades para hacerlo debido a las barreras. Un vendedor en un monopolio puede controlar los precios (dentro de cierto rango) de los bienes disponibles. La figura 4.4 ilustra la situación habitual en un mercado monopólico: la empresa logra fijar su producción en una cantidad menor que la cantidad de equilibrio, de manera que la demanda es tan alta que le permite obtener un exceso de utilidades, cobrando precios que están muy por encima de los de la curva de oferta y del precio de equilibrio. Un vendedor monopólico, por ejemplo, llega a establecer precios por arriba del nivel de equilibrio, digamos en $3. Al limitar el suministro solo a cantidades que los consumidores comprarán a los precios altos que fija el monopolio (300 unidades en la figura 4.4), la empresa logra asegurar que vende todos sus productos y obtiene ganancias sustanciales. Desde luego, calculará las razones de precio-cantidad que le aseguren la ganancia total más alta (esto es, la ganancia por unidad multiplicada por el número de unidades), con lo cual le es posible fijar sus precios y el volumen de producción a esos niveles. A principios del siglo xx, por ejemplo, la American Tobacco Company, que había adquirido un monopolio en la venta de cigarrillos, obtenía ganancias cercanas al 56 por ciento de sus ventas.

Por supuesto, si la entrada al mercado estuviera abierta, tales ganancias excesivas atraerían a otros productores al mercado, con el resultado de un aumento en el abastecimiento de bienes y una disminución en los precios hasta que se lograra el equilibrio. En un mercado monopólico, donde las barreras de entrada hacen prácticamente imposible o muy costoso que otras empresas ingresen al mercado, esto no ocurre y los precios permanecen altos si el monopolista así lo decide. Como se vio, para entrar hay que superar barreras de diverso tipo: legales como derechos de autor, patentes, licencias, tarifas, cuotas, apoyos u otros medios por los que el gobierno mantiene a las empresas fuera de un mercado determinado.

*Repaso breve 4.6*

**Mercados monopólicos**
- Un vendedor dominante controla la totalidad o la mayor parte del mercado de un producto y hay barreras para entrar, de tal manera que mantiene fuera a otras compañías.
- El vendedor tiene el poder de establecer los precios y las cantidades de sus productos en el mercado.
- El vendedor puede obtener ganancias monopólicas al producir por debajo de la cantidad de equilibrio y fijar el precio por debajo de la curva de la demanda, pero muy por encima de la curva de la oferta.
- Las altas barreras de entrada impiden que otros competidores lleven más producto al mercado.

**Figura 4.4**

🔍 Vea la **imagen** en

**mythinkinglab.com**

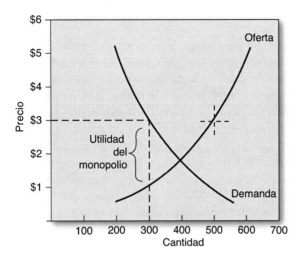

Pero como indicaba el análisis de Microsoft, hay muchos otros tipos de barreras para entrar, incluyendo contratos a largo plazo con los clientes que dificultan a quien entra captar consumidores de alguien ya establecido; costos de manufactura bajos que permiten a la empresa que ya está en operación amenazar con bajar los precios y ganar una guerra de precios si una nueva compañía intenta entrar al mercado; costos de inicio y fijos altos, costos de publicidad o costos de investigación y desarrollo altos, que la empresa de nuevo ingreso no logrará recuperar si se ve obligada a abandonar el mercado (la entrada es muy arriesgada porque las empresas se exponen a pérdidas enormes si tratan de entrar); los llamados efectos de red, que dan a una compañía establecida con muchos usuarios una ventaja que una nueva empresa con pocos clientes no tendría.

La pregunta es si el monopolista necesariamente elegirá maximizar su ganancia. Desde luego, si un vendedor establece sus precios por encima de lo que los compradores están dispuestos a pagar (esto es, por encima de la curva de la demanda), o si sus costos son mayores que los que los compradores pueden pagar, no obtendrá ganancias incluso si es el único vendedor en el mercado. Esto significa que incluso un monopolio encuentra límites (es decir, la curva de demanda) a los precios que puede cobrar. Pero se ha sugerido que aunque las compañías monopólicas *pueden* obtener ganancias de su situación, *en realidad* no intentan hacerlo.[18] Desde luego, es posible que los administradores de un monopolio estén motivados por el altruismo a renunciar a las ganancias potenciales y a fijar sus precios en un nivel de equilibrio bajo, es decir, el nivel justo que les da una tasa normal de ganancias, pero es improbable. Es difícil comprender por qué una compañía monopólica renunciaría a las ganancias que lograría obtener para sus accionistas. Si una empresa ha llegado a monopolizar su mercado por medios legales (quizás inventó el único producto conocido capaz de satisfacer una demanda de los consumidores y ahora tiene la patente), entonces, sus ganancias son legales y es seguro que los accionistas estén en espera de ellas. Desde luego, un monopolio dejará ir una parte de sus ganancias si las regulaciones gubernamentales así se lo imponen o si un público descontento lo presiona. Activistas indignados presionaron a la compañía farmacéutica Burroughs Wellcome (ahora parte de GlaxoSmithKline) para que bajara sus precios del AZT cuando era el único tratamiento para el SIDA. Pero se supondrá que, en ausencia de regulaciones externas (como las del gobierno) o de presiones del público, los monopolios intentan maximizar la utilidad como todo el mundo en el mercado y, por lo tanto, así lo harán si están en condiciones. Esto es, si un monopolio puede buscar ganancias aprovechando la posición que ocupa, entonces, así lo hará. ¿Existe alguna evidencia empírica para esta afirmación? Se cuenta con una cantidad abrumadora de evidencia estadística empírica que muestra que, de hecho, un monopolio busca utilidades a toda costa, aunque los sindicatos fuertes y los ejecutivos logren extraer hasta la mitad de esas ganancias de la compañía en la forma de sueldos, prestaciones, salarios y bonos.[19]

# Monopolios y ganancias de las compañías farmacéuticas

Las compañías farmacéuticas en Estados Unidos obtienen una patente para cualquier medicamento nuevo que desarrollen, lo que les otorga el poder monopólico sobre los productos durante 20 años. No es de sorprender que las elevadas ganancias monopólicas (es decir, ganancias muy por encima de la tasa promedio de las que se registran en otras industrias) sean una característica de la industria farmacéutica. En un estudio publicado en 2003, *The Other Drug War*, Public Citizen's Congress Watch observó que durante las décadas de 1970 y 1980 las ganancias promedio (como porcentaje de los ingresos) para las compañías farmacéuticas incluidas en *Fortune 500* tenían tasas promedio de utilidad (esto es, como porcentaje de los ingresos) que eran el doble del promedio para el resto de las industrias registradas en esa revista. En la década de 1990, la tasa de utilidad de las farmacéuticas era en promedio cuatro veces la tasa del resto de las industrias. Y durante los primeros cinco años del siglo XXI, sus porcentajes de ganancias fueron aproximadamente el triple que los de otras industrias.

Según el *Quarterly Financial Reports* que publica la Oficina del Censo de Estados Unidos, en el primer trimestre de 2007 y 2008, las tasas de ganancias promedio de las compañías farmacéuticas eran aproximadamente tres veces el promedio de todas las demás compañías de manufactura. En el primer trimestre de 2009, eran cerca de siete veces, y en el primer trimestre de 2010, obtuvieron casi tres veces el promedio de ganancias de otras compañías de manufactura. Las compañías farmacéuticas afirman que necesitan tales ganancias para cubrir los costos de investigación de nuevos medicamentos. Pero mientras los laboratorios destinan solo el 14 por ciento de sus ingresos a la investigación, retiran el 17 por ciento de esos ingresos como ganancias para los accionistas y el 31 por ciento para publicidad y administración. Un estudio acerca de los costos de los medicamentos (véase *www.rense.com/general54/preco.htm*) mostró que los medicamentos controlados tienen precios que rebasan en 5,000, 30,000 y 500,000 por ciento el costo de sus ingredientes. Por ejemplo, los ingredientes de 100 tabletas de Norvasc, que se vende en $220, cuestan 14 centavos; los de Prozac, un producto que se vende en $247, tienen un costo de 11 centavos; los de Tenormin, que se puede adquirir en el mercado por $104, cuestan 13 centavos; los de Xanax, cuyo precio es de $136, tienen un costo de 3 centavos, y así sucesivamente.

*William Weldon es el director ejecutivo de Johnson & Johnson, cuyas ganancias en 2010 de $13,300 millones fueron las más altas en la industria farmacéutica de Estados Unidos.*

*Píldoras que pasan por inspección durante la manufactura.*

1. ¿La industria farmacéutica es un buen ejemplo de las teorías de mercado que se describieron en este capítulo? Explique su respuesta.

2. ¿Qué cambios, si acaso, cree que se deben realizar en las leyes de patentes de medicamentos en Estados Unidos? Explique su respuesta.

3. De acuerdo con su punto de vista, ¿cómo afectan las ganancias de la industria monopólica de los medicamentos la relación entre estos y la vida y la salud humanas? Explique su respuesta.

*El veneno de una víbora de Malasia contiene una sustancia anticoagulante que podría resultar útil en el tratamiento de pacientes con infarto.*

*Un investigador prueba el efecto de un nuevo medicamento en un tejido vivo.*

*Una enorme variedad de medicamentos inundan el mercado.*

## Competencia en el monopolio: justicia, utilidad y derechos

¿Cuánto éxito tiene un mercado monopólico no regulado en el logro de los valores morales que caracterizan a los mercados libres perfectamente competitivos? No mucho. Los mercados monopólicos no regulados se quedan cortos en los tres valores de justicia capitalista, en la eficiencia económica y en el respeto por los derechos negativos que logra la competencia perfecta.

El fracaso más evidente del mercado monopólico está en los altos precios que llega a cobrar el monopolista y las grandes ganancias que obtiene, una falla que viola la justicia capitalista. ¿Por qué los precios y las ganancias altos del monopolio violan la justicia capitalista? Porque esta asegura que lo que cada persona recibe es igual en valor a la contribución que hace. Como se vio, el punto de equilibrio es el punto (único) donde los compradores y vendedores reciben, cada uno, el valor exacto de lo que cada uno contribuye con el otro, ya sea que este valor se determine desde el punto de vista del comprador promedio o del vendedor promedio. Pero en un monopolio, los precios de los bienes se establecen por arriba del nivel de equilibrio, en tanto que las cantidades se fijan en menos que la cantidad de equilibrio. Como resultado, el vendedor cobra al comprador mucho más que el valor de los bienes (desde el punto de vista del vendedor promedio), porque sus precios son mucho más altos que los costos al fabricarlos. Entonces, los precios más elevados que el vendedor fuerza al comprador a pagar son injustos, y estos precios injustamente altos son la fuente de las ganancias excesivas del vendedor.

Un monopolio también viola el utilitarismo porque tiende a asignar, distribuir y usar los recursos de manera ineficiente. Primero, el mercado monopólico permite que los recursos se usen de tal manera que se produzca una escasez de los artículos que los compradores desean y que se venderán a precios más altos de lo necesario. Las grandes ganancias en un monopolio indican escasez de bienes. Sin embargo, debido al bloqueo para que otras empresas entren al mercado, sus recursos no se llegan a usar para satisfacer la escasez indicada por las ganancias altas. Esto significa que los recursos de estas otras empresas se dirigen a otros mercados, que no son monopolios, donde hacen menos bien porque no tienen faltantes similares. Más aún, el mercado monopólico permite al monopolista fijar sus precios muy por arriba de los costos, en lugar de obligarlo a bajar sus precios a los niveles de costo. Tales ganancias excesivas que obtiene el monopolista son recursos que no son necesarios para las cantidades de bienes que suministra. Segundo, los mercados monopólicos no alientan al monopolista a minimizar los recursos que usa para producir. Un monopolio no tiene motivo para reducir sus costos porque sabe que sus ganancias cubren bien todos sus costos y, por lo tanto, no está motivado a encontrar métodos de producción menos costosos, y tampoco para invertir en innovación y mejorar su producto. Como las ganancias son altas de cualquier forma, los monopolistas tienen pocos incentivos para desarrollar nuevas tecnologías que les den una ventaja competitiva sobre otras empresas, ya que no hay competidores.

Tercero, los mercados monopólicos también incorporan restricciones a los derechos negativos que respetan los mercados perfectamente libres. Primero, los mercados monopólicos son, por definición, aquellos donde otros vendedores no pueden entrar. Segundo, estos mercados permiten que la empresa que tiene el monopolio obligue a sus clientes a obtener bienes que tal vez no quieran en cantidades que no desean. Por ejemplo, puede obligarles a comprar el producto $X$ si, y solo si, también compran el producto $Y$. Tercero, los mercados monopólicos están dominados por un único vendedor cuyas decisiones determinan los precios y las cantidades de un bien que se ofrece para la venta. La empresa monopólica tiene un poder considerable en el mercado.

Un monopolio, entonces, puede desviarse —y por lo general lo hace— de los ideales de la justicia capitalista, la utilidad económica y los derechos negativos. En vez de establecer de manera continua un equilibrio justo, el vendedor monopolista impone injustamente precios altos al comprador y genera altas ganancias injustas para él. En lugar de maximizar la eficiencia, el monopolio brinda incentivos para el desperdicio, la asignación equivocada de los recursos y el fraude en las ganancias.

En vez de respetar los derechos negativos de libertad, crea una desigualdad de poder que le permite dictar sus términos al consumidor. El productor sustituye al consumidor como "soberano" del mercado.

## 4.3 Competencia en el oligopolio

Pocas industrias son monopolios. Casi todos los mercados industriales importantes no están dominados por una sola empresa, sino que es más usual que los dominen cuatro, ocho, o más compañías, dependiendo del mercado. Esos mercados se encuentran en algún punto del espectro entre los dos extremos del mercado perfectamente competitivo con innumerables vendedores, y el monopolio puro con un solo vendedor. Las estructuras de mercado de este tipo "impuro" se conocen como **mercados competitivos imperfectos,** de los cuales el tipo más importante es el oligopolio.

En un oligopolio, de nuevo están ausentes dos de las siete condiciones que componen un mercado competitivo puro. Primero, en lugar de muchos vendedores, hay solo unos cuantos significativos. Es decir, la mayor parte del mercado se comparte entre un número relativamente reducido de empresas grandes que, en conjunto, pueden ejercer cierta influencia en los precios. Las empresas que controlan esta participación llegan a ser de dos a 50, dependiendo de la industria. Segundo, a otros vendedores no les es posible entrar fácilmente al mercado. Al igual que sucede con los mercados monopólicos, las barreras para entrar se deben a los altos costos que hacen prohibitivo iniciar un negocio en esa industria, o al resultado de contratos a largo plazo que vinculan a todos los compradores con las empresas que ya están en la industria, o bien, pueden deberse a lealtades perdurables que crea la publicidad de marca y nombre.

Los mercados de un oligopolio, que están dominados por unas cuantas empresas grandes (por ejemplo, de tres a ocho), son **altamente concentrados.** Los ejemplos de tales oligopolios no son difíciles de encontrar porque incluyen muchas de las industrias manufactureras más grandes. La tabla 4.1 menciona varias industrias altamente concentradas de Estados Unidos, como se revela por la gran participación del mercado que controlan las empresas más grandes. Las compañías que dominan las industrias altamente concentradas de Estados Unidos tienden, por mucho, a estar entre las corporaciones más importantes de ese país. La tabla 4.2 incluye varias corporaciones importantes que dominan en varios oligopolios industriales, junto con los porcentajes aproximados de los mercados que controlan. Se incluyen muchas de las compañías estadounidenses más grandes y conocidas que operan en varias de las industrias más básicas.

Aunque los oligopolios se forman en una variedad de maneras, las causas más comunes de una estructura de mercado oligopólico son las **fusiones horizontales.**[20] Una fusión horizontal es simplemente la unificación de dos o más compañías que antes competían en la misma línea de negocios. Si suficientes compañías en una industria competitiva se fusionan, la industria se convierte en un oligopolio compuesto por unas cuantas empresas muy grandes. Durante la década de 1950, por ejemplo, los 108 bancos que competían en Filadelfia comenzaron a unirse hasta que, en 1963, el número de empresas bancarias se había reducido a 42.[21] El Philadelphia National Bank surgió como el segundo banco más grande (resultado de nueve fusiones) y el Girard Bank fue el tercero más grande (resultado de siete fusiones). A principios de la década de 1960, el Philadelphia National Bank y el Girard Bank decidieron fusionarse en una sola empresa. Si la fusión se hubiera aprobado (el gobierno la detuvo), los dos bancos juntos habrían controlado más de un tercio de las actividades bancarias del área metropolitana de Filadelfia.

¿Cómo afectan los mercados oligopólicos a los consumidores? Puesto que un oligopolio muy concentrado tiene un número relativamente reducido de empresas, es bastante sencillo que sus administradores unan sus fuerzas y actúen como unidad. Al acordar de forma explícita o tácita fijar sus precios en los mismos niveles y restringir sus producciones de acuerdo con esto, los oligopolios pueden funcionar casi como una sola empresa gigante.

**mercados competitivos imperfectos** Los mercados que están en algún punto del espectro entre los dos extremos del mercado perfectamente competitivo, con innumerables vendedores, y el monopolio puro con un solo vendedor dominante.

**mercados altamente concentrados** Mercados de un oligopolio que están dominados por unas cuantas empresas grandes (por ejemplo, tres a ocho).

**fusión horizontal** La unificación de dos o más compañías que antes competían en la misma línea de negocios.

| **Tabla 4.1** | *Porcentajes de mercado combinados de las empresas más grandes en industrias oligopólicas altamente concentradas, 2002* |

| | Porcentaje de mercado controlado por las empresas más grandes | | |
|---|---|---|---|
| Producto | 4 más grandes | 8 más grandes | Índice de Herfindahl-Hirschman |
| Cereal para el desayuno | 82 | 93 | 2999 |
| Azúcar de caña refinada | 78 | 99 | 2885 |
| Azúcar de remolacha | 85 | 98 | 2209 |
| Destilerías | 91 | 94 | (NA) |
| Chocolate | 73 | 87 | 2268 |
| Cigarrillos | 95 | 99 | (NA) |
| Bocadillos | 64 | 72 | 2717 |
| Hilo | 66 | 76 | 2434 |
| Ropa interior | 80 | 97 | 2400 |
| Pantalones para caballero | 84 | 90 | 2514 |
| Complementos botánicos | 69 | 76 | 2704 |
| Tarjetas de felicitación | 85 | 89 | 2830 |
| Calzado | 94 | 99 | 2944 |
| Contenedores de vidrio | 87 | 96 | 2548 |
| Municiones de pistolas pequeñas | 84 | 90 | 2098 |
| Computadoras | 76 | 89 | 2662 |
| Refrigeradores y congeladores | 82 | 97 | 2025 |
| Lavadoras y secadoras | 90 | (NA) | 2870 |
| Bombillas eléctricas | 90 | 94 | 2848 |
| Baterías | 90 | 98 | 2507 |
| Automóviles | 87 | 97 | 2754 |
| Aspiradoras | 78 | 96 | 2096 |
| Muebles | 68 | 80 | 2913 |

*Fuente:* U.S. Census Bureau, *Concentration Ratios: 2002,* mayo de 2006. Tabla 3. El índice de Herfindahl-Hirschman es una medida de la concentración del mercado que se calcula elevando al cuadrado los porcentajes de mercado individuales de cada empresa en el mercado y sumando los cuadrados. Una industria con una participación combinada de cuatro empresas de más de 80 por ciento o un número de Herfindahl-Hirschman por arriba de 1,800 se considera como altamente concentrado.

Esta unión de fuerzas, junto con las barreras propias para entrar al mercado oligopólico, logra dar como resultado los mismos precios altos y el abastecimiento bajo que caracterizan al monopolio. En consecuencia, los mercados oligopólicos, igual que los monopólicos, podrían no exhibir precios justos, generar una disminución de la utilidad social y no respetar las libertades económicas básicas. En general, se ha demostrado, por ejemplo, que cuanto más alta sea la concentración en una industria oligopólica, más altas serán las ganancias que logrará extraer de sus consumidores.[22] Los estudios también estiman que la declinación general en la utilidad del consumidor, como resultado de la asignación ineficiente de los recursos por un oligopolio de alta concentración, está entre 0.5 por ciento y 4.0 por ciento del PIB de la nación, o entre $55,000 y $440,000 millones por año.[23]

**Comportamiento anticompetitivo**   En una economía de mercado como la nuestra, y como la de la mayor parte del mundo actualmente, los negocios compiten. Todas las actividades de una compañía se dirigen normalmente a elaborar productos o a brindar servicios que los consumidores compren más que los de aquellos competidores que también tratan de venderlos.

| Tabla 4.2 | *Marcas y compañías dominantes en los mercados oligopólicos, 2010* | |
|---|---|---|

| Marca/compañía | Mercado | Porcentaje de participación de mercado |
|---|---|---|
| Gerber | Alimento para bebé | 73 |
| Campbell's | Sopa enlatada | 70 |
| Kelloggs | Cereales | 72 |
| A-1 | Salsa para marinar | 79 |
| Gatorade | Bebidas para deportistas | 82 |
| Levi's | *Jeans* | 52 |
| Procter & Gamble | Detergentes | 57 |
| Clorox | Blanqueador | 59 |
| Kiwi | Grasa para calzado | 76 |
| General Electric | Bombillas eléctricas | 79 |
| Tyco | Tubería de plástico | 60 |
| Reynolds | Papel de aluminio | 64 |
| Hewlett-Packard | Impresoras láser | 61 |
| Kitchen Aid | Mezcladoras | 83 |
| In-Sink-Erator | Trituradores de basura | 77 |
| Sony | Cámaras de video digitales | 68 |
| Kodak | Cámaras desechables | 61 |
| Sony | Consolas de videojuegos | 66 |
| Sony | Videojuegos | 64 |
| H&B | Bates de madera | 65 |

*Fuente:* Robert S. Lazich, *Market Share Reporter*, 2010 (Detroit, MI: Gale Research, 2011).

Para tener éxito en esa competencia, una compañía tiene que ofrecer a los consumidores los productos y servicios que sean más baratos, o mejores, que los de la competencia, o ambas cosas. Por lo general, las compañías prevalecen en esta competencia solo si pueden disminuir sus costos por debajo de los de los competidores (lo que les permite ofrecer precios más bajos o tener más ganancias que ellos), o si logran desarrollar productos y servicios que tengan más calidad que los de los competidores. En cualquier caso, una compañía compite de una manera que finalmente beneficia a los consumidores y a la sociedad: para reducir sus costos las compañías hacen un mejor uso y más eficiente de los recursos que tienen, y para mejorar sus productos innovan de manera continua y ofrecen a los consumidores cada vez mejores productos.

Reducir costos y mejorar la calidad son las formas normales y honestas en las que compiten las empresas en las economías de mercado y, como se ha visto, los mercados competitivos son justos, socialmente beneficiosos y respetuosos con los derechos negativos de las personas. Pero hay otras formas de competir que no se dirigen a disminuir los costos o a mejorar la calidad, sino a destruir la competencia. Ahora se van a analizar algunas de las formas específicas en que los empleados y administradores que operan en mercados monopólicos u oligopólicos manipulan el poder que tienen en esos mercados, con la finalidad de minar la competencia y tratar injustamente a los consumidores, violar sus derechos y disminuir su utilidad. Esto es, se verán las maneras concretas en que los negocios pueden usar su poder de mercado para perjudicar injustamente a los consumidores, así como a la competencia, en lugar de trabajar de manera honesta, disminuir sus costos y mejorar sus productos.

**Acuerdos explícitos y otras tácticas anticompetitivas** Los precios en un oligopolio se pueden establecer en niveles rentables mediante acuerdos explícitos que restringen la competencia. Los directivos de unas cuantas empresas que operan en un oligopolio se

# Fijación de precios en el mercado de memorias de computadora

Todas las computadoras personales necesitan chips de memoria, llamados dram (por las siglas de *dynamic random access memory*, esto es, memoria dinámica de acceso aleatorio), los cuales se venden en unidades de gigabytes (Gb) o megabytes (Mb). Micron, Infineon, Samsung, Hynix y unas cuantas compañías más pequeñas que venden sus dram a fabricantes de computadoras como Dell, Compaq, Gateway y Apple dominan el mercado anual de $20 mil millones. A finales de la década de 1990, los fabricantes de dram invirtieron en fábricas más grandes haciendo que el mercado se saturara, que se acumularan grandes inventarios y que se desatara una intensa competencia de precios. En febrero de 2001, los inventarios que no se vendieron, aunados a una recesión, hicieron caer los precios de los dram (véase la gráfica), a aproximadamente $1 por unidad a finales de año, un precio muy por debajo de los costos de fabricación. A principios de 2002, aunque los inventarios seguían siendo elevados y la recesión estaba en pleno auge, de manera extraña los precios subieron y llegaron a $4.50 por unidad en abril (véase la tabla). Ese mes, Michael Dell de Dell Computers acusó a las compañías de "comportamiento similar a un cártel", y el Departamento de Justicia de Estados Unidos comenzó a investigar la posibilidad de una fijación de precios. Los precios ahora dieron marcha atrás, cayeron a $2

a finales de 2002, aproximadamente entre 20 y 40 por ciento por debajo de los costos de fabricación. Más tarde, el Departamento de Justicia dio a conocer un correo electrónico fechado el 26 de noviembre de 2001 que escribió Kathy Radford, una gerente de Micron, en el cual describía los planes de su empresa, de Infineon y de Samsung para elevar los precios al unísono: "El consenso de todos los proveedores [de dram] es que si Micron hace el movimiento, todos ellos harán lo mismo y lo aplicarán a rajatabla". En septiembre de 2004, Infineon se declaró culpable de "participar en reuniones, conversaciones y comunicaciones" con otros fabricantes de dram en 2001 y "acordar durante esas reuniones, conversaciones y comunicaciones" para "fijar los precios de los dram". Infineon pagó al gobierno de Estados Unidos $160 millones en multas. El Departamento de Justicia anunció que estaba investigando a los demás fabricantes de dram.

1. Con los datos de la gráfica, calcule el precio de equilibrio.

2. Finalmente, ¿quién pagó por cualquier ganancia monopólica por encima del precio de equilibrio?

3. ¿Hicieron las compañías algo no ético? Explique.

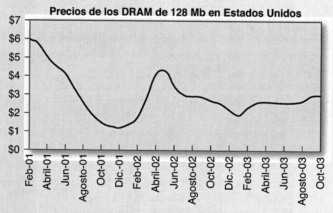

Precios de los DRAM de 128 Mb en Estados Unidos

pueden reunir y acordar actuar como una unidad, por ejemplo, al cobrar los mismos precios por sus productos. Al unirse, las empresas oligopólicas actúan como un único vendedor y, en efecto, convierten el mercado oligopólico en uno monopólico.

Cuanto mayor sea el grado de concentración del mercado presente en una industria, menos directivos tienen que llegar a esos acuerdos de fijación de precios; además, es más fácil para ellos llegar a un acuerdo, por ejemplo, de fijar precios. Puesto que tales acuerdos reproducen los efectos de un monopolio, reducen la justicia, la utilidad y los derechos de mercado, según se definieron en la primera sección de este capítulo.

Las compañías monopólicas también emprenden comportamientos anticompetitivos. Por ejemplo, una que tenga el monopolio en un mercado puede tratar de usar su poder para crear otro monopolio en otro mercado. Por ejemplo, Microsoft que monopolizaba el mercado de los sistemas operativos de las computadoras personales con Windows, fue acusada de tratar de establecer otro monopolio para los jugadores de medios cuando comenzó a empalmar Windows Media Player con cada copia de Windows, de tal forma que los consumidores no podían comprar el primero sin el segundo. Microsoft argumentó que estaba "dando gratuitamente Windows Media Player". Pero, desde luego, pagó por los costos de desarrollo de Windows Media Player a partir de lo que los consumidores pagaban por Windows, así que parte de lo que los consumidores pagaban por este último en realidad se utilizó para pagar Windows Media Player.

Si la justicia, la libertad y la utilidad social que logran los mercados competitivos son valores importantes para la sociedad, entonces es moralmente incorrecto que los gerentes de las empresas del oligopolio se unan en acuerdos de colusión. Solo si los mercados funcionan en forma competitiva, exhibirán la justicia, la libertad y la utilidad que justifican su existencia. La sociedad obtiene estos aspectos benéficos de un mercado libre solo si los directivos de las empresas de un oligopolio se abstienen de participar coludidos en arreglos que reproducen los efectos de los mercados monopólicos. Las siguientes son formas específicas en las que los gerentes de las compañías oligopolistas pueden acordar actuar juntos en conspiraciones que dañan a la sociedad y pueden destruir injustamente a competidores más pequeños.

**Fijación de precios** Cuando las empresas operan en un mercado oligopólico, es suficiente que sus directivos se reúnan en secreto y acuerden fijar sus precios en niveles artificialmente altos, esto es, a precios por encima de la curva de la oferta y generalmente por encima del precio de equilibrio. Esta táctica se llama **fijación de precios** directa, la cual reproduce los efectos de un monopolio. En 2010, por ejemplo, los directivos de seis compañías —Sharp Corp., LG Display Co., Hitachi Displays Ltd., Epson Imaging Devices Corp., Chungway Picture Tubes Ltd., y Chi Mei Optoelectronics— admitieron que habían armado un esquema mundial para fijar los precios de los paneles de TFT-LCD que se utilizan como pantallas para las televisiones planas, monitores de computadoras, pantallas de computadoras portátiles, teléfonos celulares y consolas de juegos. Los directivos confesaron que se habían reunido varias veces en secreto en Japón, Corea y Estados Unidos, y que todos habían analizado y acordado los precios que cobrarían por sus paneles de TFT-LCD, y admitieron que habían acordado limitar la cantidad que iban a producir. Para limitar su producción, crearon escasez de manera artificial, lo que les permitió elevar los precios por encima del nivel de equilibrio, aumentando así sus ingresos incluso cuando durante el periodo de conspiración sus costos fueron constantes y había escasa competencia en calidad.[24] Mediante su esquema de fijación de precios defraudaron a sus clientes por cientos de millones de dólares. Cuando esto se descubrió, sus compañías tuvieron que pagar la cifra récord de $860 millones en multas. Los directivos que participaron en el esquema de fijación de precios fueron condenados a prisión y se les impusieron multas con miles de dólares. Además, cada uno de sus muchos compradores directos (por ejemplo, fabricantes de televisores y celulares) tuvo entonces el derecho legal de demandar a esas compañías y recuperar *tres veces* la cantidad de dinero que las compañías les cobraron. Muchas de estas demandas todavía están en curso.

**Manipulación de la oferta** Los gerentes de una industria oligopólica no necesitan llegar a acuerdos para fijar los precios y reproducir los efectos de un mercado monopólico. En vez de ello, solo necesitan limitar la cantidad de bienes que ofrecen al mercado a un nivel que sea menor que la cantidad de equilibrio. Hacer esto generará una escasez porque

**fijación de precios**
Un acuerdo entre empresas para establecer sus precios en niveles artificialmente altos.

**manipulación de la oferta** Situación en que las empresas de una industria oligopólica acuerdan limitar su producción para que los precios suban a niveles mayores de los que resultarían de la libre competencia.

la demanda de los bienes será mayor que su oferta (esto es, en la cantidad que ellos fijan, la curva de la demanda está muy por encima de la curva de la oferta). La escasez hará que los precios suban más que los precios de equilibrio que resultarían de una competencia libre. A esto se le llama **manipulación de la oferta**. Por ejemplo, cuando a principios de este siglo los fabricantes de pisos de madera se reunían periódicamente en asociaciones comerciales, a menudo cerraban acuerdos para limitar su producción para asegurar así altas ganancias.[25] The American Column and Lumber Company finalmente fue acusada bajo la ley Sherman antimonopolio para obligarla a que desistiera de esa práctica. La manipulación de la oferta a menudo se combina con la fijación de precios, como ocurrió en el esquema global de fijación de precios de TFT-LCD que ya se describió.

**asignación del mercado** Cuando las compañías de un oligopolio se reparten el mercado entre ellas y acuerdan vender solo a los clientes de la parte que les corresponde.

**Asignación del mercado** La asignación del mercado (a veces también conocida como división del mercado) ocurre cuando las compañías de un oligopolio se reparten el mercado entre ellas, y cada una acuerda vender solo a los clientes de la parte que le correspondió y no entra a las partes asignadas a otras compañías. Los directivos se pueden repartir el mercado por territorio ("Usted se queda con India y yo me quedo con China"), por clientes ("Usted vende a hospitales y yo a médicos") o por tiempos ("Usted tiene los precios más baratos durante la primera mitad del mes y yo durante la segunda mitad"). Cuando los mercados se asignan entre las compañías de esta manera, cada sección tiene solo un vendedor, lo que da como resultado un monopolio en la sección asignada.

**licitación fraudulenta** Acuerdo previo de que una compañía específica obtendrá un contrato aun cuando haya otras que presenten ofertas para ese contrato.

**Licitación fraudulenta** Los grandes compradores, especialmente los gubernamentales, que necesitan adquirir un producto o servicio a menudo piden a las compañías que les hagan llegar ofertas secretas, las cuales indicarán la calidad del producto o servicio que ofrecen y el precio. Luego, el comprador elige al proveedor que ofrezca la mejor combinación de calidad y precio. Las licitaciones fraudulentas ocurren cuando los gerentes de un mercado oligopólico acuerdan de antemano cuál de ellos presentará la mejor oferta o la oferta ganadora. Los otros quizá no ofrezcan nada, o tal vez presenten algunas que están demasiado altas o que incluyen condiciones que saben que el comprador no aceptará. Los vendedores hacen turnos para presentar la oferta ganadora, o quizá acuerden de antemano que el ganador dará a los demás una participación del negocio del comprador. Las licitaciones fraudulentas, al igual que la fijación de precios, elimina la competencia. Puesto que solo una compañía presentará al comprador una oferta satisfactoria, el comprador, sin saberlo, se enfrenta a un monopolio que le cobrará injustamente, mientras que las compañías pueden dejar de esforzarse en reducir sus costos o innovar en calidad.

**acuerdos de exclusividad** Ocurren cuando una empresa vende a un distribuidor con la condición de que no compre productos a otras compañías y/o no venda fuera de cierta área geográfica.

**Acuerdos de exclusividad** Una empresa instituye un acuerdo de exclusividad cuando vende a un distribuidor con la condición de que no compre productos a otras compañías y/o no venda fuera de cierta área geográfica. Por ejemplo, durante muchos años, la American Can Company rentaba sus máquinas para cerrar latas (a precios muy bajos) solo a clientes que aceptaran no comprar latas a Continental Can Company, su competidor más fuerte.[26] Los acuerdos de exclusividad tienden a eliminar la competencia de precios entre los distribuidores que venden todos los productos de la misma compañía y, en ese grado, reducen la competencia. Sin embargo, a veces un arreglo de exclusividad también podría motivar a los distribuidores de esa compañía a volverse más agresivos en sus ventas. De esta manera, un arreglo de exclusividad logra, de hecho, aumentar la competencia entre distribuidores que venden productos de diferentes compañías. Por esta razón, los directivos que requieren que sus clientes participen en arreglos de exclusividad deben analizar con cuidado sus acciones y determinar si su efecto general amortigua o promueve la competencia.[27]

**Acuerdos ligados** Una empresa entra a un acuerdo ligado cuando vende a un comprador cierto bien con la condición de que acepte adquirir otros bienes de la empresa. Por ejemplo, Eastman Kodak Company fabrica máquinas fotocopiadoras y vende piezas de repuesto para repararlas. También vende los servicios de reparación de sus máquinas. Cuando comenzó a vender sus máquinas fotocopiadoras, muchos negocios pequeños se adelantaron y comenzaron a ofrecer servicios de reparación para esas máquinas, a menudo por menos de lo que Kodak cobraba por el mismo servicio.[28] Así que la compañía anunció que vendería las piezas de repuesto solo a aquellos clientes que también contrataran sus servicios de reparación. Como otras empresas no podían reparar sus máquinas sin las piezas de repuesto, Kodak pudo sacarlas efectivamente del mercado, incluso cuando estas cobraban menos por sus servicios. Image Technical Services, Inc., y algunas otras compañías de reparación de la competencia, demandaron a Kodak por vincular sus servicios a sus piezas de repuesto. Image Technical Services ganó el caso porque, según aseguró la Corte, el monopolio de Kodak de la oferta de las piezas de repuesto le daba el poder de monopolio suficiente para obligar a los clientes a contratar también sus servicios de reparación y sacar a los demás vendedores de este tipo de servicios, y esto era un abuso de su poder de mercado. En efecto, Kodak estaba usando el monopolio que tenía en un mercado (el de piezas de repuesto de sus máquinas) para crear otro monopolio en otro mercado (el de servicios de reparación de sus máquinas) y, así, eliminar la competencia en ambos mercados.

**acuerdos ligados** Se generan cuando una firma vende a un comprador ciertos bienes con la condición de que acepte adquirir otros bienes que produce.

**Acuerdos para mantener el precio de venta** Si un fabricante vende a los distribuidores con la condición de que acepten cobrar el mismo conjunto de precios por sus bienes, participa en una táctica de mantenimiento de precios de venta. Hasta 2007, en Estados Unidos la legislación juzgaba el mantenimiento de precios de venta como práctica anticompetitiva e ilegal porque obliga a los distribuidores a dejar de competir por el precio. Sin embargo, en 2007, la Suprema Corte de Estados Unidos, en el caso *Leegin Creative Leather Products, Inc. contra* PSKS, *Inc.*, señaló que el mantenimiento de precios de venta no siempre es anticompetitivo. La Suprema Corte sostenía que era posible que, al obligar a los distribuidores a mantener un precio determinado por sus productos, un fabricante podría (en algunas circunstancias) en realidad aumentar la competencia. Por ejemplo, obligar a los distribuidores a vender un producto a un precio máximo les puede dar suficientes fondos para ofrecer servicios adicionales, los cuales pueden hacer que el artículo sea más competitivo que los productos de otros vendedores. Sin embargo, muchos economistas no están de acuerdo con la Suprema Corte y sostienen que el mantenimiento de precios de venta generalmente reduce la competencia entre los distribuidores y disminuye la presión competitiva sobre el fabricante para bajar los precios y reducir los costos.

**acuerdos para mantener el precio de venta** Ocurren cuando un fabricante vende a los distribuidores con la condición de que acepten cobrar el mismo conjunto de precios de venta por sus bienes.

**Discriminación predatoria de precios** Cobrar diferentes precios a distintos compradores por bienes o servicios idénticos es participar en la **discriminación de precios**, y se convierte en **discriminación predatoria de precios**, cuando está dirigida a destruir a un competidor, particularmente cuando una empresa trata de eliminarlo al vender el artículo en el mercado del competidor (pero no en otros mercados) por un monto menor que el costo de producción. Esta práctica la usó Continental Baking Company, la "depredadora", contra Utah Pie Company, su "presa". Continental Baking Company operaba en Salt Lake City, Utah, cuando intentó sacar a Utah Pie Company, una competidora que había entrado al mercado y que había logrado quedarse con gran parte de su negocio en esa ciudad. Continental contraatacó vendiendo sus pasteles a las tiendas de Salt Lake City por menos de lo que le costaba elaborarlos, y a precios que eran mucho más bajos que los que vendía a tiendas de otras zonas, todo por un intento de socavar las ventas de Utah Pie Company y sacarla del negocio. En resumen, el depredador seleccionaba sus precios solo en aquellas zonas en las que su "presa" operaba, precisamente para sacarla del mercado y, así, crear un monopolio local para él. Sin embargo, Continental vendía sus pasteles obteniendo pérdidas, las cuales planeaba

**discriminación de precios** Táctica consistente en cobrar precios diferentes a distintos compradores por bienes o servicios idénticos.

**discriminación predatoria de precios** Discriminación de precios dirigida a sacar a un competidor del mercado.

compensar elevando los precios cuando Utah Pie Company hubiera salido del mercado. La Suprema Corte de Estados Unidos dictaminó que esa discriminación de precios era injusta e ilegal cuando su efecto era "disminuir sustancialmente la competencia o tender a crear un monopolio en cualquier línea de comercio". Además, la fijación de precios por debajo del costo de Continental era predatoria, puesto que tenía la intención de sacar a un competidor del negocio. La Corte dijo que la discriminación de precios, junto con la reducción de la competencia o la creación de un monopolio al sacar a los competidores del negocio, particularmente con precios por debajo del costo, es incorrecta, a menos que las diferencias de precios se basen en diferencias reales en los costos de fabricación de la compañía, empaquetado, comercialización, transporte o servicio de esos bienes, o cuando la compañía simplemente está tratando de ajustar los precios más bajos de otros competidores en el mercado.

Uno de los ejemplos más memorables de fijación predatoria de precios ocurrió en el siglo XIX, cuando John D. Rockefeller monopolizó el 91 por ciento de la industria de la refinería de petróleo al reducir los precios de manera selectiva en los mercados locales de sus competidores, llevándolos a la bancarrota y luego comprándolos.[29] En 1911, la Suprema Corte de Estados Unidos dictaminó que "los métodos injustos de competencia, como recorte local de precios... para suprimir la competencia" eran ilegales, y desintegró su "monopolio petrolífero" en 34 compañías diferentes.[30] El contemporáneo de Rockefeller, James Buchanan Duke, también empleó la fijación predatoria de precios para obligar a 250 compañías de tabaco a formar parte de su monopolio de tabaco, el cual también se desintegró en 1911.[31]

**Soborno**   Muchas compañías han sobornado en secreto a funcionarios del gobierno para que compren sus productos a ellas y no a sus competidores. Por ejemplo, desde 2001 hasta 2007, Siemens Corporation pagó $1,400 millones en sobornos a funcionarios gubernamentales de Venezuela, China, Rusia, Argentina, Nigeria e Israel, para que les compraran sus equipos en lugar de comprarlos a sus competidores. La ley de Estados Unidos referente a Prácticas Corruptas en el Extranjero (Foreign Corrupt Practices Act, FCPA) considera como delito el que una compañía que opera en Estados Unidos soborne a funcionarios gubernamentales extranjeros para hacer una venta. En el marco de la FCPA y de una ley alemana similar, Siemens pagó más de $2,600 millones en multas.[32]

Cuando una compañía soborna a funcionarios gubernamentales para efectuar una venta, el mercado ya no es competitivo porque la compañía ya no tiene que competir con otros vendedores. En vez de ello, el soborno cierra a los competidores el mercado y sirve como una barrera para que entren. La compañía que soborna se convierte en un vendedor monopólico y puede participar en actos de injusticia e ineficiencias como precios de monopolio y mala calidad. Aún más, el sobornador induce al funcionario a violar sus obligaciones morales de actuar en favor de los mejores intereses de su país. Sin embargo, los mismos funcionarios a veces exigen un soborno o extorsionan a las compañías, o bien, las amenazan con perjudicarlas a menos que les otorguen una dádiva. Dicha extorsión mitiga la responsabilidad moral de una compañía, pero pagarlo violará la FCPA. Sin embargo, esta permite el pago de sobornos "insignificantes" a funcionarios de nivel inferior (como los de las aduanas), quienes solicitan un soborno solo para hacer su trabajo.[33]

**Incentivos, oportunidades y racionalizaciones**   Se han analizado diversas formas en las que directivos y empleados pueden infligir graves daños a una sociedad al tratar de reducir o eliminar la competencia que enfrentan. En vez de competir honestamente trabajando para disminuir sus costos o mejorar la calidad de sus productos y servicios, tratan de establecer, mantener o ampliar una posición monopólica de mercado. Pero, ¿por qué los directivos hacen esto cuando se arriesgan a ir a prisión y destruir su propia carrera y familia? ¿En qué condiciones los empleados o gerentes deciden emprender esos comportamientos incorrectos? El sociólogo Donald Cressey argumenta que empleados y directivos tienden a emprender delitos económicos, como fijación de precios, cuando está presente lo

---

*Repaso breve 4.8*

**Prácticas no éticas de los mercados oligopólicos**

- Fijación de precios.
- Manipulación de la oferta.
- Asignación del mercado.
- Licitaciones fraudulentas.
- Acuerdos de exclusividad.
- Acuerdos ligados.
- Acuerdos de mantenimiento de precios.
- Discriminación predatoria de precios.

que denomina el *triángulo del fraude*: *a*) se sienten presionados o tienen fuertes incentivos para efectuar el mal, *b*) ven la oportunidad de hacerlo, y *c*) pueden racionalizar sus acciones.[34] Las presiones y los incentivos para cometer un fraude pueden consistir en presiones organizacionales para lograr objetivos, presiones de los colegas, condiciones adversas de negocio o mercado, o más incentivos personales, como tener que pagar facturas de gastos médicos, adicciones a alguna droga, problemas financieros, o incluso simple codicia. Las oportunidades surgen cuando una persona *a*) tiene la capacidad de llevar a cabo un delito, *b*) se le presentan circunstancias que permiten que se lleve a cabo el delito, y *c*) el riesgo de que lo detecten es bajo. Las racionalizaciones, como se vio en el capítulo 1, son las innumerables formas de enmarcar o pensar sobre las acciones que alguien realiza para que parezcan moralmente justificadas ante sí mismo y ante los demás. Por ejemplo, quien comete un delito puede ver su participación en un fraude como un intento de ayudar a su compañía o de obtener una ganancia "justa" de sus clientes. O puede ver el fraude financiero como "lo que todo el mundo hace", como "pedir prestado" un dinero que pagará después, o como algo que se "merece" o que ellos "merecen", o algo que hará "sólo una vez".

En un detallado estudio de empleados cuyas compañías se habían visto envueltas en acuerdos de fijación de precios, los investigadores Sonnenfeld y Lawrence encontraron que diversos factores de la industria y de la organización llevan a los individuos a esta práctica.[35] En términos del triángulo del fraude algunos de los factores más importantes son:

*Incentivos y presiones:* **1.** *Un mercado poblado y maduro.* Las industrias maduras a veces están sujetas a una sobreoferta porque la demanda comienza a caer o todas las compañías aumentan su producción al mismo tiempo, o bien, muchas compañías nuevas entran al mercado. A medida que los precios disminuyen y con ellos los ingresos, los gerentes de nivel medio se pueden sentir presionados a hacer algo para detener sus pérdidas y permitir, promover o, incluso, ordenar a sus equipos de ventas que participen en la fijación de precios. **2.** *Productos no diferenciables.* En algunas industrias los productos de cada compañía son tan parecidos entre sí que no les queda otra opción que competir solo con base en el precio. Esto puede conducir a guerras periódicas de precios o a un descenso continuo de estos. En esas circunstancias, los vendedores tal vez sientan que la única manera de evitar que los precios colapsen y de protegerse ellos y sus trabajos es reuniéndose con representantes de las compañías competidoras para llevar a cabo un acuerdo de fijación de precios. **3.** *Prácticas personales.* En algunas compañías se evalúa y recompensa a los gerentes única y exclusivamente con base en el volumen de ventas y los ingresos, así que los bonos, las comisiones, los ascensos y otras recompensas dependen de lograr esos objetivos. Esos sistemas de incentivos envían el mensaje de que la compañía exige a los gerentes que logren estos objetivos a toda costa, con lo cual estos se sienten presionados a recurrir a cualquier medio para lograrlos, incluyendo la fijación de precios.

*Oportunidades:* **1.** *La naturaleza sobre pedido del negocio.* En algunas industrias, los trabajos sobre pedido se personalizan de tal forma que se permite a la fuerza de ventas que les pongan precio de manera individual sin ejercer supervisión sobre ello. Cuando la fuerza de ventas tiene la oportunidad de tomar decisiones de precios por sí misma y con poca supervisión, es más probable que se sienta tentada a reunirse con la fuerza de ventas de los competidores y a hacer acuerdos para fijar sus precios. **2.** *Decisiones descentralizadas de precios.* Algunas organizaciones están tan descentralizadas que las decisiones de fijación de precios quedan en manos de las divisiones inferiores de la organización, y se permite a cada una operar más o menos de manera independiente. En tales casos, es más probable que la fijación de precios ocurra al nivel divisional, particularmente cuando tales decisiones no están supervisadas y se presiona a la división para obtener buenos resultados en un mercado en declive. **3.** *Asociaciones industriales o comerciales.* La mayoría de las industrias han constituido asociaciones donde los directivos de las compañías se pueden reunir y analizar cuestiones y problemas comunes.

Si se permite a la fuerza de ventas reunirse con sus colegas de la competencia en encuentros de este tipo de asociaciones, es probable que hablen de precios y luego se sientan libres de emprender acuerdos para fijar precios con sus contrapartes de las empresas competidoras.

*Racionalizaciones:* **1.** *Personal no proactivo de asuntos legales o de recursos humanos de la corporación.* Cuando los departamentos legales o de recursos humanos no logran guiar al personal de ventas hasta después de ocurrido el problema, este no puede entender que la fijación de precios es una actividad de ventas ilegítima muy grave. Entonces tal vez crea que el hecho de reunirse con los competidores y realizar acuerdos de fijación de precios no tiene nada de reprobable. **2.** *Cultura organizacional del negocio.* Algunas compañías tienen culturas de irresponsabilidad donde lo incorrecto se perdona y no se castiga en tanto se logren los objetivos económicos. Es posible que la alta administración dé un mal ejemplo de integridad, los códigos de ética sean meros escaparates, no se apliquen sanciones por una conducta incorrecta, y las auditorías corporativas así como las evaluaciones de desempeño analicen solo las cifras económicas. En tales organizaciones, la fuerza de ventas tendrá la creencia de que fijar precios es una práctica común e inocua que se desea, perdona, acepta e incluso se fomenta.

Si los directivos no manejan estos factores industriales y organizacionales, es posible que haya presiones significativas sobre los individuos que, por otro lado, se esfuerzan por hacer lo mejor para la compañía. Un ejecutivo describe las presiones que una administración irresponsable puede ejercer sobre los nuevos vendedores jóvenes:

Creo que en particular somos vulnerables cuando tenemos un vendedor con dos hijos, muchas demandas financieras y una preocupación sobre qué tan seguro tiene el trabajo. Hay cierta holgura en un nuevo conjunto de reglas. El vendedor quizás acepte prácticas cuestionables porque no conoce el sistema. No hay procedimientos específicos a seguir, excepto los que otros vendedores le recomiendan. Al mismo tiempo, está en una industria donde es evidente que la aceptación de sus productos y el nivel de rentabilidad van en declive. Por último, contribuimos a las presiones de ese vendedor al hacerle saber que le quitaremos el trabajo si no obtiene buenos precios y volúmenes de ventas. Pienso que esto generará muchos análisis de conciencia en un individuo.[36]

## Acuerdos tácitos

Aunque la mayoría de las formas de acuerdos comerciales explícitos que se han mencionado son ilegales, la fijación de precios en los oligopolios a menudo se logra mediante algunas formas no explícitas de cooperación contra las cuales es difícil legislar. ¿En qué forma tiene lugar esto? Los gerentes de las empresas importantes de un oligopolio aprenden, en la larga experiencia, que la competencia no funciona a favor de sus intereses financieros personales. La competencia a través de bajar precios —consideran— solo conducirá a ganancias mínimas. Por lo tanto, cada una de las empresas en un oligopolio tal vez llegue a la conclusión de que la cooperación es lo mejor para todos. Cada una llegará a la conclusión independiente de que todos se beneficiarán si, cuando una de ellas eleva sus precios, todas las demás los fijan a los mismos niveles altos. Mediante este proceso de fijación de precios, todas las empresas grandes retienen su porcentaje de mercado y todas ganan con los precios más altos. Desde la década de 1930, por ejemplo, las tabacaleras más grandes han cobrado precios idénticos por los cigarrillos. Cuando una compañía decide que tiene una razón para subir o bajar los precios de sus productos, las demás pronto harán lo mismo. Sin embargo, los directivos de estas compañías no han llegado a un acuerdo explícito para actuar en conjunto; sin haber discutido el asunto entre ellos, cada uno se da cuenta de que todos se benefician mientras actúen de modo unificado. En 1945, de manera incidental, la Suprema Corte de Estados Unidos encontró que las compañías dominantes de cigarrillos eran culpables de colusión tácita, pero de todas maneras regresaron a fijar precios idénticos después de que el caso se dio por cerrado.

Para coordinar sus precios, algunas industrias oligopólicas reconocerán a una de las empresas como **líder de precios** de la industria.[37] Cada compañía acordará tácitamente fijar sus precios en los niveles que anuncia la empresa líder, sabiendo que todas las demás también lo harán. Como cada uno de los participantes en el oligopolio sabe que no tiene que competir con precios más bajos de otra empresa, no se ve obligado a reducir su margen de ganancias a los niveles que lo haría en una competencia abierta. No hay necesidad de una colusión abierta en esta forma de fijación de precios; solo se requiere un entendimiento implícito de que todas las empresas seguirán el liderazgo de la empresa dominante y no participarán en las tácticas de bajar precios para competir.

Tanto si los precios en un oligopolio se establecen mediante acuerdos explícitos o implícitos, es evidente que la utilidad social declina en la medida en que los precios se elevan artificialmente sobre los niveles que establecería un mercado competitivo perfecto. Los consumidores deben pagar los precios injustos de los oligopolios, los recursos dejan de asignarse y utilizarse con eficiencia, en tanto que la libertad de consumidores y competidores potenciales disminuye.

**líder de precios** La empresa reconocida como el líder en una industria oligopólica establece el precio del producto, y las demás la siguen.

# 4.4 Oligopolios y política pública

Los oligopolios no son un fenómeno moderno. Hacia el final del siglo XIX, como ya se mencionó, muchos hombres de negocios comenzaron a emplear prácticas anticompetitivas para obligar a los competidores a salir del mercado, creando finalmente **consorcios** gigantes que monopolizan sus mercados, elevan los precios a los consumidores, bajan los precios de los proveedores, como los agricultores, y aterrorizan a los competidores que quedan con precios predatorios. Los consorcios se crearon en las industrias del azúcar, la sal, el whisky, el tabaco y el aceite de semillas de algodón. Los ferrocarriles, que antes competían, se habían consolidado en grandes empresas gracias a los llamados "magnates ladrones": Andrew Carnegie, Jay Gould, J. P. Morgan y John D. Rockefeller. Dichos consorcios gigantescos despertaban el miedo, la sospecha y el odio del público. Los editoriales de los periódicos y los políticos se dirigían en contra de la crueldad sin escrúpulos con la que los consorcios eliminaban a sus competidores, monopolizaban las industrias cruciales e intimidaban a los agricultores que les abastecían la materia prima. Los intelectuales argumentaban que el poder concentrado de los consorcios era peligroso y daría a los negocios una influencia política injusta.

**consorcio** Alianza de oligopolios previamente competitivos que se forma para aprovechar los poderes de un monopolio.

El surgimiento de los consorcios coincidió con el Movimiento Progresivo, un movimiento de reforma política contra el abuso de poder de los grandes negocios con el reconocido objetivo de acabar con los consorcios. Como respuesta a este movimiento, en particular con la presión de los pequeños agricultores, en 1887 el Congreso estadounidense aprobó una ley de comercio interestatal para reglamentar a las grandes compañías ferrocarrileras. Después, en 1890, el Congreso aprobó lo que se convertiría en la ley más importante contra los consorcios, la **ley Sherman antimonopolio**. Las dos secciones clave de la ley decían:

Sección 1. Todo contrato, combinación [...] o conspiración que restrinja el comercio o el intercambio entre varios estados, o con otras naciones, se declara ilegal por este medio.

Sección 2. Toda persona que monopolice o intente monopolizar, o bien, combinar o conspirar con cualquier otra persona o personas para monopolizar cualquier parte del intercambio o comercio entre varios estados, o con otras naciones, será declarada culpable de un delito grave...

**Ley Sherman antimonopolio** Ley federal estadounidense, aprobada en 1890, que prohíbe a los competidores reunirse con la finalidad de reducir la competencia o usar su poder de mercado para mantener o expandir el monopolio.

En las dos décadas siguientes a la aprobación de la ley Sherman antimonopolio se hizo poco para que se cumpliera; pero en 1908 el gobierno federal estadounidense demandó al consorcio Tobacco Trust aduciendo que sus tácticas crueles contra los competidores habían violado tal ley. En una decisión de mayo de 1911, la Suprema Corte acordó y ordenó a Tobacco Trust que se separara en 15 compañías. Animados por la victoria, los "cazadores de consorcios" del gobierno procesaron con éxito a Standard Oil, DuPont y otros grandes consorcios. La Suprema Corte de Estados Unidos, de hecho, llegó a decir que la ley Sherman antimonopolio era "la Carta Magna de la libre empresa [...] tan importante para la conservación de la libertad económica y de nuestro sistema de libre empresa como la Declaración de Derechos lo es para la protección de nuestras libertades personales fundamentales".[38]

Desde 1911, la sección 1 de la ley Sherman antimonopolio se ha interpretado como la prohibición para las compañías competidoras de realizar acuerdos para fijar precios, dividirse territorios o clientes, o restringir la cantidad de bienes que lanzan al mercado. La sección 2 se ha interpretado como la prohibición de que una compañía que ya tiene un monopolio use su poder para mantenerlo o extenderlo a otros mercados. La ley Sherman antimonopolio no prohíbe a una empresa que constituya un monopolio a través de tratos lícitos de negocios (como tener un mejor producto, una estrategia audaz o simple suerte). Sin embargo, si una compañía que logra poder monopólico luego intenta usar ese poder para conformar otro monopolio o mantener su monopolio actual es "culpable de delito grave". En 1911, la Suprema Corte reglamentó que un acuerdo entre competidores llega a ser "razonable" si "promueve la competencia"; de cualquier manera, ciertos acuerdos (incluyendo aquellos para fijar precios o cantidades) son inherentemente anticompetitivos y siempre se calificaron como ilegales.

Las leyes contra los consorcios se ampliaron en 1914 en la ley Clayton, que prohíbe la discriminación de precios, los contratos de exclusividad, los acuerdos ligados y las fusiones entre compañías "donde el efecto puede disminuir sustancialmente la competencia". Esta última sección de la ley Clayton otorga al gobierno federal el poder de prohibir la fusión entre dos compañías, si cree que va a "disminuir sustancialmente la competencia".

Pero aunque Estados Unidos tiene una larga historia de leyes contra los consorcios, todavía hay un gran debate respecto de qué debe hacer el gobierno acerca del poder de los oligopolios y los monopolios. Algunos argumentan que el poder económico de las compañías de un oligopolio es en realidad bastante pequeño e insuficiente para afectar a una sociedad, mientras otros aseguran que el poder oligopólico domina las economías modernas, y otros más afirman que varios factores sociales inhiben el uso de este poder. Tales diferencias han dado lugar a tres puntos de vista fundamentales acerca del poder de un oligopolio.

### Punto de vista que sostiene que no hay que actuar

Algunos economistas sostienen que no se debe actuar en contra del poder económico de las corporaciones de un oligopolio, porque ese poder en realidad no es tan grande como parece. Se han dado varios argumentos para apoyar dicha afirmación. Primero, se piensa que aunque la competencia entre industrias ha declinado, se ha remplazado por la competencia entre industrias con productos sustitutos.[39] La industria del acero, por ejemplo, compite ahora con las del aluminio y el cemento. En consecuencia, aunque pueda haber un alto grado de concentración del mercado en una sola industria, como el acero, todavía mantiene un alto grado de competencia, debido a su relación con otras industrias que elaboran productos similares.

Segundo, como alguna vez aseguró el economista John Kenneth Galbraith, es posible que el poder económico de cualquier corporación grande se equilibre y restrinja con el "poder compensatorio" de otros grandes grupos corporativos en la sociedad.[40] El gobierno y los sindicatos, por ejemplo, restringen el poder de los grandes negocios. Aunque una corporación de negocios logre tener un gran porcentaje de un mercado industrial, se enfrenta a compradores que son igualmente grandes y poderosos. Una siderúrgica grande, por ejemplo, debe vender a compañías de automóviles igualmente grandes. Este equilibrio de poder entre los grandes grupos corporativos, dice Galbraith, reduce el poder económico que cualquier gigante corporativo llegue a ejercer.

Otros economistas tienen razones muy diferentes para convencernos de que no debe preocuparnos el poder económico de las grandes corporaciones de oligopolios. La llamada *escuela de Chicago* contra argumenta que los mercados son económicamente eficientes aun cuando haya pocos rivales significativos (digamos, tres) en un mercado.[41] Aunque el gobierno tiene que prohibir la fijación de precios directa y las fusiones que crean una sola compañía monopólica, no se debe tratar de separar a los oligopolios que ofrecen a los consumidores productos que pueden comprar con libertad y que, por lo tanto, usan con eficiencia recursos económicos para mejorar el bienestar de los clientes.[42]

Por último, otros afirman que una dimensión grande es buena, en particular a la luz de la globalización de los negocios que se han generalizado en las décadas recientes. Si las compañías han de competir con grandes compañías extranjeras, deben lograr las mismas economías de escala que alcanzan aquellas compañías. Las economías de escala son reducciones en el costo de producción de bienes que se obtienen cuando se fabrican grandes cantidades de ellos usando los mismos recursos fijos, como las mismas máquinas, programas de *marketing*, grupos de directivos o de empleados. Si una compañía hace y vende grandes cantidades de productos, es posible que prorratee estos costos fijos sobre más unidades, con la reducción correspondiente del costo por unidad, lo que le permitirá vender sus bienes a precios menores. Así, al expandirse, las compañías logran reducir sus precios y, con ello, competir con mayor efectividad contra las grandes compañías extranjeras similares. Aunque las investigaciones sugieren que en la mayoría de las industrias la expansión después de cierto punto no bajará los costos, sino que los aumentará, de cualquier manera muchas personas siguen defendiendo el argumento de que *una dimensión grande es buena*.[43]

## Punto de vista contra los consorcios

El punto de vista más antiguo acerca del poder económico de los oligopolios y monopolios es el que apoya las acciones de los "cazadores de consorcios" de fines del siglo XIX. Igual que estos cazadores de consorcios, muchos economistas contemporáneos y abogados que están contra los consorcios sospechan del poder económico que ejercen las corporaciones de los oligopolios. Afirman que los precios y las ganancias de las industrias concentradas son más altos de lo que deben, y que los monopolios y los oligopolios usan tácticas injustas contra sus competidores y proveedores. La solución, sostienen, es reincorporar las presiones competitivas obligando a las grandes compañías a desintegrar los consorcios y, con ello, a separarse en empresas más pequeñas.

Es evidente que el punto de vista contra los consorcios se basa en varias suposiciones. J. Fred Weston resumió las proposiciones básicas en las que se apoya este punto de vista tradicional:

1. Si una industria no está atomizada en muchos competidores pequeños, es probable que haya discreción administrativa respecto de los precios.
2. La concentración da como resultado la interdependencia que se reconoce entre compañías, sin competencia de precios en las industrias concentradas.
3. La concentración se debe a fusiones porque las escalas de operaciones más eficientes son de no más del 3 al 5 por ciento de la industria. Un alto grado de concentración es innecesario.

4. Hay una correlación positiva entre la concentración y la rentabilidad que hace evidente el poder del monopolio en industrias concentradas, es decir, la habilidad de elevar los precios y la persistencia de las ganancias altas. La entrada no tiene lugar para eliminar las ganancias excesivas.
5. La concentración se agrava por la diferenciación de productos y la publicidad. Esta última se correlaciona con las ganancias altas.
6. Hay una coordinación de oligopolio con señales que se envían mediante comunicados de prensa y otros medios.[44]

Con base en dichas suposiciones, quienes proponen la perspectiva contra los consorcios llegan a la conclusión de que, al separar las grandes corporaciones en unidades más pequeñas, surgirán niveles mayores de competencia en las industrias que ahora están muy concentradas. El resultado es una disminución de la colusión explícita y tácita, precios más bajos para los consumidores, mayor innovación y aumento en el desarrollo de tecnologías de vanguardia para reducir precios que beneficiarán a todos.

## Punto de vista de la reglamentación

Un tercer grupo de observadores sostiene que las corporaciones de un oligopolio no se deben separar porque su gran tamaño tiene consecuencias benéficas que se perderían si son obligadas a descentralizarse.[45] En particular, argumentan, la producción y la distribución en masa de los bienes se puede realizar solo usando la acumulación sumamente centralizada de activos y de personal que permiten las corporaciones grandes. Más aún, la concentración de activos permite a estas aprovechar las economías que hacen posible la producción a gran escala en plantas productivas de grandes dimensiones. Estos ahorros se transfieren a los consumidores en la forma de productos menos costosos y más abundantes.

Aunque las empresas no se deben separar, no se concluye que no tengan que estar reguladas. Según este tercer punto de vista, la concentración ofrece a las empresas grandes un poder económico que les permite fijar precios y participar en otras formas de comportamiento que no actúan en beneficio del público. Para asegurar que no dañan a los consumidores, los organismos legislativos y la ley deben establecer restricciones y controlar sus actividades.

Algunos observadores, de hecho, defienden que cuando no se logra controlar con efectividad a las grandes empresas por las formas usuales de reglamentación, entonces estas se deben nacionalizar. Esto es, el gobierno tiene que tomar el cargo de la operación de las empresas en esas industrias,[46] donde solo la propiedad pública logrará asegurar que actúen a favor del público.

Sin embargo, otros defensores de la regulación argumentan que la nacionalización no opera en el interés público. La propiedad pública de las empresas, aseguran, es una práctica socialista e inevitablemente lleva a la creación de burocracias ineficientes e indiferentes. Más aún, las empresas de propiedad pública no están sujetas a las presiones de los mercados competitivos, por lo cual los resultados suelen ser precios y costos más altos.

¿Cuál de estos tres puntos de vista es correcto: el que indica que no hay que actuar, el que se opone a los consorcios o el que pugna por la reglamentación? El lector tendrá que decidir esto por sí mismo, porque en este momento no parece haber suficiente evidencia para responder la pregunta sin equivocaciones. Es claro que cualquiera de estos tres puntos de vista que usted considere más persuasivo no puede asegurar los beneficios sociales que generan los mercados libres, a menos que los directivos de las empresas mantengan entre sí las relaciones de un mercado competitivo. Las reglas éticas que prohíben la colusión buscan asegurar que los mercados tengan una estructura competitiva. Estas reglas se siguen de manera voluntaria o porque así lo exige la ley, y están justificadas en la medida en que la sociedad busque los beneficios utilitarios, la justicia y el derecho a la libertad negativa que los mercados competitivos logran asegurar.

# Oracle y Peoplesoft

Oracle Corporation elabora programas de software extremadamente complicados, grandes y personalizados que apoyan a miles de usuarios simultáneos y que, además, son capaces de administrar los registros del personal y financieros de negocios muy grandes (por eso se le llama "software para empresas"). Peoplesoft y SAP eran los únicos competidores importantes que hacían este tipo de software. Oracle tenía el 18 por ciento del mercado de software personalizado capaz de manejar los registros de personal de empresas muy grandes. SAP poseía el 29 por ciento del mercado, y Peoplesoft el 51.5 por ciento. Todavía más, Oracle tenía el 17 por ciento, SAP el 39 por ciento, y Peoplesoft el 31 por ciento del mercado de software personalizado capaz de manejar los registros financieros de negocios muy grandes. El 6 de junio de 2003, Oracle intentó una toma de posesión hostil de Peoplesoft ofreciendo comprar sus acciones en $5,100 millones, o $16 por acción. El consejo directivo de Peoplesoft rechazó la oferta de Oracle, por lo que el 18 de junio esta elevó su oferta a $6,300 millones, o $19.50 por acción; después, el 4 de febrero de 2004, la elevó otra vez a $9,400 millones, o $26 cada una. Las acciones de Peoplesoft se vendían entonces a un precio unitario de $22, pero, de nuevo, el consejo directivo rechazó la jugosa oferta. Peoplesoft también aprobó una cláusula de "píldora de veneno" prometiendo a sus clientes rembolsos en efectivo de hasta cinco veces lo que pagaban por el software si Peoplesoft caía en poder de otra compañía.

El 26 de febrero de 2004, el Departamento de Justicia estadounidense presentó una demanda para bloquear la oferta de Oracle, asegurando que la compra reduciría los competidores en el mercado de tres a dos y "el resultado de esa reducción en la competencia, tal vez, sería un panorama de precios más altos, menos innovación y disminución en el apoyo" para los grandes clientes de negocios. Oracle calificó de demasiado estrecha la definición que el gobierno dio al "mercado de software para empresas" y aseguró que si el mercado se definía considerando todo "software para empresas", entonces había muchas docenas de compañías compitiendo en el mercado, no solo tres. Más aún, Oracle afirmó que las grandes compañías, como Microsoft, planeaban entrar al mercado de software para empresas y, de cualquier forma, los grandes clientes lograrían negociar precios más bajos, aun cuando hubiera solo dos competidores en el mercado. El 9 de septiembre de 2004, la Corte falló en favor de Oracle, contra el Departamento de Justicia, por lo que la compañía pronto adquirió Peoplesoft.

1. ¿Al comprar Oracle, Peoplesoft deja el mercado demasiado concentrado?
2. ¿Las grandes compañías hacen más bien que mal?

---

## Preguntas para repaso y análisis

✔•⎡Estudie y repase en mythinkinglab.com

1. Defina los siguientes conceptos: competencia perfecta, curva de demanda, curva de oferta, punto de equilibrio, competencia en el monopolio, competencia en el oligopolio, fijación de precios, manipulación de la oferta, licitación fraudulenta, acuerdos exclusivos, acuerdos ligados, mantenimiento de los precios de venta, discriminación de precios, fijación de precios, liderazgo en precios, triángulo del fraude, poder compensatorio, punto de vista de no actuar respecto del poder oligopólico, punto de vista en contra de los consorcios del poder oligopólico, punto de vista de regulación del poder del oligopolio.

2. "Desde un punto de vista ético, un gran negocio siempre es un mal negocio". Analice los argumentos a favor y en contra de la afirmación.

3. ¿Qué tipo de política pública piensa que Estados Unidos debe tener respecto de la competencia de negocios? Desarrolle los argumentos morales que apoyen su respuesta (es

decir, los argumentos que muestren qué tipos de políticas cree que harán progresar el beneficio social o asegurarán ciertos derechos importantes o ciertas formas de justicia).

**4.** A su juicio, ¿debe una compañía estadounidense operar en un país donde la fijación de precios en colusión no sea ilegal, o tiene que obedecer las leyes de Estados Unidos contra la colusión? Explique su repuesta.

## Recursos en Internet

Si usted desea realizar una investigación sobre los aspectos del mercado de este capítulo a través de Internet, tal vez quiera comenzar con la American Antitrust Organization, que incluye en su sitio Web (*http://www.antitrustinstitute.org*) casos, artículos y vínculos sobre fijación de precios, fusiones, restricciones verticales de precios y otros temas de interés. También es excelente el sitio de Oligopoly Watch, que brinda un sitio con actualización continua de la información de actividades de fijación de precios, fusiones y otros asuntos relacionados (*http://www.oligopo1ywatch.com*). La Comisión Federal de Comercio (FTC) estadounidense da acceso a sus decisiones y procesos legales contra los consorcios (*http://www.ftc.gov*), en tanto que el Departamento de Justicia hace lo propio (*http://www.usdoj.gov/atr/index.html*). Otros vínculos y casos legales importantes relacionados con todos estos aspectos se encuentran a través de los recursos cuantiosos y excelentemente organizados de Hieros Gamos (*http://hg.org/antitrust.html*) o de la American Bar Association (*http://www.abanet.org/antitrust*).

## Las "devoluciones" de Intel y otras formas en que "ayudó" a sus clientes

# CASOS
✳ Explore el concepto en **mythinkinglab.com**

El 12 de noviembre de 2009, Intel Corp. dio a Advanced Micro Devices (AMD) $1,250 millones para pagar una demanda que esta había interpuesto en su contra en 2005. El director ejecutivo de Intel, Paul Otellini dijo que estuvo de acuerdo en pagar esa cantidad porque no sentía que "el tiempo y el dinero [dedicados a dirimir el asunto] tuvieran algún sentido".[1] La demanda de AMD acusaba a Intel de ser un monopolio y de usar su poder monopólico para impedir, de forma injusta, que las empresas de computación compraran sus microprocesadores. Con cerca del 70 por ciento del mercado, Intel Corp. es el mayor fabricante de microprocesadores para computadoras personales (PC), también llamados chips de computadora, microchips o procesadores (diminutos dispositivos electrónicos que funcionan como el "cerebro" de las computadoras personales y que llevan a cabo sus operaciones básicas). Como el segundo productor más grande del mundo de procesadores para PC, AMD es el único competidor verdadero de Intel, aunque cubre solo el 20 por ciento del mercado de procesadores. Es difícil para otras empresas introducirse en el mercado de la fabricación de microprocesadores para PC porque hay varias barreras de entrada. En primer lugar, Intel y AMD poseen las patentes para fabricar ese tipo de microprocesadores, los cuales se utilizan en casi todas las computadoras personales. En segundo lugar, cuesta varios miles de millones de dólares construir las instalaciones para fabricarlos. En tercer lugar,

Intel y AMD son tan grandes y tienen tanta experiencia que actualmente los fabrican por un costo mucho menor de lo que conseguiría una nueva empresa, así que si alguna tratara de ingresar al mercado, sus precios no serían tan competitivos como los de cualquiera de las dos.

AMD no era la única que había acusado a Intel de usar su poder monopólico para asfixiar a sus competidores. El 5 de mayo de 2009, la Comisión Europea le impuso una multa récord por $1,500 millones, y dijo que la empresa había usado su poder monopólico para bloquear de manera injusta a AMD en el mercado. El 4 de noviembre de 2009, Andrew Cuomo, fiscal general de Nueva York, demandó a Intel por perjudicar a los consumidores de esa ciudad al usar su poder monopólico para evitar que los fabricantes de computadoras compraran los mejores procesadores de AMD. En junio de 2008, la Comisión de Comercio Justo de Corea del Sur estableció que Intel había usado su poder monopólico y había violado sus leyes antimonopolio. En 2005 la Comisión de Comercio Justo de Japón indicó que Intel había violado sus leyes antimonopolio al pagar a las empresas para que le compraran todos o casi todos sus procesadores de forma exclusiva.

Muchas de las actividades de las que se culpaba a Intel se originaron en un error estratégico que la empresa cometió en la década de 1990, cuando invirtió cientos de millones de dólares para desarrollar un nuevo tipo de procesador que no usaría la "tecnología x86", la cual consiste en ciertas instrucciones que se desarrollan dentro de los así llamados microprocesadores x86. Todos los microprocesadores deben contener instrucciones que les permiten leer y correr programas de software como juegos, procesadores de palabras o buscadores Web. Debido a que todos los microprocesadores x86 contenían las mismas instrucciones, por lo general, los nuevos pueden leer y usar los mismos datos y programas que se corrían en los antiguos microprocesadores x86. Esto significa que cuando un cliente (que ha estado usando una computadora con un procesador x86) adquiere una nueva computadora con un microprocesador x86 más avanzado, no tiene que tirar sus antiguos programas y datos porque todavía funcionarán en la que acaba de comprar.

Esta capacidad que tiene cada nueva generación de microprocesadores x86 de hacer correr la mayoría de los programas que generaciones previas de procesadores x86 podían correr es una ventaja principal tanto para los consumidores como para el negocio por igual. Sin embargo, desde la perspectiva de Intel, los microprocesadores x86 tenían una gran desventaja, AMD podría fabricarlos legalmente y, con ello, Intel se vería obligada a competir con ella. La peor pesadilla de Intel era que AMD pudiera algún día llegar con un microprocesador x86 que fuera más rápido y más poderoso que cualquiera de Intel y, de esta forma, quedarse con el mercado.

Así que cuando invirtió en una nueva generación de microprocesadores, Intel decidió desarrollar y patentar uno que no utilizara la tecnología x86. Ya que solo Intel tendría la patente de este nuevo procesador que no era x86, AMD estaría legalmente impedida de fabricarlo. Con suerte, Intel tendría en el futuro todo el mercado de las PC para ella sola.

Intel llamó a su nuevo procesador el "Itanium", y era más rápido y poderoso que todas las generaciones anteriores de procesadores; sin embargo, había un problema. Ya que no usaba la tecnología x86, todo el software diseñado para correr en los actuales o anteriores x86 no funcionaría en el nuevo a no ser que el usuario corriera un programa "emulador", que, en efecto, obligara al Itanium a imitar a un procesador x86. Pero el programa emulador volvía muy lentos a los programas diseñados para procesadores x86, a veces a una lentitud frustrante. Esto significaba, que cuando un consumidor o un negocio compraran una computadora nueva con el nuevo procesador Itanium en su interior, sus programas y datos actuales no correrían del todo bien en la nueva computadora. Esto era un gran desengaño para los compradores.

AMD también desarrolló una generación más avanzada de procesadores para PC durante la década de 1990. Pero decidió apegarse a la tecnología x86, así que sus nuevos procesadores podían correr el software diseñado para los procesadores x86 sin usar un programa emulador. AMD llamó a su nuevo procesador Athlon y ya que este no se volvía lento por un programa emulador cuando corría programas x86, todos los programas x86 corrían extremadamente rápido y sin problemas en computadoras equipadas con

su nuevo procesador. El Athlon de AMD no solo podía correr programas x86 más rápido y mejor que el Itanium de Intel, sino que también consumía menos electricidad y era más económico que el Itanium. La peor pesadilla de Intel se había convertido en realidad.

Cuando AMD e Intel comercializaron sus nuevos microprocesadores en 1999, los críticos y los usuarios estaban entusiasmados con el rápido y barato Athlon de AMD y despreciaron el torpe Itanium de Intel. Los fabricantes de PC iban en tropel a instalar procesadores de AMD en sus nuevas computadoras, y la participación de mercado de esta empresa creció del 9 a casi el 25 por ciento del mercado de procesadores, mientras que Intel cayó del 90 al 74 por ciento.

Pero en 2003 y 2004, las ventas de AMD se toparon contra un muro. De repente los fabricantes de computadoras rehusaron comprar sus procesadores. En 2002 Sony había instalado el AMD Athlon en el 23 por ciento de sus computadoras, para 2004 había dejado de usarlos por completo. NEC pasó de usar el Athlon en el 84 por ciento de sus computadoras de escritorio a usarlo en prácticamente ninguna. Toshiba pasó de usarlo en el 15 por ciento de sus computadoras en 2000 a ninguna en 2001.[2] En conjunto, la participación de AMD en el mercado japonés de procesadores cayó del 25 por ciento en 2002 al 9 por ciento en 2004.

¿Qué había ocurrido? Tom McCoy, vicepresidente ejecutivo para asuntos legales de AMD, afirmó en un artículo que la caída en los pedidos para los chips Athlon era "un asunto de puro ejercicio de poder monopólico" de parte de Intel.[3] McCoy afirmó que Intel había pagado a las empresas japonesas (Sony, NEC y Toshiba) millones de dólares en "devoluciones" que se les otorgaban si dejaban de comprar microprocesadores de AMD y usaban solo los de Intel dentro de sus computadoras. Pero estos pagos que McCoy alegaba, no eran verdaderas devoluciones. Una verdadera devolución es un pago que se basa en el número de productos que un cliente compra, y así son efectivamente descuentos que se pagan después de que el cliente compró el producto, a diferencia de los descuentos regulares que se restan del precio antes de la compra. Pero los pagos que Intel estaba dando a los fabricantes de computadoras, aseguraba McCoy, no se relacionaban con el número de procesadores que adquirían. En vez de ello, Intel manejaba estos pagos cuando una empresa estaba de acuerdo en dejar de comprarle a AMD, sin importar el número de procesadores que compraran después.

Más aún, McCoy escribió que Intel amenazaba a las empresas advirtiéndoles que si no dejaban de usar los microprocesadores de AMD, podría dejar de surtirles procesadores por completo. La amenaza era poderosa porque incluso si usaban procesadores AMD en algunas de sus computadoras de más alta calidad, todos los fabricantes de computadoras aún dependían de Intel para adquirir procesadores para todas las demás que fabricaban.[4] Debido a su pequeño tamaño, AMD no podía proveer todo el rango de microprocesadores que las empresas más grandes necesitaban.

Convencidos de que Intel estaba usando métodos injustos e ilegales para sacarlos del mercado, AMD la demandó el 27 de junio de 2005. El consejero legal general de Intel, Bruce Sewell, respondió las afirmaciones de AMD argumentando que las empresas fabricantes de computadoras habían dejado de comprar los procesadores de su acusadora porque, una vez que habían comenzado a usarlos en grandes cantidades y correr diferentes programas en ellos, encontraron que sus chips no corrían los programas tan rápido como aparentaban en un principio. "Cuando AMD tiene buenas partes, funciona bien", dijo Bruce Sewell, "cuando AMD tiene partes pésimas, no se desempeña tan bien. De eso se trata un mercado competitivo".

Bruce Sewell también defendió las devoluciones de Intel. Si no está mal, dijo, que una empresa pequeña se haga de clientes leales al darles más descuentos cuando están de acuerdo en usar sus productos exclusivamente, ¿por qué estaría mal que una empresa grande haga lo mismo? Más aún, las devoluciones efectivamente disminuían los precios de los chips de computadora y ¿qué había de malo en ello? Finalmente, ¿no beneficiaba eso a los consumidores? Y ¿por qué era tan importante relacionar las devoluciones con el número de unidades que el cliente compraba? Si Intel daba mayores devoluciones a aquellas empresas que estaban de acuerdo en usar exclusivamente sus productos y pequeños a las que no establecieran el mismo compromiso, ¿qué había de malo en ello? ¿No era valiosa para Intel la decisión de una compañía de considerarla como su proveedor exclusivo y no debería permitírsele recompensar a esa empresa con mayores devoluciones que las que se ofrecían a otras?

Debido a que la demanda de AMD era complicada y requería reunir y revisar una gran cantidad de evidencia documental, no llegó a juicio sino hasta finales de 2009. Sin embargo, para entonces, los alegatos de AMD habían convencido a varios gobiernos extranjeros (incluyendo la Unión Europea, Corea del Sur y Japón) de que deberían investigar a Intel, y sus investigaciones terminaron con sustanciales multas por violar las leyes antimonopolio. Sin embargo, Estados Unidos hizo muy poco hasta que, a finales de 2009, la Comisión Federal de Comercio de ese país (FTC) demandó a Intel por "monopolización ilegal", "métodos injustos de competencia" y "actos y prácticas engañosas de comercio".[5]

La FTC dijo en su demanda que en sus investigaciones había descubierto lo que el consejero legal de Intel, Bruce Sewell, había sugerido: algunos programas de software corrían lentamente en los procesadores de AMD. Pero la razón no era porque fueran inherentemente lentos. Descubrieron que Intel había cambiado los programas que vendían las compañías de software para que sus programas no funcionaran bien en las computadoras que usaban chips de AMD. Todas las compañías de software usan "compiladores" para convertir sus programas de tal forma que corran en tipos particulares de chips para computadora. Los compiladores los proporcionan a las compañías que fabrican los chips (en este caso Intel y AMD) y se suponía que ambas entregarían compiladores que permitirían a los programas correr en ambos procesadores. Pero en 2003, dijo la FTC, Intel cambió sus compiladores para que los programas que compilaban los suyos corrieran bien en sus procesadores, pero muy despacio o mal en los de AMD. Sin su conocimiento, cuando las compañías de software usaban compiladores de Intel para procesar uno de sus programas, el compilador de Intel secretamente insertaba virus en el programa que lo hacían lento cuando corría en un procesador AMD, pero no en uno Intel. Los clientes y revisores culpaban al procesador de AMD cuando sus nuevos programas no corrían bien en una computadora que tenía un chip AMD.[6]

La FTC también afirmó que Intel había provisto a las compañías de software con "bibliotecas" de códigos de software que había diseñado para confundir los programas cuando corrían en microchips de AMD. El código software del que hablaba la FTC son pequeños bits de software que llevan a cabo operaciones que se usan con frecuencia, pero que no son rutinarias, en procesadores x86. Los ingenieros de software insertan estos pequeños bits de código en sus programas en lugar de escribirlos cada vez que los necesitan. Intel proporcionó a los ingenieros de software "bibliotecas" que consistían en docenas de estos bits de código. Sin embargo, afirmaba la FTC, Intel cambió los códigos de su biblioteca para que no funcionaran bien en los procesadores de AMD. Los consumidores y revisores una vez más culparon a los chips de AMD cuando un programa que contenía códigos de Intel no corría bien en una computadora que usaba uno de sus microchips.[7]

La FTC también dijo que Intel había pagado a los fabricantes de computadoras para que estos boicotearan los procesadores de AMD al darles lo que Intel llamaba "devoluciones", aunque estos pagos requerían solo que una compañía acordara no comprar procesadores de AMD y no se relacionaban con la cantidad que compraba. El fabricante de computadoras Dell, Inc., fue un buen ejemplo de cómo Intel pagaba a los fabricantes para que boicotearan a AMD. Intel había empezado a hacerle importantes "devoluciones" trimestrales en 2001, y Dell en ese momento dejó de usar procesadores de AMD aun cuando muchos de sus clientes dijeron que querían computadoras con ese procesador.

Michael Dell, actual director ejecutivo de Dell y quien fundó la empresa en 1984, se inició en el negocio de la computación cuando era estudiante en la Universidad de Texas en Austin, ya que vendía computadoras fuera de la puerta de su dormitorio. En 2001 Dell se había convertido en el mayor fabricante de computadoras personales del mundo y poseía el 13 por ciento de este mercado a nivel global. La compañía terminó 2001 con un ingreso neto de $2,400 millones, la mayor cantidad que nunca había logrado.

En 2002, según un memorando de Dell, su jefe de operaciones se reunió con algunos representantes de Intel. Antes de la reunión, el negociador principal de Dell había explicado lo que esperaba que dijeran los representantes de Intel al director de operaciones de Dell: "Sin ser descarado [Intel] dejará claro que Dell no obtendrá más [pagos] si [usamos] [procesadores] AMD. Obtendremos menos y será otro quien se quede con lo nuestro".[8] Durante la reunión los representantes de Intel dijeron que estaban dispuestos a hacer "lo que fuera necesario" para que Dell no usara ningún procesador AMD en sus computadoras. Según el memorando, Intel acordó en la junta que sus pagos trimestrales a Dell "se deberían incrementar de $70 millones este trimestre a $100 millones".[9] Pero Dell tenía que seguir rehusando emplear los procesadores de AMD.[10]

No era difícil para Intel pagar los cientos de millones de dólares que daba a Dell. Había tenido inusuales y altos márgenes de ganancias del 50 por ciento que le permitieron acumular $10,300 millones en efectivo al final de 2001, y para finales de 2005 tenía $14,800 millones de efectivo. En un correo electrónico de febrero de 2004, Michael Dell observó la rentabilidad de Intel:

> Las ganancias [de Intel] en la segunda mitad de 2001 fueron de $1,397 millones sobre ingresos de $13,528 millones. En la segunda mitad de 2003 fueron de $4,885 millones sobre ingresos de $16,574 millones. En otras palabras, sus ventas crecieron en un 22.5 por ciento, ¡y sus ganancias aumentaron en 350 por ciento! O dicho de otra manera, sus ingresos llegaron a $3,046 millones de dólares ¡y sus ganancias a $3,448 miles de millones! Ni siquiera Microsoft puede hacer eso.[11]

Aunque muchas compañías más pequeñas comenzaron a usar chips de AMD, Dell temió un contraataque de Intel si intentaba hacer lo mismo. En un correo electrónico, un ejecutivo de Dell observó que "si Dell se une al éxodo de AMD" las consecuencias les resultarían costosas. Observó que el presidente y el director ejecutivo de Intel "están preparados para lanzar una *yihad* si Dell se une al éxodo de AMD. Obtendremos CERO [pagos] durante al menos un trimestre mientras Intel 'investiga los detalles' —no hay medios legales/morales/amenazantes que podamos aplicar y evitemos esto".[12]

Aunque Dell se quejaba de que su negativa a usar los procesadores AMD estaba perjudicando sus ventas, Intel se mantuvo leal a Dell durante 2004, al aumentar sus pagos a 300 millones por trimestre, una cantidad igual a casi un tercio del ingreso neto trimestral de Dell y al parecer suficiente para compensarla por cualquier disminución de las ventas.

Pero Dell seguía perdiendo participación de mercado y su director ejecutivo, Michael Dell, cada vez estaba más frustrado. El 4 de noviembre de 2005, el director ejecutivo de Intel, Paul Otellini, escribió un correo electrónico diciendo que acababa de recibir "una de las llamadas más emotivas que he recibido de [Michael Dell]". Otellini observó que [Michael Dell] empezó diciendo 'Estoy cansado

de perder negocios'… y lo repitió 3 o 4 veces. Yo no dije nada y esperé. [Dijo] que había estado viajando por Estados Unidos. Siente que está perdiendo todo el alto margen de negocio a las [computadoras] basadas en AMD. Dell ya no se considera como un líder de pensamiento".[13] Una semana más tarde, Michael Dell envió un correo electrónico a Otellini quejándose: "Hemos perdido el liderazgo de desempeño y eso está impactando gravemente nuestro negocio en diferentes áreas". Otellini respondió a estas quejas señalando cuánto le estaba pagando Intel a Dell: "[Ahora] estamos transfiriendo más de mil millones de dólares anuales a Dell por sus esfuerzos. Esto es lo que juzgó su equipo que era más que suficiente para compensar la cuestión competitiva".[14] El 25 de noviembre, Michael Dell escribió en un correo electrónico a Otellini que "ninguna de las marcas de referencia y revisiones actuales dice que los sistemas basados en Intel sean mejores que AMD. Estamos perdiendo los corazones, mentes y carteras de nuestros mejores clientes."[15]

A pesar de darse cuenta de que boicotear los procesadores de AMD estaba perjudicando sus ingresos, Dell siguió siendo tan leal a Intel que en febrero de 2006, Otellini bromeó diciendo que el director ejecutivo de Dell era "el mejor amigo que el dinero puede comprar".[16] Intel siguió aumentando sus pagos a Dell durante 2005 y 2006 hasta que alcanzó la cantidad de 805 millones de dólares al trimestre a principios de 2006, una cantidad igual al 104 por ciento del ingreso neto de Dell por trimestre ese año.

Pero 2006 fue el año en que Dell finalmente rompió su acuerdo de no usar procesadores AMD. Ese año compró Alienware, un fabricante de computadoras que hacía consolas de juego de calidad superior con microprocesadores AMD. En abril de ese año, Michael Dell envió un correo electrónico a sus altos ejecutivos que decía: "Hemos analizado la situación durante un tiempo y hemos decidido introducir un amplio rango de sistemas basados en AMD en nuestra línea de productos para dar a nuestros clientes la opción que están pidiendo". En el segundo trimestre del año, quizá para probar la reacción de Intel, Dell anunció una única línea nueva de computadoras de calidad superior con chips AMD. Ese trimestre los pagos que Intel le hacía cayeron a $554 millones. El siguiente trimestre Dell anunció líneas adicionales de computadoras personales con procesadores AMD e Intel pagó solo $200 millones.

El jefe del consejo de Intel dijo a su director ejecutivo que la compañía debía responder con dureza las acciones de Dell: "Creo que debe contestar del mismo modo. No es tiempo de debilidad por nuestra parte. Deje inmediatamente de escribir cheques y póngale de nuevo al final de nuestra lista de precios [esto es, precios sin descuentos ni devoluciones]".[17] Al día siguiente el director ejecutivo de Intel, Otellini, dio instrucciones a su gente de que "deberían prepararse para eliminar todos [los pagos] y programas relacionados. Lo antes posible… luego tendremos que entrar en negociaciones."

Sujeta ahora al castigo de Intel, Dell ya no recibió más "devoluciones". En 2007, su ingreso neto cayó a $2,580 millones, por debajo de los $3,570 millones de 2006. La compañía recuperó un poco en 2008 cuando contabilizó un ingreso neto de $2,950 millones, pero luego empezó un descenso hasta llegar a $2,480 millones en 2009 y $1,430 millones en 2010. Entre 2001 y 2006, Intel había inyectado una cantidad estimada total de aproximadamente $6 mil millones a las cifras de ingresos de Dell. Puesto que esta no había reportado que la mayoría de sus ganancias durante esos años eran dinero en efectivo que recibía de Intel, la Comisión de Valores de Estados Unidos (SEC) acusó a Dell y a sus directivos de engañar a los inversionistas a quienes la compañía había dicho que las altas ganancias se debían a su administración sumamente efectiva de su cadena de suministro, su estrategia de ventas directas, sus iniciativas para la reducción de costos y la disminución de los costos de las piezas para computadoras.[18] Dell se había convertido en una de las empresas más admiradas de Estados Unidos porque se suponía falsamente que sus fuertes ganancias se debían a las habilidades administrativas de la compañía.

Intel presionó a otras grandes compañías, como HP e IBM, a que se negaran a utilizar procesadores AMD. A diferencia de Dell, ninguna de las dos acordó boicotear por completo esos procesadores. En el caso de HP, Intel consiguió que estuviera de acuerdo en limitar sus compras de procesadores de AMD al 5 por ciento o menos, e Intel acordó dar a HP una "devolución" de $130 millones, repartidos durante un año.[19] IBM acordó usar solo procesadores AMD en sus "computadoras de alto desempeño".[20]

La demanda de FTC en contra de Intel nunca llegó a los tribunales. El miércoles 4 de agosto de 2010, la Comisión Federal de Comercio anunció que, sin haber admitido que era culpable, Intel había acordado arreglar la demanda anticonsorcio de FTC. En un comunicado de prensa la Comisión escribió que bajo el arreglo, "se prohibía a Intel condicionar el otorgamiento de beneficios a los fabricantes de computadoras a cambio de su promesa de comprar chips de Intel exclusivamente o de negarse a comprar chips de otros; y [de] vengarse de los fabricantes de computadoras si hacen negocios con proveedores diferentes a Intel al retenerles los beneficios". Además, se le prohibió que usara sus compiladores o sus bibliotecas de código software para inhibir la capacidad de los programas de correr en los microprocesadores de los competidores. Algunos observadores argumentaron que las restricciones del arreglo ya no importaban puesto que Intel había tomado el liderazgo una vez más en el mercado de procesadores x86 y AMD era otra vez un competidor que se iba quedando atrás. En el primer trimestre de 2006, según las directrices de CPU, la participación de mercado de AMD había aumentado hasta el 48 por ciento y la de Intel había disminuido al 51 por ciento. Pero la participación de AMD cayó después de

eso y para 2011, Intel tenía el 71 por ciento del mercado de microprocesadores x86 mientras que AMD poseía un 25 por ciento.

## Preguntas

1. En su opinión, ¿Intel es un monopolio? ¿Usó Intel un poder similar al de un monopolio? En otras palabras, ¿logró sus objetivos al depender del poder que tenía debido al control de una gran parte del mercado? Explique sus respuestas.

2. En su opinión, ¿las devoluciones de Intel fueron éticas o no? Explique su respuesta.

3. ¿Era poco ético por parte de Intel que usara sus compiladores y bibliotecas de código software en la forma en que lo hizo, o es permisible para las compañías de una economía de libre mercado? Explique su respuesta.

4. Desde su punto de vista, ¿violó Intel alguna de las dos secciones clave de la ley Sherman antimonopolio? Explique su respuesta.

5. Desde su punto de vista, ¿Intel violó alguna de las dos secciones clave de la ley Sherman antimonopolio?

## Notas

1. David Goldman, "Intel and AMD Reach $1.25B Settlement", *CNNMoney.com*, 12 de noviembre de 2009.
2. Roger Parloff, "Intel's Worst Nightmare: Dwindling Market Share Isn't the No. 1 Chipmaker's only Problem, says *Fortune's* Roger Parloff. It needs to Mount a Fierce Defense to AMD's Epic Antitrust Lawsuit", *Fortune Magazine*, 16 de noviembre de 2006.
3. *Ibid.*
4. *Ibid.*
5. David Goldman, "FTC Sues Intel Over Chip Dominance", *CNNMoney.com*, 16 de diciembre de 2009.
6. *In the Matter of Intel Corporation, a Corporation, The United States of America Before the Federal Trade Commission*, Docket No. 9341, Complaint, 16 de diciembre de 2009, párrafos 56-61.
7. *Ibid.*, párrafos 62-71.
8. *State of New York, by Attorney General Andrew W. M. Cuoma, Plaintiff, vs. Intel Corporation, a Delaware Corporation, Defendant*, Complaint in the United States District Court for the District of Delaware, 3 de noviembre de 2009, párrafo 90.
9. Roger Parloff, "Intel Settlement: The Power of Emails", *Fortune Magazine*, 13 de noviembre de 2009.
10. *Ibid.*
11. *Ibid.*, párrafo 17.
12. *Ibid.*, párrafo 105.
13. *Ibid.*, párrafo 135.
14. *Ibid.*, párrafo 136.
15. *Ibid.*, párrafo 137.
16. Parloff, "Intel Settlement: The Power of Emails".
17. *Ibid.*, párrafo 142.
18. Justin Scheck y Kara Scannell, "SEC: Intel Cash Inflated Dell", *The Wall Street Journal*, 23 de julio de 2010.
19. *New York v. Intel*, Complaint, párrafo 170.
20. *Ibid.*, párrafo 211.

## *Archer Daniels Midland y los competidores amistosos*

Para 1995, Archer Daniels Midland Company (ADM) se había convertido en una de las compañías agrícolas más grandes del mundo. ADM procesa maíz, trigo, soya, cacahuate y otras semillas oleaginosas para fabricar productos que se usan en las industrias alimentaria, de bebidas y química. Sus ventas mundiales en 1994 fueron cercanas a $13,000 millones. Desde 1966, preside la compañía Dwayne Andreas, un ejecutivo de línea dura que la empujó hacia una mayor productividad y una rápida expansión. Dwayne trajo a su hijo, Michael D. Andreas, a quien se nombró vicepresidente ejecutivo de ventas y marketing.

A principios de 1989, Dwayne y Michael Andreas decidieron que ADM debía entrar al negocio de la lisina, que es un aminoácido derivado del maíz que se usa como aditivo en alimento para animales porque promueve el crecimiento de músculos sin grasa. La lisina es un producto no diferenciado y los compradores tienden a ser sensibles al precio, una característica que, por lo general, es señal de un mercado muy competitivo. Pero Dwayne y su hijo se dieron cuenta de que el mercado mundial de lisina estaba dominado por tres compañías: Ajinomoto (una compañía japonesa), Kyowa (también japonesa) y Miwon (una compañía coreana). Cheil (coreana) tenía planes de entrar al mercado en 1991. El hecho de que solo hubiera un grupo pequeño de proveedores al mercado, atrajo a los dos Andreas: el mercado se veía más como un club de caballeros formales que como unos rivales agresivos.

Para manejar la entrada de ADM en el negocio de la lisina, Dwayne Andreas y su hijo, Michael, contrataron a un joven brillante y enérgico llamado Mark Whitacre, quien se reportaría a Michael Andreas. Con solo 32 años, Whitacre poseía una licenciatura y una maestría en ciencias animales por la Universidad de Ohio, un doctorado en bioquímica nutricional de la Universidad Cornell y había trabajado cinco años en Degussa, una compañía química alemana. Estaba casado con Ginger Gilbert, su novia de la preparatoria; como estudiante, fue presidente de la sociedad de alumnos. Mark Whitacre ahora se convertía en presidente de la nueva división de lisina en ADM.[1] Whitacre prosperó ahí, donde disfrutó de la ausencia de burocracia y la cultura dinámica "de poder hacer" de la compañía:

> Durante los primeros cinco años me encantó trabajar en la compañía. Estaba orgulloso de ADM y de cómo operaba. Estaba muy entusiasmado con mi trabajo, muy emocionado. (Declaración de Mark Whitacre).[2]

ADM comenzó a construir su nueva planta de producción de $100 millones en septiembre de 1989 y la terminó en febrero de 1991, en un periodo sorprendentemente corto de 17 meses. Capaz de producir 250 millones de toneladas de lisina al año (suficiente para satisfacer la mitad de la demanda mundial anual), la nueva planta era la más grande del mundo. Con los recursos de ADM apoyándole, Whitacre contrató a las mejores personas de todo el mundo para trabajar con él en el nuevo negocio de la lisina.

Cuando ADM comenzó a vender la lisina, el precio era de $1.30 por libra. Sin embargo, la nueva planta colocó un volumen enorme de producto en el mercado y los precios comenzaron a bajar con rapidez. (Véase la figura "Línea del tiempo de reuniones y precios en el caso de fijación de precios de la lisina"). ADM creía que para hacer que más clientes compraran a un nuevo productor, la compañía tenía que fijar el precio por debajo de los competidores establecidos. El resultado fue una guerra de precios desastrosa y costosa entre las cinco compañías de la industria:

> Cuando comenzamos a vender, los precios comenzaron a caer, por lo que hubo una tremenda guerra de precios; la lisina bajó de $1.30 por libra a cerca de 60 centavos. En ese punto estábamos perdiendo dinero, unos cuantos millones de dólares al mes. (Declaración de Mark Whitacre)[3]

ADM estaba, de hecho, perdiendo cerca de $7 millones al mes. Los gerentes de las cinco compañías productoras —todos ellos perdiendo dinero— sentían que la situación devastadora no podía continuar. Whitacre sabía que tenía que hacer algo para cambiar, o su nueva carrera se acabaría justo cuando apenas comenzaba. Luego se enteró de que ADM tenía un método para manejar tales situaciones. Terry Wilson, presidente de la división de procesamiento de maíz, lo había desarrollado y se lo había presentado a los gerentes de otras divisiones. Entonces, Michael Andreas habló con Whitacre y le pidió que fuera y aprendiera de Terry Wilson "cómo hace negocios ADM".

> Fue durante mi primer año en la compañía cuando comencé a oír sobre fijación de precios en ADM en otras cuatro o cinco divisiones. Las personas decían que era común... Yo no lo veía, pero lo oía de las personas que habían participado en ello directa o indirectamente... Alrededor de febrero de 1992... me dijeron que querían que trabajara más de cerca con Terry Wilson... Debía verlo como mentor, alguien que me enseñaría cómo hacía negocios ADM... Cuando me dijeron eso, tuve la extraña sensación de lo que se trataba, de lo que iba a pasar. (Declaración de Mark Whitacre).[4]

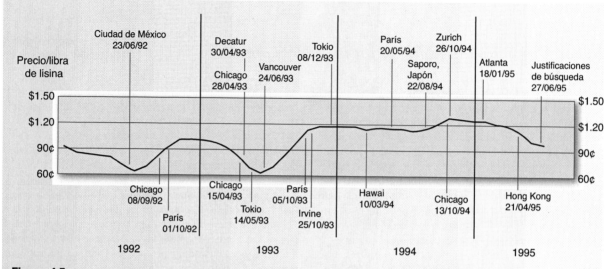

**Figura 4.5**
Línea del tiempo de reuniones y precios en el caso de fijación de precios de la lisina

Whitacre comenzó a analizar los problemas con Terry Wilson y se enteró de que la compañía había tenido que tratar a menudo con mercados difíciles. Wilson propuso que ambos se reunieran con los directivos de las otras cuatro compañías que producían lisina.

Mostraría a Whitacre qué hacer. Se convocó a una reunión, por lo que en junio de 1992 ambos se reunieron en un hotel de la Ciudad de México con los directivos de Ajinomoto y Kyowa, los dos productores japoneses de lisina.[5] Las dos compañías coreanas, Miwon y Cheil, no asistieron. Sin embargo, entre ADM, Ajinomoto y Kyowa controlaban la mayor parte del mercado mundial de lisina.

Durante la reunión de junio de 1992 en la Ciudad de México, Terry Wilson se puso de pie frente a una gráfica y preguntó a los representantes de las compañías cuántos millones de libras de lisina producía cada uno en un año en sus plantas. Escribió las cantidades en la gráfica y las sumó, incluyendo las estimaciones para las dos compañías coreanas ausentes. Wilson dio vuelta a la página. Ahora pidió al grupo que estimaran cuántos millones de libras de lisina se compraban cada año en Europa, América Latina, Asia y Estados Unidos. Anotó las cantidades en la segunda página y las sumó. Por último, comparó las cantidades de las dos páginas y señaló "nuestro problema": la cantidad total que producían era un 25 por ciento mayor que la cantidad total de demanda mundial. Después, Wilson multiplicó su estimación de la demanda mundial por 60 centavos, el precio actual de una libra de lisina. También multiplicó su estimación de la demanda mundial por 1.30, el precio que las compañías japonesas mantenían antes de la entrada de ADM al mercado. La diferencia era de 200 millones. Wilson declaró que 200 millones era la cantidad que las cinco compañías estaban regalando a sus clientes. Esto significaba,

continuó, que los beneficios se iban a los clientes, no a las cinco compañías que competían y que habían gastado cientos de millones de dólares en construir sus plantas. En ADM, agregó, "creemos que el competidor es nuestro amigo y que el cliente es nuestro enemigo". Whitacre escuchaba. "Debemos confiar —agregó— y tener amistad competitiva" entre las compañías.

Whitacre se unió a la conversación cuando Wilson y los representantes de las dos compañías japonesas pasaron a la discusión de un precio "meta" al que las compañías venderían "si dejamos de competir". El objetivo de su reunión, se observó, era terminar la guerra de precios entre ellos, la cual había provocado que estos bajaran. Pero su objetivo se cumpliría solo si las cinco compañías acordaban vender la lisina al mismo precio sin perjudicarse entre sí. Los directivos de las dos compañías japonesas se ofrecieron de manera voluntaria a ponerse en contacto con las dos compañías coreanas y hablar con ellas para que se unieran al acuerdo. El representante de Ajinomoto resumió el acuerdo: "Si la discusión avanza bien con las compañías coreanas, intentaremos un nivel de precios de 1.05/libra para Estados Unidos y Europa... para octubre, y de 1.20/libra en diciembre". Wilson sugirió que para ocultar el objetivo real de reuniones futuras entre ellos, debían formar una "asociación comercial" que se reuniría periódicamente con una agenda pública falsa. Así, señaló, era como ADM convocaba a juntas secretas para fijar precios para otros bienes que producía la compañía.

Después de la reunión, Whitacre y Wilson regresaron a casa. En los siguientes días, Mark aumentó poco a poco sus precios según lo acordado; lo mismo hicieron las otras cuatro compañías. Era evidente que los coreanos se habían unido al acuerdo. En Estados Unidos el precio de la lisina subió a 1.05/libra para el final del verano de 1992 (véase la figura). Por un tiempo, Whitacre sintió que la guerra de precios había terminado.

Cuando los directivos de las otras cuatro empresas se pusieron en contacto con Whitacre, este estuvo de acuerdo en que todos se reunieran en París en octubre de 1992, para dar inicio a los trabajos de la recién formada "Asociación Internacional de Productores de Aminoácidos". Publicaron una agenda falsa, según la cual, se discutirían los derechos de los animales y otros asuntos ambientales. Esos temas no se discutieron jamás. En su lugar, Whitacre y los otros directivos pasaban la reunión felicitándose por el éxito de su acuerdo y trabajando para llegar a nuevos acuerdos sobre precios futuros para cada región del mundo donde vendían la lisina.

Sin embargo, después de la junta de París, Whitacre se dio cuenta de que todavía tenían un problema. En vez de subir, el precio de la lisina se mantuvo en $1.05 hasta el final de 1992 y luego comenzó a declinar. El precio bajó durante enero, febrero y marzo de 1993, y llegó a 70 centavos en abril (véase la figura). En abril, Whitacre se reunió con Michael Andreas y Terry Wilson, y analizaron programar una reunión urgente con los representantes de las otras compañías para discutir la deteriorada situación. Puesto que Ajinomoto era el mayor productor de lisina, decidieron comenzar por reunirse con sus directivos. La reunión tuvo lugar en Decatur y continuó en Chicago. En la junta, Andreas y Wilson explicaron a los gerentes de Ajinomoto que el problema principal con el acuerdo de fijación de precios era que las cinco compañías no habían acordado limitar sus volúmenes de producción. En ausencia de un acuerdo en el volumen "desde el lado de la oferta", cada compañía había intentado producir y vender toda la lisina de la que era capaz. Juntos habían inundado el mercado con más producto del que se demandaba; por ello, no podían cumplir el acuerdo del precio. La única manera para estabilizar el mercado era controlar el volumen del lado de la oferta. A menos que se controlara el volumen, observó Wilson, "los precios bajarán". Los representantes de Ajinomoto dijeron que lo pensarían.

Con los precios aún a la baja, Whitacre, Wilson y los directivos de Ajinomoto se reunieron en Tokio, el 14 de mayo de 1993, y una vez más analizaron la restricción de las cantidades de producción, con la finalidad de mejorar los precios. En la reunión, Wilson explicó que en otros mercados ADM se había reunido con los competidores, y cada uno había acordado vender solo una cantidad específica de producto para asegurar que su oferta acumulada no fuera mayor que la demanda. Una vez que se asignaban volúmenes específicos a cada compañía, abundó, no hay necesidad siquiera de supervisar los precios porque "mientras el volumen [de cada compañía] sea el adecuado, si quieren vender [su volumen asignado] por menos dinero, ese es su problema". La gente de Ajinomoto todavía dudaba.

Sin embargo, Whitacre se dio cuenta de que un acuerdo para limitar el volumen de lisina que vendería cada compañía requería un acuerdo entre las cinco compañías. Cada vez se sentía más preocupado porque para ese momento el precio de la lisina había bajado a 60 centavos/libra y todas las compañías estaban perdiendo dinero (véase la figura). Habló por teléfono con los demás directivos y acordaron reunirse el 24 de junio de 1993, en Vancouver, Canadá. Pero la reunión solo frustró a Whitacre. Aunque llegaron una vez más a un acuerdo sobre precios, tuvieron diferencias acerca de las restricciones sobre la cantidad que cada uno vendería, porque, como uno de ellos observó después: "Todos querían una participación mayor". Especialmente Ajinomoto no estaba dispuesto a limitar cuánto podría vender. De todas maneras, acordaron mantener los niveles actuales y subir los precios al mismo tiempo a los nuevos niveles acordados.

Después de la reunión de Vancouver, Whitacre respiró con alivio al ver que los precios subían poco a poco según lo acordado. Su experiencia de los meses pasados, sin embargo, le había convencido de que tenían que acordar una asignación de volumen si querían mantener a raya los precios. El 25 de octubre de 1993, Andreas, Wilson y Whitacre, de ADM, se reunieron con los directivos de Ajinomoto, en Irvine, California, para llegar a un acuerdo en volúmenes. Los representantes de las dos compañías finalmente aceptaron que en 1994 cada una se limitaría a vender la misma cantidad que hubiera vendido en 1993, más cierta cantidad de lo que estimaban que la industria crecería en 1994. Si no se apegaban a este acuerdo de limitar sus volúmenes, advirtió Michael Andreas, entonces, ADM usaría su gran capacidad para inundar de nuevo el mercado y bajar los precios para todos, y eso se "convertirá en una trifulca". El siguiente paso era llevar a las otras compañías a su acuerdo de volúmenes.

El 8 de diciembre de 1993, los representantes de todas las compañías, excepto Cheil, se reunieron en Tokio. Ahí acordaron los precios del siguiente trimestre. Pero algo más importante: por fin lograron un acuerdo en una programación que indicaba la cantidad de lisina (en toneladas) que cada uno vendería en cada región del mundo. También diseñaron un método para asegurar que ninguno de ellos estuviera tentado a vender más de lo permitido: si alguna vendía más que su parte asignada, entonces al final del año tendría que corregir comprando la cantidad de lisina que otra compañía hubiera dejado de vender según la parte asignada. Más aún, cada mes, todas enviarían un informe a un funcionario de Ajinomoto indicando la cantidad de lisina que había vendido el mes anterior. Estos informes se auditarían y Ajinomoto distribuiría los informes a las otras compañías.

Unos meses después, el 10 de marzo de 1994, las compañías se reunieron en Hawai, donde Cheil se unió al grupo y también acordó limitar su volumen de ventas a una cantidad especificada. Por fin, las cinco compañías habían logrado un acuerdo para establecer tanto sus precios como sus volúmenes de producción.

Whitacre y, periódicamente, Wilson y Andreas continuaron con las reuniones trimestrales con los altos directivos de Ajinomoto, Kyowa, Miwon y Cheil durante el resto de 1994 y la primera mitad de 1995. Los precios de la lisina desde diciembre de 1993 hasta abril de 1995 permanecieron en 1.20/libra, según el acuerdo que habían diseñado por las compañías (véase la figura).

El acuerdo terminó de pronto, el 27 de junio de 1995, cuando los oficiales del FBI llegaron por sorpresa a las oficinas de ADM e hicieron preguntas a Michael Andreas sobre la fijación de precios en el mercado de la lisina. Andreas respondió que era imposible fijar precios en esa industria y negó que ADM hubiera intercambiado información de precios o producción con los competidores. Pero unos cuantos días después, el FBI reveló que en noviembre de 1992 habían convencido a Mark Whitacre de ser uno de sus informantes. En consecuencia, cuando asistía a las discusiones para fijar precios, llevaba un micrófono escondido o videograbadoras que habían grabado las reuniones. Todas las conversaciones entre Andreas, Wilson, Whitacre y los directivos de Ajinomoto, Kyowa, Miwon y Cheil estaban grabadas en audio y algunas en video.

Un mes después llegó otra sorpresa. Se reveló que mientras Whitacre grababa las discusiones para fijar precios entre ADM y sus competidores, había tomado dinero de ADM. En total, había sustraído $2.5 millones de la compañía. Whitacre alegó que esto era un "bono", y que la compañía con frecuencia dejaba que sus ejecutivos se pagaran a sí mismos esos bonos "por debajo de la mesa" para evadir impuestos.

Con base en las grabaciones que Whitacre entregó al FBI, se consideró a ADM como una compañía que fijaba precios y se le multó con $100 millones. El 9 de julio de 1999 se dictaminó una multa para Andreas y Wilson de $350,000 a cada uno y 20 meses de prisión por la fijación de precios, sentencia que la Corte corroboró el 26 de junio de 2000. Whitacre, cuyo acto de sustraer dinero de ADM nulificó el acuerdo de inmunidad con el FBI, fue sentenciado a nueve años de prisión por malversación, más 20 meses por fijación de precios; además, se le exigió devolver el dinero. A los directivos de las compañías coreanas y japonesas que participaron en las reuniones para fijar precios se les impuso una multa de $75,000 a cada uno, pero se les eximió de pasar un tiempo en prisión a cambio de testificar en contra de ADM y sus ejecutivos. El 6 de julio de 2000 la Unión Europea multó a ADM con $46 millones adicionales por fijar los precios de la lisina en Europa.

Mark Whitacre pasó ocho años y medio en una prisión federal y fue liberado en diciembre de 2006. Se le dio lo que se llama una "segunda oportunidad" en Cypress Systems, Inc., una compañía de biotecnología de California, que acordó contratarlo. Ahora es jefe de operaciones para esa empresa. Y lamenta mucho lo que hizo. En una entrevista concedida en 2009, declaró:

> Tomé algunas decisiones terribles y rompí algunas leyes federales. De hecho, el ego y la codicia estuvieron detrás de muchas de mis malas decisiones. Otros han dicho que, finalmente, la cultura corporativa de ADM desempeñó un papel fundamental en mis decisiones de esa época. Lamentablemente, no es cierto. Fueron mis propias decisiones. Cuando se intenta ganar con tanta desesperación que ni la verdad ni la ética importan, entonces, uno está en un mal momento de su vida. Ahí es exactamente donde yo estaba a principios y a mediados de la década de 1990. No puedo explicar cómo perdí mi camino, pero eso es lo que hice.[6]

## Preguntas

1. Según el caso, la planta de ADM era capaz de producir "250 millones de toneladas de lisina al año, suficiente para suministrar la mitad de la demanda anual mundial", así que el promedio de la demanda mundial de lisina es de aproximadamente 41.7 toneladas al mes. Calcule cuánto ganaban las compañías de lisina cada mes cuando su esquema de fijación de precios estaba realmente funcionando (esto es, cuando la lisina se vendía a $1.20 por libra). A continuación, con base en el precio en el que se vendía la lisina cuando se vino abajo el plan de fijar precios, ¿cuál sería su estimación del precio de equilibrio de la lisina durante el periodo del caso? Calcule cuánto hubieran ganado las compañías de lisina cada mes si la hubieran vendido al precio de equilibrio. Ahora calcule la diferencia entre lo que las compañías ganaban cada mes durante el tiempo en que su esquema de fijación de precios realmente funcionó, y lo que hubieran ganado cada mes si hubieran vendido al precio de equilibrio, y obtenga así la "ganancia de monopolio" que las compañías lograban cada mes que tuvieron éxito al fijar los precios. Después, estime el número de meses que piensa que funcionó el plan de fijación de precios. A la luz de su estimación del número total de meses en los que funcionó esta actividad, ¿cuál fue la cantidad total de "ganancias de monopolio" que las compañías robaron a sus clientes? Explique a detalle la ética de quitarles esta ganancia de monopolio a los clientes. ¿Las multas que impusieron los gobiernos de Estados Unidos y Europa recuperaron por completo la cantidad total de ganancias de monopolio que las compañías lograron?

2. El libro cita varios factores que ocasionan que las compañías participen en la fijación de precios. Identifique los factores que piensa estaban presentes en el caso de ADM. Explique su respuesta y sea específico.

3. Desde su punto de vista, ¿Mark Whitacre era culpable (esto es, moralmente responsable) por lo que hizo? Explique su respuesta. ¿Estaba presente algunos de los obstáculos al comportamiento moral (véase capítulo 1) en su situación? Explique. ¿Está usted de acuerdo con

la propia evaluación de Whitacre de que aunque "otros han dicho que, finalmente la cultura corporativa de ADM desempeñó un papel fundamental en mis decisiones de esa época", esto "lamentablemente no es cierto"?

**4.** ¿Cree que al final Mark Whitacre fue tratado con justicia? Explique por qué.

## Notas

1. James B. Lieber, *Rats in the Grain* (Nueva York: Four Walls Eight Windows, 2000), pp. 8-11.
2. Mark Whitacre y Ronald Henkoff, "My Life as a Corporate Mole for the FBI", *Fortune*, septiembre de 1995, v. 132, n. 5, pp. 52-59.
3. *Ibid.*
4. *Ibid.*
5. La información acerca de las discusiones en las diferentes reuniones descritas aquí y en lo que sigue, se basan en las siguientes fuentes: *U.S. vs. Michael D. Andreas, Mark E. Whitacre, and Terrance* S. *Wilson*, Brief for Appellee and Cross-Appellant United States of America, en la Corte de Apelaciones de Estados Unidos para el Séptimo Circuito, No. 99-3097, fechado el 19 de octubre de 1999, y con fecha de acceso: 5 de junio de 2004, en *http://www.usdoj.gov/atr/cases/f3700/3757.htm*; y *USA v. Michael D. Andreas and Terrance S. Wilson*, apelaciones de la Corte de Estados Unidos para el Noveno Distrito de Illinois, Eastern Division, No. 96 CR 762, 26 de junio de 2000 y con fecha de acceso: 6 de junio de 2004 en *http://www.justice.gov/atr/cases/f220000/220009.htm*. Algunos detalles también se extrajeron de: Angela Wissman, "ADM Execs Nailed on Price-Fixing", *Illinois Legal Times*, octubre de 1998, p. 1; James B. Lieber, *op. cit.*; Kurt Eichenwald, *The Informant: A True History* (Nueva York: Random House, 2000).
6. Feedinfo News Service, "Interview: Mark Whitacre-Lysine Cartel Whistleblower on Price-Fixing and Rebuilding his Life after Prison", 13 de junio de 2009, con fecha de acceso: 28 de julio de 2010 en *http://www.feedinfo.com/console/PageViewer.aspx?page=1202114&public=yes*

# PARTE **TRES**

# *Los negocios y sus intercambios externos: Ecología y consumidores*

EL PROCESO DE ELABORAR BIENES OBLIGA A LOS NEGOCIOS A PARTICIPAR EN INTERCAMBIOS E INTERACCIONES CON DOS AMBIENTES EXTERNOS: EL ENTORNO DE LA NATURALEZA Y EL DE LOS CONSUMIDORES. DEL ENTORNO NATURAL DE DONDE, EN ÚLTIMA INSTANCIA, LOS NEGOCIOS EXTRAEN SUS MATERIAS PRIMAS QUE TRANSFORMAN EN PRODUCTOS TERMINADOS, LOS CUALES SE PROMUEVEN Y SE VENDEN A LOS CONSUMIDORES. ASÍ, EL ENTORNO NATURAL PROVEE LAS MATERIAS PRIMAS QUE CONSTITUYEN LOS INSUMOS DEL NEGOCIO, MIENTRAS QUE EL ENTORNO DEL CONSUMIDOR ABSORBE ESTOS PRODUCTOS TERMINADOS.

LOS SIGUIENTES DOS CAPÍTULOS EXPLORAN LOS ASPECTOS ÉTICOS QUE SURGEN CON ESTOS INTERCAMBIOS E INTERACCIONES. EL CAPÍTULO 5 ANALIZA DOS PROBLEMAS BÁSICOS RELACIONADOS CON EL ENTORNO NATURAL: LA CONTAMINACIÓN Y EL AGOTAMIENTO DE LOS RECURSOS. EL CAPÍTULO 6 ESTUDIA VARIOS ASPECTOS DEL CONSUMIDOR, INCLUIDOS LA CALIDAD DEL PRODUCTO Y LA PUBLICIDAD.

# La ética y el medio ambiente

¿Cuáles son las dos principales amenazas para el medio ambiente y qué tan graves son?

¿Cuáles son los problemas éticos que surgen por la contaminación que provocan las empresas comerciales e industriales?

¿Tenemos la obligación de conservar nuestros recursos?

*Los trabajadores limpian las bolas de alquitrán que llegaron a la playa de Waveland, Mississippi, del pozo de petróleo de BP que explotó en el Golfo de México el 20 de abril de 2010, y que mató a 11 hombres y derramó 205 millones de galones de petróleo en los hábitat de vida salvaje. Este derrame mató a cientos de tortugas marinas, miles de aves y animales terrestres, millones de organismos marinos y le costó a BP $40 mil millones. La Comisión Nacional para el Derrame Petrolífero dijo acerca de BP que la compañía tenía un historial de derrames petrolíferos y de violaciones a la seguridad y que, por ahorrar dinero, no había tomado medidas para reducir los riesgos que conocía.*

La industria moderna nos brinda una prosperidad material sin igual en la historia. También ha creado amenazas ambientales sin paralelo tanto para nosotros como para las generaciones futuras. La misma tecnología que nos permite manipular y controlar la naturaleza también ha contaminado nuestro entorno y ha agotado con rapidez nuestros recursos naturales. Según los inventarios de emisiones de la Agencia de Protección Ambiental de Estados Unidos (EPA), este país lanzó al aire más de 130 millones de toneladas de *contaminantes comunes* en 2008 (como humo, plomo y monóxido de carbono), además de los 7,700 millones de toneladas de emisiones de dióxido de carbono que parecen estar calentando la atmósfera. El país produjo 3,900 millones de toneladas de desechos tóxicos, de los cuales 112 millones de kilos se lanzaron a los mantos acuíferos. Cada año, su consumo total de energía es equivalente a 100 cuatrillones de BTU (unidades termales británicas) que son equivalentes a 17,240 millones de barriles de petróleo o 3,270 millones de litros de gasolina.[1] Cada ciudadano estadounidense es responsable anualmente del consumo de más de 590 kilogramos de metal, 8,400 kilos de otros minerales, además de producir más de 3 kilos de basura cada día del año.

Aunque el país ha logrado un avance significativo en el control de ciertos tipos de contaminación y en la conservación de energía, todavía subsisten problemas ambientales importantes, en especial a nivel internacional. En un resumen de su informe, *Global Environment Outlook: GEO4*, el Programa para el Ambiente de la ONU escribió:

Ahora tenemos evidencias de cambios sin precedentes en el entorno natural a nivel regional y global. Estos cambios se deben a las actividades humanas en un mundo cada vez más globalizado, industrializado e interconectado, impulsado por flujos en expansión de bienes, servicios, capital, personas, tecnologías, información, ideas y mano de obra, que afectan incluso a poblaciones aisladas. Los cambios clave pueden resumirse de la siguiente manera.

El cambio climático está en marcha y se ha registrado un aumento promedio de 0.74°C con respecto al siglo pasado; 11 de los últimos 12 años (1995-2006) calificaron entre los 12 años más cálidos desde 1850. Los efectos ya son evidentes en los cambios en la disponibilidad de agua, la difusión de enfermedades transmitidas por el agua, la seguridad alimenticia, los cambios en las capas de hielo y en los niveles del mar como lo ejemplifica el derretimiento de la cubierta de hielo de Groenlandia. Las emisiones antropogénicas de GEI (gases con efecto invernadero que genera el hombre), principalmente de dióxido de carbono, son las principales fuentes de cambio. El aumento que se proyecta en la frecuencia e intensidad de las olas de calor, tormentas, inundaciones y sequías afectará en forma drástica a muchos millones de personas. El Panel Intergubernamental para el Cambio Climático (IPCC) proyecta un aumento en la temperatura global de 1.8-4°C para finales de este siglo.

Se estima que más de dos millones de personas morirán prematuramente cada año debido a la contaminación interna y externa del aire. La interna ocurre en muchas comunidades pobres cuando se usa biomasa y carbón para cocinar y calentar en lugares cerrados sin una ventilación adecuada. La externa surge de muchas fuentes, que incluyen los procesos industriales, los vehículos a motor, la generación de energía y los incendios forestales.

El *agujero* en la capa de ozono atmosférico sobre la Antártida, es decir, la capa que protege a la gente de la radiación ultravioleta perjudicial, es ahora más grande que nunca. Debido a la disminución en el uso de sustancias que dañan el ozono, se espera que la capa de ozono se recupere, suponiendo que se cumpla por completo el Protocolo de Montreal, pero esto no ocurrirá sino hasta 2060 o 2075.

El uso no sustentable del agua y de la tierra y los efectos del cambio climático producen la degradación de los suelos, que abarca erosión, agotamiento de nutrientes, escasez de agua, salinidad, contaminación química y perturbación de los ciclos biológicos. Los efectos acumulativos de estos cambios amenazan la seguridad alimenticia y el equilibrio de la biodiversidad por la fijación y almacenamiento de carbono.

La deforestación en los trópicos continúa a una tasa promedio anual de 130,000 km$^2$, con graves implicaciones para las concentraciones de gases con efecto invernadero y para la biodiversidad.

La liberación de contaminantes dañinos y persistentes, como metales pesados y sustancias químicas orgánicas que proceden de la minería, la manufactura, las aguas negras, las emisiones de los energéticos y de los vehículos de transporte, el uso de sustancias químicas agrícolas y el filtrado de químicos y productos obsoletos acumulados sigue siendo un problema para los ecosistemas terrestres y acuáticos.

El agua contaminada es la mayor causa de enfermedades humanas y muerte a escala global. La disponibilidad *per cápita* de agua potable disminuye, en parte debido a la retirada excesiva del agua tanto subterránea como superficial. Si la tendencia actual continúa, 1,800 millones de personas vivirán en países o regiones con una escasez total de agua para 2025 y dos tercios de las personas del mundo estarán sujetas a sequías.

Los océanos del planeta son los principales reguladores del clima global y un resumidero importante de los gases con efecto invernadero. En las cuencas geográficas regionales y oceánicas, el ciclo del agua se ve afectado por los cambios a largo plazo del clima que alteran los patrones de las precipitaciones. Los cambios climáticos también ocasionan reducciones importantes en la cubierta de hielo del mar Ártico y derretimiento acelerado del permahielo (*permafrost*) y de los glaciares de las montañas y el hielo del Ártico continental.

La eutrofización de las aguas de lagos y embalses que ocasionan las cargas excesivas de nutrientes resultado, por ejemplo, de la aplicación de fertilizantes agrícolas, causan niveles importantes de muertes a los peces de manera esporádica y amenaza la salud de los seres vivos. El deterioro de la calidad del agua se ve agravada por otros contaminantes de la tierra, en particular por aguas residuales y escurrimientos superficiales urbanos.

La mala distribución y el mal uso la tierra, del agua potable y de la biodiversidad marina se agravan más que nunca en la historia del ser humano. Los ecosistemas como bosques, pantanos y tierra firme se transforman y, en algunos casos, se degradan de manera irreversible. El ritmo al que las especies se extinguen aumenta. La gran mayoría de las especies bien estudiadas, incluso los peces de interés comercial, están disminuyendo en distribución o abundancia, o en ambos.[2]

La gravedad de estos problemas ambientales empeora por el continuo crecimiento de la población mundial que ascendía a mil millones de personas en 1800, aumentó a 3 mil millones en 1960, a 6.7 mil millones para 2010, y se predice que llegue a 10 mil millones en 2050. Conforme las tensiones ambientales presionan nuestra capacidad de sustentar la humanidad, el crecimiento de la población solo puede añadir más presiones. Los problemas que surgen con estas amenazas ambientales son tan poco manejables y tan difíciles que muchos observadores piensan que no existe solución. Por ejemplo, William Pollard, un físico, se desespera porque no somos capaces de manejar estos problemas de manera adecuada:

Mi punto de vista es que [la humanidad] no lo hará sino hasta que haya sufrido enormemente y hasta que gran parte de aquello de lo que ahora depende se haya destruido. Cuando la Tierra en unas cuantas décadas esté el doble de poblada con seres humanos de lo que está ahora, y cuando las sociedades confronten la escasez de recursos en medio de una acumulación creciente de desperdicio y un deterioro constante del entorno, entonces seremos testigos de un paroxismo social de una intensidad nunca antes vista. Los problemas son tan variados y vastos, y los medios para su solución están tan fuera del alcance de los recursos científicos y del conocimiento tecnológico en los que se ha confiado, que simplemente no habrá tiempo para evitar la catástrofe inminente. Por lo tanto, nos encontramos en el umbral de un tiempo de juicio más severo, sin duda, que cualquier hombre ha enfrentado antes en la historia.[3]

Los aspectos ambientales, entonces, dan lugar a grandes y complicados cuestionamientos éticos y tecnológicos para nuestra sociedad de negocios. ¿Cuál es el grado del daño ambiental que se produce por los procesos mediante los cuales se fabrican los productos, se cultivan los alimentos y se suministra energía a las ciudades? ¿Qué amenaza representa este daño para nuestro bienestar? ¿Qué valores debemos eliminar para detener o desacelerar ese daño? Debido a la contaminación, ¿qué derechos se violan y de quiénes? ¿Quién debería tener la responsabilidad de pagar los costos de contaminar el ambiente?, ¿cuánto tiempo durarán nuestros recursos naturales?, ¿qué obligación tienen las empresas con las generaciones futuras de preservar el ambiente y conservar nuestros recursos?

Este capítulo explora estos asuntos ambientales. Comienza con un panorama general de varios aspectos técnicos del uso de los recursos ambientales. Sigue con un análisis de las bases éticas de protección al ambiente. Las secciones finales analizan dos aspectos controvertidos: nuestras obligaciones con las generaciones futuras y las perspectivas de crecimiento económico continuo.

## 5.1 Las dimensiones de la contaminación y el agotamiento de recursos

**polución** La indeseable y no intencionada contaminación del ambiente mediante la actividad humana, como la manufactura, la eliminación de desechos, la quema de combustibles fósiles, etcétera.

**agotamiento de recursos** Consumo de recursos escasos o finitos.

**calentamiento global** Incremento en las temperaturas alrededor del mundo como consecuencia de los crecientes niveles de gases con efecto invernadero.

**gases con efecto invernadero** Dióxido de carbono, óxido de nitrógeno, metano y clorofluorocarbonos, gases que absorben y mantienen el calor del sol, evitando que escape de regreso al espacio, de forma similar a la de un invernadero que absorbe y mantiene el calor del sol.

El daño al entorno natural inevitablemente amenaza el bienestar tanto de los seres humanos como de plantas y animales. Las amenazas al ambiente provienen de dos fuentes: la contaminación y el agotamiento de los recursos. La **polución** se refiere a la contaminación indeseable y no intencionada del entorno natural mediante las actividades humanas, como la fabricación, la eliminación de desechos, la quema de combustibles fósiles, etcétera. El **agotamiento de recursos** se refiere al consumo de recursos escasos o finitos. En cierto sentido, la contaminación es en realidad un tipo de agotamiento de recursos porque al contaminar el aire, el agua o la tierra disminuyen sus cualidades benéficas. Pero en el presente análisis, estos dos aspectos se considerarán por separado.

### Contaminación del aire

La contaminación del aire no es nueva, ha estado con nosotros desde que la Revolución Industrial introdujo al mundo las fábricas de chimeneas humeantes. Sin embargo, sus costos aumentaron de manera exponencial al extenderse la industrialización. En la actualidad, los contaminantes del aire afectan a la vegetación, disminuyen las cosechas agrícolas y ocasionan pérdidas en la industria maderera; deterioran los materiales para construcción expuestos por corrosión, decoloración y descomposición; son peligrosos para la salud y la vida, disminuyen la posibilidad de disfrutarla y elevan los costos médicos; además, amenazan con un daño global catastrófico en la forma de calentamiento y destrucción de la capa de ozono en la estratosfera.[4]

**Calentamiento global** Los **gases con efecto invernadero**—dióxido de carbono, óxido de nitrógeno, metano y clorofluorocarbonos— son gases que absorben y retienen el calor del sol, evitan que escapen de nuevo al espacio, de manera muy similar a la de un invernadero que absorbe y mantiene el calor del sol. De estos gases, el metano es capaz de captar más calor que una cantidad igual de cualquiera de los otros, pero hay mucho más dióxido de carbono, por lo que es el gas el que actualmente contribuye más al calentamiento de la atmósfera. Los gases con efecto invernadero se producen de modo natural en la atmósfera, mantienen la temperatura de la Tierra alrededor de 33°C más caliente de lo que estaría sin ellos; esto permite que la vida que conocemos evolucione y florezca. Sin embargo, durante los últimos 150 años, las actividades humanas, como la agrícola e industrial, han liberado sustancialmente más gases de invernadero a la atmósfera, en particular al quemar combustibles fósiles como petróleo, gas y carbón, los cuales emiten dióxido de carbono. Desde el inicio de la era industrial, la cantidad de este gas en la atmósfera ha aumentado en un 27 por ciento, hasta llegar a 330 ppm (partes por millón, por volumen) y ahora es mayor que el rango natural de 180-300 ppm que prevaleció durante los últimos 650,000 años. Las medidas en Mauna Loa, Hawai, tomadas desde 1958 indican que el dióxido de carbono en la atmósfera aumenta actualmente a una tasa aproximada de 2 ppm al año (figura 5.1).[5] Por el trabajo de finales del siglo XIX del científico Svante Arrhenius, sabemos que el dióxido de carbono atrapa el calor y, por lo tanto, es capaz de calentar la atmósfera de la Tierra. De hecho, los crecientes niveles de gases con efecto invernadero que se han producido desde el principio de la Revolución Industrial han aumentado las temperaturas en todo el planeta en cantidades mensurables. Las temperaturas globales promedio son ahora 0.7°C más altas que en 1900 y se espera que suban entre 1.5 y 4.5°C para el año 2100 conforme aumenten las emisiones de carbono. En el suroeste de Estados Unidos, las temperaturas promedio han aumentado 1.5°C sobre el promedio que prevalecía entre los años de 1900 y 1970. El calor cada vez más intenso extenderá los desiertos del mundo, derretirá los glaciares y las capas de hielo polares ocasionando que el nivel del mar suba, se intensifiquen las olas de calor, las sequías y otros eventos climáticos extremos, y varias especies de plantas y animales se extinguirán.[6]

El Panel Intergubernamental del Cambio del Clima de la ONU (IPCC) es un grupo de científicos que estudia y monitorea el calentamiento global.[7] El IPCC prevé grandes cambios de la vegetación en latitudes y elevaciones más altas y cambios rápidos en la mezcla de especies en estas áreas como resultado del calentamiento. Como las especies de los bosques crecen, se reproducen y evolucionan con mucha más lentitud que el cambio del clima, es posible que bosques y especies boscosas desaparezcan por completo. Los cuerpos de agua como lagos y océanos se calentarán y esto cambiará en forma drástica la distribución geográfica de los peces y de otras especies marinas.

Actualmente, cerca de 1,100 millones de personas carecen de un suministro adecuado de agua potable, que es la causa directa de que cada año mueran 1.6 millones de personas

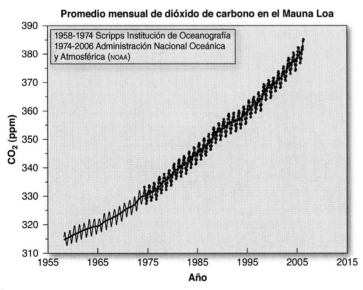

**Figura 5.1**
Registro de dióxido de carbono atmosférico en Mauna Loa que se muestra aquí indica un aumento promedio anual del 0.53%, o dos partes por millón, de dióxido de carbono en la atmósfera. El aumento normal y la caída de la línea indican las variaciones estacionales anuales. Scripps analizó datos de 1958 a 1974, y luego comenzó a hacerlo la NOAA.

Fuente: US National Oceanic and Atmospheric Administration.

Vea la **imagen** en **mythinkinglab.com**

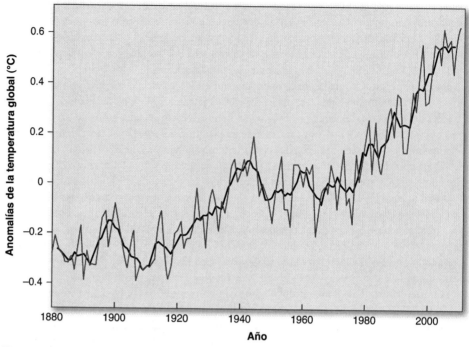

**Vea** la **imagen** en

**mythinkinglab.com**

**Figura 5.2**

Aumento de temperaturas globales de 1880 a 2010 como lo indican las anomalías de la temperatura. Una temperatura anómala es la que difiere de la línea promedio de partida. Aquí la línea delgada indica la cantidad por la cual la temperatura de cada año difiere de la temperatura promedio durante el periodo base 1951-1980; la línea gruesa es un promedio continuo de cinco años. La gráfica indica que 2010 fue más cálido que el promedio durante 1951-1980, y que cada década desde el decenio de 1970, la temperatura promedio global ha aumentado en –17°C. El año 2010 fue, junto con 2005, el más cálido registrado; los segundos más cálidos fueron 2002, 2003, 2006, 2007 y 2009.

Fuente: National Aeronautics and Space Administration (NASA).

(de las cuales 1.4 millones son niños menores de 5 años); el cambio en el clima ha aumentado la frecuencia y magnitud de las sequías, y con ello el número de personas sin agua. Actualmente, 750 millones de personas de los países pobres no tienen suficiente alimento; el cambio climático disminuirá las cosechas en los trópicos y subtrópicos y agudizará el hambre en esas áreas. Hoy, la mitad de la población mundial y muchas ciudades importantes se localizan en las costas; el cambio en el clima derretirá los glaciares de las regiones ártica y antártica y ocasionará aumentos en el nivel del mar que inundará estas zonas y sus poblaciones; ya está aumentando la frecuencia y severidad de las tormentas costeras y de los huracanes, así como la destrucción resultante en esas áreas.

Hoy, las tasas de mortalidad tanto en países desarrollados como en las naciones en desarrollo han disminuido; sin embargo, el cambio climático ya es causa de un aumento preocupante de enfermedades infecciosas transmitidas por insectos como el dengue, la malaria, el hantavirus, el virus del Nilo y el cólera.[8] Con el aumento de las temperaturas, los mosquitos han invadido regiones antes frescas, llevando las fiebres de malaria y dengue con ellos. Estados Unidos ha visto el surgimiento del virus del Nilo, una enfermedad que transmiten los mosquitos; los estados de California, Washington, Texas, Arizona, Colorado, Idaho, Montana y otros del oeste han registrado brotes de hantavirus, una infección letal que transmiten los roedores y que mueren por falta de agua.

Aunque sus efectos se ven cada vez con más facilidad, el calentamiento global es un problema sumamente difícil de resolver por razones tecnológicas, económicas y políticas. El IPCC calcula que detener el incremento en los niveles de gases con efecto invernadero requeriría reducir sus emisiones mundiales actuales en 60 o 70 por ciento, una cantidad que dañaría seriamente las economías de naciones tanto industrializadas como en desarrollo y que requeriría el desarrollo de nuevas fuentes de energía y tecnologías. De hecho, es una reducción tan grande, que pocos gobiernos están listos para intentar las negociaciones políticas necesarias para decidir una reducción de ese tipo y, por lo tanto, la mayoría de las naciones todavía aumenta sus emisiones de dióxido de carbono en cantidades sustanciales. En 2010 el presidente Obama, sin el apoyo total del Congreso, prometió que, para 2010 Estados Unidos reduciría sus emisiones de carbono en un 17 por ciento respecto a los niveles de 2005. Ese mismo año, Canadá anunció también que se proponía una reducción de 17 por ciento de los niveles de 2005 para el año 2010, mientras que China anunció que para 2010 disminuiría sus emisiones de 40 a 50 por ciento respecto a los niveles de 2005 y Brasil dijo que su meta sería una reducción de 39 por ciento. Sin embargo, estas medidas, por supuesto, no serán suficientes para lograr la reducción de 60 a 70 por ciento de las emisiones mundiales que el IPCC dice que son necesarias. Algunos ambientalistas han sugerido que lograr este tipo de reducciones en las emisiones requerirá un cambio total de nuestros estilos y valores de vida.

Las principales fuentes de emisiones de gases con efecto invernadero son la generación de energía (21.3%), los procesos industriales (16.8%), el transporte (14%), la agricultura (12.5%) y la extracción y procesamiento del petróleo (11.3%). Todas estas son actividades con una gran participación de los negocios. Si las emisiones de gases con efecto invernadero deben reducirse, los negocios tendrán que desempeñar un papel importante al hacerlo. Muchos ya se están esforzando en reducir sus llamadas *huellas de carbono* (la cantidad de gases de efecto invernadero que sus actividades producen de manera directa o indirecta). Ford, Volvo, Walmart, HP, PepsiCo y muchas otras compañías trabajan no solo para reducir sus propias emisiones, sino que también ayudan a sus proveedores a reducir las suyas y a hacer productos que permitan a sus clientes hacer lo mismo. Pero otras compañías han hecho poco y hay otras, en particular las energéticas, que se han opuesto a los intentos de reducir las emisiones de gases con efecto invernadero.

**Agotamiento del ozono**  Los clorofluorocarbonos (CFC) son gases que rompen de manera gradual la capa de gas ozono en la estratosfera. Esta capa en la estratosfera baja filtra la radiación ultravioleta que emite el Sol y que es dañina para la vida en la Tierra. Sin embargo, se destruye con los gases CFC que se usan en latas de aerosol, refrigeradores, sistemas de aire acondicionado, solventes y espumas industriales. Cuando se liberan al aire, los gases CFC se elevan y en un lapso de 7 a 10 años llegan a la estratosfera, donde destruyen las moléculas de ozono y permanecen de 75 a 130 años, tiempo durante el cual continúan destruyendo moléculas adicionales de ozono. Los estudios predicen que la reducción de la capa de ozono y el aumento consecuente de rayos ultravioleta provocarán varios cientos de miles de casos nuevos de cáncer en la piel y podrían ocasionar una destrucción considerable del 75 por ciento de las cosechas más importantes del mundo que son sensibles a la luz ultravioleta. Otros estudios indican que el plancton que flota en las capas superficiales de los océanos, y del cual depende toda la cadena alimenticia de los mares del mundo, es sensible a la luz ultravioleta y podría sufrir una destrucción masiva. Los acuerdos internacionales de los que Estados Unidos es signatario prometieron reducir de forma gradual el uso de gases CFC para 2000, y las emisiones han disminuido 87 por ciento luego de haber alcanzado su punto máximo en 1988.[9] Sin embargo, los científicos advierten que incluso si se detuviera el uso de gases CFC, los niveles en la atmósfera continuarían su peligrosa elevación porque ya se liberaron y seguirán subiendo durante muchos años y persistirán quizá durante un siglo.[10] Más aún, no todos los países han aceptado el acuerdo de detener la producción de gases CFC y con frecuencia se liberan cuando se reparan o eliminan refrigeradores o sistemas de aire acondicionado fabricados hace muchos años.[11]

**agotamiento del ozono** La ruptura gradual del gas ozono en la estratosfera causada por la liberación de clorofluorocarbonos (CFCS) al aire.

# Deshechos tóxicos de Ford

Fabricar automóviles produce un flujo constante de líquidos y sólidos tóxicos; durante la década de 1960 y principios de la de 1970, Ford Motor Company arrojó toneladas de desechos de su planta de Mahwah a una colina boscosa de 202 hectáreas de superficie en Ringwood, N.J., incluyendo pinturas sin usar, solventes, disolventes para pintura, ácidos de batería y otras sustancias químicas. En ese entonces, era legal tirar desperdicios en las tierras baldías, y Ford era el dueño de ese terreno boscoso. El colorido fango, que contenía benceno, plomo, arsénico, antimonio, xilenos y otras sustancias venenosas (algunas de ellas carcinógenas, como el cromo que causa sangrados por la nariz) se arrojaba en lo que los residentes locales llaman *la colina fangosa*. La resbaladiza materia gelatinosa atraía a los niños de la localidad que jugaban en ella y frecuentemente llegaban a casa con severos sangrados nasales. Un residente, Wayne Mann, dijo en 2009: "Yo era uno de esos niños que acostumbraban ir a la colina fangosa. Me subía al capó de un auto y me deslizaba dirigiendo la bajada con las manos metidas en el húmedo fango. Te pintabas la cara, lamías la pintura, hacías cualquier cosa". Muchos residentes, incluso Mann, están enfermos. Algunos ya han muerto de cáncer. Niños y adultos sufren de misteriosas erupciones en la piel, raros desórdenes sanguíneos, cánceres, asma y otras enfermedades inusuales. Las 600 personas que viven en el área piensan que el fango tóxico fue la causa de sus enfermedades y que demasiados están enfermos o muriendo y consideran que las enfermedades no son fruto de la casualidad. El área está poblada por los Ramapough, un grupo nativo empobrecido, que aseguran ser víctimas de una injustica medioambiental.

Aunque Ford admite que arrojó los químicos, John Holt, un portavoz de la empresa, dijo en 2009 que estos no ocasionaron las enfermedades: "No se han encontrado niveles mayores de cáncer o de ninguna otra cosa aparte del cáncer pulmonar". Más aún, señala que Ford dedicó diez años a limpiar el sitio y en 1994, la Agencia de Protección Ambiental de Estados Unidos (EPA) y el Departamento de Protección al Medio Ambiente de Nueva Jersey certificaron que la empresa había hecho un trabajo adecuado.

Pero en 2006, cuando la EPA revisó de nuevo el sitio, decidió que había cometido un error en 1994, volvió a colocar el lugar en la lista de contaminación y Ford comenzó otra limpieza que continúa hasta el momento. Señalando a los bosques, John Holt dijo en 2009, "el sitio se terminó, se excavó y se restauró a su estado natural... de acuerdo con los requisitos del Estado de Nueva Jersey y de la EPA". Pero los funcionarios federales dijeron que el daño sigue en gran parte de la colina fangosa. Un funcionario estatal dijo que "Ford presentó informes falsos o engañosos a los inspectores federales" acerca de las primeras limpiezas. Los funcionarios federales también reportaron que las tasas de cáncer pulmonar en el área son significativamente mayores. El cáncer de vejiga y el linfoma no-Hodgking también tiene tasas de incidencia más elevadas, aunque sus números son demasiado bajos para considerarlos coincidencias. Las estadísticas no muestran una relación causa-efecto, así que no hay manera de saber a ciencia cierta qué ocasionó las enfermedades. Ahora la lluvia ha arrastrado los químicos a los arroyos, ríos y a las aguas subterráneas. También han entrado en la cadena alimenticia local. En 2011 Ford no había completado la limpieza que inició en 2006, aunque había acarreado 50,000 toneladas más del fango. Gran parte del mismo se había filtrado a las cavernas subterráneas a las que es casi imposible acceder.

1. ¿Debe considerarse a Ford responsable de las enfermedades de los residentes? Observe los videos en *http://www.northjersey.com/specialreports/ringwood5yearslater.html* y *http://toxiclegacy.northjersey.com*. ¿Sugieren los videos que la contaminación nos debe preocupar? ¿Qué dirían las diversas formas de ética ambiental que se describen en este capítulo respecto a las acciones de Ford?

Fuente: NorthJersey.com, "Toxic Landscape: Ringwood-Five Years Later", acceso enero 19 de 2011 en *http://www.northjersey.com/specialreports/ringwood5yearslater.html*.

**Lluvia ácida** La lluvia ácida ocurre cuando el carbón, que contiene altos niveles de azufre, se quema y libera grandes cantidades de óxidos de azufre y de nitrógeno a la atmósfera. Las plantas de energía eléctrica son responsables del 70 por ciento de las emisiones anuales de óxido de azufre y del 30 por ciento de las de óxido de nitrógeno.[12] Cuando estos gases se llevan al aire, se combinan con el vapor de agua en las nubes para formar ácido nítrico y ácido sulfúrico. Estos ácidos después regresan a la Tierra con la lluvia, que con frecuencia cae a cientos de millas de las fuentes originales de los óxidos. La lluvia ácida —en ocasiones tan ácida como el vinagre— llega a los lagos y ríos, donde eleva la acidez del agua. Muchas poblaciones de peces y otros organismos acuáticos —algas, zooplancton y anfibios— no pueden sobrevivir en lagos y ríos que se han vuelto ácidos por la lluvia.[13] La lluvia ácida daña o destruye de manera directa árboles, plantas, líquenes y musgos. También es capaz de filtrar metales tóxicos, como cadmio, níquel, plomo, manganeso y mercurio desde el suelo y llevarlos a los mantos acuíferos, donde contaminan el agua potable y dañan a los peces. Por último, corroe y daña edificios, estatuas y otros objetos, en particular los hechos de hierro, calizas y mármol. Docenas de personas murieron en Virginia Occidental cuando se cayó un puente de acero como resultado de la corrosión por lluvia ácida y su efecto ha corroído monumentos invaluables como la Acrópolis en Atenas y el Taj Mahal en India.

**Tóxicos que lleva el aire** Amenazas de contaminación del aire menos catastróficas pero muy preocupantes son los 1,088 millones de kilogramos de sustancias tóxicas que se liberan cada año a la atmósfera, que incluyen fosgeno, el gas nervioso que se usa en la guerra e isocianato metílico, que mató a más de 2,000 personas en Bopal, India. La mezcla química que se libera al aire anualmente incluye 106.6 millones de kilogramos de carcinógenos, como benceno y formaldehído, y 239 millones de kilogramos de neurotoxinas como tolueno y tricloroetileno. Aunque los niveles de la mayoría de los tóxicos que transporta el aire han disminuido poco a poco en Estados Unidos, algunos estados han registrado incrementos en los niveles de varios tóxicos carcinógenos en el aire.[14] La Agencia de Protección Ambiental (EPA) estima que 20 de los más de 329 tóxicos que se liberan al aire provocan más de 2,000 casos de cáncer cada año y que vivir cerca de las plantas químicas eleva las posibilidades de que una persona contraiga esta enfermedad a más de 1 en 1,000. Se han encontrado tasas de cáncer excepcionalmente altas cerca de las plantas en varios estados como Virginia Occidental y Louisiana.

**Principales contaminantes del aire** La forma de contaminación ambiental que predomina proviene de los seis tipos de gases y partículas que emiten los autos y los procesos industriales, que la EPA los llama *principales contaminantes del aire*. Estos seis afectan la calidad del aire que respiramos, dañan la salud humana, el medio ambiente y la propiedad, y son el monóxido de carbono, los óxidos de azufre, los óxidos de nitrógeno, el plomo que transporta el aire, el ozono (o *smog* fotoquímico) y las partículas (mezclas de partículas extremadamente pequeñas y gotitas de agua que transporta el aire). Los efectos de estos contaminantes se reconocieron hace más de cuatro décadas y se resumen en la figura 5.3.[15]

Estudios más recientes y que comprenden un periodo mayor indican que el deterioro de la función pulmonar en los seres humanos que provoca la exposición crónica a los contaminantes del aire —ya sea el smog que originan los autos o las emisiones de las chimeneas industriales— es duradero y muchas veces irreversible.[16] Cerca de 2,500 sujetos que participaron en los estudios sufrieron una pérdida de hasta el 75 por ciento de su capacidad pulmonar durante un periodo de 10 años por vivir en las comunidades de Los Ángeles, una región con niveles muy altos de contaminación del aire; al cabo de ese periodo, quedaron vulnerables a enfermedades respiratorias y faltos de vitalidad. El daño a los pulmones de los niños en crecimiento fue en especial grave.

---

**lluvia ácida** Ocurre cuando los óxidos de azufre y óxidos de nitrógeno se combinan con vapor de agua en las nubes para formar ácido nítrico y sulfúrico. Estos ácidos llegan al suelo con la lluvia.

---

*Repaso breve 5.1*

**Tipos principales de contaminación del aire**

- Gases con efecto invernadero: dióxido de carbono, metano, óxido de nitrógeno.
- Gases que desgastan el ozono: clorofluorocarbonos.
- Gases de la lluvia ácida: óxidos de azufre.
- Tóxicos que lleva el aire: benceno, formaldehído, tolueno, tricloroetileno y 329 más.
- Principales contaminantes del aire: monóxido de carbono, óxidos de azufre, óxidos de nitrógeno, plomo que transporta el aire, ozono, partículas.

| Contaminante | Efectos sobre la salud | Efectos ambientales y climáticos |
|---|---|---|
| Ozono ($O_3$) | Disminuye la función pulmonar y causa síntomas respiratorios, tales como tos y mala respiración; agrava el asma y otras enfermedades respiratorias llevando a un aumento del uso de medicamentos, ingresos en los hospitales, visitas al servicio de urgencias (SU) y mortalidad prematura. | Daña la vegetación al dañar visiblemente las hojas, reducir la fotosíntesis, dañar la reproducción y el crecimiento y disminuir la producción de las cosechas. El daño del ozono a las plantas puede alterar la estructura de los ecosistemas, reducir la biodiversidad y disminuir la absorción de $CO_2$ por las plantas. El ozono también es un gas con efecto invernadero que contribuye al calentamiento de la atmósfera. |
| Partículas en suspensión (PS) | La exposición a corto plazo puede agravar las enfermedades pulmonares o cardiacas produciendo síntomas, aumentando el uso de medicamentos, los ingresos hospitalarios, las visitas al SU y la mortalidad prematura; la exposición prolongada puede llevar al desarrollo de enfermedades cardiacas o pulmonares y a mortalidad prematura. | Disminuye la visibilidad, afecta de manera adversa los procesos del ecosistema y daña y/o ensucia las estructuras y las propiedades. Hay impactos climáticos variables dependiendo del tipo de partículas. La mayoría de las partículas son reflejantes y llevan al enfriamiento neto, mientras que otras (especialmente el carbón negro) absorben la energía y provocan calentamiento. Otros efectos incluyen el cambio en los patrones, localización y temporalidad de la lluvia. |
| Plomo (Pb) | Daña el desarrollo del sistema nervioso, su resultado es una pérdida del CI e impacta la memoria, el aprendizaje y el comportamiento de los niños. Hay efectos cardiovasculares y renales en los adultos y efectos tempranos relacionados con anemia. | Daña las plantas y la vida silvestre, se acumula en los suelos y afecta de manera adversa a los sistemas tanto acuáticos como terrestres. |
| Óxidos de azufre ($SO_x$) | Agravan el asma provocando jadeo, rigidez del tórax y mala respiración, aumentan el uso de medicamentos, las hospitalizaciones y visitas al SU; los niveles muy altos pueden agravar los síntomas en personas con enfermedades respiratorias. | Contribuyen a la acidificación del suelo y de las aguas superficiales, así como a la metilación por mercurio en zonas húmedas y pantanosas. Causan daño a la vegetación y pérdida de especies locales en sistemas acuáticos y terrestres. Contribuyen a la formación de partículas con efectos ambientales asociados. Las partículas de sulfato contribuyen al enfriamiento de la atmósfera. |
| Óxidos de nitrógeno ($NO_x$) | Agravan las enfermedades pulmonares llevando a síntomas respiratorios, ingresos hospitalarios y visitas al SU; aumentan la susceptibilidad a infecciones respiratorias. | Contribuyen a la acidificación y enriquecimiento de nutrientes (eutrofización y saturación de nitrógeno) de los suelos y las aguas superficiales. Llevan a la pérdida de biodiversidad. Impactan en los niveles de ozono, de partículas y de metano con los efectos asociados medioambientales y climatológicos. |
| Monóxido de carbono (CO) | Reduce la cantidad de oxígeno que llega a los tejidos y órganos del cuerpo; agrava las enfermedades cardiacas, produciendo dolor en el pecho y otros síntomas que llevan a internamientos hospitalarios y visitas al SU. | Contribuye a la formación de $CO_2$ y ozono, gases con efecto invernadero que calientan la atmósfera. |
| Amoniaco ($NH_3$) | Contribuye a la formación de partículas con los efectos cardiacos asociados. | Colabora con la eutrofización del agua de la superficie y a la contaminación con nitratos de las aguas subterráneas. Contribuye a la formación de partículas de nitratos y sulfatos con efectos climáticos y ambientales relacionados. |

| Contaminante | Efectos sobre la salud | Efectos ambientales y climáticos |
|---|---|---|
| Compuestos orgánicos volátiles (COVs) | Algunos son contaminantes tóxicos del aire que causan cáncer y otros graves problemas de salud. Contribuyen a la formación de ozono con los efectos relacionados a la salud. | Contribuyen a la formación de ozono con los efectos climáticos y medioambientales relacionados. Contribuyen a la formación de $CO_2$ y ozono, gases con efecto invernadero que calientan la atmósfera. |
| Mercurio (Hg) | Causa daño al hígado, al riñón y al cerebro así como daño en el desarrollo neurológico. | Se deposita en ríos, lagos y océanos en donde se acumula en los peces por lo que los humanos y la vida salvaje quedan expuestos. |
| Otros tóxicos y contaminantes del aire | Causan cáncer, daño al sistema inmune y problemas respiratorios, neurológicos, reproductivos y del desarrollo, así como otros problemas de salud. Algunos contaminantes tóxicos del aire contribuyen a la contaminación por partículas y por ozono con sus efectos relacionados con la salud. | Dañinos para la vida salvaje y el ganado. Algunos contaminantes tóxicos del aire se acumulan en la cadena alimenticia. Otros contribuyen a la contaminación por partículas y ozono con los efectos climáticos y ambientales relacionados. |

**Figura 5.3**
Efectos en la salud, ambientales y climatológicos de diferentes contaminantes del aire.

Vea la **imagen** en
**mythinkinglab.com**

Fuente: US Enviromental Protection Agency, *Our Nation's Air: Status and Trends Through* 2008, febrero de 2010.

Las principales fuentes de contaminación que afectan la calidad del aire son las empresas de servicios públicos, las chimeneas industriales y los automóviles. En áreas urbanas congestionadas como Los Ángeles, los automóviles son responsables de cerca del 80 por ciento de la contaminación del aire. La contaminación industrial se deriva primordialmente de las plantas de energía eléctrica y de las que refinan y fabrican metales básicos. Las plantas de energía eléctrica que dependen de combustibles fósiles como petróleo, carbón o gas natural, lanzan toneladas de óxidos de azufre, óxidos de nitrógeno y cenizas al aire.

En la última década se ha logrado una mejora considerable en la calidad del aire en casi todas las regiones de Estados Unidos, en gran parte como resultado de la legislación y regulación ambiental. Las emisiones de cuatro de los seis principales contaminantes del aire se han reducido de forma sustancial, en particular el plomo (que se redujo en un 78 por ciento respecto a los niveles de 1990), el dióxido de azufre (59%) y el monóxido de carbono (68%), aunque las reducciones del ozono (14%), partículas (31%) y óxido de nitrógeno (35%) fueron más pequeñas.[17] Como indica la figura 5.4, las emisiones agregadas de los seis contaminantes principales del aire han descendido a pesar del aumento de la población, los automóviles y la producción económica. Desde 1990, las emisiones totales de contaminantes tóxicos al aire disminuyeron 40 por ciento y los depósitos de lluvia ácida disminuyeron 30 por ciento.

Se sabe que los costos de salud por la mala calidad del aire son altos. Los estudios indican que cuando las concentraciones de óxidos de azufre sobre las grandes ciudades disminuyeron a la mitad de los niveles registrados en 1960, significó un aumento promedio de 1 año de vida en cada uno de los residentes.[18] Si la calidad del aire en las áreas urbanas fuera similar a la de las regiones rurales con aire limpio, las tasas de muerte por asma, bronquitis y enfisema descenderían cerca del 50 por ciento y las muertes por enfermedades cardiacas disminuirían alrededor del 15 por ciento.[19] Se piensa que la mejora de la calidad del aire desde 1970 ahora salva cerca de 14,000 vidas por año.[20] La Oficina de Administración y Presupuesto de Estados Unidos estimó que entre 1992 y 2002 los reglamentos que redujeron o eliminaron la contaminación del aire generaron beneficios anuales por una cifra comprendida entre $117 y $177 mil millones, mientras que impusieron costos entre $18 y $21 mil millones, lo que significa que los beneficios anuales sobrepasaron a los costos de modo significativo.[21]

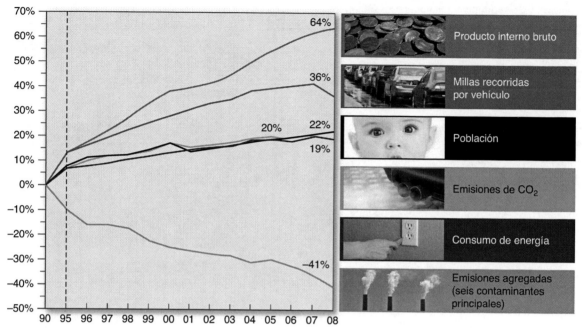

**Figura 5.4**

Comparación de la reducción agregada de emisiones de los seis contaminantes principales del aire (línea base) entre 1990 y 2008, con aumentos durante el mismo periodo del producto interno bruto, millas recorridas por vehículo, población, etcétera.

Vea la **imagen** en
**mythinkinglab.com**

Fuente: US Environmental Protection Agency, *Our Nation's Air: Status and Trends Through* 2008, febrero de 2010.

## Contaminación del agua

Las fuentes de contaminación del agua son un problema tan antiguo, que existe desde que la civilización comenzó a usarla para arrojar sus desechos y aguas negras. Sin embargo, sus contaminantes hoy son mucho más diversos y consisten no solo en desechos orgánicos, sino también en sales, metales y materiales radiactivos disueltos, al igual que en materiales suspendidos como bacterias, virus y sedimentos. Estos contaminantes inhabilitan o destruyen la vida acuática, amenazan la salud humana y ensucian el agua. Cerca del 40 por ciento del agua superficial actual está demasiado contaminada para pescar o nadar en ella.[22] Los contaminantes entran al agua superficial o a las cuencas subterráneas ya sea en un solo punto, como una tubería o un pozo que lleva aguas negras o desechos industriales, o bien, entran desde una fuente difusa que cubre un área extensa, como los pesticidas de los campos de cultivo o los desechos animales que acarrean las lluvias o corrientes.[23]

La salmuera que proviene de las minas o los pozos petroleros, lo mismo que de las mezclas de cloruro de sodio y cloruro de calcio que se usan para mantener los caminos limpios de nieve en invierno llegan, con el tiempo, a las fuentes de agua, donde elevan el contenido salino.[24] Los altos niveles salinos en los estanques, lagos y ríos matan los peces, la vegetación y otros organismos que habitan en ellos. El agua con mucha concentración de sal también representa un peligro para la salud cuando encuentra a su paso abastecimientos de agua de la ciudad y la beben personas con afecciones del corazón, hipertensión, cirrosis hepática o enfermedades renales.

El agua drenada de las operaciones de minas de carbón contiene ácido sulfúrico lo mismo que partículas de hierro y de sulfato. Las fundiciones continuas y los molinos calientes emplean ácidos para frotar los metales, y estos ácidos después se enjuagan con agua. El agua ácida de estas fuentes algunas veces fluye hacia los arroyos y los ríos. Los altos niveles de acidez que se producen en las corrientes por esas prácticas son letales para casi todos los organismos que viven en el medio acuático.[25]

Los **desechos orgánicos** en el agua se componen en gran parte de desperdicios humanos no tratados y aguas negras, así como de procesos industriales de diferentes productos alimenticios, de la industria de la pulpa y el papel y de los comederos de animales.[26]

Diversos tipos de bacterias consumen los desechos orgánicos que encuentran su camino hacia los recursos hidrológicos y, en ese proceso, agotan el oxígeno del agua. El agua sin oxígeno se vuelve incapaz de sustentar la vida de los peces y otros organismos.

Los compuestos de fósforo también contaminan muchas de nuestras fuentes de agua.[27] Se encuentran en detergentes de uso doméstico e industrial, en fertilizantes que se usan en la agricultura y en aguas negras no tratadas de humanos y animales. Los lagos con altas concentraciones de fósforo dan lugar a una expansión explosiva de poblaciones de algas que tapan los conductos de agua, eliminan otras formas de vida, agotan el oxígeno del agua y restringen severamente la visibilidad en el medio acuático.

Los diferentes contaminantes inorgánicos representan serios peligros para la salud cuando llegan al agua que se usa para beber y preparar alimentos. Se sabe que el mercurio ha seguido el camino hacia los mantos de agua dulce y los océanos. Proviene de quemar carbón que está contaminado con ese elemento de manera natural, de las plantas de cloro que lo usan para extraer el cloro de la sal, de las actividades mineras y los procesos de fundición y de la obtención de fungicidas y pesticidas hechos a base de mercurio.[28] El mercurio se transforma en compuestos orgánicos a través de microorganismos y se concentra cada vez más conforme avanza en la cadena alimenticia de peces y aves. Al consumirlo las personas, por ejemplo, si comer pescado contaminado, estos compuestos ocasionan daño cerebral, parálisis y muerte.

Las compañías algunas veces descargan en los ríos líquidos que contienen sustancias tóxicas.[29] El cadmio en la explotación de zinc, el uso de fertilizantes en la agricultura y las pilas eléctricas que se desechan también llegan a las fuentes de agua, donde se concentra en los tejidos de los peces y las conchas de los mariscos.[30] El cadmio ocasiona una degeneración en los huesos que incapacita a algunas víctimas y mata a otras; induce calambres severos, vómito y diarrea, y provoca hipertensión y problemas cardiacos. Las fibras de asbesto son otros contaminantes peligrosos que, si se tragan, pueden causar cáncer del tracto gastrointestinal. Las compañías mineras tienen la mala reputación de depositar desechos de asbestos contaminados en las fuentes de agua dulce.[31]

Los derrames de petróleo son una forma de contaminación del agua cuya ocurrencia ha sido más frecuente conforme ha aumentado nuestra dependencia de esta fuente energética y son el resultado de las perforaciones en alta mar, las descargas de pecina de los buques tanque y de los accidentes en ellos en la última década. En 2002, el *Prestige* se hundió frente a las costas españolas derramando 616,000 barriles de petróleo y hundiendo con él 75.7 millones de litros al fondo del mar; en 2004, una tormenta llevó a un carguero petrolero a encallar contra las islas Aleutianas, Alaska, haciendo que se desintegrara y liberara 1,275,683 litros de petróleo; en 2005, el huracán Katrina golpeó a Nueva Orleans y liberó más de 26.5 millones de litros de petróleo que estaban almacenados en diferentes lugares; el 15 de julio de 2006, las bombas israelíes alcanzaron una estación de generación de energía cerca de Beirut, Líbano, ocasionando la filtración de entre 11.35 y 37.85 millones litros de petróleo al mar; en 2007, un barco despachaba frente a las costas de Corea del Sur cuando golpeó un cable de acero y derramó 10.6 millones de litros de petróleo destruyendo 19.3 kilómetros de las playas de la zona; el 25 de octubre de 2008, una barcaza chocó contra un buque cisterna y derramó casi todos los 1,586,087 litros de petróleo que llevaba en el río Mississippi, cerca de Nueva Orleans; en enero de 2010, el buque petrolero *Eagel Otome* chocó con una barcaza y derramó 1,748,859 litros de petróleo en la bahía de Port Arthur, Texas; en abril de 2010, la explosión de la plataforma petrolífera de British Petroleum (BP) en el Golfo de México, liberó entre 348 y 696.5 millones de litros de petróleo crudo en las aguas del golfo, lo que fue el mayor derrame de petróleo en la historia de Estados Unidos; y en el delta del río Níger, en Nigeria, aproximadamente 400 derrames durante el decenio pasado han vertido un total de casi 378.5 millones de litros.[32] La contaminación que se

**desechos orgánicos**
Desperdicios humanos sin tratar, aguas negras y desechos industriales que resultan del procesamiento de los diferentes productos alimenticios, de la industria de la pulpa y el papel y de los comederos de animales.

---

*Repaso breve 5.2*

**Tipos principales de contaminación del agua**
- Deshechos orgánicos: aguas negras de los seres humanos y de los animales, bacterias, petróleo.
- Contaminantes inorgánicos: salmuera, ácidos, fosfatos, metales pesados, asbestos, bifenilos policlorados, sustancias químicas radiactivas.

produce por los derrames de petróleo es directamente letal para la vida marina, incluyendo peces, focas, plantas y aves acuáticas; requiere operaciones de limpieza agotadoras para los residentes e impone pérdidas costosas en las industrias del turismo cercano y la pesca.

En el pasado, los océanos se utilizaron para descargar desechos radiactivos de nivel medio y bajo. Los oceanógrafos han examinado y encontrado en el agua del mar restos de plutonio, cesio y otros materiales radiactivos que parecen provenir de fugas en los tambores sellados en los que se desecharon.[33] También se ha encontrado que los estuarios y sedimentos marinos de las costas contienen concentraciones inusualmente altas de cadmio, cromo, cobre, plomo, mercurio y plata. Se ha dispersado en el ambiente y se ha acumulado de forma gradual en los océanos, en especial en las áreas costeras el bifenil policlorinado (BPC), que se utilizaba como fluido de enfriamiento de transformadores eléctricos, como lubricante y como retardador de flama hasta que su producción se prohibió por completo en Estados Unidos en 1979. Cantidades diminutas de BPC son letales para los seres humanos y otras formas de vida y sus restos generan diversos efectos tóxicos que incluyen fallas reproductivas, defectos congénitos, tumores, disfunciones hepáticas, lesiones en la piel y supresión inmunológica. Los BPC, que todavía se producen en otros países y que con frecuencia se desechan de manera inadecuada en Estados Unidos, son motivo de una gran preocupación porque son persistentes y se concentran cada vez más al ascender en la cadena alimenticia.[34]

El agua del subsuelo también está cada vez más contaminada. Según un informe del gobierno, "se reportan cada vez con más frecuencia incidentes de contaminación del agua del subsuelo —por químicos orgánicos e inorgánicos, radionucloides [desechos radiactivos] o microorganismos— y ahora ocurren [...] en todos los estados del país".[35] Las fuentes de contaminación incluyen rellenos, pilas de desperdicio, tiraderos legales e ilegales y depósitos superficiales. Más del 50 por ciento de la población de Estados Unidos depende del agua del subsuelo para beber. Los contaminantes del agua del subsuelo se han relacionado con cánceres, enfermedades de hígado y riñones, y daño en el sistema nervioso central. Por desgracia, la exposición frecuente ocurre sin conocimiento durante años porque, en general, el agua contaminada es inodora, incolora e insípida.

En la actualidad, más de 884 millones de personas en el mundo no tienen acceso a agua potable, aproximadamente un tercio de ellas vive en el África Subsahariana y el resto en zonas rurales de los países pobres en vías de desarrollo.[36] Aunque el agua es esencial para la vida humana, también lo es para las plantas y los animales, así como para la agricultura, la industria y el desarrollo económico.[37] No hay nada que la pueda sustituir en la mayor parte de sus usos. No obstante, el abastecimiento mundial de agua potable por persona en el mundo está disminuyendo conforme aumenta la población porque su suministro es fijo. Los aumentos de la población, la agricultura y la actividad económica también incrementan las demandas de agua, mientras que la contaminación, el cambio climático y el agotamiento de los mantos acuíferos han reducido su oferta. Al crecer las áreas urbanas y aumentar su demanda de agua, cada vez se desvía más este recurso de la irrigación agrícola para abastecer a las ciudades, un conflicto que se predice aumentará.

¿Cuánto nos cuesta la contaminación del agua y qué beneficios podemos esperar al eliminarla? La Oficina de Administración y Presupuesto de Estados Unidos estima que en promedio cada año entre 1992 y 2002, los reglamentos de agua limpia costaron entre $2,400 y $2,900 millones (en dólares de 2001) y produjeron beneficios (en la forma de costos de contaminación que se evitaron) que van de $1,000 a $8,000 millones, sin contar beneficios importantes no cuantificables.[38]

## Contaminación del suelo

**Sustancias tóxicas** Las sustancias peligrosas o tóxicas ocasionan un incremento en las tasas de mortalidad, de enfermedades irreversibles o que incapacitan, otros problemas de salud y efectos ambientales graves. Las sustancias tóxicas que se liberan a la tierra incluyen químicos ácidos, metales inorgánicos (como mercurio o arsénico), solventes inflamables, pesticidas, herbicidas, fenoles, explosivos y otros. (Los desechos radiactivos también se clasifican como sustancias peligrosas, pero se estudiarán por separado). Silvex y 2, 4, 5-T, por ejemplo, son dos herbicidas de uso difundido que contienen dioxina, un veneno letal (100 veces más potente que la estricnina) y un carcinógeno.

Algunas plantas de energía trabajan con carbón y reúnen la ceniza antes de que escape por las chimeneas. Esas cenizas contienen muchos metales tóxicos y otros desperdicios carcinógenos, pero no fueron reguladas hasta finales de 2010 cuando la Agencia de Protección Ambiental de Estados Unidos (EPA) emitió las primeras reglas nacionales que trataban la ceniza de carbón. En Caledonia, Wisconsin, los residentes descubrieron en junio de 2010 que sus pozos estaban contaminados con molibdeno, un ingrediente tóxico de la ceniza de carbón, que tal vez se filtró de un tiradero cercano o de una planta de carbón próxima; ese mismo mes los residentes de Colstrin, Montana, descubrieron que el agua de sus pozos —de la que bebían aunque sabía mal desde hacía años— estaba también contaminada por desechos de ceniza de carbón almacenados en lagos de desecho por una planta de carbón cercana.[39] En 2007, la EPA publicó un informe en el que listaba otras 24 zonas de Estados Unidos en las que se había *demostrado* que estaban contaminadas por desechos tóxicos de plantas de carbón o petróleo y otras 43 que también lo estaban por desechos tóxicos de plantas de carbón, pero los desechos todavía *no habían migrado al grado de que pudieran causar daños a la salud humana.*[40] A la 1 de la madrugada del 22 de diciembre de 2008, en Roane County, Tennessee, el dique de un lago lleno de ceniza de carbón y agua se rompió, liberando 4,163.9 millones de litros de esa sustancia en suspensión, destruyendo hogares, envenenando el agua y contaminando el río Emory. Se estima que repartidos en todo el país hay otros 1,300 depósitos de desechos de plantas de carbón que contienen miles de millones de litros de agua y suspensiones de cenizas de carbón. Hasta 2010, la mayor parte de estos depósitos no estaban regulados ni vigilados y todos contenían cantidades importantes de metales pesados tóxicos como arsénico, cadmio, plomo, mercurio, boro, talio y selenio que pueden migrar al agua subterránea y a las zonas aledañas.[41]

En Estados Unidos se estima que actualmente se usan más de 70,000 compuestos químicos, de los cuales más de mil tal vez son tóxicos[42] y que el número crece cada año. Entre los más comunes que produce la industria está el acrilonitrilo, que se usa en la manufactura de plásticos (para electrodomésticos, maletas, teléfonos y muchos otros productos domésticos e industriales) y cuya producción se eleva en 3 por ciento cada año. Se sospecha que el acrilonitrilo es un carcinógeno; libera el químico tóxico cianuro de hidrógeno cuando se quema el plástico que lo contiene.[43]

El benceno es un químico tóxico industrial común que se usa en plásticos, tintes, nailon, aditivos para alimentos, detergentes, medicamentos, fungicidas y gasolina. Es causa de anemia, daño a la médula de los huesos y leucemia. Los estudios demuestran que es más probable que las personas que  trabajan con benceno desarrollen leucemia que la población en general.[44]

El cloruro de vinilo es otro químico industrial tóxico común que se usa en la producción de plásticos que aumenta en 3 por ciento al año. Se libera en pequeñas cantidades cuando los productos de plástico se deterioran y causa daño en el hígado, anomalías congénitas, cáncer de hígado, daño en el aparato respiratorio, en el cerebro y en el sistema linfático, y daño en los huesos. La mortalidad por cáncer en los trabajadores que tienen contacto con el cloruro de vinilo es 50 por ciento más alta que en la población en general, y las comunidades que se localizan alrededor de las plantas donde se utiliza también tienen tasas más elevadas de incidencia de cáncer que la población en general.[45]

**Desechos sólidos** Los estadounidenses en la actualidad producen más basura residencial que los ciudadanos de cualquier otro país. Cada año las personas de las ciudades de Estados Unidos generan 250 millones de toneladas de desechos sólidos municipales, cantidad suficiente para llenar un convoy de camiones de basura de 10 toneladas de 364,000 kilómetros de largo (cercano a la distancia que hay entre la Tierra y la Luna),[46] o suficiente para llenar el

Astrodome en Houston más de cuatro veces al día durante un año. Cada persona que lee este libro genera un promedio de 1.3 toneladas de basura al año, esto es, más de 1.5 kilos por día.

Solo cerca de un tercio de los desechos residenciales se recupera mediante el reciclado, una decepcionante proporción que se debe a la falta de apoyo financiero para las operaciones de reciclado, el pequeño mercado de productos reciclados y los químicos tóxicos presentes en la basura reciclable.

Aunque la cantidad de basura que generamos aumenta cada año, las instalaciones para depositarla han disminuido. En 1978 había alrededor de 20,000 tiraderos municipales en operación; para 1989 había menos de 8,000; en 1995 había 3,500 y para 2008 había solo cerca de 1,800; muchos han tenido que cerrar por razones de seguridad. Florida, Massachusetts, New Hampshire y Nueva Jersey son unos cuantos estados que cerraron casi todos sus tiraderos durante los 90. Por otra parte, se abren menos tiraderos cada año.

Los tiraderos de las ciudades son fuentes significativas de contaminación que contienen sustancias tóxicas como cadmio (de las baterías recargables), mercurio, plomo (de las baterías de autos y cinescopios de televisores), vanadio, cobre, zinc y BPC (de refrigeradores, estufas, motores y electrodomésticos fabricados antes de 1980 y desechados a partir de entonces). Solo en una cuarta parte de los tiraderos de una ciudad se realizan pruebas para averiguar la posible contaminación del agua del subsuelo, menos de 16 por ciento tiene cubiertas aislantes, solo en 5 por ciento de ellos se recolectan los desechos líquidos contaminantes antes de que se filtren al agua del subsuelo, y en menos de la mitad existen restricciones sobre los tipos de desechos líquidos que se pueden verter en ellos. No es de sorprender que casi la cuarta parte de los sitios no militares que se identifican en la lista de Superfund National Priorities como los peligros químicos más graves para la salud pública y el ambiente corresponda a los tiraderos de basura de las ciudades.[47]

Sin embargo, la cantidad de basura residencial que producen los estadounidenses es mínima comparada con los desechos sólidos que generan los procesos industriales, agrícolas y mineros. Aunque la basura residencial, como se dijo, es 250 millones de toneladas al año, las industrias estadounidenses generan 7,600 millones de toneladas de desechos sólidos anualmente, los productores de petróleo y gas generan de 2 a 3 mil millones de toneladas y las operaciones mineras cerca de 1,400 millones de toneladas.[48] Estos desechos se tiran en alrededor de 220,000 lugares de acopio de desechos industriales, la gran mayoría de ellos superficiales.

Se ha descubierto que miles de tiraderos abandonados contienen desechos peligrosos, la mayoría generados por las industrias química y del petróleo.[49] Casi todos los sitios con desechos peligrosos se localizan en las regiones industriales. En total se estima que el 80 por ciento de los desechos industriales se depositan en estanques, lagos y rellenos inseguros.[50] El costo de limpiar estos tiraderos se estimó entre $28,400 y $55,000 millones.[51]

Ha sido difícil establecer las cantidades netas de desechos peligrosos que se producen hoy. La EPA ha estimado que entre 10 y 15 por ciento de los desechos industriales que se producen cada año son tóxicos, un total estimado de 15 millones de toneladas anuales. Después, la agencia anunció que cada año se generaban cerca de seis veces más desechos peligrosos de los estimados. Estudios más recientes sugieren que en un año se producen 290 millones de toneladas de desechos tóxicos.[52]

**Desechos nucleares** Los reactores nucleares de agua suave contienen materiales radiactivos, incluyendo carcinógenos conocidos como el estroncio 90, cesio 137, bario 140 y yodo 131. Los niveles muy altos de radiación de estos elementos son capaces de matar a una persona; dosis menores (en especial si se inhalan o se ingieren partículas de polvo radiactivas) pueden causar cáncer de tiroides, pulmones o huesos, al igual que daño genético que se transmitirá a las generaciones futuras. Hasta la fecha, las plantas nucleares en Estados Unidos han operado con seguridad sin liberaciones catastróficas de grandes cantidades de material radiactivo. Las estimaciones del riesgo probable de un accidente catastrófico son controvertidas y se ha adjudicado cierta duda a las probabilidades, en especial desde los accidentes en

---

*Repaso breve 5.3*

**Principales tipos de contaminación del suelo**

- Sustancias tóxicas: ácidos, metales pesados, solventes, pesticidas, herbicidas, fenoles.
- Desechos sólidos: basura residencial, desechos industriales, agrícolas y mineros.
- Desechos nucleares: de alto nivel (cesio, estroncio, plutonio), transuránicos (desechos de alto nivel diluidos), de bajo nivel (equipos contaminados de los reactores, residuos de minas de uranio).

la Isla de Tres Millas en Estados Unidos y en Chernobyl en Rusia, así como el terremoto y tsunami posterior de Fukushima, Japón, que desafiaron las probabilidades estimadas.[53]

Pero incluso sin accidentes catastróficos, pequeñas cantidades de materiales radiactivos se liberan de manera rutinaria al ambiente durante las operaciones normales de una planta nuclear y durante la extracción minera de combustibles nucleares, su procesamiento y su transporte. El gobierno de Estados Unidos estimaba que para el año 2000 (unas cuatro décadas después de que se comenzaran a construir en ese país) cerca de 1,000 personas habían muerto de cáncer provocado por estas emisiones rutinarias; sin embargo, otras estimaciones colocan estas cifras en niveles más altos.[54]

El plutonio aparece como un producto secundario de desecho en el combustible gastado de los reactores de agua suave. Un reactor de 1,000 megawats, por ejemplo, generará cerca de 265 libras (120 kilogramos) de desechos de plutonio al año que deben desecharse. El plutonio es una sustancia altamente tóxica y cancerígena. Una partícula que pesa 10 millonésimos de gramo, si se inhala, provoca la muerte en unas semanas. Nueve kilogramos distribuidos adecuadamente provocarían cáncer en toda la población del planeta. También es el elemento básico de las bombas atómicas. Por lo tanto, al proliferar las plantas nucleares en el mundo, ha aumentado la probabilidad de que el plutonio caiga en manos de terroristas criminales u otros grupos hostiles que podrían utilizarlo para fabricar armas letales o para contaminar grandes áreas pobladas.[55] No obstante, muchos grupos han abogado por la construcción de más plantas nucleares porque tienen la ventaja importante de producir energía sin liberar gases con efecto invernadero.

Los desechos de una planta de energía nuclear son de tres tipos principales: desechos de alto nivel, transuránicos y de bajo nivel. Los de alto nivel emiten rayos gamma, que pueden penetrar todo menos el escudo más grueso. Estos incluyen el cesio 137 y el estroncio 90, ambos se vuelven inofensivos después de unos 1,000 años, y el plutonio que sigue siendo peligroso hasta después de 250,000 a 1 millón de años. Todos estos son altamente carcinógenos. Los reactores nucleares ya producen cerca de 2,316,670 litros de desechos líquidos y 2,300 toneladas de sólidos de alto nivel cada año, los cuales deben aislarse del ambiente hasta que dejan de ser peligrosos. Se desconoce en este momento si existe un método seguro y permanente para eliminarlos.[56]

Los desechos transuránicos contienen cantidades más pequeñas de los elementos encontrados en los de alto nivel. Provienen del combustible que se gasta en el procesamiento de diversas armas militares. Hasta hace poco, se enterraban en zanjas poco profundas. Cuando se descubrió que los materiales radiactivos habían migrado fuera de estas zanjas, tuvieron que exhumarse y volverse a desechar a un costo de varios cientos de millones de dólares.[57]

Los desechos de bajo nivel consisten en ropa contaminada y equipo usado en los sitios de reactores y los restos que quedan luego de extraer y tratar el uranio. Se han producido cerca de 453,069 metros cúbicos de estos desechos en los sitios de reactores y unos 14 millones de metros cúbicos adicionales (cerca de 140 millones de toneladas) de restos de uranio se han acumulado en las minas abiertas. Alrededor de otros 10 millones de toneladas de restos se producen cada año. Los restos de uranio continúan emitiendo radón radiactivo durante varios cientos de miles de años. Además, todas las plantas nucleares (incluyendo equipo, edificios y terreno) se convierten en desechos nucleares de bajo nivel después de una vida de operación de 30 a 35 años. Entonces, toda la planta se debe clausurar porque permanecerá radiactiva por miles de años; el desmantelamiento de la planta y el terreno deben mantenerse bajo seguridad constante durante varios siglos.[58]

Más de un autor ha sugerido que eliminar los desechos nucleares tiene solución solo si suponemos que ninguno de nuestros descendientes excavará jamás un depósito nuclear o entrará en él en tiempo de guerra; que los registros de sus localizaciones se preservarán durante varios siglos; que los desechos no llegarán a unirse por accidente y comenzarán a reaccionar; que los eventos geológicos, las cubiertas de hielo u otros movimientos no previstos de la tierra nunca los dejarán al descubierto; que las estimaciones de ingeniería acerca de las propiedades de contenedores de metal, vidrio y cemento son exactas, y que nuestras predicciones médicas respecto a los niveles seguros de exposición a la radiación son correctos.[59] Aunque desde hace varios años no se ha construido una nueva planta de energía nuclear en Estados Unidos, las que se construyeron hace algunas décadas todavía producen desechos y sus desechos del pasado se han acumulado. No hay certidumbre de cómo eliminarlas.

De las 65 plantas nucleares que operan actualmente en Estados Unidos, se aprobaron 59 reactores para que continuaran en operación otros 20 años y es probable que se les unan los que se construyan en los próximos años. Aunque el país genera aproximadamente el 20 por ciento de su electricidad con las plantas nucleares, otros países tienen una proporción mucho mayor, entre ellos Francia (76%), Bélgica (54%), Armenia (44%), Hungría (37%), Eslovaquia (56%), Eslovenia (42%), Suiza (39%) y Ucrania (47%).

## Agotamiento de las especies y su hábitat

Se sabe que los seres humanos han agotado docenas de especies de plantas y animales hasta el punto de extinción. También se conoce que, desde el año 1600 DC, al menos 96 especies identificables de mamíferos y 88 especies de aves se han extinguido.[60] Varios cientos más de especies, como las ballenas y el salmón, hoy se encuentran amenazados por la pesca comercial. El hábitat en los bosques, del cual depende el grueso de las especies, se diezma por la industria maderera. Entre los años 1600 y 1900, se taló la mitad de las áreas boscosas de Estados Unidos.[61] Los expertos estiman que los bosques tropicales del planeta se destruyen a una tasa del 1 por ciento cada año.[62] Se piensa que la pérdida del hábitat en los bosques combinada con los efectos de la contaminación ha llevado a la extinción de un gran número de especies no identificadas. La *lista roja de especies en peligro de extinción* que publicó la Unión Internacional para la Conservación, la base de datos más exhaustiva de especies y subespecies conocidas que están extintas o en peligro de extinción, concluye que de las 47,978 (todas las formas de vida conocidas que incluyen aves, animales, plantas, insectos, hongos, moluscos, etcétera) específicamente conocidas en 2010 que han existido durante los últimos 500 años, 17,315 o el 36 por ciento estaban bajo amenaza de extinción, y 840 ya están extintas.[63]

En ningún otro lado la disminución de los organismos vivos es tan importante como en los océanos. Los bancos de peces de todo el mundo han colapsado debido a la sobreexplotación pesquera, lo que da como resultado un grave agotamiento de la proteína proveniente del pescado disponible para las poblaciones locales. Por ejemplo, en el noroeste Atlántico, los bancos de abadejo, merluza roja y bacalao del Atlántico colapsaron durante el decenio de 1990. Naciones Unidas estimó en 2007 que el 19 por ciento de todos los bancos de peces sufría sobreexplotación pesquera y el 9 por ciento ya estaba agotado, mientras que un estudio de 2009 estimaba que el 14 por ciento había colapsado.[64] Los residuos líquidos contaminados que entran en los océanos también han creado grandes *zonas muertas* desprovistas de la mayoría de peces y moluscos. Se han documentado más de 400 zonas muertas en las costas de países de todo el mundo.[65]

## Agotamiento de los recursos fósiles

Hasta el inicio de los 80, los combustibles sólidos se agotaban a una tasa que crecía exponencialmente. Es decir, la tasa a la que se usaban se duplicó con el paso de un periodo normal. Este tipo de agotamiento exponencial se ilustra en la figura 5.5. Algunas de las primeras predicciones del agotamiento de los recursos supusieron que los combustibles fósiles continuarían agotándose con estas tasas exponenciales crecientes. De continuar, una tasa de agotamiento exponencial creciente terminaría con el agotamiento completo y catastrófico del recurso en un tiempo relativamente corto.[66] Los recursos estimados mundiales de carbón se agotarán en alrededor de 100 años, las reservas estimadas de petróleo en el mundo se agotarán más o menos en 40 años, y las reservas estimadas de gas natural durarán alrededor de 25 años.[67]

Sin embargo, los investigadores señalan que el consumo de combustibles fósiles no podría seguir creciendo con tasas exponenciales.[68] Conforme se reducen las reservas de

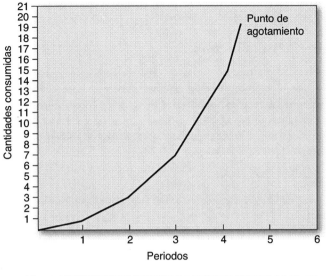

**Figura 5.5**
Tasa de agotamiento
exponencial

Vea la **imagen** en

**mythinkinglab.com**

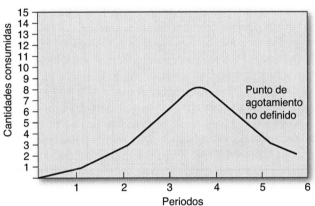

**Figura 5.6**
Tasa de agotamiento que
alcanzó su máximo

Vea la **imagen** en

**mythinkinglab.com**

cualquier recurso, su extracción se vuelve cada vez más difícil y más costosa; esto, a su vez, desacelera la tasa de agotamiento.

En consecuencia, aunque las tasas a las que las reservas se agotan son exponenciales por un tiempo, los costos crecientes de extracción hacen que esas tasas lleguen a su máximo y luego comiencen a declinar sin llegar al agotamiento completo (conforme los precios se elevan con mayor rapidez).

La figura 5.6 ilustra este tipo de curva de agotamiento con un punto máximo, llamada *curva de Hubbert* en honor a M. King Hubbert, un geólogo que la usó para hacer un pronóstico correcto en 1956 de que la extracción de petróleo en Estados Unidos llegaría a un máximo en 1970 y luego declinaría.[69]

Si se supone que la tasa a la que se consumen nuestros recursos está mejor representada por el modelo de Hubbert que por el exponencial, entonces los combustibles fósiles no se agotarán en el corto tiempo que predicen los modelos de crecimiento exponencial. La extracción de las reservas estimadas de carbón tal vez llegue a su máximo en alrededor de 150 años y luego continúe, pero a una tasa decreciente acoplada a los costos crecientes, durante otros 150 años; la extracción de las reservas estimadas de gas natural en Estados Unidos ya llegó a su máximo y se espera que disminuya de forma gradual en los próximos 30 o 40 años. La extracción de las reservas de petróleo en el país llegó a su máximo más o menos en 1970 y ha declinado de manera estable desde entonces (como lo indicó el modelo del máximo). Las estimaciones de las tasas de agotamiento de las reservas de petróleo del mundo crean controversia y varían mucho.[70] Cambell estima que el pico probablemente comenzó en 2004 y que ciertamente ocurrió antes de 2010; Laherrère e Ivanhoe predicen que el máximo comenzará alrededor de 2010; Green lo predice hasta 2040.[71]

## Agotamiento de los minerales

Es posible calcular el agotamiento de las reservas de minerales, igual que la de los combustibles fósiles, con base en un modelo exponencial o en un modelo de crecimiento con un punto máximo. Si las tasas exponenciales de agotamiento anteriores continuaran, se habría esperado el agotamiento de aluminio para 2003, de hierro en 2005, de manganeso en 2018, de molibdeno en 2006, de níquel en 2025, de tungsteno en 2000, de zinc en 1990 y de cobre y plomo en 1993.[72]

Afortunadamente, al igual que con los combustibles fósiles, la tasa a la que se agotan los minerales no continúa creciendo de forma exponencial, sino que alcanza su punto máximo en la curva de Hubbert y luego declina conforme la extracción se vuelve más difícil y costosa. Si el análisis se hace con este modelo de punto máximo y nos concretamos a las reservas que se conocen hoy en Estados Unidos, resulta que aunque las tasas de extracción de algunos minerales importantes ya alcanzaron su cúspide, ninguno se ha agotado por completo y todos continúan extrayéndose aun cuando los costos aumentan.[73]

Los recursos del mundo, por supuesto, también son limitados y las tasas de agotamiento de muchas de sus reservas de minerales tal vez también alcancen su máximo y luego declinen conforme aumenten los costos y la dificultad de extracción.[74] El impacto preciso que tendrán las limitaciones en las reservas mundiales es sumamente difícil de predecir. Las tecnologías mineras continuarán en desarrollo, lo que permitirá reducir la dificultad de extracción al igual que los costos y ampliar el periodo de declinación. De hecho, esto ha pasado con casi todos los minerales hasta ahora. El uso cada vez más difundido del reciclado reduce la necesidad de la extracción intensiva de las reservas minerales que existen. Es posible que se encuentren sustitutos para muchos minerales cuyo abastecimiento está limitado, mientras que el desarrollo tecnológico volverá obsoletos muchos de sus usos.

Pero el estudio más exhaustivo realizado hasta la fecha sobre los límites en el mundo de un solo mineral —el cobre— indica que en el futuro este y otros minerales serán cada vez más escasos y cotosos, y que esta escasez tendrá un impacto económico notable en nuestras sociedades.[75] El estudio que realizaron Robert B. Gordon y colaboradores indica que la tasa de extracción del cobre en el mundo aumentará con rapidez en los próximos 100 años, llegará al punto máximo alrededor de 2100 y luego declinará con lentitud. Los depósitos ricos en cobre se agotarán para 2070. Después, deberá extraerse de la roca común, un proceso costoso que provocará un incremento exponencial drástico en los precios del cobre de $2 a $120 por kilogramo, aun con un reciclado intenso y suponiendo que se encuentren materiales sustitutos para casi todas sus aplicaciones, el cual quedará reservado para unos cuantos usos esenciales. Según Gordon y sus coautores, "Tal vez surjan argumentos similares para otros metales, como el plomo, el zinc, el estaño, el tungsteno y la plata. [...] No se ha hecho un análisis completo para otro metal escaso, pero tenemos una fuerte sospecha de que si lo hiciéramos surgiría un patrón de uso futuro similar al pronosticado para el cobre".[76]

En un estudio de 2000, el Consejo de Exploración Geológica del Departamento del Interior de Estados Unidos concluyó que las reservas internacionales de aluminio convencional (bauxita) son suficientes para cubrir la demanda mundial de aluminio durante *casi todo* el siglo XXI. Las reservas de manganeso en el mundo suman 5,000 millones de toneladas, que se extraen a una tasa cercana a 7 millones de toneladas por año; las reservas totales de mercurio se estiman en cerca de 600,000 toneladas, que son *suficientes para un siglo o más*; las reservas totales de cobre son 2,300 millones de toneladas que hoy se extraen a una tasa de 13,000 toneladas al año; los recursos mundiales de hierro se estiman en más de 250 mil millones de toneladas, que se extraen a una tasa cercana a mil millones de toneladas anuales, y los recursos mundiales de plomo rebasan los 1,500 millones de toneladas, de los que se extraen cerca de 3 millones de toneladas por año.[77] Estas estimaciones sugieren que se puede

---

*Repaso breve 5.4*

**Principales tipos de contaminación del suelo**

- Algunas especies han perdido sus hábitat y se han extinguido.
- Los recursos naturales se agotan a una tasa de punto máximo, no a una tasa exponencial.
- Agotamiento de combustibles fósiles: el carbón probablemente alcanzará su punto máximo en 150 años, el gas natural en 30-40 años, el petróleo entre 2010 y 2040.
- Agotamiento de los minerales: el punto máximo del cobre y el aluminio será aproximadamente en 2100, el aluminio durante el siglo XXI, el indio y el antimonio en aproximadamente 10 años, el tantalio entre 20 y 116 años.

confiar en un suministro continuo de estos metales durante muchos años más. Sin embargo, un estudio de 2007 sobre algunos minerales esenciales arrojó algunas conclusiones más pesimistas, ya que estimaba que, dependiendo de cuánto se incrementaran las tasas de consumo respecto a las tasas de 2007, el indio, un componente clave para las televisiones de pantalla plana y determinadas células solares, se agotará entre 4 y 13 años (desde el año 2007); el antimonio, que se usa en ciertos medicamentos y en algunos materiales para retardar las llamas, en 13 a 30 años; el tantalio, un componente de los teléfonos celulares y de las lentes de las cámaras, entre 20 y 116 años; el uranio, que estará en alta demanda si el mundo comienza a construir más plantas nucleares, entre 19 y 95 años; el estaño en 17-40 años; la plata en 9-29 años; el oro en 36-45 años; el zinc en 34-46 años; y el níquel en 57-90 años.[78]

Entonces existen límites físicos para nuestros recursos naturales. Aunque muchos son abundantes, no podrán explotarse indefinidamente. Con el tiempo se reducirán y los costos de extracción se incrementarán de manera exponencial. Es probable que se encuentren materiales sustitutos más abundantes para muchos de ellos, pero no para todos. Cualquier sustituto que se desarrolle también estará limitado, de manera que el día para hacer cuentas solo se retrasa.

## 5.2 La ética del control de la contaminación

Durante siglos, las instituciones de negocios ignoraron su impacto en el entorno natural, una indulgencia que se fomentó por varias causas. Primero, un negocio podía tratar el aire y el agua como bienes libres, es decir, como bienes que nadie poseía y que cada empresa podía aprovechar sin hacer un reembolso por usarlo. Por ejemplo, durante varios años, la planta de DuPont en Virginia Occidental arrojó 10,000 toneladas de desechos químicos cada mes en el Golfo de México hasta que la obligaron a dejar de hacerlo. Las aguas del Golfo constituían un tiradero libre por cuyo daño DuPont no tenía que pagar. Como esos recursos no son propiedad privada, carecían de la protección que un propietario le daría y los negocios ignoraban los daños que causaban. Segundo, los negocios consideraban el ambiente como un bien ilimitado. Esto es, la *capacidad de transporte* del aire y el agua es relativamente grande, y la contribución de cada empresa a la contaminación de estos recursos es relativamente pequeña e insignificante.[79] Por ejemplo, la cantidad de químicos que DuPont tiraba al Golfo era relativamente pequeña comparada con el tamaño del Golfo, así que los efectos se consideraban irrelevantes. Cuando los efectos de sus actividades se consideran leves, una empresa tiende a ignorarlos. Sin embargo, cuando todas razonan de esta manera, los efectos insignificantes de las actividades de cada una se convierten en enormes y potencialmente desastrosos. La capacidad de transporte del aire y el agua se excede y estos bienes libres e ilimitados se deterioran con rapidez.

Por supuesto, los problemas de contaminación no tienen sus raíces solo en las actividades de negocios. La contaminación también es resultado del uso que los consumidores dan a los productos y del desperdicio humano.[80] Una fuente primordial de la contaminación del aire, por ejemplo, es el uso del automóvil y una fuente primordial de la contaminación del agua es el desagüe. Todos somos verdaderos contaminadores.[81] Puesto que todos los seres humanos contaminan, los problemas de la contaminación han aumentado conforme se multiplica la población. La población mundial creció de 1,000 millones en 1850 a 2,000 millones en 1930 y a 6,300 millones en 2003, y se proyecta que crecerá a 9,000 millones para 2050.[82] La explosión demográfica impone tensiones severas en los recursos de aire y agua a los que arrojamos y contribuimos con contaminantes. Más aún, estas tensiones se han agravado por nuestra tendencia a concentrar nuestras poblaciones en centros urbanos. En todo el mundo, las áreas urbanas crecen con rapidez y las altas densidades de población que crea la urbanización multiplican la carga de contaminación sobre el aire y el agua.[83]

Por lo tanto, los problemas de contaminación tienen una variedad de orígenes y su tratamiento requiere un conjunto de soluciones igualmente variadas. Sin embargo, en lo que sigue nos concentramos en un solo tipo: los problemas éticos que surgen por la contaminación de las empresas comerciales e industriales.

# Las compañías automotrices en China

En 2000, el mercado de autos en China comenzó a expandirse en forma drástica como resultado de la progresiva riqueza del país, los incentivos del gobierno y una clase media creciente que anhelaba el confort, la conveniencia y el orgullo de poseer un auto. Para 2010 China se había convertido en el mayor fabricante de autos del mundo con más de 18 millones de ellos vendidos ese año. Con una población de 1,200 millones de personas y tasas de crecimiento de dos dígitos, China estimó que para 2035 unos 300 millones de autos viajarán por sus carreteras. Muchas compañías extranjeras de automóviles llegaron para ayudar a ese país en su expansión de la industria, como Volkswagen, General Motors (GM), Honda, Toyota, Ford, Citroen y BMW, que juntas hicieron una inversión de $20,000 millones para el crecimiento de la industria automotriz en China en 2000. En 2011, Volkswagen anunció que había vendido 2 millones de autos en China el año anterior, y GM anunció la venta de 2.3 millones y que vendería 5 millones al año para 2015. Sin embargo, los críticos sugieren que las compañías con un entusiasmo excesivo, involuntariamente, pudieron haber infligido daños graves al entorno global.

Para comenzar, la contaminación de tantos autos nuevos prometía tener un impacto severo en el ambiente. Aun los autos limpios generan cantidades masivas de dióxido de carbono cuando queman combustible, lo que agudiza el efecto invernadero. Los autos también producen smog y otros peligros para la salud (los casos de tuberculosis se duplicarán; los de enfisema y cáncer en los pulmones se elevarán) y la gasolina de China contiene plomo, un metal tóxico. La producción creciente de autos en ese país también aumentará el consumo de petróleo, ejerciendo una presión fuerte sobre los recursos decrecientes de petróleo del mundo. El aumento en el consumo de petróleo de China fue parcialmente responsable de los continuos aumentos en 2011 de los precios del petróleo por encima de $100 el barril (el precio alto también se debió a los disturbios civiles en Medio Oriente) que hizo subir el precio de la gasolina en Estados Unidos a más de $4 por galón. Si el número de automóviles en China continúa elevándose, para 2020 el consumo de combustible será equivalente a dos tercios del consumo de Estados Unidos (y este país consume la cuarta parte del petróleo del mundo), un nivel que las reservas mundiales de petróleo no podrán satisfacer. Algunos expertos aseguran que la producción de petróleo del mundo llegará a su máximo alrededor de 2010, dejando reservas magras para satisfacer los incrementos en la demanda de China, Estados Unidos y el resto de los

Trabajadores chinos en una línea de ensamble construyendo el Chevrolet Sail de GM en la provincia de Shandong, China.

General Motors muestra su revolucionario auto Hy-wire.

*Congestionamiento de tráfico en Beijing. China dice que para 2020 habrá el triple de automóviles en sus carreteras.*

*Un cliente verifica las características de un auto.*

países industrializados, y creando un caos económico y político o conflictos militares. Si China sustituyera los vehículos impulsados con gasolina por vehículos eléctricos, como planea hacer, tendría que expandir sus plantas eléctricas, lo cual, a su vez, aumentaría sus emisiones de dióxido de carbono.

1. ¿Es incorrecto que las compañías de automóviles ayuden en la expansión de la industria de autos en China?

## Ética ecológica

La preocupación por el entorno tiene una larga historia. Durante el siglo XIII, por ejemplo, los pensadores árabes analizaron la contaminación del aire y del agua y cómo se vinculaban con la salud humana,[84] mientras que en Inglaterra, el rey Eduardo I prohibió la quema de carbón marino porque contaminaba el aire de Londres. Las primeras preocupaciones sobre el entorno, sin embargo, fueron en su mayor parte *antropocéntricas* (centradas en el hombre), esto es, la preocupación por el entorno se basaba en cómo afectaba los intereses de los seres humanos. El entorno natural se consideraba, en gran parte, un recurso que debía servir a los intereses de los individuos, esto es, es valioso en la medida en que les sirva. Por ejemplo, en el *Génesis*, uno de los libros del Antiguo Testamento, Dios declara que los humanos "tienen el dominio sobre los peces del mar, las aves del cielo y sobre cualquier ser vivo que se mueva sobre la tierra", y el filósofo griego Aristóteles escribió que "la naturaleza ha hecho todas las cosas para el bien específico del hombre", mientras que Tomás de Aquino, un filósofo-teólogo del siglo XIII, escribió que los no humanos están *a disposición del uso del hombre*.[85] El punto de vista de que la naturaleza tiene valor en tanto sirva a los intereses del hombre continuó en el periodo moderno (con unas pocas excepciones). Por ejemplo, el filósofo Emmanuel Kant escribió de manera genial que la razón por la que es incorrecto que una persona sea cruel con los animales es porque "la crueldad con los animales resulta contraria al deber del hombre para *consigo mismo*, ya que entorpece en él el sentimiento de compasión por los sufrimientos y, por lo tanto, debilita la tendencia natural que es muy útil a la moralidad en relación con los demás seres humanos". La idea aquí es que la crueldad hacia los animales no es incorrecta por el dolor mismo que se inflige al animal, sino por el efecto que tiene en las relaciones morales de la persona con los demás seres humanos.

Como se verá en breve, aún está vigente el punto de vista de que el entorno natural es valioso solo porque sirve a los intereses humanos. De hecho, en la actualidad mucha gente trabaja para proteger el ambiente precisamente porque sostiene esta perspectiva: para ellos el daño al entorno es moralmente malo porque finalmente perjudica a los seres humanos. Aquellos que sostienen el punto de vista antropocéntrico del entorno todavía pueden creer que la contaminación del aire, del agua y del suelo, la extinción de las especies, el cambio climático, la liberación de desechos radiactivos y la destrucción de la capa de ozono son malos para nosotros y, por esa razón, hay que trabajar para detenerlos. Pero los críticos a los puntos de vista antropocéntricos argumentan que sostener ese pensamiento es parte del problema. Como consideran a la naturaleza como algo que está ahí para servirnos, la contaminamos y la consumimos como si no tuviera valor por sí misma. Los críticos a este punto de vista antropocéntrico afirman que si no se cambia esa perspectiva se seguirá explotando, contaminando y consumiendo la naturaleza hasta que sea demasiado tarde. La cuidaremos solo si aceptamos el punto de vista de que valiosa en sí misma y que en virtud de su valor intrínseco estamos obligados a respetarla y conservarla.

Algunos oponentes del antropocentrismo afirman que la mejor manera de enmarcar el problema de la contaminación (y de los aspectos ambientales en general) es en términos de nuestro deber de reconocer y preservar los **sistemas ecológicos** en los que vivimos.[86] Un sistema ecológico es un conjunto de organismos y entornos interrelacionados e interdependientes, como un lago, en el que los peces dependen de pequeños organismos acuáticos, que a la vez viven de plantas en descomposición y desperdicios de los peces.[87] Como las diferentes partes de un sistema ecológico se interrelacionan, las actividades de una parte afectarán a las demás y el bienestar de cada uno depende del de los otros. Las empresas (y todas las demás instituciones sociales) forman parte de un sistema ecológico más grande, la *nave espacial Tierra*.[88] Los negocios dependen del entorno natural para obtener energía y recursos materiales y desechar los desperdicios; ese entorno, a la vez, resulta afectado por las actividades comerciales de las empresas. Por ejemplo, las actividades de los fabricantes

**sistema ecológico**
Un conjunto de organismos y entornos interrelacionados e interdependientes.

de sombreros de felpa de castor en Europa durante el siglo XVIII llevaron al exterminio de los castores en Estados Unidos, lo que a su vez provocó que se secaran innumerables terrenos pantanosos que habían creado las presas que construían estos animales.[89]

Los negocios deben reconocer las interrelaciones e interdependencias de los sistemas ecológicos en los que operan.

El hecho de que somos solo una parte de un sistema ecológico más grande ha llevado a muchos escritores a insistir en que debemos reconocer nuestro deber moral de proteger los intereses no solo de los seres humanos, sino de otras partes no humanas de este sistema.[90] Esta insistencia sobre lo que algunas veces se llama **ética ecológica** o *ecología profunda* no se basa en la idea de que el entorno debe protegerse *por el bien de los seres humanos*. Más bien, se basa en la idea de que las partes no humanas del entorno merecen ser preservadas *por su propio bien*, sin importar si esto beneficia a los seres humanos. En oposición al punto de vista de que solo los humanos tienen valor intrínseco y que las demás cosas solo son valiosas como instrumentos en la medida en que apoyen o mejoren el bienestar humano, una ética ecológica afirma que las partes no humanas del entorno —como los animales— tienen un valor intrínseco que es independiente de lo que beneficien a los seres humanos. Por lo tanto, tenemos el deber moral de respetar e impedir perjudicar a estos seres no humanos, sin importar si contribuyen o no al bienestar del hombre. Varios defensores de este enfoque han formulado sus puntos de vista en una plataforma que consiste en las siguientes afirmaciones:

> **ética ecológica** El punto de vista de que las partes no humanas del entorno merecen ser preservadas por su propio bien, sin importar si esto beneficia a los seres humanos.

1. El bienestar y florecimiento de la vida humana y no humana en la Tierra tienen valor por sí mismos. [...] Estos valores son independientes de la utilidad del mundo no humano para los propósitos humanos.
2. La riqueza y diversidad de las formas de vida contribuyen a la realización de estos valores y también son valores en sí mismos.
3. Los humanos no tienen derecho a reducir esta riqueza y diversidad excepto para satisfacer necesidades vitales.
4. El florecimiento de la vida y de las culturas humanas es compatible con un decrecimiento sustancial de la población humana. El florecimiento de la vida no humana requiere ese decrecimiento.
5. La interferencia humana actual con el mundo no humano es excesiva y esta situación empeora con rapidez.
6. Por todo esto, las políticas deben cambiar. Los cambios en las políticas afectan las estructuras económica, tecnológica e ideológica básicas. El estado resultante será profundamente diferente del actual.
7. El cambio ideológico consiste principalmente en apreciar la calidad de vida [...] en lugar de aferrarse a un estándar de vida cada vez mayor.
8. Quienes se adhieren a los puntos anteriores tienen una obligación directa o indirecta de participar en el intento de implantar los cambios necesarios.[91]

Una ética ecológica es entonces aquella que afirma que dado que al menos algo de lo no humano tiene valor intrínseco, los humanos tenemos la obligación de no dañarlo sin una razón suficientemente grave. El filósofo Richard Routley ha propuesto un *experimento mental* para mostrar que la naturaleza es intrínsecamente valiosa y que no debe dañarse sin una razón importante: suponga que algún evento catastrófico matara a todos los seres humanos excepto a uno.[92] Suponga que este *último hombre* tuviera el poder de hacer algo para que todos los demás seres vivos de la Tierra y todos los paisajes, fueran destruidos después de que él mismo muriera. Desde un punto de vista antropocéntrico no estaría mal que él llevara a cabo ese acto de destrucción ya que no afectaría a ningún otro ser humano. Pero, argumenta Routley, reconocemos que estaría mal que el *último hombre* destruyera todo sobre la superficie de la Tierra. Esto significa que debemos sentir que estos seres no vivos tienen un valor intrínseco que es independiente de su valor para los humanos. Por lo tanto, las afirmaciones de una ética ecológica deben ser correctas: al menos algunos no humanos

> *Repaso breve 5.5*
>
> **El argumento del *último hombre* para la ética ecológica**
> - Routley nos pide que imaginemos un hombre que es el último superviviente de la Tierra.
> - Reconocemos que está mal que el último hombre destruya a todos los no humanos.
> - Así que debemos reconocer que algunos no humanos tienen un valor intrínseco, independiente de los humanos.

son intrínsecamente valiosos y tenemos el deber moral de no dañarlos sin una razón suficientemente poderosa.

Estas afirmaciones éticas tienen implicaciones significativas para las actividades de negocios que afectan al ambiente y sus organismos no humanos. En junio de 1990, por ejemplo, los ambientalistas solicitaron con éxito al Servicio de Peces y Vida Silvestre de Estados Unidos que prohibiera a la industria maderera que cortara los bosques de árboles de casi 200 años del Noroeste del Pacífico en el norte de California para salvar el hábitat de las lechuzas pintas, una especie en peligro.[93] La decisión del Servicio de Peces y Vida Silvestre (y de la *ley estadounidense de especies en peligro de extinción*) fue congruente con la ética ecológica, aunque se estima que costó a la industria maderera millones de dólares, la pérdida de hasta 36,000 empleos y causó que subieran los precios al consumidor de productos de madera finos como muebles e instrumentos musicales. Los miembros de la Sociedad de Conservación y Protección del Mar han saboteado plantas de procesamiento de ballenas, han hundido varios barcos y de varias maneras han provocado gastos a la industria ballenera con el fin de proteger a estos animales.[94] Los miembros de Earth First! han colocado clavos en árboles seleccionados al azar en las áreas forestales programadas para talar con la finalidad de destruir las sierras mecánicas. Todas estas actividades se basan en la idea de que la naturaleza y sus partes tienen un valor intrínseco que tenemos un deber moral de proteger y que este valor es, al menos algunas veces, más importante que los intereses humanos.

Existen diversas posturas de ética ecológica, algunas más radicales y con mayor alcance que otras. Quizá la versión más generalizada asegura que, además de los seres humanos, otras especies animales tienen valor intrínseco y merecen nuestro respeto y protección. Algunos utilitarios, como Peter Singer, afirman, por ejemplo, que el dolor es un mal ya sea que se provoque en un ser humano o en los miembros de otras especies animales. De hecho, argumenta que el dolor de un animal debe considerarse igual que un dolor humano *comparable*. Concede que un ser humano puede ser más sensible al dolor que un animal y que puede sufrir más por el hecho de anticipar el dolor, así que el dolor de un animal quizá deba ser más intenso para ser *comparable* con el de un humano. No obstante, a cierto nivel de intensidad el dolor del animal sería comparable con el dolor del ser humano y que a ese nivel el dolor del primero sería un mal tan grande como el dolor del segundo. Por lo tanto, concluye Singer, si es moralmente incorrecto infligir dolor a un humano, es igualmente incorrecto infligir un dolor comparable a un animal. Es una forma de prejuicio de *especie* (afín con el racismo o el sexismo, es decir, un prejuicio contra los miembros de otro grupo) pensar que la obligación moral de evitar el dolor a miembros de otras especies es diferente a la obligación de evitar un dolor comparable a miembros de nuestra propia especie.[95]

Algunos no utilitarios han llegado a conclusiones similares por una ruta diferente. Aseguran que la vida de todo animal *tiene valor en sí* independiente de los intereses de los seres humanos. En virtud del valor intrínseco de esta vida, cada animal tiene ciertos derechos morales, en particular el derecho a ser tratado con respeto.[96] Los humanos tienen la obligación de respetar este derecho, aunque en algunos casos un derecho humano podría sobrepasar el derecho del animal.

Quienes apoyan el punto de vista de que los animales tienen valor intrínseco también han ocasionado gastos sustanciales a ganaderos, mataderos, granjas, compañías de pieles y corporaciones farmacéuticas y de cosméticos que usan animales en las pruebas de químicos. Ambos argumentos, el utilitario y el de derechos, que apoyan las obligaciones humanas hacia los animales implican que es incorrecto criar animales para alimento en circunstancias de hacinamiento y dolor como las que prevalecen en las empresas ganaderas que crían vacas, cerdos y pollos, así como sacrificarlos de las formas dolorosas en las que lo hacen. Afirman que es incorrecto porque hay otras formas de criarlos y sacrificarlos que no les infligen dolor.

También señalan que es incorrecto usar animales en procedimientos de pruebas dolorosas —como millones que todavía se usan en algunas industrias— cuando hay formas alternativas de probar los procedimientos o cuando los beneficios que provienen de usar las pruebas no justifican los dolores que producen en los animales.[97] Compañías como Procter & Gamble, Clorox, L'Oreal, Unilever, Dial, Johson & Johnson, Shiseido y S.C. Johnson han sido señalados por grupos como PETA (personas para el tratamiento ético de los animales) como compañías que prueban en sus laboratorios de manera no ética la toxicidad de cosméticos y productos para el hogar en animales. Por ejemplo, algunos de los experimentos en esos laboratorios incluyen introducir por la fuerza limpiadores para el hogar en el estómago de los animales o echarles chorros en los ojos o rociarles fijadores del cabello en los pulmones.[98] PETA insiste en que los beneficios de los cosméticos y de muchos productos para el hogar no justifican infligir ese tipo de extremo dolor, sufrimiento y muerte que esas pruebas suponen para los animales. Aún más, afirman que hay alternativas para muchas de esas pruebas, como probar en modelos de computadora, en cultivos celulares y en voluntarios humanos.

Versiones más amplias de la ética ecológica extienden nuestras obligaciones más allá del mundo animal para incluir a las plantas. Así, algunos éticos han asegurado que es arbitrario y hedonístico confinar nuestras obligaciones a criaturas capaces de sentir dolor. En su lugar, consideran que deberíamos reconocer que todos los seres vivos incluyendo las plantas tienen *interés en permanecer vivos* y que, en consecuencia, merecen consideración moral por su propio bien.[99] Otros ambientalistas, como Aldo Leopold, aseguran que no solo los seres vivos sino también cualquier especie o estructura natural —un lago, un río, una montaña e incluso una *comunidad biótica*— tiene derecho a conservar su *integridad, estabilidad y belleza*.[100] Si son correctos, estos puntos de vista tienen implicaciones importantes para los negocios que trabajan en operaciones de minería o de la industria maderera.

Algunas versiones de la ética ecológica dejan de hablar de deberes y obligaciones y apremian un enfoque hacia la naturaleza que se relaciona más con las nociones de virtud y carácter. Una versión temprana de este enfoque fue publicada por Albert Schweitzer, quien al viajar por un río en África escribió: "En el momento de la puesta de sol nos movíamos entre una manada de hipopótamos, ahí cruzó por mi mente, sin preverla ni buscarla, la frase: *reverencia por la vida*".[101] Como después aclaró, una persona que tiene reverencia por la vida ve la vida misma y todas sus formas, con un valor inherente, un valor que inspira una falta de voluntad para destruirla y un deseo de preservarla.

> El hombre que se ha convertido en un ser pensante siente la compulsión de otorgar a toda voluntad de vivir la misma reverencia por la vida que da a la suya. Experimenta que otra vida es la suya propia. Acepta que ser bueno consiste en preservar la vida, promoverla y elevarla al valor más alto que es capaz de desarrollar; considera que ser malo es destruir la vida, dañarla y reprimir la vida que es capaz de desarrollarse. Este es el principio fundamental y absoluto de la moral.[102]

Más recientemente, el filósofo Paul Taylor promovió un enfoque similar al escribir: "Los rasgos del carácter son moralmente buenos en virtud de su expresión o personificación de cierta actitud moral fundamental, que yo llamo respeto por la naturaleza".[103] Este respeto, afirma Taylor, se basa en el hecho de que cada ser viviente busca su propio bien, por lo que es un *centro teleológico de una vida*:

> Decir que es un centro teleológico de una vida es decir que tanto su funcionamiento interno como sus actividades externas se orientan a objetivos, al tener la tendencia constante de mantener la existencia del organismo en el tiempo y permitirle un desempeño satisfactorio para realizar esas operaciones biológicas mediante las cuales reproduce su clase y continuamente se adapta a los eventos y condiciones que cambian el entorno.[104]

La naturaleza orientada a objetivos de todos los seres vivos, asegura Taylor, implica que todas los seres vivos tienen *un bien propio* inherente que se debe respetar. Ese respeto es la única actitud congruente con un panorama biocéntrico que reconoce que nosotros mismos somos miembros de la comunidad viviente de la Tierra, que formamos parte de un sistema de interdependencia con otros seres vivos, que todos ellos poseen su propio bien y que no somos inherentemente superiores a otros seres vivos dentro de ese sistema.

Sin embargo, estos intentos de ampliar los derechos morales a no humanos o exigir una actitud de respeto por toda la naturaleza son motivo de gran controversia y algunos autores los han etiquetado como *increíbles*.[105] Es difícil, por ejemplo, argumentar por qué el hecho de que un ser esté vivo implica que *debe* vivir y que, por ello, tenemos la obligación de mantenerlo vivo o expresar respeto o incluso reverencia ante él. También es difícil fundamentar por qué el hecho de que un río o una montaña existan implica que *deben* existir y que tenemos el deber de preservar su existencia o reverenciarlos. Los hechos no implican valores de esta manera tan sencilla.[106] También existe controversia sobre el tema de que los animales tengan derechos o valor intrínseco.[107] Pero no tenemos que basarnos en estos puntos de vista inusuales para desarrollar una ética ambiental. Como se mencionó antes, hay otros enfoques más tradicionales, aunque antropocéntricos, a las cuestiones ambientales.[108] Uno se basa en una teoría de derechos humanos y el otro en consideraciones utilitarias.

## Derechos ambientales y prohibiciones absolutas

En un artículo que tuvo gran influencia, William T. Blackstone afirmó que la posesión de un entorno habitable no es un mero estado deseable de las cosas, sino un derecho de cada ser humano.[109] Es decir, no es solo algo que nos gusta a todos: es algo que otros tienen la obligación de permitirnos tener. Tienen esta obligación, afirma Blackstone, porque cada uno de nosotros tiene derecho a un entorno habitable, y nuestro derecho impone a otros el deber correlativo de no interferir en nuestro ejercicio de ese derecho. Más aún, es un derecho que debería incorporarse a nuestro sistema legal.

¿Por qué los seres humanos tienen este derecho? Según Blackstone, una persona tiene un derecho moral a algo cuando la posesión de eso es *esencial para permitirle vivir una vida humana* (esto es, permitirle desarrollar sus capacidades como un ser racional y libre).[110] En este momento de la historia, es claro que un entorno habitable es esencial para desarrollar nuestras capacidades humanas. En consecuencia, los seres humanos tienen un derecho moral a un entorno decente, que debería convertirse en un derecho legal. Todavía más, Blackstone agrega, este derecho moral y legal debe sobrepasar los derechos de propiedad legal de las personas. Nuestra gran capacidad creciente para manipular el entorno ha revelado que, a menos que limitemos la libertad legal para participar en prácticas que destruyen el ambiente, perderemos la posibilidad de vida humana y la posibilidad de ejercer otros derechos, como el derecho a la libertad y la igualdad.

Varios estados han introducido enmiendas a su constitución que garantizan a sus ciudadanos el derecho al ambiente, de forma paralela a lo que Blackstone defiende. El Artículo Uno de la Constitución de Pensilvania, por ejemplo, se revisó hace unos años y quedó como sigue:

> Las personas tienen derecho a aire limpio, agua pura y la preservación del escenario natural, histórico y los valores estéticos del ambiente. Los recursos naturales de Pensilvania [...] son propiedad común de todas las personas, incluyendo las generaciones por venir. Como albacea de estos recursos, la comunidad pública debe preservarlos y mantenerlos para beneficio de todas las personas.

En gran medida, algo como el concepto de Blackstone de *derechos ambientales* se reconoce en la ley federal. La sección 101*b*) de la Ley de Política Ambiental Nacional de 1969, por ejemplo, establece que uno de sus propósitos es "asegurar a todos los estadounidenses

---

*Repaso breve 5.6*

**Derechos ambientales**

- Blackstone argumenta que los seres humanos tienen derecho a desempeñar sus capacidades como libres y racionales y que un entorno habitable es esencial para ese desarrollo.
- Entonces los humanos tienen derecho a un entorno habitable que se viola por las prácticas que destruyen ese entorno.
- Esos derechos ambientales pueden llevar a prohibiciones absolutas sobre la contaminación incluso cuando los costos sobrepasen por mucho los beneficios.

un entorno seguro, saludable, productivo y agradable en el sentido estético y cultural". Las legislaciones siguientes intentaron cumplir este propósito. La ley de contaminación del agua en 1972 requirió que las empresas usaran, para 1977, la *mejor tecnología practicable* para deshacerse de su contaminación (es decir, la tecnología que usan las plantas menos contaminantes en una industria); la ley de agua limpia de 1977 requería que, para 1984, las empresas eliminaran todos los desechos tóxicos y no convencionales usando *la mejor tecnología disponible* (es decir, aquella que usara la planta menos contaminante). La ley de calidad del aire de 1967 y las enmiendas de aire limpio en 1970 y 1990 establecieron límites similares a la contaminación del aire por fuentes estacionarias y automóviles, y proporcionaron el mecanismo para hacer cumplir esos límites. Estas leyes federales no se basaron en un análisis utilitario de costo-beneficio. Esto es, no dicen que las empresas deben reducir la contaminación mientras los beneficios sobrepasen a los costos. Más bien, simplemente imponen prohibiciones absolutas sobre la contaminación sin importar los costos. Es más sencillo justificar esas restricciones absolutas apelando a los derechos de las personas.

Los estatutos federales, en efecto, imponen límites absolutos a los derechos de propiedad de los dueños de las empresas y los argumentos de Blackstone ofrecen una razón plausible para limitar los derechos de propiedad de estas formas absolutas en aras del derecho humano a un ambiente limpio. Como es evidente, el argumento de Blackstone se basa en la teoría kantiana de los derechos: como los humanos tienen la obligación moral de tratarse unos a otros como fines y no como medios, tienen la obligación correlativa de respetar y promover el desarrollo de la capacidad del otro a elegir libre y racionalmente para sí mismo.

Sin embargo, la dificultad más importante del enfoque de Blackstone es que no proporciona una guía diferenciada de las opciones ambientales apremiantes. ¿Cuánto control de la contaminación se necesita en realidad?, ¿debemos tener una prohibición absoluta para contaminar?, ¿qué tan lejos debemos llegar al limitar los derechos a la propiedad por el bien del ambiente?, ¿qué bienes, si los hay, debemos dejar de fabricar para detener o reducir el daño ambiental?, ¿quién debe pagar los costos de preservar el ambiente? La teoría de Blackstone no indica cómo manejar estas cuestiones porque impone una prohibición absoluta y simple sobre toda la contaminación.

La falta de diferenciación en el enfoque de derechos absolutos es un problema, en especial cuando los costos de eliminar cierta cantidad de contaminación son altos en comparación con los beneficios que se obtendrán. Considere la situación de un negocio de pulpa según la expuso el presidente:

> Los estudios realizados en la parte baja del Río Columbia desde la terminación de las instalaciones de tratamiento en nuestros molinos muestran que los estándares de calidad del agua se cumplen y que el río se está usando para pesca, nado, abastecimiento de agua y diversión. En todos los aspectos, por lo tanto, las metas de 1985 de la ley [federal de control de contaminación del agua] se cumplen en la actualidad [1975]. Pero los requisitos técnicos de la ley incluyen instalaciones de tratamiento secundarias en nuestras plantas de Camas y Wauna. El costo será cercano a los $20 millones y no se obtendrá una mejora mensurable en la calidad del agua del río. Por el contrario, el efecto ambiental total será negativo. Calculamos que se necesitarán cerca de 57 millones de kwh de energía eléctrica y cerca de 8,000 toneladas de químicos para operar estas instalaciones innecesarias. Los requisitos de energía totales incluirán 90,000 barriles por año de petróleo escaso, lo que a la vez creará 408 toneladas de contaminantes en la fuente generadora.[111]

Hay una sugerencia sobre la forma de pensar el *derecho a un entorno limpio* que respondería, al menos parcialmente, al problema que señala el presidente de esta compañía de pulpa. Como él sugiere, una vez que las aguas de un lago o arroyo se han limpiado del 99.999999 por ciento de todos los contaminantes, eliminar el .000001 por ciento restante puede ofrecer muy pocos beneficios. Más allá de cierto punto, la eliminación adicional de los contaminantes apenas vale la inversión de hacerlo. Pero, ¿cuál es el fundamento? Si retomamos la afirmación de Blackstone de que tenemos a un entorno limpio, se puede ver que su base es el derecho más básico a *vivir una vida humana*, esto es, un derecho a satisfacer nuestras capacidades como personas libres y racionales. Este razonamiento sugiere que el derecho a un entorno limpio es un derecho a un entorno que está lo suficientemente limpio para permitirnos a todos vivir una vida humana plena, esto es, un entorno en el que la contaminación no nos impida vivir de manera saludable y completa. La idea de que el entorno debe estar limpio solo hasta el punto en que nos permita vivir así se conoce como el *estándar de seguridad*. Implica que una vez que el entorno es suficientemente *seguro* para poder llevar vidas saludables y plenas, no se necesita moralmente más limpieza.

¿En qué punto el entorno es suficientemente *seguro*? Los gobiernos han luchado con esta pregunta cuando han tratado de establecer las muchas leyes que parecen requerir ninguna contaminación en absoluto. El gobierno de Estados Unidos a menudo ha decidido que cuando la exposición a la contaminación durante un año supone un riesgo de muerte de 1 en un millón o menos, es suficientemente seguro; y cuando, durante un año, la exposición es un riesgo de muerte de 3 o más en 10,000, no es seguro y debe limpiarse. Los riesgos que se encuentran entre estos extremos se manejan caso por caso.[112] Esto significa que cuando la contaminación no mata más de 1 persona en un millón que estuvieron expuestas a ella durante un año, es seguro; cuando mata a 3 personas o más de 10,000, durante un año, es inseguro y debe tratarse. Pero esta forma de manejar el problema de qué tan seguro es suficientemente seguro no ha sido aceptada por todos. Muchas personas afirman que si una persona de cada millón muere cada año por exposición a la contaminación, entonces la contaminación es demasiado alta: que esa persona también tenía derecho a un entorno saludable y que ese derecho fue violado. Pero, ¿está justificada esta afirmación? Parece poco realista demandar la eliminación completa de absolutamente todos los riesgos a la vida y la salud porque satisfacer esa demanda impondría costos inaceptables y cargas en todos nosotros.

Otro tipo diferente del problema de las *prohibiciones absolutas* sobre la contaminación surge de su impacto potencial en el cierre de plantas y pérdida de empleos.[113] Algunos políticos aseguran que la legislación para el control de la contaminación cuesta hasta 160,000 puestos de trabajo al año. La EPA estudió el periodo comprendido entre 1971 y 1981, y encontró que solo hubo 153 cierres de plantas que eran atribuibles a la legislación ambiental, y estos cierres eran responsables de solo 32,611 empleos, para dar un promedio de 3,200 empleos anuales perdidos.[114] Un estudio del Departamento del Trabajo sobre despidos de 1987 a 1991 encontró que de 2,546 despidos solo 4 podían atribuirse a las regulaciones sobre ambiente y seguridad.[115] Muchos de los trabajadores, quizá la mayoría de ellos, que resultaron afectados por estos cierres encontraron otros empleos, al mismo tiempo se han generado muchos nuevos empleos en compañías que diseñan, fabrican e instalan dispositivos de control de la contaminación. De cualquier manera, está claro que la legislación ambiental impone cierto nivel mínimo de costos sobre los individuos que están al menos temporalmente sin trabajo por despidos atribuibles a las regulaciones ambientales.

Ante las dificultades que generan las prohibiciones absolutas, el gobierno federal de Estados Unidos a principios de los 80 comenzó a adoptar métodos de control de la contaminación que han tratado de equilibrar los costos y beneficios, y que no imponen prohibiciones absolutas. Desde entonces los análisis de costo-beneficio han desempeñado un papel mucho más importante en las regulaciones sobre el entorno.[116] Estas nuevas leyes no se basan en el concepto de que las personas tienen derechos ambientales absolutos, sino en un enfoque utilitario/económico hacia el ambiente.

## Mercados y control parcial

Una manera de responder las preguntas que la teoría de Blackstone de derechos ambientales deja sin respuesta es ver los problemas ambientales como defectos del mercado. Si una industria contamina el ambiente, los precios de mercado de sus bienes no reflejarán el costo real de producirlos; el resultado es una mala asignación de recursos, mayor desperdicio y distribución ineficiente de los bienes. En consecuencia, se daña a la sociedad como un todo cuando su bienestar económico declina.[117] Entonces, los individuos deberían evitar la contaminación porque deberían evitar perjudicar el bienestar social. Los siguientes párrafos exponen este argumento con más detalle y explican un enfoque más variado sobre la contaminación del que este análisis de mercado parece ofrecer.

## Costos privados y costos sociales

Los economistas con frecuencia distinguen entre lo que le cuesta a un fabricante privado elaborar un producto y lo que la fabricación de ese producto le cuesta a la sociedad como un todo. Suponga, por ejemplo, que una empresa de energía eléctrica consume cierta cantidad de combustible, mano de obra y equipo para generar 1 kilowatt de electricidad. El costo de estos recursos es su **costo privado**: el precio que debe pagar de su bolsillo para generar 1 kilowatt de electricidad. Sin embargo, producir el kilowatt también incluye otros costos externos por los que la empresa no paga.[118] Cuando quema combustible, por ejemplo, genera humo y hollín que llega a los vecinos, que tienen que soportar los costos de limpieza y pagar por los problemas médicos que provoca el humo. Entonces, desde el punto de vista de la sociedad como un todo, los costos de producir el kilowatt de electricidad incluyen no solo los costos internos de combustible, mano de obra y equipo por los que paga el fabricante, sino también los costos externos de limpieza y cuidado médico que pagan los vecinos. Esta suma total de costos (los internos privados más los externos de los vecinos) son los **costos sociales** de producir 1 kilowatt de electricidad: el precio total que la sociedad debe pagar para producirlo. Sin duda, los costos privados y los costos sociales no siempre divergen como en este ejemplo; en ocasiones coinciden. Por ejemplo, si un productor paga todos los costos que implican la manufactura de un producto o si fabricar un producto no impone costos externos, entonces los costos del productor y los costos sociales totales son iguales.

Así, cuando una empresa contamina su ambiente de cualquier manera, sus costos privados siempre son menores que el costo social total implicado. Independientemente de que la contaminación sea local e inmediata, como los efectos que se describieron sobre los vecinos del ejemplo, o que la contaminación sea global y de amplio espectro, como los efectos de invernadero pronosticados que siguen a la introducción de demasiado dióxido de carbono en la atmósfera, la contaminación siempre impone costos externos; es decir, costos por los que la persona que produce la contaminación no tiene que pagar. La contaminación es, en esencia, un problema de esta divergencia entre los costos privados y los sociales.

¿Por qué es un problema esta divergencia? Porque cuando los costos privados de fabricar un producto divergen de los costos sociales implicados en esa fabricación, los mercados ya no asignan con exactitud los precios de los bienes. Entonces, ya no asignan los recursos con eficiencia. Como resultado, el bienestar de la sociedad declina. Para entender por qué los mercados se vuelven ineficientes cuando los costos privados y sociales divergen, suponga que la industria de energía eléctrica es perfectamente competitiva (no lo es, pero en este caso así se supondrá).[119] Suponga que la curva de oferta de mercado S en la figura 5.7 refleja los costos privados que deben pagar los productores para fabricar cada kilowatt de electricidad. Entonces el precio de mercado estará en el punto de equilibrio E, donde la curva de oferta basada en estos costos privados cruza la curva de demanda.

En la situación hipotética de la figura 5.7, la intersección de las curvas está en el precio de mercado de 3.5 centavos y una producción de 600 millones de kilowatts-hora. Suponga que además de los costos privados en que incurren los productores al obtener electricidad, el fabricante también impone costos externos en sus vecinos en la forma de contaminación ambiental.

**costo privado** El costo que un individuo o compañía debe pagar de su bolsillo en una actividad económica específica.

**costo social** Los costos internos privados más los costos externos de participar en una actividad económica específica.

**Figura 5.7**

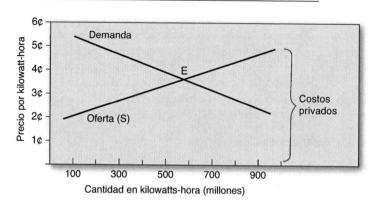

**Figura 5.8**

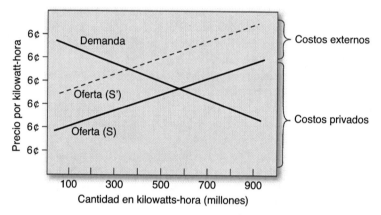

---

*Repaso breve 5.7*

**Mercados y contaminación**

- Los costos totales de fabricar un producto incluyen los costos privados internos del vendedor y los costos externos de la contaminación que paga la sociedad.

- Una curva de la oferta que se basa en todos los costos de fabricar un producto está por arriba de la que se basa solo en los costos privados internos del vendedor, y esa curva de la oferta cruza la curva de la demanda en una cantidad menor y a un precio mayor que la curva de oferta más baja.

- Por lo tanto, cuando los costos del vendedor incluyen solo los costos privados, se produce demasiado y el precio es muy bajo (comparado con la inclusión de todos los costos), lo cual disminuye la utilidad, y viola los derechos y la justicia.

---

Si estos costos externos se sumaran a los costos privados de los productores, entonces resultaría una nueva curva de oferta, S', que tomaría en cuenta todos los costos de producir cada kilowatt-hora de electricidad, como en la figura 5.8.

La nueva curva de oferta en la figura 5.7, S', que está arriba de la curva de oferta S (que incluye solo los costos privados del fabricante), muestra las cantidades de electricidad que se suministrarían si se tomaran en cuenta todos los costos de producir electricidad y los precios que tendrían que cobrarse por cada kilowatt-hora si se incluyeran todos los costos. Como indica la nueva curva S', cuando se incluyen todos los costos, el precio de mercado del bien, 4.5 centavos, sería más alto y la producción, 350 millones de kilowatts-hora, sería más baja que cuando solo se incorporaban los costos privados. Entonces, cuando se incluyen solo los costos privados, la electricidad está subestimada y hay sobreproducción. Esto, a la vez, significa que el mercado de electricidad no está asignando recursos y distribuyendo bienes de manera que se maximice la utilidad. Se pueden observar tres deficiencias en particular.

Primera, la asignación de recursos en los mercados que no toman en cuenta todos los costos no es óptima porque, desde el punto de vista de la sociedad como un todo, se produce más de lo que la sociedad demandaría si dispusiera de una medida precisa de qué se está pagando en realidad para producir el bien. Como hay sobreproducción del bien, se consumen más recursos de la sociedad para fabricar ese bien que lo que sería óptimo. Los recursos que se consumen para que haya sobreproducción del bien son recursos que se podrían usar para fabricar otros bienes para los cuales habría mayor demanda si los precios reflejaran con exactitud los costos. Por todo esto, los recursos se están asignando de forma inadecuada.

Segunda, cuando los productores no toman en cuenta los costos externos, entonces los ignoran y no intentan minimizarlos como lo hacen con sus demás costos. Como la empresa no tiene que pagar los costos externos, usa y desperdicia los recursos que consumen estos costos externos (como el aire limpio).

Quizá existan maneras factibles en el sentido tecnológico de producir los mismos bienes sin contaminar o contaminando menos, pero el fabricante no tiene incentivos para encontrarlas.

Tercera, cuando la producción de un bien impone costos externos en terceras partes, los bienes ya no se distribuyen con eficiencia a los consumidores. Los costos externos introducen diferenciales de precio efectivos en los mercados: no todos pagan el mismo precio por el mismo bien. Por ejemplo, los vecinos de nuestra planta eléctrica imaginaria no pagan solo los precios que cobra la planta a todos por la electricidad, también pagan los costos que impone el humo del combustible quemado en la forma de cuentas de limpieza adicionales, gastos médicos, de pintura, etcétera. Por supuesto, como pagan estos costos externos adicionales, tienen menos dinero para pagar su parte de los bienes del mercado. En consecuencia, su parte de los bienes no está en proporción con sus deseos y necesidades en comparación con las partes de quienes no tienen que pagar costos externos adicionales.

La contaminación, entonces, impone costos externos y esto significa que los costos privados de producción son menores que los costos sociales. Por lo tanto, los mercados con contaminación no imponen una disciplina óptima sobre los productores y el resultado es una caída de la utilidad social. La contaminación del ambiente es una violación de los principios utilitarios que apoyan un sistema de mercados.

La contaminación también viola el tipo de justicia o equidad que caracteriza un mercado libre competitivo. En un mercado competitivo que funciona bien, como se vio en el capítulo 4, el valor de lo que reciben en promedio compradores y vendedores a partir de sus intercambios en el mercado es el valor de su contribución. Pero cuando un mercado genera contaminación, existen costos externos que algunas personas deben pagar además de los que pagan por los bienes que reciben del mercado. Estos costos son injustos: son costos que impone el productor a las personas (por ejemplo, las personas que viven cerca de una planta eléctrica que lanza hollín de carbón sobre ellas y las obliga a pagar costos más altos de doctores y limpieza, y a aceptar que el valor de su propiedad decline) y por los cuales estas personas no obtienen nada a cambio. (La contaminación también se relaciona con otras formas de justicia, como se verá después).

Por último, también está claro que la contaminación viola los derechos que caracterizan un mercado libre competitivo. En él, como se observó en el capítulo 4, todos los intercambios de mercado son voluntarios y el mercado respeta el derecho negativo de los participantes a elegir los intercambios que quieren hacer. Más aún, las personas son libres de entrar o salir del mercado y ningún productor lo domina como para obligar a otros a aceptar sus términos. Sin embargo, cuando un productor genera contaminación, impone costos sobre las personas que no eligieron voluntariamente, lo que viola su derecho a elegir. Aún más, las víctimas de la contaminación nunca tuvieron la opción de entrar o salir del *mercado* donde se encuentran con la carga de los costos por los que no reciben algo a cambio. Y como el productor domina el intercambio, de hecho obliga a sus víctimas a aceptar sus términos: pagar sus costos sin obtener algo a cambio.

La contaminación, entonces, no solo viola la utilidad, también viola la justicia y los derechos.

## Remedios: obligaciones de la empresa

El remedio para los costos externos, de acuerdo con el análisis de mercado anterior, es asegurar que los **costos de contaminación se internalicen**, es decir, que los absorba el productor y los tome en cuenta al determinar el precio de sus bienes.[120] De esta manera, los bienes tendrán un precio más exacto, las fuerzas del mercado proporcionarán incentivos que alentarán a los productores a minimizar los costos externos y algunos consumidores no tendrán que pagar más que otros por los mismos bienes. La justicia una vez más se reafirma porque las personas que eran víctimas de los costos de la contaminación ya no tienen que pagarlos y los derechos de las personas ya no serán violados porque ya no están obligadas a realizar intercambios que no eligieron de manera voluntaria.

*Repaso breve 5.8*

**Tipos de enfoques éticos para la protección del ambiente**
- Enfoque ecológico: los seres no humanos tienen valor intrínseco.
- Enfoque de derechos ambientales: los humanos tienen derecho a un entorno habitable.
- Enfoque de mercado: los costos externos violan la utilidad, los derechos y la justicia, por lo que deben internalizarse.

**internalización de los costos de contaminación** El productor absorbe los costos externos y los toma en cuenta cuando determina el precio de los bienes.

Existen varias maneras de internalizar los costos externos de la contaminación. Una es que el agente que contamina pague a todos los que daña, voluntariamente o mediante la ley, una cantidad igual a los costos que la contaminación les impone. Cuando la perforación de Union Oil en Santa Bárbara en la costa de California produjo un derrame de petróleo, los costos totales para los residentes locales y el estado y las agencias federales se estimaron en alrededor de $16,400,000 (que incluían costos de limpieza, contención, administración, daños al turismo, pesca, diversión, costos sobre la propiedad y pérdida de vida marina). Union Oil pagó cerca de $10,400,000 de estos costos voluntariamente por la limpieza y la contención del petróleo, y pagó cerca de $6,300,000 en daños a las partes afectadas como resultado de litigios.[121] Así, los costos del derrame de petróleo fueron internalizados, en parte por acción voluntaria y en parte por acción legal. Cuando la empresa que contamina paga a aquellos a quienes su proceso de manufactura impone costos, como lo hizo Union Oil, llega a tomar en cuenta esos costos en sus propias determinaciones de precios. Los mecanismos de mercado luego llevan a diseñar nuevas formas de reducir la contaminación para disminuir sus costos. Por ejemplo, desde el derrame de petróleo de Santa Bárbara, Union Oil invirtió grandes sumas en el desarrollo de métodos que minimicen el daño por contaminación de sus derrames. (Pero, como mostró el derrame de British Petroleum en el Golfo de México durante el verano de 2010, no todas las compañías petrolíferas han realizado inversiones similares en la tecnología necesaria para combatir los derrames).

Sin embargo, un problema con esta forma de internalizar los costos de contaminación es que cuando intervienen varios contaminadores, no siempre está claro quién está dañando a quién. ¿Cuánto del daño ambiental que ocasionan varios contaminadores debe contar como daños a mi propiedad y cuánto debe contar como daños a su propiedad, cuando los daños recaen sobre el aire o los mantos acuíferos públicos, y por qué cantidad se debe hacer responsable a cada contaminador? Más aún, los costos administrativos y legales de evaluar los daños de cada contaminador y garantizar compensaciones separadas para cada demandante (esto es, los costos de transacción) se vuelven sustanciales.

Una segunda forma de internalizar los costos de contaminación es que la empresa detenga su contaminación en su fuente instalando dispositivos para controlarla. De esta manera, los costos externos de contaminar el ambiente se traducen en costos internos que paga la empresa al instalar los controles. Una vez que los costos se internalizan de esta manera, los mecanismos de mercado proporcionan de nuevo incentivos para reducir costos y aseguran que los precios reflejen los costos reales de producir el bien. Además, la instalación de dispositivos de control de contaminación sirve para eliminar los efectos a largo plazo de la contaminación.

### Justicia

Esta forma de manejar la contaminación (internalizar los costos) también parece congruente con los requisitos de la justicia distributiva en la medida en que favorece la igualdad. Los observadores han notado que la contaminación tiene el efecto de aumentar la desigualdad.[122] Si una empresa contamina, sus accionistas se benefician porque su empresa no ha absorbido los costos externos de la contaminación; esto los deja con mayores ganancias. Los clientes que compran los productos de la empresa también se benefician porque no pagan todos los costos implicados en la fabricación del producto. Por lo tanto, los beneficiarios de la contaminación tienden a ser quienes compran las acciones y productos de una empresa. Sin embargo, los costos externos de la contaminación recaen en gran parte en los pobres, un fenómeno que se ha llamado *injusticia ambiental*.[123] El valor de las propiedades en áreas contaminadas es en general más bajo y, en consecuencia, las habitan pobres y desfavorecidos (no por decisión propia sino porque no tienen otra opción) y las abandonan los ricos. Así, la contaminación produce un flujo neto de beneficios que se alejan de los pobres y que van hacia

**injusticia ambiental** La carga de los costos externos de contaminación que recae en quienes no disfrutan un beneficio neto por la actividad que produce la contaminación.

los adinerados, lo que agudiza la desigualdad. Además, varios estudios apoyan las demandas del *racismo ambiental*: demandas de que los niveles de contaminación tienden a correlacionarse con la raza de forma tal que cuánto más alta sea la proporción de minorías raciales que viven en el área, mayor es la probabilidad de que el área esté sujeta a contaminación.

En la medida en la que la contaminación se correlacione con el ingreso y la raza, se violará la justicia distributiva. La internalización de los costos de contaminación, como lo requiere el utilitarismo, rectificará las cosas al eliminar las cargas de los costos externos para las minorías y los pobres, y las colocará en las manos de los acaudalados: los accionistas de la empresa y sus clientes. Entonces, la afirmación utilitaria de que los costos externos de contaminación se deben volver internos es congruente con los requisitos de la justicia distributiva.

No obstante, debemos añadir una observación importante: si una empresa elabora bienes básicos (productos alimenticios, ropa, gasolina, automóviles) por los que los pobres deben asignar una proporción más grande de su presupuesto que los ricos, entonces internalizar los costos puede colocar una carga más pesada sobre ellos que sobre los ricos porque los precios de esos bienes básicos aumentarán. Los pobres también sufrirán las consecuencias si los costos del control de la contaminación se elevan tanto que el resultado es el desempleo (aunque como ya se vio, los estudios actuales indican que los efectos sobre el desempleo de los programas de control de la contaminación son transitorios y mínimos).[124] Existe cierta evidencia rudimentaria que tiende a mostrar que las medidas actuales de control de la contaminación imponen cargas más pesadas sobre los pobres que sobre los ricos.[125] Esto sugiere la necesidad de integrar un criterio de distribución en los programas de control de la contaminación.

Internalizar los costos externos también parece congruente con los requisitos de la justicia retributiva y compensatoria.[126] La retributiva requiere que quienes son responsables de un daño y se benefician por él deben soportar la carga de rectificarlo, mientras que la justicia compensatoria requiere que quienes sufren un daño reciban una compensación por parte de quienes los dañaron. Al considerarlos en conjunto, estos requisitos implican que *a*) los que ocasionan la contaminación y los que se benefician con las actividades que contaminan deben pagar los costos de control de la contaminación, mientras que *b*) los beneficios del control de la contaminación deben fluir hacia quienes tienen que soportar los costos externos de la misma. Convertir en internos los costos externos parece cumplir estos dos requisitos: *a*) los costos de control de contaminación recaen en los accionistas y clientes, pues ambos se benefician con las actividades contaminantes de la empresa y *b*) los beneficios de controlar la contaminación fluyen hacia los vecinos que una vez tuvieron que soportar la contaminación de la empresa.

## Costos y beneficios

La tecnología para controlar la contaminación ha desarrollado métodos efectivos aunque a veces costosos para abatirla. Es posible eliminar hasta el 60 por ciento de los contaminantes del agua mediante procesos de filtrado y sedimentación primarios, hasta el 90 por ciento mediante procesos secundarios biológicos y químicos más costosos, y hasta el 95 por ciento mediante tratamientos químicos terciarios todavía más costosos.[127] Las técnicas de eliminación de contaminación del aire incluyen el uso de combustibles y de procesos de combustión que queman con más limpieza; filtros mecánicos que aíslan las partículas de polvo en el aire; procesos de lavado que pasan el aire contaminado por líquidos que eliminan los contaminantes; y el método más costoso de todos, el tratamiento químico que transforma gases en compuestos que se eliminan con mayor facilidad.

Es posible, sin embargo, que una empresa invierta demasiado dinero en dispositivos de control de la contaminación, una cuestión que se vio de manera breve cuando se analizaron las *prohibiciones absolutas* a la contaminación. Suponga, por ejemplo, que la contaminación de cierta empresa ocasiona daños ambientales con valor de $100, y suponga que el único dispositivo capaz de eliminar esta contaminación costaría a la empresa al menos $1,000. Es obvio —por lo menos desde el punto de vista utilitario— que la empresa no debe instalar el dispositivo; si lo hace, la utilidad económica de la sociedad declinaría: los costos de eliminar la contaminación serían mayores que los beneficios que se obtendrían, y habría una reducción de la utilidad total.

Entonces, ¿cuánto debe invertir una compañía en el control de la contaminación? Considere que los costos de controlarla y los beneficios derivados están en relación inversa.[128] Cuando uno sube el otro baja. ¿Por qué es así? Piense por un momento que si un manto acuífero está muy contaminado, tal vez sea sencillo y por lo mismo barato filtrar cierta cantidad limitada de contaminantes. Pero para filtrar algunos más se requieren filtros más finos y por lo mismo más costosos. Los costos siguen subiendo por cada nivel adicional de pureza deseado, y eliminar las últimas moléculas de impureza requeriría equipo adicional con costos astronómicos. Sin embargo, acabar con esas últimas trazas de impurezas tal vez no importe mucho a las personas y el beneficio sería poco. En el otro lado de la escala, eliminar las primeras cantidades gruesas de contaminantes será muy benéfico para las personas: los costos de los daños de estos contaminantes son sustanciales. En consecuencia, si se representan como curvas en una gráfica los costos de eliminar la contaminación y sus beneficios (que son equivalentes a los costos externos eliminados), el resultado serán dos curvas que se cruzan, como se ilustra en la figura 5.9. ¿Cuál es la cantidad óptima de control de la contaminación? Como es evidente, se trata del punto donde las dos líneas se cruzan. En este punto, los costos de control de la contaminación son exactamente iguales a sus beneficios. Si la empresa invierte recursos adicionales para eliminar la contaminación, la utilidad neta de la sociedad disminuye. Más allá de este punto, la empresa debería pagar a la sociedad los costos de contaminar el ambiente, ya sea directa o indirectamente (mediante impuestos u otras formas de inversión social).

Para permitir que la empresa realice análisis de costo-beneficio, los investigadores diseñaron un conjunto de métodos y técnicas teóricos para calcular los costos y beneficios de eliminar la contaminación. Estas teorías usan estimaciones de superávit, rentas, precios de mercado y precios sombra del consumidor, ajustes de transferencias, valores futuros descontados y reconocimiento de factores de riesgo.[129] Thomas Klein resumió sus procedimientos para los análisis de costo-beneficio como sigue:

1. Identificar los costos y beneficios del programa propuesto y la persona o sectores que incurren en ellos o los reciben. Rastrear las transferencias.
2. Evaluar los costos y beneficios en términos de su valor para los beneficiarios y donadores. La medida estándar es el valor de cada unidad marginal para los demandantes y proveedores captados de manera ideal por los precios competitivos. Los refinamientos útiles incluyen:
   *a*) Incorporar valores en el tiempo usando tasas de descuento.
   *b*) Reconocer el riesgo de factorizar los resultados posibles según las probabilidades y, si hay variables dependientes, con árboles de probabilidad.
3. Sumar los costos y beneficios para determinar el beneficio social neto de un proyecto o programa.[130]

**Figura 5.9**

Vea la **imagen** en
**mythinkinglab.com**

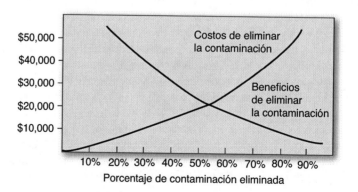

Para evitar el uso errático y costoso de estos procedimientos, Klein recomienda que las empresas introduzcan un sistema de contabilidad social que *mida, registre e informe por rutina los efectos externos a la administración y a otras partes.*[131]

En este punto, sin embargo, surge una dificultad fundamental en el enfoque utilitario de la contaminación. El análisis de costo-beneficio que se acaba de describir supone que es posible medir con exactitud los costos y beneficios de reducir la contaminación.[132] En algunos casos (de carácter local y limitado) se dispone de las medidas. Por ejemplo, los costos y beneficios de limpiar el petróleo que derramó Union Oil en Santa Bárbara hace varios años se pudieron medir. Sin embargo, es difícil medirlos cuando implican daños a la salud humana y pérdida de la vida: ¿cuál es el precio de la vida?[133]

La medición también es difícil cuando los efectos de la contaminación son inciertos y, por ende, difíciles de predecir: ¿cuál será el efecto de aumentar el contenido de dióxido de carbono en la atmósfera al quemar carbón, como se comienza a hacer en Estados Unidos? De hecho, quizá el problema más grande al obtener las mediciones necesarias para aplicar el análisis de costo-beneficio a situaciones de contaminación es el problema de estimar y evaluar el riesgo (es decir, la probabilidad de consecuencias futuras costosas).[134] Muchas tecnologías nuevas incluyen cierto grado desconocido de riesgo para las generaciones actuales y futuras. Incluso si se conociera el riesgo numérico asociado con una nueva tecnología, no está claro cuánto peso debería darse en un análisis de costo-beneficio. Por ejemplo, imagine que la sociedad actual acepta con cierta indiferencia un riesgo de 0.01 de muerte asociada con manejar un auto. ¿Se concluye entonces que la sociedad debe ser indiferente a un riesgo de 0.01 de morir por la introducción de cierta tecnología nueva? Es evidente que no porque el riesgo es acumulativo: la nueva tecnología *duplicará* el riesgo de muerte de la sociedad a 0.02. Aunque tal vez la sociedad sea indiferente ante un riesgo de muerte de 0.01, tal vez le parezca inaceptable un riesgo de 0.02. Conocer el riesgo de cierto evento futuro costoso no necesariamente indica el valor que la sociedad otorgará a ese riesgo una vez que se sume a los otros riesgos que ya corre. Para complicar las cosas, los individuos difieren de manera sustancial en su aversión al riesgo: a algunos les gusta jugar, mientras que otros consideran que se trata de una actividad sumamente desagradable.

Los problemas casi insuperables que conlleva obtener mediciones exactas de la contaminación se ilustran con algunas estimaciones federales de los beneficios que producen las actividades de control de los contaminantes. Es bastante sencillo obtener los *costos* financieros presentes del control de la contaminación si se examinan los informes de gastos en equipo para controlar contaminantes. Sin embargo, es difícil medir con precisión los *beneficios* que estos gastos producen porque con frecuencia no son cuantificables. Por ejemplo, la Oficina de Administración del Presupuesto de la Casa Blanca (*Office of Management and Budget*, OMB) recopila cada año estimaciones de los beneficios y costos anuales de las reglamentaciones federales más importantes (en un documento bajo el título de *Report to Congress on the Costs and Benefits of Federal Regulations*). La OMB estimó que entre 1992 y 2002 los reglamentos que limitan la contaminación del aire produjeron beneficios anuales de $77,300 a $535,130 millones e impusieron costos de $19,500 a $24,600 millones, mientras que los reglamentos que limitaban la contaminación del agua produjeron beneficios anuales entre $1,300 y $3,900 millones e impusieron costos entre $1,100 y $1,200 millones. Es claro que el análisis de la OMB demuestra que los beneficios de las leyes contra la contaminación del aire y del agua generan mucho mayores beneficios que costos. Pero sus estimaciones se basan en metodologías inciertas y omiten muchos de los efectos importantes de la contaminación, como los costos futuros que imponen los efectos globales de la contaminación, entre los que se cuentan los efectos del dióxido de carbono acumulado y el agotamiento de ozono, lo mismo que los beneficios estéticos al eliminar la contaminación. Además, muchos reglamentos salvan vidas o las prolongan o reducen el riesgo de muerte y en todos estos casos, la OMB se ve obligada a hacer suposiciones controvertidas acerca del valor de la vida humana.

*Repaso breve 5.9*

**Nivel óptimo para eliminar la contaminación en el enfoque utilitario**

- Los costos de eliminar la contaminación aumentan conforme disminuyen los beneficios de eliminarla.
- El nivel óptimo de eliminación es el punto donde los costos son iguales a sus beneficios.
- Cuando los costos y los beneficios no se pueden medir, el enfoque utilitario falla.
- Cuando los costos y los beneficios no se pueden medir algunos usan el principio preventivo y otros la regla maximin.

**auditoría social** Un informe de los costos y los beneficios sociales de las actividades de la empresa.

Los problemas que se encuentran al obtener medidas exactas de los beneficios y costos del control de contaminación también se ilustran por las dificultades que tienen los negocios al tratar de hacer una **auditoría social** (un informe de los costos y beneficios sociales de las actividades de la empresa). Quienes defienden que una corporación debe medir y reportar los impactos sociales de sus actividades se han visto obligados a *reconocer que la meta de medir todos los impactos de todas las acciones sobre todas las condiciones y todos los públicos, con el uso de técnicas y unidades estándar, excede considerablemente las capacidades actuales y que los compromisos y modificaciones son inevitables.*[135] Como resultado de esta incapacidad para medir los beneficios, las llamadas auditorías sociales suelen ser solo descripciones cualitativas de lo que la empresa hace. Sin medidas cuantitativas definidas de los beneficios derivados de sus intentos de reducir la contaminación, una empresa no tiene forma de saber si sus esfuerzos son efectivos en términos de costos desde el punto de vista social.

Las dificultades de medición presentan problemas técnicos importantes para los enfoques utilitarios de la contaminación. Además, el uso del análisis de costo-beneficio utilitario algunas veces se basa en suposiciones que son incongruentes con los derechos morales de las personas. Los defensores de este análisis utilitario suponen a veces que los beneficios de cierta tecnología o de algún proceso de manufactura a todas luces sobrepasan sus costos y que, por ello, está moralmente permitido imponer la carga de los procesos sobre los ciudadanos sin su consentimiento. Por ejemplo, un informe reciente del gobierno hace las siguientes recomendaciones:

> En tanto que los problemas nucleares incluyen cada vez más aspectos altamente emocionales, como lo evidencian los estados que han indicado que no están dispuestos a permitir desechos nucleares dentro de sus fronteras, tal vez sea imposible obtener el apoyo público y político necesario para que un estado dado acepte desechos nucleares. En última instancia, si no es posible obtener la aprobación del estado de lugares de depósito dentro de un plazo determinado, es posible que el gobierno federal haga obligatoria la selección. Aunque esa acción no sería sencilla, sería necesaria si ha de resolverse el problema de los desechos en un tiempo razonable.[136]

Sin embargo, las recomendaciones de este tipo parecen violar el derecho moral básico que fundamenta las sociedades demócratas: las personas tienen un derecho moral a ser tratadas solo como han aceptado de antemano que se les trate (consulte el capítulo 2, segunda sección). Si las personas no han dado su consentimiento para sobrellevar los costos de una tecnología (e indican esta voluntad, por ejemplo, mediante su legislación local, audiencias o encuestas de opinión), entonces su derecho moral de dar su consentimiento se viola cuando se les imponen estos costos de todas maneras. Usar solo los análisis de costo-beneficio para determinar si se debe adoptar una nueva tecnología o un proceso de manufactura ignora la cuestión de si los costos implicados los aceptan de manera voluntaria quienes deben pagarlos o si fueron impuestos de manera unilateral por otros violando sus derechos.

Cabe destacar que aunque el derecho de consentimiento parece implicar que las decisiones concernientes al control de la contaminación siempre se deben dejar en manos de los ciudadanos comunes, esta implicación no necesariamente es correcta. Las personas pueden dar su consentimiento informado para un proyecto riesgoso solo si comprenden de manera adecuada el proyecto y sus riesgos. No obstante, la tecnología contemporánea suele ser tan compleja que aun los expertos están en desacuerdo cuando se estiman y evalúan los riesgos que podría tener (por ejemplo, en el pasado los científicos discrepaban mucho acerca de la seguridad de usar energía nuclear). Por eso, quizá sea imposible que los ciudadanos comunes comprendan y evalúen los riesgos que cierta tecnología contaminante les impondrá. Entonces, en principio sería imposible que den su consentimiento informado.

En vista de todos los problemas que surgen por los enfoques de mercado o los análisis de costo-beneficio para la contaminación, tal vez otros enfoques sean más adecuados. En particular, parece que las prohibiciones absolutas de la contaminación, todavía incorporadas en muchas leyes federales, y la teoría de derechos en la que se basan estas prohibiciones son un enfoque más adecuado para los aspectos de contaminación que el utilitarismo, al menos cuando los costos y los beneficios son inciertos. Esto es, cuando los costos de limpiar la contaminación son inciertos, simplemente se debe limpiar solo en el supuesto de que sea factible hacerlo.

Algunos argumentan que es particularmente necesario un enfoque igual de estricto cuando los costos de una práctica o tecnología son potencialmente catastróficos e irreversibles (por ejemplo, el cambio climático). Afirman que cuando se ven implicados costos potencialmente catastróficos e irreversibles, se debe aceptar el *principio preventivo*. El ***principio preventivo*** dice que si una práctica o tecnología lleva implícito un riesgo desconocido de consecuencias catastróficas e irreversibles, pero hay incertidumbre respecto a qué tan grande es ese riesgo (quizá incluso haya dudas sobre si existe o no), entonces se debe rechazar hasta estar seguro de que el riesgo no existe o no es significativo. El principio preventivo se ha adoptado como un principio legal en la Unión Europea (la cual incluye a la mayor parte de las naciones de ese continente), y se ha aceptado en muchos tratados ambientales. Una versión menos rígida del principio dice que no se aplica a una práctica o tecnología a menos que haya evidencia científica que demuestre que hay alguna probabilidad de que lleve a un daño catastrófico. Una versión más fuerte dice que el principio se aplica a cualquier práctica o tecnología propuesta a menos que quien la proponga presente pruebas científicas de que no conlleva un daño catastrófico. La versión moderada deja la carga de la prueba (de que existe un riesgo) en quienes quieren rechazar una tecnología posiblemente riesgosa, mientras que la versión fuerte deja la carga de la prueba (de que no existe un riesgo) en quienes quieren adoptar la tecnología posiblemente riesgosa.

Otros sugieren que cuando no es posible evaluar los riesgos, debemos, con toda justicia, identificar quiénes son más vulnerables y quiénes tendrían que soportar los costos más altos si las cosas salen mal, y luego elegir la opción que los proteja de tener que cargar con esos costos. Por ejemplo, las generaciones futuras y los niños son vulnerables a las decisiones que se tomen ahora respecto a las emisiones de gases con efecto invernadero y tendrán que pagar la mayor parte del calentamiento global, así que ahora se deberían tomar solo las decisiones que sabemos que los protegerán de tener que cargar con los costos de ese calentamiento. Por último, otros sugieren que cuando resulta imposible medir los riesgos, el único procedimiento racional es primero suponer que ocurrirá lo peor y luego elegir la opción que nos afectará menos cuando las cosas salgan mal (esta regla se conoce como *regla maximin* de la teoría de probabilidad). Por ejemplo, al tomar decisiones sobre los gases con efecto invernadero, primero se debe suponer que las peores predicciones sobre el calentamiento global son correctas. Entonces, se elegiría aquella opción que sea la mejor solución para la suposición de que las peores predicciones sobre el calentamiento global resultará ser correctas.

No está claro qué enfoque, si lo hay, debe adoptarse cuando no hay certidumbre de si los costos de las decisiones serán catastróficos. Pero es evidente que muchas cuestiones ambientalistas conllevan este tipo de incertidumbre, entre ellas, el cambio climático, la extinción de las especies, la pérdida de la biodiversidad, la difusión de los organismos genéticamente modificados y la contaminación grave.

## Ecología social, ecofeminismo y las demandas de cuidado

Las dificultades inherentes a los enfoques de costo-beneficio y de los derechos para los problemas éticos que surgen por la degradación ambiental han llevado a muchos a buscar enfoques alternativos. Se ha argumentado, de hecho, que las teorías mencionadas incluyen un tipo de pensamiento calculador y racionalista que es responsable de las crisis ambientales. El pensamiento costo-beneficio supone que la naturaleza se debe medir y usar de manera eficiente, mientras que las teorías que se basan en los derechos conciben a los seres

**principio preventivo**
Principio que dice que si una práctica lleva implícito un riesgo desconocido de consecuencias catastróficas e irreversibles, pero hay incertidumbre respecto a qué tan grande es ese riesgo, entonces la práctica se debe rechazar hasta estar seguro de que el riesgo no existe o no es significativo.

humanos y otras entidades en términos individuales e ignoran sus relaciones con el resto de la naturaleza. Estas formas de pensamiento, se ha dicho, están estrechamente ligadas con el tipo de sociedad en la que vivimos.

Muchos pensadores han afirmado que las crisis ambientales que enfrentamos tienen sus raíces en los sistemas sociales de jerarquía y dominio que caracterizan a nuestra sociedad. Este punto de vista, ahora conocido como *ecología social*, sostiene que mientras no cambien los patrones de jerarquía y dominio, será imposible controlar las crisis ambientales. En un sistema social de jerarquía, un grupo tiene el poder sobre otro y los miembros del grupo superior dominan a los del inferior y hacen que sirvan a sus fines. Los ejemplos de sistemas jerárquicos incluyen las prácticas sociales como el racismo, el sexismo y las clases sociales, lo mismo que las instituciones sociales de derechos de propiedad, el capitalismo, la burocracia y los mecanismos de gobierno. Esos sistemas de jerarquías y dominio van de la mano con la amplia destrucción ambiental que tiene lugar en nuestro entorno y con las formas económicas de manejar el ambiente. Murray Bookchin, el defensor más reconocido de este punto de vista, escribió:

> Debemos observar las formas culturales de dominio que existen en la familia, entre generaciones, sexos, razas y grupos étnicos, en todas las instituciones de administración política, económica y social y, de manera muy significativa, la forma en que experimentamos la realidad como un todo, incluyendo la naturaleza y las formas de vida no humanas.[137]

Los sistemas de jerarquía y dominio, sugiere Bookchin, facilitan la generación de una mentalidad cultural amplia que promueve el dominio en muchas formas, incluyendo el de la naturaleza. El éxito se identifica como dominio y control: cuanto mayor es el número de individuos que trabajan para una persona, mayor es la riqueza, poder y estatus de esa persona y mayor es el éxito que se le reconoce. El éxito también se identifica como el dominio de la naturaleza cuando la sociedad llega a identificar el *progreso* con la capacidad creciente de controlar y dominar a la naturaleza y sus procesos. La ciencia, la tecnología y la agricultura se unen en este intento de dominarla y controlarla. Ponderar los costos y beneficios de destruirla es inevitable en esta perspectiva. Entonces, la destrucción generalizada de la naturaleza que resulta no se podrá detener sino hasta que las sociedades se vuelvan menos jerárquicas, menos dominantes y menos opresoras. La sociedad ideal es la que se abstiene de todo dominio y en la que todo el poder está descentralizado. La agricultura y la tecnología estarían restringidas a aquellas que son sustentables y que permiten que los humanos vivan en armonía con la naturaleza.

Varios pensadores feministas han afirmado que la forma clave de jerarquía conectada con la destrucción del ambiente es la dominación de la mujer por el hombre. El **ecofeminismo** se ha definido como "la posición que admite conexiones importantes —históricas, experimentales, simbólicas, teóricas— entre la dominación de la mujer y la dominación de la naturaleza, un razonamiento crucial para la ética tanto feminista como ambiental".[138] Los ecofeministas aseguran que la raíz de nuestra crisis ecológica es un patrón de dominio de la naturaleza que tiene una relación estrecha con las prácticas sociales y las instituciones a través de las cuales la mujer ha estado subordinada al hombre. El fundamento de esta subordinación de la mujer al hombre son las formas de pensamiento que justifican y preservan esta subordinación. Un patrón clave de pensamiento —la *lógica del dominio*— establece dualismos (masculino-femenino, razón-emoción, artefacto-naturaleza, mente-cuerpo, objetivo-subjetivo) que se usan para caracterizar al hombre y la mujer. En función de sus papeles en la maternidad, en la crianza de los hijos y en la sexualidad humana, la mujer se considera un ser más emocional, más cercana a la naturaleza y al cuerpo, y más subjetiva y pasiva, mientras que el hombre se considera más racional, más cercano a los artefactos construidos, y más objetivo y activo.

**ecología social** Las crisis ambientales que enfrentamos tienen sus raíces en los sistemas sociales de jerarquía y dominio que caracterizan a nuestra sociedad.

**ecofeminismo** Creencia de que la raíz de nuestra crisis ecológica es un patrón de dominio de la naturaleza que tiene una relación estrecha con las prácticas sociales y las instituciones a través de las cuales la mujer ha estado subordinada al hombre.

Las características masculinas se consideran superiores y más valiosas que las femeninas (la razón, la objetividad y la mente son superiores a la emoción, la subjetividad y los sentimientos), y esto se toma como justificación de la subordinación de la mujer con respecto al hombre. A su vez, esta subordinación de lo femenino se transfiere a la naturaleza, que se concibe como femenina (por ejemplo, nos referimos a ella como la *madre naturaleza*) y se asocia más estrechamente con la mujer. De esta forma, la dominación de la naturaleza acompaña a la dominación de la mujer y así como los intereses del hombre explotan a la mujer, lo mismo ocurre con la naturaleza.

Si las formas de pensamiento que acompañan a la jerarquía y el dominio son responsables de la destrucción del ambiente, ¿con qué se deben reemplazar? Los ecologistas sociales como Bookchin afirman que los humanos se deben ver a sí mismos como mayordomos de la naturaleza, no como sus dueños que deben dominarla. Algunos ecofeministas aseguran que la mujer debe luchar por una cultura andrógina, que erradique los papeles tradicionales de los géneros y elimine la distinción entre *femenino* y *masculino* que justifica un dominio que destruye la naturaleza. Muchos ecofeministas afirman que deberíamos tratar de *remediar los problemas ecológicos y otros mediante la creación de una 'cultura de la mujer' alternativa [...] basada en reevaluar, celebrar y defender lo que el patriarcado ha devaluado, incluyendo la naturaleza no humana, la femenina, el cuerpo y las emociones.*[139] En particular, algunos afirman que la perspectiva masculina destructiva de dominio y jerarquía se debe sustituir por la perspectiva femenina del cuidado.

Desde la perspectiva de una ética del cuidado, la destrucción de la naturaleza que acompaña (supuestamente) a las jerarquías masculinas de dominio se debe reemplazar con una actitud encaminada a cuidar y nutrir nuestra relación con la naturaleza y los seres vivos. Nel Noddings, un feminista partidario de una ética del cuidado, afirma: "Cuando mi cuidado se dirige a los seres vivos, debo considerar su naturaleza, formas de vida, necesidades y deseos. Aunque quizá nunca lo logre por completo, intento aprehender la realidad del otro".[140] Aun cuando Noddings sostiene que las demandas de cuidado se extienden solo a esas partes de la naturaleza que son vivientes y con las que tenemos una relación directa, otros amplían la ética del cuidado a las relaciones con toda la naturaleza. Karen Warren, por ejemplo, afirma que el ecofeminismo otorga un papel fundamental al *cuidado, amor, amistad, confianza y reciprocidad apropiada*, y que estas relaciones se pueden extender a los no humanos.[141] Sugiere, por ejemplo que un escalador puede tener *una relación de tipo conquistador* con una roca o puede considerarla de manera más apropiada como un socio *a quien uno puede acudir para cuidar y tratar con respeto.*

Los ecofeministas como Warren sostendrían que, aunque los conceptos de utilitarismo, derechos y justicia tienen un papel limitado en la ética ambiental, una ética ambiental adecuada también debe tomar en cuenta de manera central las perspectivas de una ética del cuidado. La naturaleza se debe ver como *otro* a quien se puede cuidar o con quien se tiene una relación que se debe nutrir y atender, y no como un objeto que se domina, controla y manipula.

Aunque se piensa que los enfoques ecofeministas y de ecología social del ambiente son provocativos, no está claro cuáles resultan ser sus implicaciones específicas. Estos enfoques son demasiado recientes para estar articulados por completo. Sin embargo, las imperfecciones de los enfoques de costo-beneficio utilitario y los que se basan en los derechos para el ambiente, podrían estimular el desarrollo de un enfoque más completo en el futuro cercano.

## 5.3 La ética de conservar los recursos agotables

La *conservación* se refiere a preservar o racionar los recursos naturales para usos posteriores. Entonces, dirige la atención principalmente hacia el futuro: la necesidad de limitar el consumo hoy para tener recursos disponibles mañana.

> **Repaso breve 5.10**
>
> **Enfoques alternativos a la contaminación**
> - La ecología social dice que debemos librarnos de los sistemas sociales de jerarquía y dominación.
> - El ecofeminismo dice que debemos cambiar el patrón masculino de dominio sobre la naturaleza y la mujer.
> - Algunos feministas dicen que debemos extender la ética del cuidado a la naturaleza.

**conservación** La preservación o racionamiento de los recursos naturales para usos posteriores.

En cierto sentido, el control de la contaminación es una forma de conservación. La contaminación *consume* aire y agua puros, y reducirla los *conserva* para el futuro. Pero existen diferencias básicas entre los problemas de contaminación y los problemas de agotamiento de recursos que hacen que el término *conservación* se aplique mejor a estos últimos que a los primeros. Con algunas excepciones notables (como los desechos nucleares y, quizá, los gases con efecto invernadero), la mayoría de las formas de contaminación afectan a las generaciones actuales y su control beneficiará a las mismas. No obstante, el agotamiento de casi todos los recursos escasos es un evento futuro y sus efectos se sentirán más bien en las generaciones futuras y no en las actuales. En consecuencia, nuestra preocupación por el agotamiento de recursos está dirigida a las generaciones futuras y los beneficios estarán disponibles para ellas. Por esta razón, la conservación se aplica mejor a los problemas de agotamiento de recursos que a los de contaminación. De nuevo con excepciones notables, la contaminación es un problema que concierne primordialmente a los recursos *renovables*, en tanto que el aire y el agua se pueden *renovar* al dejar de bombear contaminantes a ellos y dar tiempo para su recuperación. Entonces el abastecimiento de mañana será posible de nuevo una y otra vez si tomamos las precauciones adecuadas. Sin embargo, la preocupación principal en torno al agotamiento son los recursos finitos no renovables. El único inventario de un recurso finito no renovable que habrá mañana es lo que quede de hoy. La conservación es la única manera de asegurar alguna cantidad para las generaciones futuras. El agotamiento de recursos plantea dos preguntas fundamentales: ¿por qué debemos conservar los recursos para las generaciones futuras y cuánto debemos conservar?

## Derechos de las generaciones futuras

Quizá parezca que tenemos la obligación de conservar los recursos para las generaciones futuras porque estas tienen los mismos derechos a los recursos limitados de este planeta. Si las generaciones por venir tienen tanto derecho como nosotros a los recursos del mundo, entonces, al agotarlos, estamos tomando lo que en realidad es de ellos y violando su derecho a estos recursos.

No obstante, varios escritores aseguran que, aunque debemos preocuparnos por las generaciones futuras, es un error pensar que la razón por la que debemos hacerlo es porque tienen derechos.[142] En consecuencia, es un error pensar que debemos abstenernos de consumir los recursos naturales porque estamos tomando algo que es un *derecho* de esas generaciones. Se han dado tres razones principales para demostrar que es incorrecto justificar nuestra preocupación por las generaciones futuras al atribuirles derechos.

Primero, no es posible decir con coherencia que las generaciones futuras tienen derechos porque ahora no existen y tal vez no lleguen a existir.[143] Es factible pensar en las personas del futuro, pero sería imposible pegarles, castigarlas, dañarlas o tratarlas mal. Las personas del futuro existen solo en la imaginación y es imposible actuar sobre entes imaginarios, como no sea en la propia imaginación. De manera similar, no podemos decir que las personas del futuro poseen cosas cuando todavía no existen para poseerlas. Puesto que hay una posibilidad de que las generaciones futuras nunca existan, no pueden *tener* derechos.

Segundo, si las generaciones futuras tuvieran derechos, podríamos llegar a la conclusión absurda de que debemos sacrificar la civilización completa por su bien.[144] Suponga que cada una de un número infinito de generaciones futuras tiene el mismo derecho a las reservas de petróleo del mundo. Entonces tendríamos que dividir el petróleo por igual entre todas ellas y nuestra porción sería de unos cuantos litros cuando mucho. Entonces estaríamos en la posición absurda de tener que paralizar la civilización occidental por completo para que cada persona del futuro pudiera poseer unos cuantos litros de petróleo.

Tercero, se puede decir que alguien tiene cierto derecho solo si sabemos que tiene cierto interés en lo que ese derecho protege. El propósito de un derecho, después de todo,

*Repaso breve 5.11*

**Argumentos en contra de atribuir derechos a las generaciones futuras**
- Las generaciones futuras no existen ahora y quizá nunca existan.
- Si las generaciones futuras tienen derechos entonces se debe sacrificar el presente por el futuro.
- Como no se sabe qué intereses tendrán las generaciones futuras, no se puede decir qué derechos tienen.

es proteger los intereses del derechohabiente, pero en realidad ignoramos cuáles serán los intereses que tendrán las generaciones futuras. ¿Qué deseos tendrán? Tal vez el hombre y la mujer del futuro estén genéticamente fabricados por pedido, con deseos, placeres y necesidades muy diferentes a los nuestros. ¿Qué tipo de recursos requerirá la tecnología del futuro para satisfacer sus deseos? Quizá la ciencia permita desarrollar tecnologías para elaborar productos a partir de materias primas que tenemos en abundancia —minerales en los océanos, por ejemplo— y tal vez encuentre recursos energéticos potencialmente ilimitados como la fusión nuclear. Más aún, quizá las generaciones futuras desarrollen sustitutos cuantiosos y de bajo costo para los recursos escasos que ahora necesitamos. Como hay incertidumbre respecto a estos asuntos, ignoramos qué intereses querrán proteger las generaciones futuras (¿quién podría haber imaginado hace 80 años que las rocas de uranio un día se considerarían un *recurso* en el que las personas tendrían interés?). Entonces, no es posible decir qué derechos tendrán las personas del futuro.[145]

Si estos argumentos son correctos, entonces en tanto que haya incertidumbre sobre las generaciones que existirán o cómo serán, no se puede decir que tienen derechos. Sin embargo, esto no debe llevar a la conclusión de que no tenemos obligaciones para ninguna generación futura, porque nuestras obligaciones tienen otras consideraciones morales, no solo los derechos.

## Justicia para las generaciones futuras

John Rawls argumentó que, aunque es injusto imponer cargas desproporcionadas en las generaciones actuales por el bien de las futuras, también es injusto que las generaciones actuales no dejen algo para las que vengan. Para determinar una manera justa de distribuir los recursos entre las generaciones, sugirió, los miembros de cada generación deben ponerse en la *posición original* y, sin saber a qué generación pertenecen, deben hacer lo siguiente:

> Preguntarse qué es razonable que las generaciones inmediatas esperen una de la otra en cada nivel de progreso (histórico). Deben intentar desarrollar un programa de ahorros equilibrando cuánto estarían dispuestos a guardar en cada etapa (de la historia) para sus descendientes inmediatos, en contraposición a lo que consideran que tienen derecho a reclamar a sus predecesores inmediatos. Así, al imaginarse a sí mismos, digamos como padres, deben determinar cuánto guardarían para sus hijos considerando lo que creen que tienen derecho a reclamar de sus propios padres.[146]

En general, Rawls asegura que este método para determinar lo que las generaciones anteriores deben, con toda justicia, a las generaciones que les siguieron llevará a la conclusión de que la justicia nos demanda simplemente que dejemos a la siguiente generación una situación que no sea peor que la que heredamos de la generación anterior a nosotros.

> Cada generación no solo debe preservar las ganancias de la cultura y la civilización y mantener intactas las instituciones justas establecidas, sino que también debe guardar en cada periodo una cantidad adecuada de la acumulación real de capital. [...] (Debe tenerse en mente aquí que el capital no solo está constituido por fábricas, máquinas, etcétera, también incluye conocimiento y cultura, lo mismo que técnicas y habilidades, que hacen posible que existan instituciones justas y un valor justo de la libertad). Esto [...] es la compensación de lo que se recibe de las generaciones anteriores, y que permite a las que siguen disfrutar una vida mejor en una sociedad más justa.[147]

Entonces, la justicia requiere que dejemos a nuestros sucesores inmediatos un mundo que no esté en peores condiciones que cuando lo recibimos de nuestros ancestros.[148]

Las demandas de cuidado que surgen de una ética del cuidado también sugieren políticas de conservación similares a las que defienden los puntos de vista de justicia de

---

*Repaso breve 5.12*

**Conservación basada en la justicia**
- Rawls: dejar el mundo en situación que no sea peor que la que encontramos.
- Cuidado: dejar a nuestros hijos un mundo que no sea peor que el que recibimos.
- Attfield: dejar el mundo igual de productivo que como lo encontramos.

Rawls. Aunque muchas personas estarían de acuerdo en que tienen una relación bastante directa de cuidado y preocupación con la generación que le sigue, esa relación directa no existe con generaciones más distantes y, por lo mismo, más abstractas. La generación siguiente inmediata, por ejemplo, está constituida por nuestros hijos. Las demandas de cuidado, como se ha visto, implican que debemos intentar ver las cosas desde la perspectiva de aquellos con quienes tenemos una relación directa y cuyas necesidades específicas intentamos satisfacer. Ese cuidado implicaría que debemos al menos dejar a la generación siguiente un mundo que no esté peor que el que recibimos.

La conclusión de Rawls también está apoyada por algunos razonamientos utilitarios. Por ejemplo, Robin Attfield, un utilitario, afirma que el utilitarismo favorece lo que él llama el *principio de Locke* de que "cada uno debe dejar suficiente e igualmente bueno para otros".[149] Attfield interpreta este principio señalando que cada generación debe dejar a las generaciones futuras un mundo cuya capacidad de producción no sea menor que la recibida de las generaciones anteriores.[150] Esto es, debe dejar el mundo al menos igual de productivo que como lo encontró. Attfield sugiere que dejar el mundo con la misma capacidad de producción no necesariamente significa dejarlo con los mismos recursos. Más bien, mantener el mismo nivel de producción se logra ya sea a través de la conservación, el reciclado o la innovación tecnológica.

## AL MARGEN

# Exportación de veneno

De acuerdo con un estudio de 2001 que realizó la Foundation for Advancements in Science and Education publicado en el *International Journal of Occupational and Evironmental Health*, las compañías de Estados Unidos exportan 45 toneladas de pesticidas por hora a otros países, incluyendo sustancias químicas sumamente tóxicas como alacloro, clordano, heptacloro y metribuzin. Hace ya entre 10 y 20 años que Estados Unidos prohibió el uso de clordano y heptacloro como insecticidas en los cultivos y jardines residenciales. Sin embargo, Velsicol Chemical Corporation reportó en 1997 que todavía los fabricaba para exportación. Exportaba estos químicos a África para uso en las carreteras, a Australia y al Extremo Oriente para uso doméstico y a América del Sur para uso en los cultivos. Entre 1997 y 2000, las compañías estadounidenses exportaban cerca de 30 millones de kilogramos de pesticidas prohibidos o severamente restringidos en Estados Unidos —incluyendo captafol, clordano, isazofos, monocrotofos y mirex— y alrededor de 30 toneladas al día de pesticidas que la Organización Mundial de la Salud clasifica como *extremadamente peligrosos*. Cada hora las compañías estadounidenses exportan cerca de 16 toneladas de pesticidas que se sabe o se sospecha que causan cáncer.

De estos pesticidas el 60 por ciento se envía a países en desarrollo para uso en la agricultura. Más del 75 por ciento de los niños que trabajan en los países en desarrollo lo hacen en la agricultura, incluyendo 80 millones en África, 152 millones en Asia y 17 millones en América Latina. Todos los días están expuestos a los pesticidas estadounidenses en los campos, en el agua que beben y en sus ropas. Los campesinos de países en desarrollo vierten pesticidas etiquetados como *veneno* en pequeños contenedores sin etiquetas, mismas que, aun en el caso de existir, no podrían leer muchos trabajadores en esos países.

1. ¿Tiene una compañía estadounidense como Velsicol alguna obligación de abstenerse de vender pesticidas prohibidos en Estados Unidos a países en desarrollo donde no lo están?

2. ¿Tiene una compañía estadounidense como Velsicol obligación de abstenerse de exportar químicos de los que solo se sospecha que causan cáncer?

3. ¿De quién es la responsabilidad de asegurar que los pesticidas importados no lesionen a los ciudadanos de los países en desarrollo?

Otros utilitarios han llegado a conclusiones un poco diferentes pero similares con base en otros principios utilitarios. Argumentan que cada generación tiene el deber de maximizar las consecuencias benéficas futuras de sus acciones y minimizar las dañinas.[151] Sin embargo, los utilitarios aseguran que estas consecuencias futuras se deben *descontar* (darles menor peso) en proporción a su incertidumbre y a su distancia en el futuro.[152] En conjunto, estos principios utilitarios implican que tenemos al menos la obligación de evitar aquellas prácticas cuyas consecuencias nocivas para la generación inmediata siguiente seguro sobrepasen las consecuencias benéficas que nuestra generación obtiene de ellas. Sin embargo, nuestra responsabilidad con las generaciones futuras más distantes disminuye en especial en la medida en que no podemos prever los efectos que nuestras acciones actuales tendrán en ellas porque desconocemos las necesidades o tecnología que tendrán.

Al considerar los problemas del agotamiento de los recursos, algunos observadores han sugerido que debemos confiar en las fuerzas del mercado para determinar lo que se debe hacer con los recursos disponibles. Por desgracia, no podemos apoyarnos en los mecanismos de mercado (es decir, subir los precios) para asegurar que los recursos escasos se conserven para las generaciones futuras. El mercado sólo registra las demandas efectivas de los participantes actuales y la oferta real disponible en el presente. Las necesidades y demandas de las generaciones futuras, lo mismo que la escasez potencial en el futuro, se *descuentan* tanto por los mercados que prácticamente no afectan los precios.[153] William Shepherd y Clair Wilcox ofrecieron otras razones por las que las elecciones privadas representadas en los mercados y los precios de mercado fallan al tomar en cuenta la escasez futura de recursos, incluyendo: *a)* los negocios tratan de consumir los recursos rápidamente antes de que lo hagan los consumidores; *b)* las empresas tienen horizontes a corto plazo; *c)* es difícil que los negocios puedan predecir el futuro; *d)* los negocios tienden a ignorar las externalidades.[154] Los únicos medios de conservación para el futuro, entonces, parecen ser las políticas voluntarias de conservación (o lo que las políticas promuevan).

En términos prácticos, el punto de vista de Rawls implica que, aunque no debemos sacrificar el progreso de la cultura, deberíamos adoptar medidas voluntarias o legales para conservar esos recursos y los beneficios ambientales que, de manera razonable, podemos suponer que necesitarán las generaciones futuras inmediatas para vivir con una variedad de opciones disponibles comparables, al menos, a las nuestras. En particular, esto significaría que debemos preservar la vida silvestre y las especies en peligro, tomar medidas para asegurar que la tasa de consumo de combustibles fósiles y minerales no siga creciendo, disminuir el consumo y producción de los bienes que dependen de recursos no renovables, reciclar estos últimos y buscar sustitutos de materiales que estamos agotando con demasiada rapidez.

**Sustentabilidad** Entonces la conclusión a la que Rawls, Attfield y otros han llegado es que estamos obligados a hacer lo que podamos para asegurar que dejamos a la siguiente generación un mundo que no sea peor que el que recibimos de la generación anterior a nosotros. Esta conclusión es muy parecida a la que se caracteriza como la obligación de la sustentabilidad. Lamentablemente, hay cientos de definiciones para este término.[155] En general, significa la capacidad de sostener, es decir, continuar o mantener, algo en el futuro. Por lo tanto, *sustentabilidad* se refiere a la capacidad que tiene algo (una cosa, calidad, actividad, sistema, etcétera) de continuar su función en el futuro. El término lo popularizó la Comisión para el Desarrollo y el Medio Ambiente de Naciones Unidas que dijo en su Informe Brundtland de 1987: "La humanidad tiene la capacidad de hacer que el desarrollo sea sustentable, con el fin de asegurar que satisface las necesidades del presente sin comprometer la capacidad de las generaciones futuras para satisfacer sus propias necesidades".[156] El Informe Brundtland especificaba el tipo de funcionamiento que queremos continuar en el futuro cuando hablamos de sustentabilidad, esto es, la función de satisfacer las necesidades presentes y futuras.

**sustentabilidad** La capacidad que tiene algo para continuar funcionando en el futuro.

**sustentabilidad ambiental** La capacidad del entorno natural de seguir satisfaciendo las necesidades de las generaciones presentes sin comprometer la capacidad de las generaciones futuras para satisfacer sus necesidades de ese entorno.

---

*Repaso breve 5.13*

**Sustentabilidad**

- Punto de vista de que debemos tratar el ambiente, la sociedad y la economía de tal manera que tengan la capacidad de seguir satisfaciendo las necesidades de las generaciones presentes sin comprometer la capacidad de satisfacer las necesidades de las generaciones futuras.
- La sustentabilidad ambiental, económica y social son interdependientes.
- La sustentabilidad ambiental implica no agotar los recursos renovables más rápidamente de lo que se reemplazan; no crear más contaminación de la que el ambiente pueda absorber y no agotar los recursos no renovables más rápidamente de lo que se sustituyen.
- Los pesimistas de la tecnología dicen que la ciencia no hallará sustitutos para todos los recursos no renovables, así que debemos conservar y reducir su consumo para lograr la sustentabilidad.
- Los optimistas de la tecnología dicen que la ciencia encontrará esos sustitutos de tal forma que la sustentabilidad no necesita ni conservación ni reducción del consumo.

A la luz de este informe, la sustentabilidad se entiende ahora ampliamente como aquello que se refiere a la capacidad que tiene algo de continuar satisfaciendo las necesidades de las generaciones presentes sin comprometer la capacidad de las futuras para satisfacer también sus necesidades. Aquí nos ocupamos del entorno y en este contexto se puede decir que la *sustentabilidad ambiental* se refiere a la capacidad del entorno natural de seguir satisfaciendo las necesidades de las generaciones presentes sin comprometer la capacidad de ese entorno de satisfacer las necesidades de generaciones futuras.

El concepto de sustentabilidad, sin embargo, se interpreta ahora de manera habitual como más que un conjunto de preocupaciones ambientales. A menudo se dice que la sustentabilidad depende de *tres pilares*: las actividades económicas, las actividades sociales y las actividades ambientales. Se considera que estos tres dominios se relacionan y dependen entre sí, de tal forma que la sustentabilidad de un dominio es posible solo si los otros dos lo son. Por ejemplo, la forma en que nos organizamos y llevamos a cabo las actividades económicas afecta al entorno y, a su vez, lo que ocurre en el entorno afecta nuestras actividades económicas. Por ejemplo, podemos tratar de conseguir el crecimiento económico mediante procesos de manufactura que agoten rápidamente los recursos naturales y contaminen el mundo natural, mientras por su parte el agotamiento de los recursos del entorno y la continua degradación del ambiente pueden limitar o impedir el crecimiento económico. Nuestros ajustes sociales afectan de manera similar al entorno y se ven afectados por él. Los estilos de vida que adoptamos, el número de hijos que tenemos y los tipos de cosas que la sociedad nos enseña a desear, por ejemplo, pueden producir niveles de consumo que devasten el ambiente y, a su vez, un entorno asolado puede llevar a vidas, familias y sociedades a empobrecerse y enfermar. Por lo tanto, la sustentabilidad económica requiere estructurar nuestra economía de tal forma que produzcamos y distribuyamos bienes a una escala y de modo que no socave la sustentabilidad del entorno, y la sustentabilidad social requiere crear sociedades que nos permitan desarrollar culturas, comunidades y formas de vida que respeten y nutran la sustentabilidad ambiental para que el entorno siga proporcionando aquello de lo que depende la vida.

Es importante ver que la sustentabilidad ambiental depende de las otras dos. También es importante comprender cómo nuestros arreglos sociales —nuestras formas de vida y los patrones de consumo— así como nuestras prácticas económicas (la forma en que se fabrican los bienes y el uso de los recursos) afectan al entorno. Pero en este capítulo sobre el entorno, nuestro enfoque ha estado y seguirá estando en la sustentabilidad ambiental. Exactamente qué es lo que requiere esta sustentabilidad ambiental. El ambientalista Herman Daly argumentó que requiere tres cosas específicas:[157]

1. Los recursos renovables no se deben agotar a una tasa que sea mayor que su tasa de reemplazo.
2. La tasa de emisión de contaminación no debe exceder la capacidad del entorno de limpiar y asimilar esa contaminación.
3. Los recursos no renovables se deben agotar a una tasa no mayor que la creación de alternativas renovables.

Los primeros dos puntos de esta lista son ampliamente aceptados. Esto es, la mayor parte de las personas aceptan que no se deben usar los recursos renovables más rápidamente de lo que se puedan renovar. No se deben consumir bancos de peces, bosques, aire limpio, etcétera más rápido de lo que se pueden renovar o finalmente desaparecerán por completo, como ya ha pasado con muchos de estos. La mayor parte de las personas acepta también el segundo punto, es decir, que no se debe generar más contaminación de la que el ambiente puede absorber, porque de otra forma se empezará a acumular y finalmente nos sofocará. Sin embargo, el tercer punto de esta lista es más controvertido.

Muchas personas rechazan el tercer punto si se interpreta para decir que hay que limitar el uso de los recursos no renovables, como el petróleo y los minerales, hasta que se encuentren sustitutos que sean *renovables*. En particular, los optimistas de la tecnología creen que a medida que se agotan los recursos naturales no renovables (hierro, cobre, petróleo), la ciencia desarrollará nuevos sustitutos sintéticos para ellos. Por ejemplo, conforme usamos un recurso como el petróleo, su oferta descenderá y se hará más caro. Esto proporcionará incentivos económicos que impulsarán a desarrollar una tecnología capaz de servir como un sustituto más barato del petróleo, quizá, la fusión nuclear. Así que no hay que preocuparse sobre la tasa a la que se agotan los recursos no renovables porque la ciencia encontrará sustitutos para ellos cuando empiecen a agotarse. Aún más, los optimistas de la tecnología creen que no se debe dificultar el desarrollo de nuevas tecnologías dado que es lo que permitirá hallar los sustitutos que se necesiten. Por lo tanto, la sustentabilidad no requiere que se conserven los recursos no renovables, pero sí que se fomente el desarrollo de nuevas tecnologías.

Por otra parte, los pesimistas de la tecnología aceptan el punto número 3 porque creen que conforme se agoten los recursos no renovables, es poco probable que se puedan desarrollar sustitutos tecnológicos adecuados. Conforme acabamos con los recursos no renovables, el bienestar humano simplemente puede disminuir. Por lo tanto, los pesimistas de la tecnología creen que como los recursos no renovables son limitados y es probable que no se encuentren sustitutos tecnológicos para muchos de ellos, el futuro es sombrío, a menos que se reduzca el uso de estos recursos al recortar de manera importante su consumo y simplificar el estilo de vida. Aún más, se puede ampliar el tiempo antes de que las cosas se acaben tratando de no agotar ningún recurso no renovable para el cual no se haya descubierto todavía un sustituto. Y esto por supuesto, requiere conservación. Entonces, para el pesimista de la tecnología la sustentabilidad requiere disminuir de manera importante los niveles de consumo y conservar los recursos no renovables. Muchos pesimistas de la tecnología también creen que la tecnología no es una solución futura, sino, de hecho, parte de nuestro problema actual, porque es lo que nos ha llevado a aumentar el consumo y a contaminar el entorno.

Aunque hay cierta controversia respecto a cómo se puede lograr la sustentabilidad, es evidente que la idea de la sustentabilidad es congruente con el juicio ético de Rawls y Attfield de que se debe dejar a los hijos un mundo que no sea peor que el que los padres nos dejaron. En concreto, esto significa que no se deben consumir los recursos no renovables más rápidamente de lo que se pueden renovar por sí mismos y que no se debe producir más contaminación de la que el entorno puede absorber. La forma en la que se interprete el tercer punto, el que no se deben agotar los recursos no renovables más rápido de lo que la tecnología pueda desarrollar sustitutos adecuados, depende de si somos optimistas o pesimistas tecnológicos.

## ¿Crecimiento económico?

Para muchos observadores, las medidas de conservación no alcanzan a cubrir lo que se necesita para asegurar la sustentabilidad. Varios ambientalistas afirman que si hemos de preservar suficientes recursos no renovables y no sustituibles para que las generaciones futuras puedan mantener su calidad de vida en un nivel parecido al nuestro, tenemos que cambiar nuestras economías de manera sustancial, en particular disminuyendo nuestra búsqueda del crecimiento económico. F. F. Schumacher, por ejemplo, afirma que las naciones industrializadas tendrán que cambiar de tecnologías orientadas al crecimiento, de capital intensivo, a tecnologías con mayor énfasis en la mano de obra en las que los humanos realicen el trabajo que ahora hacen las máquinas.[158] Otros aseguran que los sistemas económicos tendrán que abandonar su meta de producción de crecimiento estable para sustituirla por una meta de producción decreciente hasta llegar a *una situación estable*, esto es, un punto en el que *la población total y las existencias totales de riqueza física se mantengan constantes en algún nivel deseado mediante una tasa mínima de mantenimiento (es decir, con tasas de natalidad y mortalidad iguales al menor nivel factible y mediante tasas de producción y consumo*

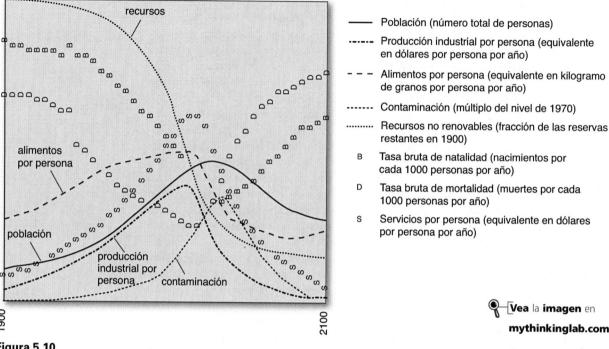

1900          2100

🔍 **Vea** la **imagen** en
**mythinkinglab.com**

**Figura 5.10**

La corrida *estándar* del modelo supone que no hay cambios importantes en las relaciones físicas, económicas o sociales que históricamente han gobernado el desarrollo del sistema mundial. Todas las variables graficadas siguen los valores históricos registrados de 1900 a 1970. Los alimentos, la producción industrial y la población crecen de manera exponencial hasta que los recursos que se agotan con rapidez fuerzan una desaceleración en el crecimiento industrial. A causa de retrasos naturales en el sistema, tanto la población como la contaminación continúan aumentando por un tiempo después de que la industrialización alcanza su punto máximo. El crecimiento demográfico finalmente se detiene por un aumento en la tasa de mortalidad que provoca la disminución de los alimentos y de los servicios de asistencia médica.

Fuente: Tomado de Donella H. Meadows *et al.*, *The Limits to Growth* (Nueva York: Universe Books, 1974), pp. 123-24. Reimpreso con autorización de Universe Books.

*físico iguales al menor nivel factible).*[159] Se ha desafiado la conclusión de que el crecimiento económico se debe abandonar si la sociedad ha de ser capaz de manejar los problemas de recursos menguantes.[160] Por otra parte, al menos es discutible que la adopción de un crecimiento económico continuo promete degradar la calidad de vida de las generaciones futuras y, posiblemente, de los últimos años de vida de la generación actual.[161]

Los argumentos para esta última afirmación son simples, oscuros y controvertidos. Si las economías del mundo continúan buscando metas de crecimiento económico, la demanda de recursos no renovables continuará en ascenso. Puesto que los recursos del mundo son finitos y por lo menos algunos no tendrán sustitutos, en algún momento las fuentes de abastecimiento se agotarán, afirman muchos pesimistas. En este punto, si las naciones del mundo todavía se basan en economías crecientes, cabe esperar un colapso de sus instituciones económicas importantes (es decir, instituciones de manufactura y finanzas, redes de comunicación e industrias de servicio), que al mismo tiempo provocarán la caída de sus instituciones políticas y sociales (como gobiernos centralizados, programas de educación y cultura, desarrollo tecnológico y científico, cuidado de la salud).[162] Los estándares de vida declinarán entonces de manera precipitada al despertar una hambruna generalizada y provocar fracturas políticas. Se han ideado varios escenarios para esta sucesión de eventos, todos ellos se basan en especulaciones y suposiciones inciertas.[163] Los más famosos y antiguos son los estudios del Club de Roma, que desde hace tres décadas proyectó en computadora los resultados catastróficos de continuar con los patrones de crecimiento económico del pasado a la luz de la reducción de recursos y el aumento de la contaminación.[164] Estudios posteriores llegaron a conclusiones similares.[165] La figura 5.10 reproduce una de las proyecciones por computadora originales del Club de Roma.

En la gráfica de computadora de la figura 5.10, el eje horizontal representa el tiempo; al avanzar de izquierda a derecha del año 1900 DC a 2100 DC, se ve lo que ocurrirá con la población del mundo, la producción industrial, la alimentación, los niveles de contaminación y los recursos no renovables con el paso del tiempo. Durante la primera mitad del siglo XX, la población, la producción, los alimentos y los servicios continuaron creciendo, mientras que las tasas de mortalidad, de natalidad y los recursos declinaban. Pero en algún momento después de 2050, ocurrirá un colapso catastrófico de producción y servicios cuando los recursos clave declinen. La población seguirá creciendo, pero pronto descenderá como resultado de las tasas crecientes de mortalidad y de la disminución en el suministro de alimentos. La reducción en la producción industrial provocará un declive en la contaminación, pero el abastecimiento de alimentos, la producción industrial y la población para 2100 estarán por debajo de los niveles de 1900. *Entonces podemos decir con cierta confianza que, en el supuesto caso de que no haya cambios importantes en el sistema actual, el crecimiento demográfico e industrial sin duda se detendrán, a más tardar, durante el próximo siglo.*[166]

Las suposiciones que se basan en los escenarios del día del juicio final del Club de Roma y otros grupos han recibido múltiples críticas.[167] Los programas computarizados y las ecuaciones que fundamentan las predicciones hacían suposiciones altamente inciertas y controversiales acerca de las tasas futuras de crecimiento de la población, la ausencia de incrementos futuros en la producción por unidad de insumos, la incapacidad para encontrar sustitutos para los recursos no renovables y la falta de efectividad del reciclado. Todas estas suposiciones son cuestionables. Aunque sin duda las generaciones futuras tendrán menos recursos naturales de los cuales depender, no podemos asegurar con exactitud el efecto que esto tendrá en ellas. Quizá no será tan catastrófico ni ocurrirá tan pronto como indicaban los pronósticos del Club de Roma (aunque el número de investigadores que predicen un futuro catastrófico va en ascenso, debido particularmente a una creciente creencia de no se podrán controlar las emisiones de gases con efecto invernadero y el consiguiente aumento de las temperaturas globales).[168] Por otra parte, tampoco podemos suponer que el impacto será benigno por completo, o que no habrá alteraciones ambientales importantes en nuestros tiempos.[169] Más aún, algunos observadores llegan de nuevo a la conclusión de que el Club de Roma pudo estar en esencia en lo correcto aun cuando sus tablas de tiempos y suposiciones estuvieran en cierto modo equivocadas. El creciente ritmo de extinción de especies, la elevación de la temperatura global atribuible a los crecientes niveles de gases de invernadero, la reducción continua de los bosques y las todavía crecientes tasas de crecimiento demográfico, todo indica un futuro difícil para nosotros. Ante las grandes incertidumbres en nuestra situación, parece que es necesario por lo menos un compromiso con la conservación. Si también es necesaria una transformación completa de nuestra economía para que la civilización sobreviva es una pregunta difícil y perturbadora que tal vez pronto tengamos que enfrentar.

Igual de inquietantes son las preguntas de carácter moral que surgen ante la distribución de los menguantes recursos energéticos y de otro tipo entre los pueblos del mundo que las políticas de crecimiento económico han creado. Estados Unidos, las naciones europeas y Japón están entre los países desarrollados más ricos del mundo y los mayores consumidores de energía. Por ejemplo, el 6 por ciento de la población mundial que vive en Estados Unidos consume el 25 por ciento del suministro anual de energía en el mundo, mientras que el 50 por ciento de las personas del mundo que habitan naciones menos desarrolladas deben arreglárselas con el 8 por ciento de los suministros de energía. Cada persona en Estados Unidos, de hecho, consume 15 veces más energía que alguien en América del Sur, 24 veces más que un habitante de Asia, y 31 veces más que una persona en África.

Las altas tasas de consumo de energía de los estadounidenses, europeos y japoneses no tienen paralelo con las tasas de producción de energía. De hecho, su consumo está

*Repaso breve 5.14*

**Crecimiento económico**
- Schumacher afirma que se debe abandonar la meta del crecimiento económico si hay que permitir que las generaciones futuras vivan como nosotros lo hacemos.
- Algunos argumentan que se debe lograr un *estado de equilibrio* en el que los nacimientos sean iguales a las defunciones y en el que la producción sea igual al consumo, y que estos permanezcan constantes en su nivel factible mínimo.
- El modelo computarizado del Club de Roma sugirió que el crecimiento económico continuado agotará los recursos y aumentará la contaminación hasta que la producción industrial, la producción de alimentos y los servicios declinen, provocando una pérdida catastrófica de la población en algún momento durante el siglo XXI.
- Surgen cuestiones morales problemáticas a raíz de las políticas de crecimiento económico que han llevado a altas tasas de consumo de energía y recursos en las naciones desarrolladas mientras se deja que las naciones en desarrollo consuman a tasas bajas.

subsidiado por otros países, en particular por el Caribe, el Medio Oriente y África. Es decir, existe un flujo neto de energía que sale de estas poblaciones que consumen menos hacia la población de alto consumo de Estados Unidos y otros países en desarrollo. Más aún, los habitantes del mundo desarrollado usan gran parte del suministro de energía disponible para ellos en cosas no esenciales (productos y viajes innecesarios, comodidades y utensilios del hogar), mientras que las naciones más pobres tienden a usar su suministro para cumplir con necesidades básicas (comida, ropa y vivienda).

En vista de la escasez inminente de recursos energéticos, estas comparaciones llevan a plantear la pregunta de si las naciones con alto consumo de energía tienen justificación moral para continuar las políticas de crecimiento económico que las lleva a apropiarse y destinar a su consumo los recursos no renovables de naciones pobres con economías demasiado débiles para usar estos recursos o con milicias demasiado débiles para protegerlos. Es obvio que cualquier intento de responder a esta pregunta requiere un análisis detallado de la naturaleza de los sistemas sociales, económicos y políticos del mundo, una investigación que está más allá de los objetivos de este libro. Sin embargo, se trata de una pregunta que quizá los eventos nos obliguen a enfrentar pronto.[170]

✓• Estudie y repase en
**mythinkinglab.com**

## Preguntas para repaso y análisis

1. Defina los siguientes conceptos: contaminación, sustancia tóxica, desechos nucleares, agotamiento exponencial, agotamiento máximo, bien libre, bien ilimitado, sistema ecológico, ética ecológica, derecho a un entorno habitable, prohibición absoluta, costos privados, costos sociales, costos externos, internalización de costos, análisis costo-beneficio, riesgo, auditoría social, derecho de consentimiento, conservación, derechos de generaciones futuras, justicia para las generaciones futuras, acceso múltiple, preferencia de tiempo, escenario del día final, nación con alto consumo.

2. Defina las principales formas de contaminación y agotamiento de los recursos e identifique los problemas principales que se asocian a cada forma.

3. Compare los puntos de vista de *a*) ética ecológica, *b*) ética de Blackstone de derechos ambientales y *c*) ética utilitaria de control de la contaminación. ¿Qué punto de vista le parece más adecuado? Explique su respuesta.

4. ¿Está de acuerdo con las aseveraciones de que *a*) las generaciones futuras no tienen derechos y *b*) las generaciones futuras con las que tenemos obligaciones en realidad incluyen solo a la generación inmediata siguiente? Explique su respuesta. Si no está de acuerdo con esto, establezca sus propios puntos de vista y dé argumentos para apoyarlos.

5. En su opinión, ¿los expertos del gobierno deben tomar las decisiones importantes sobre contaminación y agotamiento de recursos (en especial las políticas de energía)? ¿Deben hacerlo los científicos expertos? ¿Deben hacerlo todos? Proporcione argumentos morales que apoyen su opinión.

6. "Cualquier ley de contaminación es injusta porque necesariamente viola el derecho de las personas a la libertad y el derecho a la propiedad." Analice este enunciado.

7. En su libro *Energy Future*, R. Strobaugh y D. Yergin aseguran que, en el debate acerca de la energía nuclear, "la resolución de opiniones divergentes —acerca de cómo manejar la incertidumbre, de *cuánto* nivel de riesgo es aceptable, o de cuánta seguridad es suficiente— requiere juicios sobre qué valores tienen papeles tan importantes como los hechos científicos" (p. 100). Analice esta afirmación.

## Recursos en Internet

Los lectores interesados en investigar aspectos ambientales por Internet deben comenzar con el sitio Web de Envirolink, que tiene vínculos a numerosos sitios de Internet (*http://*

*www.envirolink.org*). La Agencia de Protección Ambiental de Estados Unidos también ofrece numerosos vínculos y su propia base de datos (*http://www.epa.gov*), lo mismo que la Oficina de Administración de Mares y Recursos Costeros (*http://oceanservice.noaa.org*) y el Programa Ambiental de Naciones Unidas (*http://www.unep.org*). Es posible tener acceso a varias organizaciones y periódicos ambientales a través del sitio Web de Essential Organization (*http://www.essential.org*). Otros vínculos se encuentran en Greenmoney Fund (*http://www.greenmoney.com*), el Worldwatch Institute (*http://www.worldwatch.org*) y Solcomhouse (*http://www.solcomhouse.com*).

# C A S O S

**Explore** el **concepto** en
**mythinkinglab.com**

## *La mina Ok Tedi Copper*[1]

Paul Anderson, director general de Broken Hill Propietary Company Limited (BHP) no estaba seguro de qué hacer. En noviembre de 1998 salió de Duke Energy Corporation en Estados Unidos y se mudó a Australia con su esposa, Kathy, para ocupar el puesto de director general de BHP, una compañía minera internacional. Solo un año y medio después se enfrentaba a la decisión de cómo manejar lo que se llamó uno de los *desastres ambientales* más grandes del mundo, una catástrofe de contaminación que en ese momento estaba creando la mina de cobre de BHP en Ok Tedi, en la parte occidental de Papúa Nueva Guinea. BHP era propietaria del 52 por ciento de la mina, el gobierno de Papúa Nueva Guinea tenía el 30 por ciento, e Inmet Mining Corporation, una compañía canadiense, poseía el 18 por ciento.

Durante casi dos décadas, la mina había descargado 80,000 toneladas de desechos y 120,000 toneladas de desperdicio de roca al día al río Ok Tedi, afluente del río Fly, que a su vez serpentea en la parte occidental de Papúa antes de llegar por un gran delta al mar. La acumulación de basura estaba destruyendo la ecología de la selva tropical y las áreas pantanosas por las que pasaba el río, y ya había devastado 120 aldeas en sus orillas, donde la subsistencia de 50,000 habitantes dependía de los ríos para la pesca y los cultivos. Los aldeanos y el gobierno de Papúa Nueva Guinea ahora dependían económicamente de la mina. A causa de esta dependencia, no querían que cerrara aunque continuara tirando 200,000 toneladas de basura diarias en el río Ok Tedi y siguiera causando estragos en la ecología. En septiembre de 1999, BHP había comenzado a analizar sus opciones con el gobierno, pero en enero de 2000 la compañía todavía no decidía qué hacer acerca de la creciente tragedia. Anderson estaba ansioso por resolver el asunto para el final del año.

BHP (con el nuevo nombre de BHO Billiton desde su fusión con Billiton PLC en 2001) se fundó en Australia en 1885 como una compañía de recursos naturales que se proponía descubrir, desarrollar, producir y comercializar mineral de hierro, acero, carbón, cobre, petróleo y gas, diamantes, plata, oro, plomo, zinc y una variedad de otros recursos naturales. Para el siglo XX, la compañía se había convertido en un líder internacional en los tres negocios primordiales que operaba: minerales, petróleo y acero. Con sede en Melbourne, Australia, tenía cerca de 30,000 empleados en todo el mundo.

En 1976, Papúa Nueva Guinea eligió a BHP para trabajar una mina y explotar los depósitos de cobre descubiertos en 1963 en el occidente, en la región montañosa. El país ocupa la mitad oriental de la isla de Nueva Guinea (la otra mitad pertenece a Indonesia), solo a 241 kilómetros de la punta norte de Australia. Los depósitos se localizaban en la región de las montañas Star en el centro de la isla a lo largo de la frontera con Indonesia. La mina se ubicaba en el monte Fubilan, que está a 1,800 metros sobre el nivel del mar en las fuentes del río Ok Tedi, cuyas aguas fluyen hacia el sur en dirección al río Fly, a través de las llanuras y hasta un inmenso delta para llegar al Golfo de Papúa en el Mar de Coral.

El año anterior, en 1975, Papúa Nueva Guinea había obtenido su independencia de Australia. Su nuevo e inexperto gobierno estaba deseoso de probar que era capaz ante las altas expectativas de su gente y las presiones del Banco Mundial y el Fondo Monetario Internacional. Quería usar el ingreso de la minería para desarrollar infraestructura y servicios para su pueblo.

Papúa Nueva Guinea es una isla tropical accidentada cubierta por selvas habitadas por varios grupos de población. Aislados entre ellos por las altas montañas y las densas selvas, los grupos habían desarrollado culturas tribales fascinantes y lenguajes diferentes. Por ejemplo, las tribus que vivían en la parte sur de la isla eran notorias por sus prácticas del canibalismo y la caza de cabezas, mientras que los Huli, descubiertos en 1954 en el interior, eran personas pacíficas que llevaban pelucas espectaculares embellecidas con plumas, pelo humano, flores y pieles. Muchos miembros de la tribu continúan actualmente con sus vidas tradicionales en cientos de pequeñas aldeas dispersas en casi todas las áreas inaccesibles de la isla. Se estima que a lo largo de las áreas de desagüe del Ok Tedi y el Fly vivían

73,500 aldeanos cuyo estilo de vida de subsistencia se basaba en la horticultura, la caza y la pesca tradicionales, centradas en el río. Había pocas escuelas, ningún servicio de salud, y poca infraestructura como carreteras pavimentadas, edificios públicos, electricidad, etcétera. La mortalidad infantil era alta y la esperanza de vida corta. Los ecologistas llaman a la isla un "tesoro botánico" porque sus inmaculadas selvas, montañas, ríos y arrecifes de coral son el hogar de multitud de plantas, animales, aves e insectos raros. Los peces abundaban en sus ríos, que sirven como vías de agua para las canoas de los nativos que cultivaban en los bancos fluviales.

En 1976, el gobierno de Papúa Nueva Guinea aprobó la ley del acuerdo de minería de Ok Tedi, que definía las obligaciones y derechos relacionados con el desarrollo de la Mina Ok Tedi. En 1980, otorgó oficialmente el permiso para la formación del grupo que se convirtió en Ok Tedi Mining Limited Company (OTML), una sociedad conjunta establecida para desarrollar la mina Ok Tedi, la cual usaría las técnicas convencionales de minería a cielo abierto para extraer cerca de 30 millones de toneladas anuales de mineral de cobre y 55 millones de toneladas de roca de desperdicio. La ley de minería aprobada en 1976 requería que la Ok Tedi Mining Limited Company usara los controles ambientales convencionales para minimizar el daño al ambiente, incluyendo una instalación de almacenamiento detrás de la presa que se usaría para contener el 80 por ciento de los desechos y basura producidos por la mina. (Los desechos son arenas finas que quedan después de triturar el mineral extraído.) La construcción de los almacenes comenzó en 1983, un año antes de que la mina comenzara sus operaciones. Sin embargo, en 1984, un gran derrumbe destruyó los cimientos del muro de contención del almacén. La Ok Tedi Mining Limited Company propuso al gobierno que le permitiera operar temporalmente sin el almacén ya que, de otra forma, la mina no podría abrir a tiempo. El gobierno estuvo de acuerdo y aprobó la licencia temporal, que permitía a la mina comenzar la operación sin una instalación para almacenar los desechos.

En 1984, la mina comenzó a operar y a descargar su roca de desperdicio y desechos al río Ok Tedi. El mineral no solo contenía cobre sino también cantidades significativa de oro y plata. BHP entonces encargó un estudio del área donde se iban a construir las instalaciones de almacenamiento y descubrió que tal vez el muro de contención construido cerca también se derrumbaría. El área era propensa a derrumbes, temblores frecuentes de magnitud 7.0 en la escala de Richter, y fuertes lluvias durante el año. La compañía informó de esto al gobierno, que acordó en 1986 aprobar el "octavo acuerdo complementario" que otorgaba permiso a la compañía de diferir la construcción de un almacén de desperdicio permanente; esta licencia se renovó en 1988 y nunca se revocó. Toda el agua, rocas y desechos que producía la operación minera se tiraban directamente al río Ok Tedi y hacia el Fly.

Los efectos sobre las selvas cercanas a los ríos se hicieron evidentes para fines de los 80 cuando los niveles de sedimento de los ríos pasaron al cuádruple de su nivel natural de 100 partes por millón a 450-500 partes por millón. En muchos lugares, el sedimento y las rocas elevaron el nivel de la cuenca del río hasta 5 o 6 metros, aumentando la frecuencia de las inundaciones. Con el paso de los años, las lluvias e inundaciones arrastraron el sedimento a las selvas cercanas. El sedimento en el terreno selvático se estancó y redujo el nivel de oxígeno en el suelo, dejando sin alimento a las raíces de los árboles y la vegetación, y matándolos gradualmente (un efecto llamado *muerte lenta*). El área de selva que moría se extendió de 18 kilómetros cuadrados en 1992 a 480 kilómetros cuadrados en 2000, y se predijo que con el tiempo aumentaría hasta 1,278 o 2,725 kilómetros cuadrados.

Como las operaciones mineras extraían solo el 80 por ciento del cobre, el resto fluía al río, donde se elevaron los niveles de cobre disuelto, algunas veces hasta exceder 0.02 miligramos por litro. Los peces en los ríos disminuyeron en un 90 por ciento, como resultado del aumento en los niveles de cobre o la sedimentación, o como consecuencia de una disminución de las fuentes de alimento.

Los sedimentos y lodo depositados con las inundaciones arruinaron las cosechas de los aldeanos (principalmente de la tribu Yonggom) que vivían en las riberas de los ríos. Cada vez fue más difícil navegar en canoa porque los elevados niveles de la cuenca creaban bajos donde las canoas encallaban y rápidos en otras áreas donde el agua pasaba por canales angostos y rocosos. La pesca desapareció al disminuir el número de peces. Varias especies únicas de peces y organismos acuáticos desaparecieron de las corrientes de los ríos. Las nuevas carreteras y el dinero que fluía de la mina introdujeron los supermercados y una economía monetaria en un lugar donde antes existía una economía sencilla de trueque. Los aldeanos cambiaron sus vestimentas sencillas por la ropa occidental.

La mina trajo consigo otros cambios en Papúa Nueva Guinea, muchos de ellos benéficos. Desde que la mina comenzó a operar, contribuyó con cerca de $155 millones al año por concepto de regalías e impuestos para el gobierno nacional. Entre 1985 y 2000, había producido 9.2 millones de toneladas de cobre, 228 toneladas de oro y 382 toneladas de plata. Su producción de cobre, oro y plata significó cerca del 18 por ciento de las exportaciones del país, y constituía el 10 por ciento de su producto interno bruto. La mitad de los ingresos del gobierno por la Provincia Occidental (donde estaba la mina) provenían de la actividad minera. Además, empleaba a 2,000 trabajadores directamente y a otros 1,000 que laboraban para los contratistas que daban apoyo a la mina y, de manera indirecta, a otros cuantos miles que suministraban bienes y servicios a los mineros y sus familias. Los programas de capacitación de la mina Ok Tedi se consideraban ejemplares y muchos empleados anteriores habían encontrado otras compañías interesadas en sus habilidades adquiridas. La mina había financiado varios proyectos de salud y, como resultado, la mortalidad infantil en el área se redujo del 27 por ciento a casi el 2 por ciento, mientras que la esperanza de vida aumentó de cerca de 30 años a más de 50. La incidencia de malaria en los niños del área disminuyó del 70 por ciento a menos del 15 por ciento, y en los adultos de 35% a menos del 6 por ciento. La mina también había establecido un Fideicomiso del Río Fly para asegurar que los residentes de las riberas del río recibieran algunos beneficios económicos de la mina. La compañía contribuía con cerca de $3 millones anuales para el fideicomiso, que desarrolló el área construyendo 133 centros comunitarios, 40 salones de clase, 2 bibliotecas escolares, 400 plantas solares y bombas, 600 tanques de agua, 23 centros de mujeres y 15 clínicas. De hecho, se había convertido en el principal agente social en las áreas de los ríos Ok Tedi y Fly, al brindar servicios sociales de salud, educación, programas de capacitación, desarrollo de infraestructura y desarrollo de negocios locales.

En 1989, varios propietarios de tierras en el área contaminada de los ríos comenzaron a solicitar al gobierno que tomara medidas para evitar la descarga de desechos al río y les diera alguna compensación por sus pérdidas. En 1992, más de 30,000 de ellos se unieron y demandaron a BHP, el dueño principal no gubernamental de la mina. Después de muchos litigios, el caso se arregló fuera de las cortes el 12 de junio de 1996 cuando BHP acordó dar a los propietarios un total de $500 millones: $90 millones se pagarían en efectivo a las 30,000 personas que vivían en las riberas de los ríos Ok Tedi y Fly; $35 millones se pagarían a los habitantes del área baja del río Ok Tedi, la zona más devastada por la mina, y el 10 por ciento de acciones de la mina, valuadas en $375 millones, pasarían al gobierno de Papúa Nueva Guinea en un fondo para la población de la Provincia Occidental, donde estaban la mina y los ríos. Además, BHP acordó poner en marcha un plan de contención de desechos después de realizar un estudio de dos años que encargó para evaluar el aspecto práctico de una instalación de contención y recomendar un plan para la mina.

El estudio para examinar los aspectos de ingeniería, ambientales, sociales y de riesgo del manejo de la mina y sus desechos inició en 1996. Como parte del mismo, se inició una operación de dragado en 1998 en la sección inferior del río Ok Tedi para ver si esto podía mitigar los efectos de la acumulación de sedimentos.

El 4 de junio de 1999, varios meses después de la fecha de entrega, Ok Tedi Mining Limited anunció que había recibido un anteproyecto del estudio de los aspectos ambientales y sociales de la operación de la mina. El informe se entregó a Paul Anderson en las oficinas de BHP. El estudio había encontrado que el impacto ambiental de la mina, lo mismo que el área afectada por la contaminación, era significativamente mayor que lo indicado por estudios anteriores que había contratado la empresa. Además,

encontró que incluso si la mina cerrara de inmediato, los sedimentos ya depositados en el río continuarían matando la selva cercana durante quizá 40 años. Durante un periodo comprendido entre los siguientes 10 y 15 años, la muerte lenta se extendería del río Ok Tedi a las selvas río abajo del Fly. El estudio había examinado cuatro opciones posibles:

1. Continuar operando la mina y continuar dragando la parte baja del Ok Tedi.
2. Continuar operando la mina y dragando, y además construir una nueva instalación de almacenamiento de desechos futuros.
3. Continuar operando la mina sin hacer nada más.
4. Cerrar la mina inmediatamente.

Ninguna de las cuatro opciones ofrecía una buena solución para los impactos ambientales de la mina.

El estudio encontró que el dragado actual bajaría los niveles arenosos en el Ok Tedi, y que las inundaciones disminuirían. Pero el sedimento seguiría acumulándose río abajo por el dragado y este no detendría de manera significativa la degradación de las selvas. Además, el dragado absorbía fondos (véase la tabla de la siguiente página) que podrían invertirse en salud, educación o capacitación de los trabajadores.

La construcción de una nueva instalación de almacenamiento suponía gastos elevados (véase la tabla) y crearía problemas sociales porque la cantidad de terreno requerido destruiría toda el área de una de las tribus. Además, la instalación podía derrumbarse, lo que provocaría todavía más daños, y los desechos almacenados generarían ácidos que en sí constituían una amenaza ambiental.

Seguir operando la mina sin hacer más significaba seguir dañando el ambiente. Si la mina operaba hasta su programa original de 2010, se crearían de 200 a 300 toneladas adicionales de desechos y rocas que se añadirían a los sedimentos que ya se habían depositado en los ríos. Esto prolongaría mucho el de por sí ya largo periodo de recuperación.

Cerrarla de inmediato limitaría el daño ambiental que la operación continua creaba y acortaría el tiempo que necesitaría el río para recuperarse. Pero el cierre inmediato de la mina sería un golpe económico y social para las comunidades locales, de la provincia y el país. El estudio predecía que si cerraba de inmediato, los trabajadores que habían migrado al área de la mina sufrirían la falta de abastecimiento de comida que resultaría de cazar de más y de los aumentos en los precios de los alimentos en las tiendas. La enorme población alrededor de la mina quizá no se rendiría sino hasta que el hambre y la mala nutrición terminaran por echarla. El gobierno vería disminuir sus exportaciones casi 20 por ciento, el producto interno bruto bajaría 10 por ciento y sus ingresos por impuestos disminuirían en más de $100 millones. El gobierno de la

Provincia Occidental perdería la mitad de sus ingresos, que provenían de la mina, y esto degradaría sus servicios de educación y salud. En resumen, los beneficios económicos, de salud y sociales que generaba la mina terminarían, y puesto que el área dependía de ella y no estaba preparada para la vida sin ella, el riesgo de un deterioro social y económico era alto.

El estudio también estimó los costos que la mina tendría en cada opción calculando primero los costos básicos de la opción y luego agregando los costos potenciales adicionales de los riesgos de la opción. La siguiente tabla resume esos costos en millones de dólares de 1999:

| Opción | Costo básico | Costos agregados potenciales | Costos totales probables |
|---|---|---|---|
| Minar y dragar | $294 | $20-$70 | $300-$400 |
| Solo minar | $177 | $30-$140 | $200-$300 |
| Minar, dragar y almacenar | $426 | $20-$70 | $400-$500 |
| Cerrar pronto | $479 | $30-$90 | $500-$600 |

Cuando Paul Anderson en BHP recibió estas opciones, no sabía cómo ponderarlas. Para entonces la situación del Ok Tedi se había convertido en noticia internacional. Reunió un comité de altos directivos de la empresa e inició una serie de discusiones con ellos. El comité analizó las cuatro opciones propuestas y sugirió otras, como simplemente abandonar la mina; dar al gobierno de Papúa Nueva Guinea el 52 por ciento de las acciones que BHP todavía tenía; disminuir la operación de la mina gradualmente durante varios años, y otras. Sin embargo, conforme avanzaron las discusiones en el verano de 2000, los directivos de BHP llegaron a pensar que si la compañía tenía que limitar el desastre ambiental que había generado, la mejor opción era cerrar la mina de inmediato. Paul Anderson sentía que solo esta opción era congruente con la posición ambientalista que quería que BHP enarbolara durante su gestión como director general. Esta opción también era la que recomendaban varios grupos internacionales, incluyendo el Banco Mundial y prácticamente todos los grupos ambientalistas familiarizados con estos asuntos.

En agosto de 1999, Paul Anderson comunicó al gobierno de Papúa Nueva Guinea el punto de vista de BHP de que la mejor opción era cerrar la mina. El gobierno, sin embargo, no estaba a favor de esta decisión. El 28 de agosto, Anderson comentó a un grupo de analistas: "Ok Tedi no lleva a una conclusión sencilla porque otros de sus accionistas y el gobierno de Papúa Nueva Guinea, en su papel de regulador y de accionista, no están en favor de cerrar pronto. De manera que estamos en una situación en la

que es muy difícil predecir cómo va a finalizar esto" (presentación en Financial Markets, Melbourne, Australia, lunes, 28 de agosto de 2000; tomado de los archivos de BHP).

El punto de vista del gobierno de Papúa Nueva Guinea era que la mina debía continuar en operación por los costos humanos y económicos que supondría la clausura de la mina. Los aldeanos que vivían río abajo de la mina apoyaban la opinión del gobierno. Como dijo un aldeano: "Si la mina cierra, volveré a usar taparrabos [la prenda tradicional para los hombres]".[2] El gobierno también favorecía el dragado ya que esto mitigaría las inundaciones para quienes vivían en las riberas. No obstante, como la construcción del área de almacén tenía otros riesgos y absorbería una porción importante de las ganancias de la mina, el gobierno no la apoyó. En esto, los aldeanos también apoyaron al gobierno. Un miembro de una tribu dijo: "Si [el agua] es buena para la gente, entonces deben continuar tirando desechos al río. Nunca arreglarán este río, ya se murió. Mejor deben darnos dinero".[3]

En noviembre de 2000, BHP informó que aunque entendía por qué el gobierno quería que siguiera abierta la mina, su participación en ella *no sería apropiada* y, por lo tanto, la compañía había decidido *sacar* su participación de la mina de una manera tal que asegurara una transición suave, minimizara el impacto ambiental, maximizara los beneficios sociales y asegurara que "BHP no incurría en obligaciones por las operaciones futuras de la mina".[4]

El 8 de febrero de 2001, BHP anunció que había llegado a un acuerdo con el gobierno de Papúa Nueva Guinea y con otros accionistas de Ok Tedi Mine. La compañía había acordado transferir todas sus acciones de la mina (52%) a un fondo (el Programa de Desarrollo Sustentable de Papúa Nueva Guinea) que usaría el dinero generado por la participación anterior de BHP en la mina para financiar proyectos sociales para el gobierno de Papúa Nueva Guinea. La mina continuaría en operación hasta 2010 (con dragado del río pero sin almacén de desechos). Se esperaba que los siguientes años de la mina serían los más productivos y lucrativos. BHP declararía la transferencia de su parte de los ingresos de la mina como pérdida de una cantidad. A cambio, el gobierno de Papúa Nueva Guinea aceptó aprobar la legislación que liberaba a BHP de cualquier responsabilidad que surgiera de sus acciones pasadas en la mina.[5]

En 2011 el gobierno de Papúa Nueva Guinea anunció que la mina seguiría operando hasta 2013 y posiblemente hasta 2022, lo cual le permitiría producir 700,000 toneladas adicionales de cobre y 2.3 millones de onzas de oro. La mina continuaría arrojando aproximadamente 90 millones de toneladas de desperdicios de roca al río Ok Tedi cada año, elevando el nivel de su cauce en muchos más metros y provocando que aumentara la zona de muerte lenta. Se esperaba que esta cubriera finalmente aproximadamente 3,000 metros cuadrados que tardarían unos doscientos años en recuperarse. Una declaración de la página web oficial de Ok Tedi Mining indicaba que a pesar del impacto de la mina *en el sistema del río y su forma de vida de subsistencia*, las personas de los ríos Ok Tedi y Fly aprobaron plenamente que continuara su operación y sus pérdidas *se subsanaron con una serie de acuerdos de compensación*.

## Notas

1. Este caso se basa en las siguientes fuentes principales: International Institute for Environment and Development, "Ok Tedi Riverine Disposal Case" en Dirk van Zyl, Meredith Sassoon, Anne-Marie Fleury y Silvia Kyeyune, eds., *Mining for the Future*, un informe encargado por el Mining, Minerals and Sustainable Development Project del International Institute for Environment and Development, fecha de acceso: 2 de junio, 2004 en *http://www.iied.org/mmsd/mmsd_pdfs/068a_mftf-b.pdf*; Polly Ghazi, "Ok Tedi Mine: Unearthing Controversy", en World Resources Institute, *World Resources 2002-2004: Decisions for the Earth: Balance, Voice and Power* (julio de 2003), United Nations Development Program, fe-

cha de acceso: 2 de junio, 2004 en *http://www.governance. wri. org/ pubs_content_text.cfm?ContentID=1860*; Banco Mundial, *Ok Tedi Mining Ltd. Mine Waste Management Project Risk Assessment and Supporting Documents* (1999), fecha de acceso: 2 de junio, 2004, en *http://www.mpi.org.au/oktedi/world_bank_full_report.html*; y el sitio Web de Ok Tedi Mining en *http://www.oktedi.com*, fecha de acceso: 15 de abril de 2011.

2. Kevin Pamba, "Ok Tedi: What to Do about the Damage Done", 17 de septiembre, 1999, *Asia Times Online*, fecha de acceso: 25 de julio de 2004 en *http://www.atimes.com/oceana/AI17Ah01.html*.

3. Stuart Kirsch, "An Incomplete Victory at Ok Tedi", fecha de acceso: 15 de junio de 2004 en *http://www.carnegiecouncil.org/viewMedia.php/prmTemplateID/8/prmID/614*.

4. Broken Hill Proprietary Company Limited, "Case Study: Ok Tedi", *BHP Environment and Community Report 2000* (noviembre de 2000), fecha de acceso: 19 de junio de 2004 en *http://www.envcommreport.bhp.com/Closure/okTedi.html*.

5. Noviembre de 1999: consultas de BHP con el gobierno de PNG.

C A S O S

✳ Explore el concepto en **mythinkinglab.com**

## *¿Gas o urogallos?*

Durante el verano de 2008, quienes vivían cerca de la meseta Pinedale (algunas veces llamada anticlinal de Pinedale) en Wyoming esperaban ansiosamente a que la Oficina de Administración de Tierras (BLM) diera su veredicto en relación sobre si Questar y otras compañías energéticas recibirían el permiso para perforar pozos de gas natural por todas las tranquilas tierras silvestres de la zona alta de la meseta. La meseta de Pinedale es una meseta de 65 kilómetros de longitud y 777 kilómetros cuadrados que se extiende de norte a sur a lo largo del lado este de la cuenca del río Green en Wyoming, un área famosa como la puerta a tesoros de caza, pesca y excursionismo de las tierras silvestres de Bridger-Teton. La ciudad de Pinedale está ubicada en las faldas de la meseta, a una corta distancia de su lado norte, rodeada de cientos de pozos perforados recientemente que sin cesar bombean gas natural de los vastos yacimientos del subsuelo de la región y que se estima que contienen 25 millones de billones de pies cúbicos de gas valorados en miles de millones de dólares.

Questar Corporation, una compañía de energía con activos valuados en cerca de $4,000 millones, es el principal desarrollador de los pozos de gas alrededor de la ciudad y ya había perforado muchos en la meseta que veía hacia la ciudad. En ocasiones alces, venados mula, antílopes americanos y otras especies incluyendo el grandioso urogallo en peligro de extinción, descienden de su hábitat en la parte alta de la meseta y cautelosos caminan entre los pozos de Questar alrededor de Pinedale. No es de sorprender que los ambientalistas estuvieran en guerra con esta y otras

compañías del ramo energético, cuyos planes de ampliar sus operaciones afectarían gravemente cada vez más el hábitat de la meseta así como la belleza de la zona.

La Oficina de Administración de la Tierra, BLM, del gobierno federal era la responsable de decidir qué había que hacer con los acres de terreno de la meseta. De los 198,034 acres, el gobierno federal poseía 64 hectáreas, Wyoming poseía 3,966 y 12,060 eran de propiedad privada. En 2000, BLM había autorizado perforaciones limitadas en la meseta, pero había impuesto muchas restricciones que protegían la vida silvestre de todo el impacto de la perforación. En 2008, Questar y las otras compañías que querían perforar en la meseta pidieron a la BLM que eliminara sus límites a la perforación y permitiera más de 4,300 pozos adicionales, así como que levantara una restricción que amortiguaba el impacto de las perforaciones en la vida silvestre pero que había resultado ser muy costosa para las compañías.

Con sede en Salt Lake City, Questar Corporation perforó su primera prueba con éxito en la meseta de Pinedale en 1998. Extraer el gas bajo la meseta no fue factible antes porque estaba atrapado entre roca arenisca muy compacta que no permitía su flujo a los pozos y nadie sabía cómo sacarlo. No fue sino hasta mediados de los 90 que la industria desarrolló técnicas para romper la arenisca y liberar el gas. La perforación a gran escala tenía que esperar a que terminara una declaración de impacto ambiental, que la Oficina de Administración de la Tierra (BLM) terminó a mediados de 2000 cuando aprobó la perforación de hasta 900 pozos en terrenos federales de la meseta de Pinedale.

Para principios de 2004, Questar había perforado 76 pozos en los 14,800 acres (60 kilómetros cuadrados) que rentaba al gobierno federal y al estado de Wyoming y tenía planes de perforar con el tiempo al menos 400 más. Los expertos en energía dieron la bienvenida al nuevo suministro de gas natural, el cual, por su estructura molecular simple ($CH_4$), quema de manera más limpia que cualquier otro combustible fósil. Aún más, como el gas natural se extrae en Estados Unidos, redujo la dependencia del país de los suministros de energía del extranjero. Los negocios alrededor de Pinedale también favorecían las perforaciones que trajeron numerosos beneficios, incluyendo empleos, aumento en los ingresos por impuestos y un auge en la economía local. El gobierno del estado de Wyoming también apoyó la actividad ya que el 60 por ciento del presupuesto del estado se basa en las regalías que recibe por las operaciones relacionadas con el carbón, gas y petróleo.

Los pozos de Questar en la meseta tenían un promedio de 4,000 metros de profundidad y un costo de $2.8 a $3.6 millones cada uno, dependiendo de la cantidad de roca que se tenía que romper.[1] Perforar un pozo suele requerir limpiar y nivelar un área de entre 2 y 4 acres (entre 8 mil y 16 mil metros cuadrados) de terreno para apoyar el equipo de perforación y de otro tipo. En cada terraplén se perforan uno o dos pozos. Los caminos de acceso tenían que llegar al lugar y el pozo tenía que estar conectado a una red de tuberías que sacaban el gas de los pozos y lo llevaban a donde se podía almacenar y distribuir. Cada pozo producía desechos líquidos que se tenían que almacenar en tanques en el terraplén y periódicamente se sacaban en camiones cisterna.

No obstante, la BLM impuso varias restricciones a las operaciones de Questar en la meseta. Grandes áreas de la meseta eran el hábitat de venados, antílopes, urogallos y otras especies y la BLM impuso reglas de perforación que estaban diseñadas para proteger a las especies silvestres que vivían en la meseta. Importante entre ellas era el urogallo.

El urogallo es un ave colorida que actualmente sobrevive sólo en sitios dispersos en 11 estados de EUA. El urogallo, que vive en elevaciones de 1,200 a 2,800 metros y que depende de la planta cada vez más rara llamada salvia para comer y para ocultarse de los depredadores, es extremadamente sensible a la actividad humana. Las casas, los postes de teléfonos o las bardas pueden atraer a halcones y cuervos que atacan sus nidos. Se estima que hace 200 años las aves —conocidas por su distintivo baile de *pavoneo* para aparearse— se contaban en cerca de 2 millones y eran comunes en todo el oeste de Estados Unidos. Para la década de 1970, su número había disminuido a 400,000. Un estudio que terminó en junio de 2004 de la Western Association of Fish and Wildlife Agencies concluyó que apenas quedaban entre 140,000 y 250,000 ejemplares y agregó: "No somos optimistas en cuanto al futuro". Se culpó por la drástica disminución en el número de ejemplares de esta especie a la destrucción del 50 por ciento de la salvia donde el urogallo hace nidos y que constituye el terreno para aparearse; la destrucción de la salvia, a la vez, se debía al pastoreo del ganado, la construcción de nuevas casas, los incendios y los terrenos cada vez más extendidos que se otorgaban para perforación y otras actividades mineras. Los biólogos creen que si no se protege el hábitat de la salvia, el número de urogallos se reducirá tanto para 2050 que nunca se recuperará. De acuerdo con Pat Deibert, biólogo del Servicio de pesca y vida silvestre de Estados Unidos, los urogallos "necesitan grandes extensiones con salvia sana" y cualquier cosa que destruya esas extensiones como carreteras, tuberías o casas, les afecta.[2]

Con el fin de proteger a los urogallos, cuya última población robusta había anidado por miles de años en los campos de salvia ideales de la meseta, la BLM determinó que los caminos de Questar, pozos y otras estructuras se debían localizar a un kilómetro y medio o más de los terrenos de reproducción del urogallo y al menos a 3 kilómetros de las áreas donde anida en la temporada de reproducción. Algunos estudios, sin embargo, concluyeron que esas protecciones no eran suficientes para detener la disminución de la población de urogallos. Conforme los pozos proliferaban en el área, cada vez se apoderaban de más tierra en la que ellos anidaban y buscaban comida y perturbaban a las sensibles aves. Los conservacionistas dicen que la BLM debió aumentar el amortiguador de 400 metros alrededor de los terrenos de las aves a por lo menos 3 kilómetros.

En mayo de 2004, el Servicio de pesca y vida silvestre anunció que comenzaría el proceso de estudiar si el urogallo debe clasificarse como una especie en peligro de extinción, lo que lo pondría bajo la protección de ley de especies en peligro, algo que los conservacionistas han apremiado al Servicio de pesca y vida silvestre a hacer desde 2000. Questar y otras compañías de gas, petróleo y minería se opusieron firmemente a que el urogallo estuviera entre las especies en peligro porque una vez que ocurre esto, grandes áreas de terrenos federales quedan fuera de la posibilidad de perforación, minería y desarrollo. Como el 80 por ciento de Wyoming se considera hábitat del urogallo, incluyendo gran parte de la meseta de Pinedale, los planes de perforación de Questar se verían muy comprometidos.

Questar y otras compañías formaron una coalición, llamada Partnership for the West, para ejercer presión en la administración de Bush con el fin de mantener el urogallo fuera de la lista de especies en peligro. Encabezada por Jim Sims, ex director de comunicación para la Energy Task Force del presidente George W. Bush, la coalición estableció un sitio en Internet que llamaba a los miembros a presionar a *los jugadores clave en Washington* y a *desatar la oposición popular*, lo que daría cierta cobertura al liderazgo político en el Departamento del Interior y en toda la administración. La coalición también sugirió *financiar estudios científicos* diseñados para mostrar que el urogallo no estaba en peligro de extinción. De acuerdo con Sims, el intento de clasificarlo como una especie en peligro estaba encabezado por extremistas ambientalistas que habían coincidido en el oeste de Estados Unidos en un esfuerzo por detener prácticamente todo el crecimiento y desarrollo económico. Quieren restringir los negocios y la industria en todos los casos. Quieren poner límites para todos en las tierras del Oeste".[3] Dru Bower, vicepresidente de Petroleum Association of Wyoming, afirmó: "Las listas [de especies en peligro] no son buenas para la industria del petróleo y gas, de manera que si podemos hacer algo para evitar que una especie llegue a la lista será bueno para la industria. Si el urogallo entra a la lista, esto tendrá un efecto drástico en el desarrollo del petróleo y el gas en el estado de Wyoming".[4]

El urogallo no era la única especie afectada por las operaciones de perforación de Questar. Los campos de gas en los que Questar quería tener derechos de perforación eran un área de 12 kilómetros de largo y casi 5 kilómetros de ancho, localizada en la parte norte de la meseta. Esta propiedad estaba en medio de los campos de invierno frecuentados por venados, alces y antílopes, algunos de los cuales migran al área de la meseta desde lugares tan lejanos como Grand Teton National Park a unos 270 kilómetros al norte. Aunque la meseta estaba elevada y los inviernos eran duros, estaba mucho más abajo que las montañas donde estos animales vivían en primavera y verano, y la meseta les proporcionaba grandes campos de salvia que los alimentaba. Los estudios de migraciones realizados entre 1998 y 2001 revelaron que las manadas de antílope americano hacían una de las migraciones más largas entre los animales grandes de Norteamérica. El área alrededor de Pinedale está en uno de los corredores que frecuentan miles de venados y antílopes cada otoño cuando viajan al sur a sus tierras de invierno en la meseta y la cuenca del río Green. El tráfico de la carretera 191 que cruza algunos corredores migratorios algunas veces debe detenerse para dejar que pasen las manadas de antílopes.[5] Los ambientalistas temían que si los animales no podían llegar a sus praderas de invierno o si estas se volvieran inhóspitas, las grandes manadas decrecerían a medida que los animales murieran.

Por desgracia, las operaciones de perforación generan mucho ruido y requieren el movimiento constante de muchos camiones y otras máquinas grandes, las cuales tienen un impacto severo en los animales durante el invierno cuando ya están tensos físicamente y son vulnerables a causa de su alimentación baja en calorías. Algunos estudios han sugerido que incluso la mera presencia humana perturba a los animales y los lleva a evitar un área. En consecuencia, la BML requería que Questar cesara todas las operaciones de perforación en la meseta cada invierno desde el 15 de noviembre y hasta el 1° de mayo. De hecho, para proteger a los animales, prohibía a todas las personas, ya fuera a pie o en auto, que entraran al área durante el invierno. Sin embargo, hacía una excepción con los camiones y el personal de Questar que debían continuar sacando los desechos líquidos de los pozos ya perforados y que seguían operando en invierno (la moratoria de invierno prohibía solo las operaciones de perforación pero permitía que los pozos siguieran bombeando gas todo el año).

Verse obligados a suspender la perforación en los meses de invierno era en extremo frustrante y costoso para Questar. Tenía que despedir a las brigadas de perforación al comenzar el invierno y contratar nuevas y capacitarlas cada primavera. Cada otoño la compañía tenía que empacar varias toneladas de equipo, perforadoras y camiones y sacarlos de la meseta. A causa de la interrupción estacional en su programa de perforación, el desarrollo completo de sus campos petroleros estaba proyectado para 18 años, mucho más de lo que hubieran querido.

En 2004, Questar entregó una propuesta a la BML. Planteaba invertir en un nuevo tipo de perforadora que permitía cavar hasta 16 pozos en un solo terraplén, en lugar de 1 o 2, como era habitual hasta entonces. La nueva tecnología (llamada *perforación direccional*) dirigía el barreno en el subsuelo con un ángulo que salía del área, de manera que al colocar los pozos en el perímetro del terraplén —como tentáculos de un pulpo— era posible barrenar varios pozos ramificándolos desde un solo espacio. Esto minimizaba la tierra ocupada por los pozos: mientras que la perforación tradicional requería 16 áreas separadas de 2 a 4 acres para tener 16 pozos, la nueva tecnología de *perforación direccional* permitía que un solo terraplén tuviera 16 pozos. La tecnología también reducía el número de caminos necesarios y tuberías de distribución ya que un solo acceso y una tubería podían dar servicio al mismo número de pozos que los que requerían 16 caminos diferentes y 16 tuberías. Questar también propuso que en lugar de acarrear los desechos líquidos fuera de los pozos en operación con camiones cisterna ruidosos, la compañía construiría un segundo sistema de tuberías que bombearía los desechos líquidos de manera automática. Estas innovaciones, señaló Questar, reducirían sustancialmente el impacto dañino que tenían la perforación y el bombeo en la vida silvestre de la meseta. Usar la nueva tecnología para los 400 pozos adicionales que la compañía planeaba perforar requeriría 61 bloques en lugar de 150 y los bloques ocuparían 533 acres (2.1 kilómetros cuadrados) en lugar de 1,474 (5.9 kilómetros cuadrados).

La nueva perforación direccional agregaba alrededor de $500,000 al costo de cada pozo y requería invertir en varios equipos de perforación. El costo adicional para los 400 pozos planeados daría un total de $185 millones. Sin embargo, Questar observó que "la compañía anticipa que podrá justificar el costo extra si puede perforar y completar todos los pozos de un área en una operación continua" que siguiera durante el invierno.[6] Si se permitía a la compañía perforar continuamente, podría terminar todos los pozos en 9 años en lugar de 18, casi duplicando sus ingresos del proyecto en esos 9 años. Esta aceleración en sus ingresos iba de la mano con otros ahorros resultado de tener 16 pozos en cada espacio, lo que le permitiría justificar los costos adicionales de la perforación direccional. En resumen, la compañía podría invertir en la nueva tecnología que reducía el impacto en la vida silvestre pero, solo si se le permitía perforar en la meseta en los meses de invierno.

Además Questar había solicitado que se le permitiera aumentar el número de pozos que podría perforar en la meseta. Para ese momento, otras compañías de energía trataban de conseguir el permiso para perforar también allí, entre ellas Ultra Resources, Shell, BP, Stone Energy, Newfield Exploration, Yates Petroleum y Anschutz. Juntas, las compañías pidieron a BLM que les permitiera perforar 4,399 pozos de gas natural adicionales en la meseta. Y todas pedían también que se les permitiera perforar durante el invierno.

Aunque los ambientalistas recibieron bien la disposición de Questar para invertir en la perforación direccional, se opusieron con firmeza a permitirle operar durante el invierno cuando los venados y antílopes estaban ahí buscando comida y luchando por sobrevivir. La Upper Green River Valley Coalition, una coalición de grupos ambientalistas, emitió una declaración que afirmaba: "Se debe dar reconocimiento a la compañía por usar la perforación direccional, pero las mejoras tecnológicas no deben significar el sacrificio de importantes salvaguardas para la herencia de la vida silvestre en Wyoming".

Para permitir a la compañía que probara la factibilidad de la perforación direccional y estudiara sus efectos en las manadas de venados que llegaban en invierno, la Oficina de administración de la tierra, la BML, permitió a Questar perforar pozos en un solo terraplén en el invierno de 2002 a 2003 y de nuevo en el invierno de 2003 a 2004. El estudio de 5 años continuó hasta 2007 (después se extendería hasta 2010). Questar se alegró de que al menos le dieran la oportunidad de mostrar que perforar durante el invierno era compatible con la vida silvestre de la meseta. Dos de las otras compañías, Shell y Ultra, también obtuvieron el permiso para probar la perforación en invierno de 2005.

Antes de que la BLM tomara una decisión final sobre si debería aprobar las solicitudes de las compañías de perforar miles de pozos adicionales y de hacerlo durante el invierno, tenía que preparar otra declaración de impacto ambiental, esta vez llamada *declaración complementaria de impacto ambiental* o SEIS.[7] Por lo tanto, comenzó a recopilar información sobre el impacto de aumentar el número de pozos y de permitir la perforación durante todo el año. Su estudio de cinco años del impacto de la perforación en invierno se amplió para incluir un monitoreo continuo de la vida silvestre en la meseta. En un informe preliminar de 2004 sobre los resultados de su estudio la BML dijo que "no había encontrado datos concluyentes que indicaran efectos adversos cuantificables en los venados" por la perforación. La BLM quería evitar la consternación pública que había creado cuando permitió por primera vez que Questar perforara en la meseta y estaba tratando de ser tan sincera como fuera posible. Durante el invierno de 2005 y

la primavera de 2006, mantuvo muchas reuniones abiertas en las que se invitaba al público a comentar las solicitudes de Questar y de las otras compañías. En diciembre de 2006 completó el primer anteproyecto de su declaración ambiental y lo hizo público para más comentarios. Con base en su información adicional, se emitió un segundo anteproyecto preliminar para recopilar comentarios del público en diciembre de 2007, y mantuvo reuniones adicionales públicas sobre el segundo anteproyecto durante los primeros meses de 2008.

Finalmente, el 12 de septiembre de ese mismo año, emitió su decisión sobre las solicitudes de las compañías perforadoras, junto con el anteproyecto final de su declaración de impacto ambiental. Su decisión suponía que la perforación futura usaría la nueva tecnología que Questar había propuesto. Según la BLM, había estudiado el impacto de cinco decisiones alternativas principales: 1) continuar prohibiendo la perforación invernal y no permitir pozos adicionales; 2) permitir la perforación durante el invierno y 4,399 pozos más sobre un máximo de 600 terraplenes, todos ellos localizados dentro de un *área central* en la parte central de la meseta; 3) permitir la perforación durante el invierno y 4,399 pozos más sobre un máximo de 600 áreas niveladas *más*: confinar la perforación a partes específicas del *área central* y prohibir la perforación o las alteraciones en cualquier zona que fuera *ámbito crucial de invierno* para el venado mula y el antílope americano, o zonas de apareo y anidación de los urogallos; 4) permitir la perforación durante el invierno y 4,399 pozos en 600 terraplenes, confinar la perforación a partes específicas del área central y prohibir la perforación o las alteraciones de cualquier zona que fuera *ámbito crucial de invierno* para los venados y el antílope, o zonas de apareo y nido de los urogallos, *más*: prohibir la perforación en los miles de acres (el área de la falda de la colina) que rodean el área central donde se permitía la perforación, requerir una revisión anual de los impactos en la vida silvestre y pedir a las compañías que establecieran un fondo (con una contribución inicial de $4.2 millones y pagos anuales de $7,500 por pozo) para vigilar la vida silvestre y pagar los costos de mitigar cualquier impacto en la vida silvestre que el monitoreo detectara; 5) permitir la perforación solo dentro del *área central* y prohibirla en la zona alrededor de la periferia, *pero*: permitir menos de 4,399 pozos y menos de 600 espacios y limitar el terreno total dedicado a los pozos.

La BLM admitió que con todas las alternativas excepto la primera, el venado mula y el antílope americano *continuarían viéndose afectados de manera negativa* y el resultado sería una *disminución del hábitat* del urogallo. También se esperaba que las alteraciones en la superficie afectaran de manera adversa a las aves migratorias, y que el sedimento de las perforaciones que entraría a los ríos podría llevar a *un menor éxito reproductivo en las especies nativas de salmón que desovan en primavera*. No obstante, la BLM decidió elegir la cuarta alternativa diciendo que esta era la que proporcionaba el mejor equilibrio entre proteger el entorno natural y permitir el acceso al gas natural que era tan valioso para Estados Unidos. En la declaración oficial de su decisión, la BLM añadió, en un importante "apéndice B", que si el número de venados o antílopes disminuía en un 15 por ciento en cualquier año o desde sus niveles de 2005/2006, o si el número de urogallos disminuía en un 30 por ciento en un periodo de dos años, entonces se pediría a al BLM, que además tenía el derecho, que tomara una serie de *medidas amortiguadoras*. En concreto, la BLM tenía primero que tratar de ampliar el hábitat de las especies en disminución al eliminar todas las alteraciones humanas de la gran *área de la falda de la colina* que rodeaba el *área central* y al mejorar estas áreas para que pudieran proporcionar hábitat adicional, por ejemplo, plantando más sábila y otra vegetación comestible. Pero si esto no funcionaba, la BLM podría cambiar los lugares en que se permitían los pozos y qué tan rápido podían añadirse nuevos, según fuera necesario para la vida silvestre.

Questar y las otras compañías estuvieron satisfechas con el resultado. Esencialmente habían conseguido lo que habían pedido, aun cuando hubiera límites de dónde podrían perforar. Las compañías se trasladaron rápidamente a las *áreas centrales* y comenzaron a construir y perforar, y continuaron haciéndolo durante el invierno de 2009. Pero el 28 de octubre de 2010, Western Ecosystems Technology, el grupo que vigilaba la vida silvestre en la meseta de Pinedale, anunció que en 2009 el venado mula de la meseta había disminuido 60 por ciento en comparación con las cifras de 2001, y 28 por ciento en comparación con las de 2005.[8] El estudio de Western Ecosystems Technology también encontró que en 2009 menos del 70 por ciento de las hembras adultas de esta especie sobrevivieron al invierno en la meseta, en comparación con un porcentaje de supervivencia normal del 85 por ciento. Un representante de Shell, una de las compañías que perforaban en la meseta, reaccionó diciendo que se necesitaba más investigación: "Veamos cuáles son los resultados antes de empezar a reaccionar en exceso a lo que pudiera ser una variación causada por motivos naturales". Pero un funcionario local de la BLM respondió que dado que la disminución de la cantidad de ciervos había traspasado el umbral del 15 por ciento, se requería *acción agresiva y positiva* en las medidas de amortiguamiento.

## Preguntas

1. ¿Cuáles son los problemas sistémicos, corporativos e individuales que genera este caso?
2. ¿Cómo se debería evaluar la vida silvestre, como la del urogallo o los venados, y cómo debe equilibrarse ese valor contra los intereses económicos de una sociedad o de una compañía como Questar? ¿Qué principios o

reglas propondría para equilibrar el valor de las especies silvestres frente a los intereses económicos?
3. A la luz del hecho de que el gas natural reduce la indeseable dependencia de Estados Unidos del petróleo extranjero y de que el gas natural produce menos gases con efecto invernadero que el carbón, el petróleo y otros combustibles, ¿debería Questar continuar sus operaciones de perforación?, ¿el impacto ambiental de esas operaciones implica que la compañía está moralmente obligada a suspender los pozos de perforación en la meseta de Pinedale? Explique su respuesta.
4. ¿Qué deberían hacer Questar y las otras compañías de manera diferente, si es que deben hacer algo?
5. Desde un punto de vista ético, ¿era la cuarta alternativa la mejor opción entre las que escogió BLM?, ¿hay alguna otra alternativa que sea mejor desde un punto de vista ético? Explique su respuesta.
6. ¿Debería considerarse la pérdida de especies que producen las operaciones de perforación de Questar un problema de contaminación o un problema de conservación? ¿Se puede valuar la pérdida de especies como un *costo externo*? Explique su respuesta.

## Notas

1. Peggy Williams, "The Pinedale Anticline", *Oil and Gas Investor*, diciembre de 2001, pp. 2-5.
2. Tom Kenworthy, "Battle Brewing Over Sage Grouse Protection", *USA Today*, 13 de julio de 2004, p. 2a; Todd Wilkinson, "Sage Grouse of Western Plains Seen as Next 'Spotted Owl'", *Christian Science Monitor*, 25 de junio de 2004, p. 1.
3. Julie Cart, "Bird's Fate Tied to Future of Drilling", *Los Angeles Times*, 10 de junio de 2004, p. 11.
4. *Ibid.*
5. Rebecca Huntington, "Cowboy Enterprise: Wildlife Find Less Room in Energy Boom", *Associated Press State and Local Wire*, 2 de diciembre de 2003.
6. Questar, "The Pinedale Anticline: A Story of Responsible Development of a Major Natural Gas Resource", propuesta disponible en el sitio Web de Questar.
7. La información de este párrafo y de los siguientes se obtuvo de: Bureau of Land Management Wyoming State Office, *Final Supplemental Enviromental Impact Statement for the Pinedale Anticline Oil and Gas Exploration and Development Project*, Sublette County, Wyoming, junio de 2008, y Departamento del Interior de Estados Unidos, Bureau of Land Management, Cheyenne, Wyoming, *Record of Decision, Final Supplemental Enviromental Impact Statement for the Pinedale Anticline Oil and Gas Exploration and Development Project*, Sublette County, Wyoming, septiembre de 2008, ambos documentos con fecha de acceso el 19 de enero de 2011 en *http://www.blm.gov/wy/st/en/info/NEPA/documents/pfo/anticline/seis.html*.
8. Cat Urbigkit, "Pinedale Mesa Deer Population Drops", *Casper Star Tribune*, 28 de octubre de 2010, fecha de acceso: 19 de enero de 2011 en *http://trib.com/news/state-and-regional/article_fa6d49faa7b6-5335-82bf-8cc7d217ea69.html*.

# Ética de la producción y marketing de artículos de consumo

¿Hasta dónde deben llegar los fabricantes para elaborar productos seguros?

¿La relación entre una compañía y sus clientes es esencialmente un contrato, o es más que eso?

¿De qué forma afecta que las compañías por lo general conocen más sus productos que sus clientes, frente a su obligación de protegerlos de daños o perjuicios?

¿Cuál es la responsabilidad de las compañías de los daños que sufren los clientes y que nadie prevé o evita de manera razonable?

En general, ¿la publicidad ayuda o perjudica a los consumidores?

¿Tienen las compañías el deber de proteger la privacidad de sus clientes?

*Coca-Cola comercializa su icónica bebida a consumidores de todo el mundo con imágenes de atletas saludables. El 16 de febrero de 2011, el Center for Science in the Public Interest avisó que "el 'colorante caramelo' que usan Coca-Cola, Pepsi y otros alimentos está contaminado con dos sustancias químicas carcinógenas" y pidió a la FDA que prohibiera esas sustancias de todos los alimentos.*

INTRODUCCIÓN

Cada año mueren 34,000 estadounidenses debido a accidentes de vehículos de motor, incluso peatones (los accidentes de tráfico son la principal causa de muerte de estadounidenses de 2 a 34 años de edad), también incapacitan a 260,000 y hieren a 2.2 millones más,[1] mientras que las armas de fuego matan a 32,000 y hieren a otros 65,000.[2] Los cigarrillos que venden Philip Morris, American Brands, R. J. Reynolds, B. A. T., Loews y Liggert provocan la muerte de 440,000 de sus clientes estadounidenses, casi tantos como los que han muerto por causa del SIDA durante los 30 años de su historia.[3] En el ámbito mundial, los cigarrillos matan 5 millones de clientes al año, más del doble que el SIDA. Los analgésicos de prescripción médica causan aproximadamente 12,000 muertes en Estados Unidos cada año y obligan a hospitalizar a otras 300,000 personas.[4] Doscientos mil niños resultan lesionados anualmente por equipo de juego y 147 mueren debido a las heridas.[5] Los vehículos todo terreno (ATV) son causa de la muerte de 600 a 800 personas al año y hieren aproximadamente a 130,000.[6]

El número de muertes y heridos que provoca el consumo de productos sería mucho mayor si el gobierno de Estados Unidos no requiriera de manera habitual a las compañías que retiren los productos defectuosos o dañinos. A continuación se presenta una pequeña muestra de millones de productos defectuosos que se han retirado cada año:

**Canguros para bebé – Infantino (2010)** En este caso reciente, se retiraron aproximadamente un millón de canguros para bebé (cargadores de tela) de Infantino debido a riesgos para la respiración a causa del diseño del producto. Sus modelos "SlingRider" y "Wendy Bellissimo" se retiraron porque el material suave y la curva "C" podían empujar la cabeza del bebé hacia adelante, haciendo muy difícil (si no imposible) que respire.

**Sillas altas – Graco (2010)** La Comisión Estadounidense de Seguridad de los Productos de Consumo (CPSC) emitió una orden de retirada del modelo Harmony de Graco de sillas altas después de que se juzgara que su diseño era inseguro. Se retiraron aproximadamente 1.2 millones de sillas altas en marzo de 2010, como respuesta a 24 reportes de personas que se lesionaron. En enero, Graco retiró aproximadamente 1.5 millones de carriolas debido a amputaciones de la yema de los dedos y riesgos de laceraciones.

**Pedales defectuosos y tapetes – Toyota (2010)** En enero de 2010, Toyota emitió una segunda orden para retirar en tres meses varios modelos de automóviles Toyota y Lexus debido a problemas con pedales defectuosos y los tapetes que, en algunos casos, llevaban a una repentina y no deseada aceleración. El gigante automotriz llamó a más de 9 millones de usuarios de esos vehículos, y se presentó ante el Congreso que investigaba el asunto.

**Persianas para ventanas – (2009)** En diciembre de 2009, se retiraron todas las cortinas y persianas de estilo romano cuando se presentaron reportes de que bebés y niños pequeños murieron estrangulados después de quedar atrapados en las cuerdas sueltas de las cubiertas de las ventanas… En total, se retiraron casi 50 millones de persianas afectadas.

**Control de crucero – Ford (2009)** En octubre de 2009, Ford añadió otros 4.5 millones de vehículos a la mayor llamada a revisión de productos de toda su historia, la cual abarcó toda una década. Los modelos aludidos en octubre de 2009 llevaron al asombroso gran total de más de 14 millones de vehículos revisados. Esto se debió a los defectos en los interruptores de control de crucero que estuvieron vinculados con un estimado de 550 incendios de vehículos en todo Estados Unidos.[7]

A diario, los estadounidenses están expuestos a niveles sorprendentemente altos de riesgo debido al uso de productos de consumo. Cada año, alrededor de 33.6 millones de personas sufren heridas por ello (sin contar los vehículos a motor), y aproximadamente

28,200 mueren.[8] La Comisión Estadounidense de Seguridad de los Productos de Consumo (CPSC) estima que solo en un año, el costo total de estas lesiones es de aproximadamente $800 mil millones.

Sin embargo, las lesiones por productos conforman solo una categoría de los costos que se imponen a los consumidores imprudentes. Los consumidores también deben pagar los costos de prácticas de ventas engañosas, la fabricación de productos de mala calidad, productos que se rompen de inmediato y garantías incumplidas. Por ejemplo, hace varios años, el motor de la camioneta Chevrolet de Martha y George Rose empezó a silbar y a lanzar humo blanco por el tubo de escape cuando ella condujo seis millas hacia su trabajo. Un mecánico encontró una delgada grieta en el bloque del motor, lo que significó que el automóvil necesitaría un motor nuevo y costoso. Pero no se preocuparon porque el motor aún tenía la garantía de "cinco años o 50,000 millas" de General Motors. Sin embargo, cuando un gerente de servicio de GM examinó el automóvil desmantelado, insistió en que el problema consistía en que el termostato del radiador se había cerrado y atorado y, por lo tanto, el refrigerante no llegó a la zona del motor. Puesto que el termostato tenía una garantía de solo "12 meses o 12,000 millas", que ya se había vencido, y como fue la causa del excesivo calentamiento y la rotura del bloque del motor, GM concluyó que no tenía ninguna responsabilidad por la garantía de "cinco años o 50,000 millas".[9]

Las prácticas de AT&T Inc. y sus subsidiarias ilustran las dificultades que enfrentan los consumidores. En 2003, la división de California de AT&T, que entonces se llamaba Pacific Bell, pagó $15 millones en multas impuestas por un marketing engañoso en sus servicios telefónicos. El engaño era casi idéntico a lo que la compañía había hecho unos años antes, cuando tuvo que pagar una multa de $17 millones por embaucar a sus clientes para que compraran accesorios costosos sin informarles que eran opcionales, y que existía un servicio básico más barato. La política de la compañía, según uno de sus representantes de ventas, era que "la gente debe ser lo suficientemente inteligente para preguntar; ¿por qué debe Pacific Bell decírselo?".[10] En 2003, la compañía renombró como "servicio básico" un costoso paquete de servicios opcionales, para que cuando los nuevos clientes llamaran preguntando por el servicio telefónico "básico", los representantes de ventas les vendieran el paquete caro sin decirles que había disponible un servicio básico más barato. En 2010, a través de una demanda colectiva se acusó a AT&T de "fraude y engaño" porque la compañía "de manera intencional, con conocimiento y de forma artificial infla el uso de datos" de sus clientes de teléfono celular por "una cantidad que es de tres a cinco veces el uso real de los datos… por tanto, factura a sus clientes con base en las cifras abultadas de los datos… no en los datos reales que ese cliente usó".[11] Según la demanda, cuando Guardian Corporation, un cliente de AT&T, empezó a sospechar de las facturas de sus teléfonos celulares, contrató a un experto para que revisara los informes internos de ingeniería de AT&T y descubrió que el "uso real de datos y de transferencia de datos" de Guardian "estaban siendo falseados por el sistema de AT&T, como una cuestión de política corporativa." Al inflar el uso de datos a los clientes, decía la demanda, AT&T también podía cobrar tarifas más altas "por exceso de tiempo aire", por el uso más allá de la cantidad que permitía el contrato del plan del cliente, incluso cuando este hubiera permanecido dentro de lo que le permitía su plan. Los consumidores comunes no podían comprobar la precisión de sus facturas porque no tenían acceso a los informes internos de ingeniería de AT&t ni a un experto que pudiera entender esos informes. AT&T tuvo que pagar otros cargos de prácticas engañosas al consumo en Nueva York, Florida, Washington, Texas, Luisiana, Virginia Occidental, Carolina del Norte y muchos otros estados, así como cargos por prácticas engañosas en todo el país.

También, a diario se bombardea a los consumidores con una serie interminable de anuncios que los incitan a comprar numerosos productos. A pesar de que algunas veces se les defiende como fuentes de información, se critica que los anuncios ofrezcan indicaciones muy escuetas sobre la función básica de un producto y que en ocasiones confundan y exageren sus virtudes. Los economistas argumentan que los gastos de publicidad son un desperdicio de recursos y los sociólogos se quejan de los efectos culturales de esta.[12]

En este capítulo examinamos los aspectos éticos relacionados con la calidad de los productos y la publicidad. Las primeras secciones analizan varios enfoques a los problemas de los consumidores, y las últimas abordan la publicidad de consumo. Primero nos enfocamos en lo que tal vez sea el tema más urgente: las lesiones que se producen por el consumo de productos y las responsabilidades de los fabricantes.

---

*Repaso breve 6.1*

**Problemas que enfrentan los consumidores**

- Productos peligrosos y riesgosos.
- Prácticas de venta engañosas.
- Productos mal fabricados.
- Fallo en hacer efectivas las garantías.
- Publicidad engañosa y desagradable.

*Repaso breve 6.2*

**Enfoque de mercado para la protección de los consumidores**

- Afirma que la seguridad es una mercancía que no la debe exigir el gobierno.
- En lugar de eso, la seguridad la debe proporcionar el mercado.
- En un mercado, los vendedores proporcionarán seguridad si los consumidores la piden.
- En un mercado, los vendedores determinan el precio de la seguridad de acuerdo con los costos por ofrecerla y con base en el valor que los consumidores asignen.
- La intervención gubernamental en los mercados de consumo los hace injustos, ineficientes y coercitivos.

## 6.1 Mercados y protección del consumidor

Los defensores de los consumidores indican que cada año se lesionan más de 500,000 personas jóvenes y adultas que requieren tratamiento hospitalario debido al uso de juguetes, equipo de jardín de niños y equipo para campos de juego; que aproximadamente 290,000 personas resultaron mutiladas al utilizar equipo de taller para el hogar; que más de 2,800,000 personas necesitaron un tratamiento de emergencia debido a lesiones provocadas por usar mobiliario en el hogar; y más de tres millones de individuos requieren tratamiento debido al uso de materiales de construcción en el hogar.[13] En 2009, ocurrieron un promedio de 51,000 lesiones a la semana y más de 90 muertes al día, relacionadas con accidentes automovilísticos.[14] Un estudio que se realizó en 2010 concluyó que las pérdidas económicas por accidentes automovilísticos totalizaban más de $99 mil millones al año.[15]

A veces se argumenta que los consumidores están protegidos contra lesiones debido a las operaciones del mercado libre, y que ni los gobiernos ni las compañías deben intervenir para enfrentar esos problemas.[16] El enfoque de mercado para la protección del consumidor argumenta que la seguridad de este se puede proporcionar de manera suficiente mediante el libre mercado porque los vendedores deben responder a las demandas de los consumidores si quieren tener utilidades. Si los consumidores desean productos más seguros, indicarán esta preferencia en los mercados al pagar de manera voluntaria más por la seguridad de los productos, al mostrar una preferencia por los fabricantes de productos seguros y al rechazar los artículos de fabricantes de productos inseguros. Las empresas deberán responder a esa demanda y brindar mayor seguridad en sus productos o correrán el riesgo de perder clientes frente a los competidores que atiendan de forma eficaz las preferencias de aquellos. Así, si los consumidores quieren seguridad, el mercado la proporcionará y los vendedores fijarán sus precios de acuerdo con cuánto cueste ofrecerla (lo indica la curva de su oferta) y cuánto creen los consumidores que vale (lo indica la curva de su demanda). Como resultado, el mercado proporcionará seguridad a un precio justo, de forma tal que respete las decisiones libres de los consumidores, y con un uso eficiente de los recursos de la sociedad.

Por otra parte, si los clientes no valoran demasiado la seguridad, ni demuestran la disposición a desembolsar más por la seguridad o por productos más seguros, entonces sería erróneo imponer niveles más altos de seguridad mediante reglamentos gubernamentales, que obliguen a los productores a fabricar productos más seguros que los que demandan los consumidores. Obligar a los fabricantes a proporcionar más seguridad de la que los consumidores quieren, aumenta los costos de manufactura, lo cual lleva a precios de consumo más altos de tal forma que, finalmente, los consumidores se ven obligados a pagar por una característica del producto que nunca quisieron. Este tipo de interferencias del gobierno también distorsionan los mercados al llevar a los fabricantes a invertir los recursos de la sociedad donde hay poca demanda, y obligar a los consumidores a pagar precios que les cobra de manera injusta por la calidad de un producto que ellos no valoran. El enfoque de mercado argumenta que solo los consumidores pueden decir qué valor asignan a la seguridad, y se les debe permitir mostrar sus preferencias por medio de sus libres elecciones en los mercados y no los deben obligar las compañías ni los gobiernos a pagar niveles de seguridad que tal vez no deseen. Ese tipo de coerción lleva a la injusticia, no respeta el derecho de los consumidores a elegir de manera libre y reduce la utilidad social.

Sin embargo, los críticos a ese enfoque de mercado responden que parte del supuesto de que los mercados de consumo son perfectamente competitivos, pero de hecho rara vez lo son.

Como se vio en el capítulo 4, se puede afirmar que los mercados son justos, respetuosos de los derechos negativos y que producen de manera eficiente la utilidad máxima solo cuando tienen las siete características que los hacen perfectamente competitivos. Cuando los mercados no lo son porque carecen de algunas de esas características, es difícil decir si son justos, respetuosos de los derechos o maximizan la utilidad. En concreto, se puede decir que los mercados de consumo responderán con eficiencia y justicia a las preferencias de los consumidores solo si los compradores tienen información adecuada sobre lo que están comprando, son **maximizadores racionales de la utilidad,** y tienen las otras características del mercado perfectamente competitivo.

Sin embargo, los consumidores no siempre están bien informados acerca de los productos que adquieren, ni siempre son racionales, y la mayoría de los mercados carece de algunas de las otras características para ser perfectamente competitivos.

Los consumidores a menudo no están informados sobre los productos que compran simplemente porque muchos son demasiado complejos para cualquier persona, excepto para un experto conocedor, y porque los fabricantes, que son muy conocedores de sus productos, no proporcionan información a los consumidores de manera voluntaria. Y puede ser demasiado costoso y poco práctico para los consumidores llevar a cabo la investigación de mercado necesaria para conocer lo suficiente sobre un producto en particular para tomar así una decisión de compra informada.[17]

Aún más, la investigación demuestra que nos volvemos sumamente ineptos, irracionales e inconsistentes cuando tomamos decisiones que se basan en la probabilidad de que un producto no conlleve un riesgo importante de salir lesionado o de que sirva a nuestros propósitos.[18] Por lo general subestimamos los riesgos de actividades personales que ponen la vida en peligro, como conducir, fumar o comer alimentos fritos, y de resultar lastimados por los productos que usamos; asimismo, sobreestimamos las probabilidades de sucesos —poco probables pero memorables—, como los tornados o ataques de osos pardos en parques nacionales.[19] Algunos estudios demuestran que nuestros juicios de probabilidad son erróneos por varias razones, incluso las siguientes: ignoramos o descartamos información importante sobre un producto, generalizamos ampliamente con base en muestras pequeñas, creemos en una "ley del promedio" de autocorrección que en realidad es inexistente y pensamos que tenemos el control sobre eventos totalmente fortuitos.[20] Una serie de investigaciones también muestra que la gente es irracional e inconsistente cuando evalúa las opciones con base en probabilidades sobre el futuro; así, algunas veces clasifica una opción futura de manera simultánea como mejor y peor que otra, y a veces presta más atención a la opción que menos prefiere.[21]

Por último, como varios críticos han señalado, muchos, o quizá la mayoría, de los mercados de consumo no son competitivos sino que son monopolios u oligopolios y los vendedores pueden manipular los precios y la oferta. Por ejemplo, los mercados de automóviles, cigarrillos, refrescos, televisiones, teléfonos celulares, gasolina, películas, música, libros, cereales para el desayuno, viajes aéreos, cervezas, seguros de salud, comida rápida, bienes electrónicos, servicios de televisión por cable, servicios de telefonía inalámbrica, medicamentos, computadoras, entretenimiento en televisión, etcétera, son oligopolios.

Entonces, en general, no parece que las fuerzas del mercado por sí mismas puedan resolver todos los asuntos de seguridad, ausencia de riesgo y valor de los consumidores. Las anomalías del mercado, que se caracterizan por una información inadecuada para el consumidor, decisiones irracionales por parte de los consumidores y mercados concentrados, debilitan los argumentos que tratan de demostrar que los mercados por sí mismos quizá proporcionen una protección adecuada a los consumidores. En su lugar, a estos los protegen estructuras legales del gobierno o iniciativas voluntarias de comerciantes responsables. Ahora, examinaremos varios puntos de vista acerca de las responsabilidades que tienen los negocios con respecto a los consumidores —perspectivas que forman la base de muchas de nuestras leyes de consumo y de crecientes llamados para que las compañías acepten la responsabilidad de proteger al consumidor.

Desde luego, queda claro que parte de la responsabilidad de los daños que sufren los consumidores debe residir en ellos mismos. Con frecuencia los individuos son descuidados al usar

**maximizador racional de la utilidad** Una persona que posee un conjunto bien definido y congruente de preferencias, y que sabe cómo afectarán sus decisiones personales a dichas preferencias.

---

*Repaso breve 6.3*

**Problemas con el enfoque de mercado que protege a los consumidores**
Supone que los mercados son perfectamente competitivos, pero no lo son porque:
- Los compradores no tienen la información adecuada cuando los productos son complejos y la información es costosa y difícil de encontrar.
- Los compradores a menudo son irracionales e incongruentes con respecto a la probabilidad del riesgo de los productos.
- Muchos mercados de consumo son monopolios u oligopolios.

los productos. Los que "hacen las cosas por sí mismos" utilizan sierras eléctricas sin protecciones o emplean líquidos inflamables cerca de llamas encendidas. A menudo la gente usa herramientas e instrumentos sin tener la habilidad, el conocimiento o la pericia para manejarlos.

Pero la responsabilidad de los consumidores es solo parte de la historia. Las lesiones también son el resultado de fallas en el diseño del producto, en los materiales con que están hechos o en los procesos que se utilizan para construirlos. Los defensores de los consumidores aseguran que, en la medida en la que los defectos de fabricación de los productos son fuente de lesiones, la obligación de disminuir al máximo las lesiones reside en el fabricante, porque este se encuentra en la mejor posición para conocer los peligros que plantea el producto y para eliminar los peligros durante la fabricación.

Entonces, ¿en dónde termina la obligación de los consumidores de proteger sus propios intereses y dónde inicia la responsabilidad del fabricante de proteger los intereses de los consumidores? Se han desarrollado tres teorías diferentes acerca de las obligaciones éticas de los fabricantes, cada una de las cuales destaca un equilibrio distinto entre las responsabilidades de los consumidores de protegerse a ellos mismos y las obligaciones del fabricante de proteger a los consumidores: la perspectiva del contrato, la perspectiva del "debido cuidado" y la perspectiva de los costos sociales. La perspectiva del contrato asigna mayor responsabilidad al consumidor, mientras que las perspectivas del debido cuidado y de los costos sociales consideran que el fabricante tiene la mayor responsabilidad. A continuación examinaremos cada perspectiva.

## 6.2 La perspectiva del contrato de las obligaciones de la compañía con los consumidores

**perspectiva del contrato de las obligaciones de la compañía con sus consumidores** La perspectiva de que la relación entre una compañía de negocios y sus clientes es básicamente de tipo contractual, y que las obligaciones morales que tiene la compañía con el cliente se crean por esta relación.

De acuerdo con la **perspectiva del contrato de las obligaciones de la compañía con sus consumidores**, la relación entre una compañía de negocios y sus clientes es en esencia de tipo contractual, y las obligaciones morales que tiene la compañía con el cliente crea esa relación.[22] Esta perspectiva sostiene que cuando un consumidor compra un producto, es él quien establece de manera voluntaria un "contrato de ventas" con la compañía. Por su parte, esta libre y deliberadamente acepta dar al consumidor un producto con ciertas características, y este a su vez, libre y deliberadamente acepta pagar cierta cantidad de dinero a la compañía por el producto. En virtud de la aceptación voluntaria de este acuerdo, la compañía entonces tiene la obligación de proporcionar un producto con tales características, y el consumidor cuenta con el derecho correlativo de recibir un producto que las posea.

La teoría contractual de las obligaciones de la compañía con sus clientes se basa en la idea de que un contrato es un acuerdo libre que impone en las partes la obligación básica de cumplir con los términos del acuerdo. Ya examinamos esta perspectiva (capítulo 2) y señalamos las dos justificaciones que da Kant: una persona tiene la obligación de hacer lo que se compromete a hacer, puesto que el incumplimiento de los términos de un contrato es una práctica que *a*) no se puede universalizar, y *b*) trata a la otra persona como un medio y no como un fin.[23] La teoría de Rawls también ofrece una justificación de la perspectiva, pero se basa en la idea de que nuestra libertad se amplía por medio del reconocimiento de los derechos y las obligaciones contractuales: un sistema impuesto por reglas sociales, que obliga a la gente a hacer lo que se compromete a hacer, le brinda la seguridad del cumplimiento de los contratos. Solo teniendo esta seguridad, la gente se sentirá capaz de confiar en la palabra del otro y, con este fundamento, asegurar los beneficios de la institución de los contratos.[24]

En el capítulo 2 también señalamos que los moralistas tradicionales argumentan que el acto de formar parte de un contrato está sujeto a varias limitaciones morales secundarias:

1. Ambas partes del contrato deben tener un conocimiento pleno de la naturaleza del acuerdo que realizan.
2. Ninguna de las partes de un contrato debe falsear de manera intencional los hechos de la situación contractual ante la otra parte.

**3.** Ninguna parte del contrato debe ser obligada a establecer el contrato bajo coacción o una influencia indebida.

Estas limitaciones secundarias se justificarían con el mismo tipo de argumentos que Kant y Rawls utilizan para la obligación fundamental de cumplir los propios contratos. Kant, por ejemplo, demuestra con facilidad que no se puede universalizar un engaño al establecer un contrato y Rawls argumenta que si el engaño no estuviese prohibido, el temor a sufrirlo haría que los miembros de una sociedad se sintieran menos libres de hacer contratos. Sin embargo, estas limitaciones secundarias también se justifican con base en que un contrato no existiría a menos que estas limitaciones se cumplan. Un contrato es en esencia un acuerdo libre que realizan dos partes.

Puesto que un acuerdo no existe a menos que ambas partes conozcan lo que están acordando, los contratos requieren de un conocimiento completo y de la ausencia de engaño. Puesto que la libertad implica la ausencia de coerción, los contratos se deben realizar sin coacción ni influencias indebidas.

Por lo tanto, la teoría contractual de las obligaciones de la compañía con los consumidores plantea que un negocio tiene cuatro obligaciones morales principales: la obligación básica de *a)* cumplir con los términos del contrato de ventas y las obligaciones secundarias de *b)* revelar la naturaleza del producto, *c)* evitar las distorsiones, y *d)* evitar el uso de la coacción e influencias indebidas. Al actuar de acuerdo con estas obligaciones, una compañía respeta el derecho de los consumidores a ser tratados como personas libres e iguales, es decir, conforme con su derecho de ser tratadas únicamente como han aceptado libremente a ser tratadas.

## La obligación de cumplir

La obligación moral fundamental que una compañía tiene con sus clientes, según la perspectiva del contrato, es la de ofrecer un producto que esté a la altura de las aseveraciones que esta hizo de manera expresa acerca del producto, las cuales condujeron a los clientes a realizar el contrato libremente, y conformaron el entendimiento de los clientes con respecto a lo que acordaron comprar. Por ejemplo, Winthrop Laboratories comercializó un analgésico que anunció como no adictivo. Posteriormente, un paciente que utilizaba el analgésico se volvió adicto a él, y poco tiempo después murió de una sobredosis. Un tribunal consideró a Winthrop Laboratories responsable de su muerte porque, a pesar de que había afirmado claramente que el medicamento no era adictivo, la compañía falló en su obligación de cumplir con esta aseveración contractual.[25] Como sugiere este ejemplo, el sistema legal de Estados Unidos incorpora la perspectiva moral de que las empresas están obligadas a cumplir las aseveraciones que expresan acerca de sus productos. Por ejemplo, el Uniform Commercial Code (Código de Comercio Uniforme), un conjunto de leyes que regula las transacciones comerciales y que ha sido total o parcialmente adoptado por los 50 estados de Estados Unidos, en su sección 2-314 establece que:

> Cualquier afirmación de hechos o promesa que el vendedor haga al comprador relacionada con los bienes y que pase a formar parte del convenio, crea la garantía expresa de que los bienes se deben ajustar a la afirmación o la promesa.

Además de las obligaciones que resulten de la afirmación expresa que hace un vendedor acerca del producto, la perspectiva del contrato también sostiene que este está obligado a cumplir con cualquier declaración implícita hecha deliberadamente acerca del producto. Por ejemplo, el vendedor tiene la obligación moral de proporcionar un producto que se pueda utilizar de manera segura para los propósitos de uso ordinarios y comunes que se le han hecho creer al cliente, confiando en el juicio del vendedor. Los vendedores están obligados moralmente a realizar cualquier cosa para que los compradores comprendan lo que les prometieron, puesto que en el punto de venta los vendedores deben aclarar cualquier malentendido que detecten.[26] Esta idea de un acuerdo implícito también está incorporada en la ley. Por ejemplo, la sección 2-315 del Uniform Commercial Code dice:

> Cuando al momento de contratar, el vendedor tiene razones para conocer cualquier propósito en particular para el cual se requieran los bienes, y el comprador confía en la pericia o capacidad de juicio del vendedor para seleccionar o proveer bienes apropiados, existe... una garantía implícita en el sentido de que los bienes se deben adecuar a dicho propósito.

Las afirmaciones implícitas o que exprese un vendedor acerca de las cualidades que posee el producto varían en diversas áreas y se ven afectadas por muchos factores. Frederick Sturdivant clasificó estas áreas en términos de cuatro variables: "la definición de calidad de producto que se emplea aquí es: el grado en que el desempeño de un producto cubre una expectativa predeterminada con respecto a (1) confiabilidad, (2) vida en servicio, (3) posibilidad de mantenimiento, y (4) seguridad".[27]

**confiabilidad** La probabilidad de que un producto funcione como el consumidor espera que lo haga.

**Confiabilidad** Las declaraciones de confiabilidad se refieren a la probabilidad de que un producto funcione como el consumidor espera que lo haga. Si un producto incorpora varios componentes interdependientes, entonces la probabilidad de que funcionen de forma adecuada es igual al resultado de multiplicar en conjunto la probabilidad de un buen funcionamiento de cada componente.[28] Por lo tanto, conforme el número de componentes de un producto se multiplica, el fabricante tiene la obligación correspondiente de asegurar que cada uno de ellos funcione de tal manera que el producto total sea tan confiable como se declara de forma implícita o expresa. Esto sucede especialmente cuando el mal funcionamiento implica riesgos para la salud o la seguridad. La U.S. Consumer Product Safety Commission lista cientos de ejemplos de riesgos por el mal funcionamiento de productos en sus publicaciones periódicas.[29]

**vida útil** El periodo durante el cual un producto funcionará de manera tan eficiente como el consumidor espera que funcione.

**Vida útil** Las afirmaciones concernientes a la vida de un producto se refieren al periodo durante el cual este funcionará de manera tan eficiente como el consumidor espera que funcione. Generalmente, el consumidor entiende de forma implícita que la vida útil dependerá de la cantidad de uso a la que someta el producto. Además, los consumidores también basan algunas de sus expectativas de la vida útil en las garantías explícitas que el fabricante anexa al producto.

Un factor más sutil que afecta la vida útil es la obsolescencia.[30] Los avances tecnológicos hacen que algunos productos se vuelvan obsoletos cuando aparece un producto nuevo que realiza las mismas funciones de manera más eficiente. Cambios únicamente en el estilo provocan que un producto del año anterior parezca anticuado y sea menos atractivo. La perspectiva del contrato implica que los vendedores que saben que cierto producto se volverá obsoleto, tienen la obligación de corregir cualquier creencia errónea que saben que los compradores se formarán con respecto a la vida útil que esperan del producto.

**mantenimiento** La facilidad con que un producto se repara y se mantiene en condiciones de operación.

**Mantenimiento** Las aseveraciones sobre el mantenimiento se refieren a la facilidad con que un producto se repara y se mantiene en condiciones de operación. A menudo las afirmaciones sobre el mantenimiento se plantean en forma de una garantía expresa. Whirlpool Corporation, por ejemplo, anexó la siguiente garantía expresa a uno de sus productos:

> Durante su primer año de propiedad, todas las partes del electrodoméstico (con excepción de las bombillas) que encontremos, sean defectuosas en su material o en su mano de obra, serán reparadas o reemplazadas por Whirlpool sin costo alguno, y pagaremos todos los gastos de la mano de obra. Durante el segundo año, continuaremos asumiendo la misma responsabilidad establecida anteriormente, con excepción de que usted pagará los gastos de mano de obra.[31]

No obstante, los vendedores a menudo también dan a entender que un producto puede ser reparado con facilidad incluso después de la fecha de vencimiento de una garantía expresa. Sin embargo, las reparaciones de los productos son costosas y hasta imposibles debido a la falta de disponibilidad de las refacciones.

**Seguridad del producto** Las declaraciones implícitas y expresas sobre la seguridad de un producto se refieren al grado de riesgo asociado con él. Puesto que el uso de prácticamente cualquier producto implica cierto grado de riesgo, las cuestiones de seguridad son en esencia cuestiones de los niveles de riesgo aceptables y conocidos. Es decir, un producto es seguro si se conocen sus riesgos y el comprador los considera "aceptables" o "razonables", en vista de los beneficios que espera derivar de su uso. Esto implica que los vendedores cumplen con su parte de un acuerdo libre si proporcionan un producto que implica solo los riesgos que dicen, y los compradores lo adquieren sabiéndolo.

Por ejemplo, la National Commission on Product Safety (Comisión Nacional de Seguridad de los Productos) describió un *riesgo razonable* en los siguientes términos:

> Los riesgos de daño físico para los usuarios no son excesivos cuando los consumidores comprenden que el riesgo existe, cuando evalúan su probabilidad y gravedad, cuando saben cómo enfrentarlos y cuando los aceptan voluntariamente para obtener los beneficios que no podrían recibir de formas menos riesgosas. Cuando existe un riesgo de este tipo, los consumidores tienen una oportunidad razonable de protegerse a sí mismos; y las autoridades públicas deben dudar en sustituir sus juicios de valor acerca de la conveniencia del riesgo para aquellos clientes que eligen incurrir en él. Sin embargo, el riesgo evitable no es razonable (a) cuando los consumidores no saben que existe, o (b) aun cuando conozcan su existencia, los consumidores son incapaces de estimar su frecuencia y gravedad, o (c) cuando los consumidores no saben cómo enfrentarlo y, por lo tanto, tienen probabilidades de sufrir daños de forma innecesaria, o (d) cuando el riesgo es innecesario, ya que se podría reducir o eliminar a un costo monetario o en el desempeño del producto al que los consumidores incurrirían de forma voluntaria si conocieran los hechos y se les hubiera permitido elegir.[32]

De esta manera, el vendedor (según la teoría del contrato) tiene la obligación moral de proporcionar un producto cuyo uso implique riesgos no mayores de aquellos que comunica de forma expresa al comprador, o de aquellos que el vendedor comunica de manera implícita por medio de las aseveraciones hechas al comercializar el producto para un uso cuyo nivel normal de riesgo es bien conocido. Por ejemplo, si la etiqueta en una botella solo indica que los contenidos son muy tóxicos ("peligro: veneno"), el producto no debe representar un riesgo adicional de inflamabilidad. Si una compañía fabrica y vende esquíes, el uso de ellos no debe contener ningún otro riesgo adicional esperado que los ya conocidos de practicar el esquí (por ejemplo, no debe existir la posibilidad añadida de ser herido por astillas si los esquíes se rompen). En suma, los vendedores tienen la obligación de ofrecer un producto con un nivel de riesgo que no rebase el que ellos afirman expresa o implícitamente que existe, y que los consumidores se comprometen libre y deliberadamente a asumir.

## La obligación de informar

No es posible establecer un acuerdo a menos que las partes que lo forman sepan lo que están haciendo y elijan hacerlo de manera libre. Esto implica que el vendedor que trata de hacer un contrato con un cliente tiene la obligación de revelarle exactamente lo que está comprando y las condiciones de la venta. Como mínimo, esto significa que los vendedores están obligados a informar al comprador acerca de cualquier característica del producto que pueda afectar su decisión de comprarlo. Por ejemplo, si el producto que el consumidor está comprando posee un defecto que conlleva un riesgo para la salud o la seguridad del usuario, el comprador debe ser informado de ello. Algunas personas han argumentado que los vendedores también deben revelar los componentes o ingredientes del producto, sus características de desempeño, costos de operación, evaluación del producto y cualquier otra norma aplicable.[33]

Detrás de la afirmación de que para establecer un contrato de venta se requiere de una revelación completa, subyace la idea de que un acuerdo es libre solo en el grado en el cual se

*Repaso breve 6.4*

**Obligaciones morales con los consumidores según la teoría del contrato**

- Obligación de cumplir con las declaraciones expresas o implícitas de confiabilidad, vida útil, mantenimiento y seguridad.
- Obligación de informar.
- Obligación de evitar distorsiones.
- Obligación de no coaccionar.

conozcan las alternativas disponibles: la libertad depende del conocimiento. Cuanto más sepa el comprador acerca de los diversos productos que están disponibles en el mercado y más comparaciones haga entre ellos, se puede decir que el acuerdo del comprador es voluntario.[34]

Sin embargo, la idea de que los vendedores deben proporcionar una gran cantidad de información a los compradores ha sido criticada con base en que la información es costosa y, por lo tanto, se debe tratar como un producto por el que el consumidor debe pagar, o bien, prescindir de ella. En resumen, los consumidores se deben comprometer de manera libre a comprar información así como lo hacen para comprar bienes, y los productores no están obligados a proporcionarla.[35] El problema de esta crítica es que la información en la que la persona fundamenta la decisión de establecer un contrato es una entidad que difiere mucho del producto que se intercambia por medio del contrato. Puesto que un contrato se debe hacer de forma libre, y la libertad de elección depende del conocimiento, las transacciones por contrato se deben basar en un intercambio abierto de información. Si los consumidores necesitan negociar este tipo de información, el contrato resultante no sería libre.

## La obligación de evitar falsificaciones

La falsificación, aún más que la falta de información, hace que la libertad de elección sea imposible. Es decir, la falsificación es coercitiva: el individuo al que se confunde de forma intencional actúa como el falseador desea que actúe, y no como hubiera elegido actuar de manera libre si conociera la verdad. Puesto que la libre elección es un ingrediente esencial de un contrato obligatorio, es incorrecto falsificar de forma intencional la naturaleza de un producto.

Los vendedores falsifican un producto cuando lo representan de una forma que busca de manera intencional engañar al comprador para que piense algo acerca de él, que el vendedor sabe que es falso. El engaño se crea por medio de una mentira verbal, como sucede cuando un modelo usado se describe como nuevo, o a través de una demanda, como sucede cuando un modelo usado sin marca se exhibe junto con varios modelos nuevos. Es decir, el intento deliberado de engañar mediante una implicación falsa es tan incorrecto como la mentira explícita.

La diversidad de falsedades parece estar limitada solo por la ingenuidad de la codicia que las crea.[36] Un fabricante de *software* o *hardware* para computadoras podría comercializar un producto que sabe que contiene "virus", sin informar a los compradores; un fabricante podría asignar un nombre a un producto, pues sabe que los consumidores lo confundirán con la marca de un producto de mayor calidad de la competencia; podría indicar que una prenda está hecha de *lana* o *seda*, cuando en realidad es de algodón; podría poner un "precio normal" ficticio en un artículo que siempre se vende a un precio "de descuento" mucho más bajo; un negocio podría anunciar un precio inusualmente bajo para un producto que la compañía en realidad intenta vender a un precio mucho mayor una vez que el consumidor entra a la tienda; una tienda podría anunciar un artículo a un precio inusualmente bajo, con la intención de poner una carnada al comprador incauto y dirigirlo hacia un producto más costoso; y un productor podría solicitar "testimonios" pagados de profesionales que nunca han utilizado realmente el producto. Los vendedores pueden ser increíblemente creativos. Analizaremos nuevamente algunos de estos temas cuando estudiemos la publicidad.

## La obligación de no coaccionar

La gente a menudo actúa de forma irracional cuando está bajo la influencia del miedo o la tensión emocional. Cuando un vendedor se aprovecha del miedo o la tensión emocional de un comprador para obtener el consentimiento para hacer un acuerdo que no haría si estuviera pensando de manera racional, el vendedor utiliza la coacción o influencias indebidas de coerción. Por ejemplo, el director sin escrúpulos de una funeraria induciría hábilmente a los deudos afligidos y con sentimientos de culpa a invertir en servicios funerarios que les es imposible pagar. Puesto que la participación en un contrato requiere del libre consentimiento, el vendedor está obligado a evitar la explotación de estados emocionales que puedan inducir a los compradores a actuar de manera irracional en contra de sus propios intereses. Por similares razones, el vendedor también tiene la obligación de evitar aprovecharse de la ingenuidad, la inmadurez, la ignorancia o cualquier otro factor que reduzca o elimine la capacidad del comprador para tomar decisiones racionales libres.

## Problemas con la teoría del contrato

Las principales objeciones a la teoría del contrato se enfocan en los supuestos irreales en los que esta se basa. Primero, los críticos argumentan que la teoría supone, de forma poco realista, que los fabricantes establecen acuerdos directos con los consumidores. Nada hay más alejado de la verdad.

Normalmente, existe una serie de mayoristas y detallistas entre el fabricante y el consumidor final. El fabricante vende el producto al mayorista, el cual lo vende al detallista quien, a su vez, lo vende finalmente al consumidor. El fabricante nunca entra en contacto directo con el consumidor. Entonces, ¿cómo podemos decir que los fabricantes tienen obligaciones contractuales con el consumidor?

Los partidarios de la perspectiva del contrato sobre las obligaciones del fabricante han tratado de responder a esa crítica argumentando que los fabricantes establecen acuerdos *indirectos* con los consumidores. Los fabricantes promueven sus productos por medio de sus propias campañas publicitarias. Los anuncios plantean las promesas que provocan que la gente compre productos de los detallistas, quienes funcionan solo como "conductos" para los productos del fabricante. En consecuencia, por medio de estos anuncios el fabricante forja una relación contractual indirecta no solo con los detallistas inmediatos que adquieren el producto del fabricante, sino también con los consumidores finales de este. La aplicación más famosa de esta doctrina de relaciones contractuales indirectas extensas se encuentra en la decisión de un tribunal en el caso *Henningsen contra Bloomfield Motors*.[37] La señora Henningsen conducía un Plymouth nuevo cuando de forma repentina escuchó que algo se rompía; el volante giró sin control, el automóvil viró a la derecha y chocó contra un muro de ladrillo. La señora Henningsen demandó al fabricante, Chrysler Corporation. La opinión del tribunal fue la siguiente:

En la situación actual el hombre común, al responder al asedio de la publicidad llena de color, no tiene la oportunidad ni la capacidad de inspeccionar o determinar el buen estado de un automóvil. Él debe confiar en el fabricante, el cual tiene control sobre su construcción y, en cierto grado, en el distribuidor que, con el limitado alcance de las instrucciones del fabricante, lo inspecciona y da servicio antes de la entrega. En un ambiente de mercado como este, sus soluciones y las de las personas que reclaman en conformidad por medio de él, no deben depender "de las complejidades de la ley de ventas. La obligación del fabricante no se debe basar únicamente en la relación legal de un contrato [es decir, en una relación contractual directa], debe descansar en 'las demandas de la justicia social', como se planteó" en *Mazetti contra Armous & Co.* (1913). Entonces, "si se requiere de la relación legal de un contrato", en las circunstancias del comercio moderno, "la relación legal de un contrato existe en la conciencia y el entendimiento de todas las personas pensantes...". Por consiguiente, sostenemos que en las condiciones modernas de marketing, cuando un fabricante coloca un automóvil nuevo en el flujo comercial, y promueve su compra entre el público, la garantía implícita de que es razonablemente adecuado para utilizarse como tal lo acompaña hasta llegar a manos del comprador final.

Con esos argumentos, se determinó al fabricante de automóviles responsable de las lesiones de la señora Henningsen y con base en que su publicidad había creado una relación contractual con ella, y que este contrato creó una "garantía implícita" con respecto al automóvil, que el fabricante tenía la obligación de cumplir.

Una segunda crítica a la teoría del contrato se enfoca al hecho de que un contrato es una espada de dos filos. Si un consumidor de manera libre acuerda la compra de un producto con

*Repaso breve 6.5*

**Problemas con la teoría del contrato**
- Supone que los fabricantes de los productos tratan directamente con los compradores, pero no lo hacen; sin embargo, los anuncios del fabricante constituyen un tipo de promesa directa para los consumidores.
- Los vendedores pueden eliminar todas sus obligaciones hacia los compradores al hacer que acepten sus exenciones de responsabilidad.
- Supone que el consumidor y el vendedor participan como iguales, pero el vendedor tiene más conocimiento, por tanto, el comprador debe depender del vendedor.

ciertas características, también lo puede hacer sin las mismas. Es decir, la libertad de estable-cer un contrato permite que un fabricante se libere de obligaciones contractuales al desconocer de forma explícita si el producto es confiable, utilizable, seguro, etc. Muchos fabricantes es-tablecen este tipo de extensión de responsabilidades en sus productos. De hecho, el Uniform Commerce Code (Código de Comercio Uniforme), lo estipula en la sección 2-316:

*a*) A menos que las circunstancias indiquen otra cosa, todas las garantías implíci-tas se excluyen por medio de expresiones como "tal como está", "con todos los defectos" u otro lenguaje que en la comprensión común dirija la atención del comprador a la exclusión de garantías y establezca claramente que no existen, y

*b*) Cuando el comprador, antes de establecer el contrato, haya examinado los bie-nes, la muestra o el modelo tan plenamente como lo desee, o bien haya rehu-sado examinar los bienes, no existe una garantía implícita con respecto a los defectos que debieron manifestarse con el examen.

Por lo tanto, la perspectiva del contrato implica que si el consumidor tiene una oportunidad amplia de examinar el producto y el fabricante niega cualquier responsabilidad y de todos mo-dos decide adquirirlo de forma voluntaria, asume la responsabilidad de los defectos que el fabri-cante revele, así como de cualquier defecto que el cliente ignore por descuido. La exención de responsabilidades nulifica de manera efectiva todas las obligaciones contractuales del fabricante.

Una tercera objeción a la teoría del contrato critica el supuesto de que el comprador y el vendedor participan como iguales en el acuerdo de ventas. La teoría del contrato supone que los compradores y los vendedores poseen las mismas habilidades para evaluar la calidad de un producto, y que los compradores son capaces de proteger de forma adecuada sus intereses en contra del vendedor. Es el supuesto de que se incorpora el requisito de participar en los con-tratos de forma libre y deliberada: las dos partes deben saber lo que están haciendo y ninguna de ellas debe ser obligada a hacerlo. Esta igualdad entre comprador y vendedor, que supone la teoría contractual, deriva de la ideología de "dejar hacer" (*laissez-faire*) que acompañó al desa-rrollo histórico de la teoría del contrato.[38] La ideología del *laissez-faire* clásica sostenía que los mercados económicos son competitivos y que en ellos el poder de negociación del consumi-dor es igual al del vendedor. La competencia obliga a este a ofrecer al consumidor términos tan buenos o mejores de los que podría obtener de otros vendedores de la competencia, por lo que el comprador tiene la facultad de plantear que hará negocios con otros vendedores. Debido a esta igualdad entre comprador y vendedor, es justo que cada parte intente regatear, e injusto el imponer restricciones a cualquiera de los dos. En la práctica, esta ideología de dejar hacer dio origen a la doctrina de *caveat emptor*: dejar que el comprador se haga cargo.

De hecho, los vendedores y los compradores no exhiben la igualdad que estas doctrinas suponen. El consumidor que debe adquirir cientos de tipos diferentes de productos no es tan conocedor como el fabricante que se especializa en la fabricación de uno solo y que cuenta con mayor poder de negociación. Los consumidores carecen de la experiencia y del tiempo para adquirir y procesar la información en la que deben basar sus decisiones de compra. En con-secuencia, los consumidores generalmente se deben basar en los juicios del vendedor al to-mar sus decisiones de compra, y son especialmente vulnerables al resultar perjudicados. La igualdad, lejos de ser la regla como supone la teoría del contrato, suele ser la excepción.

## 6.3 La teoría del debido cuidado

La **teoría del "debido cuidado" de las obligaciones del fabricante con los consumi-dores** se basa en la idea de que consumidores y vendedores no participan como iguales, y de que los intereses de los primeros se vulneran cuando los segundos los perjudican, ya que estos además cuentan con los conocimientos y la experiencia de los que carece el con-sumidor. Puesto que los fabricantes se encuentran en una posición aventajada, tienen la

**teoría del "debido cuidado" de las obligaciones de los fabricantes con los consumidores** La perspectiva plantea que, puesto que los fabricantes se encuentran en una posición de ventaja, tienen la obligación de asegurar especialmente que los intereses de los consumidores no se vean perjudicados por los productos que les ofrecen.

obligación de asegurarse especialmente de que los intereses de los consumidores no se vean perjudicados por los productos que les ofrecen. La doctrina de *caveat emptor* se sustituye aquí con una versión débil de la doctrina de *caveat vendor*: dejar que el vendedor se haga cargo. La decisión del tribunal de Nueva York describió claramente la posición aventajada del fabricante y la consecuente vulnerabilidad del consumidor:

**caveat emptor** Dejar que el comprador se haga cargo.

> Hoy como nunca antes, el producto en manos del consumidor con frecuencia es un artículo más sofisticado e incluso misterioso. No solo suele surgir como una unidad sellada con un atractivo exterior, y no como un ensamble visible de partes componentes, sino que su validez funcional y su utilidad a menudo dependen de la aplicación de principios electrónicos, químicos o hidráulicos que rebasan los conocimientos del consumidor típico. Los avances en las tecnologías de materiales, procesos y medios operativos han puesto casi fuera del alcance de los consumidores la comprensión del por qué o cómo opera el artículo, e incluso ha quedado más lejos de su alcance la detección de un defecto o peligro presente en su diseño o fabricación. En el mundo de hoy, a menudo solo se dice con certeza que el fabricante sabe y entiende cuando un artículo está diseñado de forma adecuada y segura para el propósito previsto. Una vez en el mercado, muchos artículos, en un sentido práctico muy real, desafían la detección de defectos, excepto quizás en las manos de un experto después de desmontarlo de manera laboriosa e incluso destructiva. Como un ejemplo directo, ¿cuántos compradores o usuarios de automóviles saben cómo opera o cómo se supone que debe operar el mecanismo de una dirección hidráulica, con su "funcionamiento circular y ensamblado de pistones, y su eje de cruz ensamblado en el brazo de Pitman"? De este modo, en lo que concierne al aspecto operativo de los productos actuales, nos convencen de que desde el punto de vista de la justicia, la responsabilidad debe recaer en el fabricante, sujeta a las limitaciones que establecemos.[39]

**caveat vendor** Dejar que el vendedor se haga cargo.

Por lo tanto, la perspectiva del "debido cuidado" plantea que, puesto que los consumidores deben depender de la mayor experiencia del fabricante, este último no solo cuenta con la obligación de entregar un producto que cumpla con las declaraciones expresas e implícitas hechas sobre él, sino también está obligado a ejercer el debido cuidado para evitar que otras personas resulten lastimadas por usar el producto, incluso si el fabricante se libera explícitamente de esa responsabilidad y el comprador está de acuerdo con ello. El fabricante viola esa obligación y es negligente cuando no tiene el cuidado que una persona razonable podría haber considerado necesario para evitar que otros individuos fueran dañados por el uso del producto. El debido cuidado debe formar parte del diseño del producto, de la elección de materiales confiables para construirlo, del proceso de fabricación implicado en su ensamble, del control de calidad que se realiza para aprobar y supervisar la producción, y de las advertencias, etiquetas e instrucciones anexas a él. En cada una de estas áreas, según la perspectiva del debido cuidado, el fabricante, en virtud de su mayor experiencia y conocimientos, tiene la obligación positiva de hacer lo que sea necesario para asegurarse de que cuando el producto abandone la planta sea lo más seguro posible, y el cliente cuenta con el derecho a este tipo de seguridad. El hecho de no ejercer ese cuidado constituye una violación a la obligación moral de ejercerlo y una violación al derecho que posee la persona perjudicada de esperar recibirlo: un derecho que reside en la necesidad que tiene el consumidor de confiar en la experiencia del fabricante.

El respetado especialista en administración Edgar Schein bosquejó los elementos básicos de la teoría del "debido cuidado" cuando hizo notar que "la *vulnerabilidad del cliente* es lo que obliga al desarrollo de códigos morales y éticos para la relación" entre un profesional y su cliente. Un profesional, como un abogado, un médico, un agente inmobiliario o un ingeniero, tienen el conocimiento y la experiencia que ejercen en el interés de su cliente, y este tiene que confiar en el profesional para proteger y promover esos intereses. Pero esto le hace vulnerable a ser explotado por el profesional con más conocimientos. Schein afirma que esta vulnerabilidad lleva al desarrollo de códigos profesionales de ética que imponen en los profesionales la

# Las empresas tabacaleras y la seguridad del producto

El 28 de junio de 2010, llegó finalmente a su término un gigantesco caso legal que había comenzado 10 años antes. El caso *EE.UU.* vs *Philip Morris et al.*, enfrentó al Departamento de Justicia (DJ) de Estados Unidos contra Philip Morris y otras ocho empresas tabacaleras, e hizo pedir al DJ que se obligara a las empresas a "devolver" y entregar al gobierno los cientos de miles de millones de dólares que habían ganado desde 1953. El DJ argumentaba que desde ese año las empresas habían conspirado para engañar al público acerca de los riesgos del cigarrillo y su naturaleza adictiva, y de esa forma habían operado como empresas fuera de la ley como queda definido en la Ley de Organizaciones Corruptas e Influidas por Estafadores (Racketeer-Influenced and Corrupt Organizations Act, RICO), que requiere que las empresas condenadas "devuelvan" las ganancias que hayan obtenido. El Departamento de Justicia afirmó que en 1953 las compañías se reunieron en Nueva York y formaron un grupo llamado Tobacco Industry Research Commitee (TIRC, Comité de investigación de la industria tabacalera), que inició una "conspiración para negar que el tabaquismo causaba enfermedades y para sostener que como causante de enfermedades era una 'cuestión abierta' a pesar de tener conocimientos reales de que provoca enfermedades". En la década de 1950, a pesar de que se publicaron investigaciones que demostraban que el tabaquismo provoca cáncer, el grupo gastó millones de dólares en publicidad en la que afirmó que "no hay prueba de que fumar cigarrillos sea una de las causas" del cáncer pulmonar. Por ejemplo, uno de los anuncios prácticamente gritaba: "¡Muchos médicos fuman Camels más que cualquier otro cigarrillo! A médicos familiares, cirujanos, especialistas en diagnósticos, especialistas en oídos, nariz y garganta, médicos de todas las ramas de la medicina… a un total de 113,597 médicos se les hizo la pregunta: '¿Qué cigarrillos fuma?' y la mayoría respondió Camels como el que fumaban ¡más que cualquier otra marca! Tres grupos de investigación independientes mostraron que esto es un hecho".

Desde la década de 1960 y hasta la de 1990, el grupo anunció que "no se ha establecido una relación de causa y efecto entre el tabaquismo y las enfermedades". De acuerdo con la evidencia del Departamento de Justicia las compañías anunciaban que la nicotina no es adictiva, incluso mientras ellas "controlaban el contenido de nicotina de los cigarros para poder hacer adictos a nuevos usuarios". El Departamento de Justicia también aseveró que las compañías "hicieron investigaciones para saber cómo dirigir su marketing a los niños y comercializaron los cigarros activamente hacia ellos". Por último, el Departamento manifestó que, mientras que las compañías tenían la obligación de probar su producto, de diseñar un producto seguro y de advertir a los usuarios de todos los peligros, en su lugar no hicieron investigaciones y trataron de eliminar las ya hechas sobre los riesgos del tabaquismo, comercializaron un producto por el que mueren de 400,000 a 500,000 estadounidenses al año. Y no fue sino hasta 1969 que se les obligó a hacerlo; sin embargo, antes no advertían a los fumadores del riesgo para la salud y de la naturaleza adictiva de fumar y convirtieron a los niños sus objetivos de mercado, quienes no son capaces de evaluar de manera adecuada los verdaderos riesgos de fumar. En 2006, en una opinión de 1,652 páginas, la juez Gladys Kessler de la Corte Distrital de EE.UU. para el Distrito de Columbia, estableció que el DJ había probado completamente su caso en contra de las empresas tabacaleras. Sin embargo, se pronunció contra la demanda del DJ de que las empresas tabacaleras debían ser obligadas a devolver todas las ganancias que habían obtenido, por conspirar para engañar y dañar al público desde 1953; en lugar de ello, estableció que las empresas solo debían ser "advertidas y restringidas" con respecto a "cometer futuras violaciones a la RICO".

Casi de inmediato, después de la decisión de la juez, tanto el DJ como las empresas tabacaleras apelaron su decisión ante la Suprema Corte de Estados Unidos. Cuatro años más tarde, el 28 de junio de 2010, la Suprema Corte decidió que la sentencia de la juez no debía ser revocada y, por lo tanto, rechazó las apelaciones, finalizando así el caso después de varias décadas.

1. Si las reclamaciones del DJ son ciertas, como lo determinó la juez Gladys Kessler, ¿qué implican las tres teorías de los deberes de los fabricantes con respecto a las obligaciones éticas de las empresas tabacaleras y el grado en el que estas las deben cumplir?

2. ¿Debieron obligar a las tabacaleras a devolver las utilidades que habían obtenido por su "conspiración"?

obligación ética de usar sus habilidades solo para servir y proteger los intereses de sus clientes. Pero el consumidor está igualmente "en una posición relativamente vulnerable" en relación con el administrador de una compañía a la que le compra productos, dado que carece de la experiencia para evaluar adecuadamente el producto. Los administradores poseen "conocimientos y habilidades" que ejercen en nombre del consumidor y pueden usarlos para aprovecharse de la falta de experiencia del consumidor vulnerable. Por lo tanto, argumenta Schein, los administradores, al igual que los profesionales, deben contraer la obligación ética de usar sus conocimientos y habilidades para servir y proteger los intereses del consumidor vulnerable.[40]

Desde luego, la perspectiva del debido cuidado se basa en el principio de que los agentes tienen la obligación moral de no perjudicar o lesionar a otras partes con sus actos, y que esta obligación es especialmente rigurosa cuando las otras partes son vulnerables y dependen del juicio del agente. Este principio se sustenta desde muy diversas perspectivas morales, aunque queda implícito con mayor claridad en los requisitos de una ética del cuidado. De hecho, el principio se desprende casi de inmediato del requisito de que debemos cuidar del bienestar de aquellos con quienes mantenemos una relación especial, en particular una relación de dependencia, como un niño con su madre. Asimismo, una ética del cuidado impone la condición de que debemos examinar cuidadosamente las necesidades y las características específicas de la persona con quien sostenemos una relación especial para asegurarnos de que el cuidado  responda a sus necesidades y cualidades particulares. Como podemos ver, el énfasis en el examen cuidadoso de las necesidades y las características específicas de la parte vulnerable también es un elemento explícito y sumamente importante de la perspectiva del debido cuidado.

Aunque las demandas de una ética de este tipo se adhieren al principio del debido cuidado de que los fabricantes cuentan con la obligación de proteger a los consumidores vulnerables, el principio también se ha defendido desde otras perspectivas morales. Quienes apelan a la regla utilitaria defienden el principio con base en que si la regla se acepta, se anticipará el bienestar de todos.[41] El principio se ha defendido con base en la teoría de Kant, ya que aparentemente se deduce del imperativo categórico de que a la gente se le debe tratar como un fin y no como un medio, es decir, que posee el derecho positivo de recibir ayuda cuando no puede ayudarse a sí  misma.[42] Rawls argumenta que los individuos en la "posición original" estarían de acuerdo con el principio, ya que proporciona la base para un entorno social seguro.[43] Por lo tanto, el criterio de que los productores individuales tienen la obligación de no dañar o perjudicar a las partes vulnerables es sólido desde varias perspectivas éticas.

## La obligación de ejercer el debido cuidado

Según la teoría del debido cuidado, los fabricantes tienen el suficiente cuidado solo cuando, después de investigar la forma en que se empleará el producto y después de tratar de anticipar cualquier posible mal uso, toman las medidas adecuadas para evitar cualquier efecto dañino que anticipen que su uso pueda causar en los consumidores. Por lo tanto, un fabricante no es moralmente negligente cuando, por usar un producto, se provoca un daño a las personas que el fabricante no pudo prever o evitar. Un fabricante tampoco es moralmente negligente después de haber tomado todas las medidas razonables para proteger al consumidor y asegurarse de que esté informado de cualquier riesgo inamovible que aún pueda acompañar el uso del producto. Por ejemplo, un fabricante de automóviles no es considerado negligente, desde un punto de vista moral, cuando las personas hacen un mal uso de los automóviles que produce. Solo sería moralmente negligente si permitiera que hubiera peligros excesivos en el diseño del automóvil, es decir, peligros que los consumidores no puedan conocer o esperar o de los que no se puedan proteger al tomar sus propias medidas precautorias.

¿Qué responsabilidades específicas impone al productor la obligación de ejercer el debido cuidado? En general, las responsabilidades del productor se aplicarían en las siguientes tres áreas:[44]

**Diseño**  El fabricante debe averiguar si el diseño de un artículo conlleva algún peligro, si incluye todos los dispositivos de seguridad posibles, y si usa materiales que sean adecuados para los propósitos que el producto se supone debe servir. El fabricante es responsable de estar profundamente familiarizado con el diseño del artículo y de realizar las suficientes investigaciones y pruebas exhaustivas para descubrir cualquier riesgo que implique el uso en distintas condiciones.

Esto exige investigar a los consumidores y analizar su comportamiento, probar el producto en distintas condiciones de uso de los consumidores y seleccionar materiales lo suficientemente resistentes para pasar la prueba de todos los usos posibles. Cuando se diseña un artículo, también es necesario analizar y tomar en cuenta los aspectos del envejecimiento y el uso.

Al determinar qué precauciones se deben incorporar a un producto, el fabricante también debe considerar las capacidades de las personas que lo utilizarán. El fabricante debe ser más cuidadoso si anticipa que personas inmaduras, con deficiencia mental o con muy poca experiencia usen un producto dado que por sus condiciones no se pueden dar cuenta de los peligros relacionados con el uso del producto, tal y como lo harían los usuarios esperados con una inteligencia y prudencia normales. Por ejemplo, no se espera que los niños se den cuenta de los peligros que supone el empleo de equipo eléctrico. En consecuencia, si un fabricante anticipa que un artículo eléctrico podría ser utilizado por niños, debe tomar medidas para asegurarse de que una persona con la mentalidad de un niño no resulte dañada por usar el producto.

**Producción**  El gerente de producción debe controlar el proceso de fabricación para eliminar cualquier artículo defectuoso, identificar cualquier debilidad que se observe durante la producción y asegurarse de que no se utilicen atajos, que no se sustituyan materiales débiles ni se realicen otras medidas de ahorro durante la fabricación, que pudieran comprometer la seguridad del producto final. Para asegurar esto, se necesitan controles de calidad adecuados de los materiales que se usarán para fabricar el producto y en las distintas etapas de fabricación.

**Información**  El fabricante debe fijar etiquetas, avisos o instrucciones al producto, que adviertan al usuario de todos los peligros relacionados con su uso o su mal uso, y que le permitan protegerse de forma adecuada contra daños y lesiones. Estas instrucciones deben ser claras y sencillas, y la advertencia de cualquier peligro relacionado con el empleo o mal empleo del producto también debe ser clara, sencilla y destacada. En el caso de los medicamentos, los fabricantes están obligados a advertir a los médicos de cualquier riesgo o efecto colateral peligroso que hayan revelado las investigaciones o su uso prolongado. Si el fabricante intenta ocultar o restar importancia a los peligros relacionados con el uso de medicamentos, a esto se le considera el incumplimiento de una obligación. Una compañía no se debe oponer a la reglamentación de la venta de un producto cuando es el único medio eficaz para asegurar que los usuarios estén completamente conscientes de los riesgos que su utilización implica.

Si los posibles efectos dañinos del uso de un producto son graves o no se comprenden de forma adecuada sin una opinión experta, entonces se debe controlar de manera cuidadosa la venta del producto. Los productos no se deben comercializar a usuarios que no posean la capacidad de entender sus peligros o que no sean capaces de protegerse a sí mismos en contra de los riesgos o que sean incapaces de usar el producto de manera segura.

### Problemas con el "debido cuidado"

El problema básico que surge de la teoría del "debido cuidado" es que no existe un método claro para determinar cuando alguien ha tenido "debido cuidado" suficiente. Es decir, no existe una regla estricta para determinar qué tan lejos debe llegar la compañía para verificar la seguridad de sus productos. Algunos autores han propuesto la siguiente regla práctica general: cuanto mayor sea la probabilidad de un daño y más grande la población que lo sufriría, la compañía está obligada a hacer más. Sin embargo, esto no resuelve algunos problemas importantes. Todo producto implica al menos algún pequeño riesgo de lesión. Si el fabricante debiera tratar de eliminar incluso los riesgos de bajo nivel, esto le exigiría invertir tanto en cada producto, que su precio estaría fuera del alcance de la mayoría de los consumidores.

Asimismo, incluso el intento de equilibrar un alto riesgo con los costos añadidos conlleva problemas de medición; por ejemplo, ¿cómo se cuantifican los riesgos para la salud y la vida?

Un segundo problema que surge de la teoría del "debido cuidado" es que supone que el fabricante descubriría los riesgos que se relacionan con el uso de un producto antes de que el consumidor lo compre y lo utilice. De hecho, en una sociedad tecnológicamente innovadora, continuamente se introducirán en el mercado nuevos productos cuyos efectos no aparecerían hasta que han pasado años o décadas. Por ejemplo, solo años después de que miles de personas utilizaron y se expusieron al asbesto, surgió una correlación entre la incidencia de cáncer y la exposición a este material. Aun cuando los fabricantes tienen mayor experiencia que los consumidores, esto no los hace omniscientes. Entonces, ¿quién debe asumir los costos de las lesiones que se provocan al usar productos cuyos efectos son desconocidos para los fabricantes y los consumidores de antemano?

En tercer lugar, para algunos la perspectiva del "debido cuidado" es paternalista: supone que el fabricante debe ser el indicado para tomar decisiones importantes para el consumidor, al menos con respecto a los niveles de riesgo apropiados para este. Uno se pregunta si este tipo de decisiones corresponde a la libre elección de los consumidores, quienes deben decidir por sí mismos si están dispuestos a pagar por una reducción adicional de los riesgos.

*Repaso breve 6.7*

**Problemas con la teoría del debido cuidado**
- No limita lo que el productor debe gastar para eliminar el riesgo.
- No indica quién debe pagar por las lesiones que se producen al usar el producto y que no se previeron.
- Coloca al productor en una posición paternalista de decidir cuánto riesgo es el mejor para los consumidores.

## 6.4 La perspectiva de los costos sociales de las obligaciones del fabricante

Una tercera teoría de las obligaciones del fabricante extendería dichas obligaciones más allá de las que imponen las relaciones contractuales y más allá de las que imponen la obligación de ejercitar el debido cuidado para evitar lesiones o daños. Esta tercera teoría, la **perspectiva de los costos sociales de las obligaciones del fabricante con los consumidores**, plantea que un fabricante debe pagar los costos de lesiones que produzca cualquier defecto en el producto, incluso cuando haya ejercido todo el debido cuidado en el diseño de fabricación y haya tomado todas las precauciones razonables para advertir a los usuarios de todos los riesgos previstos. Según esta teoría, un fabricante tiene la obligación de asumir los riesgos incluso de las lesiones que producen los defectos en el producto que nadie pudo prever o eliminar de manera razonable. La teoría es una versión fuerte de la doctrina de *caveat vendor*: dejar que el vendedor se encargue.

Esta tercera teoría, que ha formado la base de la doctrina legal de la ***responsabilidad estricta***, se fundamenta en argumentos utilitaristas.[45] Estos sostienen que los costos "externos" de las lesiones que se provocan por defectos inevitables en el diseño de un artefacto, forman parte de los costos que debe pagar la sociedad por producirlo y usarlo. Al hacer que el fabricante asuma los costos externos que resultan de estas lesiones, así como los costos internos ordinarios del diseño y la fabricación, todos los costos se internalizan y se suman al precio del producto. Al internalizar todos los costos de esta forma, según los partidarios de esta teoría, se origina un uso más eficiente de los recursos de la sociedad. Primero, puesto que el precio reflejará todos los costos de producción y uso del artefacto, las fuerzas del mercado garantizarán que el artículo no se produzca en exceso y que no se desperdicien recursos en él (si algunos costos no se incluyeron en el precio, entonces los fabricantes tienden a producir más de lo necesario). Segundo, puesto que los fabricantes deben pagar el costo de las lesiones, estarán más motivados a tener mayor cuidado y, por lo tanto, a reducir el número de accidentes. Por consiguiente, los fabricantes se esforzarán por reducir los costos sociales de las lesiones, lo que implica un cuidado más eficiente de nuestros recursos humanos. Así pues, para producir los mayores beneficios posibles a partir de nuestros limitados recursos, los costos sociales de las lesiones que se producen

**perspectiva de los costos sociales de las obligaciones del fabricante con los consumidores** La perspectiva de que un fabricante debe pagar los costos de cualquier lesión que provoca cualquier defecto del producto, aun cuando haya tenido todo el debido cuidado en su diseño, fabricación y comercialización, y las lesiones no se previeron.

**responsabilidad estricta** Doctrina legal que plantea que los fabricantes deben pagar los costos de las lesiones que resulten de los defectos del producto, sin importar cuál sea la falla.

# Venta de genética personalizada

Varias empresas en Internet, como 23andMe, Navigenics, decode Genetics, DNA Tribes, Genelex, ScientificMatch, Consumer Genetics, Salugen, DNAprint Genomics, Genova Diagnostics, Suracell y muchas más, venden directamente pruebas genéticas a los consumidores. Las empresas piden a los clientes que recolecten una muestra de sus genes con un raspado en el carrillo y lo envíen para someterlo a prueba.

La mayoría hace las pruebas colocando la muestra del cliente en una simple placa de "chip de micro ensayo para ADN" que ya contiene piezas de ADN que concuerdan con genes conocidos (o mutaciones de genes). Si uno de los genes del cliente coincide con alguno del chip, se fija al fragmento del ADN creando una pequeña marca fluorescente que señala que el gene indicado por el fragmento de ADN está en la muestra. Después, una computadora analiza el patrón de puntos fluorescentes e imprime una lista de los genes (o mutaciones de genes) en la muestra del cliente. Los científicos han descubierto unos pocos genes asociados con enfermedades específicas o características personales. Los estudios muestran, por ejemplo, genes que están ligados a fibrosis quística, enfermedad de Tay Sachs y la enfermedad de Lou Gehrig; genes que incrementan el riesgo de desarrollar algunos tipos de cáncer de mama, colon o tiroides; y genes asociados con la búsqueda de sensaciones, el color de los ojos, la obesidad y la intolerancia a la lactosa. También encontraron que algunos genes se encuentran más frecuentemente en personas cuyos ancestros vienen de ciertas regiones del mundo. Las empresas dicen que, basados en estos estudios y sus propias pruebas genéticas, ofrecen a sus clientes una valiosa información personalizada (por un precio, por supuesto). Una empresa, Sciona (que ya no opera), decía en su sitio Web: "Sciona es líder en nutriogenómica, la ciencia de personalizar su nutrición y la selección de su estilo de vida para que concuerden con sus genes"; Sciona le daba a sus clientes un "régimen dietético preventivo personalizado" que se suponía prevendría las enfermedades que sus propios genes los ponían en riesgo. Otro sitio promete: "Basados en el... análisis [genético]... Suracell recomienda a cada cliente un régimen de nutracéuticos [suplementos vitamínicos]". Otra declara: "ADN Tribes... usa el material genético... para medir sus conexiones genéticas con grupos étnicos individuales y las grandes regiones del mundo". Otra empresa asevera que lo hace todo: "Con una simple muestra de saliva le ayudamos a obtener una visión de sus rasgos, desde calvicie hasta su desempeño muscular. Descubra sus factores de riesgo para 95 enfermedades. Conozca su predecible respuesta a medicamentos, desde adelgazantes de la sangre hasta el café. Y descubra sus orígenes ancestrales". Sin embargo, los críticos dicen que, con pocas excepciones, la mayoría de los estudios solo han mostrado débiles asociaciones entre los genes y los rasgos específicos, los riesgos de enfermedad, la predicción de respuesta a los medicamentos, las necesidades nutricionales o vitamínicas o los orígenes de los ancestros. Muchos estudios que vinculan genes específicos con alguna enfermedad, son solo preliminares y la imagen completa todavía no se ha desarrollado. Más aún, los críticos dicen que no es correcto decir a los clientes que sus genes los ponen en riesgo de una enfermedad mortal sin un asesoramiento adecuado, especialmente cuando los estudios científicos son débiles, y muchos otros factores ambientales, demográficos y de estilo de vida determinan el inicio actual de una enfermedad. Ellos concluyen que, por lo general, a los consumidores se les venden productos que no tienen la experiencia para interpretar. Pero los defensores de las pruebas dicen que los consumidores cuentan con el derecho de saber qué genes portan y lo que la ciencia ha aprendido acerca de esos genes. Las empresas cobran desde $140 por una prueba de dos o tres genes hasta $999 por una prueba que incluye toda la batería completa de genes.

1. Evalúe la ética de vender pruebas de genes directamente a los consumidores como hacen estas empresas. ¿Qué dirían cada una de las tres teorías de los deberes de los negocios hacia los consumidores acerca de lo que las empresas hacen? ¿En qué condiciones cree que vender estas pruebas sería éticamente legítimo?

2. Vea el video de las entrevistas de GAO al personal de ventas de las compañías de pruebas genéticas en *http://www.gao.gov / products/gao-10-847t*. Evalúe las prácticas de ventas que se muestran en el video.

por usar productos defectuosos se deben internalizar al transferirlos al fabricante, incluso cuando este haya hecho todo lo posible para eliminar tales defectos.

Tercero, esta internalización de los costos de las lesiones permite que el fabricante distribuya las pérdidas entre todos los usuarios de un producto, en lugar de que recaigan en unos pocos individuos lastimados que de otra manera no podrían aguantar la pérdida por sí solos. Una distribución de costos de este tipo parece más justa que imponer los costos a unas pocas víctimas.

Esta tercera teoría sobre las obligaciones del fabricante se basa en los supuestos de estándares utilitaristas acerca de los valores de la eficiencia. La teoría supone que el uso eficiente de los recursos es tan importante para la sociedad, que los costos sociales se deben asignar de tal forma que conduzcan a un uso y un cuidado más eficientes de nuestros recursos. Con esta base, la teoría argumenta que el fabricante debe enfrentar los costos sociales de las lesiones que se causan por usar un producto defectuoso, incluso cuando no haya incurrido en negligencia y no exista una relación contractual entre el fabricante y el usuario.

## Problemas de la perspectiva de los costos sociales

La principal crítica que se formula a la perspectiva de los costos sociales de las obligaciones del fabricante es que es injusta.[46] Los críticos aseguran que es injusta puesto que viola los cánones básicos de la justicia compensatoria, la cual implica que se debe obligar a una persona a compensar a una parte lesionada solo si podía haber previsto y evitado el daño. Al obligar a los fabricantes a pagar lesiones que no podían prever ni evitar, la teoría de los costos sociales (y la teoría legal de la "responsabilidad estricta" que surge de ella) los trata injustamente. Además, en la medida en que la teoría de los costos sociales recomienda transferir los costos de las lesiones a todos los consumidores (en forma de precios más altos), los consumidores también reciben un trato injusto, porque ellos no tienen nada que ver con las lesiones.

Una segunda crítica a la teoría de los costos sociales ataca el supuesto de que el hecho de traspasar los costos de todas las lesiones a los fabricantes reducirá el número de accidentes.[47] Los críticos piensan lo contrario, es decir, que al librar a los consumidores de la responsabilidad de pagar sus propias lesiones, se fomenta el descuido en los consumidores, lo cual provocará un aumento en sus lesiones.

Una tercera crítica se enfoca en las cargas financieras que la teoría impone a los fabricantes y a las aseguradoras. Los críticos aseguran que un creciente número de consumidores demanda con éxito a los fabricantes por la compensación de cualquier lesión provocada durante el uso de un producto, aun cuando el fabricante haya ejercido todo el debido cuidado para asegurarse de que el producto fuera seguro.[48] Los críticos afirman que no solo ha aumentado el número de demandas de "responsabilidad estricta", sino también los montos que se otorgan a los consumidores lesionados. Además, añaden los críticos, los costos elevados de la gran cantidad de demandas por responsabilidad que ha provocado la teoría de la "responsabilidad estricta" ha precipitado una crisis en la industria de los seguros, porque las compañías aseguradoras terminan pagando las demandas por responsabilidad hechas en contra de los fabricantes. Estos costos elevados han impuesto grandes pérdidas a las compañías de seguros y han obligado a muchas de ellas a incrementar sus tarifas a niveles tan altos que son incosteables para muchos fabricantes. Según los críticos, de esta forma los costos sociales o la teoría de la "responsabilidad estricta" ha causado estragos en la industria de los seguros, porque los costos de los seguros se elevan de forma irracional y obliga a muchas compañías valiosas a dejar de operar porque ya no pueden costear los seguros de responsabilidad ni pagar las numerosas y costosas demandas de responsabilidad que ahora deben enfrentar.

Sin embargo, los defensores de la teoría de los costos sociales han respondido que en realidad los costos de las demandas de responsabilidad de los consumidores no son grandes. Algunos estudios han revelado que el número de demandas de responsabilidad que se presentan en los tribunales estatales ha crecido a un ritmo bastante lento.[49] Menos del

---

*Repaso breve 6.8*

**La perspectiva de los costos sociales**

- El fabricante debe pagar los costos de todas las lesiones que se causan por usar un producto defectuoso, aun cuando haya ejercido el debido cuidado y las lesiones no se previeron.
- Argumenta que las lesiones son los costos externos que se deben internalizar como un costo de llevar el producto al mercado; esto maximiza la utilidad y distribuye los costos de manera más justa.

*Repaso breve 6.9*

**Críticas a la perspectiva de los costos sociales**

- Es injusta con los fabricantes, ya que la justicia compensatoria dice que se debe compensar a las partes lesionadas solo si la lesión era predecible y evitable.
- Supone de manera equivocada que la perspectiva de costo social impide accidentes; en lugar de eso, fomenta el descuido de los consumidores al liberarlos de la responsabilidad de sus lesiones.
- Ha aumentado el número de demandas exitosas de los consumidores, lo cual impone grandes pérdidas en las compañías de seguros, y hace que los seguros sean demasiado caros para las empresas; sin embargo, los estudios muestran solo un pequeño incremento en las demandas y las empresas de seguros siguen siendo rentables.

1 por ciento de las lesiones que se relacionan por usar productos terminan en demandas, y las que tienen éxito otorgan pagos promedio de solo unos cuantos miles de dólares.[50]

Los defensores de la teoría de los costos sociales también señalan que las compañías de seguros, y la industria aseguradora en general, sigue siendo bastante rentable; también afirman que los altos costos de los seguros se deben a factores ajenos al incremento en la cantidad de demandas de responsabilidad.[51]

Los argumentos a favor y en contra de la teoría de los costos sociales merecen mucha mayor atención de la que podemos darles aquí. La teoría es en esencia un intento por resolver el problema de distribuir los costos de las lesiones entre dos partes moralmente inocentes: el fabricante que previene o evita una lesión relacionada con el producto, y el consumidor que no se protege contra la lesión porque desconoce el peligro. Este problema de asignación surge en cualquier sociedad que, como la nuestra, depende cada vez más de una tecnología cuyos efectos no se hacen evidentes sino hasta años después de que se introduce. Por desgracia, también se trata de un problema que quizás no tenga una solución "justa".

# 6.5 Ética en la publicidad

La industria de la publicidad es un negocio masivo. En 2008 se gastaron más de $188 mil millones en ella.[52] Solo en publicidad televisiva y de televisión por cable se gastaron más de $55 mil millones; otros $54 mil millones se gastaron en anuncios de revistas y periódicos; y $23 mil millones en publicidad en Internet.[53] Existen más de 6,000 agencias publicitarias activas en Estados Unidos, muchas de las cuales emplean a varios miles de personas.

¿Quién paga estos gastos de publicidad? Al final, los costos se deben cubrir con los precios que los consumidores pagan por los bienes que compran: el consumidor paga.

¿Qué reciben los consumidores por lo que pagan en publicidad? Según la mayoría de ellos, obtienen muy poco. Las encuestas han revelado que el 66 por ciento de los consumidores piensa que la publicidad no reduce los precios, el 65 por ciento cree que provoca que la gente compre artículos que no debe comprar, el 54 por ciento considera que los anuncios son un insulto para la inteligencia, y el 63 por ciento opina que los anuncios no presentan la verdad.[54] Sin embargo, los defensores de la industria publicitaria ven las cosas de otra forma. Ellos aseguran que la publicidad "es, ante todo, comunicación".[55] Su función básica consiste en proporcionar a los consumidores información acerca de los productos que pueden adquirir, es decir, un servicio benéfico.[56] Entonces, ¿la publicidad es un desperdicio o un beneficio?, ¿daña o ayuda a los consumidores?

## Una definición

En ocasiones se define a la **publicidad comercial** como una forma de "información" y a un anunciante como "alguien que da información". Esto implica que por definición la función de la publicidad es proporcionar información a los consumidores. Sin embargo, esta definición de la publicidad no distingue los anuncios de, digamos, artículos de publicaciones como *Consumer Reports*, los cuales comparan, prueban y evalúan de manera objetiva la durabilidad, la seguridad, los defectos y la utilidad de diversos productos. Un estudio descubrió que más de la mitad de los anuncios televisivos no ofrece información al consumidor acerca del producto anunciado, y que solo la mitad de los anuncios de revistas incluían más de un elemento informativo.[57] Considere la cantidad de información que transmiten los siguientes anuncios:

"¿Tomaste leche?" (lecheros y procesadores de leche de Estados Unidos)

"Llegué tarde" (relojes Neiman Marcus)

"Abrace a sus demonios" (Altoids sabor canela)

"Por la forma en que están hechos" (utensilios para el hogar KitchenAid)

"Conéctese con estilo" (teléfonos celulares Nokia)

"A tu manera" (Burger King)

"Dentro de cada mujer hay un resplandor que está esperando salir" (Jabón Dove)

"Al final, se trata de la simple idea de que uno más uno es, y debe, ser igual a más de dos" (automóviles Chrysler)

"Hacer lo que hacemos mejor" (American Airlines)

"Colores Unidos de Benetton" (Benetton)

"Antes de que hubiera un Land Rover hubo un sueño" (S. U. V. Land Rover)

Con frecuencia los anuncios no incluyen mucha información objetiva por la sencilla razón de que su principal función no es la de proporcionar información imparcial. La principal función de los anuncios comerciales es vender un producto a posibles compradores, y cualquier información que proporcionen es secundaria a esa función básica y, por lo general, está determinada por ella.

Una forma más útil de describir la publicidad comercial es en términos de la relación entre el comprador y el vendedor: la publicidad comercial se define como cierto tipo de comunicación entre un vendedor y compradores potenciales. Existen dos características que la distinguen de otras formas de comunicación. Primero, está dirigida públicamente a una audiencia masiva, a diferencia de un mensaje privado que va dirigido a un individuo específico. Debido a este aspecto público, la publicidad presenta necesariamente amplios efectos sociales.

En segundo lugar, busca inducir a los miembros de su audiencia a comprar los productos del vendedor. Un anuncio es exitoso de dos formas principales: *a*) al crear en los consumidores un deseo por el producto del vendedor, y *b*) al sembrar la creencia en los consumidores de que el producto es un medio para satisfacer algún deseo del comprador.

El análisis de los aspectos éticos de la publicidad se organiza alrededor de varias características identificadas en la definición anterior: los efectos sociales, la creación de deseos en los consumidores y los efectos en las creencias de estos. Primero analizaremos los efectos sociales de la publicidad.

## Efectos sociales de la publicidad

Quienes critican la publicidad afirman que tiene varios efectos adversos sobre la sociedad: degrada los gustos de la gente, desperdicia recursos valiosos y crea un poder monopolista. Examinaremos cada una de estas críticas.

**Efectos psicológicos de la publicidad** Una crítica común de la publicidad es que degrada los gustos del público al presentar exhibiciones irritantes y estéticamente desagradables.[58] Para ser eficaces, los anuncios deben ser generalmente entrometidos, estridentes y repetitivos. Por lo tanto, para que las personas de mente sencilla puedan comprenderlos, los anuncios suelen ser aburridos, insípidos, además de que insultan la inteligencia de quienes los ven. Por ejemplo, para ilustrar el uso de pasta de dientes, enjuagues bucales, desodorantes y ropa interior, los anunciantes en ocasiones utilizan imágenes que mucha gente considera vulgares, ofensivas, desagradables y de mal gusto. Sin embargo, a pesar de que este tipo de críticas sean atinadas, aparentemente no originan problemas éticos importantes. Sin duda es lamentable que los anuncios no estén a la altura de nuestras normas estéticas, pero esto no implica que también violen nuestras normas éticas.

Algo más directa es la crítica de que la publicidad degrada los gustos de los consumidores al inculcar gradual y sutilmente valores e ideas materialistas acerca de cómo se alcanza la felicidad.[59] Puesto que la publicidad necesariamente destaca el consumo de bienes

# ¿Publicidad que mata a los niños?

Debido a que las empresas tabacaleras como R. J. Reynolds pierden 4 millones de clientes en todo el mundo porque se les mueren, se deben mantener reclutando nuevos clientes. Pocas personas comienzan a fumar en la edad adulta (88 por ciento de los fumadores inician antes de los 18 años), así que los nuevos fumadores tienen que provenir de la niñez. Como establece un informe interno de una empresa tabacalera: "El adolescente de hoy es el potencial cliente regular del mañana, y la abrumadora mayoría de los fumadores comienza a fumar cuando aún son adolescentes". Así que, a pesar de estar establecido en la ley de 1998 que se prohíbe la promoción de los cigarrillos dirigida a los niños, R. J. Reynolds (RJR) despliega añadidos de varias páginas promocionando una "colaboración entre Camel, artistas independientes y marcas disqueras" en la revista *Rolling Stone* cuyos lectores incluyen a más de 1.5 millones de adolescentes. Los anuncios de tabaco incluyen caricaturas de animales, monstruos, *aliens*, naves espaciales y referencias a "una dimensión alternativa en donde todo el mundo usa Converse Negros". En 2007, RJR hizo publicidad de cigarros Camel con sabores como chocolate, menta asiática, manzana dulce y miel tostada.

Antes de eso, un memorando interno de la compañía sugería fabricar "un cigarrillo que tenga una obvia orientación hacia los jóvenes... por ejemplo, un sabor que pudiera ser parecido al de un dulce pero dar la satisfacción de un cigarrillo". RJR también ha promovido un nuevo producto, "Camel Núm. 9", con una envoltura rosa, en revistas para mujeres cuyos lectores incluyen a un gran porcentaje de jovencitas. El número de muchachas adolescentes que dicen que su anuncio preferido es el de Camel se ha duplicado desde que comenzó la promoción.

RJR y otras empresas tabacaleras gastan más dinero (con un nuevo récord de 90 por ciento de los $12,500 millones que gastan en promocionar el tabaco) para publicidad en tiendas minoristas y otros lugares en los que sus anuncios estarán visibles para los niños, colocándolos al nivel de su vista o cerca de los mostradores de dulces. La mayoría de los adolescentes (75%) visita por lo menos una vez a la semana una tienda minorista, el 80 por ciento de las cuales coloca anuncios de tabaco en su interior y el 60 por ciento los coloca fuera. Los anuncios de aquellas marcas de tabaco más populares para los niños llegan hasta el 80 por ciento de los niños en un promedio de 17 veces al año. De acuerdo con la Dirección General de Salud Pública de Estados Unidos, se sabe que los cigarrillos dañan casi cada órgano del cuerpo porque provocan tumores cancerosos mortales en la boca, los pulmones, la garganta, la laringe, el esófago, la vejiga, el estómago, el cérvix, el riñón y el páncreas, y son la causa de enfisema pulmonar y de ataques cardiacos. Joe Tye, un crítico de la industria

Fuente: Meg Riordan, "Tobacco Industry Continues to Market to Kids", Campaña para niños libres de tabaco, *http://tobaccofreekids.org/research/factsheets*.

*RJR promovió su caja de cigarrillos color de rosa "Camel Núm. 9" en revistas cuyos lectores incluían un alto porcentaje de jovencitas.*

*El número de jovencitas que dicen que los anuncios de Camel son sus preferidos se duplicó cuando RJR comenzó a promocionar su "Camel Núm. 9" en revistas dirigidas a mujeres jóvenes.*

declara: "Ninguna publicidad es más engañosa que aquella que se usa para vender cigarrillos. Se usan imágenes de independencia para vender un producto que crea una profunda dependencia. Se usan imágenes de salud y vitalidad para vender un producto que causa enfermedad y sufrimiento. Se usan imágenes de vida para vender un producto que causa la muerte". Numerosos estudios muestran que prohibir los anuncios de cigarrillos reduciría de manera significativa el hábito de fumar entre los adolescentes. Pero las empresas tabacaleras se oponen a las restricciones de publicidad y argumentan que violan la libertad de expresión, que los anuncios de cigarrillos no son engañosos y que los fumadores conocen los riesgos que hay en cada paquete y añaden que las personas tienen el derecho de fumar y de poseer información acerca de las marcas de cigarrillos, que los anuncios no hacen que las personas comiencen a fumar o fumen más, sino que solo provocan que se cambien de marca, y que sus anuncios no tienen como objetivo intencional a los niños.

**Fumar provoca daños a la salud de los adolesentes.**

1. ¿Hay alguna razón ética por la que RJR debe cambiar sus promociones, o los argumentos de las empresas tabacaleras son correctos?

2. ¿Cuáles son las implicaciones de las tres teorías de las obligaciones éticas de los fabricantes con respecto a la promoción de los cigarrillos de RJR?

*Durante muchos años, RJR ha usado la caricatura de "Joe Camel", la cual atrae principalmente a adolescentes, para promover sus cigarrillos.*

materiales, provoca que la gente olvide la importancia de sus otras necesidades fundamentales y de otras formas más realistas para lograr la autorrealización.

Como resultado, los esfuerzos personales se desvían de las metas y los objetivos "no materialistas" que suelen incrementar más la felicidad de la gente, y se dirigen a un mayor consumo material. Por ejemplo, la defensora de los consumidores Mary Gardiner Jones escribió que el mensaje de cualquier comercial de televisión presenta dos premisas básicas. La primera es que adquirir cosas es "lo que gratifica nuestras necesidades y aspiraciones básicas". Esto es, que todos nuestros problemas "quedarán eliminados de manera instantánea por el uso del producto". La segunda premisa es que todos estamos "motivados externamente", en el sentido de que todos queremos emular a "nuestros vecinos", o ser "individuos que gozan de éxito y popularidad" y que el éxito personal se logra de forma externa y no a través de "años de estudio y entrenamiento". La publicidad nos lleva a adoptar este mensaje "esencialmente materialista".[60]

Sin embargo, el problema de esta crítica es que no sabemos si en verdad la publicidad provoca los grandes efectos psicológicos que las críticas le atribuyen.[61] Es notoriamente difícil cambiar las creencias y las actitudes de una persona si no existe la disposición para aceptar el mensaje que se ofrece. Así, el éxito de la publicidad quizá depende más de la alusión a los valores que los consumidores poseen que de su capacidad para inculcarlos. Si esto es así, entonces la publicidad no crea los valores de la sociedad tanto como los refleja.

**costos de producción** Los costos de los recursos que se consumen por la fabricación o mejora de un producto.

**costos de venta** Los costos adicionales de los recursos que no se utilizan para modificar el producto, sino que se invierten para hacer que la gente lo compre.

**Publicidad y desperdicio** Una segunda crítica importante en contra de la publicidad es que desperdicia recursos y, por lo tanto, viola los principios utilitaristas.[62] En ocasiones, los economistas distinguen entre los *costos de producción* y los *costos de venta*. Los costos de producción son los costos de los recursos que se consumen al fabricar o mejorar un producto. Los costos de venta son los costos adicionales de los recursos que no se utilizan para modificar el producto, sino que se invierten para hacer que la gente lo compre. Las críticas plantean que los costos de los recursos que consume la publicidad son en esencia "costos de venta": no se utilizan para mejorar el producto sino para persuadir a la gente de comprarlo. Los recursos que consume la publicidad no añaden nada a la utilidad del producto. Los críticos concluyen que estos recursos se "desperdician" porque se gastan sin aumentar en modo alguno la utilidad para el consumidor.

Una réplica que se plantea a este argumento es que la publicidad, de hecho, produce algo: produce y transmite información acerca de la disponibilidad y la naturaleza de los productos.[63] No obstante, como muchos han señalado, incluso a este respecto, el contenido de información de los anuncios es mínimo y se podría transmitir a través de medios mucho menos costosos.[64]

Otra réplica más convincente al argumento es que la publicidad sirve para producir un incremento benéfico en la demanda de todos los productos. El incremento general en la demanda hace posible la producción masiva. El resultado final es una economía que se expande de forma gradual y en la que los productos se fabrican con una eficiencia cada vez mayor y a un costo cada vez más bajo. La publicidad aumenta la utilidad para el consumidor, ya que sirve como incentivo para un mayor consumo y, por lo tanto, motiva de manera indirecta una mayor productividad y eficiencia, y una estructura de precios más baja.[65]

Sin embargo, existe una gran incertidumbre alrededor de la pregunta de si la publicidad es responsable del aumento del consumo total de bienes.[66] Los estudios han revelado que esta a menudo fracasa en el intento de estimular el consumo de un producto, y el consumo en muchas industrias se ha incrementado a pesar de que los gastos en publicidad son mínimos. De este modo, parece que la publicidad es eficaz para las compañías individuales no porque aumenta el consumo, sino solo porque lo desplaza de un producto a otro. Si esto es verdad, entonces los economistas tienen razón cuando afirman que, más allá del nivel necesario para trasmitir información, la publicidad se convierte en un desperdicio de recursos porque no hace más que desplazar la demanda de una compañía a la otra.[67]

Asimismo, muchos autores han argumentado que, incluso si la publicidad fuera un estímulo eficaz de consumo, esto no necesariamente es una bendición. E. F. Schumacher, Herman E. Daly y otros economistas aseguran que la necesidad social más urgente en la actualidad consiste en encontrar formas de *reducir* el consumo.[68] El aumento en el consumo ha dado pie a una rápida expansión industrial que ha contaminado gran parte del entorno natural y ha mermado de forma rápida los recursos no renovables. Si no limitamos el consumo, pronto agotaremos los recursos naturales finitos que posee nuestro planeta, con consecuencias desastrosas para todos. Si esto es verdad, entonces, la afirmación de que la publicidad induce a niveles más altos de consumo, no es un punto a su favor.

**Publicidad y poder de mercado** Durante muchas décadas, Nicholas Kaldor y otros han asegurado que las campañas publicitarias masivas de los fabricantes modernos les permiten lograr y mantener un poder de monopolio (u oligopolio) sobre sus mercados.[69] Como hemos visto, los monopolios originan precios más altos para el consumidor. El argumento de Kaldor era sencillo: los grandes fabricantes cuentan con los recursos económicos para crear campañas de publicidad costosas y masivas para introducir sus productos. Estas campañas crean en los consumidores una "lealtad" hacia la marca del fabricante, dándole el control de una porción importante del mercado. Como consecuencia, las compañías pequeñas no tienen el poder para penetrar en el mercado porque no pueden financiar costosas campañas de publicidad que requerirían para lograr que los consumidores modifiquen sus lealtades de marca. Como resultado, surgen unas cuantas compañías grandes oligopólicas, que toman el control de los mercados de consumo, de los que las compañías pequeñas quedan prácticamente excluidas. Entonces, se supone que la publicidad reduce la competencia e impone barreras para penetrar en los mercados.

Sin embargo, ¿existe una conexión entre la publicidad y el poder de mercado? Si la publicidad realmente incrementa los costos para los consumidores al fomentar mercados monopólicos, entonces debe existir una relación estadística entre las cantidades que una industria gasta en publicidad y el grado de concentración de los mercados en esta industria. Las industrias más concentradas y menos competitivas deben exhibir niveles más elevados de publicidad, mientras que las menos concentradas y más competitivas deben exhibir niveles más bajos. Por desgracia, los estudios estadísticos con los que se cuenta para descubrir una conexión entre la intensidad de la publicidad y la concentración de mercado no son concluyentes.[70] Algunas industrias concentradas (jabones, cigarros, cereales para el desayuno) gastan grandes cantidades en publicidad, pero otras (medicamentos, cosméticos) no lo hacen. Además, al menos en algunas industrias oligopólicas (por ejemplo, la industria automotriz), las compañías pequeñas gastan más por unidad en publicidad que las grandes. Si la publicidad daña a los consumidores al disminuir la competencia, es una cuestión interesante pero que aún no se ha resuelto.

Las críticas de la publicidad que se basan en los aspectos sociales no son concluyentes por la sencilla razón de que se desconoce la capacidad de producir los efectos que los críticos suponen. Establecer el caso a favor o en contra de la publicidad con base en los efectos que causa sobre la sociedad requerirá de muchas más investigaciones acerca de la naturaleza exacta de los efectos psicológicos y económicos de la publicidad.

## Publicidad y la creación de deseos en el consumidor

John K. Galbraith y otros argumentan que la publicidad es manipuladora: es la creación de deseos en los consumidores con el único fin de absorber la producción industrial.[71] Galbraith distinguió dos tipos de deseos: aquellos que tienen una base "física", como el deseo de alimentos y resguardo, y aquellos que son "de origen psicológico", como el deseo que posee el individuo de bienes que "le den la sensación de logro personal, le confieran un sentimiento de igualdad con sus vecinos, dirijan su mente sin tener que pensar, satisfagan sus deseos sexuales, prometan aceptación social, intensifiquen la sensación subjetiva

*Repaso breve 6.11*

**Críticas a la publicidad con base en los efectos sociales**

- Degrada los gustos del público, pero esta crítica no es de carácter moral.
- Inculca valores materialistas e ignora la falta de evidencia de que la publicidad pueda cambiar los valores de las personas.
- Sus costos son costos de venta que, a diferencia de los costos de producción, no añaden nada a la utilidad del producto, y por lo tanto desperdician recursos. Pero esta crítica ignora de qué manera la publicidad puede aumentar el consumo que es bueno; sin embargo, los estudios sugieren que la publicidad no aumenta el consumo y de cualquier forma, aumentar el consumo no siempre es bueno.
- La usan las grandes empresas para crear lealtades de marca que les permite convertirse en oligopolios o monopolios; sin embargo, esta crítica ignora los estudios que muestran que las grandes compañías monopólicas u oligopólicas no realizan más publicidad que las empresas pequeñas.

*Repaso breve 6.12*

**Críticas a la publicidad con base en los efectos sobre los deseos**

- Galbraith afirma que la publicidad crea deseos psíquicos que, a diferencia de los deseos físicos, son maleables y limitados.
- Las empresas crean deseos psíquicos con el fin de usarlos para absorber su producción.
- Al usar a las personas de esta manera las trata como medios y no como fines y, por lo tanto, no manifiesta un comportamiento ético.
- Sin embargo, esta crítica ignora los estudios que sugieren que la publicidad no puede crear o manipular los deseos; por otra parte, la publicidad subliminal puede manipular nuestros deseos y los de los niños.

de salud, contribuyan a la belleza personal según los cánones convencionales, o que, de alguna otra manera, resulten psicológicamente gratificantes".[72]

Los deseos cuya base es física se originan en el comprador y son relativamente inmunes a modificarse por medio de la persuasión. Sin embargo, la publicidad maneja, controla y amplía los deseos psíquicos. Puesto que la demanda de las necesidades físicas es finita, los productores generan en poco tiempo lo suficiente para satisfacerla. Por lo tanto, si desean expandir la producción, los fabricantes deben crear nuevas demandas al manipular con la publicidad los deseos psicológicos maleables. De esta forma, la publicidad se usa para crear deseos psíquicos con el único propósito de "asegurarse de que la gente compre lo que se produce", es decir, de absorber la producción de un sistema industrial en expansión.

El efecto del manejo de la demanda a través de la publicidad es cambiar el enfoque de la decisión de compra de bienes del consumidor; así, es la compañía quien controla esa decisión, no el cliente.[73] La producción no se amolda para servir a los deseos de los seres humanos, sino que los deseos de los seres humanos se amoldan para servir a las necesidades de la producción. Si la perspectiva de Galbraith es correcta, entonces la publicidad viola el derecho de los individuos de elegir: la publicidad manipula al consumidor, al que solo se utiliza como un medio para alcanzar los fines y los propósitos de los productores, lo cual disminuye su capacidad para elegir de manera libre.[74]

No es evidente si el argumento de Galbraith es correcto. Como ya vimos, los efectos psicológicos de la publicidad aún no están claros. En consecuencia, tampoco es claro si la publicidad manipula los deseos psicológicos de la forma generalizada que supone el argumento de Galbraith.[75] Además, como F. A. von Hayek y otros han señalado, la "creación" de deseos psicológicos no se originó con la publicidad moderna.[76] Siempre se han "creado" nuevos deseos mediante la invención de productos novedosos y atractivos (como el primer arco y la primera flecha, la primera pintura, el primer perfume), y semejante creación de deseos parece inocua.

Sin embargo, aun cuando no es claro si la publicidad en general presenta los efectos de manipulación masiva que Galbraith le atribuye, sí es evidente que algunos anuncios en específico tienen la intención de manipular. Estos buscan despertar en los consumidores un deseo psicológico por el producto, sin su conocimiento y sin que sean capaces de sopesar de manera racional si el producto es o no lo que más les conviene. La publicidad que se basa de manera intencional en "sugestión subliminal", o que intenta hacer que los consumidores asocien una satisfacción sexual o social irreal con un producto, cae en esta categoría, lo mismo que la publicidad que se dirige a los niños.

Por ejemplo, Suppa Corporation de Fallbrook, California, probó de forma breve anuncios impresos en papel de dulces en los que se había escrito la palabra *comprar* de modo que se registrara en el subconsciente, pero que no se pudiera percibir de forma consciente a menos que uno la buscara de manera específica. Pruebas posteriores demostraron que los anuncios crearon un mayor deseo por comprar dulces que los anuncios impresos en papel en los que la palabra *no* aparecía de una forma subliminal similar.[77] Los anuncios que manipulan y se dirigen a los niños se ejemplifican en una crítica que formuló la División de Publicidad Nacional del Council of Better Business Bureau recientemente a un comercial de televisión de Mattel, Inc., dirigido a los niños, que combinaba secuencias animadas con tomas de grupos de muñecas. El Consejo consideró que los niños que aún están aprendiendo a distinguir entre fantasía y realidad no captaban "una representación exacta de los productos" que aparecían en los anuncios.[78] El Consejo también criticó un anuncio de Walt Disney Music Co. sobre una oferta de tiempo limitado que transmitía una "sensación de urgencia" que los niños podrían considerar "abrumadora". Los críticos también argumentan que los programas televisivos de personajes animados que representan muñecos y figuras que se anuncian en el mismo programa son, en realidad, anuncios prolongados de dichos juguetes. Además, alegan que el resultado de ese tipo de "anuncios de media hora" es manipular a niños vulnerables que los llena de comerciales disfrazados de entretenimiento.[79] Asimismo, este tipo de programas publicitarios con frecuencia contiene altos niveles de violencia puesto que sus personajes superhéroes como "He-Man", "Rambo", "GI Joe" y "Transformers" son violentos.

La publicidad que promueve juguetes que modelan personajes violentos o juguetes militares fomenta de manera indirecta la agresión y la conducta violenta en los niños, quienes son muy fáciles de sugestionar y manipular, y por lo tanto los críticos los consideran poco éticos.[80] Los anuncios de este tipo son manipuladores en la medida en que burlan el razonamiento consciente y tratan de influir en el consumidor para que crea que quiere lo que anuncian y no lo que le conviene más.[81] Es decir, violan el derecho del consumidor a ser tratado como un ser racional libre e igual.

## La publicidad y sus efectos sobre las creencias del consumidor

La crítica más común de la publicidad se refiere al efecto que causa sobre las creencias de los consumidores. Puesto que es una forma de comunicación, quizá sea tan veraz o engañosa como cualquiera otra de ellas. La mayoría de las críticas se concentra en los aspectos engañosos de la publicidad moderna.

La publicidad engañosa adopta varias formas. Un anuncio puede falsear la naturaleza del producto al utilizar simulaciones engañosas, usar testimonios falsos pagados, insertar la palabra *garantía* cuando no se garantiza nada, citar precios engañosos, no revelar los defectos de un producto, atacar de forma equívoca los productos de un competidor o simular marcas reconocidas. Algunas formas fraudulentas de publicidad implican esquemas más complejos. Por ejemplo, la publicidad de carnada anuncia la venta de bienes que después resultan no disponibles o defectuosos. Una vez que los consumidores son atraídos a la tienda, se les presiona para que compren otro artículo más costoso.

Una larga tradición ética ha condenado de manera consistente la publicidad engañosa con base en que esta viola los derechos de los consumidores de elegir por sí mismos (un argumento kantiano) y porque genera una desconfianza pública en la publicidad, la cual disminuye la utilidad de esta forma e incluso de otras formas de comunicación (el argumento utilitarista).[82] Por lo tanto, el problema central no consiste en entender por qué la publicidad engañosa es incorrecta, sino en entender cómo se vuelve engañosa y, por ende, no ética.

Toda comunicación incluye tres elementos: *a*) el autor o los autores que originan la comunicación, *b*) el medio que la transmite, y *c*) el público que la recibe. Puesto que la publicidad es una forma de comunicación, incluye esos tres elementos, y los diversos problemas éticos que se originan por el hecho de que es una forma de comunicación se organizan en torno a ellos.

**Los autores** El engaño implica tres condiciones necesarias en el autor de una comunicación: *a*) debe tener la intención de hacer creer al público algo que es falso, *b*) debe saber que es falso, y *c*) debe realizar algo de manera deliberada para provocar que la audiencia crea tal falsedad. Esto significa que el intento deliberado de lograr que un público crea algo falso con el solo hecho de implicarlo es tan incorrecto como una mentira explícita. Sin embargo, también significa que el anunciante no se considera moralmente responsable de las interpretaciones erróneas de un anuncio cuando estas son el resultado imprevisto y no planeado de un descuido irracional por parte del público. Desde luego, el "autor" de un anuncio no solo incluye a los directivos de una agencia publicitaria, sino también a las personas que crean el texto publicitario y a las que "avalan" un producto. Al ofrecer la cooperación positiva en la creación de un anuncio, las personas adquieren una responsabilidad moral por sus efectos engañosos, en tanto sepan lo que están haciendo y puedan optar por no hacerlo.

**El medio** Parte de la responsabilidad de la veracidad de los anuncios recae en los medios o intermediarios que transmiten el mensaje de los anuncios. Como participantes activos en la transmisión de un mensaje, ellos también cooperan de forma positiva para el éxito del

*Repaso breve 6.13*

**La publicidad engañosa requiere**

- Un autor que (de manera no ética) tenga la intención de lograr que la audiencia crea lo que él sabe que es falso, por medio de un acto o una aseveración intencional.
- Los medios de comunicación o intermediarios que comunican el mensaje falso del anuncio, los cuales, por lo tanto, son responsables de sus efectos engañosos.
- Una audiencia vulnerable al engaño y que carezca de la capacidad de reconocer la naturaleza engañosa del anuncio.

anuncio y adquieren una responsabilidad moral por sus efectos. Por lo tanto, los medios deben adoptar medidas para asegurarse de que el contenido de sus anuncios sea veraz y no engañoso. En la industria farmacéutica, los agentes detallistas que actúan como agentes de ventas ante médicos y hospitales son, en efecto, "medios" publicitarios y son moralmente responsables de no engañar a los médicos con respecto a la seguridad y posibles riesgos de los medicamentos que promueven.

**El público**   El significado que se atribuye a un mensaje depende en parte de las capacidades de quienes lo reciben. Por ejemplo, un público inteligente y conocedor es capaz de interpretar correctamente un anuncio que sería confuso para un grupo menos conocedor o menos culto. En consecuencia, los anunciantes deben tomar en cuenta las capacidades de interpretación del público cuando diseñan un anuncio. Se espera que la mayoría de los compradores sea razonablemente inteligente y posea un escepticismo saludable en lo referente a las afirmaciones exageradas que hacen los anunciantes acerca de sus productos. Sin embargo, los anuncios que llegan a los individuos ignorantes, crédulos, inmaduros e irreflexivos, se deben diseñar de tal manera que eviten la confusión incluso de los compradores potenciales cuyo juicio sea limitado. Cuando entran en juego cuestiones de salud o seguridad, o la posibilidad de que los compradores sufran lesiones importantes, se debe ejercer un cuidado especial para asegurarse de que los anuncios no provoquen que los usuarios ignoren los posibles peligros.

La tercera categoría de factores ("el público") plantea lo que tal vez sea el problema más preocupante con respecto a la ética de la publicidad: ¿en qué grado poseen los consumidores la capacidad de descartar las exageraciones y la predisposición que transmiten la mayor parte de los mensajes publicitarios? Cuando un anuncio de una rasuradora eléctrica Norelco proclama, "No puede llegar más cerca", ¿los consumidores automáticamente descartan la implicación vaga, inespecífica y falsa de que esa rasuradora se probó contra todos los posibles métodos de rasurado y que se descubrió que deja el vello facial más corto que cualquier otro método? Por desgracia, conocemos muy poco acerca del grado en que los consumidores son capaces de descartar las exageraciones que contienen los anuncios.

Los temas morales que origina la publicidad son complejos e implican varios problemas que aún no se han resuelto. No obstante, lo que sigue resume los principales factores que debemos tomar en cuenta al determinar la naturaleza ética de un anuncio dado:

### Efectos sociales

1. ¿Qué efecto quiere el anunciante que cause el mensaje publicitario?
2. ¿Cuáles son los efectos reales de la publicidad sobre los individuos y sobre la sociedad en general?

### Efectos sobre el deseo

1. ¿El anuncio informa o también trata de persuadir?
2. Si es persuasivo, ¿intenta crear un deseo irracional y posiblemente perjudicial?

### Efectos sobre la creencia

1. ¿Es veraz el contenido del anuncio?
2. ¿El anuncio tiende a engañar al público al que va dirigido?

## 6.6 Privacidad del consumidor

Los avances en el poder de procesamiento de las computadoras, en los programas para bases de datos y en las tecnologías de comunicación nos han dado el poder de reunir, manipular y difundir información personal acerca de los consumidores en una escala sin precedentes en la historia del ser humano. Este nuevo poder sobre la recopilación, manipulación y difusión de información personal ha dado pie a la invasión masiva de la privacidad de los consumidores, y ha creado el potencial de daños significativos que provoca la divulgación de información errónea o falsa. Por ejemplo, una pareja de investigadores británicos informó que en Inglaterra, donde las compañías registran en el gobierno el tipo de información que reunirán, las empresas estaban reuniendo información muy personal y detallada acerca de sus clientes. Por ejemplo, el banco Midland tiene permitido conocer detalles acerca de la vida sexual de clientes potenciales que buscan adquirir seguros; otra compañía estaba registrada para almacenar información sexual y política sobre cualquiera de sus clientes; W. H. Smith, un detallista, tiene aprobación oficial para poseer datos sexuales para "la administración del personal y los empleados"; Grand Metropolitan, la compañía de entretenimiento, cuenta con el derecho de poseer información similar para el uso de sus abogados corporativos; a BT le está permitido conocer información acerca de los afiliados a los partidos políticos "como una herramienta de referencia".[83]

En Estados Unidos, Medical Information Bureau (MIB) mantiene archivos bastante completos sobre la historia médica de los consumidores. Esta compañía se fundó en 1902 para brindar información a las compañías de seguros acerca de la salud de los individuos que solicitan seguros de vida, con la finalidad de detectar solicitudes fraudulentas. En la actualidad, MIB posee expedientes médicos de cerca de 15 millones de personas. La información se obtiene a partir de las formas que llenan los consumidores cuando solicitan seguros de vida, del médico del solicitante, de hospitales, de registros de empleo, del Departamento de Vehículos de Motor e, incluso, de entrevistas con empleadores o amigos. En ocasiones, la información de esos archivos es imprecisa. El expediente de un individuo indicaba erróneamente que padecía SIDA y que era homosexual, y otro fue reportado de forma equivocada como alcohólico.[84]

Los burós de crédito tienen los archivos más completos sobre consumidores. Proporcionan informes de crédito de individuos específicos a los bancos, vendedores al detalle, empleadores y otros negocios que piden información acerca de ciertas personas. Estos informes de crédito incluyen información acerca de las cuentas de tarjetas de crédito, hipotecas, préstamos bancarios, préstamos estudiantiles, historial de pagos con notas especiales sobre pagos tardíos, pagos adelantados, bancarrota, detalles acerca de las cantidades prestadas, falta de pago de impuestos de propiedad, gravámenes personales o de propiedad, procedimientos de divorcio, licencias de matrimonio, licencias para conducir, juicios civiles, empleadores actuales y anteriores, direcciones actuales y pasadas y otros tipos de información personal que se obtiene de distintas fuentes. En la actualidad en Estados Unidos existen tres agencias principales, Experian (anteriormente TRW), Equifax y Trans Union LLC, que en conjunto reúnen información de cerca de 150 millones de consumidores. Todos los días llegan datos de crédito frescos a cada agencia, los cuales se deben registrar en los archivos apropiados. Equifax ha estimado que su personal ingresa a diario alrededor de 65 millones de actualizaciones. No nos sorprende que un estudio que realizó *Consumer Report* encontrara errores en el 43 por ciento de los informes que se analizaron.[85] Estos errores provocan el rechazo de un préstamo, de una tarjeta de crédito o de un empleo. Además de los problemas que derivan de los errores en los archivos de datos, a los consumidores les preocupa que la información detallada que reúnen los burós de crédito acerca de ellos se entregue a personas indebidas. Por ejemplo, hasta hace pocos años, los burós de crédito vendían nombres de sus archivos a individuos que enviaban correo basura. Es evidente que el potencial para invadir la privacidad del consumidor es bastante alto. Sin embargo, para analizar este tema es importante contar con una idea clara de qué es la privacidad y por qué los consumidores y otros individuos tienen el derecho a ella.

De manera general, el derecho a la privacidad es el derecho de no ser molestado. Sin embargo, aquí no analizamos esta amplia definición del derecho a la privacidad, sino que nos concentramos en la privacidad como el derecho de los individuos de que otros no espíen su vida privada. En este sentido más específico, el **derecho a la privacidad** se define como el derecho que tiene la persona a determinar qué, a quién y cuánta información sobre sí misma revela a otros.[86]

**derecho a la privacidad** El derecho de las personas de determinar qué, a quién y cuánta información sobre sí mismas revelan a otros.

**privacidad psicológica** Privacidad de la vida interna de una persona.

**privacidad física** Privacidad de las actividades físicas de una persona.

Existen dos tipos básicos de privacidad: *psicológica* y *física*.[87] La **privacidad psicológica** es la que se refiere a la vida interna de una persona, e incluye sus pensamientos y planes, creencias y valores personales, sentimientos y deseos. Estos aspectos internos del individuo están conectados tan íntimamente con la persona, que invadirlos implica casi una invasión de la propia persona. La **privacidad física** se refiere a las actividades físicas del individuo. Puesto que la vida interna de la gente se manifiesta por medio de sus actividades y expresiones físicas, la privacidad física es importante, en parte, porque es un medio para proteger la privacidad psicológica. Sin embargo, muchas de nuestras actividades físicas se consideran "privadas" independientemente de sus conexiones con nuestra vida interna. El tipo de actividades que se consideran privadas depende hasta cierto grado de las normas de la propia cultura. Por ejemplo, una persona de nuestra cultura normalmente se siente degradada si es obligada a desvestirse públicamente o a realizar funciones biológicas o sexuales en público. Por lo tanto, la privacidad física también es valiosa por sí misma.

Como analizamos en el capítulo 2, el propósito de los derechos es permitir que los individuos persigan sus intereses importantes y que los protejan de la intrusión de otros individuos. Decir que las personas poseen el derecho moral de algo, implica decir, al menos, que tienen un interés vital en ese "algo". ¿Por qué la privacidad se considera lo suficientemente importante como para protegerla como un derecho?[88] Para empezar, porque tiene varias funciones protectoras. Primero, asegura que los demás no adquieran información sobre nosotros que, si se revelara, nos expondría al ridículo, la vergüenza, el chantaje u otro daño. Segundo, también evita que otras personas interfieran en nuestros planes simplemente porque no cuentan con los mismos valores que nosotros. Nuestros planes privados quizá involucren actividades que, a pesar de no dañar a nadie, otras personas consideren de mal gusto. La privacidad nos protege contra la intromisión de tales personas y, por lo tanto, nos da la libertad para comportarnos de forma poco convencional. Tercero, la privacidad protege a nuestros seres queridos de ser lastimados al poner en duda sus creencias acerca de nosotros. Es probable que existan cosas acerca de nosotros que, en caso de ser reveladas, podrían dañar a quienes amamos. La privacidad asegura que estos asuntos no se hagan públicos. Cuarto, también evita que los individuos sean guiados a incriminarse a sí mismos. Al proteger su privacidad, la gente se protege de dañar de forma involuntaria su propia reputación.

La privacidad también es importante porque cumple con varias funciones facilitadoras. En primer lugar, posibilita que una persona desarrolle lazos de amistad, amor y confianza. Sin la intimidad, estas relaciones no podrían prosperar. Sin embargo, la intimidad implica compartir información acerca de uno mismo, que no se comparte con todos, y participar en actividades especiales no públicas con otros individuos. Por lo tanto, sin la privacidad la intimidad sería imposible, y no podrían existir las relaciones de amistad, amor y confianza. En segundo lugar, la privacidad posibilita la existencia de ciertas relaciones profesionales. Puesto que las relaciones entre médico y paciente, abogado y cliente, y psiquiatra y paciente requieren de confianza y confidencialidad, no podrían existir sin la privacidad. En tercer lugar, esta también posibilita que una persona desempeñe distintos papeles sociales. Por ejemplo, el ejecutivo de una corporación podría desear, como ciudadano privado, apoyar una causa que no es popular dentro de la compañía. La privacidad permite que el ejecutivo la desempeñe sin temor a represalias. En cuarto lugar, permite que las personas determinen quiénes son, ya que controlan la forma en que se presentan ante la sociedad en general, y la forma en que la sociedad en general los considera. Al mismo tiempo, la privacidad posibilita que la gente se presente a sí misma de una forma especial con los individuos que selecciona. En ambos casos, esta autodeterminación está asegurada por el derecho de las personas a definir la naturaleza y la magnitud de la información que revelan acerca de sí mismas.

Por lo tanto, está claro que nuestro interés en la privacidad es lo suficientemente importante para reconocerla como un derecho de todas las personas, incluyendo los consumidores. Sin embargo, este derecho se debe equilibrar con los derechos y las necesidades

---

*Repaso breve 6.14*

**Importancia de la privacidad**

- Protege a los individuos de revelaciones que pueden provocar vergüenza, fomentar la interferencia en su vida privada, dañar a sus seres queridos y provocar la autoincriminación.
- Facilita la intimidad que se deriva de las relaciones personales, la confianza y confidencialidad que subyace en las relaciones profesionales, la capacidad de mantener distintos papeles sociales y la de determinar cómo nos verán los demás.

legítimas de los demás. Por ejemplo, si los bancos van a otorgar préstamos a los consumidores, necesitan saber algo acerca de la historia crediticia de aquellos a quienes se lo van a otorgar, y qué tan cumplidos han sido en el pago de préstamos anteriores. A fin de cuentas, los consumidores se benefician de un sistema bancario como ese. Las compañías de seguros que desean proporcionar seguros de vida necesitan saber si los individuos padecen alguna enfermedad que ponga en riesgo la vida, y para ello deben tener acceso a su información médica. Los consumidores se benefician al disponer de un seguro de vida. De este modo, las compañías les proporcionan beneficios importantes, pero solo si existen agencias que reúnan información acerca de los individuos y la ponen a disposición de esas compañías. Así, el derecho de los consumidores a la privacidad debe equilibrarse con estas necesidades legítimas de las compañías. Se han sugerido varias cuestiones críticas para equilibrar las necesidades legítimas de las compañías con el derecho a la privacidad, incluyendo *a*) propósito, *b*) relevancia, *c*) notificación, *d*) consentimiento, *e*) precisión y *f*) destinatarios y seguridad.

**Propósito**   El propósito para el que se reúne la información acerca de consumidores específicos debe ser una necesidad legítima del negocio. En este contexto, un propósito es legítimo si produce beneficios que generalmente disfrutan las personas cuya información se reunió. Por ejemplo, los consumidores se benefician si los bancos están dispuestos a otorgar préstamos, si las aseguradoras están dispuestas a asegurarlos y si las compañías que emiten tarjetas de crédito están dispuestas a otorgar crédito. Esto no significa que un individuo específico se beneficie al facilitar información personal, digamos, a un banco, ya que este quizá se niegue a otorgarle un préstamo debido a su registro crediticio. Solamente significa que los consumidores se benefician en general al disponer de un sistema bancario (o de compañías de tarjetas de crédito o aseguradoras) que está dispuesto a otorgar préstamos, y un sistema de este tipo necesita un mecanismo para reunir información sobre sus clientes potenciales.

**Relevancia**   Las bases de datos que contienen información sobre los consumidores deben incluir únicamente información que sea relevante directamente al propósito para el que se crearon. De este modo, la información crediticia que se proporciona a los bancos o a las agencias que emiten tarjetas de crédito no debe incluir datos acerca de la orientación sexual, la afiliación política, la historia médica u otra información que no sea útil directamente para determinar si el individuo es digno de crédito.

**Notificación**   Las entidades que reúnen información sobre los consumidores deben informarles acerca de los datos que se están reuniendo y del propósito de reunir dicha información. Esto permite que los consumidores elijan de forma voluntaria que no se les implique transacciones que revelen información que no desean compartir.

**Consentimiento**   Una compañía debe reunir información acerca de una persona solo si esta ha aceptado de manera explícita o implícita proporcionar la información a esa compañía, y solo si la información será utilizada para el propósito que la persona autorizó. El consentimiento sería explícito cuando un individuo proporcione información para la solicitud de una tarjeta de crédito. Sin embargo, el consentimiento sería implícito cuando una persona realice una compra con una tarjeta de crédito, sabiendo que la compañía que la emitió mantendrá un registro de dicha compra, y que un buró de crédito conocerá ese registro. En este último caso, el mero hecho de usar la tarjeta de crédito constituye la aceptación de las condiciones que la compañía impone al uso de la misma, especialmente si la compañía de la tarjeta de crédito notificó de manera explícita al consumidor que la información se reuniría y se reportaría a un buró de crédito.

*Repaso breve 6.15*

**Equilibrio entre el derecho de la privacidad y las necesidades de los negocios**

- ¿El *propósito* de reunir la información es una necesidad legítima del negocio que beneficie al consumidor?
- ¿La información que se recopila es *relevante* para la necesidad del negocio?
- ¿Se ha *informado* al consumidor de que se está recopilando su información y con qué propósito?
- ¿Consintió el consumidor a la revelación de información?
- ¿La información es precisa?
- ¿La información es *segura* y no se revelará a *destinatarios* ni se *usará* de formas que el consumidor no consintió?

**Precisión**   Las agencias que reúnen información sobre una persona deben tomar medidas razonables para asegurarse de que la información que almacenen sea precisa, y que cualquier error que llame su atención será corregido. Para estos fines, las agencias deben permitir que los individuos vean la información que han reunido acerca de ellos y que indiquen cualquier imprecisión.

**Seguridad, destinatarios y usos**   Las agencias que reúnen información sobre individuos específicos se deben asegurar de que la información se resguarde, y que no sea revelada a terceros que el individuo no haya aceptado de manera explícita o implícita como destinatarios, o que se use en formas que el consumidor no consintió. Si un individuo proporciona información a una compañía para que esta pueda darle un mejor servicio, sería incorrecto que la compañía diera o vendiera la información a otra empresa sin el consentimiento del individuo.

✔•─[**Estudie** y **repase** en
**mythinkinglab.com**

## Preguntas para repaso y análisis

1. Defina los siguientes conceptos: teoría contractual (de las obligaciones de un vendedor), obligación de cumplir, afirmación implícita, confiabilidad, vida útil, posibilidad de mantenimiento, seguridad del producto, riesgo razonable, obligación de revelar, obligación de evitar la distorsión, obligación de no coaccionar, garantía implícita del fabricante, desconocimiento de responsabilidades, *caveat emptor*, teoría del debido cuidado (de las obligaciones del vendedor), *caveat vendor*, profesional, obligación del fabricante de ejercer el debido cuidado, teoría de los costos sociales (de las obligaciones del vendedor), publicidad, costos de producción, costos de venta, aumentar el consumo, desplazar el consumo, teoría de Kaldor de la publicidad y el poder de mercado, lealtad de marca, teoría de Galbraith de la creación de deseos en los consumidores, publicidad de carnada, engaño.

2. Analice los argumentos a favor y en contra de las tres principales teorías de las obligaciones del productor con el consumidor. En su opinión, ¿cuál es la más adecuada? ¿Existen áreas de marketing en las que una teoría sea más apropiada que las otras?

3. ¿Quién debe decidir *a*) cuánta información se debe proporcionar a los fabricantes? ¿El gobierno, los fabricantes, los grupos de consumidores o el libre mercado? *b*) ¿cómo deben ser los buenos productos?, *c*) ¿qué tan veraces deben ser los anuncios? Explique sus opiniones.

4. Examine con cuidado dos o más anuncios de periódicos o revistas actuales y evalúe el grado en que cumplen con lo que usted considera normas éticas adecuadas para la publicidad. Prepárese para defender sus normas.

## Recursos en Internet

Si usted desea investigar sobre temas del consumidor a través de Internet podría iniciar visitando los sitios Web de las siguientes organizaciones: The National Safety Council (*http://www.nsc.org*), Consumer Product Safety Commission (*http://www.cpsc.gov*), Consumer Law Page (*http://consumerlawpage.com*), Federal Trade Commission (*http://www.ftc.gov*). Es posible localizar artículos sobre leyes de consumo en Nolo Press (*http://www.nolo.com* y Consumer World (*http://www.consumerworld.org*). En el sistema Fatality Analysis Reporting podrá encontrar estadísticas sobre consumidores lesionados (*http://www-fars.nhtsa.dot.gov*), National Highway Traffic Safety Administration (*http www.nhtsa.dot.gov*), FedStats (*http://www.fedstats.gov*), The National Center for Health Statistics (*http://www.cdc.gov/nchs*) y Sistema de reporte y solicitud de estadísticas de lesiones con base en la Web de los centros para el control y prevención de enfermedades de Estados Unidos (wisqars) (*http://www.cdc.gov/injury/wisqars/index.html*).

## Becton Dickinson y los pinchazos de agujas

En 2004, Becton Dickinson, el mayor fabricante mundial de suministros y equipo médicos, acordó pagar a Retractable, una pequeña compañía innovadora que fabrica jeringas de seguridad, $100 millones por los daños que había infligido al pequeño fabricante. Un año antes, Premier y Novation, dos de las mayores organizaciones de compras generales, que adquieren suministros para hospitales y clínicas) habían pagado a Retractable una cantidad que no revelaron por los daños que habían causado a la pequeña compañía por cooperar con Becton Dickinson. Sin embargo, mucho más importantes y no compensadas, fueron las lesiones que se dijo que las tres compañías habían causado a incontables empleados de la salud que habían contraído SIDA y otras enfermedades sanguíneas, porque habían bloqueado la venta de las jeringas de seguridad de Retractable a hospitales, clínicas médicas y otras organizaciones de salud donde funcionaban. Para colmo de males, en 2009, un tribunal encontró que Becton Dickinson había copiado las jeringas de seguridad patentadas de Retractable y las había vendido a las mismas organizaciones a las que antes no habían permitido tener acceso a las revolucionarias jeringas de seguridad de su competencia.

Durante la última década del siglo pasado, las jeringas se convirtieron en un asunto importante cuando la epidemia del SIDA planteó dilemas especialmente difíciles para los empleados del área de la salud. Después de retirar un sistema intravenoso, extraer sangre o inyectar a un paciente con SIDA, los enfermeros podían pincharse fácilmente con la aguja que estaban usando. "Es raro que transcurra un día en cualquier hospital grande en el que no se reporte un pinchazo de aguja".[1] De hecho, las lesiones por pinchazos de aguja representaron aproximadamente el 80 por ciento de las exposiciones laborales al virus del SIDA que se reportaron entre los empleados del área de la salud.[2] En 1991 se estimó de manera conservadora que casi 64 empleados del área de la salud se infectaban con el virus del SIDA cada año, como resultado de lesiones por pinchazo de aguja.[3]

El SIDA no era el único riesgo de las lesiones por este tipo de pinchazos accidentales. También se contraía hepatitis B, hepatitis C y otras enfermedades letales. En 1990, el Centro de Control de Enfermedades (CDC) estimó que al menos 12,000 empleados del área de la salud estuvieron expuestos cada año a sangre contaminada con el virus de la hepatitis B, de los cuales 250 murieron como consecuencia de la enfermedad, mientras que otros quedaron gravemente incapacitados.[4] Puesto que el virus de la hepatitis C se había identificado en 1988, aún se calculaban por conjeturas las tasas de infección de los empleados del área de la salud, aunque algunos observadores estimaron que se trataba de aproximadamente 9,600 individuos por año. Además del SIDA, la hepatitis B y la hepatitis C, las lesiones por pinchazos de aguja también transmiten numerosas infecciones virales, bacterianas, micóticas y parasitarias, así como fármacos tóxicos y otros agentes que se administran a través de jeringas y agujas. Se estimó que el costo de todos estos padecimientos oscilaba entre 400 y mil millones de dólares al año.[5]

Muchas agencias intervinieron y establecieron lineamientos para los enfermeros, incluyendo la Occupational Safety and Health Administration (OSHA). El 6 de diciembre de 1991, OSHA exigió a los hospitales y a otros empleadores del área de la salud que a) pusieran contenedores para objetos punzocortantes (contenedores seguros para agujas) a disposición del personal, b) prohibieran la práctica de sostener la tapa en una mano e insertar la aguja con la otra y c) proporcionaran información y capacitación a los empleados para prevenir los pinchazos.[6]

La utilidad de estos lineamientos fue cuestionada.[7] Los enfermeros trabajaban en situaciones de emergencia de alto estrés que requerían de una acción rápida, y con frecuencia se veían presionados por el tiempo, tanto por la gran cantidad de pacientes que atendían como por las necesidades y las demandas tan variables de estos. En un ambiente de trabajo como este, era difícil seguir los lineamientos que las agencias recomendaron. Por ejemplo, una fuente de pinchazos de aguja de alto riesgo es la técnica de colocar la tapa en una aguja (después de utilizarla) sosteniéndola en una mano e insertando la aguja en la tapa con la otra. Los lineamientos de OSHA advertían de los peligros de la técnica de las dos manos y recomendaban que la tapa se colocara en una superficie y el enfermero utilizara la técnica de "arponeo" con una mano para tapar la aguja. Sin embargo, con frecuencia los enfermeros se veían presionados por el tiempo y, sabiendo que llevar una aguja contaminada es extremadamente peligroso, y al no encontrar una superficie disponible donde colocar la tapa de la aguja, utilizaban la técnica de las dos manos.

Varios analistas sugirieron que el ambiente donde trabajan los enfermeros no permite que se eviten los pinchazos de aguja con simples lineamientos. La doctora Janine Jaegger, experta en lesiones por pinchazos de aguja, argumentó que "tratar de enseñar a los empleados del área de la salud el uso seguro de aparatos peligrosos es similar a tratar de enseñar a alguien a conducir con seguridad un automóvil defectuoso... Hasta ahora, toda la atención se ha centrado en los trabajadores del área de la salud y en sus dedos temblorosos, en lugar de enfocarse en el diseño del producto peligroso... Necesitamos todo un nuevo surtido de dispositivos en los que la seguridad sea parte integral del diseño".[8] El Departamento del Trabajo y el Departamento de Salud y Servicios Humanos, en una consulta conjunta coincidieron en que "se deben utilizar controles de ingeniería como método principal para reducir la exposición de los empleados a sustancias dañinas".[9]

El riesgo de contraer enfermedades que ponen en peligro la vida por usar agujas y jeringas en lugares de atención sanitaria ha sido bien documentado desde inicios de la década de 1980.

Por ejemplo, artículos en revistas médicas de 1980 y 1981 reportaron el "problema" de las "heridas por piquetes y pinchazos de agujas" entre los empleados del área de la salud.[10] Varios artículos de 1983 se refirieron al creciente riesgo de lesiones que enfrentaban los empleados en los hospitales debido a agujas y objetos filosos.[11] En 1984 y 1985, los artículos manifestaban la alarma por el número creciente de casos con hepatitis B y SIDA, debidos a pinchazos de agujas.

Aproximadamente el 70 por ciento de todas las agujas y jeringas que utilizaron los empleados estadounidenses del área de la salud las fabricó Becton Dickinson. A pesar de la crisis emergente, Becton Dickinson decidió que no modificaría el diseño de sus agujas y jeringas a principios de la década de 1980. El hecho de ofrecer un nuevo diseño no solo implicaría grandes inversiones en ingeniería, remodelación y marketing, sino que significaba ofrecer un producto nuevo que tendría que competir con su producto más representativo, la jeringa estándar. Según Robert Stathopulos, que trabajó como ingeniero en Becton Dickinson de 1972 a 1986, la compañía deseaba "disminuir lo más posible la inversión de capital" en cualquier dispositivo nuevo.[12] De este modo, durante la mayor parte de la década de 1980, Becton Dickinson optó por no hacer nada más que incluir en cada caja de jeringas con agujas una advertencia del peligro de los pinchazos y de los peligros de la técnica de las dos manos.

El 23 de diciembre de 1986, la Oficina de Patentes de Estados Unidos expidió el número de patente 4,631,057 a Norma Sampson, una enfermera, y a Charles B. Mitchell, un ingeniero, para una jeringa rodeada por un tubo, el cual podía jalarse para cubrir y proteger la aguja dentro de la jeringa. Gracias al análisis de Sampson y Mitchell, su invento resultó ser el dispositivo más efectivo, fácil de usar y fácil de fabricar, capaz de proteger a los usuarios de los pinchazos de agujas, especialmente en "periodos de emergencia y otros momentos de gran estrés".[13] A diferencia de otros diseños de jeringas, el suyo tenía la forma y el tamaño de una jeringa estándar, por lo que los enfermeros que ya estaban familiarizados con el diseño de la jeringa estándar tendrían pocas dificultades para adaptarse a él.

Un año después de que Sampson y Mitchell patentaron su jeringa, Becton Dickinson les compró la licencia exclusiva para fabricarla. Pocos meses después, Becton Dickinson empezó a realizar pruebas de campo de los primeros modelos de la jeringa, con un modelo de 3 cc. Los enfermeros y el personal de los hospitales se entusiasmaron cuando les mostraron el producto. Sin embargo, advirtieron que si la compañía vendía el producto a un precio demasiado elevado, los hospitales, con la presión del incremento de sus presupuestos, no podrían adquirir las jeringas seguras.

Puesto que las preocupaciones por el SIDA seguían aumentando, la compañía decidió comercializar el producto.

En 1988, una vez completadas las pruebas de campo, Becton Dickinson tuvo que decidir cuáles jeringas se venderían con las fundas protectoras. Las fundas se podían colocar en las jeringas de tamaño más común, incluyendo jeringas de 1, 3, 5 y 10 cc. Sin embargo, la compañía decidió vender solo la versión de 3 cc con la manga protectora. De todas las jeringas utilizadas, casi la mitad era de 3 cc, aunque los enfermeros preferían las jeringas más grandes, de 5 y 10 cc, para extraer sangre.

La jeringa de 3 cc se comercializó en 1988 con la marca *Safety-Lok Syringe* y se vendió a los hospitales y consultorios médicos a un precio de entre 50 y 75 centavos de dólar, que Becton Dickinson describió como "súper precio". Para 1991, la compañía había bajado el precio a 26 centavos por unidad. En esa época, una jeringa regular sin dispositivo de protección costaba ocho centavos la unidad, con un costo de fabricación de cuatro centavos. La información acerca del costo de fabricación de la nueva jeringa de seguridad era secreta, pero una estimación seria establecería los costos de fabricación de cada jeringa Safety-Lok entre 13 y 20 centavos en 1991.[14]

La diferencia entre el precio de una jeringa estándar y el "súper precio" de la jeringa de seguridad era un obstáculo para los compradores hospitalarios. Cambiar a la nueva jeringa de seguridad aumentaría los costos de las jeringas de 3 cc a los hospitales en un factor de 3 a 7. Un impedimento igualmente importante para el cambio era el hecho de que la jeringa solo estaba disponible en el tamaño de 3 cc y, por lo tanto, como sugirió un estudio, tenía "aplicaciones limitadas".[15] Los hospitales se muestran renuentes a adoptar y a adaptarse a un producto que no está disponible para todo tipo de aplicaciones que debe enfrentar. En particular, los hospitales con frecuencia necesitan las jeringas grandes de 5 cc y 10 cc para extraer sangre, y Becton Dickinson no las había fabricado con el protector.

En 1992, la enfermera Maryann Rockwood (se cambió el nombre para proteger su privacidad) estaba trabajando en una clínica en San Diego, California, que atendía a pacientes con SIDA. Un día utilizó una jeringa estándar Becton Dickinson de 5 cc para extraer sangre de un paciente que estaba infectado con SIDA. Después de extraer la sangre contaminada, la transfirió a un tubo de ensayo estéril llamado tubo Vacutainer insertando la aguja a través del tapón de hule, el cual sostenía con la otra mano. Por accidente se picó un dedo con la aguja contaminada, y al poco tiempo fue diagnosticada como VIH positiva.

Maryann Rockwood demandó a Becton Dickinson alegando que, puesto que tenía el derecho exclusivo de la patente de Sampson y Mitchell, la compañía estaba obligada a proveer la jeringa de seguridad en todos sus tamaños, y que al no sacar al mercado los otros tamaños, había contribuido a su lesión. Ella afirmó que otro factor contribuyente era el precio que Becton Dickinson había fijado a su producto, lo cual había impedido que empleadores como el de ella compraran los tamaños que sí fabricaba. Becton Dickinson silenciosamente mantuvo este y muchos otros casos similares fuera de los tribunales a través de montos que no reveló.

Para 1992, finalmente OSHA había exigido que las clínicas y los hospitales aplicaran a sus empleados vacunas gratuitas para la hepatitis B y que proporcionaran cajas seguras para desechar agujas, ropa, guantes y máscaras protectoras. La Food and Drug Administration (FDA) también estaba considerando la posibilidad de exigir que los empleadores introdujeran gradualmente el uso de agujas de seguridad para evitar pinchazos, como las jeringas con funda que Becton Dickinson ya estaba proporcionando. Sin embargo, si la FDA o la OSHA exigieran el uso de jeringas y agujas de seguridad, esto dañaría el mercado estadounidense de las jeringas y agujas estándar de Becton Dickinson, obligándolo a invertir grandes cantidades en equipo nuevo de fabricación y en una nueva tecnología. Por lo tanto, Becton Dickinson envió a su director de marketing, Gary Cohen, y a otros dos altos ejecutivos a Washington D.C., a informar de manera privada a funcionarios del gobierno que la compañía se oponían firmemente a la exigencia de la aguja de seguridad, y que este asunto debía dejarse "al mercado". Posteriormente, la FDA decidió no exigir a los hospitales la compra de agujas de seguridad.[16]

Al año siguiente, un importante competidor de Becton Dickinson anunció que planeaba vender una jeringa de seguridad basada en una nueva patente, que era muy similar a la de Becton Dickinson. Sin embargo, a diferencia de esta compañía, el competidor indicó que vendería su aparato de seguridad en todos los tamaños, y a un precio mucho menor. Poco después del anuncio, Becton Dickinson declaró que también había decidido fabricar su jeringa Safety-Lok en toda la gama de tamaños comunes. En ese momento, la empresa se nombró a sí misma "líder" del mercado de jeringas de seguridad.

Sin embargo, en 1994, el evaluador más confiable de instrumentos médicos, un grupo sin fines de lucro llamado ECRI, publicó un reporte que afirmaba que después de hacer pruebas, había determinado que aunque la jeringa Safety-Lok de Becton Dickinson era más segura que su propia jeringa estándar, "ofrece poca protección contra los pinchazos de aguja". El siguiente año esta mala evaluación de la Safety-Lok Syringe la reforzó la U.S. Veteran's Administration, que calificó a esta jeringa por debajo de los productos de seguridad de otros fabricantes.

La tecnología de las agujas de seguridad dio un paso gigantesco en 1998 cuando Retractable Technologies, Inc., presentó una nueva jeringa de seguridad que logró que los pinchazos de aguja fueran prácticamente imposibles. La nueva jeringa de seguridad, que inventó Thomas Shaw, un apasionado ingeniero y fundador de Retractable Technologies, era una jeringa con una aguja asegurada a un resorte interno que la empujaba automáticamente

dentro del barril de la jeringa después de usarla. Cuando el émbolo de la jeringa se metía por completo, la aguja regresaba a la jeringa más rápido de lo que los ojos podían ver. La nueva jeringa de seguridad, llamada Vanishpoint, solo requería de una mano para operar y fue ovacionada por grupos de enfermeros y médicos. Por desgracia, a Retractable Technologies le resultó difícil la venta de su nueva jeringa automática debido a un nuevo fenómeno que surgió en la industria médica.

Durante la década de 1990, los hospitales y las clínicas habían tratado de disminuir costos al reorganizarse alrededor de pocos distribuidores grandes llamados Organizaciones de Compras en Grupo o GPO (Group Purchasing Organizations). Una GPO es un agente que negocia precios de suministros médicos en representación de sus hospitales miembros. Los hospitales se hicieron miembros de las GPO al convenir que comprarían entre el 85 y el 95 por ciento de sus suministros médicos a los fabricantes que ellas designaban, y entonces su poder de compras conjuntas permitió que las GPO negociaran precios más bajos para ellos. Las GPO más grandes eran Premier con 1,700 hospitales miembros, y Novation con 650. No obstante, las GPO fueron acusadas de ser presas de "conflictos de intereses", porque quienes les pagaban no eran los hospitales para quienes trabajaban, sino los fabricantes con los que negociaban los precios (las GPO recibían de cada fabricante un porcentaje acordado de las compras totales que sus miembros les hacían). Los críticos afirmaban que los fabricantes de productos médicos en realidad pagaban a las GPO para tener acceso a sus hospitales miembros. De hecho, según los críticos, algunas GPO, como Premier y Novation, ya no trataban de conseguir a los hospitales los mejores productos médicos ni los menos costosos, sino que elegían a los fabricantes con base en lo que estos estaban dispuestos a pagarles. Entre más dinero (el porcentaje de ventas más alto) daba el fabricante a la GPO, más dispuesta estaba esta última a colocar al fabricante en la lista de compañías a las que sus hospitales miembros tenían que comprar sus suministros médicos.[17]

Cuando Retractable intentó vender su jeringa nueva, que era reconocida como la más segura en el mercado y como la única capaz de eliminar por completo los pinchazos de agujas del entorno de los enfermeros, descubrió que no podía hacerlo. En 1996, Becton Dickinson había logrado que la GPO Premier firmara un contrato de exclusividad por siete años y medio y $1,800 millones, contrato que obligaba a los hospitales miembros de Premier a comprar al menos el 90 por ciento de sus jeringas y agujas a Becton Dickinson. Casi al mismo tiempo, esta compañía firmó un contrato similar con Novation, el cual obligaba a sus hospitales miembros a comprarle al menos el 95 por ciento de sus jeringas. Puesto que los hospitales ya se habían comprometido a comprar sus jeringas y agujas a Becton Dickinson, o de otro modo tendrían que pagar multas sustanciales, rechazaron a los vendedores de Retractable, incluso cuando su propio personal de enfermería recomendaba que el producto de seguridad de Retractable era mejor y más rentable que el de Becton Dickinson.

A pesar de que la jeringa de seguridad de Retractable costaba casi el doble que la de Becton, los hospitales que la adoptaron ahorraban dinero a largo plazo porque no tenían que pagar ninguno de los grandes costos asociados con los empleados que sufrían pinchazos de aguja frecuentes y las infecciones resultantes. El Centro para el Control de Enfermedades (Center for Disease Control, CDC) estimó que cada pinchazo de aguja que no llegaba a infectar a un trabajador le costaba al hospital hasta $2,000 en pruebas, tratamiento, asesoramiento psicológico, costos médicos y salarios perdidos, además de trauma emocional, ansiedad y abstención sexual inconmensurables hasta durante un año. Los pinchazos de aguja que provocaban que la víctima se infectara de VIH, hepatitis B o C, u otra infección potencialmente letal, costaba al hospital entre $500,000 y más de un millón de dólares, y el paciente sufría de ansiedad, efectos secundarios de la terapia farmacológica y, finalmente, podía costarle la vida. La jeringa de Retractable eliminaba por completo todos estos costos. Puesto que todas las otras jeringas que estaban en el mercado en esa época, incluyendo la Safety-Lok de Becton Dickinson, aún provocaban algunos pinchazos de aguja, no podían eliminar por completo los costos asociados con estos y, por lo tanto, no eran tan rentables (un estudio del CDC reveló que cuando los empleados de hospitales probaron la jeringa Safety-Lok de Becton Dickinson en tres ciudades de 1993 a 1995, las lesiones por pinchazo de aguja habían disminuido únicamente de 4 a 3.1 por cada 100,000, una reducción de solo el 23%, el peor desempeño de todos los aparatos de seguridad que se probaron). Un estudio econométrico encomendado por Retractable probó que su jeringa de seguridad era la más rentable del mercado.

En octubre de 1999, ECRI, el laboratorio de prueba de productos médicos más respetado de Estados Unidos, calificó a la jeringa Safety-Lok de Becton Dickinson como una jeringa de seguridad "inaceptable", afirmando que en realidad podría causar un incremento de los pinchazos de aguja porque para usarla se necesitan las dos manos, y una podría tocar accidentalmente la aguja. Al mismo tiempo, otorgó a la jeringa Vanishpoint de Retractable su mayor calificación como jeringa de seguridad, la única en alcanzar este elevado nivel. Becton Dickinson protestó vigorosamente por la baja calificación de su jeringa, y en 2001 el laboratorio aumentó un punto a la calificación de Safety-Lok como "no recomendable". Sin embargo, la jeringa Vanishpoint de Retractable continuó recibiendo la mejor calificación. A pesar de ser reconocida como la mejor y más rentable tecnología para proteger a los empleados del área de la salud de infecciones provocadas por pinchazo de aguja, Retractable seguía enfrentando un bloqueo en el mercado debido a los contratos a largo plazo que Becton Dickinson había negociado con las principales GPO.[18]

En 1999, California se convirtió en el primer estado en exigir que los hospitales proporcionaran jeringas seguras a su personal. Luego, en noviembre de 2002, se promulgó la Ley de Seguridad y Prevención de Pinchazos de Aguja. La ley exigía el uso de jeringas seguras en hospitales y consultorios médicos. En 2001, OSHA adoptó las cláusulas de dicha ley, por lo que finalmente obligaba a hospitales y empleadores a usar jeringas seguras, lo que extendió de manera importante el mercado para este tipo de dispositivos, y se espera que permita la disminución de los precios. Ninguna de estas normas requería un tipo o marca específicos, y la mayoría de las jeringas de seguridad de Becton Dickinson las adquirían los hospitales miembros de las GPO.

Puesto que continuaba apartada del mercado por los contratos que Becton Dickinson tenía con Premier y Novation, Retractable demandó a Premier, Novation y Becton Dickinson en un tribunal federal, alegando que violaban leyes antimonopolio y dañaban a consumidores y a un gran número de empleados del área de la salud al utilizar el sistema GPO para monopolizar el mercado de las agujas de seguridad.[19] En 2003, Premier y Novation se arreglaron con Retractable fuera de los tribunales y acordaron que a partir de ese momento los hospitales podrían adquirir las jeringas de seguridad de Retractable cuando lo desearan. En 2004, Becton Dickinson también hizo un arreglo fuera del tribunal y aceptó pagar a Retractable $100 millones como compensación por los daños que le había provocado. Durante los seis años que los contratos de Becton Dickinson impidieron que Retractable y otros fabricantes vendieran sus agujas de seguridad a hospitales y clínicas, miles de empleados del área de la salud continuaron infectándose por pinchazos de aguja cada año.

Irónicamente, en noviembre de 2009, un jurado declaró a Becton Dickinson culpable de violar las patentes de jeringa de seguridad de Retractable y luego de fabricarlas y venderlas con su propio nombre. Cuando ECRI había juzgado la propia tecnología de agujas de seguridad de Becton Dickinson como "inaceptable" y "no recomendable", las ventas cayeron. Para compensar esta caída de las ventas, la compañía aparentemente tomó un atajo. El jurado declaró culpable a Becton Dickinson de delitos de violación de patentes y le ordenó pagar a Retractable $5 millones y que cesara de violar sus patentes.[20]

## Preguntas

1. En su opinión, ¿en 1991 Becton Dickinson tenía la obligación de proporcionar la jeringa de seguridad en todos los tamaños? Explique su postura utilizando los materiales de este capítulo y los principios del utilitarismo, derechos, justicia y cuidado.

2. ¿Se debe considerar responsables a los fabricantes de no vender todos los productos de los que poseen patentes exclusivas cuando su venta hubiera podido evitar que alguien se lesionara? Explique su respuesta.

3. Evalúe la ética del uso que hizo Becton Dickinson del sistema GPO a finales de la década de 1990. ¿Las GPO son monopolios? ¿Es ética su práctica? Explique.

## Notas

1. J. R. Roberts, "Accidental Needle Stick", *EM & ACM*, mayo de 1987, pp. 6-7.
2. R. Marcus, "Surveillance of Health Care Workers Exposed to Blood from Patients Infected with the Human Immunodeficiency Virus", *N. Eng. J. Med.*, octubre de 1988, v. 319, n. 17, pp. 1118-1123.
3. "Special Report and Product Review; Needle Stick-Prevention Devices", *Health Devices*, mayo de 1991, v. 20, n. 5, p. 155.
4. *Ibid.*
5. Kathy Sullivan y Diana Schnell, "Needleless Systems", *Infusion*, octubre de 1994, pp. 17-19.
6. "Rules and Regulations", *Federal Register*, 6 de diciembre de 1991, v. 58, n. 235, pp. 64175-64182.
7. "Needle Stick Injuries Tied to Poor Design", *Internal Medicine*, 1 de diciembre de 1987.
8. *Ibid.*
9. Citado en *Health Devices*, p. 154.
10. J. S. Reed *et al.*, "Needle Stick and Puncture Wounds: Definition of the Problem", *Am. J. Infect. Control*, 1980, v. 8, pp. 101-106; R. D. McCormick *et al.*, "Epidemiology of Needle Stick Injuries in Hospital Personnel", *Am. J. Med.* 1981, v. 70, pp. 928-932.
11. J. T. Jacobson *et al.*, "Injuries of Hospital Employees from Needles and Sharp Objects", *Infectious Control*, 1983, v. 4, pp. 100-102; F. J. Reuben *et al.*, "Epidemiology of Accidental Needle Puncture Wounds in Hospital Workers", *American J. Med. Sci.*, 1983; v. 286, n. 1, pp. 26-30; B. Kirkman-Liff *et al.*, "Hepatitis B -What Price Exposure?". *Am J. Nurs.*, agosto de 1984, pp. 988-990; S. H. Weiss *et al.*, "HTLV-III Infection Among Health Care Workers: Association with Needle-Stick Injuries", *JAMA*, 1985, v. 254, n. 15, pp. 2089-2093.
12. Reynolds Holding y William Carlsen, "High Profits -At What Cost? Company markets unsafe needles despite reported risks", *The San Francisco Chronicle*, 14 de abril de 1998, p. A1.
13. Patente estadounidense 4,631,057, Mitchell.
14. En 1991 el dispositivo tenía un precio de lista publicado de 26 centavos; vea *Health Devices*, p. 170. Si se supone un margen muy conservador del 20 por ciento, esto implicaría un costo de fabricación de aproximadamente 20 centavos; si se supone un margen similar para sus jeringas regulares del 50 por ciento, esto implicaría un costo de fabricación de aproximadamente 12 centavos.
15. *Health Devices*, p. 170.
16. Reynolds Holding y William Carlsen, "Watchdogs Fail Health Workers: How safer needles were kept out of hospitals", *The San Francisco Chronicle*", 15 de abril de 1998, p. A-1.
17. Barry Meier y Mary Williams Walsh, "Questioning $1 Million Fee in a Needle Deal", *The New York Times*, 19 de julio de 2002, p. 1.
18. *Ibid.*
19. Mark Smith, "Medical Innovations: Clash of Blood, Money; Patients Take Back Seat to Costs, Critics Say", *The Houston Chronicle*, 18 de abril de 1999, p. 1.
20. "Mariah Blake, "Dirty Medicine: How Medical Supply Behemoths Stick It To the Little Guy, Making America's Health Care System More Dangerous and Expensive", Washington monthly, julio/agosto de 2010, fecha de acceso: 25 de agosto de 2010, en *http://www.washingtonmonthly.com/features/2010/1007.blake.html.*

C A S O S

※[Explore el concepto en **mythinkinglab.com**

## *Reducción de deudas con Credit Solutions of America*

En 2003 y con solo cinco empleados, Doug Van Arsdale fundó Credit Solutions of America (CSA), en Richardson, Texas.[1] Hoy tiene sus oficinas centrales en Dallas, Texas, cuenta con más de 1,000 empleados, opera en varios estados y tiene decenas de miles de clientes inscritos en sus programas de reducción de deudas. Los ingresos de la empresa en 2007 ascendieron a $77,354,088 duplicando los de 2006 que fueron de $40,333,517. Cuando Doug Van Arsdale fundó CSA usó sus propios fondos y desarrolló sus programas, procesos y procedimiento por sí mismo. En 2007, la empresa ganó el prestigioso premio J. D. Power and Associates por "una experiencia destacada en el servicio al cliente". ¿Por qué una empresa tan destacada, tan dedicada a servir a sus clientes ha sido demandada por los fiscales generales de ocho estados por fraude a los clientes?

CSA es parte da la industria del "arreglo" o "manejo de deudas". Las empresas de arreglos de deudas ayudan a los consumidores que han acumulado una gran cantidad de deudas y son incapaces de seguir haciendo los pagos mensuales, y a los que ya no pueden pagarlas por completo.[2]

Una opción para tales clientes es declararse en bancarrota personal ante un tribunal federal; esto detiene todos los esfuerzos de recuperación de los acreedores y permite al juez tomar control de los bienes del deudor y venderlos para pagar tanto de la deuda como le sea posible y así emitir una orden judicial que elimina los adeudos restantes. Cuando un deudor alcanza el nivel de bancarrota, generalmente ya no tiene ningún bien o cuenta con muy pocos, así que por lo general los acreedores no obtienen nada. En efecto, la bancarrota permite a la persona que ha sido abrumada por las deudas que estas le sean perdonadas y comenzar de nuevo con el pizarrón en blanco. Sin embargo, provoca serias consecuencias a largo plazo. La bancarrota permanecerá en el historial crediticio de la persona por diez años, y durante ese tiempo será casi imposible que obtenga un préstamo, una tarjeta de crédito, compre una casa o cualquier otra cosa como un auto o un seguro de vida, y complicará incluso el obtener un empleo. Debido a estas serias consecuencias negativas, la mayoría de los deudores son reacios a declararse en bancarrota y primero tratarán de encontrar alguna otra manera de solucionar sus deudas. Ahí es donde las empresas de manejo de deudas entran en escena.

Hay varios tipos de ellas. Algunas proporcionan "asesoramiento crediticio" tradicional, el cual consiste en mostrarles a sus clientes cómo establecer un presupuesto y un plan para pagar todas sus deudas y ayudarlos a trabajar con los acreedores para reducir sus tasas de interés o sus penalizaciones. Otras proveen "préstamos de consolidación de deudas" que dan al cliente un único préstamo que usan para pagar todas las otras deudas, pero permiten el repago a lo largo de varios años haciendo que el pago mensual sea lo suficientemente bajo para que el cliente lo pueda cubrir. Un tercer grupo de empresas proveen "administración de deudas", que consiste en negociar directamente con los acreedores del cliente a nombre del mismo y tratar de convencerlos de reducir los pagos mensuales del cliente a un nivel que pueda cubrir, por lo general alcanzando un periodo de gracia más largo y, otras veces, perdonando parte de la deuda.

Pero estas opciones le parecieron inadecuadas a Doug Van Arsdale. Antes de fundar CSA pasó nueve meses investigando y estudiando la industria.[3] En este tiempo, descubrió que existía la necesidad de una "alternativa efectiva tanto para la bancarrota como para el asesoramiento crediticio al cliente". El problema principal, dijo, era que "en nuestra sociedad la mayoría de los clientes con problemas de deudas son tratados de mala manera [y] yo vi que los consumidores necesitaban a alguien que estuviera exclusivamente de su lado". Así que decidió establecer un tipo diferente de empresa de manejo de deudas, una que proveyera una ayuda más vigorosa a los clientes que están empantanados por sus deudas.

CSA inició una cuarta categoría de empresa de manejo de deudas, la cual consiste en empresas que se comprometen en un tipo agresivo de liberación de deudas que trata de *obligar* a los acreedores a reducir la deuda de sus clientes. Las empresas de esta categoría trabajan principalmente con clientes que tienen deudas no garantizadas, por ejemplo, deudas que no están respaldadas por un bien, como una casa, un auto o acciones, que el acreedor pueda reponer si el deudor no puede pagar la deuda. Ya que la mayor parte de las deudas que carecen de garantía se deben a las tarjetas de crédito, la mayoría de los clientes de CSA tiene deudas cuyos pagos mensuales están fuera de su capacidad de pago. Una persona debe contar con, por lo menos, $6,000 en deudas no garantizadas para convertirse en cliente de CSA.

Las empresas como CSA operan sugiriendo a sus clientes que dejen de efectuar los pagos mensuales de sus deudas no garantizadas.[4] CSA le dice a sus clientes que aunque no puede aconsejarles legalmente que dejen de pagar a sus acreedores, su "programa" no funcionará si no dejan de hacer sus pagos. A los clientes se les instruye para que abran una cuenta de ahorros y depositen en ella el dinero que destinarían al pago mensual de sus deudas. También deben estar de acuerdo en dejar que CSA maneje todos los contactos con los acreedores

a partir de ese momento. Después de varios meses de no pagar sus deudas de forma regular, la deuda del cliente pasa a incumplimiento y el acreedor comienza a demandar su dinero, llamando y escribiendo cartas tratando de cobrar e incluso amenazando con demandar. Después de un periodo, la empresa de manejo de deudas, CSA, contacta a los acreedores y negocia una sustancial reducción del préstamo, tal vez sugiriendo que si no se reduce el préstamo, es posible que el acreedor no recupere nada de su dinero porque el deudor se va a declarar en bancarrota. Aunque los acreedores no quieren discutir reducciones cuando están recibiendo sus pagos mensuales, están más abiertos a hacerlo cuando de cualquier modo ya no reciben ningún dinero de sus deudores, y esa es la razón por la que este tipo de manejo de deudas funciona solamente si los clientes dejan de efectuar los pagos de sus deudas. En muchos casos, los acreedores estarán dispuestos a llegar a un acuerdo, por ejemplo, en reducir la deuda, tal vez en un 30 por ciento, pero muy frecuentemente hasta en 40 o 60 por ciento, dependiendo de las circunstancias y de las habilidades del negociador. Esta parte de su programa es una característica que la empresa de Van Arsdale publicita en su sitio Web:

> El manejo de deudas reduce específicamente su abultado saldo total actual entre 40 y 60 por ciento... Un arreglo típico se puede alcanzar en 36 meses o menos con un pago mensual menor que con cualquier otra opción de resolución de deudas... Más de 200,000 personas de todo tipo de vida han confiado en nosotros para que les ayudemos a quedar libres de deudas. Credit Solutions es el líder de la industria, manejando más de $2,250 millones de deudas de nuestros clientes.[5]

Si la negociación es exitosa, la deuda del cliente se reduce a un nivel que pueda manejar pero sin las consecuencias negativas de la bancarrota. El cliente usa el dinero que había estado poniendo en la cuenta de ahorros para realizar el pago inicial de una suma de dinero al acreedor y entonces usualmente regresa a hacer pagos mensuales. Frecuentemente la deuda reducida es lo suficientemente baja como para que el cliente la salde en cuestión de meses.

A cambio de sus servicios, CSA cobra una tarifa del 15 por ciento de la deuda total que quiera reducir el cliente, quien paga esta tarifa en tres grandes pagos realizados en los tres primeros meses y posteriormente en pequeños pagos mensuales durante los siguientes 14 meses. CSA toma estas aportaciones mensuales de la cuenta de ahorros que el cliente abre al principio del programa, que es justo cuando el cliente deja de hacer los pagos mensuales de sus deudas, pero antes de que estas sean declaradas en suspensión de pagos y, por lo tanto, antes de que CSA comience a negociar activamente con los acreedores. CSA no comienza esas negociaciones hasta varios meses después, cuando los acreedores están ansiosos de recuperar aunque sea alguna parte de la deuda y el cliente ha ahorrado suficiente dinero para los primeros pagos de la suma total que los acreedores demandarán.

Los clientes firman con CSA cuando llaman a uno de sus vendedores. La empresa, de hecho, posee el doble de personas trabajando en ventas que en solucionar los problemas crediticios del cliente. Da a sus vendedores un "guion" que deben seguir cuando hablan con un cliente aunque la empresa también aconseja a sus vendedores que: "¡Nosotros NO ESTAMOS EXCLUSIVAMENTE APEGADOS AL GUION! ¡Formule su propia artillería de refutaciones!, ¡No sea un robot! ¡Sea creativo!".[6] El guion de ventas dice a los vendedores que expliquen que el manejo de deudas por CSA es mejor que el de la consolidación de deudas, la asesoría sobre deudas o el manejo de deudas, ya que "reduce drásticamente sus deudas y deja libre al cliente en 3 años o menos". Si un cliente pregunta "¿Me demandarán?", el guion sugiere una respuesta: "Queremos asegurarle al cliente que no hay nada que pueda suceder en lo que no tratemos de asistirlo". Si el cliente pregunta "¿Qué le va a hacer esto a mi crédito?", el guion sugiere preguntar "¿Cuál es su calificación crediticia actual?", lo que distraerá al cliente de su propia pregunta, ya que prácticamente nadie conoce su calificación. El vendedor también puede decir, "Después de que usted salga del programa, su calificación será igual si no es que mejor que la actual...". Si el cliente pregunta "¿Puede usted garantizar que mis acreedores se sentarán a negociar con ustedes?", el guion sugiere responder "nosotros garantizamos nuestra tarifa porque sabemos que sus acreedores van a negociar el manejo de su deuda con nosotros. (Hágales saber que actualmente estamos desarrollando relaciones con tantos acreedores como nos es posible). De hecho, algunos acreedores dedican ciertos días de la semana solo para trabajar con nosotros. Observe que nosotros no decimos 'no garantizamos', sino mejor dígales lo que podemos garantizar y garantizamos".

Doug Van Arsdale sintió que su empresa era capaz de proveer ayuda justo cuando los clientes endeudados estaban en sus puntos más bajos. "Ahí es cuando entramos en juego y al final hacemos la diferencia", dijo él.[7] Más aún, la empresa se ha vuelto un importante recurso para los mismos acreedores. "Trabajar con nosotros en nombre de nuestros clientes mutuos es muy benéfico para ellos", hizo notar. "Ahorran tiempo y dinero que habrían gastado en esfuerzos infructuosos de cobro".

Los métodos que CSA emplea para lograr que los acreedores reduzcan las deudas de sus clientes imponen un estrés considerable sobre estos. Cuando los clientes dejan de hacer sus pagos mensuales, los acreedores comienzan a llamar constantemente, envían cartas amenazantes y añaden "recargos" y otras penalizaciones a la deuda; entonces, los acreedores le pueden enviar la deuda a una agencia de cobros que es aún más agresiva y acosadora. Finalmente, el cliente es amenazado con demandas o el acreedor obtiene una orden judicial que le permite "embargar" (tomar) parte del sueldo del cliente. El acreedor también reportará la falla del cliente al pagar a las agencias crediticias con lo que la calificación crediticia del cliente cae, lo que provoca que le resulte mucho más difícil obtener nuevamente un crédito. En el extremo, el acreedor demandará al cliente. De todos modos, aunque el proceso puede ser traumático, el resultado final puede dejar satisfechos a los clientes de CSA.

Uno de los clientes satisfechos de CSA, "Tiffany, de Orlando", subió un comentario acerca de su experiencia con CSA en *ConsumerAffairs.com*, un sitio Web que reúne comentarios acerca del manejo de deudas:

> Perdí mi empleo... y me inscribí en Credit Solutions en junio de 2009 después de problemas para pagar todas las cuentas de mis tarjetas de crédito... Los primeros seis meses del programa fueron los más difíciles. Recibía llamadas de los acreedores, cartas, etc., desde que dejé de hacer mis pagos mensuales... Entonces, después de 6 meses, me llegó una oferta de una tarjeta de crédito a la que le debía más de $5,000... y pude manejar mi primera cuenta por menos de la mitad de lo que debía. Pocos meses después pagué dos cuentas más... así que, yo personalmente pienso que valió la pena... además, ya he ahorrado el doble de lo que fue su tarifa total por sus servicios... No es sencillo, y sí, tu calificación crediticia queda destruida, pero en mi situación, parecía la única manera de salir de la deuda. Pagar la renta y comprar comida para mis niños me parecía más importante en ese momento que mi calificación crediticia.
>
> Tiffany de Orlando, Florida. 9 de febrero de 2010[8]

Otro cliente satisfecho de CSA con el nombre de "Anónimo" subió este comentario titulado "Cliente molesto" en un sitio diferente:

> Usé Credit Solutions para eliminar mi deuda y funcionó; pude eliminar una deuda con valor de $10,000 de una tarjeta de crédito en menos de un año. Fueron horribles para tratar de obtener un alto... son un poco desorganizados... me dijeron que cerrara mis cuentas. Me dijeron que los llamara cuando hubiera ahorrado un porcentaje específico de mi deuda y ellos tratarían de negociar en ese punto. Ahorré, llamé y funcionó, aun cuando la deuda ya había pasado a los abogados, todavía negociaron un mejor acuerdo para mí. Siento que ellos hicieron su trabajo con esa tarjeta, pero mi otra compañía de crédito me ofreció un trato, 6 meses después de entrar en el programa, por la mitad del monto que les debía, y lo acepté. ... Así que... me ayudaron, pero hay definitivamente algún factor frustrante en el servicio al cliente.[9]

Aunque por cada cliente satisfecho que sube comentarios en sitios Web dedicados a las quejas de los clientes parece haber diez o veinte clientes de CSA que están extremadamente enojados por la forma en que la empresa trató sus problemas crediticios, por lo que perciben como inacción por parte de CSA, por las tarifas que pagaron a CSA por un trabajo deficiente o por los métodos discutibles de la compañía. En *ConsumerAffairs.com*, una cliente que se hace llamar Jamie escribió:

> Comencé a usar tarjetas de crédito cuando estaba en la universidad. Una tarjeta de crédito con un límite de crédito de $25,000 era más fácil de encontrar en la universidad que una fiesta donde se consumían drogas... En esa época, yo era muy inmadura para entender las deudas y usar el crédito sabiamente. Ya no pude pagar mis deudas... Credit Solutions declara que puede ayudarte fácilmente. Todo lo que tienes que hacer es dejar de pagar tus cuentas... Entonces, cuando ellos van a las agencias de cobranza puedes negociarlas ¡cambiando dólares por centavos! Todo lo que tenías que hacer es pagarle a Credit Solutions... ¿qué hicieron ellos? Nada... Todo lo que hacen es quitarte tu dinero. Después de que los acreedores trataron de demandarme, tuve que hacer finalmente aquello por lo que le pagué a Credit Solutions. Comenzar a llamar a los acreedores y hablar con ellos para establecer planes de pago. Finalmente pagué todas mis deudas de tarjetas de crédito. Sin embargo, aún estoy enojada porque esta empresa me habló de una forma tan estúpida e idiota para resolver mi deuda.

Jamie de Pittsburgh, PA, 21 de diciembre de 2009[10]

Otro cliente insatisfecho de CSA subió este comentario en *ConsumerAffairs.com*:

> Cuando firmé con Credit Solutions me dijeron que no contestara ni hablara con ninguno de nuestros acreedores, que ellos se encargarían de eso. Hemos pagado a Credit Solutions más de $4,000 y mi crédito está peor que cuando ingresé al programa. Me están llevando a juicio y recibí una notificación de embargo por parte de uno de mis acreedores... ahora estoy declarándome en bancarrota porque estoy tan retrasado y endeudado que esta es la única alternativa que tengo para proteger a mi familia de dejarlos en la calle... los acreedores están embargando mi salario y no podré mantener a mi familia cuando me quiten mi medio de sustento.

Bruce de Alamosa, CO, 21 de febrero de 2009[11]

Un estudiante dejó este perturbador comentario en *ConsumerAffairs.com*:

> Me inscribí en Credit Solutions en julio de 2008. Yo era estudiante, tratando de sobrevivir con lo que tenía. Pensé que Credit Solutions era un salvavidas. Estar finalmente libre de deudas... por fin podría obtener un mejor crédito estudiantil y no tendría que cumplir con dos empleos de tiempo completo solo para pagar el mínimo en las tarjetas de crédito... Lo que ellos no te dicen es que cuando estás esperando que las cosas se solucionen, tu crédito empeora aún más. Todas mis tarjetas de crédito fueron a parar a manos de cobradores, quienes me acosaban todos los días. Cuando contacté a Credit Solutions me dijeron que lo estaban manejando. Finalmente... me puse en contacto con todas las compañías de mis tarjetas de crédito, y ellos ¡¡¡NUNCA RECIBIERON NADA DE CREDIT SOLUTIONS!!! Pagué por nada... ¡pasé de deber $1,700 en una tarjeta a $2,600! Soy un estudiante de medicina de 21 años... no puedo calificar para ningún crédito debido a esto... Mi futuro y mis sueños están arruinados.

Nicole de West Palm Beach, FL, 2 de enero de 2009[12]

"Debt Consolidation Care Forum" (Foro para el Cuidado de la Consolidación de la Deuda) que proporciona un sitio Web para comentarios, abrió un foro titulado "Credit Solutions: ¿una estafa?" y rápidamente recibió más de cien entradas. Algunas eran favorables a la compañía, como la de quien escribió que ya casi había acabado de pagar sus deudas, y que "solo tenía cosas buenas que decir de ellos". Pero la mayoría de los comentarios eran negativos, incluyendo el de otro que había firmado con Credit Solutions y luego se sintió abrumado diariamente por los cobradores y amenazado con demandas hasta que "estuve cerca del suicidio".[13]

Muchos de los clientes insatisfechos de CSA presentaron quejas ante el Better Business Bureau. A mediados de 2010, el Bureau observó que había recibido más de 1,400 quejas sobre CSA durante los últimos 36 meses. Según su informe sobre la compañía en el sitio Web del Bureau, "los clientes se quejan de que pagar la tarifa de la compañía y seguir el programa de negociación de la deuda no reduce la deuda, como decían los representantes de la compañía. Se quejan de que, como resultado del programa, su deuda ha aumentado, debido a cargos moratorios o intereses adicionales y reportes crediticios negativos."[14]

Muchos clientes insatisfechos también presentaron sus quejas ante funcionarios estatales. Para 2011, los fiscales generales de Texas, Nueva York, Oregón, Idaho, Florida, Illinois, Maine y Missouri habían presentado demandas contra la compañía en nombre de los residentes del estado. Algunas de ellas alegaban que CSA había engañado al prometer, y no cumplir, reducciones del 60 por ciento. La compañía también fue acusada de participar en prácticas de negocios fraudulentas al hacer que sus clientes dejaran de pagar sus deudas sabiendo que esto les conduciría a tasas moratorias y otras multas financieras, incluyendo menor clasificación de crédito, pero sin informarles. Y CSA fue acusada de hacer que sus clientes pagaran tarifas cuando en realidad no estaban realizando nada por ellos. Oregón prohibió a la empresa que efectuaran negocios en el estado durante tres años. Idaho reguló que las compañías de arreglo de deudas no podrían operar en el estado a menos que fueran no lucrativas, lo que descalificaba a CSA.

CSA tenía preparadas muchas defensas en contra de esas acusaciones. Muchos clientes que se quejaban lo hacían porque probablemente estaban descontentos con el estrés de pasar los primeros meses del programa, en los que los acreedores empezaban a llamarles porque no les pagaban. Pero este era un paso importante y necesario para lograr que los acreedores acordaran las reducciones de deuda, y los clientes sabían que tenían que soportar este periodo. CSA ayudaba a sus clientes durante este tiempo al pedirles que no contactaran a los acreedores y que permitieran que la compañía se encargara de todos los contactos y cartas con ellos. Aquellos clientes que se quejaban de que la compañía no había negociado ninguna reducción de su deuda quizá también se referían a aquellos primeros meses del programa en los que CSA deliberadamente no efectúa ninguna negociación con los acreedores. Y cuando los clientes decían que estaban pagando a CSA, pero que esta no hacía nada por ellos, quizá era porque esta requería que los clientes pagaran su tarifa del 15 por ciento desde el primer mes, cuando la compañía de manera premeditada no realizaba ninguna negociación activa con los acreedores.

CSA no ocultaba que, aun cuando en su página web y en sus análisis con los clientes, decía que las reducciones de la deuda podrían ser de hasta un 60 por ciento, no todos los clientes recibían reducciones tan grandes. Sin embargo, CSA nunca prometía a los clientes que recibirían reducciones de esa magnitud. La compañía solo acordaba tratar de negociar una reducción, la cual podía ser de hasta el 60 por ciento de la deuda del cliente. Y, de hecho, CSA por lo general era capaz de negociar grandes reducciones del 60 por ciento para muchos de sus clientes. Aunque había acreedores que acordaban reducir las deudas de sus clientes solo en una cantidad más pequeña, los de otros estaban muy abiertos a negociar importantes reducciones de deuda con CSA.

Finalmente, algunas de las quejas provenían de clientes que no se habían apegado a su acuerdo de no entrar en contacto con los acreedores. En lugar de permitir que CSA manejara todos los contactos con los acreedores, algunos clientes los contactaban antes de tiempo y por lo tanto interferían en las negociaciones que estaban en marcha. Cuando los clientes se impacientaban y contactaban a los acreedores por su cuenta, a menudo lo hacían antes de tiempo y de tal manera que CSA no podía obtener el tipo de concesiones que hubiera conseguido si hubieran esperado un poco más.

Cualquier acción que un acreedor tomara, como presentar una demanda o una retención salarial cautelar del cliente, se podían eliminar como parte de las negociaciones de CSA con el acreedor, siempre y cuando el cliente estuviera dispuesto a ser paciente. Aun los cargos por mora y otras multas financieras que los acreedores añadían a la deuda de un cliente se podían eliminar durante las negociaciones.

No obstante, muchos clientes se quejaban de que aunque habían seguido todas las instrucciones de CSA, y pagado todas sus tarifas, al final, sus deudas no se habían reducido o lo habían hecho por menos de lo que habían pagado a CSA. En Nueva York, el fiscal general del estado dijo que Credit Solutions había inscrito a 18,000 clientes neoyorkinos pero que había solucionado las deudas de menos de 2,000. Evelyn Mazzella, una cliente de Nueva York, dijo: "Terminé pagándoles unos cuantos miles de dólares, pero solo arreglaron una tarjeta" con Best Buy, un detallista de electrónica.[15] En 2009, los clientes también se quejaron que cuando tuvieron problemas al tratar de pagar las tarifas de CSA y ahorrar algo de dinero para hacer el pago de la suma global requerida en cualquier arreglo potencial, la compañía les daba una lista de sugerencias inútiles como: "refinancie su casa", "consiga otra hipoteca", "cuide niños", "venda plasma", "pida un aumento", "bájese del tren una estación antes de su llegada y camine", "deje de beber", "beba agua de la llave" y "compre comida congelada".[16] Otros clientes se quejaban de que los vendedores de CSA no les habían dicho que la autoridad fiscal consideraría cualquier cantidad deducida de sus deudas para cuestiones de impuestos como si fuera un ingreso, ni que durante siete años la reducción aparecería en el informe crediticio como "morosa", una marca negativa que reduciría su capacidad de obtener futuros créditos. Muchos expertos crediticios señalaron que cuando los clientes tuvieran problemas con sus deudas de tarjetas de crédito, podían ir directamente a su compañía emisora y negociar una reducción por sí mismos sin la ayuda de CSA.

Doug Van Arsdale, quien seguía siendo director ejecutivo de Credit Solutions en 2011, dijo en una declaración que su compañía (CSA) "se adhiere a los máximos estándares éticos" y sigue enfocada en sus clientes.[17] La compañía, dijo, "les trata con respeto y les ayuda a volver a poner en orden sus vidas, sin importar su situación".[18]

## Notas

1. *State of Texas, Plaintiff, v. CSA-Credit Solutions of America, Inc., Defendant*, caso Núm. D-1-GV-09-000417, presentado el 26 de marzo de 2009, en la Corte Distrital de Travis County, Texas, Distrito Judicial 261, Petición Original de Plaintiff., p. 6; los datos e información de ingresos sobre Doug Van Arsdale provienen del sitio Web de "The American Business Awards", fecha de acceso: 30 de enero en *http://www.stevieawards.com/pubs/awards/403_2591_19325.cfm*.

2. Comisión Federal de Comercio, "Facts for Consumers, Knee Deep in Debt", fecha de acceso: 13 de enero de 2011, en *http://www.ftc.gov/bcp/edu/pubs/consumer/credit/cre19.shtm*.

3. Todas las citas de Van Arsdale provienen de "Ernst & Young's Entrepreneur of the Year Finalists", *D Magazine*, [en línea], 11 de junio de 2008, [de D CEO, julio de 2008], fecha de acceso 30 de enero en *http://www.dmagazine.com/Home/2008/06/05/Ernst_Youngs_Entrepreneur_of_the_Year_Finalists.aspx?redirected=I.*

4. *State of Texas v. CSA*, op. cit., p. 2.

5. Ibid., p. 7.

6. Ibid., pp. 8-12.

7. Las citas son de "Ernst & Young's Entrepreneur of the Year Finalists", *loc.cit.*

8. *ConsumerAffairs.com*, fecha de acceso: 30 de enero en *http://www.consumeraffairs.com/debt_counsel/credit_solutions.html#ixzz0xejZbTyl.*

9. *PissedConsumer.com*, fecha de acceso: 30 de enero de 2011 en *http://credit-solutions-of-america.pissedconsumer.com/helped-me-out-but-have-mixed-feelings-20080722128582.html.*

10. *ConsumerAffairs.com*, Ibid.

11. *Ibid.*

12. *Ibid.*

13. Vea *http://www.debtconsolidationcare.com/settlement/credit-solutions-scam.html.*

14. Better Business Bureau, "BBB Reliability Report for Credit Solutions", fecha de acceso: 30 de enero en *http://www.bbb.org/dallas/business-reviews/debt-relief-services/credit-solutions-in-dallas-tx-90005445.*

15. David Streitfeld, "2 Firms Accused of Fraud in Debt Settlement", *The New York Times*, 19 de mayo de 2009.

16. *Ibid.*

17. "Cuomo Targets Debt Settlement Companies", *CNYcentral.com*, 8 de mayo de 2009, fecha de acceso: 17 de enero de 2011 en *http://www.cnycentral.com/news/story.aspx?list=190258&id=297298.*

18. La cita es de "Ernst & Young's Entrepreneur of the Year Finalists", *loc. cit.*

# PARTE **CUATRO**

# *Ética y empleados*

EL PROCESO DE PRODUCIR BIENES OBLIGA A LOS NEGOCIOS A PARTICIPAR NO SOLO EN INTERCAMBIOS EXTERNOS, SINO TAMBIÉN EN LA COORDINACIÓN DE LAS ACTIVIDADES DE LAS DISTINTAS REPRESENTACIONES INTERNAS QUE SE DEBEN UNIR Y ORGANIZAR PARA LOS PROCESOS DE PRODUCCIÓN. ES NECESARIO CONTRATAR Y ORGANIZAR A LOS EMPLEADOS, CONVENCER A LOS ACCIONISTAS Y ACREEDORES, Y RECONOCER EL TALENTO ADMINISTRATIVO. ES INEVITABLE QUE SURJAN CONFLICTOS ENTRE ESTAS PARTES INTERNAS CUANDO INTERACTÚAN Y BUSCAN DISTRIBUIR LOS BENEFICIOS ENTRE SÍ. LOS SIGUIENTES DOS CAPÍTULOS EXPLORAN ALGUNOS DE LOS ASPECTOS ÉTICOS QUE GENERAN LOS CONFLICTOS INTERNOS. EL CAPÍTULO 7 ANALIZA LA DISCRIMINACIÓN EN EL TRABAJO Y EL 8 ESTUDIA LOS CONFLICTOS ENTRE EL INDIVIDUO Y LA ORGANIZACIÓN.

# La ética frente a la discriminación en el trabajo

¿Qué distinciones pueden hacer las compañías, de manera razonable, entre quienes solicitan un empleo sin cometer discriminación?

¿Es frecuente la discriminación en el trabajo?

¿Por qué es incorrecto discriminar?

¿Cómo se define la acción afirmativa y por qué es tan controversial?

*Las mujeres y las minorías constituyen el grupo demográfico de nuevos empleados que crece más rápido.*

347

En 2011 la Corte de Apelaciones de Estados Unidos para el Quinto Circuito dictaminó que la Universidad de Texas, en Austin, no participó en prácticas de discriminación racial, aun cuando usaba la raza como uno de los criterios para determinar qué estudiantes admitiría.[1] El proceso de admisiones de la universidad era un plan de "acción afirmativa", que tenía la finalidad de asegurar que su cuerpo estudiantil incluyera a personas de un rango diverso de áreas geográficas, clases socioeconómicas, experiencias, orígenes y, desde luego, razas. El veredicto de la Corte del Quinto Circuito fue inusual porque, 15 años antes, esa misma Corte había dictaminado que era ilegal y discriminatorio que la universidad tomara en cuenta la raza en sus programas de admisión. Por lo tanto, en su sentencia de 2011, la Corte, de hecho, revertía su decisión anterior. Esta revocación se basó en una decisión de 2003 que emitió la Suprema Corte de Estados Unidos al considerar las acusaciones de Barbara Grutter, quien argumentó que la Universidad de Michigan la había discriminado de manera ilegal cuando rechazó su solicitud de admisión porque era blanca.

Cuando se le negó la admisión a la Escuela de Leyes de la Universidad de Michigan, ella demandó a la universidad y a su presidente en ese momento, Lee Bollinger (*Grutter versus Bollinger*). Muchas compañías tomaron nota, porque contaban con programas de contratación que, en algunos aspectos, eran parecidos a los de la universidad. Grutter reclamó que el programa de acción afirmativa de la universidad prefirió, de manera injusta, a estudiantes de minorías con "méritos similares" a los suyos. Su caso lo escuchó, en el invierno de 2001, la Corte de Distrito de Estados Unidos para el Distrito Este de Michigan, la cual, el 27 de marzo de 2001, estuvo de acuerdo con Barbara Grutter y dictaminó que la Universidad de Michigan estaba implicada en una forma de discriminación racial al mostrar preferencia por estudiantes miembros de minorías, violando así el derecho de la demandante a un tratamiento igualitario. La Universidad de Michigan apeló la determinación de la Corte de Distrito en la Corte de Apelaciones del Sexto Circuito. Con una decisión dividida, el 14 de mayo de 2002, los jueces modificaron el veredicto de la Corte de Distrito. La Corte de Apelaciones sostuvo que el programa preferencial de la Universidad de Michigan fue justo y constitucional en la medida en que buscaba la "diversidad"; es decir, una población de estudiantes constituida por una variedad de edades, grupos étnicos, géneros, razas, talentos, experiencias y otras cualidades humanas significativas. Grutter no estaba satisfecha con esta decisión y llevó su caso a la Suprema Corte. Esta, en otro caso (*Gratz versus Bollinger*) dictaminó que un plan de acción afirmativa que usó la Universidad de Michigan en los programas de *licenciatura* era anticonstitucional porque no estaba "diseñado con detalle" y daba *demasiada* importancia a la raza. ¿Rechazaría la Corte también el programa de acción afirmativa en la *Escuela de Leyes*? El 23 de junio de 2003, la Suprema Corte llegó a una decisión: es justo y constitucional, sostuvo, que una universidad muestre preferencia por las minorías en la admisión, si su objetivo es lograr la "diversidad" de una manera que esté "diseñada con detalle" para lograrlo, y el programa de la Escuela de Leyes de la Universidad de Michigan cumplía con este criterio.

La diversidad del cuerpo de estudiantes es un interés apremiante del Estado, que justifica la consideración de la raza en el proceso de admisión a la universidad... Importantes compañías estadounidenses hacen evidente que las habilidades necesarias en el creciente mercado mundial actual se desarrollan solo mediante la exposición a una amplia variedad de personas, culturas, ideas y puntos de vista... Más aún, puesto que las universidades y, en particular, las escuelas de leyes, representan la base de capacitación para un gran número de los líderes de la nación, la trayectoria hacia el liderazgo debe estar visiblemente abierta a individuos calificados y con talento de todas las razas y los grupos étnicos. Así, la Escuela de Leyes tiene un gran interés en lograr un cuerpo estudiantil diverso. El programa de admisión a la Escuela de Leyes apoya los estándares de un plan diseñado con detalle... Las universidades no pueden establecer cuotas para los miembros de ciertos grupos étnicos o raciales, o colocarlos en un grupo de admisión separado... El programa de admisión de la Escuela de Leyes [sin embargo]... es lo suficientemente flexible para asegurar que cada candidato se evalúe como individuo, y no de manera que la raza o el grupo étnico sean las características determinantes de aceptación o rechazo de la solicitud.[2]

Antes, más de cinco docenas de corporaciones estadounidenses importantes apremiaron a las cortes a proteger la meta de la Universidad de Michigan de lograr la diversidad mediante su programa de acción afirmativa. En un resumen "amistoso", compañías que incluían a 3M, Intel, Microsoft, Hewlett-Packard, Nike, Coca-Cola, Shell, Ernst & Young, Kellogg, Procter & Gamble, General Motors y otras 50, argumentaron:

En la experiencia de [estas compañías], es más probable que los individuos que han recibido educación en un medio diverso tengan éxito, porque hacen contribuciones valiosas a la fuerza de trabajo de distintas maneras importantes y concretas. Primero, un grupo diverso de individuos educados en un entorno intercultural tiene la habilidad de adoptar enfoques únicos y creativos a la solución de los problemas que surgen de la integración de perspectivas diferentes. Segundo, tales individuos están mejor capacitados para desarrollar productos y servicios que atraigan a una variedad de consumidores, y para comercializar la oferta de maneras más atractivas. Tercero, un grupo racialmente diverso de directivos con experiencia intercultural es más capaz de trabajar con socios, empleados y clientes en Estados Unidos y el resto del mundo. Cuarto, es probable que los individuos educados en un entorno diverso contribuyan con un ambiente de trabajo positivo, disminuyendo incidentes de discriminación y estereotipos. En resumen, un entorno educativo que asegura la participación de personas, puntos de vista e ideas diversos ayudará a producir la fuerza de trabajo más talentosa.[3]

Si bien muchos jueces de la Suprema Corte estuvieron de acuerdo con estas compañías y sus afirmaciones sobre la importancia de la diversidad, su decisión no fue unánime. Al igual que los jueces que antes discreparon en el caso Grutter, los magistrados de la Suprema Corte estaban divididos acerca de la justicia de los programas de acción afirmativa y de la legitimidad de buscar la diversidad. Aunque cinco jueces, de los nueve que integran la Suprema Corte, sostenían que la acción afirmativa era justa y no una forma anticonstitucional de "discriminación", cuatro de ellos, incluyendo a Clarence Thomas, un afroestadounidense, hacían una fuerte crítica de esa opinión. Thomas aseguró que mostrar preferencia por las minorías era una "discriminación racial" perjudicial:

Pienso que detrás de la actual decisión de la Corte están las nociones poco claras de que alguien tiene la posibilidad de decir cuándo la discriminación racial beneficia (más que daña) a los grupos minoritarios... Es evidente que la mayoría aún no acepta el principio de que las clasificaciones raciales son perjudiciales en sí mismas, y que casi ninguna cantidad de beneficios, en términos de quien los recibe, justifica esas clasificaciones... Esta discriminación genera actitudes de superioridad o, de manera alternativa, provoca resentimiento entre quienes creen que resultaron perjudicados por el que el gobierno hace de la raza. Estos programas marcan a las minorías con una etiqueta de inferioridad y ocasionan que desarrollen dependencias o adopten una actitud de "tener derecho" a preferencias.[4]

La decisión de la Suprema Corte no puso fin a la controversia. Después de que anunciara su veredicto, la legislatura del estado de Michigan inició un debate polarizado e intenso para aprobar o rechazar una ley que tenía la finalidad de retener los fondos estatales que se asignan a las universidades públicas, incluyendo a la Universidad de Michigan, las cuales utilizaban programas de acción afirmativa. Este debate fue tan acalorado y combativo que desencadenó en un enfrentamiento a golpes en la cámara legislativa entre oponentes y defensores de las medidas. Al final, una legislatura profundamente dividida aprobó la ley. Pero ni siquiera entonces terminó el asunto. En 2004 un grupo de residentes de Michigan inició un movimiento en apoyo de votar en todo el estado sobre una medida que haría ilegal que las universidades y otras instituciones públicas de Michigan usaran programas de acción afirmativa; en 2006 el movimiento tuvo éxito con la aprobación de la Iniciativa de Derechos Civiles de Michigan. California ya había aprobado una ley de ese tipo, y en 2011, Washington, Florida, Nebraska y Arizona habían aprobado leyes similares. Sin embargo, ciudadanos de otros estados, como Colorado, votaron contra la prohibición de los programas de acción afirmativa.

La decisión de la Corte de Apelaciones de la Universidad de Texas en 2011, la de la Suprema Corte de la Escuela de Leyes de Michigan de 2003, y las campañas polarizadas para aprobar leyes estatales que prohíban la acción afirmativa evidencian que Estados Unidos permanece dividido en cuanto al legado de la discriminación y la justicia para manejar los efectos de la discriminación del pasado a través de programas de acción afirmativa. Muchas empresas, como las que integran la lista de *Fortune 500* y que apoyaban la meta de diversidad, creen que esta es la clave para competir en el proceso de globalización, porque —como declaró la Suprema Corte— "las habilidades necesarias en el creciente mercado global de hoy solo se desarrollan mediante el contacto con personas, culturas, ideas y puntos de vista muy diversos". Muchos, sin embargo, piensan que los intentos por lograr la diversidad a través de programas de acción afirmativa son, en sí mismos, formas injustas de "discriminación inversa".

Los debates sobre igualdad, diversidad y discriminación han sido largos y amargos. La controversia continúa rondando el problema de las minorías raciales, la desigualdad de la mujer, y el daño que la población caucásica o los hombres han sufrido como resultado de las preferencias que se manifiestan hacia las mujeres y las minorías. Estos debates sin fin sobre la diversidad racial y sexual con frecuencia se enfocan en las empresas y sus necesidades. Esto es inevitable: las formas de discriminación racial y sexual tienen una larga historia en los negocios, y ahora la diversidad promete beneficiar a las empresas de manera significativa.

Quizá más que cualquier aspecto social contemporáneo, las discusiones públicas sobre discriminación y diversidad tienen un enfoque claro en el tema, en términos éticos: las palabras *justicia*, *igualdad*, *racismo*, *derechos* y *discriminación* salen a relucir de manera inevitable en los debates. Este capítulo analiza los diferentes puntos de vista de los aspectos éticos; comienza por examinar la naturaleza y el grado de la discriminación. Después, estudia los aspectos éticos del comportamiento discriminatorio en el empleo y termina con un análisis de la diversidad y los programas de acción afirmativa.

## 7.1 Discriminación en el trabajo: Su naturaleza

Hace unos años, la cadena de televisión American Broadcasting Company (ABC) envió a un hombre y una mujer, Chris y Julie, a un "experimento" para solicitar el puesto laboral que varias compañías anunciaban. Ambos eran graduados de la universidad, de piel y cabello claros, con vestimenta impecable, de poco más de 20 años, y con currículo idéntico que indicaba experiencia administrativa. Sin que las compañías lo supieran, los dos iban con receptores de sonido y cámaras. Una compañía indicaba en su anuncio que tenía varios puestos. Sin embargo, cuando el reclutador habló con Julie, el único puesto que mencionó era el de telefonista. Unos minutos después, el mismo reclutador habló con Chris. Le ofreció un puesto administrativo. Más tarde, cuando lo entrevistaron en la ABC, el reclutador dijo que no querría jamás que un hombre contestara su teléfono. Otra compañía anunciaba puestos como gerentes de zona para servicios de cuidado de jardines. La dueña de la compañía aplicó a Julie un examen de mecanografía, platicó del negocio de su prometido, y luego le ofreció un puesto de recepcionista por $6 la hora. Pero cuando entrevistó a Chris, le aplicó una prueba de aptitudes, le preguntó cómo se mantenía en forma, y le ofreció el puesto de gerente de zona por un sueldo de entre $300 y $500 a la semana. Cuando la ABC la entrevistó, comentó que las mujeres "no van bien como gerentes de zona, ya que implica cierto trabajo físico". Según la dueña de la empresa, también había contratado a otra mujer como recepcionista y a otros hombres como gerentes de zona.[5] Muchas otras investigaciones repitieron los experimentos de la ABC y llegaron a resultados similares.[6]

La experiencia de los jóvenes Chris y Julie sugiere que la discriminación sexual existe. Experimentos similares comprueban que la discriminación racial continúa. Investigadores del Urban Institute publicaron un estudio que consistió en conformar pares de varios hombres afroestadounidenses con hombres caucásicos similares en cuanto a apertura, nivel de energía, facilidad de palabra, características físicas, ropa y experiencia laboral. También se formaron pares de jóvenes hispanos, con buen inglés, y jóvenes caucásicos. Cada miembro de cada par fue capacitado y aconsejado en entrevistas simuladas para actuar exactamente igual que el otro. Después, los miembros de cada par solicitaron en persona los mismos puestos de trabajo, desde empleado general hasta aprendiz de administración en las áreas de manufactura, hoteles, restaurantes, tiendas y trabajo de oficina. A pesar de que todos estaban igualmente calificados para los mismos trabajos, los afroestadounidenses y los hispanos tuvieron un 50 por ciento menos de ofertas de trabajo que los caucásicos. En otro estudio, se conformaron pares de estudiantes caucásicos y afroestadounidenses que solicitaron trabajos a nivel inicial con bajos salarios en Milwaukee. Mientras que los candidatos caucásicos dijeron a los empleadores que habían estado en la cárcel 18 meses, los otros candidatos se presentaron sin antecedentes penales. Aun así, los ex convictos caucásicos fueron llamados para una segunda entrevista el 17 por ciento de las veces, mientras que a sus homólogos afroestadounidenses sin antecedentes les llamaron tan solo el 14 por ciento de las veces. En resumen, una piel oscura parece ser equivalente a una sentencia de 18 meses en prisión. En un tercer estudio, se enviaron currículos idénticos de manera aleatoria a empresas que solicitaban personal en Boston y Chicago. La mitad de los currículos tenían nombres que sonaban "caucásicos" como "Emily" y "Greg", mientras que la otra mitad llevaba nombres "tipo afroestadounidenses", como "Lakisha" y "Jamal". Los solicitantes presuntamente caucásicos consiguieron un 50 por ciento más llamadas para entrevistas.[7]

Actualmente, por lo general, no se manifiesta o expresa una intolerancia sexista o racista de manera abierta; por el contrario, prácticamente todo el mundo negará, de manera sincera y convincente, que tenga prejuicios en contra de las mujeres o las minorías. Pero los estudios anteriores sugieren que tanto a las mujeres como a las minorías se les sigue tratando en la actualidad de manera diferente a sus contrapartes varones o de piel clara. Estudios como estos —tal como ocurrió— nos sorprenden en el preciso momento en que discriminamos a las minorías o a las mujeres, quizá sin ser conscientes de ello.

El significado esencial del término *discriminar* es "distinguir un objeto de otro", una actividad moralmente neutral y no necesariamente incorrecta. Sin embargo, en el uso moderno, el término no es moralmente neutro; suele tener la intención de referirse al acto incorrecto de distinguir con base en el prejuicio o en alguna otra actitud *ofensiva* o moralmente reprobable, y no a través del mérito individual.[8] Este concepto con una carga moral de discriminación ofensiva, cuando se aplica al trabajo, es el tema de este capítulo. Así, discriminar en el empleo es tomar una decisión adversa (o un conjunto de decisiones) contra los empleados (o aspirantes a un puesto) que pertenecen a cierta clase, con base en un prejuicio moralmente injustificado hacia los miembros de esa clase, tanto si dicho prejuicio se sostiene de manera consciente o no. La discriminación se puede basar en un prejuicio racista abierto y consciente en contra de un grupo, o puede surgir de estereotipos inconscientes acerca de los miembros de ese grupo. Así, la discriminación en el empleo debe implicar tres elementos básicos. Primero, se trata de una decisión contra uno o más empleados (o aspirantes a un trabajo) que no se basa en el mérito individual, como la habilidad para realizar un trabajo determinado,

**discriminación** El acto incorrecto de distinguir de manera ilícita entre las personas con base en el prejuicio o en alguna otra actitud *ofensiva* o moralmente reprobable y no a través del mérito individual.

la experiencia profesional u otras cualidades moralmente legítimas. Segundo, la decisión se deriva solo, o en parte, de prejuicios raciales o de género, estereotipos falsos o algún otro tipo de actitud moralmente injustificada, ya sea consciente o no, contra los miembros de la clase a la que pertenece el sujeto en cuestión. Tercero, la decisión (o conjunto de decisiones) tiene un efecto perjudicial o negativo para los intereses de los sujetos en contra de quienes se tomó la decisión, en su contratación, remuneración, promociones, asignaciones de tareas o despido.

Históricamente, en Estados Unidos la discriminación en el empleo se ha dirigido a un número sorprendente de grupos. Estos han incluido grupos religiosos (como judíos y católicos), étnicos (como italianos, polacos e irlandeses), raciales (como afroestadounidenses, asiáticos e hispanos), y sexuales (como mujeres y homosexuales). Se cuenta con una rica y vergonzosa historia de discriminación.

## Formas de discriminación: Aspectos intencionales e institucionales

Es posible desarrollar un marco de referencia útil para analizar las diferentes formas de discriminación si distinguimos el grado en que un acto discriminatorio es intencional (consciente) o no intencional (inconsciente), así como el grado en que es individual (aislado) o institucional (sistemático).[9] La *discriminación intencional* se lleva a cabo de manera consciente y deliberada, mientras que la *no intencional* no se busca de esa manera, sino que es el resultado de factores inconscientes, como estereotipos o procesos que tienen resultados no intencionados. La *discriminación individual* consiste en aquel acto discriminatorio de un individuo (o unos cuantos) que actúa por su cuenta y que, por lo tanto, tiene un efecto limitado o de una sola ocasión. Por otro lado, la discriminación *institucional* o *institucionalizada* consiste en aquel acto o actos discriminatorios que son el resultado de las acciones de toda una organización o de muchas personas que la integran, así como de sus políticas y procesos de rutina. Mientras que la discriminación individual tiene un efecto de una sola vez o limitado, la institucionalizada tiende a causar efectos recurrentes y amplios dentro de la institución e incluso fuera de ella. Existen, por lo tanto, cuatro categorías de acciones discriminatorias. Primero, un acto discriminatorio quizá sea el acto aislado de un único *individuo* que discrimina de manera *intencional* por un prejuicio personal. En el experimento de la ABC, por ejemplo, las actitudes que describen al entrevistador tal vez no sean características de otros en la compañía: su comportamiento hacia las mujeres que buscan trabajo podría ser intencional, pero aislado, debido al sexismo al momento de contratar. Segundo, un acto discriminatorio quizá sea parte del comportamiento rutinario de un grupo *institucionalizado*, que con *intención* discrimina debido a prejuicios que sus miembros comparten. Por ejemplo, Aryan Nations, Stormfront y White Aryan Resistance son organizaciones que participan con toda intención en comportamientos discriminatorios institucionalizados contra minorías de prácticamente cualquier tipo. Tercero, un acto de discriminación tal vez sea el acto aislado de un único *individuo* (o de unos cuantos) que *sin intención* discrimina en contra de las mujeres o las minorías porque tiene estereotipos inconscientes sobre sus capacidades, o quizá porque los adoptó de la sociedad que le rodea. Si el entrevistador que se citó en el experimento de la ABC actuó sin intención, entonces, estará en la tercera categoría. Cuarto, un acto discriminatorio podría ser el resultado de rutinas *institucionalizadas* de una corporación, cuyos procedimientos y prácticas discriminan *sin intención* a mujeres y a las minorías. Las compañías que examinó la ABC, por ejemplo, describen organizaciones en las que, de forma rutinaria, los empleos mejor pagados se asignan a hombres y los peor pagados a las mujeres, suponiendo, con base en un estereotipo, que estas últimas son más aptas para algunos trabajos que para otros. Es posible que no haya una intención deliberada de discriminar, pero el efecto es el mismo: un patrón recurrente y amplio de preferencias sesgadas en materia racial o sexual en contra de las candidatas a un puesto o de las minorías.

Durante el último siglo ocurrió un cambio importante en el enfoque de la discriminación, ya que, en esencia, pasó de considerársele un asunto intencional e individual a constituir

*Repaso breve 7.1*

**Formas de discriminación**

- La discriminación intencional es consciente y deliberada.
- La discriminación no intencional es aquella que no se busca de manera consciente o deliberada, ya que es el resultado de estereotipos o prácticas no intencionales.
- La discriminación individual es aquella que ejerce un individuo o unos cuantos individuos por sí mismos.
- La discriminación institucional es el resultado de las acciones de toda una organización o de muchas personas que la integran, así como de sus políticas y procesos de rutina.

una característica sistemática y no necesariamente intencional del comportamiento corporativo de rutina. A principios de la década de 1960, la discriminación en el empleo se veía como un acto intencional que un individuo realizaba contra otro. El título VII de la Ley de Derechos Civiles de 1964 (modificado en 1972 y 1991), la principal ley de Estados Unidos en contra de la discriminación, parece haber tenido este concepto de discriminación cuando estableció que:

> Debe ser ilegal la práctica de empleo para el empleador: **1.** que rehúse contratar o despida a un individuo, o discrimine de otra manera a cualquier individuo en relación con su remuneración, términos, condiciones o privilegios de empleo por la raza, el color de la piel, la religión, el sexo o su origen nacional; o **2.** limite, segregue o clasifique a sus empleados o solicitantes de empleo de cualquier manera que prive o tienda a privar a un individuo de oportunidades de empleo o que, de otra manera, afecte su estatus como empleado en función de la raza, el color de la piel, el sexo o su origen nacional.[10]

Sin embargo, al final de la década de 1960, el concepto de discriminación se amplió más allá de las formas intencionales que se reconocen tradicionalmente. La Orden Ejecutiva 11246, emitida en 1965, requería que las compañías que hacían negocios con el gobierno federal no discriminaran y que tomaran medidas para corregir "cualquier desequilibrio" en su fuerza laboral. En la década de 1970, el término *discriminación* se usaba de manera regular para incluir disparidades en la representación de las minorías entre los empleados de una compañía, sin importar si la disparidad había sido intencional. Una organización participaba en la discriminación si la representación de un grupo minoritario no era proporcional a su disponibilidad local; por ejemplo, si una empresa contrataba para determinadas posiciones de cierta área donde las minorías calificadas conformaban el 30 por ciento de los trabajadores disponibles, entonces, las minorías calificadas deberían integrar entre el 25 y 35 por ciento de los empleados de las compañía en esas posiciones, y no el 5 o 10 por ciento. La "discriminación" se remediaría cuando las proporciones de las minorías dentro de las organizaciones fueran iguales que las proporciones disponibles de la fuerza laboral. Para solucionar esos desequilibrios, se pidió a las compañías que pusieran en marcha los **programas de "acción afirmativa"**. Por ejemplo, una guía para empleados que publicó el Departamento del Trabajo en febrero de 1970 establecía:

> Un programa de acción afirmativa aceptable debe incluir un análisis de áreas dentro de las cuales el empleador muestra deficiencia en la contratación de grupos de minorías y mujeres; además, debe incluir las metas y las fechas de cumplimiento a las que sus esfuerzos deben dirigirse para corregir las deficiencias y, así, aumentar materialmente el nivel de contratación de minorías y mujeres en todos los niveles y segmentos de su fuerza laboral donde haya deficiencias... La "subutilización" consiste en contar con menos minorías y mujeres en una clasificación de trabajo específica de lo que se espera, de manera razonable, de acuerdo con la disponibilidad.[11]

La Ley para la Igualdad de Oportunidades en el Empleo de 1972 proporcionó a la **Comisión para la Igualdad de Oportunidades en el Empleo** mayores facultades para combatir las formas de discriminación y requerir que los programas de acción afirmativa corrigieran deficiencias.

No obstante, algunas personas criticaron el punto de vista de que una institución comete "discriminación" si un grupo minoritario tiene menor representación entre sus empleados. Discriminar es un acto intencional de los individuos —argumentaron los críticos—, y es a ellos, ya sean mujeres o minorías, a quienes se trata mal. En consecuencia, de acuerdo con los críticos, no se debe decir que existe discriminación hasta cerciorarse de que un individuo específico discriminó de manera intencional a otro en un asunto determinado. El problema con esta crítica es que, en general, es imposible saber si se discriminó a un individuo en concreto en un caso en particular. Los individuos compiten entre sí por los puestos y las

**programa de acción afirmativa** Cualquier programa diseñado para asegurar que las minorías, las mujeres o los miembros de cualquier otro grupo están representados de manera adecuada dentro de una organización y en los diversos niveles, al tomar medidas positivas para aumentar su número cuando no estén bien representados. Lo que cuenta como "representación adecuada" depende de los objetivos del programa: algunos se dirigen a tener la misma proporción de mujeres o minorías que la que existe en la fuerza de trabajo de la que se consiguen los nuevos miembros; otros, en cambio, se dirigen a lograr la diversidad necesaria para cumplir los objetivos de la organización.

**Comisión para la Igualdad de Oportunidades en el Empleo** Organismo federal estadounidense que investiga las quejas de discriminación en el trabajo.

**Controversia por las formas de discriminación**

- Cuatro tipos de discriminación son: **1.** individual e intencional, **2.** institucional e intencional, **3.** individual y no intencional, y **4.** institucional y no intencional.
- En la década de 1960, la discriminación se estimaba individual e intencional; para la de 1970, se consideraba que tenía formas de institucional y no intencional, como lo indicaba la "baja representación" de las minorías y las mujeres, lo cual se remedió con la acción afirmativa.
- En la década de 1980, algunos insistían en que la discriminación es solo individual e intencional; sin embargo, en la de 1990, el punto de vista que prevaleció es que la discriminación puede ser institucional y no intencional.

**La discriminación y la ley**

- Ley de Derechos Civiles de 1964 hizo ilegal tomar decisiones de contratación, despido o remuneración con base en raza, color de la piel, religión, sexo o el país de origen; creó la Comisión para la Igualdad de Oportunidades en el Empleo (EEOC), que se encargaría de vigilar el cumplimiento de la ley.
- La Orden Ejecutiva 11246 exige a las compañías que realizan negocios con el gobierno federal que tomen medidas para reducir la discriminación racial entre sus empleados.
- La Ley para la Igualdad de Oportunidades en el Empleo de 1972 dio a la Comisión para la Igualdad de Oportunidades en el Empleo mayores facultades para combatir la "subrepresentación" y requerir programas de acción afirmativa.

promociones. El hecho de que uno de ellos obtenga una promoción o un puesto específico depende en gran medida de factores variables, los cuales incluyen no solo sus cualificaciones, sino también la justicia del gerente contratante y sus estereotipos inconscientes que quizá tenga, así como numerosos factores fortuitos, como quiénes son los competidores, qué habilidades poseen, cómo se sentía el entrevistador en el momento de tomar la decisión, y cómo se desempeñó el solicitante durante la entrevista. En consecuencia, cuando un individuo de una minoría pierde en ese proceso competitivo, en general, no hay manera de saber si esa pérdida es el resultado de sus cualificaciones, de factores fortuitos o de discriminación inconsciente o consciente. La única manera de saberlo es a través de ver lo que pasa con las minorías como grupo durante un periodo: si estas normalmente pierden en un proceso competitivo en el cual sus habilidades, como grupo, coinciden con las de otros no pertenecientes a las minorías, entonces, es posible concluir que en el proceso en sí se discrimina de manera sistemática, aun cuando no se sepa contra qué individuos en concreto se ejerce la discriminación.[12]

De cualquier manera, durante la década de 1980, la política del gobierno de Reagan cambió hacia el punto de vista de que la sociedad no se debe centrar en las formas institucionalizadas de discriminación. Aproximadamente desde 1981, el gobierno federal comenzó a mostrar oposición de manera activa a los programas de acción afirmativa basados en análisis estadísticos de discriminación sistemática. La administración Reagan sostenía que solo los individuos que podían probar haber sido víctimas de discriminación dirigida específica e intencionalmente hacia ellos debían ser elegibles para un tratamiento especial en la contratación o las promociones. Aunque la administración no tuvo éxito en sus esfuerzos para eliminar los programas de acción afirmativa por completo, logró designar a una mayoría de jueces de la Suprema Corte que tomaban decisiones tendientes a minar algunos apoyos legales a estos programas. Estas tendencias se invirtieron una vez más en la década de 1990, cuando George H. W. Bush fue elegido presidente y juró "eliminar las barreras remanentes de la discriminación del pasado". En 1991 el Congreso aprobó y el Presidente ratificó la legislación que apoyaba los programas de acción afirmativa y que invirtió los veredictos de la Suprema Corte que los habían debilitado. Como se vio anteriormente, en 2003 la Suprema Corte aprobó el uso de programas de "trato preferencial" para lograr la diversidad en las instituciones educativas. Así, la sociedad estadounidense ha oscilado, y continúa haciéndolo, entre dos posturas frente a este asunto: si la discriminación se debe ver solo como un acto intencional e individual, o también como un patrón de acciones no intencional e institucionalizado revelado por las estadísticas. Ante ello, surge la pregunta de si habrá que encauzar los esfuerzos para combatir solo la discriminación como acto intencional e individual, o también tratar de superar la discriminación institucionalizada con programas de acción afirmativa.

Para propósitos de análisis, también es importante separar los aspectos éticos que generan las políticas dirigidas a *prevenir la discriminación antes de que esta suceda*, tanto si es intencional o no, de aquellos que surgen a partir de las políticas (como la acción afirmativa) que se dirigen a *remediar la discriminación cuando ya ha sucedido*, por ejemplo, buscando una representación proporcional de las minorías dentro de las empresas. Se estudiará cada aspecto por separado, puesto que uno y otro originan problemas éticos diferentes.

No obstante, primero debemos examinar el grado en que las instituciones de negocios actuales ejercen discriminación. Es común pensar que, aunque las empresas solían discriminar, esto ya no sucede gracias a los considerables logros de las minorías y las mujeres durante los últimos años. Por ejemplo, en 2008 Barack Obama fue elegido presidente; en 1996 Edward Brooke se convirtió en el primer afroestadounidense en ocupar el cargo de senador desde la Reconstrucción; en 1979 Edward Hidalgo fue el primer secretario de la Marina de origen hispano; en 1981 Sandra Day O'Connor fue la primera mujer en desempeñar el cargo de magistrada de la Suprema Corte de Justicia; en 1990 la doctora Antonia Novello fue la primera mujer hispana a cargo de la Dirección General de Salud Pública; en 1989 Colin Powell fue el primer afroestadounidense en ocupar el cargo de Jefe del Estado Mayor Conjunto de Estados Unidos; en 2001

# Ayuda a los pacientes en el Centro de Salud Plainfield

En el Centro de Salud Plainfield, Indiana, se brinda atención de forma permanente a mujeres mayores con salud delicada, quienes viven en la institución. Ahí trabajaba Brenda Chaney, una asistente certificada de enfermería (CNA) afroestadounidense. Cada día la administración del centro entregaba a Brenda una hoja con la lista de pacientes específicas que le habían asignado y de cuyas necesidades era responsable. Al lado del nombre de cada paciente en la hoja de asignaciones aparecía la indicación del cuidado que necesitaba y diversas notas sobre su condición, necesidades o solicitudes especiales. Marjorie Latshaw, una anciana de raza blanca, era una paciente que había vivido en la residencia durante algunos meses y quien sospechaba que se quedaría ahí hasta su muerte. Latshaw sentía que, como la residencia era su hogar, tenía el derecho de tener sus objetos personales como ella las hubiera tenido en la privacidad de su propia casa. Las leyes de Indiana establecen que quienes viven en las residencias de ancianos tienen el derecho de "elegir un médico personal y otros proveedores de servicios". Por lo tanto, cuando fue admitida en el centro de salud, Latshaw insistió en que solo le atendiera personal de raza blanca. La residencia tenía la política de cumplir en lo posible las solicitudes de sus residentes, y esto incluía respetar sus preferencias raciales en cuanto a los cuidadores se refería. En consecuencia, las hojas de asignación que Chaney recibía cada día incluían una nota, al lado del nombre de Latshaw, que decía: "Prefiere asistentes blancos". Para los administradores de la residencia quedaba claro que esto significaba que todos los asistentes afroestadounidenses tenían "prohibido" asistir a Latshaw o a cualquier otra paciente caucásica que solicitara algo parecido. Los administradores de Plainfield pensaban que si no cumplían las solicitudes de Latshaw, estarían incumpliendo las leyes estatales de Indiana que establecían que quienes vivían en las residencias de ancianos tenían el derecho de elegir a sus cuidadores, el derecho a la privacidad, y el derecho a la autonomía corporal (es decir, a determinar cómo tratar su cuerpo). Las leyes federales de derechos civiles sobre la igualdad de oportunidades en el empleo normalmente invalidan las leyes estatales, y las leyes civiles federales prohíben que los empleadores complazcan las preferencias discriminatorias de sus clientes. Sin embargo, las cortes federales dictaminaron que esas leyes no prohíben a las residencias de ancianos que complazcan los derechos de privacidad de sus pacientes, cuando estos soliciten que sus proveedores sean de su *mismo sexo*. Los administradores del Centro de Salud Plainfield decidieron que este mismo razonamiento significaba que una residencia de ancianos podía complacer a sus pacientes cuando estos solicitaban que sus cuidadores fueran de su *misma raza*.

Chaney estaba extremadamente disgustada por la política de la residencia, pero como temía que la despidieran y necesitaba el trabajo, resistía. Aunque Latshaw a veces aparecía en su hoja de asignación, no la asistía. Una vez que la anciana se cayó, esta le pidió que fuera a buscar a una enfermera de raza blanca para que fuera ella quien la ayudara a levantarse. Otras pacientes blancas también habían dicho que querían solo asistentes de su misma raza y, por lo general, también rechazaban las ofertas de ayuda de Chaney. Estos rechazos a sus ofrecimientos basados en consideraciones raciales la humillaban y deprimían, y a menudo la hacían llorar. Aún más, la política parecía fomentar que algunos de sus colegas caucásicos hicieran comentarios racistas sobre su persona; una vez un compañero la llamó "perra negra" y otro preguntó por qué la residencia seguía "contratando a todos esos negros, si de todos modos no se van a quedar". Otro compañero le recordaba muchas veces que no podía tocar a ciertos pacientes porque era afroestadounidense. Pero los administradores de la residencia inmediatamente respondían cuando Chaney se quejaba, reprendían a los compañeros de trabajo y los comentarios racistas cesaban. No obstante, Chaney fue despedida cuando uno de sus compañeros alegó que había dicho groserías mientras ayudaba a una paciente, a pesar de que otra paciente que presenció el suceso negó la acusación y su supervisor señaló que ella nunca había usado lenguaje grosero en el trabajo.

> **1.** ¿Es ético o no que los administradores del Centro de Salud Plainfield cumplan las solicitudes de sus pacientes caucásicos de que solo les ayuden personas de su misma raza? ¿Estaba Brenda en un "entorno de trabajo hostil" con base en su raza? ¿Los administradores de Plainfield discriminaron a Chaney?

Fuente: *Brenda Chaney v. Plainfield Healthcare Center*, U.S. Court of Appeals for the 7th Circuit, Núm. 09-3661, 20 de julio de 2010.

ocupó el puesto de Secretaria de Estado una afroestadounidense, Nancy Pelosi, quien en 2007 se convirtió en la primera mujer que fungió como portavoz de la Cámara de Representantes; y en 2009 Sonia Sotomayor fue la primera mujer hispana en la Suprema Corte de Justicia.

Ahora hay muchos ejemplos de mujeres al frente de grandes compañías, como es el caso de las siguientes directoras ejecutivas: Meg Whitman, de eBay; Anne Mulcahy, de Xerox; Indra Nooyi, de Pepsi, y Christina Gold, de Western Union. Y hay algunos ejemplos de directores ejecutivos hispanos al frente de alguna de las compañías *Fortune 500*: Antonio Pérez, de Kodak; Fernando Aguirre, de Chiquita; Álvaro de Molina, de GMAC; y William Pérez, de Wrigley. Y entre los afroestadounidenses que también son directores ejecutivos de alguna de las compañías *Fortune 500* están: Kenneth Chenault, de American Express; Clarence Otis, de Darden Restaurants; Rodney O'Neal, de Delphi; y John Thompson, de Symance. Si es correcta la creencia de que la discriminación quedó en el pasado (aun cuando se enfrente al desafío que suponen los experimentos descritos, en los que se elegían pares de hombres y mujeres, o pares de individuos de raza blanca y miembros de minorías que solicitaban el mismo puesto), entonces, no tiene mucho sentido discutir este aspecto de la discriminación. Pero, ¿acaso es correcta?

# 7.2 La magnitud de la discriminación

¿Cómo se estima si una institución o un conjunto de ellas discriminan a cierto grupo? Ante todo, conviene observar los indicadores estadísticos de cómo se distribuyen los miembros de ese grupo dentro de la institución. Existe un indicio evidente de discriminación cuando un número desproporcionado de miembros de cierto grupo tienen los trabajos menos deseables dentro de la corporación a pesar de sus preferencias y habilidades.[13] Tres tipos de comparaciones pueden mostrar tales distribuciones desproporcionadas que afectan a los grupos discriminados: **1.** comparaciones entre las prestaciones promedio que otorgan las instituciones al grupo discriminado y las prestaciones promedio que otorgan a otros grupos; **2.** comparaciones entre la proporción del grupo discriminado que se encuentra en los niveles más bajos de las instituciones y las proporciones de otros grupos en otros niveles; y **3.** comparaciones entre las proporciones del grupo que tiene los puestos más ventajosos y las proporciones de otros grupos que tienen puestos similares. Si se observa a la sociedad estadounidense en términos de estos tres tipos de comparaciones, se vuelve evidente que está presente alguna forma de discriminación racial o sexual en la sociedad como un todo.

## Comparaciones de ingreso promedio

Las comparaciones de ingresos ofrecen los indicadores más sugerentes de discriminación en una sociedad. Aunque estas comparaciones no implican que dicha discriminación sea intencional, sugiere que, al menos, está institucionalizada. Por ejemplo, si se comparan los ingresos promedio de familias no blancas en Estados Unidos con los de las familias blancas, se observa que los ingresos de estas últimas son sustancialmente más altos que los de las primeras, como queda de manifiesto en la tabla 7.1.

Al contrario de lo que supone la creencia común, la diferencia entre el ingreso promedio familiar de los caucásicos y las minorías no ha disminuido, sino que en realidad ha aumentado en términos absolutos. Desde 1970, aun durante periodos en que los ingresos generales han aumentado, los ingresos reales de las minorías no han alcanzado a los de los caucásicos. En 1975, como indica la tabla 7.1, el ingreso promedio de una familia afroestadounidense era un 63 por ciento el de una familia caucásica, mientras que el de una familia hispana era, en promedio, el 67 por ciento del ingreso de una familia blanca; en 2008 el ingreso promedio de una familia afroestadounidense todavía representaba el 64 por ciento del promedio de una familia caucásica, mientras que el de una familia hispana había disminuido al 65 por ciento del ingreso promedio de una familia de alto nivel.[14]

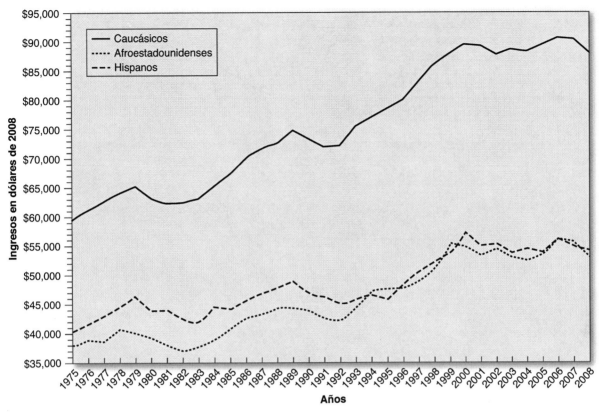

**Figura 7.1**

Ingreso familiar promedio por raza (en dólares de 2008).

*Fuente:* U.S. Census Bureau Historical Income Tables, Tabla F-23. Families by Total Money Income, Race, and Hispanic Origin of Householder, 1967-2008 (ingresos en dólares de 2008).

Vea la **imagen** en
**mythinkinglab.com**

Las comparaciones de ingresos también revelan desigualdades basadas en el sexo y la raza. Una comparación del ingreso promedio para hombres y mujeres indica que estas últimas reciben solo una parte de lo que recibe el hombre. Un estudio encontró que las empresas que emplean fundamentalmente a hombres pagan a su personal un 40 por ciento más, en promedio, que las que emplean mayoritariamente a mujeres.[15] La diferencia entre la *mediana* de ingresos de los hombres y la *mediana* de ingresos de las mujeres se redujo en los últimos años; en 1968 la mediana de ingresos de las mujeres representaba el 65 por ciento de los ingresos de los hombres, mientras que en 2008 representaba el 77 por ciento (el nivel de la mediana de ingresos para un grupo es el monto de ingresos que divide al grupo en dos partes: la mitad de las personas del grupo tienen los máximos ingresos y la otra mitad tiene los más bajos). Sin embargo, hicieron falta 40 años para que las mujeres mejoraran ese 12 por ciento.[16] Más aún, como muestra la tabla 7.2, una comparación de los ingresos *promedio* de hombres y mujeres en 2008 revela que estas últimas ganaron solo aproximadamente 70 centavos de ingresos promedio por cada dólar de ingresos promedio de los hombres (los ingresos promedio son los ingresos totales de un grupo dividido entre el número de personas de ese grupo). La diferencia de salario entre hombres y mujeres ha disminuido. Y parte de la mejora en la relación entre los ingresos de mujeres y hombres ha llegado no como resultado de disminuir la discriminación, sino como resultado de una disminución en los ingresos promedio de los hombres debido a recortes de personal en los puestos de manufactura que, por tradición, ocupaban ellos.[17]

Un estudio muestra que las disparidades en los ingresos entre hombres y mujeres comienzan en cuanto se gradúan de la escuela, aun en contra de la creencia optimista y legítima que tiene cada generación de mujeres graduadas de que "mi generación será diferente". Por

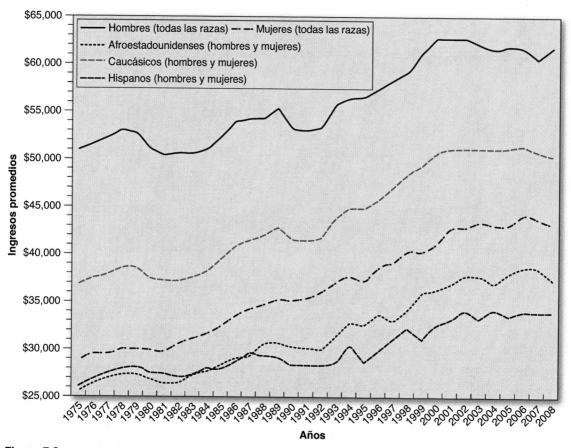

**Figura 7.2**

Ingresos promedio de empleados de tiempo completo, hombres y mujeres, caucásicos, afroestadounidenses e hispanos (en dólares de 2008), de 1975 a 2008.

*Fuente:* Census Bureau, Historical Tables, Tabla P-39. Full-Time, Year-Round Workers by Mean Earnings and Sex: 1967 to 2008 (15 years old and over) y Tabla P-43. Full-Time, Year-Round Workers (Both Sexes Combined) by Median and Mean Earnings: 1974 to 2008 (15 years old and over).

⚲ Vea la **imagen** en
**mythinkinglab.com**

ejemplo, un estudio que realizó en 2007 la American Association of University Women reveló que al año de salir de la universidad, las mujeres ganaban solo el 80 por ciento de lo que ganaban sus compañeros varones. La diferencia prevalecía tanto si las mujeres se habían especializado en carreras dominadas por personal femenino (como educación), en cuyo caso ganaban el 95 por ciento de lo que recibían los varones, como si se especializaban en carreras dominadas por hombres (como matemáticas), en las que ganaban el 75 por ciento de lo que percibían sus colegas varones.[18] El mismo estudio encontró que 10 años después de graduarse, las mujeres se habían separado más de sus homólogos masculinos, ganando solo 69 por ciento de los ingresos que percibían ellos. Esto ha ocurrido durante décadas. Uno de los primeros estudios que se realizó en 1980 —más de una década y media después de que entrara en vigor la ley estadounidense de derechos civiles— entre hombres y mujeres de población caucásica, con edades comprendidas entre los 21 y los 22 años, reveló que aunque las cualificaciones para el trabajo de las mujeres aumentaron sustancialmente en relación con los hombres, los salarios iniciales de ellas representaban el 83 por ciento del ingreso de los varones; esto es, hubo una *disminución* real desde 1970, cuando las mujeres de esa edad ganaban el 86 por ciento de lo que ganaban los hombres.[19] En 2008, como indica la tabla 7.3, una joven de entre 18 y 24 años que salía de la universidad con título obtendría un trabajo con un salario promedio de $34,898, mientras que su homólogo hombre obtendría un salario de $44,656;

| **Tabla 7.1** | *Ingresos promedio de mujeres y hombres que trabajan tiempo completo durante todo el año, recientemente graduados de la universidad, 2008* |
|---|---|

| | Ingresos promedio de 18 a 24 años | | Ingresos promedio de 25 a 34 años | |
|---|---|---|---|---|
| **Escolaridad** | **Hombres** | **Mujeres** | **Hombres** | **Mujeres** |
| Primaria | $19,896 | ND | $24,211 | $17,923 |
| Media superior | | | | |
|   no terminada, sin certificado | 21,305 | $17,228 | 32,212 | 18,107 |
|   certificado | 26,218 | 22,814 | 36,742 | 27,607 |
| Universidad | | | | |
|   no terminada, sin título | 27,591 | 24,953 | 44,597 | 31,592 |
|   pasante | 31,992 | 26,814 | 48,089 | 35,091 |
|   título | 44,656 | 34,898 | 62,840 | 46,415 |
|   maestría | ND | ND | 71,637 | 56,715 |
|   certificado profesional | ND | ND | 109,109 | 78,765 |

*Fuente:* U.S. Census Bureau, Tabla P-32, "Educational Attainment—Full Time Year-Round Workers 18 Years Old and Over, by Mean Earnings, Age, and Sex: 1991-2008".

| **Tabla 7.2** | *Ingreso anual promedio de empleados de tiempo completo todo el año, 18 años o más, por nivel educativo, raza y sexo, 2008* |
|---|---|

| | | | Ingreso promedio de mujeres | | |
|---|---|---|---|---|---|
| **Escolaridad** | **Ambos, hombres y mujeres** | **Ingreso promedio de hombres** | **Ingreso promedio de caucásicos** | **Ingreso promedio de afroestadounidenses** | **Ingreso promedio de hispanos** |
| Primaria | $28,375 | $21,376 | $31,557 | $23,348 | $25,514 |
| Media superior | | | | | |
|   no terminada, sin | | | | | |
|     certificado | 33, 457 | 22,246 | 33,995 | 27,657 | 26,444 |
|   certificado | 43,493 | 31,666 | 41,545 | 33,410 | 32,696 |
| Universidad | 50,433 | 36,019 | 46,521 | 36,890 | 37,563 |
|   no terminada, sin título | | | | | |
|   pasante | 54,830 | 39,935 | 49,051 | 41,332 | 43,910 |
|   título | 81,975 | 54,207 | 72,938 | 51,787 | 56,470 |
|   maestría | 99,177 | 65,133 | 85,305 | 66,005 | 82,987 |
|   certificado profesional | 164,785 | 100,518 | 148,636 | 116,658 | 97,863 |
|   doctorado | 128,114 | 83,616 | 113,908 | ND | ND |

*Fuente:* U.S. Census Bureau, Tabla PINC-04, "Educational Attainment—People 18 Years Old and Over, by Total Money Earnings in 2008, Work Experience in 2008, Age, Race, Hispanic Origin, and Sex".

una mujer entre 25 y 34 años recién graduada de la maestría esperaría un ingreso promedio de $56,715, mientras que a su compañero varón le darían $71,637. Si ella tuviera un título profesional (como abogado o una maestría en administración de empresas) ganaría, en promedio, $78,765, mientras que su contraparte masculina ganaría, en promedio, $109,109.

Como muestra la tabla 7.2, las mujeres con carrera en el curso de sus vidas tienen un ingreso promedio anual más bajo ($54,207) que los hombres con carrera ($81,975); de hecho, el ingreso promedio de una mujer con grado de maestría ($65,133) será significativamente menor que el ingreso promedio de un hombre que sólo tiene el grado de licenciatura ($81,975). Una mujer con certificado de preparatoria no solamente ganaría mucho

| Tabla 7.3 | *Mediana del ingreso semanal de hombres y mujeres que trabajan tiempo completo, principales grupos ocupacionales, 2009* | |

| Grupo ocupacional | Mediana de ingreso semanal | | Ingreso de mujeres como porcentaje del ingreso de los hombres |
|---|---|---|---|
| | Hombres | Mujeres | |
| Operaciones de administración, negocios y finanzas | $1334 | $955 | 72% |
| Profesionales y campos relacionados | 1191 | 880 | 74 |
| Apoyo de salud | 544 | 464 | 85 |
| Servicios de protección | 798 | 599 | 75 |
| Preparación de alimentos y actividades relacionadas con el servicio | 416 | 378 | 90 |
| Mantenimiento y limpieza de edificios | 488 | 388 | 79 |
| Cuidado y servicio personal | 546 | 415 | 76 |
| Ventas y actividades relacionadas | 793 | 525 | 66 |
| Apoyo administrativo y de oficina | 657 | 602 | 91 |
| Agricultura, pesca y silvicultura | 428 | 372 | 86 |
| Construcción y extracción (minería) | 719 | 673 | 93 |
| Instalación, mantenimiento y reparación | 787 | 644 | 81 |
| Producción | 678 | 472 | 69 |
| Transporte y manejo de materiales | 618 | 472 | 76 |

*Fuente:* U.S. Bureau of Labor Statistics, *Current Population Survey*, Household Data, Annual Averages, Tabla 39. Median Weekly Earnings Of Full-Time Wage And Salary Workers By Detailed Occupation and Sex, 2009.

menos ($31,666) que un hombre con preparatoria ($43,493), sino que ganaría incluso menos que uno que no la terminó ($33,457).

Más aún, las disparidades entre hombres y mujeres están en todas las ocupaciones, como indica la tabla 7.3 En cada grupo ocupacional, el ingreso semanal de una mujer es solo una parte del ingreso que obtienen los hombres, considerando ocupaciones que van desde el área de ventas, donde las mujeres ganan solo 66 por ciento de lo que ganan los hombres, hasta los ramos de construcción y minería, donde las pocas mujeres empleadas ganan el 93 por ciento de lo que ganan los hombres.

Las minorías de afroestadounidenses e hispanos no están mucho mejor que las mujeres. La figura 7.2 anterior indica que los ingresos de ambos grupos son sistemáticamente menores que los de los caucásicos. Desde 1990, los ingresos promedio de los afroestadounidenses han permanecido aproximadamente en el 73 por ciento respecto de los ingresos que perciben los caucásicos. De hecho, en 2008, su ingreso promedio era el 74 por ciento del ingreso promedio de los caucásicos y apenas se había movido de su nivel de 1990, cuando representaba el 73 por ciento. El ingreso promedio de los hispanos tampoco aumentó; ha permanecido en aproximadamente el 67 por ciento del ingreso promedio de los caucásicos desde 1990.

Al igual que sucede con la diferencia entre los ingresos de hombres y mujeres, también hay una brecha entre los ingresos de la población caucásica y de las minorías, una diferencia que ni siquiera la educación ha erradicado. Como indica la tabla 7.2, los ingresos de un individuo afroestadounidense con título de maestría ($66,005) son significativamente menores que los de un individuo caucásico con título de licenciatura ($72,938), y un afroestadounidense grado de pasante gana ligeramente menos ($41,332) que un caucásico con un diploma de preparatoria ($41,545). Los hispanos están aún peor. Un hispano graduado de preparatoria gana solo ligeramente más ($32,696) que un individuo caucásico que termina la escuela primaria ($31,557), y un hombre hispano que concluya su preparación universitaria gana mucho menos ($56,470) que su homólogo caucásico ($72,938).

## Comparaciones de grupos de ingresos más bajos

El grupo de menores ingresos en Estados Unidos consiste en aquellas personas cuyo ingreso anual está por debajo del nivel de pobreza. En 2008 el nivel de pobreza se estableció en $22,025 para una familia de cuatro individuos (para tener un punto de comparación, considere que el costo promedio por persona que cursó una carrera de cuatro años en una universidad pública o privada durante el año escolar 2007-2008 era de alrededor de $19,400, más otros $2,500 en libros y diferentes artículos, lo que daba un total de $21,900).[20] Como se observa en la figura 7.3, la tasa de pobreza entre las minorías ha sido de manera sistemática dos o tres veces más alta que entre la población caucásica. Esto no es sorprendente, ya que como se ha visto, las minorías tienen ingresos promedio más bajos.

En vista de los ingresos más bajos de las mujeres, tampoco sorprende que las familias que encabeza una mujer sola caigan por abajo del nivel de pobreza con mucha más frecuencia que las familias cuya cabeza es un hombre solo. Como se observa en la figura 7.4, es dos veces más probable que las familias de una mujer sola sean pobres, que las de un

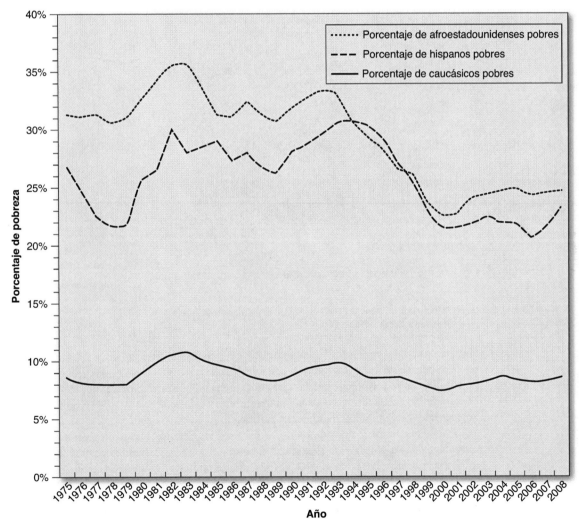

**Figura 7.3**

Porcentaje de caucásicos, afroestadounidenses e hispanos que viven en la pobreza, de 1975 a 2008.

Vea la **imagen** en

**mythinkinglab.com**

*Fuente:* U.S. Census Bureau, Historical Poverty Tables, Tabla 2, "Poverty Status of People by Family Relationship, Race, and Hispanic Origin: 1959 to 2008".

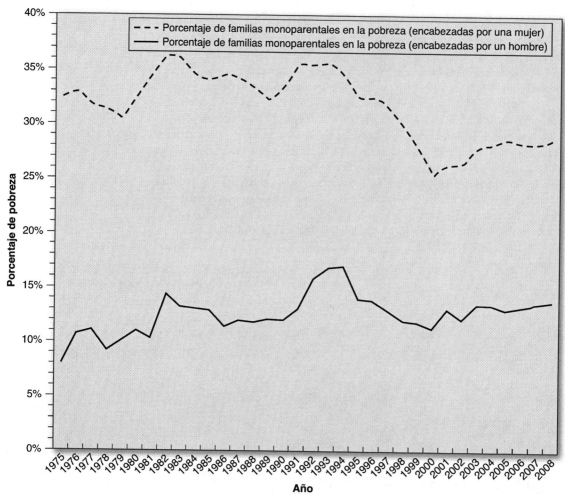

**Figura 7.4**
Tasa de pobreza de familias monoparentales de acuerdo con el sexo de quien las encabeza, de 1975 a 2008.

*Fuente:* U.S. Census Bureau, Historical Poverty Tables, Tabla 4, "Poverty Status of Families, by Type of Family, Presence of Related Children, Race, and Hispanic Origin: 1959 a 2008".

hombre solo. Esto representa una mejoría ya que, como muestra la figura 7.4, hasta finales de la década de 1980, las familias que encabezaba una mujer sola tenían *tres* veces más probabilidades de ser pobres que las que encabezaba un hombre solo. Aunque la diferencia ha disminuido en las últimas décadas, la brecha entre la tasa de pobreza de las familias monoparentales de hombres y de mujeres continúa hasta nuestros días.

Por lo tanto, los grupos de menores ingresos en Estados Unidos tienen una correlación estadística con la raza y el sexo. Al compararlas con las familias caucásicas y encabezadas por hombres, hay mayor proporción de familias de minorías encabezadas por mujeres pobres. De igual manera, es de dos a tres veces más probable que los individuos afroestadounidenses y los hispanos caigan en la pobreza que los caucásicos.

## Comparación de ocupaciones deseables

La evidencia de discriminación racial y sexual que proporcionan las medidas cuantitativas que se han citado se puede completar de manera cualitativa si se examina la distribución ocupacional de las personas. Durante muchas décadas, tradicionalmente, ciertos

trabajos se consideraban como propios "de mujeres" porque eran ellas quienes los realizaban de forma mayoritaria; tal era el caso de secretarias (97 por ciento de mujeres), asistentes
de profesores (92 por ciento), recepcionistas (92 por ciento), asistentes de odontólogos (98 por
ciento), empleados al cuidado de los niños (95 por ciento) y peluqueras (90 por ciento). Otros
trabajos, en cambio, se consideraban propios "de hombres", porque eran ellos quienes predo-
minaban, como mecánicos (99 por ciento de hombres), trabajadores de las líneas eléctricas (99
por ciento), operadores de grúas (99 por ciento), albañiles (100 por ciento), soldadores (96 por
ciento) e instaladores y reparadores de tejados (99 por ciento). Pero los salarios para los trabajos
de las mujeres son claramente inferiores (secretarias, $32,716; asistentes de profesores $24,544;
recepcionistas, $26,884; ayudantes de odontólogos, $27,716; cuidado de niños, $19,084; pelu-
queras, $22,100), en comparación con los salarios de los trabajos "masculinos" (trabajadores de
las líneas eléctricas, $52,936; operadores de grúas, $40,456; albañil, $36,452; instalador y re-
parador de tejados, $31,200; soldador, $35,100; mecánico, $34,684), aunque ambos grupos de
trabajos requieren aproximadamente el mismo nivel de escolaridad y capacitación. De hecho,
muchas de las ocupaciones bien pagadas tienden a ser "trabajos de hombre", mientras que muchas
de las menos pagadas suelen ser "trabajos de mujer". Como sugiere la tabla 7.4, cuanto mayor
es la proporción de mujeres en una ocupación, menor tiende a ser la paga de la misma. Aunque
hay un gran número de excepciones (algunas de las cuales se incluyen en la tabla), existe una

| **Tabla 7.4** | *Mediana de ingresos semanales de ocupaciones seleccionadas y porcentaje de hombres y mujeres en esas ocupaciones, 2009* | | |
|---|---|---|---|
| **Ocupación** | **Ingresos semanales** | **Porcentaje del total en las ocupaciones que son** | |
| | | **Hombres** | **Mujeres** |
| Empleados al cuidado de los niños | $367 | 5% | 95% |
| Recepcionista | 517 | 8 | 92 |
| Contador privado | 633 | 8 | 92 |
| Enfermera con certificado | 710 | 9 | 91 |
| Asistente jurídico | 846 | 14 | 86 |
| Trabajador social | 787 | 19 | 81 |
| Técnico de laboratorio clínico | 829 | 25 | 75 |
| Recaudador de impuestos | 922 | 26 | 74 |
| Administrador de recursos humanos | 1234 | 33 | 67 |
| Contador | 1003 | 38 | 62 |
| Profesor de preparatoria | 1169 | 45 | 55 |
| Profesor universitario | 1169 | 51 | 49 |
| Artista | 1085 | 54 | 46 |
| Analista de administración | 1247 | 57 | 43 |
| Gerente de marketing | 1330 | 57 | 43 |
| Productor y director | 1070 | 60 | 40 |
| Abogado | 1757 | 68 | 32 |
| Médico | 1738 | 68 | 32 |
| Analista de sistemas de cómputo | 1245 | 73 | 27 |
| Director ejecutivo | 1916 | 75 | 25 |
| Ingeniero de software | 1493 | 80 | 20 |
| Ingeniero aeroespacial | 1488 | 90 | 10 |
| Ingeniero electricista | 1502 | 91 | 9 |
| Gerente de ingeniería | 1773 | 92 | 8 |
| Piloto | 1650 | 95 | 5 |

*Fuente:* U.S. Bureau of Labor Statistics, Tabla 39. Median Weekly Earnings of Full-Time Wage
and Salary Workers by Detailed Occupation and Sex, 2009, Household Data Annual Averages y
Tabla 11. Employed Persons by Detailed Occupation, Sex, Race, and Hispanic or Latino Ethnic-
ity, 2009, Household Data Annual Averages.

correlación bastante negativa entre la proporción de mujeres en una ocupación y su nivel de ingresos: cuanto mayor sea el número de mujeres en ella, menores serán sus ingresos.[21]

**techo de cristal** Una barrera invisible, pero impenetrable, para la promoción que suelen encontrar las mujeres y las minorías.

Los estudios indican también que, a pesar de las dos décadas en las cuales las mujeres han ingresado a la fuerza laboral en números sin precedentes, normalmente no se las promueve de los puestos medios a los de alta administración, porque encuentran un **techo de cristal** impenetrable a través del que "pueden ver, pero no entrar".[22] En consecuencia, aunque muchas han llegado a los puestos de administración media en los últimos años, todavía no se les permite llegar a los de salarios más altos. Los afroestadounidenses y los hispanos están en una situación similar. Como ya se dijo, hay mujeres y miembros de minorías que ejercen como directores ejecutivos de compañías grandes, pero su número es minúsculo. En 2009 solo 12 (el 2.4 por ciento) de las compañías de *Fortune 500* tenían mujeres como presidentes o directoras ejecutivas, 5 (el 1 por ciento) tenían colocados en esos puestos a hombres afroestadounidenses, y 7 (el 1.4 por ciento) tenían directores ejecutivos hispanos.

El hecho de que las mujeres y las minorías terminen en puestos con salarios menores que los que perciben los hombres caucásicos no se explica por completo en términos de sus niveles educativos más bajos.[23] Si volvemos a la tabla 7.2, vemos que en 2008, el promedio para un hombre que trabajaba tiempo completo todo el año, con estudios universitarios concluidos, pero sin título, era de $54,830, solo un poco más que los $54,207 que ganaba una mujer con título universitario de cuatro años. El mismo año, un empleado caucásico que trabajaba tiempo completo todo el año, con estudios inconclusos de preparatoria, sin certificado, ganaba $33,995, es decir, más que los $33,410 que ganaba un afroestadounidense que laboraba tiempo completo todo el año, con certificado de preparatoria; al tiempo que un empleado caucásico con título universitario ganaba $72,938, en tanto que un afroestadounidense con licenciatura y maestría ganaba solo $66,005 (tabla 7.2).

Las grandes disparidades entre hombres caucásicos y mujeres o minorías tampoco se explican por las preferencias o cualificaciones de estos últimos grupos.[24] Se considera que ellas *eligen voluntariamente* trabajar en esos puestos que tienen salarios y prestigio relativamente bajos. Se ha sugerido, por ejemplo, que las mujeres piensan que ciertos trabajos (como los de secretaria o educadora) son adecuados para ellas, y muchas eligen estudios que las capacitan solo para estos puestos. Muchas eligen esos empleos porque planean tener hijos, y es relativamente sencillo dejar de trabajar y regresar después; otras lo hacen porque tienen demandas limitadas y esos trabajos les dejan tiempo para sus hijos, mientras que otras aplazan el desarrollo de sus propias carreras en aras de las demandas de las de sus esposos. Sin embargo, aunque la elección desempeña cierto papel en la diferencia de salarios, muchos investigadores que han estudiado las diferencias de ingresos entre hombres y mujeres, y entre caucásicos y minorías, concluyen que estas no se explican simplemente con base en esos factores. Un estudio encontró que solo la mitad de la diferencia de ingresos se explica por la elección de la mujer, mientras que otros estudios encontraron que explican un poco más o un poco menos.[25]

No obstante, todos los estudios demuestran que solo una parte de la diferencia se explica por las diferencias educativas entre hombres y mujeres, por la experiencia profesional, la continuidad en el trabajo, las restricciones propias del puesto y el ausentismo.[26] Estos estudios muestran que, aun después de tomar en cuenta esas diferencias, permanece una brecha entre los ingresos de hombres y mujeres, la cual solo se explica por la discriminación en el mercado de trabajo. Un informe de la Academia Nacional de Ciencias concluyó que "cerca del 35 al 40 por ciento de la disparidad en los ingresos promedio se debe a segregación sexual porque, en esencia, se encauza a la mujer hacia trabajos propios de 'mujeres' con menor paga".[27] Algunos estudios demuestran que quizá solo un décimo de la diferencia salarial entre hombres y mujeres se explica por las diferencias de personalidad y gustos.[28] Estudios similares indican que la mitad de las diferencias entre empleados caucásicos y miembros de minorías no se explica por los antecedentes de trabajo, la capacitación laboral, el ausentismo o las restricciones propias en las horas o el lugar de trabajo.[29] Un estudio de 2007 llegó a la conclusión de que aunque "la discriminación no se puede medir directamente, porque 'es ilegal'", una forma de descubrirla es eliminar otras explicaciones para la brecha salarial entre hombres y mujeres. El estudio concluye que, después de todo, "las 'explicaciones' para la brecha salarial [entre hombres y mujeres] están incluidas" en un análisis estadístico, y por lo tanto, "aunque la discriminación no se pueda medir de manera directa, es razonable suponer que esta brecha salarial es el producto de una discriminación de géneros".[30]

A finales del siglo xx surgieron varias tendencias que aumentaron las dificultades que enfrentan las mujeres y las minorías en el mercado de trabajo. Para comenzar, casi todos los empleados nuevos que se incorporan a la fuerza laboral no son hombres caucásicos, sino mujeres y miembros de minorías. Aunque hace dos décadas los hombres caucásicos tenían mayor participación en este mercado, a principios del siglo xxi representaban solo el 15 por ciento de los nuevos empleados, mientras que tres quintas partes de los que se incorporaron a la fuerza laboral eran mujeres, una tendencia generada por una necesidad económica auténtica, al igual que por las redefiniciones culturales del papel de la mujer. Las minorías nativas y de inmigrantes constituyen el 40 por ciento de todos los nuevos empleados en Estados Unidos.[31]

Este gran flujo de mujeres y minorías ha encontrado dificultades importantes en el mercado de trabajo. Primero, como se vio, los estereotipos culturales, los prejuicios y los sesgos, ya sean conscientes o inconscientes, dirigen a una considerable proporción de mujeres a los "trabajos tradicionalmente femeninos", que pagan menos que los "propios de hombres".

Segundo, conforme las mujeres avanzan en sus carreras, encuentran barreras (los llamados *techos de cristal*), cuando intentan llegar a los puestos de alta administración que ofrecen los mayores salarios. Como indica la tabla 7.4, los hombres predominan en esos puestos de mejor paga. Los estudios revelan que más del 90 por ciento de los directores, presidentes y vicepresidentes de las corporaciones recién promovidos son hombres. De hecho, algunos estudios sugieren que el porcentaje de mujeres promovidas a nivel de vicepresidencia va en descenso. En 2005 el porcentaje de funcionarias corporativas de las compañías de *Fortune 500* llegaba al 16.4 por ciento, y para 2009, había disminuido al 15.7 por ciento.

Tercero, la mujer casada que quiere tener hijos, a diferencia del hombre casado con la misma intención, actualmente encuentra grandes dificultades en el avance de su carrera. Una investigación encontró que el 52 por ciento de las pocas mujeres casadas que habían sido promovidas a puestos de vicepresidencia seguían sin hijos, mientras que solo el 7 por ciento de los hombres en esa situación no los tenían. Otro estudio indica que durante los 10 años siguientes a su graduación, el 54 por ciento de esas mujeres que habían logrado avances significativos en la corporación los habían alcanzado precisamente por no tener hijos. Varios estudios muestran que es seis veces más probable que la mujer con carrera profesional tenga que quedarse en casa cuando tiene un hijo enfermo, en comparación con su esposo; incluso, mujeres a nivel de vicepresidencia reportan que deben cargar con una mayor parte de ese tipo de responsabilidades que sus cónyuges.[32]

El gran número de miembros de minorías que se incorporan a la fuerza de trabajo también encuentran desventajas significativas. Cuando estas oleadas de minorías llegan al mercado laboral, encuentran que casi todos los buenos trabajos que los esperan requieren niveles de habilidad y educación mucho más altos que los que poseen. De todos los nuevos trabajos creados en las dos últimas décadas, más de la mitad requiere cierta educación adicional a la preparatoria, y casi un tercio requiere un título universitario. Entre los campos que más crecen están las profesiones con requisitos educativos muy altos, como técnicos, ingenieros, científicos sociales, abogados, matemáticos, científicos y profesionales de la salud. Por otro lado, ha declinado el número de trabajos que requiere niveles relativamente bajos de educación y habilidad, como operario de máquinas, supervisor, ensamblador, trabajador manual, minero y agricultor. Incluso los empleos con requisitos de niveles de habilidad relativamente bajos ahora exigen más: secretarias, oficinistas y cajeros deben tener la habilidad de leer y escribir con claridad, entender instrucciones y usar computadoras; trabajadores de una línea de ensamble ahora deben aprender los métodos de control estadístico de procesos, los cuales requieren conocimientos de álgebra y estadística básicas.

## Repaso breve 7.5

### Discriminación en Estados Unidos

- La brecha entre el ingreso familiar promedio de la población caucásica y el de las minorías no ha disminuido.
- Las diferencias entre el ingreso promedio y la mediana de las ganancias de hombres y mujeres han disminuido, pero todavía son considerables; las mujeres ganan menos que los hombres que tienen menor nivel educativo; las mujeres ganan menos en todos los grupos ocupacionales.
- Las diferencias entre los ingresos promedio de las minorías y de los caucásicos casi no han disminuido; los miembros de minorías ganan menos que los individuos caucásicos con menor nivel educativo; el porcentaje de las minorías que vive en la pobreza es de 2 a 3 veces mayor que el porcentaje de caucásicos.
- La tasa de pobreza de las familias monoparentales que encabeza una mujer es el doble de las familias monoparentales que encabeza un hombre.
- Los salarios de los trabajos propios "de mujeres" son significativamente menores que los trabajos propios "de hombres".
- Los puestos ejecutivos de mayor ingreso están ocupados por hombres; un "techo de cristal" detiene a las mujeres.
- Las brechas salariales no se explican por la educación, las opciones de carrera, las preferencias, la historia laboral, la capacitación ni el ausentismo.

Así, casi todos los buenos trabajos demandan mayor formación académica y mayor nivel de habilidad en el lenguaje de las matemáticas y el razonamiento.

Por desgracia, las minorías actuales tienen desventajas en términos de niveles de habilidad y educación. Los estudios indican que solo cerca de tres quintas partes de los individuos caucásicos, dos quintos de los hispanos y una cuarta parte de los afroestadounidenses logran encontrar información en un artículo de noticias o una publicación de información estadística; solo el 25 por ciento de los caucásicos, el 7 por ciento de los hispanos y el 3 por ciento de los afroestadounidenses son capaces de interpretar el itinerario de un autobús; y solo el 44 por ciento de los caucásicos, el 20 por ciento de los hispanos y el 8 por ciento de los afroestadounidenses pueden calcular el cambio que deben recibir cuando compran dos artículos.[33] Aunque los niveles de habilidad de los caucásicos en general no es muy alto, los de los afroestadounidenses y los hispanos son aún menores. Las minorías también están en gran desventaja en términos de formación académica. En 2007, cuando el 89 por ciento de todos los adultos caucásicos terminaron la preparatoria, solo el 80 por ciento de los afroestadounidenses y el 60 por ciento de los hispanos lo lograron.[34] Ese mismo año, el 30 por ciento de caucásicos se graduaron de la universidad, pero solo el 17 por ciento de los afroestadounidenses y el 12 por ciento de los hispanos lograron esa meta.[35] Algunos estudios indican que, puesto que las estadísticas oficiales no reflejan con precisión todos los estudiantes que abandonan la escuela, las tasas reales de graduación son mucho menores.[36] Por lo tanto, aunque los nuevos trabajos del futuro requerirán niveles cada vez más altos de habilidades y formación académica, las minorías se quedan atrás respecto de los caucásicos en el logro de un mayor nivel educativo.

En especial, las mujeres que trabajan enfrentan otro aspecto problemático en el lugar de trabajo (aunque, como se verá, algunos hombres también se ven obligados a lidiar con este asunto). El 42 por ciento de las empleadas del gobierno federal reportaron que habían experimentado alguna forma de atención sexual no solicitada y no bienvenida, desde observaciones sexuales hasta intentos de violación. Las mujeres que trabajan como ejecutivas, guardias en prisiones e, incluso, como rabinas han reportado algún acoso sexual.[37] Es más probable que las víctimas de formas verbales o físicas de acoso sexual sean solteras o divorciadas, entre los 20 y 44 años, tengan educación universitaria y se encuentren en un entorno donde predominan hombres o tengan supervisores varones.[38] Un estudio de acoso sexual en los negocios indica que el 10 por ciento de 7,000 personas entrevistadas informaron que habían escuchado y observado en sus organizaciones una situación tan extrema como: "El señor X me ha pedido que tenga sexo con él. Me negué, pero ahora me enteré de que en mi evaluación me calificó muy bajo...".[39] Una corte federal describió con detalle las lesiones que el acoso sexual causa en una persona:

> La relación de Cheryl Mathis con el señor Sanders comenzó en términos que ella describe como buenos, pero más tarde se hizo evidente que Sanders buscaba algún tipo de relación personal con ella. Siempre que Mathis estaba en la oficina, él quería la puerta cerrada a las oficinas externas, y comenzó a platicarle asuntos muy personales, como la falta de relación sexual con su esposa. Después, comenzó a bombardearla con invitaciones no bienvenidas para almorzar, cenar, desayunar o asistir a un bar, y a invitarse a sí mismo a la casa de ella. Mathis dejó claro que no estaba interesada en una relación personal con su jefe casado... Sanders también comentó la apariencia de Mathis, haciendo referencia a partes de su cuerpo. Cuando ella rechazó sus proposiciones, él se convirtió en su oponente. En la primavera de 1983, Mathis comenzó a sufrir severos temblores y a menudo lloraba; su estado de salud empeoró progresivamente hasta tener que ser hospitalizada en dos ocasiones, primero, una semana en junio de 1983 y, de nuevo, en julio durante unos días. Durante todo el verano, Mathis tuvo una licencia por enfermedad y no regresó a trabajar hasta septiembre de 1983... En cuanto regresó, Sanders reanudó su acoso... y una vez más ella se vio forzada a buscar ayuda médica, lo que le impidió trabajar... El acoso no solo la atormentaba, también

generaba hostilidad entre ella y otros miembros del departamento que, en apariencia, resentían la familiaridad entre la demandante y Sanders.[40]

Cada año se presentan miles de quejas de acoso sexual ante la Comisión para la Igualdad de Oportunidades en el Empleo, un organismo del gobierno federal estadounidense que se creó en 1964 para hacer cumplir las leyes de derechos civiles, y miles de otras quejas se interponen en las comisiones estatales de derechos civiles. Aunque la gran mayoría de estas demandas las presentan mujeres, cada vez hay más hombres que lo hacen, en tanto que se ven obligados a soportar insinuaciones sexuales no deseadas.[41] En 2009 aproximadamente el 16 por ciento de las 12,700 quejas que se presentaron ante la Comisión fueron de hombres.

Las distintas comparaciones estadísticas que se han examinado, junto con la amplia investigación, indican que estas diferencias no se deben simplemente a las preferencias o habilidades de estos grupos, más bien, revelan que muchas empresas estadounidenses incorporan cierto grado de discriminación, probablemente no intencional, pero institucionalizada, quizá, en gran parte, como un vestigio del pasado. Ya sea que se comparen los ingresos promedio, la representación proporcional en los puestos económicos más altos o en los más bajos, el resultado es que las mujeres y las minorías no tienen iguales oportunidades que los hombres caucásicos, aun cuando en los últimos 30 años han visto solo una modesta disminución en las diferencias sexuales y raciales. Más aún, varias tendencias inquietantes indican que, a menos que se emprendan cambios importantes en la forma de contratar y promover a los individuos en las organizaciones, la situación de las minorías y las mujeres no mejorará.

Es importante reconocer que saber que las instituciones como un todo aún practican cierto grado de discriminación no intencional, pero institucionalizada, no es indicativo de que una compañía en particular sea discriminatoria. Para saber si una empresa en particular es discriminatoria, quizá de manera no consciente, debemos hacer el mismo tipo de comparaciones entre los diferentes niveles de empleo dentro de la organización que los que se realizaron entre los diferentes niveles ocupacionales y económicos de la sociedad estadounidense como un todo. Para facilitar esas comparaciones dentro de las empresas, se requiere que los empleados actuales informen al gobierno los números de las minorías y las mujeres que su empresa contrata en cada una de nueve categorías: funcionarios y gerentes, profesionales, técnicos, personal de ventas, oficinistas y personal de apoyo, trabajo manual calificado, obreros semicalificados, trabajadores no calificados y empleados de servicios o intendencia.

## 7.3 Discriminación: Utilidad, derechos y justicia

A partir de los datos estadísticos de los ingresos comparativos y los puestos bajos de las minorías y las mujeres en Estados Unidos, debemos preguntarnos lo siguiente: ¿son incorrectas estas desigualdades? Si lo son, ¿cómo deberían lidiar con ellas las empresas y los gerentes? Para estar seguros, las desigualdades contradicen directamente los principios fundamentales de Estados Unidos: "Sostenemos que estas verdades son evidentes por sí mismas: que todos los hombres fueron creados iguales y que el Creador los proveyó con ciertos derechos inalienables".[42] Sin embargo, históricamente, con frecuencia se han tolerado grandes discrepancias entre estos ideales y la realidad. Por ejemplo, los antepasados de muchos afroestadounidenses actuales fueron llevados a ese país en calidad de esclavos, se les trató casi como ganado y vivieron en el régimen de esclavitud, a pesar de los ideales de igualdad. Al ser considerados la propiedad personal de un dueño de piel blanca, los afroestadounidenses, antes de la Guerra Civil, no eran reconocidos como individuos y, en consecuencia, no tenían facultades legales ni ningún derecho sobre sus cuerpos o su trabajo. Por ejemplo, la Suprema Corte consideró en un veredicto de 1857 a Dred Scott como "ser de un orden inferior... y tan inferior que no tiene derechos que el hombre blanco deba respetar".[43] El trato a las mujeres era comparable. Durante casi todo el siglo xix, la mujer no podía tener un trabajo remunerado ni votar, no podía fungir como parte de un jurado, ni presentar una demanda en su propio nombre; una mujer casada perdía el control de su propiedad (que su esposo adquiría), era considerada incapaz de celebrar contratos y, según una sentencia importante de 1873 (*Bradwell versus Illinois*), una mujer casada fue declarada por la Suprema Corte "sin existencia legal separada de su esposo, a quien se consideraba su cabeza y representante en el estado social".[44] ¿Por qué son incorrectas las formas de desigualdad? ¿Por qué es incorrecto discriminar?

Los argumentos en contra de la discriminación, en general, se clasifican en tres grupos: **1.** argumentos utilitarios, los cuales afirman que la discriminación lleva a un uso ineficiente de los recursos humanos; **2.** argumentos de derechos, los cuales aseguran que la discriminación viola los derechos humanos básicos; y **3.** argumentos de justicia, los cuales sostienen que la discriminación provoca una distribución injusta de los beneficios y las responsabilidades de la sociedad.

## Argumentos utilitarios

El argumento utilitario estándar contra la discriminación racial y sexual se basa en la idea de que la productividad de una sociedad se optimiza en el grado en que los trabajos se otorguen con base en la competencia (o el "mérito").[45] Los diferentes trabajos, continúa el argumento, requieren habilidades y cualidades de personalidad diferentes si han de realizarse de la manera más productiva posible. Aún más, los diferentes individuos tienen distintas habilidades y personalidades. Entonces, para asegurar que los trabajos sean tan productivos como sea posible, se deben asignar a los individuos cuyas habilidades y personalidad los califiquen como los más competentes para realizarlos. En la medida en que los empleos se asignen a los individuos con base en otros criterios no relacionados con la competencia, la productividad necesariamente declinará. Discriminar entre los solicitantes para un trabajo con base en la raza, el sexo, la religión y otras características no relacionadas con el desempeño del puesto es necesariamente ineficiente y, por lo tanto, contrario a los principios utilitarios.[46]

Los argumentos utilitarios de este tipo, sin embargo, han encontrado dos tipos de objeciones. Primero, si el argumento es correcto, entonces, los trabajos se deben asignar con base en las calificaciones relacionadas con ese trabajo solo si aumentan el bienestar público. Si, en cierta situación, el bienestar público avanza en cierto grado por asignar los trabajos con base en algún factor no relacionado con el desempeño del trabajo, el teórico utilitario tendrá que sostener que, en esas situaciones, los trabajos no se deben asignar con base en las calificaciones relacionadas con el trabajo, sino con base en otro factor. Por ejemplo, si el bienestar de la sociedad se promueve más asignando ciertos trabajos según la necesidad (o el sexo o la raza), en lugar de las calificaciones para el trabajo, entonces, el utilitario tendrá que aceptar que la necesidad (o el sexo o la raza), y no la cualificación para el trabajo, sea la base adecuada para asignar esos empleos.[47]

Segundo, el argumento utilitario también debe responder al cargo de los oponentes que sostienen que la sociedad, como un todo, se beneficia de algunas formas de discriminación sexual. Los oponentes quizá aduzcan, por ejemplo, que la sociedad funcionará de manera más eficiente si un sexo se socializa con la finalidad de adquirir la personalidad requerida para criar una familia (volviéndose no agresivo, cooperativo, compasivo, sumiso, etcétera), y el otro sexo se socializa con la finalidad de adquirir la personalidad requerida para ganar los medios de vida (volviéndose agresivo, competitivo, asertivo, independiente).[48] Se podría decir que un sexo posee las características adecuadas para cuidar de una familia como resultado de su naturaleza biológica innata, mientras que el otro tiene los rasgos adecuados para ganarse la vida como resultado de su propia biología. En cualquier caso, ya sea que las diferencias sexuales sean adquiridas o naturales, se argumenta que los trabajos que requieren un conjunto de rasgos basados en el sexo se deben asignar de acuerdo con este, porque colocar a los individuos en trabajos que se ajustan a sus rasgos de personalidad promueve el bienestar de la sociedad.[49]

El argumento utilitario contra la discriminación recibe críticas desde varios puntos de vista. Sin embargo, ninguno de ellos parece haber vencido a sus defensores. Los utilitarios responden que usar factores diferentes a las calificaciones relacionadas con el trabajo nunca brinda mayores beneficios que el uso de esas calificaciones.[50] Más aún, aseguran que los estudios demuestran que existen pocas diferencias moralmente significativas entre los sexos, o quizá ninguna.[51]

## Argumentos con base en los derechos

Los argumentos no utilitarios contra la discriminación racial y sexual adoptan el enfoque de que esta es incorrecta porque viola los derechos morales básicos de una persona.[52] La teoría kantiana, por ejemplo, sostiene que los seres humanos debe ser tratados como *fines* y nunca usados solo como *medios*. Por lo menos, este principio significa que cada individuo tiene un derecho moral a que se le trate como una persona libre e igual a cualquier otra, y que todos los individuos tienen una obligación moral correlativa de tratar a los demás como personas libres e iguales. Las prácticas discriminatorias violan el principio de dos maneras. Primero, la discriminación se basa en la creencia de que un grupo es inferior a otros; que los individuos de raza negra, por ejemplo, son menos competentes o menos dignos de respeto que los de raza blanca, o quizá que las mujeres son menos competentes o dignas de respeto que los hombres.[53] La discriminación racial y sexual se basa en estereotipos que ven a las minorías como "perezosas" o "incapaces de cambiar", y consideran a la mujer como "emotiva" y "débil". Esos estereotipos degradantes minan la autoestima de los grupos contra los que se dirigen y, con ello, violan su derecho de ser tratados como iguales. Segundo, la discriminación coloca a los miembros de los grupos discriminados en las posiciones social y económica más bajas: las mujeres y las minorías tienen menos oportunidades de trabajo y reciben salarios más bajos. De nuevo, se viola el derecho a ser tratado como una persona libre e igual.[54]

Un grupo de argumentos kantianos, relacionados con los que se mencionaron, sostiene que la discriminación es incorrecta porque la persona que discrimina no desearía ver su comportamiento universalizado.[55] En particular, esa persona no querría ser discriminada con base en características que no tienen que ver con su habilidad para realizar un trabajo determinado. Puesto que quien discrimina no querría ver su propio comportamiento universalizado, de acuerdo con el primer imperativo categórico de Kant, es moralmente incorrecto que discrimine a otras personas.

## Argumentos con base en la justicia

Un segundo grupo de argumentos no utilitarios contra la discriminación considera que esta es una violación de los principios de justicia. Por ejemplo, John Rawls argumenta que, entre los principios de justicia que los individuos inteligentes en la "posición original" elegirían para sí mismos se encuentra el principio de igual oportunidad: "Las desigualdades sociales y económicas se deben organizar de manera que sean concomitantes a oficios y trabajos dispuestos para todos en las condiciones de igualdad de oportunidades".[56] La discriminación viola este principio al eliminar de manera arbitraria a las minorías y las mujeres de los puestos más deseables en una institución, y al no darles la misma oportunidad que a otros. Dar menores oportunidades en forma arbitraria a algunos individuos para competir por los trabajos es injusto, según Rawls.

Otro enfoque de la moralidad de la discriminación, que también la ve como una forma de injusticia, se basa en el **principio de igualdad** formal: los individuos que son iguales en todos los aspectos relevantes para el tipo de tratamiento en cuestión deben recibir un mismo trato, incluso cuando sean diferentes en otros aspectos no relevantes. Para muchas personas, como se indicó en el capítulo 2, este principio es la característica definitoria de la justicia.[57] La discriminación en el trabajo es incorrecta porque viola el principio básico

---

*Repaso breve 7.7*

**Argumentos en contra de la discriminación**

- Utilitarios: La discriminación lleva a una utilización ineficiente de los recursos humanos, pero los críticos replican que algunas formas de discriminación, en realidad, pueden beneficiar a la sociedad.
- Basados en los derechos: La discriminación viola los derechos humanos básicos al considerar que las minorías y las mujeres son "inferiores", asignándoles posiciones sociales y económicas de menor nivel; la discriminación no se puede universalizar.
- Basados en la justicia: La discriminación da como resultado la distribución injusta de los beneficios y las cargas, según John Rawls, y viola el principio formal de igualdad al diferenciar entre las personas según características que no son relevantes para el desempeño del trabajo.

**principio de igualdad** Los individuos que son iguales en todos los aspectos relevantes para el tipo de tratamiento en cuestión deben recibir un mismo trato, incluso cuando sean diferentes en otros aspectos no relevantes.

de justicia, al hacer diferencias entre las personas con base en características (como raza o sexo) que no son relevantes para las tareas que deben realizar. Sin embargo, un problema importante que enfrenta este tipo de argumento en contra de la discriminación es defender con precisión lo que cuenta como *aspecto relevante* para tratar a las personas de modo diferente, y explicar por qué la raza y el sexo no son relevantes, mientras que algo como la inteligencia o el servicio militar puede contar como relevante.

## Prácticas discriminatorias

Sin importar los problemas inherentes en alguno de los argumentos en contra de la discriminación, es evidente que existen razones poderosas para sostener que es incorrecta. En consecuencia, es comprensible que la ley haya cambiado poco a poco para adaptarse a estos requisitos morales, y que haya un reconocimiento cada vez mayor de las diferentes formas de discriminación en el trabajo. Entre las prácticas ahora reconocidas ampliamente como discriminatorias y que, por lo tanto, los directivos de empresas se deben esforzar en eliminar de sus compañías están las siguientes:[58]

**Prácticas de reclutamiento**    Las empresas que se apoyan en referencias verbales de los empleados actuales para reclutar personal tienden a contratar a individuos pertenecientes solo a los grupos raciales y sexuales ya representados en su fuerza de trabajo. Cuando la mano de obra de una empresa está compuesta solo por hombres caucásicos, esta política de reclutamiento tenderá a discriminar a las minorías y a las mujeres. Además, cuando los puestos de trabajo deseables solo se dan a conocer en medios (o en agencias de referencias) que las minorías o las mujeres no utilizan (como periódicos en inglés que no leen las minorías que hablan español), o que están clasificados como *solo para hombres*, el reclutamiento también tenderá a ser discriminatorio.

**Prácticas de revisión**    Las calificaciones para el trabajo son discriminatorias cuando no son relevantes para la tarea a realizar (como solicitar certificado de preparatoria para una tarea que, en esencia, es manual, y en lugares donde estadísticamente las minorías no concluyen la educación media). Las pruebas de aptitud e inteligencia que se usan en la revisión de las solicitudes se convierten en discriminatorias cuando sirven para descalificar a los miembros de minorías culturales que no están familiarizados con el idioma, los conceptos y las situaciones sociales que se usan en las pruebas, pero quienes, de hecho, están completamente calificados para el trabajo. Las entrevistas laborales son discriminatorias si el entrevistador descalifica por rutina a mujeres y minorías a causa de estereotipos sexuales o raciales. Estos estereotipos quizás incluyan suposiciones acerca del tipo de ocupación "adecuada" para la mujer, el tipo de trabajo y las cargas laborales que se pueden imponer sobre ellas, la habilidad de una mujer o un miembro de una minoría para mantener un compromiso con el trabajo, la pertinencia de colocar a una mujer en un entorno "masculino", los supuestos efectos que mujeres y miembros de minorías tendrán en el ánimo de los empleados o los clientes, y el grado en que se supone que tienen rasgos de personalidad o aptitud que los hacen no aptos para una ocupación determinada. Estas generalizaciones acerca de las mujeres y las minorías no solo son discriminatorias: también son falsas.

**Prácticas de promoción**    La promoción, el ascenso en el trabajo y las prácticas de transferencia son discriminatorios cuando los empleadores colocan a los hombres caucásicos en trayectorias separadas de las disponibles para las mujeres y las minorías. Los sistemas de antigüedad serán discriminatorios si la situación anterior eliminó a las minorías y las mujeres de los puestos más altos en la trayectoria de la empresa. Para rectificar la situación, los individuos que han sufrido específicamente la discriminación por los sistemas de antigüedad deben obtener su lugar correcto en el sistema y obtener la capacitación necesaria. Además, cuando las promociones se basan en la recomendación subjetiva del jefe inmediato, las políticas de promoción serán discriminatorias en la medida en que los jefes se basen en estereotipos raciales o sexuales. Se debe capacitar a los supervisores para que reconozcan esos estereotipos inconscientes y, cuando sea necesario, se les deben dar objetivos o puntos de referencia con los que puedan evaluar si sus prácticas tienen resultados discriminatorios.

**Condiciones de empleo** Los sueldos y salarios son discriminatorios en la medida en que los empleados que, en esencia, realizan el mismo trabajo reciben remuneraciones diferentes. Si la discriminación del pasado o las tradiciones culturales del presente dan como resultado ciertos tipos de trabajo que realizan en forma desproporcionada mujeres y minorías (como secretarias, oficinistas o puestos de tiempo parcial), se deben tomar medidas para que su remuneración y prestaciones sean comparables a las de otros tipos de trabajo. Todas las clasificaciones de puestos se deben examinar de manera periódica para asegurar que las remuneraciones no estén influidas por estereotipos, suposiciones o prejuicios que den como resultados que las mujeres o las minorías reciban menores salarios.

**Despidos** Despedir a un empleado con base en la raza o el sexo es una forma clara de discriminación. Menos evidentes (pero igualmente discriminatorias) son las políticas de despido que se basan en un sistema de antigüedad; en tales casos, las mujeres y las minorías tienen la menor antigüedad como resultado de la discriminación anterior y, por lo tanto, son los últimos en ser considerados para recibir promociones, así como los primeros en ser despedidos. Los registros de las mujeres y de las minorías se deben analizar con cierta periodicidad para asegurar que la discriminación del pasado no haya provocado desventajas —como una menor antigüedad— que los haga más vulnerables a los despidos; si es necesario, deberán ser ascendidos para que ya no resulten tan vulnerables.

### Acoso sexual

Como se observó antes, las mujeres son víctimas de un tipo específicamente problemático de discriminación que es tanto ostensible como coercitiva: están sujetas al **acoso sexual**. Aunque los hombres también están sujetos a este tipo de acoso, son las mujeres las víctimas más frecuentes. Aun con toda la frecuencia reconocida, el acoso sexual es todavía difícil de definir, vigilar y prevenir. En 1978 la Comisión para la Igualdad de Oportunidades en el Empleo publicó un conjunto de lineamientos que definen el acoso sexual y establecen, desde su punto de vista, lo que prohíbe la ley. En su forma actual, esos lineamientos establecen:

> El acercamiento sexual no bienvenido, la solicitud de favores sexuales, insinuaciones verbales y otras formas de contacto físico de naturaleza sexual constituyen acoso sexual cuando: **1.** la aceptación de tal conducta se convierte explícita o implícitamente en un término condicionante del empleo de un individuo; **2.** la aceptación o el rechazo de tal conducta se usa como base para tomar decisiones laborales que afectan al individuo; o **3.** tal conducta tiene el propósito o el efecto de interferir de manera no razonable con el desempeño del individuo en el trabajo o de crear un entorno laboral intimidante, hostil u ofensivo.[59]

Todavía más, los lineamientos establecen que el acoso sexual está prohibido, y que un empleador es responsable del acoso que cometan sus empleados, "sin importar si el empleador tenía conocimiento" de que ocurría el acoso y sin importar si "el empleador lo prohibía".

En varios aspectos importantes, es claro que los lineamientos están moralmente justificados. Tienen la intención de declarar ilegales las situaciones en que un empleado se

**acoso sexual**
En determinadas condiciones, acercamientos sexuales no bienvenidos, peticiones de favores sexuales, e insinuaciones verbales o contacto físico de naturaleza sexual.

# Conducir para Old Dominion

Old Dominion Freight Line es una compañía de camiones que contrata dos tipos de conductores. Los de "largo recorrido", quienes tienen que conducir largas distancias y pasan noches y fines de semana en la carretera, y los de "reparto", quienes solo conducen localmente y se quedan en casa, pero tienen que transportar y apilar cargas pesadas, por lo que su trabajo es más demandante desde el punto de vista físico. De los 3,100 conductores de reparto de la compañía, solo cinco eran mujeres. Deborah Merritt trabajó durante seis años como conductora de largo recorrido, haciendo largos viajes por todo Estados Unidos, a veces manejando más de 800 kilómetros al día. Aun así, nunca se quejó y hacía bien su trabajo. Pero Merritt quería un trabajo de reparto para no tener que pasar tanto tiempo fuera de casa. Para demostrar que podría con el trabajo, se presentaba cuando había que sustituir a algún conductor de reparto. Su supervisor dijo que ella se había desempeñado bien en esos casos, y muchos clientes alabaron su trabajo. Cuando se presentó la oportunidad de una plaza como conductor de reparto de tiempo completo, Merritt dijo a Bobby Howard, su gerente de terminal de Lynchburg, Virginia, que quería el puesto. Howard dijo que no tenía la autoridad para designar a alguien para esa vacante. Sin embargo, más tarde, él mismo contrató a otro para ese puesto: un hombre con menos experiencia en el manejo de camiones. No obstante, Merritt no se quejó. Un año más tarde volvió a quedar disponible otro puesto de conductor de reparto. Una vez más, Howard contrató a otro hombre menos experimentado. Cuando ella le preguntó por qué la había saltado dos veces, él le dijo que "se había analizado el caso y se decidió que no podían dejar que una mujer ocupara esa posición". Señaló que "la compañía en realidad no tenía conductoras [de reparto]". Un conductor de esa área lo expresó con sencillez: "No tenemos mujeres en esta área". Howard también le dijo que el vicepresidente regional de Old Dominion "temía que [una mujer] se lastimara" y que "no creía que una chica debiera ocupar ese puesto". Un gerente de operaciones estuvo de acuerdo diciendo que "ese no es lugar para mujeres".

Pasó otro año y una vez más quedó vacante otro puesto para conductor de reparto. Esta vez la compañía dio el puesto a Merritt, pero le dijo que estaría a prueba durante 90 días y que perdería el trabajo si tenía problemas de desempeño. A ningún conductor varón se le había pedido que pasara un periodo de prueba. Merritt trabajó en el puesto durante 90 días, y no tuvo problemas para transportar la carga o realizar cualquier otra actividad que su posición requiriera. Pero siete meses después se lastimó el tobillo al mover de lugar unas cajas. Su médico le dijo que no podría trabajar hasta que sanara. Tres meses más tarde, su tobillo estaba recuperado y el médico le dijo que "nada le impedía desempeñar sus obligaciones como conductora de reparto. [Su tobillo estaba] bien, si no es que mejor que antes de la lesión". Así que Merritt pidió que le devolvieran su puesto de reparto. Pero Brian Stoddard, vicepresidente de seguridad y personal dijo que ella "primero tenía que pasar un examen de habilidad física" que evaluaría su fuerza, agilidad y resistencia cardiovascular para realizar las tareas de un conductor de reparto. Merritt no pasó la prueba; pero esta se aplicaba solo ocasionalmente cuando contrataban a personal nuevo. Stoddard admitió que si los empleados hombres se hubieran lastimado en el trabajo, no "los iba a mandar necesariamente a que realizaran una prueba [física]". Aún más, dijo Merritt, ella evidentemente podía realizar el trabajo, puesto que lo hizo durante siete meses y remplazó a otros conductores aún durante más tiempo. No obstante, Stoddard la despidió por "su incapacidad de realizar el [trabajo]", según lo indicaba la prueba, y la remplazó con un conductor varón.

1. El hecho de que Deborah Merritt no pasara la prueba de habilidad física, ¿era justificación suficiente para despedirla? ¿Discriminó Old Dominion Freight Line injustamente a Merritt? Si considera que despedirla fue discriminación injusta, entonces, ¿fue discriminación individual o institucional? Explique sus respuestas.

Fuente: *Deborah Merritt v. Old Dominion Freight Line, Inc*, U.S. Court of Appeals for the 4th Circuit, Núm. 09-1498, 9 de abril de, 2010.

ve obligado a ceder ante las demandas sexuales de otro mediante la amenaza de perder algún beneficio significativo del trabajo, como promociones, aumentos salariales o el desempeño del trabajo en sí. Este tipo de coacción degradante ejercida sobre los empleados que son vulnerables e indefensos les provoca grandes daños psicológicos, viola sus derechos fundamentales a la libertad y la dignidad, y es un uso extremadamente injusto de la desigualdad en términos de poder que un empleador ejerce sobre otro. Por consiguiente, es una cruda violación de los estándares morales del utilitarismo, los derechos, la justicia y el cuidado.

No obstante, varios aspectos de estos lineamientos merecen un análisis más detallado. Primero, los lineamientos prohíben más que actos particulares de acoso. Además de prohibir actos de acoso, condenan la conducta que "genera" un "entorno de trabajo intimidante, hostil u ofensivo". Esto significa que un empleador es culpable de acoso sexual cuando permite un ambiente hostil u ofensivo para las mujeres, incluso, en ausencia de incidentes específicos de acoso sexual. Esto suscita algunas preguntas difíciles. Si los mecánicos de un taller están acostumbrados a colocar afiches en su lugar de trabajo y a contar chistes subidos de color y usar lenguaje altisonante, ¿son culpables de crear un entorno "hostil y ofensivo" para una compañera de trabajo? En un caso conocido, por ejemplo, una corte federal describió la siguiente situación:

> Durante varios años la demandante trabajó en Osceola como la única mujer en un puesto administrativo asalariado. En las áreas de trabajo comunes [ella] y otras empleadas estaban expuestas, todos los días, a fotos de mujeres parcial o totalmente desnudas que habían colocado varios empleados varones en Osceola. Un cartel, que permaneció en la pared durante ocho años, mostraba a una mujer tendida que tenía una pelota de golf en sus senos y un hombre parado sobre ella, con el palo de golf en la mano, gritando "¡Ventaja!". Una placa de escritorio decía "Incluso el más macho necesita amor...". Además, el supervisor de la división de computación, Dough Henry, vociferaba con regularidad obscenidades misóginas. Por rutina Henry, se refería a las mujeres como "putas", "perras", "prostitutas". De la demandante, Henry específicamente dijo: "Todo lo que esa perra necesita es una buena acostada" y la llamó "nalgona".[60]

¿Este tipo de situación debe contar como el tipo de "entorno de trabajo intimidante, hostil u ofensivo" que los lineamientos prohíben por considerarlo como acoso sexual? La respuesta a esta pregunta legal no está clara, y diferentes cortes habrían tomado posiciones distintas al respecto. Pero una pregunta diferente, que resulta más relevante para nuestra indagación, es la siguiente: ¿es moralmente incorrecto crear o permitir este tipo de entorno? La respuesta, en general, parece ser "sí", porque un ambiente así es degradante, suele estar impuesto por las partes masculinas más poderosas sobre empleadas más vulnerables, y adjudica costos altos sobre ellas porque tiende a menospreciarlas y a dificultar que compitan con los hombres como iguales.

De cualquier manera, algunos críticos objetan que estos tipos de entornos no se crearon intencionalmente para degradar a la mujer, sino que forman parte de las "costumbres sociales de los empleados [hombres] en Estados Unidos", que no tiene sentido intentar cambiarlos, y que no dañan injustamente a las mujeres porque ellas tienen el poder de cuidarse a sí mismas.[61] Un artículo en la revista *Forbes*, por ejemplo, preguntaba con retórica: "¿Las mujeres realmente pueden pensar que tienen derecho a un entorno de trabajo inmaculado, libre de comportamiento rudo?".[62] Esos sentimientos son reveladores de la incertidumbre que rodea este asunto.

Un segundo aspecto importante es que los lineamientos indican que "las insinuaciones verbales o el contacto físico de naturaleza sexual" constituyen acoso sexual cuando tienen el "efecto de interferir de forma no razonable con el desempeño laboral del individuo". Muchos críticos argumentan que lo considerado como acoso sexual depende del juicio puramente subjetivo de la víctima. De acuerdo con los lineamientos, las insinuaciones verbales, es decir, las conversaciones de naturaleza sexual, cuentan como acoso sexual prohibido cuando interfieren "de forma no razonable" con el desempeño en el trabajo. Pero las conversaciones sexuales que son interferencias "no razonables" para una persona, dicen los críticos, quizá estén dentro de los límites razonables para otra, debido a diferentes niveles de tolerancia, y tal vez incluso disfrute esas conversaciones. Lo que una persona piensa que es una insinuación, un coqueteo inocente o un chiste sexual gracioso podría ser ofensivo y debilitante para otra. Los críticos aseguran que una persona que con toda inocencia hace un comentario, que otra toma a mal, tal vez se convierta en el blanco de una queja de acoso sexual. Sin embargo, quienes apoyan los lineamientos responden que las cortes tienen mucha experiencia en la definición de qué es *razonable* en términos más o menos objetivos de lo que un adulto competente promedio consideraría razonable, de manera que este concepto no debe presentar mayor dificultad. Pero los críticos argumentan que esto todavía deja sin respuesta la pregunta de si los lineamientos deben prohibir conversaciones sexuales que la mujer o el hombre promedio definirían como no razonables; se trata, pues, de dos estándares que tendrían implicaciones drásticamente diferentes.

Una objeción más esencial a la prohibición de la "conducta verbal" que genere un "entorno de trabajo intimidante, hostil u ofensivo" es que este tipo de prohibiciones, de hecho, violan el derecho de las personas a la libertad de expresión. Esta objeción se hace con frecuencia en las universidades, donde las prohibiciones de discurso que crean un ambiente hostil y ofensivo para las mujeres y las minorías son usuales, y donde esas prohibiciones casi siempre se caracterizan como el requisito de "lenguaje políticamente correcto". Estudiantes y profesores, por igual, han objetado que la libertad de expresión se debe preservar en las universidades, porque la verdad se encuentra solo a través de la discusión y el análisis libre de todas las opiniones, sin importar qué tan ofensivas sean, y la búsqueda de la verdad es el objetivo de la universidad. Por lo general, no se pueden hacer afirmaciones similares en una corporación de negocios, desde luego, porque su objetivo no es llegar a la verdad mediante la discusión y el análisis libre de todas las opiniones. Pero es posible argumentar que los empleados y empleadores tienen derecho a la libertad de expresión, y que prohibir los discursos que generan un entorno ofensivo para los sentimientos de algunos es incorrecto, aun en el contexto de las corporaciones, porque tales prohibiciones violan este derecho básico. Usted tendrá que determinar si estos argumentos tienen algún mérito.

Una tercera característica importante de los lineamientos es que un empleador es culpable de acoso sexual aun cuando no tuviera conocimiento de la situación, e incluso cuando hubiera prohibido explícitamente ese tipo de acosos. Esto viola la norma moral común de que las personas no son moralmente responsables de algo de lo cual no tienen conocimiento y que han tratado de evitar. Muchas personas consideran que los lineamientos son deficientes en este aspecto. Sin embargo, quienes los apoyan responden que tales lineamientos están moralmente justificados desde el punto de vista utilitario por dos razones. Primero, en el largo plazo, ofrecen un fuerte incentivo para que los empleadores tomen medidas que garanticen que el daño por acoso sexual sea erradicado de sus compañías, incluso en las áreas en las cuales tienen poco conocimiento. Más aún, los daños provocados por el acoso sexual son tan devastadores que cualquier costo impuesto por esas medidas se contrarrestará con los beneficios. Segundo, los lineamientos, de hecho, aseguran que los daños infligidos por el acoso sexual siempre deben transferirse al empleador, haciendo con ello que esos daños formen parte de los costos de la empresa que aquel querrá minimizar para competir con otras compañías. Así, los lineamientos convierten los costos del acoso sexual en internos, de manera que los mecanismos del mercado competitivo puedan manejarlos con eficiencia. Los lineamientos también son justos, aseguran sus

---

*Repaso breve 7.8*

**Objeciones morales a los lineamientos sobre acoso sexual**

- Los lineamientos prohíben "un entorno de trabajo intimidante, hostil u ofensivo", pero a veces es difícil distinguir esto de la rudeza masculina que no tiene intención de degradar a la mujer.
- Los lineamientos prohíben "las insinuaciones verbales o el contacto físico de naturaleza sexual" cuanto tienen el "efecto de interferir de manera no razonable con el desempeño laboral de un individuo", pero esto parece requerir el uso de juicios puramente subjetivos.
- Los lineamientos prohíben las "conductas verbales" que generen un "entorno de trabajo intimidante, hostil u ofensivo", pero esto puede entrar en conflicto con el derecho a la libre expresión.
- Los lineamientos sostienen que un empleador es culpable del acoso sexual de un empleado, incluso si no tenía conocimiento de la situación o si no lo podía haber evitado, pero algunos responden que erradicar el acoso sexual justifica obligar al empleador a ser responsable de impedirlo, y que es un "costo externo" que los empleadores deben internalizar.

defensores, porque el empleador suele tener la capacidad de absorber los costos del acoso sexual mejor que el inocente empleado dañado, quien, de otra manera, sufriría solo las pérdidas por el acoso.

## Más allá de la raza y el sexo: Otros grupos

¿Existen otros grupos que merecen ser protegidos de la discriminación? La Ley sobre Discriminación por Edad en el Empleo, promulgada en 1967, prohibía en Estados Unidos discriminar a empleados mayores solo por su edad, hasta que cumplieran 65 años. Esta ley fue modificada en 1978 para prohibir la discriminación por edad hasta que el empleado cumpliera 70 años.[63] El 17 de octubre de 1986 se decretó una nueva ley prohibiendo el retiro forzoso a cualquier edad. Así, en teoría, las leyes federales protegen a los empleados mayores de la discriminación. Las personas con necesidades especiales también están protegidas por la **Ley de 1990 para Estadounidenses con Discapacidades**, la cual condena la discriminación con base en la discapacidad, y requiere que los empleadores tengan instalaciones adecuadas para sus empleados y clientes con capacidades diferentes. Pero puesto que los estereotipos generalizados acerca de las habilidades y las capacidades de los empleados de mayor edad y los discapacitados continúan, la discriminación sutil y abierta contra estos grupos es ostensible en Estados Unidos.[64]

Aunque los empleados de mayor edad y los que tienen necesidades especiales al menos tienen cierta protección contra la discriminación, esta es inexistente para los empleados con preferencias sexuales inusuales. No existen leyes federales que prohíban la discriminación con base en la orientación sexual, y solo unos cuantos estados y ciudades tienen leyes que prohíben la discriminación contra los homosexuales o los transexuales. Una corte sostuvo, por ejemplo, que la compañía de seguros Liberty Mutual no actuaba en forma ilegal cuando rehusó contratar a un hombre solo porque era "afeminado", y otra corte también exoneró a Budget Marketing, Inc., de los cargos de actuar ilegalmente cuando despidió a un hombre que comenzó a vestirse como mujer antes de una operación de cambio de sexo.[65]

Aunque es ilegal hacerlo, muchas compañías han encontrado razones para despedir o cancelar las prestaciones de salud a empleados que tienen síndrome de inmunodeficiencia adquirida (SIDA).[66] Los centros para control de enfermedades informan que en 2002 unas 348,906 personas vivían con SIDA en Estados Unidos, y otras 144,129 habían sido diagnosticadas con VIH aún no desarrollado como SIDA.[67] Solo una parte de estos sufrían síntomas o debilidad que afectaban su habilidad para realizar bien su trabajo. Varias decisiones de la corte sostienen que el SIDA se considera como "discapacidad" (según la Ley Federal de Rehabilitación Vocacional de 1973 y, más recientemente, según la Ley para Estadounidenses con Discapacidades), y la ley federal prohíbe a contratistas, subcontratistas o empleadores participantes en programas con fondos federales despedir a estas personas, mientras puedan realizar su trabajo, en caso de que se requiera efectuar algún ajuste "razonable". Algunos estados y ciudades han aprobado leyes locales para evitar la discriminación contra las víctimas de SIDA, pero no se supervisa a muchos empleadores, de manera que algunos continúan discriminando a las víctimas de esta terrible enfermedad.

Muchos gerentes se muestran renuentes a contratar a personas obesas, quienes no están protegidas por las leyes de la mayoría de los estados. Por ejemplo, Philadelphia Electric Company se negó a contratar a Joyce English solo porque pesaba 136 kilos y no porque no pudiera realizar las tareas del puesto que solicitaba.[68] ¿Cualquiera de estos grupos —homosexuales, transexuales y personas obesas— debe estar protegido contra la discriminación? Algunos argumentan que deben estar protegidos en los mismos términos que las mujeres y las minorías étnicas.[69] En la actualidad, estos grupos son tan vulnerables como alguna vez lo fueron las mujeres, las minorías y los adultos mayores.

**Ley de 1990 para Estadounidenses con Discapacidades**
Condena la discriminación con base en la discapacidad, y requiere que los empleadores tengan instalaciones adecuadas para sus empleados y clientes con necesidades especiales.

*Repaso breve 7.9*

**Además de la raza o el sexo, la discriminación se basa en:**
- Edad, contra lo cual en Estados Unidos se promulgó la Ley sobre Discriminación por Edad en el Empleo.
- Orientación sexual; existen pocas protecciones en contra de la discriminación de este tipo.
- Estatus transexual, con pocas protecciones legales.
- Discapacidad; en Estados Unidos está en vigor la Ley de 1990 para Estadounidenses con Discapacidades, que prohíbe este tipo de discriminación.
- Obesidad, sin protección legal.

# Peter Oiler y las tiendas Winn-Dixie

Las tiendas Winn-Dixie despidieron a Peter Oiler, un conductor de camión de carga que trabajó para la cadena de supermercados de Louisiana durante 21 años. Oiler cargaba el camión con mercancía en el almacén de la compañía y la transportaba a las tiendas Winn-Dixie en Louisiana y Mississippi. Era un buen empleado, por lo que recibía evaluaciones por arriba del promedio, y fue promovido tres veces. Oiler había estado casado con su esposa, Shirley, durante 23 años.

Dos años antes de ser despedido, Oiler pidió a su supervisor, Greg Miles, que acallara un rumor en la compañía de que era homosexual. Un año después, Miles se reunió con Oiler y le preguntó si todavía le molestaba el rumor. Oiler dijo que sí, porque no era homosexual sino "transexual", una persona cuyo sexo anatómico es incongruente con sus sentimientos sobre su género. Oiler le dijo que no tenía intención de cambiar su sexo o de hacer una "transición" para vivir tiempo completo como mujer.

Un mes después, Miles se reunió de nuevo con Oiler y le dijo que un supervisor lo había visto fuera del trabajo vestido como mujer. Oiler respondió que, en ocasiones, se vestía como mujer, pero nunca en horas de trabajo. Miles le dijo que podía dañar la imagen de la empresa, por lo que debía renunciar y buscar otro empleo. Oiler respondió que estaba contento en Winn-Dixie y no quería otro trabajo. Cuando se consultó a Michael Istre, el presidente de Winn-Dixie, sobre la situación, estuvo de acuerdo en despedir a Oiler y afirmó: "Estoy preocupado por mi negocio y por las repercusiones que ese tipo de comportamiento podría tener en el negocio y mis clientes si lo presenciaran".

Durante los tres meses siguientes, Oiler se reunió cinco veces con los directivos de Winn-Dixie y le reiteraron que debía buscar otro trabajo, pues tenían que despedirlo. Aunque su desempeño en el trabajo era bueno, dijeron, su atuendo como mujer después de la jornada laboral podría dañar la imagen de la compañía ante el público. En la última reunión fue despedido mientras insistía en que respetaba las políticas de la compañía en cuanto a la vestimenta para el trabajo. Oiler dijo: "Ser despedido después de 21 años con la compañía fue como recibir una cuchillada en el pecho. Llegaba a trabajar a tiempo, hice un buen trabajo y seguí todas las reglas, pero me despidieron porque fuera del trabajo me pongo vestidos. Perdimos nuestro seguro de salud y casi nos quitan la casa. La tensión insoportable que continúa hasta el día de hoy minó nuestra salud y afecta nuestro matrimonio de 24 años". Aunque Oiler presentó una demanda, un juez de distrito de Estados Unidos determinó que las leyes federales contra la discriminación no se aplican a las personas transexuales.

Con más de 500 tiendas en Florida, Alabama, Louisiana, Georgia y Mississippi, Winn-Dixie Stores, Inc. sostiene que aspira a ser "la tienda de comestibles líder del vecindario en cada mercado que atiende".

Miembros de GetEQUAL se manifiestan en Washington, DC, pidiendo al Congreso que prohíba la discriminación contra los transexuales.

1. ¿Fue incorrecto que Winn-Dixie despidiera a Oiler?

2. ¿Se deberían aplicar las leyes contra la discriminación a las personas transexuales?

Winn-Dixie, cuyas oficinas corporativas se ubican en Jacksonville, Florida, es una de las cadenas de comestibles más grandes de Estados Unidos.

Peter Oiler conducía un tráiler de 15 metros de longitud para repartir mercancía por todo el sureste de Louisiana y la costa del golfo de Mississippi.

## 7.4 Acción afirmativa

Todas las políticas de igualdad en las oportunidades que hemos analizado son formas de tomar decisiones de empleo sin considerar el sexo y la raza. Todas estas políticas tienen un carácter negativo, en tanto que la intención es evitar más discriminación. Por lo tanto, ignoran el hecho de que como resultado de la discriminación del pasado, las mujeres y las minorías han quedado en franca desventaja en comparación con las mayorías y los hombres. Debido a esa discriminación del pasado, esos grupos no tienen ahora las mismas habilidades y calificaciones para trabajar que los hombres caucásicos pudieron adquirir; debido a la discriminación anterior, las mujeres y las minorías tienen menor representación en los puestos más prestigiosos y mejor pagados que crean las impresiones estereotipadas de que no están bien preparados para tales posiciones, o que estas últimas solo son adecuadas para hombres caucásicos. La discriminación del pasado también ha colocado a los varones de piel blanca en las posiciones de toma de decisiones que determinan quién será contratado o promovido, y los psicólogos han descubierto que, desde la niñez, las personas tienden a favorecer a aquellos que se parecen más a ellos (aunque en la sociedad estadounidense, tanto caucásicos como afroestadounidenses tienden a mostrar una ligera preferencia en favor de los individuos con piel más clara).[70] Las políticas que hasta ahora se analizaron no requieren pasos positivos para eliminar los efectos persistentes de la discriminación del pasado, los cuales tienden a reproducir en el presente comportamientos discriminatorios similares (quizá de manera inconsciente).

Para rectificar los efectos de la discriminación del pasado, muchos empleadores han instaurado programas de acción afirmativa diseñados para lograr una distribución más representativa de las minorías y las mujeres dentro de la empresa, dando cierta preferencia a estos grupos. ¿Qué implica un programa de acción afirmativa? Su esencia es un estudio detallado (un "análisis de utilización") de todas las clasificaciones de trabajo en la empresa.[71] El propósito del estudio es determinar si hay menos miembros de las minorías en una clasificación laboral específica que los que razonablemente se espera por la disponibilidad en el área donde se efectúa el reclutamiento de personal. El análisis de utilización compara el porcentaje de mujeres y minorías en cada clasificación laboral con el porcentaje disponible en el área de reclutamiento de empleados de esos grupos que tengan las habilidades requeridas, o que sean capaces de adquirirlas con la capacitación razonable que ofrece la empresa. Si el análisis de utilización muestra que las mujeres o las minorías están representadas en baja proporción en ciertas clasificaciones, la empresa debe establecer metas y programación de reclutamiento para corregir esas deficiencias. Aunque las metas y la programación no deben ser "cuotas" rígidas e inflexibles, sí deben ser específicas, mensurables y diseñadas con buena fe para corregir las deficiencias que el análisis de utilización descubre dentro de un periodo razonable. Por ejemplo, en vez de fijar la meta de que las "siguientes 10 contrataciones" sean de individuos pertenecientes a grupos minoritarios, la compañía podría fijar la meta de incrementar el número de empleados de minorías entre el "8 y 12 por ciento en el periodo de un año", y contratarlos considerando la raza como una de los diferentes criterios de selección. La empresa asigna a un funcionario para coordinar y administrar el programa de acción afirmativa, y este se responsabiliza de los esfuerzos y los programas especiales para aumentar el reclutamiento de mujeres y minorías con la finalidad de cumplir con las metas y las fechas establecidas.

Las decisiones de la Suprema Corte de Estados Unidos no han sido del todo claras acerca de la legalidad de los programas de acción afirmativa. Un gran número de decisiones de las cortes federales están de acuerdo en que es legítimo el uso de estos programas para reparar los desequilibrios raciales o de género, que surgieron como resultado de las prácticas discriminatorias de contratación del pasado. Todavía más, la Suprema Corte dictaminó que las compañías podían usar legalmente tales programas para remediar un "desequilibrio racial manifiesto" o una representación inferior "histórica", "persistente" o "atroz" de las mujeres o minorías, incluso si la baja representación no era resultado de prácticas discriminatorias laborales del pasado.[72] Con los años, la Suprema Corte ha asignado otras condiciones a los programas de acción afirmativa. La raza y el género pueden ser solo dos de muchos factores que los programas consideran cuando se toman decisiones sobre los individuos; los objetivos de la acción afirmativa no pueden ser "cuotas" inflexibles; deben ser temporales y estar "muy a la medida" para lograr sus objetivos. Y, finalmente, como se ha visto, la acción afirmativa se puede usar para lograr la "diversidad", al menos en las instituciones educativas y, aparentemente, incluso cuando el gobierno distribuye licencias para operar estaciones de radio y televisión.

Pero en junio de 1984, la Corte determinó que las compañías no podían hacer a un lado la antigüedad de los empleados caucásicos durante los despidos, en favor de trabajadores de minorías y mujeres contratados según los planes de acción afirmativa, siempre y cuando el sistema de antigüedad se hubiera adoptado sin un motivo discriminatorio. Así, aunque los programas de acción afirmativa que dan preferencia a las mujeres y las minorías como grupo no se declararon ilegales, sus efectos podían desaparecer durante los tiempos difíciles, porque la regla de antigüedad que indica que *el último en ser contratado es el primero en ser despedido* haría que los primeros en salir de la empresa cuando hubiera recortes de personal fueran las mujeres y las minorías de reciente contratación en el marco de los programas.[73] La decisión de 1984 de la Suprema Corte también incluía una declaración no obligatoria:

> Si los miembros individuales de una... clase demuestran que han sido víctimas reales de la práctica discriminatoria, debe otorgárseles una antigüedad competitiva y habrá que concederles su lugar correcto en la lista de antigüedad. Sin embargo,... la sola pertenencia a la clase en desventaja es insuficiente para garantizar cierta antigüedad dentro de la empresa; cada individuo debe probar que la práctica discriminatoria tuvo repercusiones en su persona.[74]

Para muchos, esto parecía implicar que los programas de acción afirmativa que otorgaban puestos de trabajo a ciertos individuos, solo con base en su pertenencia a una clase en desventaja, no eran completamente legales. Sin embargo, otros interpretaron la "declaración" de manera más radical, al considerar que el otorgamiento de antigüedad no se podía basar solo en la pertenencia a una clase en desventaja.[75] Esta interpretación parecía apoyada por otra determinación de la Suprema Corte del 19 de mayo de 1986, la cual sostenía que, aunque los despidos basados en la raza eran anticonstitucionales, las metas raciales de contratación eran medios legales permitidos para remediar la discriminación del pasado. La opinión mayoritaria de la Suprema Corte en 1986 estableció que los despidos basados en la raza "imponían toda la carga de lograr la igualdad racial en individuos particulares (en este caso, los caucásicos), y con frecuencia daban por resultado alteraciones serias de sus vidas... Por otro lado, las preferencias raciales al contratar solo niegan una oportunidad de empleo en el futuro, no la pérdida de un trabajo existente, y se pueden usar para remediar los efectos de la discriminación anterior".[76]

En 1989 la Suprema Corte publicó varias decisiones que interpretaban las leyes anteriores de derechos civiles de una manera que debilitaba sustancialmente la habilidad de las minorías y las mujeres de buscar una compensación contra la discriminación, en particular, a través de los programas de acción afirmativa. Sin embargo, el Congreso aprobó la Ley de Derechos Civiles de 1991, la cual estableció en forma explícita cómo se debían interpretar esas leyes y, de hecho, denegaba las decisiones de la Suprema Corte de 1989. Pero se conservó una decisión importante. En enero de 1989, en el caso de la *Ciudad de Richmond versus J. A. Croson Co.*, la Corte dictaminó que el plan de acción afirmativa de un gobierno estatal o local que operaba reservando cierto porcentaje de sus fondos públicos para contratistas de minorías era anticonstitucional. La Corte dictaminó que los organismos públicos podían usar esos programas de fondos solo como un "último recurso" en un "caso extremo", y únicamente si había pruebas contundentes y específicas de un prejuicio racial anterior ejercido por dicho organismo. El caso *Adarand Construction, Inc. versus Pena*, analizado por la Suprema Corte en 1995, reforzó esta decisión cuando el jurado dictaminó que el gobierno federal también debe acatar su veredicto del caso *Ciudad de Richmond versus J. A. Croson Co.* Como se observó en la introducción a este capítulo, en *Grutter versus Bollinger*, la Suprema Corte sostuvo en 2003 que las universidades podían usar programas de acción afirmativa para lograr la meta de diversidad, siempre y cuando la raza o el género fuera uno de muchos otros criterios usados para determinar la admisión de estudiantes.

Entonces, la Suprema Corte ha vacilado sobre la constitucionalidad de los programas de acción afirmativa. Dependiendo del periodo en cuestión, el asunto en juego y la conformación actual de la Corte, se ha tendido a apoyarlos o a estar en su contra. Al igual que el público, el cual permanece sumamente dividido al respecto, la Suprema Corte ha tenido problemas para decidir si apoya o anula estos programas.[77]

Desde luego, los programas de acción afirmativa no se encuentran solamente en Estados Unidos. En Canadá se les utiliza a favor de las mujeres, las personas con capacidades diferentes, los aborígenes y para aquellos cuyas características visibles los identifican como miembros de un grupo minoritario. India usa los programas de acción afirmativa particularmente a favor de los miembros de sus castas inferiores, las cuales tienen baja representación en escuelas y puestos gubernamentales. Las castas más bajas de India, algunas veces llamadas las "clases deprimidas", incluyen aquellas a las que alguna vez se les llamó "los intocables", personas que durante mucho tiempo han sido (y continúan siéndolo en algunas partes del país) humilladas, rechazadas, oprimidas, segregadas y empobrecidas, pero para quienes el gobierno reserva ahora un determinado porcentaje de lugares en las escuelas y universidades, además de empleos en el gobierno. Muchas universidades chinas tienen políticas de acción afirmativa que se dirigen a muchas de sus minorías étnicas, mientras que Rumania usa la acción afirmativa para los gitanos. El gobierno sudafricano apoya este tipo de programas para los individuos de raza negra, indios y mestizos, en tanto que Israel los emplea a favor de los judíos etíopes. Pero, como ocurre en Estados Unidos, la acción afirmativa en otros países es muy controvertida y ha sido el blanco de muchas críticas.

Muchos consideran que los programas de acción afirmativa, al intentar corregir los efectos de la discriminación del pasado, se han convertido en prácticas de discriminación sexual o racial.[78] Los críticos argumentan que al mostrar preferencia por las minorías o las mujeres, los programas instituyen una forma de discriminación inversa contra los hombres caucásicos.[79] Por ejemplo, un electricista de 45 años, quien trabaja en una planta en Washington, declaró:

> Lo que me preocupa es que las personas de color tengan preferencia por esa sola razón. Estoy en contra de esto. Yo digo, no me importa cuál es su color. Si alguien tiene la habilidad para hacer el trabajo, debe obtenerlo, pero no por su color de piel. No deberían contratar a ese 20 por ciento solo porque son afroestadounidenses. Esto es una discriminación inversa en lo que a mí concierne... Si quieren el empleo, se lo podrían ganar, tal como yo lo hice. No estoy diciendo que se les prive de algo, en absoluto.[80]

Se dice que los programas de acción afirmativa son discriminatorios contra los hombres caucásicos, pues usan características no relevantes, como la raza y el sexo, para tomar decisiones de empleo, y esto viola la justicia al quebrantar los principios de equidad e igualdad de oportunidades.

Los argumentos que se usan para justificar los programas de acción afirmativa, a la luz de estas objeciones, tienden a ubicarse en dos grupos principales.[81] Un grupo de argumentos interpretan el tratamiento preferencial concedido a la mujer y a las minorías como una forma de compensación por las lesiones sufridas en el pasado. Un segundo conjunto de argumentos interpretan el tratamiento preferencial como un instrumento para lograr ciertas metas sociales. Mientras que los argumentos de compensación de la acción afirmativa ven hacia el pasado al enfocarse en el daño de actos anteriores, los argumentos instrumentales ven hacia delante en la medida en que buscan la bondad de un estado futuro (y consideran irrelevante la maldad del pasado).[82] Comenzaremos por examinar los argumentos de compensación y, después, analizaremos los argumentos instrumentales.

---

*Repaso breve 7.10*

**Situación legal de la acción afirmativa**

- La acción afirmativa es legal cuando se usa para corregir el desequilibrio racial o sexual resultado de una discriminación anterior, o para corregir un "desequilibrio racial manifiesto", "atroz" y "persistente" no causado por discriminación previa; se puede usar para contratar, pero no para despedir; no puede establecer "cuotas" inflexibles; debe estar diseñado "muy a la medida" con sus objetivos; es válido su uso para lograr la "diversidad educativa" y "transmitir mensajes por radio y televisión que reflejen diversidad".
- La acción afirmativa no puede invalidar la antigüedad, no se puede usar en programas gubernamentales alternos, excepto como "último recurso" en un "caso extremo" que suponga un prejuicio racial anterior por parte del gobierno.

## La acción afirmativa como compensación

Los argumentos que defienden la acción afirmativa como forma de compensación se basan en el concepto de justicia compensatoria.[83] Esta última, como se vio en el capítulo 2, implica que las personas tienen la obligación de compensar a quienes han lesionado de forma intencional e injusta. Los programas de acción afirmativa se interpretan, entonces, como una forma de reparación mediante la cual las mayorías blancas ahora compensan a las mujeres y las minorías, por los daños injustos que provocó la discriminación ejercida contra ellos en el pasado. Una versión de este argumento sostiene, por ejemplo, que en el pasado la población blanca estadounidense trató mal a los afroestadounidenses y, en consecuencia, estos ahora deben recibir una compensación por parte de los caucásicos.[84] Los programas de tratamiento preferencial ofrecen esa compensación.

La dificultad con los argumentos que defienden la acción afirmativa, con base en el principio de compensación, es que este principio requiere que la compensación provenga solo de los individuos específicos que intencionalmente causaron el mal, y requiere que se compense solo a los específicamente afectados. Por ejemplo, si cinco personas pelirrojas dañan a cinco personas de cabello negro, entonces, la justicia compensatoria obliga solo a esas cinco personas pelirrojas a restituir únicamente a las cinco de cabello negro lo que perdieron como resultado del daño. Sin embargo, la justicia compensatoria no requiere que la compensación provenga de todos los miembros del grupo al que pertenecen quienes actuaron mal, y tampoco requiere que la compensación llegue a todos los miembros del grupo que incluye a quienes resultaron perjudicados. En este ejemplo, aunque la justicia requiere que las cinco personas pelirrojas compensen a las cinco de cabello negro, no requiere que todos los pelirrojos compensen a todos los individuos de cabello negro. Por analogía, solo los individuos específicos que discriminaron contra las minorías o las mujeres en el pasado deberían ahora ser obligados a reparar el daño de alguna manera, y deberían dirigir esta reparación solo a los individuos específicos a los que se discriminó.[85]

Aunque los programas de acción afirmativa suelen beneficiar a todos los miembros de un grupo racial o sexual, sin importar si fueron específicamente discriminados en el pasado, y puesto que estos programas ponen obstáculos a todo hombre caucásico sin importar si él específicamente discriminó a alguien en el pasado, se deduce que esos programas preferenciales no tienen justificación con base en la justicia compensatoria.[86] En suma, los programas de acción afirmativa son injustos porque sus beneficiarios no son los individuos lesionados por la discriminación del pasado, y los individuos que deben pagar por esas lesiones, por lo general, no son quienes las infligieron.[87]

Otros autores intentan contrarrestar esta objeción al argumento de la "acción afirmativa como compensación" asegurando que, en realidad, *todas* las personas de color o todas las mujeres que viven en el presente han resultado perjudicadas por la discriminación, y que *toda* la población caucásica y todos los hombres se han beneficiado de esas lesiones. Por ejemplo, la filósofa Judith Jarvis Thomson escribió:

> Pero es absurdo suponer que los jóvenes afroestadounidenses y las mujeres que ahora están en edad de solicitar trabajos han recibido maltrato... Incluso los afroestadounidenses y las mujeres jóvenes han sufrido la degradación por el solo hecho de ser personas de color o mujeres... e, incluso, quienes no fueron degradados por ser de raza negra o mujeres han sufrido las consecuencias de la degradación que vivieron otros en carne propia: la falta de confianza en sí mismos y de respeto por su propia persona.[88]

Y el filósofo Martin Redish escribió:

> También se argumenta que, hayan participado o no en actos de discriminación, [los hombres caucásicos] de este país sí han sido beneficiarios, de forma

consciente o inconsciente, de una sociedad fundamentalmente racista. De esta manera, deben declararse independientemente "responsables" ante las minorías reprimidas por una forma injusta de enriquecimiento.[89]

No está claro si estos argumentos tienen éxito en justificar los programas de acción afirmativa que benefician a grupos enteros (todos los afroestadounidenses y todas las mujeres), en vez de beneficiar a los individuos específicos que fueron dañados, y que penalizan a grupos enteros (los hombres caucásicos) en lugar de hacerlo con los que procedieron inadecuadamente.[90] ¿En realidad se ha lesionado a toda una minoría o a toda mujer, como asegura Thomson? ¿Acaso todos los hombres caucásicos son realmente beneficiarios de la discriminación, como señala Redish? Incluso si un hombre de piel clara resulta (sin haber cometido falta alguna) beneficiario de la lesión de alguien más, ¿esto lo hace "responsable"?

## La acción afirmativa como instrumento para aumentar la utilidad

Un segundo conjunto de justificaciones en apoyo de los programas de acción afirmativa se basa en la idea de que estos son instrumentos moralmente legítimos para lograr fines moralmente legítimos. Por ejemplo, los teóricos utilitarios aseguran que los programas de acción afirmativa están justificados porque promueven el bienestar público.[91] Argumentan que la discriminación del pasado produjo un alto grado de correlación entre la raza y la pobreza.[92] Conforme las minorías raciales eran excluidas sistemáticamente de los mejores salarios y puestos, sus miembros se empobrecieron. Los tipos de estadísticas citados en este capítulo brindan evidencia de esta desigualdad. El empobrecimiento, a la vez, conduce a necesidades no satisfechas, falta de respeto por la propia persona, resentimiento, descontento social y delincuencia. Por lo tanto, el bienestar público se promueve si mejora la posición de estos individuos empobrecidos, al darles oportunidades especiales de educación y empleo. Si los críticos objetan que esos programas de acción afirmativa son injustos porque distribuyen beneficios con base en criterios irrelevantes como la raza, el utilitarismo quizá responda que la *necesidad*, y no la raza, es el criterio con el cual los programas de acción afirmativa distribuyen los beneficios. La raza ofrece un *indicador* sin costo de la necesidad, puesto que la discriminación del pasado creó una alta correlación entre la raza y la necesidad. La necesidad, desde luego, es un criterio de distribución justo.[93] Apelar a la reducción de la necesidad es congruente con los principios utilitarios porque, al reducir la necesidad, se incrementa la utilidad total.

Las principales dificultades que encontraron estas justificaciones utilitarias se refieren, primero, a la pregunta de si los costos sociales de los programas de acción afirmativa (como la frustración que experimentan los hombres caucásicos) sobrepasan a sus beneficios evidentes.[94] El defensor utilitario de la acción afirmativa, desde luego, responderá que los beneficios son mayores que los costos. Segundo, y más importante, quienes se oponen a estas justificaciones utilitarias cuestionan la suposición de que la raza sea un indicador adecuado de la necesidad. Quizá sería inconveniente y costoso identificar la necesidad directamente, argumentan los críticos, pero los costos tal vez sean pequeños comparados con las ganancias que se obtendrían con una forma más adecuada de identificar a los necesitados.[95] Los utilitarios responden a esta crítica diciendo que todas las minorías (y las mujeres) se han empobrecido y fueron dañadas psicológicamente por la discriminación pasada. En consecuencia, la raza (y el sexo) constituyen indicadores adecuados de la necesidad.

## Argumento de justicia igualitaria a favor de la acción afirmativa

Aunque los argumentos utilitarios a favor de la acción afirmativa son bastante convincentes, el conjunto más elaborado y persuasivo de argumentos en apoyo de estos programas se desarrolló en dos pasos. Primero, tales argumentos afirman que la finalidad que persiguen los programas de acción afirmativa es la justicia igualitaria. Segundo, sostienen que estos programas son medios moralmente legítimos para lograr ese objetivo.

---

*Repaso breve 7.12*

**Argumento utilitario en favor de la acción afirmativa**

- Asegura que la acción afirmativa reduce la necesidad, al beneficiar a las minorías y las mujeres y, por lo tanto, aumenta la utilidad.
- Una crítica afirma que sus costos sobrepasan a sus beneficios, y que otras maneras de reducir la necesidad producirán una utilidad mayor.

La finalidad que pretenden los programas de acción afirmativa se expresa de varias maneras. En la sociedad actual, se dice, los trabajos no se distribuyen con justicia, porque no están distribuidos de acuerdo con los criterios relevantes de habilidad, esfuerzo, contribución o necesidad.[96] De hecho, las estadísticas indican que los empleos están distribuidos según la raza y el sexo. Un objetivo de la acción afirmativa es producir una distribución de los beneficios y las cargas de la sociedad de acuerdo con los principios de la justicia distributiva, es decir, una distribución que elimine la preeminencia que tienen en la actualidad ambos factores (la raza y el sexo) en la asignación de los empleos.[97] En nuestra sociedad actual, las mujeres y las minorías no tienen las mismas oportunidades que los hombres de piel clara, como tampoco las oportunidades que demanda la justicia. Los datos estadísticos lo prueban. Esta falta de igualdad en las oportunidades se debe a las sutiles actitudes racista y sexista que sesgan los juicios de quienes (generalmente, hombres caucásicos) evalúan a los candidatos para un trabajo, y las cuales están tan arraigadas que, prácticamente, no se pueden erradicar con medidas de buena fe en un periodo razonable.[98] Un segundo objetivo de la acción afirmativa es neutralizar ese prejuicio consciente o inconsciente para asegurar una oportunidad equitativa para las mujeres y las minorías. La falta de igualdad de oportunidades en la que laboran hoy estos dos grupos también se atribuye a las privaciones que sufrieron cuando niños. La privación económica impidió que las minorías adquirieran las habilidades, la experiencia, la capacitación y la educación necesarias para competir en los mismos términos que los hombres caucásicos.[99] Más aún, puesto que las mujeres y las minorías no han estado representadas en los puestos de prestigio de la sociedad, los hombres y las mujeres jóvenes no tienen modelos a seguir que los motive para competir por esos puestos, como los tienen los jóvenes caucásicos. Carl Callahan, por ejemplo, argumenta que pocos jóvenes afroestadounidenses están motivados para elegir la carrera de derecho, porque "se les ha negado una imagen inspiradora del abogado de color"; asimismo, rehúyen cumplir la ley, porque conocen "la falta de reconocimiento para el afroestadounidense si es que está empleado en actividades relacionadas con el cumplimiento de la ley".[100]

Un tercer objetivo de los programas de acción afirmativa es neutralizar estas desventajas competitivas de las mujeres y las minorías cuando compiten con los hombres caucásicos, de modo que se encuentren en la misma posición inicial en su carrera competitiva en relación con otros. La meta es asegurar una habilidad equivalente para competir con los hombres caucásicos.[101]

El objetivo básico de los programas de acción afirmativa busca una sociedad más justa, donde las oportunidades individuales no estén limitadas por la raza o el sexo. Esta meta es moralmente legítima en la medida en que lo es luchar por una sociedad con mayor igualdad de oportunidades. El medio por el cual los programas de acción afirmativa intentan lograr una sociedad justa es dar preferencia a las mujeres y a los miembros de minorías calificados sobre los hombres caucásicos calificados, al contratar, promover e instituir programas de capacitación especiales que los preparen para mejores trabajos. Se espera que por estos medios, con el tiempo, surja la sociedad más justa ya descrita. Se cree que sin alguna forma de acción afirmativa, este objetivo quizá no se logre.[102] Pero, ¿el tratamiento preferencial es un medio moralmente legítimo para lograrlo? Se han dado tres razones para demostrar que no es así.

Primero, con frecuencia se dice que los programas de acción afirmativa son una forma de "discriminación inversa" contra los hombres caucásicos.[103] Los defensores de estos programas, sin embargo, señalan que existen diferencias cruciales entre el tratamiento que confieren los programas de acción afirmativa a los caucásicos y la discriminación injusta.[104] Discriminar, como observamos, es tomar una decisión adversa contra el miembro de un grupo porque a los integrantes de éste se les considera inferiores o menos merecedores de respeto. Pero los programas de tratamiento preferencial no se basan en un desprecio injusto por los hombres caucásicos. Por el contrario, se basan en el juicio de que hoy tienen una posición ventajosa, y que otros deben tener la misma oportunidad de lograr las mismas ventajas. Todavía más, la discriminación racista o sexista está dirigida a la destrucción de las oportunidades equitativas. Los programas de tratamiento preferencial están enfocados a restaurar la igualdad de oportunidades ahí donde no existe. Por ello, estos programas no se describen con exactitud como "discriminatorios" en el mismo sentido inmoral que el comportamiento racista o sexista.

Segundo, algunas veces se dice que el tratamiento preferencial viola el principio de igualdad ("los individuos que son iguales en todos los aspectos relevantes al tipo de tratamiento en cuestión se deben tratar de manera igual"), al permitir que una característica no relevante (como la raza o el sexo) determine las decisiones de empleo.[105] Los defensores de los programas de acción afirmativa responden que las diferencias sexuales y raciales ahora son relevantes al tomar ese tipo de decisiones. Son relevantes porque cuando la sociedad distribuye un recurso escaso (como los empleos), elige asignarlos de manera legítima a los grupos que harán que avance hacia sus fines legítimos. En la sociedad actual, asignar los escasos trabajos a las mujeres y las minorías será la mejor forma de lograr igualdad de oportunidades, de modo que la raza y el sexo son ahora características relevantes para ese propósito. Incluso, como se advirtió, la razón por la cual sostenemos que los empleos se deben asignar con base en cualificaciones relacionadas con el desempeño es que tal asignación logrará un fin (utilitario) deseable socialmente: la productividad máxima. Cuando este fin (la productividad) entra en conflicto con otro fin deseable socialmente (una sociedad justa), es legítimo buscar el segundo, aun cuando hacerlo signifique que el primero no se logre por completo.

Tercero, algunos críticos consideran que los programas de acción afirmativa, en realidad, dañan a las mujeres y a las minorías porque implican que estos grupos son tan inferiores a los hombres caucásicos que necesitan ayuda especial para competir.[106] Esta atribución de inferioridad, dicen los críticos, está debilitando a las minorías y a las mujeres, y en última instancia, provoca daños tan grandes, que sobrepasan por mucho a los beneficios obtenidos. Por ejemplo, en un libro muy leído y aclamado, la autora afroestadounidense Shelby Steele criticó los programas de acción afirmativa en las empresas y la educación porque, después de 20 años, han demostrado ser "más malos que buenos".[107] Específicamente, asegura que en esos programas "la cualidad que nos confiere un tratamiento preferencial es una inferioridad implícita". Según Steele, incluso cuando una persona de color no ve esa inferioridad implícita en el tratamiento preferencial, "sabe que "los caucásicos la ven", de manera que "el resultado es prácticamente el mismo". Afirma que el tratamiento preferencial "baja los estándares normales" para aumentar la representación de la raza negra, y que esa disminución de estándares lleva a los afroestadounidenses, a quienes se mide con base en esos estándares inferiores, a sufrir una "duda debilitante" que quizá "no sea reconocida", pero que de cualquier modo se convierte en una "preocupación" que "mina su habilidad para desempeñarse, en especial, en situaciones de integración". El punto de vista tan elocuentemente expresado de Steele no es idiosincrático, sino uno que muchas otras minorías han llegado a sostener.[108]

Esta tercera objeción a los programas de acción afirmativa se ha cumplido de varias formas. Primero, aunque muchas minorías conceden que la acción afirmativa conlleva algunos costos para las minorías, también sostienen que los beneficios de los programas son mayores. Por ejemplo, un empleado de raza negra que obtuvo varios puestos de trabajo gracias a estos programas dijo: "Tuve que lidiar con la gran tristeza que esto trajo consigo, pero bien valió la pena".[109]

Segundo, quienes defienden los programas de acción afirmativa también argumentan que estos se basan no en una suposición de inferioridad de las minorías y las mujeres, sino en el reconocimiento de que los hombres caucásicos, a menudo de manera inconsciente, están predispuestos a tomar sus decisiones a favor de otros individuos que comparten sus características. Como los estudios han demostrado repetidas veces, incluso cuando las mujeres y los miembros de minorías están mejor preparados, los hombres caucásicos otorgan los mejores salarios y posiciones a sus congéneres de piel clara. El único remedio para esto, consideran, es algún tipo de programa que los obligue a contrarrestar este prejuicio, al

---

*Repaso breve 7.13*

**Argumento de justicia igualitaria a favor de la acción afirmativa**

- Asevera que la acción afirmativa asegurará igualdad de oportunidades gracias a una distribución más justa de los empleos, a la neutralización de los efectos de una predisposición inconsciente que afecte el juicio acerca de las mujeres y las minorías, y al hecho de colocar a estos grupos en menor desventaja y posiciones más competitivas en relación con los hombres caucásicos.

- Sostiene que la acción afirmativa es un medio moralmente legítimo para asegurar la igualdad de oportunidades; niega que sea una forma de "discriminación inversa", puesto que no se basa en juicios injustos de inferioridad masculina ni se dirige a destruir la igualdad de oportunidades; no utiliza una característica irrelevante, ya que la raza y el sexo sí son importantes en este contexto limitado; no perjudica a las minorías ni a las mujeres, y cualquier daño sería menor que los infligidos por la actual discriminación inconsciente.

requerirles que acepten a esa proporción de candidatos de las minorías que la investigación revela que están suficientemente preparados y dispuestos a trabajar. Es más, aseguran, las atribuciones injustificadas de inferioridad que muchas minorías experimentan son el resultado de un racismo persistente por parte de los compañeros de trabajo y empleados, y ese racismo es precisamente lo que los programas de acción afirmativa desean erradicar.

Una tercera respuesta de los defensores de los programas de acción afirmativa es que, aunque una parte de las minorías se sienta inferior por dichos programas actuales, muchas minorías se sentían en posiciones mucho peores debido al racismo abierto o encubierto que la acción afirmativa elimina de manera gradual. Este racismo, tanto explícito como encubierto que persistía en el lugar de trabajo antes de poner en práctica los programas de acción afirmativa, de forma sistemática, dejaba en desventaja, avergonzaba y minaba la autoestima de todas las minorías en un grado mucho mayor que en la actualidad.

Por último, los defensores de la acción afirmativa argumentan que es simplemente falso que mostrar preferencia hacia un grupo ocasione que sus miembros se sientan inferiores: durante siglos, los hombres caucásicos han sido beneficiarios de la discriminación racial y sexual sin una pérdida aparente de su autoestima. Si los beneficiarios de las minorías o las mujeres ahora se sienten inferiores, es debido al racismo y sexismo persistente, no a las preferencias extendidas hacia ellos y sus compañeros. De hecho, hay muchos estudios que indican que casi ningún beneficiario de los programas de acción afirmativa, ya sea miembro de alguna minoría o mujer, se siente inferior porque se beneficie de esos programas. Por ejemplo, una encuesta realizada entre afroestadounidenses y mujeres que se habían beneficiado de alguno de estos programas encontró que el 90 por ciento de ellos reportaron que no sentían una pérdida de autoestima por haberse beneficiado de la acción afirmativa.[110] Esto no es sorprendente, puesto que tales programas no seleccionan a las mujeres o a los miembros de minorías solo por su género o raza. Por lo general, muestran preferencia por ellos con base en sus cualificaciones, así como por su género o raza; esto es, sus cualificaciones deben alcanzar ciertos límites antes de ser elegidos para participar en la acción afirmativa. Como saben que se les ha elegido para participar en el programa con base en sus cualificaciones, las minorías y las mujeres, por lo general, no se sienten inferiores por la selección.

Es posible dar argumentos contundentes en apoyo de los programas de acción afirmativa, y fuertes objeciones en su contra. Como de ambos lados existen argumentos tan poderosos, el debate sobre su legitimidad sigue sin solución. Sin embargo, la revisión de los argumentos parece sugerir que los programas de acción afirmativa son, al menos, medios moralmente permisibles para lograr objetivos justos, aun cuando tal vez no demuestren que sean un medio que se requiere moralmente para lograr esos fines.

## Implementación de la acción afirmativa y manejo de la diversidad

Quienes se oponen a los programas de acción afirmativa consideran que se deben ponderar otros criterios, además de la raza y el sexo, al tomar las decisiones de empleo dentro de ellos. Primero, si el sexo y la raza son los únicos criterios que se utilizan, el resultado sería la contratación de personal no calificado y la consecuente disminución de la productividad.[111] Segundo, muchos empleos tienen un efecto significativo en las vidas de los demás o son esenciales para el éxito de la compañía. Por ello, si un trabajo tiene un efecto significativo, digamos, en la vida o la salud de otros (por ejemplo, cuando afecta la seguridad de otros, como el trabajo de un controlador de vuelos o un cirujano), o de él depende todo el éxito de la compañía, entonces, los criterios distintos al sexo y la raza tienen un lugar prominente y deben anular la acción afirmativa.[112] Tercero, los detractores argumentan que, de continuar los programas de acción afirmativa, Estados Unidos se convertirá en una nación más consciente de la raza y el sexo.[113] Entonces, los programas deben cesar en cuanto los defectos que intentan remediar se corrijan.

Se sugieren las siguientes guías como una manera de organizar las consideraciones en un programa de acción afirmativa, cuando las minorías tienen una baja representación en una empresa:[114]

1. Se debe contratar o promover tanto a minorías como mayorías solo si los candidatos alcanzan ciertos niveles mínimos de competencia, o son capaces de alcanzar esos niveles en un tiempo razonable, después de recibir capacitación o educación.

2. Si las cualificaciones del candidato de la minoría son iguales (o solo un poco menos o más altas) que las de alguien que no pertenece a la minoría, entonces, se debe dar preferencia al miembro de la minoría.

3. Si los candidatos tanto de minorías como de mayorías están bien cualificados para un puesto, pero el miembro de la mayoría está mejor preparado, entonces:

   *a*) si el desempeño en el trabajo afecta directamente la vida o la seguridad de las personas (como un cirujano o un piloto comercial), o si el desempeño en el trabajo tiene un efecto crucial en la eficiencia de toda la empresa (como el jefe de controladores), entonces, se debe dar preferencia al miembro de la mayoría más calificado; sin embargo,

   *b*) si el puesto (como muchos de la empresa) no implica factores de seguridad directos y no tiene un efecto sustancial y altamente crucial en el éxito de la empresa, entonces, la persona de la minoría debe tener preferencia.

4. La preferencia se debe ampliar a los candidatos de una minoría solo cuando su representación en los diferentes niveles de la empresa no sea proporcional a su disponibilidad.

El éxito o el fracaso de un programa de acción afirmativa también dependen, en parte, de las adaptaciones que una compañía realice para las necesidades especiales de una fuerza de trabajo racial y sexualmente diversa. Como se señaló antes, tanto las minorías como las mujeres encuentran problemas especiales en el lugar de trabajo, y las compañías deben diseñar medios innovadores para resolver esas necesidades. El mayor problema que enfrentan las mujeres se relaciona con el hecho de que un gran número de parejas casadas tienen niños, y es la mujer quien físicamente los trae al mundo y quien, en nuestra cultura, lleva la carga más grande de criarlos y cuidarlos. Algunos sugieren que las compañías responden creando dos tipos de trayectoria para las mujeres: una para quienes planean tener hijos y participar activamente en su crianza al tiempo que siguen su carrera, y otra para mujeres que no planean tener hijos o planean que otros (esposos o instituciones) cuiden de ellos mientras se dedican a desarrollar su carrera con horas extra, sacrificio de su vida personal, viajes, transferencias y reubicaciones para progresar y aprovechar todas las oportunidades de desarrollo profesional.[115]

Ese enfoque, sin embargo, se ha criticado como injusto porque fuerza a las mujeres, a diferencia de los hombres, a elegir entre sus carreras o sus familias, y da como resultado un estatus más bajo de las *mamás*, quienes son discriminadas, a favor de un estatus más alto de las *mujeres de carrera*. Otros sugieren que mientras nuestra cultura siga poniendo las tareas del cuidado de los niños en manos de las mujeres, las compañías deben ayudarlas al establecer políticas de permisos por motivos familiares (IBM ofrece hasta ocho semanas con goce de sueldo por maternidad, y hasta un año de permiso sin goce de sueldo para un nuevo padre o madre con la opción de trabajar tiempo parcial, una garantía de reincorporarse a sus trabajos cuando regresen, y pagar una parte de los gastos de adopción del empleado); fijar horarios de trabajo más flexibles (permitiendo a los padres programar su entrada y salida para ajustarse a las necesidades de horario de sus hijos, o trabajar cuatro días de 10 horas en una semana en lugar de cinco de ocho horas, permitir a las madres con hijos en edad escolar trabajar tiempo completo durante el año escolar y contratar a reemplazos temporales durante las vacaciones o permitirles trabajar tiempo parcial); permitir ausencias por enfermedad para padres cuyos hijos estén enfermos (o para empleados que no son padres, pero que tienen necesidades especiales); establecer arreglos especiales de trabajo para padres (de manera que los nuevos padres puedan trabajar tiempo parcial varios años mientras sus hijos crecen y garantizarles su trabajo cuando regresen, o dejar que los cónyuges compartan el mismo empleo); y brindar apoyo para guarderías (por ejemplo, inscribir a los niños en una guardería cercana al lugar de trabajo o dentro del centro de trabajo mismo, rembolsarles los gastos, establecer un servicio de referencias, asignar personal especializado para cuidar niños que atienda a los hijos enfermos de los empleados, o fundar una clínica en el lugar de trabajo que pueda cuidar a niños enfermos mientras el padre o la madre trabajan).[116]

Las necesidades especiales de las minorías difieren de las de las mujeres. Las minorías tienen más desventajas económicas y educativas que quienes no forman parte de ellas, suelen tener menos habilidades para el trabajo, menos años de educación formal, educación de baja calidad, y pocas habilidades para hablar inglés. Para satisfacer esas necesidades, las compañías han empezado a impartir enseñanza en el puesto de trabajo, en relación con habilidades laborales, lectura básica, escritura y habilidades de computación y el idioma inglés. Por ejemplo, Newark, la compañía de seguros Prudential de Nueva Jersey, ofrece capacitación asistida por computadora en lectura y matemáticas para los candidatos de nuevo ingreso. La empresa Northeast Utilities en Hartford, Connecticut, otorga cinco semanas de capacitación en habilidades vocacionales e inglés para sus empleados hispanos de nuevo ingreso. Amtek Systems en Arlington, Virginia, tiene programas similares para asiáticos. Las minorías con frecuencia tienen valores culturales y creencias que llegan a originar malos entendidos, conflictos y bajo desempeño. Para manejar este aspecto, las compañías deben capacitar a sus gerentes (tanto de minorías como de mayorías) para manejar una fuerza de trabajo culturalmente diversa, enseñándoles las culturas de las minorías representadas entre sus empleados, y ayudándolos a estar más conscientes de cómo se comunican con las personas de orígenes diferentes.[117]

La controversia acerca de la rectitud moral de los programas de acción afirmativa no ha terminado. La Suprema Corte de Estados Unidos ha dictaminado que esos programas no violan la Ley de Derechos Civiles de 1964. Esto no implica que tales programas no violen algún principio moral. Pero si los argumentos examinados son correctos, entonces, los programas de acción afirmativa son congruentes, al menos, con los principios morales. Sin embargo, los argumentos siguen siendo tema de un intenso debate.

## Conclusiones

En las secciones anteriores se examinaron varias tendencias futuras que afectarán el estatus de las mujeres y las minorías en la fuerza laboral. En particular, es significativo que solo una pequeña proporción de nuevos empleados serán hombres caucásicos, ya que la mayoría serán mujeres y minorías. A menos que se realicen cambios importantes para servir a sus necesidades y características especiales, no se incorporarán sin contratiempos en el lugar de trabajo.

Se revisaron varios programas que brindan ayuda especial a las mujeres y a las minorías en términos morales. Sin embargo, se debe aclarar, en vista de las tendencias demográficas futuras, que ese interés personal también debe motivar a las empresas a darles ayuda especial. Los costos de no ayudar al flujo entrante de mujeres y minorías con sus necesidades especiales no recaerán por completo sobre ellos. Por desgracia, si las compañías estadounidenses no se adaptan a estos nuevos empleados, no podrán encontrar el personal que necesitan, y sufrirán una escasez recurrente y paralizante en las siguientes décadas. La fuente tradicional de hombres caucásicos simplemente será tan pequeña que las empresas no podrán confiar en que llenen todos sus requerimientos de puestos calificados y gerenciales.

Muchos negocios, conscientes de estas tendencias, han iniciado programas que los preparen para responder a las necesidades especiales de mujeres y minorías. Por ejemplo, muchas compañías han instituido servicios de guarderías y horarios de trabajo flexibles que permitan a las mujeres con hijos resolver sus necesidades. Otras compañías han instituido ambiciosos programas de acción afirmativa, dirigidos a integrar grandes grupos de minorías en sus empresas; de esta forma, les ofrecen educación y capacitación, los ayudan a desarrollar habilidades, y les brindan otro tipo de apoyos para permitirles integrarse a la fuerza laboral. La creencia de estas compañías es que si actúan ahora reclutando mujeres y minorías, estarán familiarizadas con sus necesidades especiales y tendrán un grupo base grande, al que se puedan unir otras mujeres y minorías. James R. Houghton, presidente de Corning Glass Works, afirma:

> Valorar y administrar una fuerza de trabajo diversa no solo es ética y moralmente correcto. También es una necesidad de los negocios. La demografía de la fuerza de trabajo para la siguiente década deja absolutamente claro que las compañías que no realicen un excelente trabajo en las áreas de reclutamiento, conservación, desarrollo y promoción de las mujeres y las minorías simplemente no podrán satisfacer sus necesidades de personal.[118]

**✓●─Estudie** y **repase** en
**mythinkinglab.com**

## Preguntas para repaso y análisis

1. Defina los siguientes conceptos: discriminación en el trabajo, discriminación institucionalizada/aislada, discriminación intencional/no intencional, indicadores estadísticos de discriminación, argumento utilitario contra la discriminación, argumento de Kant contra la discriminación, principio formal de "igualdad", prácticas discriminatorias, programa de acción afirmativa, análisis de utilización, "discriminación inversa", argumento de compensación para el tratamiento preferencial, argumento instrumental para el tratamiento preferencial, argumento utilitario para el tratamiento preferencial, objetivos finales de los programas de acción afirmativa, desprecio injusto.

2. Según su juicio, ¿fue positivo o negativo el cambio histórico en el énfasis de discriminación intencional/aislada hacia la discriminación no intencional/institucionalizada? Justifique su punto de vista.

3. Investigue en su biblioteca o en Internet (por ejemplo, U.S. Census Bureau publica en *http://www.census.gov*) los datos estadísticos publicados durante el último año que tienden a apoyar o refutar el panorama estadístico de racismo y sexismo desarrollado en la sección 7.2 del libro. A partir de su investigación y el material en el libro, ¿está de acuerdo o no con la afirmación "ya no existe evidencia de que la discriminación se practique ampliamente en Estados Unidos"? Explique detalladamente su posición.

4. Compare los tres principales tipos de argumentos en contra de la discriminación racial y sexual en el trabajo. ¿Cuál de ellos le parece el más sólido? ¿Y el más débil? ¿Podría idear tipos de argumentos diferentes a los que se exponen en el libro? ¿Existen diferencias importantes entre la discriminación racial y la discriminación sexual?

5. Compare los principales argumentos que se usan para apoyar los programas de acción afirmativa. ¿Está de acuerdo o en desacuerdo con estos argumentos? Si está en desacuerdo con alguno, establezca con claridad qué parte piensa que es incorrecta y explique por qué. (No es suficiente con decir: "Creo que no es correcto".)

6. "Si los empleadores solo quieren contratar a los hombres caucásicos mejor calificados, entonces, tienen derecho a hacerlo sin interferencia, porque son sus negocios". Comente esta afirmación.

## Recursos en Internet

Si usted está interesado en investigar el tema de la discriminación, tal vez desee comenzar por el sitio Web del U.S. Census Bureau para conocer datos estadísticos detallados actuales sobre ingresos, ganancias, pobreza y otros temas (*http://www.census.gov*), o el sitio del Bureau of Labor Statistics (*http://www.bls.gov*), o el sitio de la Comisión para la Igualdad de Oportunidades en el Empleo (*http://www.eeoc.gov*). Los aspectos legales de la discriminación se encuentran en la sección de derechos civiles del sitio de Hieros Gamos (*http://www.hg.org/civilrgt.html*). La revisión de las decisiones de la Corte sobre discriminación en el lugar de trabajo, que realizó Patrick McCarthy, ofrece resúmenes útiles y vínculos a casos clave de la Suprema Corte acerca de la discriminación en el trabajo, aunque ya no se actualiza regularmente (*http://www.mtsu.edu/~pmccarth/eeocourt.htm*); EEO News brinda resúmenes y vínculos sobre casos de discriminación y su desarrollo (*http://www.eeonews.com*); el directorio Oyez de derechos civiles y discriminación incluye resúmenes útiles y vínculos a casos actuales y anteriores de la Suprema Corte sobre discriminación (*http://www.oyez.org/oyez/portlet/directory/200/222*). Para consultar material sobre acción afirmativa y discriminación racial en general, visite el sitio de Vernellia R. Randall (*http://academic.udayton.edu/race/04needs/affirmat.htm*).

## CASOS

*✳ Explore el concepto en* **mythinkinglab.com**

## ¿Debe Kroger pagar hoy por lo que un empleado de Ralphs hizo en el pasado?

Kroger Company, una empresa con sede en Cincinnati que opera 2,500 supermercados en 32 estados, adquirió la cadena de tiendas Ralphs de 450 supermercados, en 1998, cuando compró Fred Meyer Inc., la cual había adquirido Ralphs el año anterior. Kroger tenía reputación de ser una compañía bien administrada, con políticas de empleo progresivas y ejemplares. Según el vocero de la compañía, Gary Rhodes, "Kroger tenía una política escrita que prohibía el acoso sexual desde la década de 1980. Incluye un procedimiento que permite a los empleados señalar cualquier preocupación a la compañía. Todas las quejas se investigan ampliamente".[1] La compañía tenía una política de tolerancia cero para el acoso sexual.

El viernes 5 de abril de 2002, los directivos de Kroger quedaron perplejos al saber que su relativamente nueva subsidiaria, Ralphs, tendría que pagar daños compensatorios y punitivos por un total de $30.6 millones, la multa más alta por acoso sexual impuesta en California, y la segunda más alta en la historia de Estados Unidos, por las acciones de Roger Misiolek, un gerente de tienda de Ralphs acusado de acosar a seis empleadas en el supermercado de Escondido, California, durante 1995 y 1996. Parecía especialmente injusto que Kroger tuviera que pagar por todas las supuestas injusticias ocurridas antes de adquirir Ralphs.

Seis mujeres habían interpuesto la demanda por acoso contra Ralphs en 1996: Dianne Gober, Sarah Lange, Terri Finton, Peggy Noland, Suzanne Pipiro y Tina Swann. Todas eran empleadas de una tienda de Ralphs en Escondido, California: cuatro trabajaban como cajeras, una era contadora y la otra, jefa del departamento de panadería en la tienda. El juicio se inició en abril de 1998 y concluyó el 1 de junio de 1998. Durante el juicio, las mujeres testificaron

que Roger Misiolek, el gerente, comenzó a acosarlas justo después de hacerse cargo de la tienda en 1995. El acoso continuó el resto de ese año y parte de 1996. Las mujeres alegaban que las tocaba de manera impropia, que utilizaba lenguaje grosero cuando se dirigía a ellas, y que en ciertas ocasiones les lanzó carritos de la tienda y objetos incluyendo teléfonos, portapapeles y hasta una bolsa de correo de 13 kilos. Una mujer testificó que Misiolek usaba lenguaje sucio e insultos raciales contra ella, la acarició contra su voluntad y le lanzó plumas y un paquete de 12 refrescos. Una cajera declaró que sugerentemente la tocó, abrazó y acarició. Otra testificó que repetidas veces le había preguntado sobre su vida sexual. Según las cuatro cajeras, Misiolek venía a la caja de la tienda, se ponía de pie junto a ellas para que los cuerpos se tocaran y las tomaba por la cintura.

Varias dijeron que se habían quejado con los directivos de Ralphs. Sin embargo, aseguraron que la compañía no había removido al gerente de su puesto, sino que había transferido a las empleadas que se quejaron a otras tiendas. Las mujeres entregaron evidencia que mostraba que habían presentado más de 80 quejas de acoso contra Misiolek, en cuatro tiendas diferentes desde 1985.

En abril de 1996 los hechos llegaron a un clímax cuando Misiolek arrojó a Dianne Gober hacia una silla con tanta fuerza que esta rodó por toda la habitación y pegó en un escritorio. Después de este suceso, ella se quejó con el vicepresidente de recursos humanos en las oficinas de la compañía en Compton, California. En este punto, según Ralphs, la compañía castigó a Misiolek y lo transfirió a otra tienda cerca de Mission Viejo. Ralphs lo nombró gerente de esa tienda, donde supervisaba a 80 empleados. Tanto las empleadas como los clientes se quejaron de él. Ralphs transfirió a Misiolek a otra tienda, pero esta vez degradado al puesto de apoyo en el área de recibos.

Misiolek negó las acusaciones de las empleadas. Era cierto, dijo después, que "se había enojado en alguna ocasión", pero cuando lo hizo —aseguró—, "no fue de ninguna manera indebida". Cualesquiera que fueran sus fallas como supervisor, Misiolek tenía reputación de ser hábil para revertir los malos resultados de una tienda. En el juicio se entregó evidencia de que tenía un historial de impulsar las ganancias en las tiendas que administraba y de lograr cifras excelentes. Ralphs valoraba mucho estas cualidades en sus gerentes. La empresa también aseguró que no tenía conocimiento de la conducta de Misiolek. Según Ralphs, la primera vez que se supo del acoso de Misiolek en las oficinas centrales fue cuando Dianne Gober y su esposo, quien también trabajaba en Ralphs, se quejaron en recursos humanos en las oficinas ubicadas en Crompton, justo después de que el gerente la aventó en la silla contra el escritorio. En ese momento, dijo Ralphs, habían movido a Misiolek a Mission Viejo donde ya no supervisaría a las empleadas que pudo haber acosado.

El 1 de junio de 1998, el jurado llegó a un veredicto en dos partes. En la primera etapa del juicio, encontraron que la cadena de supermercados era responsable de acoso sexual por no prevenirlo, y de malicia y opresión por relegar conscientemente los derechos o la seguridad de otros. En la segunda parte del juicio, cuando había que imponer el castigo, el jurado determinó que había que otorgar a las seis mujeres $550,000 en compensación por los daños causados y $3,325,000 por daños punitivos (esto es, una multa que pretende servir como castigo ejemplar). Desde luego, en última instancia, Kroger Co. tendría que pagar esos daños.

Sin embargo, parte del veredicto del 1 de junio de 1998 se hizo a un lado casi de inmediato. La juez Joan Weber de California, quien presidió el juicio, descubrió que uno de los miembros del jurado era accionista de Ralphs. Incluso, durante las deliberaciones, ese jurado había visto el valor neto de Ralphs y había compartido esta información con otros miembros del jurado, rebatiendo el testimonio experto que se había ofrecido en la corte del valor real de la cadena de tiendas. El jurado confió en la información del valor neto de la compañía para decidir los daños punitivos que debían imponerle durante la etapa de penalización.

Ralphs pidió que se juzgara el caso nuevamente. La juez Weber, sin embargo, dictaminó que la mala conducta del jurado afectaba solo a la etapa de penalización de juicio y que solamente se debía volver a juzgar el castigo por daños punitivos. Las seis mujeres y sus abogados tendrían que regresar a la corte para el juicio de esa parte.

En 1999 Misiolek había sido degradado a trabajar en los muelles de recibo. Sin embargo, continuó trabajando para Ralphs más de un año después de que Kroger comprara la cadena. A principios de 2000, la administración de Ralphs envió a Misiolek una carta disciplinaria, asegurando que continuaba con insultos sexuales y raciales contra los empleados y seguía tocando a las mujeres de manera impropia. Catorce meses después de que Kroger adquiriera Ralphs, la compañía finalmente suspendió a Misiolek y él renunció después. En su carta de renuncia a Ralphs, continuó negando las acusaciones en su contra.

El juicio de un mes de la parte de penalización del caso se llevó a cabo en 2002 y fue presidido por el juez Michael Anello. Esta vez hubo menos disputa sobre el valor neto de Ralphs, porque los miembros del jurado conocían el precio exacto que Fred Meyer Inc. había pagado por la compañía en 1996 y que Krogers había pagado después en 1997. La etapa del castigo concluyó el 5 de abril de 2002, cuando el jurado anunció que debía otorgarse a cada una de las seis mujeres $550,000 como compensación por el daño emocional que les había causado el acoso, y $5 millones en daños punitivos, lo que sumaba un total de $33.3 millones.

La suma otorgada estaba entre las más cuantiosas en la historia por un caso de acoso sexual en Estados Unidos, y sorprendió a Kroger, que esperaba que fuera sustancialmente menor. El abogado de las mujeres declaró que la suma era adecuada, ya que la compañía "sabía lo que estaba sucediendo, pero eligió no tomar ninguna acción efectiva. Todo lo que hicieron fue transferir a las víctimas". Después del juicio, el abogado dijo a los miembros del jurado que el juez no le había permitido presentar evidencia de que Misiolek había acosado a mujeres durante 10 años antes de que se hiciera cargo de la tienda de Escondido. Una mujer, quien trabajó para Misiolek en 1985, dijo que la había llamado "mexicana sucia" y le había arrojado objetos, mientras que una mujer de color dijo que en 1992 le había dicho: "Me puedes llamar 'mi señor jefe'". Uno de los miembros del jurado, John Adair, declaró que sentía que la pena era demasiado pequeña porque la compañía debió ser penalizada con al menos el 1 por ciento de su valor neto de $3,700 millones.

De todas formas, unos cuantos meses después de concluir el juicio, el veredicto del jurado se hizo de nuevo a un lado. El juez Michael Anello emitió una orden el 15 de julio de 2002, en la cual argumentaba que los daños punitivos concedidos a las seis mujeres eran "burdamente excesivos" y el resultado de la "pasión y prejuicio" del jurado. En su orden, el juez Anello concedía que el comportamiento de Misiolek era "absolutamente despreciable"; sin embargo, continuaba, "no había evidencia que apoyara la conclusión de que Misiolek fuera un agente de administración de Ralphs, y las pruebas eran insuficientes para apoyar la conclusión de que Ralphs aprobara o ratificara la conducta de Misiolek". Este último no actuaba en nombre de Ralphs cuando acosaba a las mujeres, dijo el juez, ni la administración de la compañía le ordenó que lo hiciera. En vez de ello, se trataba de una acción aislada de un solo gerente. Por lo tanto, la compañía, como un todo, no debe ser responsable por las acciones de Misiolek, argumentó el juez. El jurado debió haber castigado a la compañía solo por las acciones específicas de los supervisores de Misiolek que le permitieron operar la tienda de Escondido después de recibir las quejas de otras mujeres sobre su comportamiento. Las acciones de este grupo de directivos no merecen un castigo de $30.6 millones contra toda la compañía. Aún más, dijo el juez Anello, los daños punitivos (que son de alrededor de 60 veces los $550,000 otorgados como daños compensatorios por el segundo jurado) no estaban razonablemente relacionados con los daños compensatorios. Y el pago por los daños compensatorios que el segundo jurado había determinado que se otorgara a cada mujer ($550,000) era, en sí mismo, excesivo y se debía anular.

Por último, los $30.6 millones exceden la cantidad necesaria para castigar a Ralphs y evitar que otras compañías hagan lo mismo en el futuro. Anello redujo la multa de $30.6 millones a $8.25 millones. De acuerdo con el juez, el pago por los daños punitivos que cada mujer recibiría no debía ser más de 15 veces la cantidad pagada por daños compensatorios que el primer jurado había determinado. Esto significaba que Dianne Gober debía recibir $3 millones, Tina Swann, $1.5 millones, Finton y Lange debían recibir $934,500, Noland debía obtener $750,000, y Papiro, $1,125,000. El juez dio a las seis mujeres 10 días para decidir si aceptaban la pena reducida; de lo contrario, ordenaría un nuevo juicio.

El 24 de julio de 2002, dos mujeres, Dianne Gober y Tina Swan, aceptaron la suma reducida del juez. Las otras cuatro decidieron rechazarlo y regresar a la corte para entablar otro juicio, como el juez había prometido. Uno de sus abogados declaró, con enojo, que la suma reducida no castigaba a Ralphs, no evitaría actividades similares en otras compañías y no serviría de ejemplo para otros, tal como se supone que debería ser el objetivo de los daños punitivos.

Durante cuatro años, el caso avanzó muy despacio a través del sistema de las cortes mientras ambas partes presentan sus apelaciones. Pero el caso, que en total duró 10 años, concluyó el 1 de marzo de 2006, cuando llegó a la Corte de Apelaciones del Cuarto Distrito, División 1, de California. Esta corte, en lo que pareció ser una reprimenda a las cuatro víctimas que quedaban, dictaminó que ellas tenía derecho a daños punitivos equivalentes a solo 6 veces los daños compensatorios otorgados por el jurado en su primer juicio, ¡mucho menos que la cantidad punitiva de 15 veces los daños compensatorios que el juez les había ofrecido cuatro años antes, el 24 de julio de 2002! Esto significaba que en vez de los $934,500 que se había ofrecido a Finton y Lang en 2002, cada una de ellas recibiría $375,000; en lugar de los $750,000 que habría recibido Noland en 2002, recibiría $300,000, y en vez de la suma de $1.25 millones que se ofreció a Papiro en 2002,

ahora recibiría $450,000. Si los abogados de las mujeres pensaban que las cantidades punitivas de 2002 eran sumas insignificantes para una compañía del tamaño de Kroger, que no castigaban a la compañía ni servían como disuasión a otras empresas, entonces, seguramente consideraron que las cantidades que recibieron las mujeres en 2006 por lo que sufrieron mientras trabajaban en Ralphs ni siquiera fueron un tirón de orejas para la compañía.

## Preguntas

1. Suponiendo que los gerentes de tiendas y de zona de Ralphs recibieran quejas del comportamiento de Misiolek desde 1985, sin que estas llegaran a sus oficinas centrales en Crompton, ¿cree que el juez está en lo correcto al decir que la compañía, como un todo, no debe ser responsable de esas acciones? ¿Debe la compañía ser responsable por las políticas que evitan que las quejas lleguen a las oficinas centrales?

2. ¿Qué tipo de penalización cree que hubiera sido adecuada para Ralphs? Desde su punto de vista, ¿$33.3 millones eran una pena excesiva? Explique su respuesta. ¿El último juicio (2006) fue justo?

3. ¿Debe Kroger pagar por hechos que ocurrieron antes de comprar la cadena de supermercados?

4. ¿Qué haría una compañía para asegurar que no ocurra una situación como la de Misiolek? ¿Por qué piensa que Ralphs permitió al gerente continuar administrando las tiendas?

## Notas

1. Este caso se basa en las siguientes fuentes: Jim McNair, "Subsidiary of Kroger Loses $30.6 M Lawsuit", *Cincinnati Enquirer*; Alexei Oreskovic, "$30M Awarded in Sex Harassment Suit", *The Recorder*, 10 de abril de 2002; "Post-Verdict, Jury Learns of Other Allegations", ABCNEWS.com, 20 de junio de 2002; Davan Maharaj, "$3.3-Million Judgment Against Ralphs Tossed Out", *Los Angeles Times*, 24 de julio de 1998; Onell Soto, "Ralphs to Pay $30 Million over Sexual Harassment", *San Diego Union-Tribune*, 7 de abril de 2002; Onell Soto, "Harassment Award Against Ralphs Cut", *San Diego Union-Tribune*, 17 de julio de 2002; Lisa Girion, "$30.6 million Judgement Against Ralphs Slashed", *Los Angeles Times*, 17 de julio de 2002; Lisa Girion, "Harassment Verdict Prompts Review", *Los Angeles Times*, 9 de abril de 2002; Davan Maharaj, "Ralphs Fights Record Award", *Los Angeles Times*, 23 de julio de 1998; Lisa Girion, "6 Women Win Suit Against Employer Ralphs", *Los Angeles Times*, 6 de abril de 2002; Margaret Fisk, "$3.3 M Award Swells to $30 M", *National Law Journal*, 15 de abril de 2002; Alexei Oreskovic, "$30 Million Verdict Cut", *National Law Journal*, 22 de julio de 2002. "Harassment in the Supermarket", ABCNEWS.com, 30 de junio de 2002; y las decisiones de las cortes en línea en *www.nosexualharassment.com* incluyendo particularmente *Gober versus Ralphs Grocery Co.* (2006) 137 Cal. App.4th.

# CASOS

✳ Explore el concepto en
**mythinkinglab.com**

## *Las mujeres de Wal-Mart*[1]

El 26 de abril de 2010, los once miembros del Noveno Circuito de la Corte de Apelaciones de San Francisco dictaron sentencia, cuyo documento ocupó 173 páginas (*Betty Dukes et al. V. Wal-Mart Stores, Inc.*). El caso implicaba a Wal-Mart Stores, Inc., a quien se acusó de discriminar a sus empleadas estadounidenses. El juicio procedió como una demanda colectiva, y se basó en la mayor parte de las resoluciones anteriores de 2007 y 2004 de tres miembros del Noveno Circuito de la Corte de Apelaciones, así como en las resoluciones de cortes distritales anteriores. Las demandantes, según el dictamen de la Corte de Apelaciones en 2010, "alegan que las mujeres empleadas en las tiendas Wal-Mart [nacionales]: **1.** reciben menor remuneración que los hombres en posiciones comparables, a pesar de tener mayores cualificaciones de desempeño y mayor antigüedad; y **2.** reciben menos promociones (y esperan más por ellas) para alcanzar posiciones administrativas en las tiendas que los hombres". El caso, el mayor en la historia de los derechos civiles de Estados Unidos, lo habían iniciado casi una década antes seis mujeres estadounidenses que habían trabajado en 13 tiendas Wal-Mart. Demandaban que la compañía les diera una compensación a ellas y a las mujeres que hubieran trabajado para Wal-Mart en Estados Unidos desde el 26 de diciembre de 1998, por los muchos años de perjuicios que habían sufrido como resultado de la discriminación sexual de la compañía. Muchos analistas hicieron notar que si Wal-Mart perdía el caso, le costaría muchos miles de millones de dólares, puesto que el grupo presuntamente perjudicado incluiría a todas las mujeres empleadas sujetas a discriminación que fueron contratadas en las 3,400 tiendas de Wal-Mart, desde el 26 de diciembre de 1998, un grupo que, según las estimaciones, incluía a 1.5 o 2 millones de mujeres. Aunque el dictamen de 2010 permitía que todas las mujeres que trabajaban para la compañía cuando se presentó la demanda formaran parte de este grupo perjudicado, sentenciaba que una corte distrital inferior tendría que decidir cómo manejar el caso de quienes hubieran trabajado para la empresa después de esa fecha, pero que ya no trabajaban ahí el día en que se presentó la demanda.

Wal-Mart Stores, Inc., la cadena de supermercados más grande del mundo, es dueña de más de 8,400 tiendas, incluyendo 800 establecimientos de descuento, 2,747 tiendas Wal-Mart Supercenter, las cuales venden comestibles a precios de descuento, y 596 almacenes Sam's Club. Es el vendedor líder tanto en Canadá (317 tiendas) como en México (1,469); es dueña de casi el 40 por ciento de SEIYU, una cadena de supermercados japonesa, y posee tiendas en Argentina (43), Brasil (434), China (279), Chile (252),

Costa Rica (170), El Salvador (77), Guatemala (164), Honduras (53), Japón (371), Nicaragua (55), Puerto Rico (56) y el Reino Unido (371). Al final del año fiscal que concluyó en enero de 2010, Wal-Mart declaró ventas por $408,200 millones (el 64 por ciento de las ventas de Estados Unidos) y utilidades netas de $14,300 millones. Para entonces, la compañía tenía más de 2,100,000 empleados en todo el mundo.

La compañía del eslogan "Precios bajos siempre" es famosa por su fuerte y distintiva cultura corporativa, que promueve activamente. Los empleados nuevos obtienen videos, clases e información impresa acerca de la cultura de Wal-Mart, la cual se basa en "tres creencias básicas": "respeto por el individuo", "servicio a nuestros clientes" y "lucha por la excelencia". Los empleados leen la biografía personal del fundador Sam Walton y aprenden cómo sus valores personales se convirtieron en las creencias de la compañía. La capacitación semanal sobre la cultura de la empresa es obligatoria para gerentes y empleados. Los gerentes toman cursos continuos sobre este tema y los imparten a sus subalternos; luego, se les evalúa con base en estos conocimientos. También se compensa a los empleados cuando demuestran un compromiso fuerte con la compañía.[2] Algunas tradiciones culturales de la compañía tienen una orientación masculina. Los gerentes con antigüedad asisten al retiro anual de la corporación, por ejemplo, que siempre incluye actividades de pesca y caza de codorniz. En ocasiones, se programa a los gerentes a juntas de distrito en los restaurantes Hooter's, y las reuniones de ventas anuales incluyen visitas a clubes de *strip tease*.

Aunque la compañía no ve con buenos ojos las acciones de los sindicatos, se le reconoce como un empleador benevolente; sin embargo, su reputación ha sufrido durante la primera década del siglo XXI. En julio de 2000, una auditoría interna descubrió violaciones de las leyes de trabajo estatales en el tiempo para descansos, y violaciones de las leyes federales referentes al trabajo de niños. En octubre de 2003, el servicio de inmigración y naturalización de Estados Unidos (INS) realizó varias supervisiones nocturnas y descubrió que las compañías de limpieza que contrataba Wal-Mart para asear sus tiendas por la noche tenían cientos de ilegales trabajando como intendentes. Se acusó a Wal-Mart de conspiración con las compañías de limpieza para no pagar los salarios justos a los inmigrantes. En febrero de 2004, se declaró culpable a la compañía por no pagar los salarios de horas extra a empleados que aseguraban que habían trabajado tiempo adicional sin paga entre 1994 y 1999.[3] En 2005 un jurado de California determinó que Wal-Mart debía pagar $172 millones a los empleados a quienes obligó a trabajar sin pausas para comer. En 2006 tuvo que pagar $188 millones a empleados que presentaron una demanda en Pennsylvania, por trabajar más allá de lo estipulado sin pagarles. En diciembre de 2008, la compañía anunció que aceptaba pagar entre $352 y $640 millones como suma compensatoria en 63 casos legales, en 42 estados, en los que cientos de miles de empleados acusaron a Wal-Mart de obligarlos a trabajar fuera de horario laboral sin pago.[3] El acuerdo se anunció dos semanas después de que la empresa tuvo que pagar $54 millones por incumplimiento de leyes laborales a otros 100,000 empleados. Aun así, quedaron 12 demandas similares pendientes en contra de Wal-Mart.

Sin embargo, el mayor dolor de cabeza por los empleados de Wal-Mart era una demanda colectiva (*Dukes et al. versus Wal-Mart Stores, Inc.*), en la que se acusaba a la compañía de discriminar a sus empleadas al brindar promociones, establecer salarios, brindar capacitación administrativa y asignar el trabajo. La demanda se interpuso en junio de 2001, cuando seis empleadas acusaron a Wal-Mart. El 22 de junio de 2004, el juez de distrito, Martin Jenkins, dictaminó que las seis mujeres podían demandar en nombre de todas las mujeres empleadas de la compañía que hubieran trabajado en las tiendas de Estados Unidos en cualquier época desde el 26 de diciembre de 1998. Las mujeres pidieron salarios retroactivos y compensaciones para 1.6 millones de mujeres empleadas, a quienes Wal-Mart había discriminado. En 1995, seis años antes de que se presentara la demanda, la compañía había pagado a un despacho de abogados para que evaluara sus prácticas de remuneración. De acuerdo con el informe, emitido en 1993, los gerentes de departamento varones ganaban $236.80, mientras que las mujeres en la misma posición ganaban $223.70; los hombres en puestos asalariados ganaban $644.20 a la semana, mientras que las mujeres ganaban $540.50. El despacho de abogados concluyó que estas y otras disparidades "son estadísticamente significativas y suficientes para garantizar el hallazgo de discriminación, a menos que la compañía pueda demostrar en un juicio que las disparidades estadísticas son causadas por factores legítimos y no discriminatorios".

Las seis mujeres que presentaron la demanda por discriminación en 2001 contrataron al experto en estadística, Richard Drogin, un profesor de la Universidad del Estado de California en Hayward, para analizar los registros computarizados de 3,945,151 empleados que habían trabajado en algún momento durante 1996 y 2002.[4] Los hallazgos del profesor respaldaban algunas de las reclamaciones de las mujeres.

El informe de Drogin observaba que los empleados de Wal-Mart se clasifican en dos grandes grupos: los empleados por horas en los niveles más bajos y los empleados administrativos asalariados en los niveles altos. Los empleados por horas incluyen cajeros, asociados, personal de almacén, jefes de departamento y personal administrativo de apoyo. Los empleados administrativos con salario están divididos en dos grupos: en el nivel inferior se encuentran aquellos que administran una sola tienda, y en el superior los que administran un distrito o región, o los que ingresan a la administración corporativa. En el nivel de tienda, los administradores asalariados incluyen a los gerentes y los asistentes; por encima de ellos en el organigrama se encuentran los gerentes de distrito, los vicepresidentes regionales y los vicepresidentes generales. Como Wal-Mart promueve casi siempre desde adentro, los empleados pueden progresar del nivel alto por horas (generalmente, el personal de "apoyo administrativo"), a la capacitación administrativa, a gerentes de almacén o asistentes de la gerencia, y, por último, a gerentes de distrito, regionales o corporativos.

La remuneración aumenta de un nivel al siguiente. En 2001 el personal administrativo asalariado ganaba alrededor de $50,000 al año, mientras que los empleados por horas ganaban $18,000. Drogin encontró que el 65 por ciento de los empleados por horas eran mujeres, pero solo el 33 por ciento de los gerentes asalariados lo eran. En ambos niveles, las mujeres ganaban menos que los hombres. Los ingresos anuales promedio en 2001, por ejemplo, eran los siguientes:

| Grupo | Porcentaje de mujeres | Ingresos de hombres | Ingresos de mujeres |
|---|---|---|---|
| Por horas | 70.2% | $18,609 | $17,459 |
| Gerentes asalariados | 33.5 | 55,443 | 40,905 |

Drogin encontró que este patrón se repetía en las 41 regiones de Wal-Mart en Estados Unidos.

Drogin también descubrió que, en promedio, las mujeres ganaban menos que los hombres en cada trabajo administrativo con salario en las tiendas. Durante el periodo de 1999 a 2001, por ejemplo, encontró los siguientes salarios anuales promedio entre los gerentes asalariados:

| Puesto | Porcentaje de mujeres | Salario de hombres | Salario de mujeres |
|---|---|---|---|
| VP regional | 10.3% | $419,434 | $279,772 |
| Gerente de distrito | 9.8 | 239,519 | 177,149 |
| Gerente de tienda | 14.3 | 105,682 | 89,280 |
| Gerente adjunto | 23 | 59,535 | 56,317 |
| Asistente de gerente | 35.7 | 39,790 | 37,322 |
| Gerente en capacitación | 41.3 | 23,175 | 22,371 |

Drogin halló una diferencia similar en las tasas de pago por horas. En 2001, por ejemplo, en los tres puestos de trabajo por horas de mayor jerarquía, el salario promedio por hora era:

| Puesto | Porcentaje de mujeres | Pago por hora, hombres | Pago por hora, mujeres |
|--------|------|------|------|
| Jefe de depar-tamento | 78.3% | $11.13 | $10.62 |
| Asociado de ventas | 67.8 | 8.73 | 8.27 |
| Cajero | 92.5 | 8.33 | 8.05 |

Drogin concluyó que solo en un año, "entre los empleados de tiempo completo que trabajaron al menos 45 semanas, en promedio, en 2001, los ingresos totales que se pagaron a los hombres son de alrededor de $5,000 más que los ingresos que se pagaron a las mujeres".

Drogin analizó si las discrepancias podían explicarse con la suposición de que las mujeres dejaban sus trabajos más que los hombres, quizá para criar a sus hijos o por alguna otra razón. Esto daría mayores tasas de rotación al personal femenino, mientras que los hombres adquirían más experiencia y antigüedad. Sin embargo, encontró que las mujeres se quedaban más tiempo en la fuerza de trabajo que los hombres en Wal-Mart y, por lo tanto, tenían más experiencia en el trabajo, en promedio, que ellos. Por ejemplo, al final de 2001, el número promedio de años desde su contratación para hombres y mujeres era:

| Puesto | Hombres | Mujeres |
|--------|---------|---------|
| Todos por horas | 3.13 años | 4.47 años |
| Todos los gerentes | 6.69 | 7.39 |
| Asociados de ventas | 2.53 | 3.41 |
| Jefes de departamento | 5.29 | 7.49 |
| Cajero | 1.86 | 2.53 |

Drogin descubrió también que mientras las mujeres tardaban 4.38 años desde su contratación para ser promovidas a asistentes de gerente, los hombres recibían una promoción después de solo 2.86 años; además, mientras que las mujeres tardaban 10.12 años en llegar al puesto de gerentes de tienda, los hombres lo hacían después de solo 8.64 años.

Drogin verificó después si las discrepancias en salario y promoción se podían explicar por los registros de desempeño de hombres y mujeres. Quizás ellos trabajaban mejor que ellas. Encontró que, en promedio, las mujeres tenían un desempeño más alto que los hombres. En 2001, por ejemplo, las tasas de desempeño (en una escala del 1 a 7, donde el 1 es bajo y 7 es alto) fueron las siguientes:

| Puesto | Calificaciones de hombres | Calificaciones de mujeres |
|--------|------|------|
| Todos por hora | 3.84 | 3.91 |
| Asociados de ventas | 3.68 | 3.75 |
| Jefe de departamento | 4.28 | 4.38 |
| Cajero | 3.58 | 3.49 |

Drogin examinó también si la diferencia en la remuneración entre hombres y mujeres en Wal-Mart era la misma con el paso de los años. Descubrió que las mujeres contratadas para los trabajos por hora en 1996 recibían $0.35 por hora menos que los hombres en los mismos puestos durante ese año. En 2001 la diferencia entre estos mismos empleados había aumentado a $1.16 por hora. Además, las mujeres contratadas como asociadas de ventas, en 1996, recibían $0.20 por hora menos que los hombres en el mismo puesto durante ese año. En 2001, la diferencia había aumentado a $1.17 por hora.

Por último, Drogin realizó varias pruebas estadísticas para determinar si las discrepancias en las promociones y los salarios podían ser el resultado de que las mujeres no estuvieran disponibles (en el "conjunto de aspirantes") cuando se otorgaban las promociones, o de algún otro factor. En vez de ello, encontró que

- Las mujeres recibían 2,891 menos promociones al puesto de apoyo gerencial [el paso previo al puesto de gerente en capacitación] de lo que se podría esperar de acuerdo con su representación en el conjunto de aspirantes.
- Las mujeres recibían 2,952 promociones menos al puesto de gerente en capacitación de lo que se esperaba de acuerdo con su representación en el conjunto de aspirantes.
- Las mujeres recibían 346 promociones menos al puesto de gerente corporativo de lo que se podía esperar considerando su representación en el conjunto de aspirantes.
- Las mujeres recibían 155 promociones menos al puesto de gerente de tienda de lo que se podía esperar de acuerdo con su representación en el conjunto de aspirantes.
- Cada año, entre 1996 y 2001, los ingresos totales pagados a las mujeres fueron entre el 5 y 15 por ciento inferiores a los ingresos totales pagados a los hombres en situación similar, aun tomando en cuenta factores como antigüedad, estatus y tienda.

Drogin observó dos factores que podían afectar la promoción de las mujeres a la administración. Primero, muchos gerentes de tienda pensaban que los empleados promovidos a puestos administrativos asalariados debían estar dispuestos a reubicarse geográficamente, y comunicaban esta creencia a las mujeres. En la práctica, sin embargo, solo se pedía a un reducido porcentaje de los gerentes que se reubicaran, y la compañía tenía programas que permitían a las mujeres optar por no hacerlo. Segundo, aunque la compañía tenía la política de publicar los puestos administrativos disponibles, los gerentes tenían la discreción de no publicar algunos y comunicar su disponibilidad verbalmente a los candidatos potenciales que ellos elegían.

Otro experto contratado por las seis mujeres, Marc Bendick, un economista del trabajo, observó que los competidores importantes de Wal-Mart no tenían problema en promover a las mujeres a la administración. Mientras que el 34.5 por ciento de los gerentes asalariados en tiendas de Wal-Mart eran mujeres, en 20 cadenas de tiendas comparables la cifra era del 56.5 por ciento. Si Wal-Mart hubiera logrado las mismas proporciones que las cadenas comparables en 1999 habría tenido por lo menos 4,004 más gerentes mujeres en tiendas, 466 más gerentes mujeres en las oficinas, 144 más en establecimientos que no eran tiendas (como almacenes), 107 más en otros establecimientos que no eran tiendas, y 97 más mujeres en establecimientos que se reportaban por separado.

Las seis mujeres que demandaron a Wal-Mart también contrataron a un experto en sociología, William T. Bielby, un profesor de la Universidad de California, en Santa Bárbara, para analizar las prácticas de contratación de Wal-Mart.[5] Con base en numerosas horas de testimonio por parte de los gerentes de Wal-Mart, Bielby concluyó que aunque los lineamientos de la compañía establecían criterios mínimos para las promociones, los gerentes no tenían políticas escritas que los guiaran al seleccionar entre los candidatos que cumplían los criterios mínimos, y tampoco contaban con directrices para establecer los salarios exactos. Observó que "una investigación de ciencias sociales importante mostraba que era probable que los estereotipos de género influyeran en las decisiones de personal cuando se basaban en factores subjetivos, porque la discreción sustancial del encargado de tomar decisiones tiende a permitir que las personas busquen y retengan la información que confirme sus estereotipos, e ignorare o minimice la información que los desafía. Aún más, añadió, "en este estado de cosas, los estereotipos quizá sesguen las evaluaciones de las calificaciones, contribuciones y avance potencial de las mujeres, porque las percepciones se modelan por los estereotipos acerca de las mujeres en general, no por las habilidades y los logros reales del individuo". En su informe observó:

> Por ejemplo, el gerente de tienda Arturo Mireles testificó que no tenía conocimiento de criterios escritos que pudiera usar al tomar decisiones acerca de promociones a jefe de departamento o asistente de gerente. Su práctica era confiar en un conjunto de criterios no escritos, incluyendo

factores subjetivos, como trabajo en equipo, ética, integridad, habilidad para interactuar con otros y disposición para ayudar voluntariamente en la tienda o en otra fuera de las horas de trabajo. Mientras que factores como estos apelan al sentido común, y de hecho es adecuado considerarlos al tomar las decisiones de promoción, las evaluaciones estarán sesgadas [por los estereotipos], a menos que estas se realicen de manera sistemática y válida, con criterios claros y atención cuidadosa en la integridad del proceso de toma de decisiones... El mismo tipo de discreción se permite en las decisiones acerca de la remuneración para los empleados por horas... [Según] la política de la compañía, el gerente de tienda podría pagar hasta dos dólares la hora más que la tasa establecida, con base en su evaluación de factores como pago anterior y experiencia. No existe un lineamiento de la compañía, y no hay capacitación sobre cuándo y cómo subir el salario, y aunque la nómina global se supervisa, no hay supervisión de estos ajustes individuales... Un gerente de tienda tal vez otorgue un aumento mayor que la cantidad especificada a su discreción. Además, los empleados quizá reciban aumentos de mérito por "desempeño excepcional"... Sin embargo, no existe un parámetro para evaluar ese "desempeño excepcional", y no hay supervisión del número de personas que reciben el aumento ni de la frecuencia con que se otorga a un empleado específico.

Pero Bielby observó también que los "gerentes testificaban consistentemente que no creían que las mujeres estuvieran menos calificadas que los hombres para los puestos administrativos en la compañía". Wal-Mart insistió que explícitamente prohibía cualquier forma de comportamiento discriminatorio, y que todos sus gerentes pensaban que las mujeres estaban tan calificadas como los hombres. Cualquier comportamiento discriminatorio se tendría que basar en la decisión personal del gerente de contravenir la política de la compañía, y no se debería atribuir a las acciones de Wal-Mart. Por el contrario, la compañía trabajaba mucho para asegurar la igualdad de oportunidades para todos sus empleados.

Más de 100 empleadas de Wal-Mart rindieron declaraciones detallando el trato recibido en la compañía.[6] Estas experiencias incluyeron:

- El gerente de una tienda en Utah dijo a una asistente gerencial, que las ventas son "difíciles" y "no son actividades adecuadas" para las mujeres.
- Un gerente en Texas dijo a una empleada que las mujeres tienen que ser "perras" para sobrevivir en la administración de Wal-Mart.

- Un gerente de Sam's Club en California comunicó a una mujer que para obtener una promoción debía "embellecerse", vestir un poco mejor y "quitar las telarañas de su maquillaje".

- Los gerentes hombres en varios estados, repetidas veces, dijeron a numerosas empleadas, con palabras casi idénticas, que los hombres "necesitaban que les pagaran más que a las mujeres porque tenían familias que mantener".

- Un gerente en Carolina del Sur dijo a una empleada que "Dios hizo a Adán primero, por lo que la mujer siempre estaría después".

- Una gerente de personal en Florida informó que su jefe le dijo que se pagaba más a los hombres que a las mujeres porque "los hombres están aquí para hacer carrera y las mujeres no. Las ventas son para las amas de casa que solo necesitan ganar dinero extra".

- Un ejecutivo dijo a una gerente corporativa que estaría mejor en casa criando a sus hijos y que como ella no cazaba, pescaba ni hacía otras actividades típicamente masculinas, no progresaría; además, "como usted no forma parte del club de chicos, debería estar cuidando a la familia y cocinando".

- El supervisor de una mujer que se capacitaba para gerente en Texas le dijo: "A mí no me gustan los graduados de las universidades y no me gustan las gerentes mujeres". Su siguiente jefe le dijo que debía "renunciar y encontrar un esposo para establecerse y tener hijos".

Los abogados de la compañía declararon que el grupo de mujeres presuntamente perjudicadas era demasiado grande para manejarlo en un único juicio, y que las experiencias de las seis mujeres que presentaron la demanda no podían ser representativas de las diversas y variadas experiencias de los millones de mujeres que habían trabajado para Wal-Mart. Aún más, argumentaron, la empresa usaba muchos sistemas diferentes para remunerar y promover a sus empleados, dependiendo de la posición y de cada tienda en particular. Cada gerente en el nivel de tienda tomaba de manera independiente las decisiones acerca de salarios y promociones, por lo que tales decisiones no se basaban en una política uniforme de la compañía. Wal-Mart, como un todo, no debía ser penalizada, dijeron, debido a las decisiones independientes de algunos de sus gerentes. La compañía había instituido muchos programas de igualdad de oportunidades, para asegurarse de que todo el mundo recibiera igual trato, sin importar la raza o el género.

De hecho, a principios de la década de 1990, Wal-Mart había iniciado varios programas para lograr la diversidad. La compañía tenía una política contra la discriminación escrita y publicada en todos lados. Los gerentes obtenían informes de composición de géneros y sus puestos por horas y salarios. Se les dijo que la representación de las mujeres debía "reflejar a la comunidad". Los gerentes tuvieron que establecer metas anuales de incremento de la representación de la mujer en sus áreas, y se suponía que debían evaluar el progreso que hacían para cumplir esas metas establecidas por ellos mismos. Esta evaluación no afectó la remuneración de los gerentes asalariados de las tiendas; sin embargo, todos los gerentes de alto nivel eran evaluados según el progreso que hacían para lograr la meta de diversidad que ellos se habían establecido, y esta evaluación se promediaba después con evaluaciones de tres tipos de metas relacionadas con el "personal". El "promedio del personal" de cada gerente constituía el 5 por ciento de la evaluación final sobre la que se basaba su remuneración para el siguiente año. Los gerentes testificaron que trataban de establecer metas "realistas", que se "pudieran lograr", que "tuvieran sentido", y que "no fueran inferiores a las del año anterior". Sam Walton había iniciado un programa que permitía a las mujeres tener acceso a los puestos gerenciales asalariados sin tener que reubicarse. Después de su muerte, sin embargo, el programa no tuvo una aplicación amplia; es más, ni siquiera se conocía.

Aunque la Corte de Apelaciones del Noveno Circuito dictaminó en abril de 2010 que el caso de las mujeres podía avanzar finalmente en forma de demanda colectiva, la directiva de Wal-Mart apeló la resolución a la Suprema Corte de Estados Unidos. El lunes 6 de diciembre de 2010, la Suprema Corte anunció que había decidido aceptar la querella y tomar una determinación final sobre si el caso debía ser juzgado como una demanda colectiva que terminaría afectando a 1.5 millones de mujeres. La directiva de Wal-Mart creía que si la demanda tenía éxito, podría tener un efecto financiero significativo en la compañía. Algunos analistas especulaban que Wal-Mart, para "cerrar el caso", podría llegar a un acuerdo con las mujeres antes o después de que la Suprema Corte emitiera su fallo. Incluso en tal caso, un arreglo negociado resultaría costoso.

Jeff Gearhart, vicepresidente y consejero general de Wal-Mart, dijo: "Estamos orgullosos de los progresos que hemos realizado para promover y apoyar a nuestras asociadas, y se han reconocido nuestros esfuerzos a favor del avance de mujeres con una serie de premios y galardones. En 2008 la revista *Women of Color* nombró a Wal-Mart entre las "40 mejores organizaciones en la que las mujeres de color pueden trabajar", y la revista *PINK*, la nombró "una de las 10 mejores compañías para las mujeres". En mayo de 2007, Wal-Mart anunció que fue designada como una de las "50 mejores compañías para la diversidad" por la revista *Diversity-Inc*. "Seguimos comprometidos en mantener la diversidad en todos los aspectos de nuestro negocio", afirmó un vocero de la compañía.

## Preguntas

1. ¿Qué efecto financiero potencial sobre Wal-Mart cree que podría tener la demanda? ¿Cree que las mujeres merecen ganar la demanda? ¿Qué sucedería si el

resultado del caso costara tanto a Wal-Mart que tuviera que despedir a miles de sus empleados y cerrar tiendas?

2.  ¿Cuáles son las mayores quejas morales de las mujeres que demandan a Wal-Mart? ¿Cree que estas quejas están justificadas? ¿Por qué? Wal-Mart sostiene que el caso no debe considerarse como una demanda colectiva, sino que, en todo caso, cada empleada debería presentar una demanda individual si considera que fue discriminada por Wal-Mart, porque la situación de cada mujer es diferente. ¿Está usted de acuerdo?

3.  ¿Qué factores podrían explicar las discrepancias descubiertas en el informe de Drogin?

4.  ¿Qué debería hacer Wal-Mart, si es que usted considera que debe hacer algo, para corregir estas discrepancias? ¿Debe la compañía instituir un programa de promoción de "acción afirmativa" para las empleadas? Si es así, ¿cómo debería ser este programa?

## Notas

1.  Gran parte de este caso se basa en los documentos que las demandantes de *Dukes et al.* versus *Wal-Mart Stores, Inc.* han publicado en *http://www.walmartclass.com/walmartclass_forthepress.html*. En particular, los materiales citados en las notas 4, 5 y 6 están disponibles en esa página y ahí se consultan.

2.  Véase M. J. Schneider, "The Wal-Mart Annual Meeting: From Small-Town America to a Global Corporate Culture", *Human Organization*, v. 57, 1998, pp. 292-299, y "Saturday Morning Fever: Wal-Mart's Weekly Meeting", *The Economist*, 8 de diciembre de 2001.

3.  Steven Greenhouse y Stephanie Rosenbloom, "Wal-Mart Settles 63 Lawsuits Over Wages", *The New York Times*, 23 de diciembre de 2008; vea también, Wal-Mart Stores, Inc., *2004 Annual Report*, fecha de acceso: 3 de agosto de 2004 en http://www.walmartstores.com/Files/annualreport_2004.pdf; y Steven Greenhouse, "Report Warned Wal-Mart of Risks Before Bias Suit", *The New York Times*, 3 de junio de 2010.

4.  Richard Drogin, "Statistical Analysis of Gender Patterns in Wal-Mart Workforce", febrero de 2003, fecha de acceso: 1 de agosto de 2004, en el sitio Wal-Mart Class (véase la nota 1); toda la información y las citas atribuidas a Drogin en este caso fueron extraídas de este informe.

5.  William T. Bielby, "Expert Report of William T. Bielby, Ph. D.", 3 de febrero de 2003, fecha de acceso: 1 de agosto de 2004, en la página Wal-Mart Class (vea la nota 1); toda la información y las citas atribuidas a Bielby en este caso fueron extraídas de este informe.

6.  Este resumen de las 100 declaraciones se tomó en parte del boletín de prensa del 28 de abril de 2003, "Women Present Evidence of Widespread Discrimination at Wal-Mart; Ask Judge to Expand Case to be Largest Ever Sex Discrimination Case", fecha de acceso: 2 de agosto de 2004, en la página Wal-Mart Class (véase la nota 1); las 100 declaraciones están disponibles en el sitio Wal-Mart Class, y mi resumen incluye algunos materiales extraídos de esas declaraciones.

# El individuo en la organización

¿Cómo define el modelo racional una organización de negocios?

¿Qué es un conflicto de intereses y cómo evitarlo?

¿Qué factores se deben tomar en cuenta al determinar un "salario justo"?

¿En qué difieren el modelo político y el modelo racional de la organización?

¿En qué se parece una corporación moderna a un gobierno?

¿Qué tipos de estrategias políticas se encuentran con más frecuencia en las organizaciones de negocios?

¿Cuáles son los temas éticos clave desde la perspectiva de la organización que ejerce el cuidado?

*Cada mañana millones de empleados se apresuran a llegar al trabajo. Los psicólogos afirman que nos definimos por el trabajo que realizamos, y que nuestra salud, tanto física como emocional, depende de si este nos satisface o es una fuente de estrés sin sentido.*

¿Cómo son las organizaciones? He aquí las descripciones de tres personas, de diferentes niveles organizacionales, acerca de su vida dentro de las organizaciones:

### Soldador de puntos en una planta ensambladora de Ford

Comienzo el automóvil, las primeras soldaduras... La pistola de soldar tiene una manija cuadrada, con un botón en la parte superior para el alto voltaje y otro en el fondo para el bajo... Hacemos cerca de 32 trabajos por automóvil, por unidad; 48 unidades por hora y 8 horas al día. Es decir, 32 veces, 48 y 8 veces 8. Calcúlelo. Ese es el número de veces que aprieto ese botón... No paro, solo continúo y continúo... No me gusta la presión, la intimidación. ¿Qué te parecería ir con alguien y decirle: "Quisiera ir al baño"? Si no le agradas al supervisor, hará que te aguantes, solo ignorándote... Oh sí, el supervisor tiene a cualquiera chasqueándole los dedos, apretándole las tuercas. Pero él sí tiene la libertad de ir al baño, de ir a tomar una taza de café. Él no enfrenta las sanciones... Cuando un hombre llega a supervisor, debe olvidarse incluso de ser humano, en lo que se refiere a los sentimientos. Uno ve a un tipo ahí, desangrándose, ¿y qué?, esa línea debe seguir trabajando.[1]

### Gerente de planta en una ensambladora de Ford

Por lo regular estoy aquí a las siete en punto... Luego salgo al piso, recorro la planta... Cambio mi recorrido para que no puedan saber que voy a estar en el mismo lugar a la misma hora. Lo peor que puedo hacer es establecer un patrón con el que siempre sepan dónde estoy. Siempre me detengo para hablar con el supervisor o con compañeros a los que se les paga por hora... Quizá vea una fuga de agua, y digo al supervisor: "¿Llamaste a mantenimiento?". No lo hago yo, dejo que él lo haga. Cuando regreso a la oficina, tengo tres o cuatro llamadas, "¿me ayudas con esto?". Esta es la forma en que te mantienes en contacto... El comité de operaciones se reúne generalmente cada tercer día: mis gerentes asistentes de planta; un gerente de operaciones que trae a dos gerentes de producción; un controlador; un gerente de ingeniería, otro de control de calidad, y uno de materiales. Estas son las ocho personas clave en la planta... Un negocio no se maneja sentado en la oficina pues uno se aparta demasiado de la gente. Las personas son la clave de toda la operación. Si uno no está en contacto con ellas, piensan que estás demasiado lejos, que estás distante. Eso no funciona.[2]

### Ex presidente de un conglomerado

No conozco ninguna situación en el mundo corporativo donde un ejecutivo esté completamente libre y seguro en su trabajo en todo momento... El peligro comienza tan pronto como uno se convierte en gerente de distrito. Se tiene personal trabajando para uno y también un jefe encima. Estás atrapado en una prensa. La presión aumenta mientras el puesto es más alto. Les diré lo que es la presión. Uno tiene trabajando a la gente que quiere ocupar este mismo puesto. El tipo para quien uno trabaja está muerto de miedo de que le quites su trabajo... La inseguridad es constante. Uno estropea el trabajo, tiene miedo de perder a un gran cliente, tiene miedo de la gran cantidad de cosas que aparecerán en el propio registro en contra de uno. Uno siempre está temiendo el gran error. Hay que ser cuidadoso al asistir a los festejos de la corporación. La esposa y los hijos tienen que comportarse apropiadamente. Hay que encajar en el molde. Hay que estar en guardia. Cuando fui presidente de esta gran corporación... esta especificaba con quien debías socializar, y a qué nivel... El ejecutivo es un animal solitario en la selva, que no tiene un amigo.[3]

No todo el mundo tiene experiencias en las organizaciones como las de estas tres personas. No obstante, esas descripciones plantean aspectos éticos derivados de problemáticas que crean las organizaciones de negocios: empleados alienados que realizan trabajo repetitivo, sentimientos de opresión que derivan del ejercicio de la autoridad, responsabilidades pesadas y acumuladas en los hombros de los gerentes, estrategias de poder que emplean gerentes ansiosos por avanzar en sus ambiciones profesionales, y presiones en subalternos y superiores mientras unos y otros tratan de realizar sus trabajos. A la lista se pueden añadir otros temas éticos: problemas de salud que se originan por inseguridad en las condiciones de trabajo; conflictos de intereses que se generan por la lealtad de los empleados a otras causas; la ausencia de procedimientos justos para trabajadores no sindicalizados, y la invasión de la privacidad por la legítima preocupación de los gerentes de conocer lo que ocurre en la organización que administran. La lista podría continuar.

Este capítulo explora esos y otros problemas que plantea la vida dentro de las organizaciones de negocios y se divide en tres partes principales. La primera describe el modelo tradicional de la organización, es decir, como una estructura "racional". Luego, en las siguientes secciones se analizan las obligaciones del empleado con la empresa, y las del empleador con el empleado, tal como las define el modelo tradicional. La segunda parte del capítulo caracteriza lo que algunos consideran una perspectiva más realista de la organización, esto es, como estructura "política". Las secciones de este capítulo analizan dos temas éticos principales que plantea el análisis "político" más reciente de la empresa: los derechos de los empleados y las políticas organizacionales. La tercera parte trata sobre una nueva perspectiva de la organización: como una red de relaciones personales. El análisis de esta tercera perspectiva más reciente (y aún en evolución) es, por necesidad, mucho más breve que los análisis anteriores, que tienen una historia de desarrollo mucho más larga.

## 8.1 La organización racional

El **modelo "racional" de una organización de negocios** tradicional la define como una estructura de relaciones formales (que se definen de forma explícita y de uso abierto), y están diseñadas para lograr alguna meta técnica o económica con la máxima eficiencia.[4] E. H. Schein proporciona una definición breve desde esa perspectiva:

> Una organización es la coordinación racional de las actividades de un número de personas para el logro de algún propósito o meta explícita común, mediante la división del trabajo y de las funciones, y a través de una jerarquía de autoridad y de responsabilidad.[5]

Si vemos a la organización de esta forma, entonces, las realidades más fundamentales son las **jerarquías formales de autoridad** identificadas en el organigrama que representa sus distintos puestos oficiales y sus líneas de autoridad. La figura 8.1 muestra un ejemplo simplificado.

En la base de la organización está el **"nivel operativo"**: aquellos empleados y sus supervisores inmediatos que producen de forma directa los bienes y servicios que constituyen los productos esenciales de la organización. El trabajo del soldador de Ford, mencionado

**modelo racional de una organización de negocios** Una perspectiva de la organización que la considera como una estructura de relaciones formales (que se definen de forma explícita y de uso abierto), y están diseñadas para lograr alguna meta técnica o económica con la máxima eficiencia.

**jerarquías formales de autoridad** Los puestos y las relaciones identificados en el organigrama, que representan los diferentes puestos oficiales y las líneas de autoridad en la organización.

**nivel operativo** Los empleados y sus supervisores inmediatos que producen de forma directa los bienes y los servicios que constituyen los productos esenciales de la organización.

**Figura 8.1**

🔍 Vea la **imagen** en

**mythinkinglab.com**

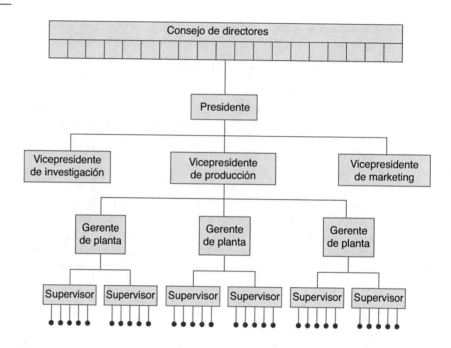

**gerentes intermedios** Los gerentes que dirigen las unidades que están debajo de ellos y que, a su vez, son dirigidos por quienes están sobre ellos en las líneas formales ascendentes de autoridad.

**alta gerencia** El consejo de directores, el funcionario ejecutivo principal y el personal del director ejecutivo (CEO).

al principio de este capítulo, se encuentra en este nivel. Por arriba del nivel operativo, existen niveles ascendentes de **gerentes intermedios** que dirigen a las unidades que están debajo de ellos y que, a la vez, son dirigidos por quienes están arriba en las líneas formales ascendentes de autoridad. El gerente de planta, mencionado con anterioridad, trabajaba en estos niveles medios. En la cúspide de la pirámide está la **alta gerencia**: el consejo de directores, el funcionario ejecutivo principal (*chief executive officer*, CEO) y otros funcionarios de la compañía como el presidente, el director de finanzas (*chief financial officer*, CFO), el director de tecnología (*chief technology officer*, CTO), el director de recursos humanos (*chief human resources officer*, CHRO) y los diversos vicepresidentes. El ex presidente que ya se mencionó se ubicaba en estos niveles.

El modelo racional de una organización supone que la mayoría de la información se reúne a partir de sus niveles operativos, sube a través de los diferentes niveles administrativos formales, cada uno de los cuales añade información, hasta que alcanza los niveles de la alta gerencia. Con base en esta información, los altos gerentes toman decisiones de política general y dan órdenes sobre asuntos generales que luego se transmiten hacia abajo a través de la jerarquía formal, donde se amplían en cada nivel administrativo hasta alcanzar el nivel operativo con instrucciones de trabajo detalladas. Se supone que estas decisiones de los altos gerentes están diseñadas para lograr alguna meta económica más o menos conocida, como eficiencia, productividad, utilidades, recuperación máxima de la inversión, etcétera. Los altos funcionarios de la jerarquía de autoridad definen la meta, ya que se supone que cuentan con un derecho legítimo de tomar esa decisión.

¿Cuál es la razón por la que se mantienen juntos los niveles de empleados y gerentes y además fija la posición de cada una de esas personas dentro de las metas y la jerarquía formal de la organización? Los contratos. El modelo concibe al empleado como un agente que convino de forma libre y deliberada aceptar la autoridad formal de la organización y dedicarse a sus metas, a cambio de un salario y condiciones de trabajo justas. Estos acuerdos contractuales (algunos explícitos y otros implícitos) consolidan a cada empleado dentro de la organización, al definir de manera formal sus obligaciones y sus ámbitos de autoridad. En virtud de este acuerdo contractual, el empleado tiene la responsabilidad moral de obedecer al empleador mientras trata de lograr las metas de la organización, y este a su vez tiene la responsabilidad moral de ofrecer al empleado los salarios y las condiciones laborales que le prometió. Como ya se analizó con cierta profundidad, cuando dos personas acuerdan con libertad y conocimiento intercambiar bienes o servicios entre sí, cada parte adquiere la obligación ética de cumplir con los términos del contrato. La teoría utilitaria apoya la perspectiva de que el empleado está obligado a trabajar para lograr las metas de la empresa con fidelidad: los negocios no podrían funcionar con eficiencia y productividad si los empleados no dedicaran toda su atención a las metas de la compañía. Si cada uno contara con la libertad de utilizar los recursos de la empresa para perseguir fines personales, sería un caos y la utilidad de cada quien disminuiría.

Las responsabilidades éticas básicas que emergen de estos aspectos "racionales" de la organización se enfocan en dos obligaciones morales recíprocas: *a*) la obligación del empleado de obedecer a sus superiores, trabajar para las metas organizacionales, y evitar cualquier actividad que pueda amenazar dichas metas; y *b*) la obligación del empleador de proporcionar al empleado un salario y condiciones de trabajo justos. A continuación examinamos esas dos obligaciones recíprocas.

## Obligaciones del empleado hacia el empleador

En la perspectiva racional de la empresa, la principal obligación moral del empleado es trabajar para los objetivos de la empresa y evitar cualquier actividad que pueda perjudicarlos. Básicamente, la falta de ética consiste en la desviación de las metas para servir a los propios intereses en formas que, en caso de que sean ilegales, se consideran "delito de cuello blanco".[6]

Como administrador de las finanzas de la compañía, por ejemplo, el gerente de finanzas es el encargado de sus recursos y tiene la responsabilidad de administrarlos en una forma que minimice el riesgo y, al mismo tiempo, asegure una tasa de rendimiento apropiada para los accionistas de la compañía. Los gerentes financieros tienen esta obligación contractual con la empresa y con sus inversionistas porque los contratan para proporcionar su mejor juicio y para ejercer su autoridad solo para el logro de las metas de la compañía y no para su beneficio personal. Los gerentes de finanzas no cumplen sus obligaciones contractuales con la empresa cuando malversan los fondos, desperdician o malgastan los recursos, son negligentes o fraudulentos al preparar estados financieros, publican informes falsos o engañosos, etcétera.

Esas perspectivas tradicionales de las obligaciones del empleado hacia la empresa se han incorporado en la **"ley de agencia"**, es decir, la ley que especifica las obligaciones legales de los "agentes": los empleados hacia sus "directores" (los empleadores).[7] Por ejemplo, el "replanteamiento" de la ley de agencia establece en la Sección 385 que "un agente está sujeto a la obligación de actuar únicamente para el beneficio del director en todos los asuntos vinculados con su agencia"; y la Sección 394 prohíbe que el agente actúe "para personas cuyos intereses estén en conflicto con los del director en los asuntos para los que está empleado el agente".[8] En pocas palabras, el empleado debe trabajar para las metas de la compañía y no debe hacer nada que entre en conflicto con ellas mientras trabaje para la empresa.

Existen muchas formas en las que el empleado puede fallar en el cumplimiento de su obligación de trabajar para las metas de la compañía: el empleado participa en un "conflicto de intereses", roba a la firma o utiliza su puesto para obtener ganancias ilícitas de otros a través de la extorsión o el soborno comercial. Ahora examinaremos los aspectos éticos que planten esas estrategias.

**Conflictos de intereses** Los **conflictos de intereses** en los negocios surgen cuando un empleado o funcionario de una empresa *a*) se implica en llevar a cabo cierta tarea (o usar su juicio) para su empleador, *b*) el empleado tiene un interés que le proporciona un incentivo o motivo para hacer la tarea (o ejercer su juicio) de tal forma que sirva a su interés, y *c*) el

---

*Repaso breve 8.1*

**El modelo racional de una organización de negocios**

- Las jerarquías formales que se identifican en el organigrama son las realidades fundamentales de la empresa.
- Las organizaciones buscan coordinar las actividades de los miembros para alcanzar sus metas con la máxima eficiencia.
- La información surge de la base de la organización hacia la cúspide.
- Los contratos obligan al empleado a esforzarse en lograr las metas de la organización con fidelidad y al empleador a ofrecer un salario y condiciones de trabajo justos.

**ley de agencia** Parte de la ley que especifica las obligaciones legales de los "agentes" (los empleados) hacia sus "directores" (los empleadores).

**conflictos de intereses** Ocurren cuando los empleados tienen un interés que los motiva a trabajar de una forma que sirva a ese interés y no necesariamente a los intereses del empleador, al que está obligado a servir.

**conflictos de intereses objetivos** Conflictos de intereses que se basan en relaciones financieras.

**conflictos de intereses subjetivos** Conflictos de intereses que se basan en vínculos emocionales o en relaciones personales.

empleado está obligado a hacer la tarea (o ejercer su juicio) de manera que sirva a los intereses de su compañía y esté libre de cualquier incentivo para servir otro interés. En términos más sencillos, los conflictos de intereses surgen cuando un empleado tiene un interés que le motiva a hacer su trabajo de tal forma que sirve a ese interés y no necesariamente a los intereses de su empleador al que está obligado a servir. Suponga que, por ejemplo, Mary es empleada de una gran compañía y su trabajo es elegir el proveedor de la materia prima de su empleador. Suponga que también posee una pequeña empresa que elabora el tipo de materia prima que su empleador necesita. Entonces, su interés en que su propia empresa gane dinero le da un incentivo para elegirla con la finalidad de que suministre la materia prima, aun cuando no ofrezca los mejores términos a su empleador.

Es importante señalar que la simple *existencia* de un interés que *pudiera* influir o motivar las acciones de un empleado para el empleador es suficiente para crearle un conflicto de intereses, aún si no permite que el interés influya en él. Esto es, la mera existencia de un incentivo o motivo de esa naturaleza, incluso si no influye en las acciones del empleado de ninguna manera, es suficiente para considerarlo como conflicto de intereses. Por ejemplo, suponga que John está tratando de elegir el proveedor al que su empleador le comprará la materia prima. Y suponga que John decide con toda honestidad ser completamente objetivo cuando elija a los proveedores, y también resuelve ser honesto y no elegir su propia compañía a menos que esta sea la que le ofrezca los mejores términos a su empleador. Y suponga que, en realidad, es objetivo y termina no eligiendo su propia empresa porque no ofrecía los mejores términos. No obstante, John entró en un conflicto de intereses, porque tuvo un incentivo o motivo para elegir su propia empresa, y la mera existencia de ese incentivo o motivo es un conflicto de intereses, incluso si al final no influye sobre lo que hace para su empleador, esto es, incluso si al final no actuó siguiendo ese incentivo o motivo.

Los conflictos de intereses no requieren ser financieros. Suponga una vez más que Mary sigue en su trabajo de elegir proveedor para su empleador. Y suponga ahora que su hijo es vendedor de una de las empresas que proporciona esa materia prima. Dado que ella está interesada en ver que su hijo logre el éxito en su trabajo, tiene un incentivo para darle el negocio de su empleador, incluso si otras empresas ofrecen mejores términos para la misma materia prima. Por lo tanto, Mary está en un conflicto de intereses, pero en este caso no es un interés financiero porque pretende ayudar a alguien con el que guarda una estrecha relación. Los conflictos de intereses que se basan en relaciones financieras en ocasiones se conocen como **conflictos de intereses *objetivos***, mientras que los que se basan en vínculos emocionales o en otros tipos de relaciones personales a veces se denominan **conflictos de intereses *subjetivos***.

También surgirían conflictos de intereses cuando los funcionarios o los empleados de una compañía tienen otro trabajo o puesto de consultoría en una empresa externa con la que su propia compañía trata o compite. Un empleado de un banco, por ejemplo, se podría involucrar en un conflicto de intereses si acepta un trabajo en un banco de la competencia. Cuando menos, la lealtad del empleado se dividiría entre servir a los intereses de cada banco competidor. Dado que los bancos compiten entre sí, el empleado podría ayudar a uno al darle información bancaria del otro, y perjudicar al segundo, al que también estaba obligado a servir pero no lo cumplió. De forma similar, se crearía un conflicto de intereses si una contadora que trabaja para una compañía aseguradora también proporciona servicios "independientes" de auditoría a alguna de las empresas que la compañía aseguradora atiende: se podría sentir tentada a comunicar a la compañía de seguros (un empleador) parte de la información privada que reúne cuando audita los libros de las otras empresas (que también la están empleando). Pasar la información servirá los intereses de su propia compañía, pero como auditora independiente, también tiene la obligación de servir los intereses de las compañías que la contrataron para hacer sus auditorías, obligación que no cumpliría.

Los conflictos de intereses pueden ser reales o potenciales.[9] Un **conflicto de intereses** *potencial* ocurre cuando un empleado tiene un interés que puede influir en lo que hace para su compañía si este realizara cierta tarea *que aún no le ha sido asignada*. Un **conflicto de intereses** *real* surge cuando un empleado tiene un interés que podría influir en lo que hace para su empleador cuando realiza cierta tarea *que ya le ha sido asignada*. Por ejemplo, Alma solo tiene un conflicto de intereses *potencial* si posee acciones de una compañía constructora que licita para un trabajo de construcción que su empleador necesita que se haga, pero ella no toma parte en la selección de la compañía que su empleador elegirá. Por otro lado, su conflicto de intereses se vuelve un conflicto *real* si a ella se le asigna el trabajo de seleccionar a la compañía que hará el trabajo para su empleador. Observe que la diferencia entre un conflicto potencial y real de intereses depende de la *tarea* que se supone que el empleado debe realizar, y no de si el interés influye o no en el empleado.

Si aceptamos la perspectiva (descrita en el capítulo 2) de que los convenios imponen obligaciones morales, entonces, los conflictos reales de intereses no son éticos porque son contrarios al acuerdo implícito que establece con libertad un individuo cuando acepta un empleo para una compañía. El personal de la empresa está contratado para desempeñar su trabajo de tal forma que sirva a los intereses de esta. Al asumir el puesto, los empleados aceptan que sus juicios y acciones no entorpecen la realización de los intereses de la empresa. Entonces, obstaculizar de manera deliberada el propio juicio o las propias acciones al crear un interés que afecta a la empresa viola los derechos y las obligaciones convenidos y, por lo tanto, no es ético. Los conflictos de intereses tampoco son éticos según los conceptos utilitaristas. Si se permite a los empleados tener conflictos de intereses, entonces, estos podrían, en efecto, contar con incentivos para servir a sus propios intereses a expensas de los de sus patrones. Esto podría: **1.** dar como resultado muchos casos en que los actos de los empleados dañan a los empleadores, y **2.** minar la confianza que los empleadores necesitan tener en los empleados que trabajan para su beneficio y, por lo tanto, reducir la utilidad de la relación entre empleado y empleador.

Como se ha visto, se puede presentar un conflicto de intereses aun cuando el interés involucrado en realidad no influya en el empleado, pero *pudiera* hacerlo. A veces se pregunta si hay alguna guía general para determinar cuándo el interés de un empleado es tan significativo que podría influir en su trabajo o juicio, es decir, como para que constituya un incentivo o motivo incluso cuando el empleado no permita que le influya. Aquí, no hay líneas generales porque mucho depende del puesto del empleado en la compañía y de la naturaleza de sus tareas, y de qué tan firmes son como para obtener ganancias de las transacciones implicadas, y del efecto que sus actos causarán en otros dentro y fuera de la compañía. Para evitar problemas, muchas compañías *a)* especifican la cantidad exacta de acciones, si acaso, que la compañía permitirá a los empleados poseer en empresas con las que hace negocios o con las que compite; *b)* especifican las relaciones que la compañía prohíbe a los empleados con los competidores, compradores, o proveedores; y *c)* exigen a los funcionarios clave que revelen todas sus inversiones financieras externas.

Incluso, algunos analistas afirman que es incorrecto permitir un *aparente* conflicto de intereses. Un **conflicto de intereses** *aparente* es una situación en la cual un empleado no tiene un conflicto real, pero en la que otras personas que observan la situación pueden llegar a creer (falsamente) que existe un conflicto de intereses real. Suponga, por ejemplo, que yo poseo una compañía de construcción que licita propuestas para un trabajo de construcción que mi empleador quiere realizar. Y suponga que yo no tomo parte en la selección de la compañía de construcción y no tengo ninguna influencia sobre la selección. Entonces, es evidente que yo no tengo un conflicto de intereses *real*. Pero suponga, además, que mi empleador elige a mi empresa sin saber que es mía, y que otras compañías constructoras descubren que se eligió a mi compañía. Entonces, esas otras compañías quizá crean que yo influí en mi empleador de manera ilícita y, por lo tanto, que entré en

**conflictos de intereses potenciales** Ocurren cuando un empleado tiene un interés que podría influir en lo que hace para su empleador, si el empleado necesitara realizar para él cierta tarea *que aún no le ha sido asignada*.

**conflicto de intereses real** Surge cuando un empleado tiene un interés que podría influir en los juicios que hace para su empleador cuando realiza cierta tarea *que ya le ha sido asignada*.

**conflicto de intereses aparente** Una situación en la que un empleado no tiene un conflicto real, pero en la que otras personas que observan la situación pueden llegar a creer (falsamente) que existe un conflicto de intereses real.

un conflicto de intereses real y por ello la selección de mi compañía fue injusta. De esa manera, incluso un conflicto de intereses *aparente* socava la confianza de la gente en la justicia y la imparcialidad de los procedimientos que es necesario considerar justos e imparciales (si estos procedimientos los acepta y utiliza la gente). Por esa razón, se suele afirmar que no es correcto permitir ni siquiera un conflicto de intereses aparente.

Hay tres formas principales con las que los empleados evitarían conflictos de intereses o se librarían de ellos si surgieran. Dijimos antes que existe un conflicto de intereses cuando se dan tres condiciones: un empleado o funcionario de una empresa *a*) está comprometido a llevar a cabo cierta tarea para su empleador, *b*) el empleado tiene un interés que le da el incentivo para hacerla de tal manera que sirva a ese interés, y *c*) el empleado está obligado a hacer la tarea de tal manera que sirva los intereses de su compañía sin ningún otro incentivo que sirva a otro interés. Los conflictos de intereses se evitarían al asegurar que esos tres elementos no se presenten de manera simultánea; por otra parte, cuando surgen, se eliminarían al quitar uno de los tres elementos. Suponga, por ejemplo, que yo tengo un conflicto de intereses porque soy dueño de una de las compañías que licita una propuesta para un contrato de construcción, y yo soy quien elige a la compañía que obtendrá el contrato. Entonces, yo puedo eliminar este conflicto de intereses en una de tres maneras: **1.** Puedo renunciar a realizar la tarea que crea el conflicto de intereses, en este caso, elegir a quien obtendrá el contrato; es decir, puedo pedir a mi jefe que me "recuse" de la tarea de elegir a quien obtendrá el contrato, o puedo "recusarme" yo mismo. **2.** Puedo eliminar mi interés por el resultado de la tarea, en este caso el poseer una de las compañías que se licitan; es decir, puedo vender o liberarme de otra forma de la propiedad de la compañía. **3.** Puedo eliminar o cambiar mi obligación de hacer la tarea de tal manera que sirva a los intereses de mi compañía sin ningún incentivo para servir a otro interés. Por ejemplo, puedo abandonar a mi empleador y, entonces, ya no estaré en la obligación de servirlo. O puedo revelarle mi interés, es decir, decirle que soy dueño de una de las compañías que están licitando. Entonces, quizá él me permita continuar en mi tarea y me permita seguir con mi interés, tal vez porque pueda monitorear mis decisiones para asegurarse de que mi interés no influya en mi juicio o porque me conoce y confía en mí. Como mi empleador permite de manera explícita desempeñar esa tarea, aun cuando tengo ese incentivo, ya no estoy obligado a estar libre de esa motivación para servir otro interés mientras realizo mi tarea. Aunque todavía estoy obligado a servir a los intereses de mi empleador, ya no tengo que ser libre del incentivo que surge de poseer una de las compañías que licitan. Mi empleador cambió mi obligación al permitirme evaluar las propuestas aun cuando una de ellas sea la de mi compañía. Sin embargo, dado que todavía estoy obligado a servir sus intereses, me debo esforzar para ser objetivo al momento de evaluar las propuestas, y debo hacer todo lo posible para asegurar que no estaré influido por el hecho de que una de las propuestas es mía.

Los conflictos de intereses se crean por diferentes tipos de situaciones y actividades, pero hay dos casos que demandan mayor atención: los sobornos y los regalos.

*Sobornos y extorsión comerciales* Un **soborno comercial** es algo de valor que una persona externa da u ofrece a un empleado en el entendimiento de que, cuando este tramite negocios para la empresa, hará tratos favorables con esa persona o con su compañía. La consideración quizá consista en dinero, bienes tangibles, la "comisión" clandestina de una parte de un pago, un trato preferencial, o cualquier otro tipo de beneficio. Un agente de compras, por ejemplo, acepta un soborno cuando recibe dinero de un proveedor que se lo da para recibir un trato favorable en las decisiones de compra del agente. En contraste, un empleado se involucra en **extorsión comercial** si *demanda* una consideración especial a personas externas a la compañía como condición para hacer tratos favorables con ellas cuando haga negocios para la empresa. Por ejemplo, los agentes de compras que solo compran a los vendedores que les dan ciertas comisiones clandestinas están involucrados en

---

*Repaso breve 8.3*

**Un conflicto de intereses se puede evitar o eliminar si**

- Uno se "recusa" (retira) de la tarea en la que surge el conflicto de intereses.
- Elimina el interés que crea el conflicto de intereses.
- Elimina o cambia la obligación de servir a los intereses del empleador y queda libre de cualquier incentivo para servir a otro interés mientras sirva al empleador.

**soborno comercial** Una consideración dada u ofrecida a un empleado por una persona externa a la compañía en el entendimiento de que, cuando tramite negocios para la empresa, hará tratos favorables con esa persona o con su empresa.

**extorsión comercial** Ocurre cuando un empleado demanda una consideración a personas externas a la compañía como condición para realizar tratos favorables con ellas cuando haga negocios para la compañía.

una extorsión. La extorsión y la aceptación de sobornos obviamente crean un conflicto de intereses que viola el acuerdo contractual del empleado de utilizar el propio juicio imparcial al trabajar para su empleador.

*Regalos*  La aceptación de regalos puede o no ser ética. Por ejemplo, el agente de compras que acepta pequeños regalos del agente de ventas sin pedirlos y sin establecerlos como condición para hacer negocios, tal vez no incurra en un acto inmoral. Si el agente no da un trato privilegiado a aquellos de quien acepta regalos, y no está prejuiciado contra aquellos que no se los dan, no existe un conflicto de intereses real. Sin embargo, quizá haya un conflicto de intereses potencial y el acto aliente una práctica que en algunos casos se convierta en un conflicto de intereses real o que afecte de manera sutil la independencia del juicio de una persona. Vincent Barry sugiere que se deben considerar los siguientes factores al evaluar la ética del hecho de aceptar un regalo:[10]

1. ¿Cuál es el valor del regalo?, es decir, ¿es lo suficientemente sustancial como para influir en las propias decisiones?
2. ¿Cuál es el propósito del regalo?, es decir, ¿tiene la intención de ser o se acepta como un soborno?
3. ¿Cuáles son las circunstancias en las que se dio el regalo?, es decir, ¿el regalo se obsequia de forma abierta? ¿Se dio para celebrar un evento especial (Navidad, un cumpleaños, la inauguración de una tienda)?
4. ¿Qué puesto ocupa quien recibe el regalo?, es decir, ¿el receptor está en posición de afectar los tratos de su propia compañía con quien da el regalo? ¿La persona que da el regalo pretende beneficiarse de las acciones de quien lo recibe?
5. ¿Cuál es la práctica de negocios que se acepta en el área?, es decir, ¿el regalo forma parte de una práctica abierta y bien conocida en la industria?
6. ¿Cuál es la política de la empresa?, es decir, ¿la compañía prohíbe aceptar regalos?
7. ¿Qué dice la ley?, es decir, ¿el regalo está prohibido por la ley como cuando los prohíbe en el reclutamiento de deportistas?

> **Repaso breve 8.4**
>
> **La ética de aceptar regalos depende de**
> - El valor del regalo.
> - El propósito del regalo.
> - Las circunstancias del regalo.
> - El trabajo de quien recibe el regalo.
> - Las prácticas públicas locales aceptadas.
> - Las políticas de la compañía sobre los regalos.
> - Las prohibiciones legales sobre los regalos.

*Robo de los empleados*  Pxarte del acuerdo de un empleado con su empleador es que usará los recursos y los bienes de la empresa sólo para alcanzar las metas legítimas de esta. Por lo tanto, el hecho de que el empleado use esos recursos para su propio beneficio es una forma de robo, porque hacerlo implica tomar o utilizar la propiedad que pertenece a otro (el empleador), sin el consentimiento de su propietario por derecho.

Con frecuencia el robo del empleado es pequeño e involucra herramientas pequeñas, artículos de oficina o ropa. A nivel administrativo, en ocasiones ocurren pequeños robos por medio de la manipulación o de la exageración de cuentas de gastos, aunque algunas veces las cantidades implicadas son sustanciales. Otras formas de robo administrativo, en ocasiones llamadas *delito de cuello blanco*, son peculado, latrocinio, fraude en el manejo de consorcios o sindicatos, y falsificación. Sin embargo, la ética de estas formas de robo es relativamente clara.

Lo que no siempre está claro es lo que sucede con algunos tipos de robo particularmente modernos: aquellos que implican varias formas de información. Por ejemplo, ingresar de manera no autorizada al banco de datos de una compañía cuando no hago otra cosa que echarle un vistazo o copiar los programas de cómputo o sus datos computarizados si hacerlo no cambiará el original. A menos que exista una autorización explícita o mediante políticas formales o informales, todas las actividades de ese tipo son formas de robo, porque todas implican tomar o utilizar la propiedad de otro sin el consentimiento de su dueño. El hecho de que no dañe, cambie o saque lo que usé para mi propio beneficio es irrelevante ante el simple hecho de que usé propiedad sin el permiso de su dueño. La principal diferencia entre la propiedad que se toma en estos ejemplos y la mayor parte de otro tipo de propiedad, desde luego, es que lo que se toma en estos ejemplos es información, la que contiene un banco de datos o los programas propiedad de la empresa y no son propiedad tangible, y los empleados que examinan, utilizan, o copian programas o información de este tipo y tal vez los dejen sin cambios (quizá la compañía nunca se dé cuenta de lo que hizo el empleado). No obstante, la revisión, el uso o la copia no autorizados de información o programas de cómputo constituye un robo.

Es más fácil entender este tipo de robo si se considera la naturaleza de la propiedad, la cual examinamos en el capítulo 3: la propiedad consiste en un conjunto de derechos exclusivos que tiene una persona con respecto a un activo específico. "Exclusivo" significa aquí que el derecho pertenece solo al dueño y excluye a todos los demás, excepto a aquellos que el dueño autorice. El más importante de estos derechos exclusivos es el derecho de usar el bien; el derecho de decidir si otros pueden utilizarlo y cómo; el derecho de venderlo, industrializarlo o regalarlo; el derecho de cualquier ingreso u otro beneficio que genera el bien; y el derecho de modificarlo.[11] (Estos derechos, como todos los demás, están limitados por el derecho de otros, como es el de no dañar). Todos estos derechos se aplican a cualquier información, incluyendo la digitalizada y los programas de cómputo para cuyo desarrollo la compañía utilizó sus propios recursos o que compró con sus propios recursos. En consecuencia, este tipo de información y programas son propiedad de la empresa, y solo esta posee el conjunto de derechos exclusivos relacionados con su propiedad, incluyendo el derecho a su uso o a los beneficios que se deriven de usarla. La usurpación de cualquiera de los derechos atribuidos a la propiedad, incluyendo los derechos pertinentes al uso, es una forma de robo, aun cuando la propiedad consista en información e incluso si al usarla, la copia original no cambia.

A veces se defiende el hecho de copiar información digitalizada con el fundamento de que "no perjudica a nadie"; pero, como se vio en el análisis de los derechos morales del capítulo 2, en cuanto a lo que concierne a las violaciones de los derechos, es un error que una persona diga que no hizo nada incorrecto porque "no lastimó a nadie". Se vio que se pueden violar los derechos de un individuo y se puede hacer algo incorrecto aun cuando no se lastime o dañe de ninguna manera al individuo. (Esto, como se vio, es una de las maneras en las que las consideraciones de los derechos morales se diferencian de las consideraciones utilitarias). Usar lo que le pertenece a alguien sin su permiso es una violación de sus derechos de propiedad, en particular del derecho a usar o dejar que otros usen su posesión solo como él decida. Cuando se violan los derechos de propiedad de un individuo, se comete un acto incorrecto en su contra, aun cuando la violación de esos derechos del dueño no le haya infligido ningún daño e incluso si este nunca descubre que violaron sus derechos. Por lo tanto, cuando un empleado usa la propiedad de su empleador para beneficiarse sin su consentimiento, está haciendo algo incorrecto sin importar si el empleado haya o no cambiado o dañado la propiedad original y sin importar si se perjudicó o lastimó al empleador. La violación del derecho de propiedad es incorrecta en sí misma y, por consiguiente, no requiere la imposición adicional de daño.

Hay cierta información que recibe el nombre de "información patentada" o "secretos industriales". Se trata de información que no es pública y a) se refiere a las actividades, tecnologías, planes futuros, políticas o registros propios de la compañía; que al conocerlos la competencia se afecta de forma material la capacidad de aquella para competir comercialmente contra ellos; b) es propiedad de la empresa (aunque no esté patentada o registrada) porque ella la desarrolló para su uso privado a partir de recursos que posee o que compró a otros con sus propios fondos; y c) la empresa indica por medio de directrices explícitas, medidas de seguridad, o convenios contractuales con los empleados que no desea que nadie externo a la compañía tenga esa información. Por ejemplo, si una empresa, al usar sus propios recursos de ingeniería y laboratorio, desarrolla un proceso secreto para fabricar discos de computadora que almacenan más datos de cómputo que los de cualquier otra compañía, y toma medidas explícitas para asegurarse de que el proceso no sea del conocimiento de nadie más, la información detallada acerca del proceso es un *secreto industrial*. De forma similar, las listas de proveedores o clientes, los resultados de investigaciones, las fórmulas, los programas y los datos de cómputo, los planes estratégicos o de marketing y producción, y cualquier otra información que desarrolla una empresa o sus empleados para el uso privado de la compañía a partir de sus propios recursos constituyen secretos industriales. Puesto que los empleados, de forma especial aquellos implicados en la investigación y el desarrollo de la compañía, suelen tener acceso a secretos industriales que la empresa les confía para llevar a cabo sus negocios, con frecuencia tienen la oportunidad de utilizarlos para su propio beneficio al negociar con los competidores. El uso no autorizado de secretos industriales de parte de los empleados no es ético, porque utilizan la propiedad de otro agente para un propósito que él no aprobó, y porque el empleado cuenta con un contrato implícito (o incluso en algunos casos, uno explícito) de no utilizar los recursos de la compañía para propósitos que esta no aprobó.[12] Por ejemplo, una ingeniera a la que se contrata para supervisar el desarrollo de un proceso de fabricación secreto que proporciona a su empresa una ventaja sobre la competencia, actúa de forma incorrecta si decide dejar su trabajo para emplearse con un competidor que le promete un salario mayor a cambio de establecer el mismo proceso que desarrolló mientras trabajaba para su primer empleador.

Pero llevarse información que los empleados adquirieron mientras trabajaban para una compañía hace surgir una cuestión importante: ¿cómo se diferencia esa *información* de las *habilidades* que uno adquiere mientras trabaja para una compañía? La distinción es importante porque las habilidades que adquiere un empleado al trabajar para una empresa por lo general se consideran parte de su propia persona y, entonces, no son propiedad del empleador, mientras que la información confidencial sí lo es. Es de lamentar que no siempre sea fácil distinguir entre ambas, porque muchas habilidades de alto nivel consisten, en parte, en "saber cómo hacer las cosas", lo que se puede considerar un tipo de información. En esos casos, sería prácticamente imposible separar la habilidad de la información. La situación, por ejemplo, podría ser similar a la de Donald Wohlgemuth, un gerente general insatisfecho con su salario y con sus condiciones de trabajo, que dirigía una tecnología secreta de B. F. Goodrich para fabricar trajes espaciales para el gobierno.[13] Wohlgemuth negoció un empleo con International Latex, un competidor de Goodrich, por un salario mucho más alto y mayores responsabilidades. En Latex, sin embargo, él debía manejar una división que implicaba, entre otras cosas, la fabricación de trajes espaciales para el gobierno. Los gerentes de Goodrich se opusieron a que trabajara para un competidor con el que podría utilizar la información privilegiada que la empresa había desarrollado conforme él adquiría experiencia en la fabricación de esos trajes. Cuando ellos cuestionaron la ética de su decisión, Wohlgemuth de forma acalorada (y quizá sin pensarlo) replicó que "la lealtad y la ética tienen su precio e International Latex lo ha pagado", una respuesta que Goodrich interpretó como una confesión de que le estaba dando sus secretos industriales a Latex. La corte de apelaciones de Ohio decretó que Goodrich no podía impedir que Wohlgemuth vendiera sus *habilidades* a otro competidor, pero impuso a este un mandato restrictivo de no revelar a Latex ninguno de los *secretos industriales* de B. F. Goodrich. Sin embargo, la corte no explicó cómo Wohlgemuth, Goodrich o Latex iban a diferenciar la "información" y las "habilidades" que había adquirido cuando trabajaba para Goodrich. Al final, Wohlgemuth continuó realizando lo que hacía para Latex y, desde la perspectiva de Goodrich, continuó haciendo uso de (y por lo tanto, robando) la información confidencial que ellos habían desarrollado durante años.

Algunas empresas han tratado de evitar el problema de los secretos industriales —de las habilidades adquiridas— al hacer que los empleados firmen contratos en los que acepten no trabajar para los competidores 1 o 2 años después de abandonar la empresa, pero las cortes generalmente cuestionan la validez de estos contratos. Otras empresas han resuelto estos problemas acordando proporcionar a los empleados que se van una remuneración continua o beneficios futuros de retiro a cambio de que no revelen información de

---

*Repaso breve 8.5*

**Robo de información**

- Incluye el robo de programas digitalizados, música, películas, libros electrónicos, etc., así como secretos industriales, planes de la compañía y fórmulas o información con patente.

- Es un robo aun cuando no se extraiga ni se cambie el original, sino que se copie, examine o use sin el permiso del dueño.

- Viola el derecho del dueño de que la propiedad se use como él decida, aun cuando el ladrón no dañe los intereses del propietario.

- Las habilidades que uno adquiere mientras trabaja en una compañía no es información y, por lo tanto, no se considera un robo al ejercerlas cuando uno deja la empresa, aunque a menudo es difícil distinguir las habilidades de la información.

# Los secretos de HP y la nueva contratación de Oracle

El 6 de agosto de 2010, el consejo de directores de la empresa de computadoras Hewlett-Packard (HP) despidió a Mark Hurd, director ejecutivo de la empresa. Previamente Jodie Fisher —ex modelo de *Playboy* contratada para trabajar en los eventos de marketing de HP— lo acusó de acoso sexual. Los investigadores encontraron que Hurd no había violado las políticas contra el acoso sexual de la empresa, pero dijeron que había falsificado algunas cuentas de gastos, aparentemente para encubrir su relación con Fisher, una relación que él, un hombre casado, insistió que no era sexual. Las cuentas falsificadas violaban los estándares éticos de negocios escritos de HP, dijo el consejo, así que tuvieron que despedirlo, aunque su contrato especificaba que debían darle casi $30 millones de compensación por despido. El monto de la compensación se debía en parte al hecho de que cuando Hurd se convirtió en director ejecutivo, HP se encontraba en problemas y él no solo revirtió la situación, sino que incrementó las utilidades de la empresa en casi un 50 por ciento, por lo que los accionistas le estaban sumamente agradecidos. Aunque dijo que no preparaba personalmente sus informes de gastos, Hurd admitió: "Hubo casos en los que no viví de acuerdo con los estándares y principios de confianza, respeto e integridad a los que me había comprometido con HP, y que me habían guiado durante toda mi carrera".

Casi un mes después de dejar la empresa, Hurd anunció que Oracle lo contrató como su nuevo presidente con un sueldo de $950,000 al año más un bono de $10 millones y un total de 10 millones de opciones accionarias de Oracle. Al igual que HP, Oracle es también una empresa de computación y, por lo tanto, uno de sus competidores principales. Como ex director ejecutivo de HP, Hurd conocía sus debilidades, los futuros productos, precios, márgenes, clientes, planes de adquisiciones, descubrimientos en investigación y las estrategias de la empresa incluso cómo planeaba competir con Oracle. Algunos medios informativos hicieron notar que el conocimiento que Hurd tenía del interior de "las estrategias de HP, sus mercados y sus clientes empresariales" de seguro ayudaría a Oracle. El consejo de HP estuvo de acuerdo y demandó a Hurd, y señaló que él había firmado un "acuerdo de confidencialidad" para mantener en secreto toda la información de HP especialmente con respecto a sus competidores, y que en su nueva posición, él podía desempeñar sus deberes en Oracle y usar y apoyarse en los secretos comerciales de HP y su información confidencial. Los abogados de Hurd argumentaron que HP posee tantas líneas de negocio, que el acuerdo de confidencialidad prácticamente habría borrado toda posibilidad de que él hubiera obtenido un empleo en el cual pudiera haber desplegado sus destrezas ejecutivas, así que era

**Mark Hurd, ex director ejecutivo de HP**

**Jodie Fisher dijo al principio que Hurd la había acosado sexualmente**

injusto e inválido tanto legal como moralmente. El convenio de confidencialidad que Hurd firmó en HP dice:

> Este acuerdo incluye secretos comerciales, negocios confidenciales, información confidencial técnica y comercial, el *know how* que generalmente no conoce el público... que sea producido o adquirido por mí en relación con mi empleo en HP... Estoy de acuerdo en usar dicha información solo en el desempeño de mis obligaciones dentro de HP... y en tomar todas las precauciones razonables para asegurarme de que esa información no le sea suministrada a personas no autorizadas o usada de maneras no autorizadas, ambas durante y después de mi empleo en HP... Estoy de acuerdo en que durante un periodo de doce meses después de terminado mi empleo en HP... no prestaré mis servicios a ningún competidor en ningún papel o puesto (como empleado, consultor o cualquier otro).

En Oracle, Hurd reemplazó al antiguo presidente, Charles Phillips, quien había sido despedido después de que una mujer, YaVaughnie Wilkins, dijo que era su amante y lo hizo público en una serie de grandes anuncios en las principales carreteras de Nueva York, San Francisco y Atlanta: "Tú eres mi alma gemela para siempre". Como Hurd, Phillips también era casado, aunque Phillips se divorció poco después de que los anuncios aparecieron.

*Larry Ellison es director ejecutivo y fundador de Oracle Corporation*

*Ellison en un escenario donde presenta a Hurd a los empleados de Oracle*

*Oficinas de Oracle*

1. Suponiendo que Mark Hurd (con intención o no) haya falsificado realmente algunos datos en sus cuentas de gastos, ¿era esta una razón suficiente para que el consejo de directores de Hewlett-Packard lo despidiera? ¿Fue moralmente incorrecto por su parte despedirlo? ¿Fue una medida sensata?

2. ¿Está de acuerdo en que Hurd no podría desempeñar sus obligaciones en Oracle sin violar el acuerdo que firmó con HP? ¿Podría Hurd confiar en distinguir entre habilidades e información? ¿Está usted de acuerdo en que el acuerdo fue injusto y moralmente inválido?

3. ¿Se equivocó Hurd al aceptar el puesto de presidente en Oracle? ¿Fue un error de Oracle contratarlo?

**información privilegiada** El acto de comprar y vender acciones de una empresa con base en información "privilegiada" acerca de ella.

propiedad exclusiva, aunque esto deja al empleado libre de decidir qué parte de lo que ha aprendido mientras trabajaba allí es información y qué parte es su propia habilidad.

Antes de dejar el tema de la información de uso exclusivo, vale la pena recordar que los derechos de propiedad que tiene una empresa sobre ella no son ilimitados. En particular, están limitados por los derechos de otros agentes, como los derechos que tienen los empleados de conocer los riesgos de salud asociados con sus empleos. El derecho de una compañía a mantener información en secreto no es absoluto, sino que se debe equilibrar con los derechos legítimos de otros.

*Información privilegiada* Para empezar, podemos definirla como el acto de comprar y vender acciones de una empresa con base en la información "confidencial" sobre dicha compañía. La información "privilegiada" o "confidencial" de una compañía es información de uso exclusivo, la cual no está a disposición del público general, ya que su disponibilidad causaría un efecto significativo sobre el precio de las acciones. Por ejemplo, Jorge, el presidente de una compañía del sector de la defensa podría saber que la empresa está a punto de recibir un contrato multimillonario del gobierno antes que cualquier miembro del público externo lo sepa. Entonces, el presidente compra una cantidad de acciones de la empresa, sabiendo que su valor se elevará cuando se haga pública la noticia del contrato. La compra de esas acciones se considera como utilización de información privilegiada. El presidente también podría informar a su padre, que se apresuraría a comprar algunas acciones antes de que el público general se enterara del contrato. También esta compra se considera abuso de información privilegiada.

El abuso de la información privilegiada es ilegal. Durante la década pasada un gran número de corredores de bolsa, banqueros y gerentes han sido procesados por usar información privilegiada. Además, no es ético hacer uso de ella, no solo porque es ilegal, sino porque se afirma que la persona que comercia con información privilegiada de hecho la "roba" y de ese modo obtiene una ventaja injusta sobre los miembros del público general.[14] Sin embargo, algunas personas argumentan que su uso interno beneficia a la sociedad y que, desde un punto de vista utilitarista, no se debería prohibir sino promover.[15] Es necesario revisar esos argumentos.

Primero, en ocasiones se arguye que los miembros de las compañías y sus amigos proporcionan su información privilegiada al mercado accionario y al comerciar con él, elevan el precio de las acciones (o lo bajan) por lo que su precio sube (o cae) para reflejar el valor subyacente real de la acción. Expertos en el mercado accionario nos dicen que funciona con la mayor eficacia cuando el precio en el mercado de las acciones de cada compañía iguala el valor real subyacente de la acción determinada por la información disponible. Cuando los miembros de las compañías negocian acciones con base en información privilegiada y elevan (o bajan) su valor, de hecho, aportan información al mercado y, a través de sus compras, "indican" a otros que su información acerca de las acciones es verdaderamente valiosa. Por lo tanto, los comerciantes de información privilegiada proporcionan el preciado servicio de poner su información a disposición del mercado accionario y, en consecuencia, aseguran que el valor comercial de las acciones refleje con mayor exactitud el valor real subyacente y aseguran un mercado más eficaz.

Segundo, se argumenta que el uso de información privilegiada no perjudica a nadie. Los críticos del uso de la información privilegiada a veces afirman que el miembro de la compañía que cuenta con información "confidencial" especial de alguna forma daña a aquellas personas que sin tener el conocimiento le venden sus acciones, sin darse cuenta de que él sabe que valen más de lo que está pagando por ellas. Pero aquellos que defienden la ética del uso de la información privilegiada, señalan que cuando las personas venden sus acciones es porque necesitan o quieren el dinero en ese momento. Independientemente de si venden al individuo que posee información privilegiada o a alguna otra persona, ellos obtendrán el precio del mercado de sus acciones, esto es, el precio antes de que intervenga quien posee la información privilegiada.

Desde luego, después, cuando la información del interno esté disponible para cualquiera, ellos lamentarán haber vendido porque el valor de las acciones se elevará. No obstante, en el momento en que desearon vender sus acciones, no habrían obtenido más por ellas que lo que el individuo con información privilegiada les pagó. Por otra parte, los defensores argumentan que, cuando los individuos que poseen información privilegiada compran acciones con base en dicha información, el precio de las acciones se eleva de forma gradual. Lo que significa que las personas que necesitan vender sus acciones durante el periodo de incremento de precios obtendrán más por sus acciones de lo que habrían recibido si el individuo informado no hubiera intervenido para elevar el precio. Por lo tanto, no solo el interno no perjudica a aquellos que le venden sus acciones o su derecho desde el principio, sino que también los beneficia, e incluso beneficia a otros más tarde.

Tercero, los defensores del uso de la información privilegiada arguyen que no es cierto que el comerciante de información tenga una ventaja injusta sobre otros que no tienen acceso a dicha información. El hecho es que muchas de las personas que compran y venden acciones en el mercado accionario cuentan con más o mejor información que otras. Por ejemplo, los expertos nos dicen que es posible analizar e investigar las tendencias económicas venideras, futuros eventos industriales, probables descubrimientos y otros sucesos, y que sus análisis se pueden utilizar para generar información acerca del valor futuro (y por lo tanto, presente) de ciertas acciones que, por lo regular, no está disponible al público. Evidentemente no hay nada incorrecto o injusto en esto. De forma más general, no existe básicamente nada injusto o no ético en el hecho de tener una ventaja de información sobre otros en el mercado accionario.

Sin embargo, aquellos que afirman que el uso de información privilegiada no es ético, señalan que los defensores del uso de este tipo de información ignoran varios hechos importantes. En primer lugar, la información que el negociante utiliza no le pertenece. Los ejecutivos, gerentes, empleados y otros que trabajan dentro de una empresa, y que se dan cuenta de usos de información privilegiada que afectarán el precio de las acciones de la compañía, no son dueños de esta. Los recursos con los que trabajan, incluyendo la información que la compañía pone a su disposición, pertenecen colectivamente a los accionistas. Los empleados cuentan con un deber ético (o "fiduciario") de abstenerse de utilizar la información de la empresa para su propio beneficio o el de sus amigos. Así como todos los empleados tienen un deber ético de utilizar los recursos de la compañía solo para el beneficio de los accionistas, también están obligados éticamente de usar la información de la empresa solo en beneficio de estos. En consecuencia, el miembro de la compañía que toma información confidencial interna de la empresa y la utiliza para enriquecerse a sí mismo es, de hecho, un ladrón que roba lo que no es suyo.

En segundo lugar, quienes sostienen que la transacción interna no es ética argumentan que la ventaja informativa del individuo es en realidad deshonesta o injusta, puesto que la información que roba el miembro de la compañía difiere mucho de la ventaja informativa de los expertos o analistas de bolsa. La ventaja informativa del miembro de la compañía es injusta porque se la robó a otros (los dueños de la compañía) de manera injusta, quienes hicieron las inversiones que a final de cuentas produjeron la información que él robó. En última instancia, la ventaja con la que cuenta el individuo proviene del robo de los frutos del trabajo o de los recursos de alguien más. Esto difiere mucho de la ventaja informativa del analista, que posee la información que utiliza porque surgió de su propio trabajo o adquisición.

En tercer lugar, quienes afirman que el uso de la información privilegiada no es ético, consideran que es falso que esto no perjudique a nadie. Tanto estudios empíricos como teóricos han demostrado que el uso de la información privilegiada presenta dos efectos en el mercado accionario que son perjudiciales para cualquiera en el mercado y para la sociedad en general. Primero, la información privilegiada tiende a reducir el tamaño del mercado, lo que perjudica a todos. Cualquiera sabe que el individuo que posee información privilegiada tiene una ventaja sobre los demás, de modo que mientras la gente piense que hay más información privilegiada en el mercado, más tenderá a abandonarlo y se volverá más pequeño. El tamaño reducido del mercado provocará diversos efectos perjudiciales, incluyendo *a)* una disminución de la liquidez de las acciones, porque es más difícil encontrar compradores y vendedores; *b)* un aumento en la volatilidad (variabilidad) en los precios de las acciones, ya que pequeñas variaciones provocarán diferencias relativamente mayores en

# Información privilegiada o ¿para qué están los amigos?

Noah Freeman y Donald Longueuil eran muy buenos amigos. Cuando el primero se casó con Hannah en 2009, Longueuil fue su padrino. Y cuando él se comprometió con su novia, Mackenzie, le pidió a Freeman que fuera el suyo. Ambos se conocieron cuando se inscribieron en el Bay State Speed-skating Club de Boston, poco después de que Freeman se graduara de la Universidad de Harvard y Longueuil de la Northeastern University; ambos compartían su pasión por las carreras de patinaje sobre hielo (de hecho Longueuil perdió por poco su clasificación para formar parte del equipo olímpico de Estados Unidos). Siguieron siendo buenos amigos durante años, a menudo corriendo juntos y haciendo viajes para esquiar en Utah y New Hampshire. Cuando una novia de Freeman rompió con él, este quedó destrozado y, como dijo más tarde, no hubiera podido salir de eso sin la amistad de Longueuil. Freeman decía que, a veces, se sentía tan mal que no podía levantarse de la cama, pero su amigo llegaba a su casa y "le hacía que continuara". Más tarde Freeman conoció a quien sería su futura esposa, Hannah, y Longueuil conoció a Mackenzie. Ambas mujeres también eran amigas, asistían a la Universidad de Princeton y estaban en el equipo de remo de la universidad, así que las dos parejas a menudo hacían cosas juntas, por lo general actividades deportivas.

Pero Longueuil y Freeman trabajaban para compañías de fondos de inversión libre, en las que su trabajo consistía en hacer crecer los fondos al invertir ese dinero en acciones. Cuando Freeman obtuvo un puesto en Empire Capital, una gran compañía de este tipo, ayudó a Longueuil a conseguir también trabajo ahí. Más tarde, ambos trabajaron para SAC Capital, un fondo de inversión libre de $12 mil millones, y cada uno ganaba más de $1 millón anualmente. Conocieron y se hicieron amigos de Samir "Sam" Barai, quien también trabajaba con fondos de inversión libre. En 2008, Barai comenzó su propia compañía de fondos, Barai Capital Management, con la ayuda de un buen amigo, Jason Pflaum. Para ayudarles a investigar las acciones, Longueuil, Freeman, Barai y Pflaum trabajaron con Primary Global Research (PGR), una empresa "experta en redes" que cobra cientos de miles de dólares para introducir grandes inversionistas a "consultores" a quienes PGR paga para proporcionar asesoría experta sobre industrias o compañías específicas. Los asesores por lo general son gerentes de compañías en la industria sobre la que se pide asesoría. A Freeman, Barai y Pflaum les presentan a Winifried Jiau, una experta en compañías de tecnología con la que habían hablado por teléfono. Su consejo costó $200,000, pero pudo darles información sobre Marvell Technology Group. Ella les dijo cuáles eran los ingresos, márgenes brutos y ganancias por acción de Marvell antes de que la compañía hiciera pública esa información. Les dijo que las ganancias serían más elevadas de lo esperado, así que era probable que sus acciones subieran de valor. Freeman llamó a Longueuil y le dio esta información. Los fondos de inversión libre de Barain compraron varios miles de acciones de Marvell y ganaron $820,000; el fondo de Longueuil hizo lo mismo y ganó $1.1 millón. Otro asesor le dio a Pflaum información sobre los ingresos de otras dos compañías, Advanced Micro Devices y Fairchild Semiconductor. Otros dos asesores de PGR proporcionaron información sobre Nvidia Corporation, Actel Corporation, Cypress Semiconductor y otras. Pero en 2010, el FBI se acercó a Freeman y Pflaum y les dijo que les acusaría de comerciar con información privilegiada a menos que dieran pruebas en contra de sus amigos Longueuil y Barai. Estuvieron de acuerdo en testificar. Los cuatro amigos dejaron de serlo. La boda de Don Longueuil y MacKenzie se canceló. Primary Global Research negó saber lo que sus asesores habían dicho a los antiguos amigos.

1. ¿Las acciones de Longueuil, Freeman, Barai y Pflaum fueron moralmente incorrectas? Suponiendo que lo fueran, el acuerdo de Freeman y Pflaum con el FBI, ¿sería una traición? ¿Qué diría una ética del cuidado acerca de ese acuerdo? ¿El gobierno debe dedicar su tiempo a perseguir la información privilegiada?

2. ¿Fue Primary Global Research (PGR) de alguna manera moralmente responsable de lo que hicieron los amigos? ¿Lo fue Winifred Jiau?

un mercado más pequeño; *c*) una disminución en la capacidad del mercado para distribuir el riesgo, porque existen menos partes para distribuirlos; *d*) una disminución en la eficacia del mercado debida al número reducido de compradores y vendedores, y *e*) una reducción en las ganancias de los comerciantes debido a la disminución de los negocios disponibles.[16]

El segundo efecto negativo de la información privilegiada es que incrementa los costos de la compraventa de acciones en el mercado (por ejemplo, los costos por transacción), y esto también es perjudicial. Las acciones en la Bolsa de Nueva York siempre se compran y se venden por medio de un intermediario llamado *especialista*, que cobra una pequeña cantidad por comprar las acciones de quienes quieren vender, y por guardar las acciones para aquellos que las quieren comprar después. Cuando un especialista percibe que los poseedores de información privilegiada se acercan, se da cuenta de que quienes le venden poseen este tipo de información y que lo que retiene para otros quizá después salga a un valor mucho menor (de no ser así, ¿porque los individuos que tienen información privilegiada se están deshaciendo de las acciones?). Por lo tanto, para cubrirse de futuras pérdidas potenciales, comenzará a incrementar la tarifa que cobra por sus servicios como intermediario (aumentando la diferencia entre oferta y demanda). Entre más individuos con información privilegiada existan, el especialista debe elevar sus tarifas, y los intercambios de acciones se vuelven más costosos. En el caso extremo, los costos se elevarán tanto que el mercado de una acción se derrumbará por completo; en el caso menos extremo los costos en incremento solo provocarán que el mercado accionario se vuelva mucho más ineficiente. En cualquiera de los dos casos, la transacción interna produce un efecto dañino sobre el mercado.[17]

Existen, entonces, buenas razones que sustentan la perspectiva de que el uso de información privilegiada no es ético porque viola los derechos de los accionistas, porque se basa en una ventaja informativa injusta y porque perjudica la utilidad general de la sociedad. En pocas palabras, la información privilegiada viola nuestros estándares morales de derechos, justicia y utilidad. Pero el tema continúa siendo polémico y todavía no está completamente resuelto.

Sin embargo, las leyes sobre la información privilegiada están bastante establecidas, aunque su exacto campo de acción aún no es claro. La Securities and Exchange Commission (SEC) ha llevado a juicio un gran número de casos de uso de información privilegiada, y las decisiones de los tribunales han tendido a establecer que es una práctica ilegal. Se ha determinado que se trata de comerciar con un título bursátil mientras se posee información no pública que quizá tenga un efecto material en el precio de ese título, y que fue adquirida, o se sabe que fue adquirida, violando la obligación del individuo de mantenerla confidencial.[18] Como esta definición indica, no solo los empleados de la empresa serían culpables de abuso de información privilegiada, sino cualquiera que con conocimiento compre o venda acciones mediante el uso de información que sabe que fue adquirida por una persona que tenía la obligación de mantenerla confidencial. Es decir, cualquiera que comercie con acciones sabiendo que está utilizando información robada, privada, que puede afectar el precio de las acciones, es culpable.

## Obligaciones de la empresa hacia el empleado

Según la perspectiva racional de la empresa, la obligación moral básica que el empleador tiene hacia el personal es la de darles la remuneración que ellos han acordado libre y deliberadamente recibir a cambio de sus servicios. Existen dos puntos éticos principales relacionados con esta obligación: la justicia de los salarios (un problema especial en los países en desarrollo) y la justicia de las condiciones de trabajo.[19] Tanto unos como otras son aspectos de la remuneración que reciben los empleados por sus servicios, y ambos están relacionados con la cuestión de si el empleado firmó un contrato de trabajo de forma libre y deliberada. Si un empleado fue "obligado" a aceptar un empleo con un salario inadecuado o condiciones de trabajo inadecuadas, entonces, el contrato de trabajo sería injusto.

**Salarios**  Desde el punto de vista del empleado, el salario es el medio principal (quizás el único) para satisfacer sus necesidades económicas básicas y las de su familia. Desde el punto de vista del empleador, los salarios son un costo de producción que se debe mantener bajo para que el precio del producto no exceda el del mercado. Por lo tanto, cada empleador enfrenta el dilema de establecer salarios justos: ¿cómo se logra un equilibrio entre los intereses del empleador de minimizar costos y el de los empleados de lograr una vida decorosa para ellos y sus familias?

No existe una fórmula sencilla para determinar un "salario justo". La justicia de los salarios depende, en parte, de los apoyos públicos que la sociedad brinda al empleado (seguridad social, atención médica, seguro de desempleo, educación pública, etcétera), de las prestaciones que no forman parte del salario que las empresas otorgan de manera tradicional, de la libertad de los mercados de trabajo, de la contribución y productividad del empleado, así como de sus necesidades y las de su familia, y de la posición competitiva y los ingresos de la empresa. Sin embargo, aunque no hay una forma para determinar salarios justos con exactitud matemática, al menos se pueden identificar una serie de factores que se deben tomar en cuenta al momento de acordarlos en la mayoría de los países.[20]

1. *La situación salarial de la zona y de la industria.* Aunque los mercados de trabajo en una industria o una zona pueden ser manipulados o distorsionados (por ejemplo, por escasez de empleos), por lo general son los que proporcionan los primeros indicadores de salarios justos si son competitivos y si se supone que los mercados competitivos son justos. Además, se debe tomar en cuenta el costo de la vida en la zona si se va a proporcionar a los empleados un ingreso adecuado para las necesidades de sus familias. En las naciones en desarrollo, los empleadores deben asegurar salarios que permitan a sus empleados vivir de manera razonable y mantener a sus familias.

2. *Las capacidades de la empresa.* En general, cuanto más altas sean las utilidades de la compañía, más puede y debe pagar a sus empleados; cuanto más bajas sean, menos se podrá pagarles. Aprovecharse de la mano de obra barata de los mercados cautivos —como los que se encuentran en muchas zonas aisladas y en los países en desarrollo—, cuando una compañía es perfectamente capaz de pagar salarios justos, es explotación.

3. *La naturaleza del trabajo, incluyendo sus riesgos, requisitos de habilidades y demandas.* Los trabajos que suponen mayores riesgos para la salud o la seguridad, que requieren más capacitación o experiencia, que imponen cargas emocionales o físicas más pesadas, o que requieren de mucho esfuerzo para llevarlas a cabo, deben conllevar mayores niveles de remuneración.

4. *Leyes de salarios mínimos.* Los salarios mínimos que la ley requiere establecen un límite mínimo para los salarios. En la mayoría de las circunstancias, los salarios que caen por debajo de este límite son injustos. Las leyes de salarios mínimos se deben respetar, aun donde los gobiernos no obligan a su cumplimiento.

5. *Relación con otros salarios.* Si la estructura salarial dentro de una organización es justa, los empleados que realizan una labor similar deben recibir salarios similares.

6. *La justicia de las negociaciones salariales.* Los sueldos y salarios resultado de negociaciones "restringidas" en las que una de las partes usa el fraude, el poder, la ignorancia, el engaño o la pasión para lograr sus propósitos, rara vez serán justos. Por ejemplo, cuando la gerencia de una empresa usa la amenaza de reubicación para obligar a concesiones salariales de una comunidad totalmente dependiente, o cuando un sindicato "chantajea" a una compañía en problemas con una huelga que, con seguridad la enviará a la quiebra, los salarios resultantes tienen poca probabilidad de ser justos.

7. *Los costos locales de la vida.* Los bienes y servicios que una familia necesita para satisfacer sus necesidades básicas (alimento, vivienda, ropa, transporte, cuidado de los hijos y educación) son distintos de una región geográfica a otra. Los salarios deben ser suficientes para permitir a una familia de cuatro

---

*Repaso breve 8.7*

**Los salarios justos dependen de**

- Los salarios de la industria y la zona.
- La capacidad de la empresa para pagar.
- Los riesgos, las habilidades y demandas del trabajo.
- Las leyes de salarios mínimos.
- Relación justa con otros salarios en la compañía.
- Negociaciones de salario justas.
- Los costos de vida locales (por ejemplo, para una familia de cuatro integrantes).

miembros satisfacer esas necesidades (tomando en cuenta si las familias de la región cuentan con uno o dos miembros económicamente activos), incluso si estos salarios fueran superiores al salario mínimo.

Es difícil ponderar estos factores incluso en las naciones industrializadas avanzadas, donde los empleadores pueden acceder a una gran cantidad de información del mercado de trabajo y numerosas leyes que regulan los salarios protegen a los empleados. Esos factores son mucho más difíciles de tomar en cuenta en los países en desarrollo, donde existen menos normas y una menor protección al salario, y donde es más difícil obtener información. Desde luego, las compañías multinacionales suelen pagar a sus empleados en los países en desarrollo un salario más elevado que el que prevalece a nivel local, es decir, más de lo que las empresas locales pagan a su personal. No obstante, a menudo los salarios que las empresas de los países desarrollados pagan a sus empleados en las naciones en desarrollo son criticables por ser muy bajos. Se han hecho tres tipos de críticas con respecto a los salarios que se pagan en los países en desarrollo a los trabajadores que manufacturan ropa, calzado y aparatos electrónicos para empresas que comercializan esos productos en Estados Unidos (como Nike, Adidas, Gap, Limited, etcétera).

Primero, en ocasiones se dice que los salarios en los países en desarrollo son muy bajos comparados con los de las naciones industrializadas, donde estas empresas tienen sus oficinas centrales. Por ejemplo, según un informe del U.S. Bureau of International Labor Statistics, en 2007 los empleados estadounidenses de la industria del vestido ganaban $15.29 por hora. El mismo año, según la Organización Mundial del Trabajo (OMT), los trabajadores filipinos de la misma industria recibían $0.82 por hora; se pagaban $0.31 por hora en Bangladesh; en México, $2.75; en Tailandia, $1.52; en Egipto, $1.02; en China, $1.59; en India, $1.00; y $0.38 por hora en Sri Lanka. Estos salarios más bajos no se pueden atribuir a la "menor productividad" de los empleados en las naciones en desarrollo, porque las diferencias salariales son desproporcionadas con las diferencias de productividad. Según la OMT, en una hora un empleado estadounidense produce aproximadamente 3 veces de lo que produce un filipino, pero se le paga casi 20 veces más que al asiático; un empleado estadounidense produce 5 veces lo que uno de Bangladesh, pero le pagan 50 veces más; produce 4 veces más que uno chino, pero le pagan 10 veces más; y produce 4 veces más que uno indio, pero recibe un salario 16 veces mayor. Para muchos activistas, estas diferencias salariales son injustas.

Segundo, algunos consideran que los salarios en los países en desarrollo son demasiado bajos en relación con lo que la compañía puede pagar, o en relación con los ingresos que esta obtiene de los empleados por ensamblar sus productos. Por ejemplo, a menudo se critica a Gap porque sus márgenes de beneficio le permiten pagar a sus empleados de los países en desarrollo un poco más por su trabajo. También la han criticado porque sus proveedores pagan a los empleados de esos países $0.28 por confeccionar un pantalón que Gap vende en $40 en Estados Unidos; de igual manera, a los empleados de El Salvador se les paga cerca de $0.24 por fabricar una camiseta de la NBA que, luego, esta organización vende en $140 en Estados Unidos. Para algunos, estos salarios son injustos, porque la gran diferencia entre el costo de elaborar un producto y el precio al cual se vende genera ingresos más que suficientes para que dichas compañías puedan pagar unos centavos de dólar más en salarios. Aún más, los empleados de los países en desarrollo tienen necesidades significativamente mayores de unos cuantos centavos de dólar más de salario que las que tienen las compañías de esos cuantos centavos en utilidades.

Tercero, algunos críticos consideran que los salarios en los países en desarrollo son muy bajos con respecto a lo que una familia necesita para vivir. El término "salario mínimo" se utiliza a veces para indicar lo que un asalariado necesitaría ganar para mantener a una familia de cuatro miembros en un sitio determinado. Por ejemplo, de acuerdo con un informe de Labor Behind the Label, los salarios vigentes en Bangladesh para los empleados de la industria del vestido equivalían solamente al 50 por ciento de lo que una familia de cuatro personas necesitaría para vivir; en Indonesia los salarios vigentes para los empleados de esta industria cubrían del 15 al 20 por ciento del salario mínimo local; en

---

*Repaso breve 8.8*

**Algunos dicen que los salarios de las naciones en desarrollo son demasiado bajos:**

- En relación con los salarios de los empleados de los países desarrollados, aun teniendo en cuenta las diferencias de productividad.
- En relación con lo que las compañías de los países desarrollados pueden desembolsar tomando en cuenta sus utilidades generales, o en relación con las ganancias que logran al vender los productos que manufacturan en las naciones en desarrollo.
- En relación con lo que los empleados de los países en desarrollo necesitan para vivir.

Lesotho los salarios correspondían al 50 por ciento; en Sri Lanka los salarios eran equivalentes al 25 por ciento. Para algunos críticos, estas deficiencias indican que los salarios que se pagan a los empleados de la industria del vestido en estos países son injustos.

Sin embargo, se han dado varias respuestas a estas críticas. En primer lugar, no está claro si los salarios en un país (como Estados Unidos) se deben utilizar como base para establecer los salarios en otros países. ¿No se supone que los mercados de trabajo locales deben determinar los salarios locales? En segundo lugar, tampoco está claro si el precio al detalle de un producto debe servir como base para establecer los salarios de los empleados que lo fabrican en un país en desarrollo. Aunque uno de los diversos factores que debe determinar el salario es la capacidad de la empresa para pagar un salario más alto, esto no equivale a sugerir que los salarios se determinen por el precio de venta al detalle del producto de la compañía. También hay que considerar otros factores como los mercados de trabajo locales, el costo local de la vida, los niveles salariales de la industria local, etcétera. En tercer lugar, aunque se deben tomar en cuenta los costos locales de la vida y las necesidades de los empleados y de sus familias para determinar el salario, es importante considerar el número de individuos económicamente activos que tradicionalmente existen en los hogares de un cierto país. Si en una nación en desarrollo, por ejemplo, suele haber dos o más personas económicamente activas en cada hogar, entonces, un salario equivalente al 50 por ciento del salario mínimo no necesariamente sería injusto.

**Condiciones de trabajo: salud y seguridad**   Cada año mueren más de 4 mil empleados y 3 millones resultan gravemente lesionados como resultado de accidentes de trabajo.[21] Diez por ciento de la fuerza laboral sufre una enfermedad o una lesión relacionada con el trabajo cada año, lo que produce una pérdida de más de 31 millones de días hábiles al año. Las enfermedades que imposibilitan para trabajar, y que son resultado de la exposición a sustancias químicas y a peligros físicos provocan la muerte de muchos otros. Los costos anuales directos de las muertes y las lesiones que se relacionan con el trabajo en Estados Unidos fueron de $183 mil millones en 2008.[22]

Los peligros en el lugar de trabajo no solo incluyen las categorías más obvias de heridas mecánicas, electrocución y quemaduras, sino también el frío y el calor extremos, la maquinaria ruidosa, el polvo de roca y de fibras textiles, los humos químicos, el mercurio, el plomo, el berilio, el arsénico, los corrosivos, los venenos, los irritantes de la piel y la radiación.[23] Muchos peligros de los lugares de trabajo no se reconocen hasta varios años después de que empiezan a dañar a los empleados. El asbesto, por ejemplo, tarda alrededor de 20 años en provocar el cáncer de pulmón. Aunque durante mucho tiempo se sospechó que la inhalación de fibras de asbesto causaba enfermedades pulmonares, no se descubrió en definitiva que estaba relacionada con el cáncer sino hasta 1964, mucho tiempo después de que decenas de miles de individuos habían estado expuestos al asbesto en astilleros y otros proyectos de construcción.

De forma similar, muchos empleados estuvieron expuestos al manganeso; ahora sabemos que el manganeso inhalado en forma de vapor o en partículas transportadas por el aire causa trastornos cognoscitivos, convulsiones, debilidad, falta de coordinación motriz y problemas respiratorios. Los empleados que han estado expuestos a vapores de manganeso todos los días incluyen soldadores, mineros, trabajadores del acero, algunos trabajadores ferroviarios, granjeros que manejan pesticidas o fertilizantes que lo contienen, y obreros implicados en procesos de fabricación que lo utilizan. Estos individuos enfrentan un futuro difícil e incierto, ya que muchos de ellos quedarán incapacitados por completo y dependerán de otros para cubrir todas sus necesidades.

En 1970 el Congreso estadounidense aprobó la Ley de Seguridad y Salud Laboral y creó la **Administración para la Seguridad y la Salud Ocupacional** (Occupational Safety and Health Administration, OSHA) "para asegurar tanto como sea posible a cada hombre y mujer trabajadores del país condiciones de trabajo seguras y saludables".[24] Por desgracia, desde sus inicios la OSHA se vio rodeada de un número inadecuado de inspectores de campo y procedimientos de regulación a menudo ineficientes. No obstante, su existencia ha provocado que muchas

---

*Repaso breve 8.9*

**Otros dicen que los salarios de las naciones en desarrollo son adecuados:**

- Los salarios los deben fijar los mercados, no las comparaciones con otros países.
- Los factores locales son más importantes al fijar los salarios que las ganancias de la compañía.
- Los costos de la vida son importantes, pero los salarios también deben considerar el número local promedio de individuos que trabajan por hogar.

---

**Administración para la Seguridad y la Salud Ocupacional**
Es un organismo que creó el Congreso estadounidense en 1970 "para asegurar tanto como sea posible a cada hombre y mujer trabajadores del país condiciones de trabajo seguras y saludables".

empresas instituyan o mejoren sus propios programas de seguridad. Una encuesta reveló que el 36 por ciento de las compañías encuestadas había puesto en práctica programas de seguridad como resultado de la acción de OSHA, y el 72 por ciento dijo que su existencia había influido en sus esfuerzos de seguridad.[25] Esto se reflejó en que las tasas de accidentes laborales han disminuido en Estados Unidos. Entre 1995 y 2009, el número de individuos muertos en accidentes de trabajo disminuyó de forma drástica de 18 muertes a 3.3 por cada 100 mil empleados. En números absolutos, la disminución fue de 6,275 muertes debido a lesiones laborales en 1995, a un total de 4,340 muertes en 2009.[26] Sin embargo, el número de lesiones que causaron incapacidad ascendió de forma constante de 2 millones en 1985 a 3.2 millones en 2008.[27]

El riesgo es, por supuesto, una parte inevitable de muchas ocupaciones. Un piloto de carreras, un artista circense y un vaquero de rodeo aceptan ciertos peligros como parte de sus empleos. Si un empleador *a)* toma medidas adecuadas razonables tanto para estar informado como para informar a los empleados acerca de los riesgos del lugar de trabajo y para eliminar tales riesgos, *b)* remunera y asegura por completo a los empleados que corren riesgos que no es posible eliminar, y *c)* los empleados aceptan esos riesgos restantes de forma libre y deliberada a cambio de una remuneración adicional, entonces, podemos concluir, en general, que el empleador actuó de forma ética.[28]

El problema básico, sin embargo, es que hay muchos trabajos peligrosos y no existen esas condiciones, particularmente en los países menos desarrollados.

1. Los salarios no son proporcionales para compensar los riesgos de un trabajo cuando los mercados laborales no son competitivos, o cuando no registran riesgos porque aún no se conocen. Por ejemplo, hay grandes zonas en algunas naciones en desarrollo donde una única compañía minera monopoliza los empleos y quizá no se conocen, sino hasta años después, los riesgos a la salud asociados a la minería o al uso de un determinado material, como el manganeso. En esos casos, los salarios no compensan por completo los riesgos.

2. Los empleados se enfrentan entonces a riesgos y no lo saben porque carecen del acceso adecuado a la información concerniente a los mismos. Por ejemplo, reunir información acerca de los riesgos de manejar ciertas sustancias químicas toma una gran cantidad de tiempo, esfuerzo y dinero de los que quizá carezca una nación en desarrollo. Determinar los peligros del asbesto y del manganeso, por ejemplo, tomó muchos años de estudios. Por lo tanto, a los empleados que actúan de forma individual les cuesta mucho tiempo y dinero reunir la información necesaria para evaluar los riesgos de los trabajos que aceptan.

3. Los empleados conocen y aceptan los riesgos con los que se enfrentan por desesperación, puesto que carecen de la habilidad para ingresar a otras industrias menos riesgosas o no cuentan con información sobre las opciones disponibles. Los soldadores o los mineros de manganeso de bajos ingresos, por ejemplo, conocen los peligros inherentes a respirar esos vapores. Sin embargo, como no cuentan con los recursos que necesitan para buscar en otro lado, se ven obligados a aceptar el trabajo que tienen o a padecer hambre.

Cuando se da cualquiera de las tres condiciones, el contrato entre el empleador y el empleado deja de ser justo. El primero tiene el deber, en este tipo de casos, de tomar medidas para asegurar que no se manipule de manera injusta al empleado para que asuma un riesgo que desconoce, contra su voluntad o sin que se le otorgue la debida remuneración. Ante el supuesto de que el empleador elimine todos los peligros de salud y seguridad del lugar de trabajo que violan las leyes locales y con una inversión razonable, entonces:

1. Si cualquier riesgo de salud y seguridad del lugar de trabajo no se elimina a un costo razonable, el empleador está obligado a patrocinar estudios sobre esos riesgos, con la finalidad de informar de manera clara y explícita a sus empleados sobre

---

*Repaso breve 8.10*

**Los riesgos en el trabajo**

- No se justifican cuando los mercados de trabajo no son competitivos, se desconocen los riesgos y, además, no se remuneran adecuadamente.
- No se justifican cuando las compañías no reúnen la información sobre los riesgos y no informan a los empleados sobre ellos.
- No se justifican cuando no hay trabajos disponibles y son menos riesgosos, o cuando los empleados carecen de información sobre opciones de empleo menos riesgosas.

*Repaso breve 8.11*

**Establecer condiciones de trabajo justas requiere**

- Eliminar los riesgos cuando el costo sea razonable, estudiar los riesgos potenciales de un trabajo, informar a los empleados de los riesgos que se conocen y compensarlos por las lesiones que sufran.
- Dar compensaciones por los riesgos del empleo, que sean similares a las primas de riesgo que se pagan en otros empleos.
- Otorgar las prestaciones médicas y de incapacidad adecuadas.
- Trabajar con otras compañías para reunir información sobre los riesgos en el empleo.

estos últimos, en particular, de aquellos que comprometen la salud y la vida, y tienen la obligación de compensar a los empleados por cualquier lesión que sufran.

2. Los empleadores deben ofrecer salarios que reflejen las primas por riesgos que prevalezcan en otros mercados laborales similares pero competitivos, para remunerar a los empleados de manera adecuada frente a los riesgos que corren al realizar sus trabajos.

3. Para asegurar a los empleados contra peligros que se desconocen, el empleador debe ofrecer programas de seguros médicos convenientes y seguros por incapacidad adecuados.

4. Los empleadores tienen la obligación (cuando trabajan solos o con otras empresas, quizá mediante asociaciones industriales) de reunir información acerca de los peligros a la salud que acompañan a un determinado trabajo y de ponerla a disposición de los empleados.

**taller de explotación** Lugar de trabajo que tiene muchos peligros de salud y seguridad y malas condiciones de trabajo, así como salarios bajos.

Los asuntos de seguridad y salud son particularmente problemáticos en los países en desarrollo, donde las leyes laborales de salud y seguridad a veces establecen estándares muy bajos o donde los gobiernos no cuentan con los recursos para hacer cumplir los estándares establecidos. El término **taller de explotación** (*sweatshop*) se utiliza para describir un lugar de trabajo que incluye muchos peligros para la salud y la seguridad y malas condiciones de trabajo, así como salarios bajos. Evidentemente, los lugares con malas condiciones de trabajo no son éticos, en particular, en países como Estados Unidos, donde la explotación es ilegal y viola varias leyes laborales de salud y seguridad. (Aun así, el Departamento del Trabajo estima que más de la mitad de los talleres de costura en Estados Unidos son lugares donde hay explotación). Sin embargo, los lugares con malas condiciones de trabajo en los países en desarrollo son más complicados por un factor adicional: muchos de ellos no son propiedad de las compañías que producen los bienes. Muchas empresas en Estados Unidos y en otros países desarrollados ahora "subcontratan" a fábricas extranjeras para que elaboren sus productos. Nike, por ejemplo, fue el primero en emplear la estrategia de diseñar su calzado deportivo en Estados Unidos y contratar plantas en Asia para fabricarlos. Mientras que Nike define los materiales, el diseño, la calidad, y la cantidad de zapatos que producirá la fábrica, la empresa que los elabora no pertenece a Nike ni es administrada por esta última. En la actualidad, prácticamente todas las empresas de calzado deportivo adoptan la estrategia de Nike de producir sus productos en fábricas extranjeras de las que no son dueños. Muchas de esas fábricas son lugares con inadecuadas condiciones de trabajo y con un cúmulo de peligros para la salud y la seguridad (además de salarios bajos), que provocan graves consecuencias en sus empleados.

Un problema crucial que surge cuando una fábrica con malas condiciones de trabajo en un país en desarrollo manufactura productos para una compañía estadounidense que no es la dueña, es determinar qué responsabilidad tiene esta última de las malas condiciones de trabajo que hay en la fábrica extranjera. La respuesta depende del análisis de responsabilidad moral que estudiamos en el capítulo 1, donde se decía que una persona es responsable de una lesión si la causó o no la evitó cuando podía y debía haberlo hecho, siempre y cuando sabía lo que estaba haciendo, y actuaba con libre albedrío. Todas esas condiciones pueden presentar problemas a las compañías estadounidenses, ya que a veces poseen poco control sobre lo que ocurre en las fábricas del extranjero, y otras veces sus acciones están restringidas por presiones de los competidores o de los accionistas.

*Repaso breve 8.12*

**El empleador es moralmente responsable de las malas condiciones de trabajo si**
• Puede y debe mejorarlas.
• Las conoce.
• Nada le impide cambiarlas.

Un problema de seguridad en el lugar de trabajo que ha crecido en importancia es la violencia laboral. En Estados Unidos, alrededor de 1.7 millones de empleados, en promedio, son víctimas de agresiones laborales cada año, y de ellos, aproximadamente 700 mueren. En la actualidad casi una quinta parte de todos los decesos laborales en ese país son resultado de asaltos u otras formas de violencia en el lugar de trabajo. En 2009 el homicidio fue la categoría de lesiones laborales mortales que ocupó el tercer lugar en Estados Unidos. De acuerdo con el U.S. Bureau of Labor Statistics, también en ese año hubo 788 muertes por asalto y violencia en el lugar de trabajo, de un total de 4,340 lesiones laborales fatales; 521 de esas muertes se clasificaron como homicidios. La proporción de muertes en el lugar de trabajo como resultado de homicidios u otros actos violentos ha aumentado (del 12 por ciento de todas las muertes laborales en 1998, al 18 por ciento en 2009) y el Departamento de Justicia incluso ha calificado al lugar de trabajo como uno de los "lugares más peligrosos" en Estados Unidos. El 70 por ciento de todos los asesinatos en lugares de trabajo ocurren en asaltos a conductores de taxis (la ocupación más peligrosa), a tiendas (especialmente aquellas que venden licor, joyería o gasolina), durante entregas domiciliarias y a almacenes, y en restaurantes. Otro 30 por ciento son perpetrados por compañeros de trabajo (13 por ciento), por clientes (7 por ciento), conocidos, cónyuges o ex cónyuges, y familiares enojados. Los asaltos laborales no fatales ocurren principalmente en hospitales, albergues y agencias de servicio social.

Es evidente que los empleadores tienen tanta obligación de resolver el problema de la violencia laboral como la de otros asuntos de salud y seguridad: estudiar el lugar de trabajo para identificar peligros laborales, eliminar los peligros que sea posible a un costo razonable, y educarse ellos mismos y a su personal acerca de los riesgos de trabajo remanentes. De este modo, los empleadores se deben familiarizar con el tema de la violencia laboral y evaluar los riesgos potenciales de este problema en su propio y particular lugar de trabajo, deben tratar de eliminarlos y desarrollar programas para manejar la ira y la violencia entre los empleados y establecer mecanismos físicos en el lugar para protegerlos contra clientes y compradores violentos, y también deben capacitar a los empleados y a los supervisores para que reconozcan las señales que indican violencia y aprendan a manejarla cuando surja.

## 8.2 La organización política

A cualquiera que alguna vez haya trabajado en una organización grande, la estructura eficiente y dirigida a metas que el modelo racional atribuye a las compañías de negocios le parecerá un poco incompleta, sino es que totalmente irreal. Aunque la mayor parte del comportamiento dentro de las organizaciones se ajusta a la imagen sistemática que muestra el modelo racional, una buena parte del comportamiento organizacional no está dirigido a metas, no es eficiente y ni siquiera racional. Los empleados de las organizaciones a menudo se ven envueltos en intrigas, batallas continuas por los recursos de la empresa, peleas entre grupos, trato arbitrario de los superiores, luchas por avanzar en su carrera, controversia sobre lo que son o deben ser las metas "verdaderas" de la compañía, y desacuerdos sobre las estrategias para alcanzarlas. Estas conductas no se ajustan al patrón sistemático de la búsqueda racional de las metas de la organización.[29] Para entender esas conductas y los problemas éticos que plantean, debemos revisar un segundo modelo de la compañía; uno que se enfoque menos en sus aspectos racionales y más en sus características políticas: el **modelo político de la organización**.[30]

El análisis político de la organización que ahora delineamos es una perspectiva más moderna que el análisis racional. A diferencia de ese modelo, el político de la organización no examina únicamente las líneas formales de autoridad y comunicación, ni supone que todo el comportamiento organizacional está diseñado de forma racional para obtener un objetivo y una meta económica dada, como la rentabilidad o la productividad. En lugar de esto, el modelo político considera que la organización es un sistema de coaliciones de poder en competencia y de líneas formales e informales de influencia y comunicación que irradian desde estas coaliciones.[31]

En lugar de la impecable jerarquía del modelo racional, el modelo político propone una red más compleja y desordenada de relaciones de poder aglomeradas y canales de comunicación entrelazados (vea la figura 8.2).

En el modelo político de la organización, los individuos se perciben como grupos que forman coaliciones que después compiten entre sí por recursos, beneficios e influencia. En consecuencia, las "metas" de la organización son las que establece el grupo que históricamente es la coalición más poderosa o dominante.[32] La autoridad "legítima" no determina los objetivos, sino que se negocian entre coaliciones más o menos poderosas. La realidad organizacional

**modelo político de la organización** Perspectiva que ve a la organización como un sistema de coaliciones de poder en competencia y de líneas de influencia y comunicación formales e informales que irradian de dichas coaliciones. Las principales cuestiones éticas se relacionan con las restricciones morales sobre el uso del poder en la organización.

**Figura 8.2**
🔍 **Vea** la **imagen** en
**mythinkinglab.com**

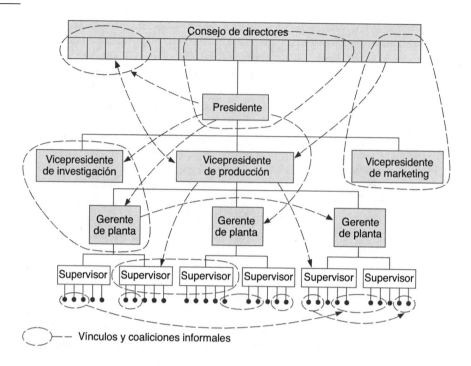

Vínculos y coaliciones informales

fundamental, según este modelo, no es la autoridad formal o las relaciones contractuales, sino el poder: la capacidad del individuo (o grupo) para modificar la conducta de los demás de la manera deseada sin tener que modificar la propia conducta de formas no deseadas.[33] Un ejemplo de una coalición organizacional y del poder informal que ejerce incluso sobre las autoridades formales lo constituye el siguiente relato de la vida en una agencia de gobierno:

> Llegó este jefe proveniente del área de ingresos internos [para dirigir este departamento de OEO]. Él quería ser muy, muy estricto. Solía organizar reuniones cada viernes acerca de la gente que llegaba tarde, la que salía temprano, la que abusaba de la hora para comer... Cada viernes, todos se sentaban y escuchaban a este hombre. Y salíamos y hacíamos lo mismo otra vez. El siguiente viernes organizaba otra reunión y nos decía lo mismo. (Risas). Todos salíamos y hacíamos lo mismo otra vez. (Risas). Él trataba de hablar con alguien para ver qué decía de los demás. Sin embargo, nosotros habíamos estado trabajando juntos durante mucho tiempo. Ya sabes cómo es el juego. Quizá mañana necesites un favor. Por lo tanto, nadie diría nada. Si él quería saber a qué hora llegó alguien, ¿quién se lo iba a decir? Cuando quería saber dónde estaba alguien, nosotros siempre decíamos: "fue a la copiadora" o a cualquier otro lugar. Él no logró hacerse entender.[34]

Como lo muestra este ejemplo, es posible que la conducta dentro de una organización no esté dirigida a metas racionales como la eficiencia o la productividad, y tanto el poder como la información transcurran completamente por fuera (aún en contra) de las líneas formales de autoridad y comunicación. No obstante, la autoridad gerencial y las redes de comunicación formales proporcionan fuentes ricas de poder. El soldador citado en la introducción del capítulo se refería al poder de la primera cuando dijo: "No me gusta la presión... Si no le agradas al supervisor, hará que te aguantes... Oh sí, el supervisor tiene a alguien chasqueándole los dedos, apretándole las tuercas". El ex presidente del conglomerado que también citamos antes, se refería también al poder de la autoridad formal cuando dijo: "Se tiene personal trabajando para uno y también un jefe encima. Estás atrapado en una prensa. La presión aumenta mientras el puesto es más alto". La autoridad formal y las sanciones en las manos de los superiores son una fuente básica del poder que ejercen sobre sus subalternos.

Si nos concentramos en el poder como realidad básica de las organizaciones, entonces, los principales problemas éticos que veremos al examinar una de ellas serán los relacionados con la adquisición y el ejercicio del poder. Los aspectos éticos centrales se enfocarán no en las obligaciones contractuales de los empleadores y de los empleados (como sería con el modelo racional), sino en las restricciones morales a las que se debe sujetar el poder. La ética de la conducta organizacional, desde la perspectiva del modelo político, se centra en esta pregunta: ¿cuáles son los límites morales, si existen, del ejercicio del poder dentro de las organizaciones?

En las secciones siguientes, analizaremos dos aspectos de las preguntas siguientes: *a)* ¿Cuáles, si existen, son los límites morales del poder que los gerentes adquieren y ejercitan sobre sus subalternos? *b)* ¿Cuáles, si existen, son los límites morales del poder que los empleados adquieren y ejercen unos sobre otros?

## Derechos de los empleados

Los observadores de las corporaciones señalan de manera repetida que el poder de la gerencia corporativa moderna se parece mucho al de un gobierno.[35] Esta semejanza es la base de lo que se puede llamar el "argumento de similitud" en apoyo de los derechos de los empleados, el cual afirma que los gobiernos se definen en términos de cuatro características: *a)* un cuerpo centralizado de funcionarios que toma decisiones y que *b)* tiene el poder y la autoridad reconocida para imponerlas a sus gobernados (los ciudadanos); esos funcionarios *c)* determinan la distribución pública de los recursos, los beneficios y las cargas entre sus subalternos, y *d)* cuenta con un monopolio de poder al que sus subalternos están sujetos. Los observadores argumentan que estas cuatro características también describen las jerarquías gerenciales que dirigen las grandes corporaciones: *a)* al igual que en una ciudad, un estado o en el gobierno federal, los altos gerentes de una corporación constituyen un cuerpo centralizado que toma decisiones y cuenta con considerable poder; *b)* estos gerentes ejercen poder y autoridad que, de manera legal, sus empleados reconocen; un poder para despedirlos, degradarlos o promoverlos, y una autoridad que se basa en la ley de agencia que está lista para reconocer y hacer cumplir las decisiones gerenciales; *c)* las decisiones de los gerentes determinan la distribución del ingreso, el estatus y la libertad entre las comunidades de la corporación; y *d)* por medio de la ley de agencia y el contrato, a través de su acceso a las agencias gubernamentales, y por medio del poder económico que poseen, los gerentes de las grandes corporaciones comparten efectivamente el monopolio del poder que poseen los gobiernos políticos.[36]

Varios observadores sostienen que las analogías entre los gobiernos y las gerencias muestran que el poder que los gerentes tienen sobre sus empleados es plenamente comparable con el que ejercen los funcionarios de gobierno sobre sus ciudadanos. En consecuencia, si existen límites morales al poder que los funcionarios del gobierno ejercen de forma legítima sobre los ciudadanos, entonces, existen límites morales similares que deben restringir el poder de los gerentes.[37] En particular, estos autores argumentan que, así como el poder del gobierno debe respetar los derechos civiles de los ciudadanos, el proceder de los gerentes debe respetar los derechos morales de los empleados. ¿Cuáles son esos derechos? Los derechos morales de los empleados serían similares a los derechos civiles de los ciudadanos: el derecho a la privacidad, el derecho de consentimiento, el derecho a la libertad de expresión, etcétera.[38]

La principal objeción a este argumento de similitud de los derechos de los empleados es que hay varias diferencias importantes entre el poder de los gerentes corporativos y el de los funcionarios gubernamentales, y estas diferencias menoscaban el argumento de que el poder de los gerentes debería estar limitado por los derechos de los empleados en comparación con los derechos civiles que limitan el poder del gobierno. Primero, el poder de los funcionarios gubernamentales (al menos en teoría) se basa en el consentimiento, mientras que el poder de los gerentes corporativos reside (nuevamente en teoría) en la propiedad. Los funcionarios gubernamentales lo son porque los eligen o porque alguien los nombra; los gerentes corporativos *rigen* (si esta es la palabra correcta) porque son dueños de la compañía para la cual los empleados eligieron de forma libre trabajar o porque los designan

---

*Repaso breve 8.13*

**Argumento de similitud**

- Las similitudes entre el poder de la gerencia y del gobierno implican que los empleados deben tener derechos parecidos a los de los ciudadanos.
- La gerencia de una compañía es un cuerpo centralizado de toma de decisiones que ejerce poder, al igual que un gobierno.
- Los gerentes ejercen poder y autoridad sobre los empleados, como los gobiernos lo hacen sobre los ciudadanos.
- La gerencia cuenta con el poder de distribuir el ingreso, el estatus y la libertad entre las comunidades de la corporación, como hace el gobierno con respecto a los ciudadanos.
- Los gerentes participan del monopolio de poder que poseen los gobiernos.
- Dado que el poder de los gerentes sobre sus empleados es tan parecido al poder de los gobiernos sobre sus ciudadanos, los empleados deben tener derechos que los protejan del poder de los gerentes, así como los ciudadanos tienen derechos que los protegen del poder del gobierno.

*Repaso breve 8.14*

**Réplicas y sus contestaciones al argumento de similitud**

- El poder de los gobiernos se basa en el consentimiento y eso es diferente al poder de los gerentes, el cual se basa en la propiedad de la compañía; pero los abogados del argumento de similitud responden que actualmente el poder de los gerentes no proviene de los dueños.
- A diferencia de los gobiernos, el poder de los gerentes está limitado por los sindicatos; pero los defensores del argumento de similitud responden que la mayoría de los empleados en la actualidad no están sindicalizados.
- Mientras que es difícil que los ciudadanos puedan escapar del poder de un gobierno, es fácil que los empleados escapen del poder de los gerentes, por ejemplo, cambiando de empleo; pero los defensores del argumento de similitud responden que cambiar de trabajo no siempre es fácil.

los dueños de la compañía. En consecuencia, ya que el poder del gobierno reside en el consentimiento de los gobernados, se puede limitar de forma legítima cuando estos últimos así lo deciden. Sin embargo, como el poder de los gerentes radica en la propiedad de la compañía, ellos tienen el derecho de imponer las condiciones que elijan a los empleados, quienes se contratan libre y deliberadamente para trabajar de acuerdo con las premisas de su compañía.[39] Segundo, el poder de los gerentes corporativos, a diferencia de los funcionarios gubernamentales, está limitado de forma eficaz por los sindicatos: la mayoría de los obreros y algunos empleados de cuello blanco pertenecen a un sindicato que les proporciona un grado de poder compensatorio que limita el poder de la gerencia. De este modo, no se necesita invocar derechos morales para proteger los intereses de los empleados.[40]

Tercero, mientras que un ciudadano solo escapa al poder de un gobierno específico a un alto costo (cambiando su ciudadanía), un empleado escapa del poder de una gerencia específica con gran facilidad (cambiando de trabajo). Debido a los costos relativamente altos de cambiar la ciudadanía, los individuos necesitan derechos civiles que los aíslen del ineludible poder del gobierno. Ellos no necesitan derechos similares a los de los empleados que los protejan del proceder de una corporación a cuya influencia escapan con facilidad.[41]

Los defensores de los derechos de los empleados han respondido a estas tres objeciones de varias maneras: en primer lugar, afirman que los bienes corporativos ya no los controlan dueños privados; ahora pertenecen a un grupo de accionistas dispersos que casi no tiene poder. Este tipo de propiedad dispersa implica que los gerentes ya no funcionan como agentes de los dueños de la compañía y, en consecuencia, que su poder ya no descansa en los derechos de información exclusiva.[42] En segundo lugar, aunque algunos empleados están sindicalizados, muchos no lo están, y estos cuentan con derechos morales que los gerentes no siempre respetan.[43] En tercer lugar, cambiar de trabajo algunas veces es tan difícil y traumático como cambiar de ciudadanía, especialmente para el empleado que ha adquirido habilidades especializadas que solo se utilizan dentro de una organización específica.[44]

Existe, entonces, una controversia continua sobre la validez del argumento general de que, dado que las gerencias son como los gobiernos, los mismos derechos civiles que protegen a los ciudadanos deben también proteger a los empleados. Sin importar si se acepta este argumento general, se han propuesto varios argumentos independientes para demostrar que los empleados poseen ciertos derechos particulares que los gerentes deben respetar. A continuación examinamos los argumentos.[45]

**El derecho a la privacidad**   Como se indicó en el capítulo 6, el *derecho a la privacidad* se define como el derecho de las personas para determinar qué, a quién y cuánta información acerca de ellas deben revelar a otros. El derecho del empleado a la privacidad se ha vuelto particularmente vulnerable con el desarrollo de tecnologías recientes, en particular las de cómputo.[46] Está permitido legalmente que los empleados que utilizan teléfonos y computadoras sean vigilados por su empleador, quien podría desear revisar qué tan rápido están trabajando, si están realizando actividades personales o relacionadas con el negocio, o simplemente desea saber qué están haciendo. El polígrafo o máquinas "detectoras de mentiras", aunque generalmente están prohibidas por la ley federal, en la mayoría de las industrias se permiten durante las investigaciones a empleados sospechosos de robo o pérdidas económicas en un número de industrias "exentas". Los métodos computacionales de obtención, almacenamiento, recuperación, comparación y comunicación de información han hecho posible que los empleadores reúnan y guarden información personal acerca de sus empleados, como registros médicos de la compañía, historiales crediticios, antecedentes criminales y de arrestos, información del FBI e historial de empleo. Las pruebas genéticas, aunque todavía muchas empresas no las utilizan de forma amplia, ya permiten que los empleadores prueben alrededor de 50 rasgos genéticos de los empleados, los cuales indican las probabilidades que tienen de desarrollar ciertas enfermedades (como la fibrosis cística o la anemia hemolítica) o de verse afectados por ciertas toxinas o riesgos laborales en el lugar de trabajo.

# Los mensajes de texto del sargento Quon

Jeff Quon trabajaba como sargento en el equipo SWAT (Unidades de Operaciones Tácticas) del Departamento de Policía de Ontario, California. El departamento proporcionó a todos los oficiales unos dispositivos localizadores que permitían mensajería de texto con un límite mensual de 25 mil caracteres, por encima del cual la ciudad de Ontario debía pagar extra. La ciudad emitió un comunicado, "uso de comunicaciones, Internet y política de correos electrónicos", que decía que "el uso de estas herramientas para el beneficio personal es una importante violación de la política de la ciudad de Ontario", pero que se permitía "algún uso ocasional e imprevisto del sistema de correos electrónicos, si se limita a comunicaciones personales leves". Además, continuaba la política, "la ciudad de Ontario se reserva el derecho de monitorear y registrar toda la actividad de la red incluyendo el uso de correos electrónicos y de Internet, con o sin aviso; los usuarios no deben tener expectativas de privacidad o confidencialidad cuando usen estos recursos". La política recordaba a los oficiales que todos esos "mensajes están también sujetos al 'acceso y divulgación' en el sistema legal y los medios", es decir, podían ser revelados si un tribunal los citaba durante un juicio o si los reporteros lo solicitaban bajo el estatuto de libertad de información o un estatuto de revelación de archivos públicos. El sargento Quon firmó un acuse de recibo de que había leído y entendido la política. Además, asistió a una junta donde se comunicó a todos los oficiales que los mensajes de los localizadores eran considerados correos electrónicos bajo la política "y podían ser auditados". Unos pocos días después recibió un memorando que le recordaba esa política.

Cuando Quon se pasó la primera vez de los 25 mil caracteres que constituían el límite mensual de su localizador, un superior lo abordó, el teniente Steve Duke, quien le recordó que sus mensajes "podían ser auditados". Sin embargo, el teniente añadió explícitamente que "no auditaría los mensajes de texto de los empleados para ver si el cargo excedente se refería a transmisiones relacionadas con el trabajo" en tanto el empleado "reembolsara a la ciudad por el cargo excedente". Solo si Quon no pagaba el excedente sería necesario "auditar la transmisión para ver cuántos mensajes eran relacionados con el trabajo". El sargento Quon pagó el excedente en su totalidad y cuando se volvió a pasar del límite tres o cuatro veces más, también pagó cada uno de los cargos excedentes en su totalidad y, como el teniente le había dicho, sus mensajes no fueron examinados. Pero cuando se pasó por quinta vez, el teniente Duke no pidió a Quon que pagara el excedente sino que obtuvo una transcripción de todos sus mensajes y los leyó. Descubrió que algunos mensajes eran para o de la esposa de Quon, "mientras que otros estaban dirigidos a su amante o eran de ella" y algunos eran sexualmente explícitos. El teniente se los mostró a su superior, el jefe Scharf, y señaló que la política del departamento prohibía de manera expresa "el uso de lenguaje inapropiado, despectivo, obsceno, sugestivo, difamatorio o acosador" en los mensajes.

---

1. ¿Qué debería hacer el jefe Scharf desde el punto de vista ético? ¿Y el teniente Duke?

2. La garantía del teniente Duke de que no examinaría los mensajes del sargento Quon en tanto este pagara por cualquier excedente, ¿era un acuerdo implícito en el que tenía derecho a confiar? ¿Fue un acuerdo implícito que Duke estaba moralmente requerido a mantener?

3. ¿Violaron el jefe Scharf o el teniente Duke el derecho del sargento Quon a la privacidad? Si lo hicieron, explique por qué. Si no lo hicieron, explique qué sucesos adicionales tendrían que ocurrir para que el incidente fuera una violación del derecho de privacidad y por qué son necesarios esos otros sucesos.

4. Dado que Quon trabajaba para el gobierno de una ciudad, ¿cree que se debería aplicar el derecho a la libertad que garantiza la cuarta enmienda sobre la "busca y aprehensión no razonable" por parte de una autoridad gubernamental?

---

Fuente: Erwin Chemerinsky, "Does the Fourth Amendment's Right to Privacy Protect Personal Communications over a Government-Issued Pager?", disponible en línea en *www.abanet.org/publiced/preview/Quon.pdf*.

Se espera que en el futuro, las pruebas genéticas que se realizan a los trabajadores y aspirantes a un empleo permitan a los empleadores excluir a una amplia gama de individuos cuyos genes indiquen altas probabilidades de generar mayores costos por concepto de seguros médicos o por la instalación de protecciones en el lugar de trabajo. Las pruebas de orina permiten a las compañías detectar a los empleados que consumen drogas, alcohol o tabaco en casa. Las pruebas psicológicas escritas, las pruebas de personalidad y las de honestidad hacen posible que el empleador descubra un amplio rango de características personales y tendencias que la mayoría de las personas prefieren mantener en secreto, como su grado de honestidad o su orientación sexual. Esas innovaciones no solo han hecho más vulnerable la privacidad de una persona sino que han surgido en un momento en que los gerentes están particularmente interesados en saber más acerca de sus empleados. Los adelantos en psicología industrial han demostrado la existencia de vínculos entre la vida privada de los empleados en su hogar o sus rasgos de personalidad, y la productividad y el desempeño en el trabajo.

Como vimos en el capítulo 6, existen dos tipos de privacidad: la psicológica, que se refiere a la privacidad de nuestros pensamientos internos, planes, creencias, valores, sentimientos y deseos; y la física, que es la privacidad con respecto a las propias actividades físicas, en especial, aquellas que revelan la vida interna y que implican funciones físicas o personales que se reconocen culturalmente como privadas.[47] Cada uno de nosotros tiene un gran interés por la privacidad, lo que justifica que se la proteja considerándola un derecho. La privacidad nos protege: nos permite preservar información personal que podría avergonzarnos, nos protege de que otros interfieran en nuestra vida únicamente porque no están de acuerdo con nuestros valores, permite que protejamos a nuestros seres queridos de información sobre nosotros mismos que podría dañarlos y, de manera más general, protege nuestra reputación. También nos capacita y nos da poder: nos permite tener intimidad, que a su vez nos deja desarrollar relaciones personales de amor, amistad y confianza; nos posibilita mantener relaciones confidenciales con profesionales como médicos, abogados y psiquiatras; nos permite mantener roles sociales privados que sean distintos a los públicos, así como determinar nuestra propia identidad al poder controlar la forma en la que la sociedad, en general, e individuos seleccionados nos ven.

Así pues, es evidente que los empleados, al igual que otras personas, tienen un gran interés en mantener la privacidad con respecto a su información, por lo que se debe reconocer que ellos cuentan con este derecho, el cual, sin embargo, debe estar equilibrado con los derechos y necesidades de los demás. En concreto, en ocasiones los empleadores poseen el derecho legítimo de indagar acerca de las actividades de los empleados o posibles empleados. El empleador está justificado si desea conocer, por ejemplo, cuál ha sido la experiencia del candidato en trabajos anteriores y si se desempeñó de manera satisfactoria en ellos. También es justificable el deseo del empleador de identificar a los culpables cuando la compañía descubre que un empleado roba, o de vigilar a los empleados en el trabajo para descubrir la fuente de los robos. ¿Cómo se equilibran esos derechos con el de la privacidad? Al reunir información, es necesario tomar en cuenta tres elementos que amenazan el derecho de los empleados a la privacidad: la pertinencia, el consentimiento y el método.[48]

**Pertinencia** El empleador se debe limitar a indagar en los asuntos del empleado en las áreas que sean directamente pertinentes al asunto de que se trata. Aunque los empleadores tienen el derecho de conocer a la persona que están empleando y de saber cómo se está desempeñando, no se justifica que investiguen áreas de la vida del empleado que no afecten directa y gravemente estos aspectos de su empleo. Por ejemplo, investigar las creencias políticas o la vida social de un empleado es incorrecto porque es una invasión de la privacidad. Por la misma razón, si una compañía quiere información acerca de la vida personal de un empleado en el transcurso de una investigación legítima, es incorrecto registrar y mantener esa información, especialmente cuando esos datos puedan avergonzarle o perjudicarle de alguna otra manera si se llegaran a filtrar.

Las líneas divisorias entre una investigación justificada y una injustificada son bastante claras con respecto a los empleados de bajo nivel: es obvio que no se justifica investigar

---

**Repaso breve 8.15**

**Derecho de los empleados a la privacidad**

- Está amenazada por las tecnologías actuales.
- Se justifica debido al interés que tenemos en sus funciones protectoras y capacitadoras.
- Es necesario que los gerentes tomen en cuenta la pertinencia, el consentimiento y los métodos al reunir información sobre los empleados.

los problemas matrimoniales, las actividades políticas o las características emocionales del personal de oficina, vendedores u obreros. Sin embargo, la línea divisoria entre lo que es o no es pertinente es menos clara a medida que uno asciende en la jerarquía gerencial de la compañía. Los ejecutivos deben representar a la compañía ante otros, y la reputación de la empresa quizá sufra daños importantes a causa de las actividades privadas o la inestabilidad emocional de uno de ellos. Por ejemplo, el problema de alcoholismo de un director ejecutivo o su pertenecia a una asociación de dudosa reputación afectarán sus capacidades para representar de forma adecuada a la compañía. En estos casos, se podría justificar que la compañía indague acerca de la vida personal o las características psicológicas de un funcionario.

*Consentimiento*   Se debe dar a los empleados la oportunidad de otorgar o negar su consentimiento antes de que se investiguen los aspectos privados de su vida. Toda persona, como argumentaba Kant, tiene el derecho moral de ser tratada solo como consienta que la traten. Solo se justifica que la compañía indague en la vida privada del empleado si este comprende con claridad que se está realizando la investigación y acepta esto como parte del empleo o decide de forma libre rechazarlo. El mismo principio se aplica cuando un empleador realiza algún tipo de vigilancia de empleados con la finalidad de, digamos, descubrir o evitar robos. Se debe informar a los empleados de dicha vigilancia para que se puedan asegurar de no revelar de forma inadvertida su vida personal. Aún más, anunciar esa vigilancia puede ser suficiente para detener los robos.

*Métodos*   El empleador debe distinguir entre los métodos de investigación que son comunes y razonables de los que no lo son. Los métodos comunes incluyen actividades de supervisión que normalmente se utilizan para controlar el trabajo de los empleados y que se supone que estos conocen y consienten como parte de su contrato implícito o explícito con la empresa. Los métodos extraordinarios incluyen dispositivos como micrófonos ocultos, cámaras secretas, intervenciones telefónicas, pruebas con detectores de mentiras, pruebas de personalidad y espías. Los métodos extraordinarios son injustificados y poco razonables a menos que las circunstancias sean extraordinarias. Estos métodos de investigación se podrían justificar si una compañía está sufriendo grandes pérdidas por robos que cometen los empleados y la vigilancia ordinaria no ha logrado detener. Sin embargo, dichos dispositivos no se justifican solamente porque el empleador espera poder recopilar información importante acerca de la lealtad de sus empleados. En general, el uso de dispositivos extraordinarios se justifica solo cuando se cumplen las siguientes condiciones: *a*) la compañía presenta un problema que no se puede resolver de otra forma más que utilizando esos medios extraordinarios; *b*) el problema es grave y la compañía tiene buenos fundamentos para pensar que el uso de medios extraordinarios identificará a los culpables o pondrá fin al problema; *c*) el uso de dispositivos extraordinarios no se prolonga más tiempo del necesario para identificar a los malhechores o después de que sea evidente que los dispositivos no funcionarán; *d*) toda la información que se descubre, pero que no es directamente pertinente a los propósitos de la investigación, se desecha y destruye; y *e*) se toma en cuenta la tasa de fracasos de cualquier dispositivo extraordinario empleado (como detectores de mentiras, pruebas de consumo de drogas o psicológicas), y toda la información que se obtiene a través de dispositivos que tienen una tasa de fracasos conocida se verifica por medio de métodos independientes que no estén sujetos a las mismas tasas de fracasos.

### El derecho a la libertad de conciencia

Durante el desempeño de su trabajo, un empleado puede descubrir que una corporación está haciendo algo que él considera grave y moralmente incorrecto. De hecho, el personal de una corporación suele ser el primero en saber que está comercializando productos inseguros, contaminando el ambiente, ocultando información para la salud o violando la ley.

Los empleados con un sentido de responsabilidad moral y que descubren que su compañía está dañando a la sociedad, generalmente, sienten la obligación de hacer algo para que la empresa suspenda esas actividades y, en consecuencia, enteran a sus superiores. Por

---

*Repaso breve 8.16*

**El derecho a la libertad de conciencia**

- Se justifica por el interés que tenemos de permanecer fieles a nuestras convicciones religiosas o morales.
- Se debe equilibrar con los derechos legítimos de la empresa, sus accionistas y compañeros de trabajo.
- Implica que los informantes que impiden un mal que viola nuestras convicciones morales es *moralmente justificado* cuando: 1) el mal es evidente, 2) otros métodos no han dado resultados, 3) impedirá el mal, y 4) el mal es lo suficientemente grave para justificar los costos personales y de otro tipo de ser informantes.
- Ser informantes es una *obligación moral* para una persona cuando tiene un deber especial de impedir el mal o es la única persona que lo impedirá o puede impedirlo, y ese mal implica un daño extremadamente grave para el bienestar de la sociedad, o una injusticia muy grave o una violación de derechos sumamente grave.

desgracia, si la administración interna se niega a hacer algo al respecto, en la actualidad el empleado no dispone de muchas otras opciones legales. Si, después de ser ignorado por la compañía, el empleado tiene el valor de informar del asunto a una dependencia de gobierno externa o, peor aún, de revelar el asunto a un medio público, la empresa está en su derecho legal de castigarlo, despidiéndolo. Además, si el asunto es lo suficientemente grave, la compañía tal vez refuerce el castigo registrando el incidente en el expediente del empleado, y en casos extremos, asegurándose de que otras compañías de la misma industria no lo contraten.[49]

Varios autores han argumentado que esto en realidad es una violación del derecho del individuo a la libertad de conciencia.[50] La razón es que está obligándolo a cooperar con una actividad que viola sus creencias morales. ¿Cuál es el fundamento de este derecho? El derecho a la libertad de conciencia deriva de los intereses de los individuos de respetar sus convicciones religiosas o morales.[51] Los individuos con convicciones religiosas o morales, por lo regular, las consideran absolutamente obligatorias y solo las trasgreden a un elevado costo psicológico. El derecho a la libertad de conciencia protege este interés al exigir que no se obligue a los individuos a cooperar en actividades que firmemente consideran incorrectas.

Sin embargo, estos argumentos no han tenido un gran efecto sobre la ley, que aún refuerza la obligación del empleado a mantener la lealtad y confidencialidad hacia el negocio de su empleador.[52] Sin embargo, se han aprobado algunas leyes que ofrecen cierta protección al empleado que se preocupa de que su compañía está violando la ley o está participando en actividades inmorales. Estas leyes protegen la práctica de lo que se llama **ser informantes**.[53] Analizaremos brevemente estas leyes, pero antes revisaremos de qué se trata.

**ser informante** Intento que hace un miembro o un antiguo miembro de una compañía de revelar las faltas dentro de la empresa o las que comete.

***Ser informantes*** Ser informante es el intento que hace un miembro o un antiguo miembro de una compañía de revelar las faltas cometidas por esta, incluyendo incumplimiento de la ley, fraude, violaciones a la salud o seguridad, soborno o lesiones reales o potenciales al público. Por ejemplo, al señor Mackowiack la University Nuclear Systems Inc. (UNSI), lo contrató como inspector de soldadura, la compañía responsable de instalar el sistema de calefacción, ventilación y aire acondicionado en una planta nucleoeléctrica, propiedad del sistema Washington Public Power Supply. Mackowiack debía inspeccionar el trabajo de los empleados de UNSI y asegurarse de que se ajustara a las normas federales de calidad y seguridad, tarea que explicitan los reglamentos federales, que exigen a los constructores de plantas nucleoeléctricas conferir a sus inspectores la autoridad y la libertad de organización necesarias para cumplir con su papel de observadores independientes del proceso de construcción. Sin embargo, según Mackowiack, algunos empleados de UNSI no le permitían el acceso a áreas donde el trabajo no cumplía con las normas federales, así que acudió con sus superiores y les comentó que creía que la compañía estaba violando reglamentaciones federales, pero que le impedían de manera ilegal inspeccionar las áreas donde ocurrían los hechos. Cuando no pudo lograr que ellos respondieran a sus preocupaciones, *divulgó información* sobre la compañía. Se reunió con funcionarios de la Nuclear Regulatory Commission (NRC) en su casa y les habló sobre sus preocupaciones acerca de la seguridad y el control de calidad del trabajo de UNSI. La NRC tomó en serio sus acusaciones, emprendió acciones al respecto y realizó una investigación completa de UNSI, que verificó los problemas y la obligó a corregirlos. Sin embargo, la compañía descubrió que Mackowiack había hablado con agentes federales y a principios del siguiente año lo despidió porque, según la compañía, tenía una "actitud de desconfianza hacia la gerencia", aun cuando su "capacidad y experiencia como inspector es excelente, y es un buen inspector".[54]

Se puede ser informante a nivel interno o externo. Si la falta se reporta solo a los individuos de nivel más alto en la organización, como lo hizo Mackowiack al principio, se trata de una denuncia interna. Cuando la falta se reporta a individuos o instituciones externas, como agencias del gobierno, periódicos o grupos de interés público, la denuncia es externa. Por ejemplo, cuando Mackowiack informó de sus preocupaciones a la Nuclear Regulatory Commission, su acto se convirtió en denuncia externa.

Como muestra la experiencia de Mackowiack, ser informante con frecuencia es un acto valiente de conciencia que conlleva fuertes costos personales. Un estudio sobre las denuncias reveló que el individuo promedio que suele hacerlas es un hombre de familia de 47 años de edad, que ha sido un empleado meticuloso durante siete años, y que cree fervientemente en los principios morales universales.[55] El mismo estudio reportó que el 100 por ciento de los individuos denunciantes encuestados que trabajaban para negocios privados fueron despedidos por sus patrones; el 20 por ciento aún no podía encontrar trabajo en el momento de la encuesta; el 25 por ciento había sufrido problemas económicos importantes en su familia; el 17 por ciento perdió su casa; el 54 por ciento había sido acosado por sus compañeros en el trabajo; el 15 por ciento consideraba que su divorcio subsecuente era el resultado de haber hecho la denuncia; el 80 por ciento padecía un deterioro físico; el 86 por ciento reportó estrés emocional, incluyendo sentimientos de depresión, impotencia, aislamiento y ansiedad; y el 10 por ciento reportó un intento de suicidio. No obstante, la mayoría de los denunciantes encuestados no se sentían arrepentidos y estaban dispuestos a hacerlo nuevamente. Algunos de los comentarios similares que hicieron al equipo de encuestadores fueron los siguientes: "Resultó ser lo más atemorizante que he hecho en mi vida, pero también lo más satisfactorio. Creo que hice lo correcto, y logré que se realizaran algunos cambios en la planta", "Hay que hacer lo correcto. Es posible reemplazar los ingresos perdidos. La autoestima perdida es más difícil de recuperar", y "Encontrar la honestidad dentro de mí fue más poderoso de lo que esperaba".

A veces se dice que la denuncia externa siempre es incorrecta, puesto que los empleados tienen la obligación contractual de permanecer leales a su empleador y de mantener la confidencialidad de todos los asuntos de la compañía. El argumento dice también que, cuando una persona acepta un empleo, también acepta de forma implícita mantener la confidencialidad de todos los asuntos de la compañía y trabajar de manera dedicada para los intereses del empleador. El individuo que divulga información viola este acuerdo y, por lo tanto, viola los derechos del empleador.

A pesar de que parte de lo que dice este argumento es cierto, la conclusión es falsa. Es verdad que un empleado participa en un convenio por el que se compromete a actuar en beneficio de su empleador en todos los asuntos referentes al negocio, y que también acepta de forma implícita guardar secretos comerciales y mantener en secreto otro tipo de información. Sin embargo, este acuerdo no es absoluto, y no impone al empleado obligaciones ilimitadas hacia el empleador. Como vimos anteriormente, los acuerdos y los contratos dejan de ser válidos si obligan a una persona a realizar un acto inmoral. En consecuencia, si un empleado tiene la obligación moral de evitar que otras personas sufran daños, y la única forma de evitarlo es dando aviso sobre su empleador, un convenio de empleo no lo obliga a permanecer en silencio. En tal situación, el convenio de empleo no sería válido porque obligaría al empleado, de manera inmoral, a dejar de hacer algo que siente la obligación moral de hacer. De este modo, la denuncia externa se justifica si es necesaria para evitar una falta que uno tiene la obligación o el derecho moral de evitar, o si traerá un beneficio que uno tiene la obligación moral de proporcionar.

Como a veces se alega, también es falso que las denuncias externas siempre estén moralmente justificadas con base en que todas las personas, incluyendo los empleados, cuentan con el derecho a la libertad de expresión. Según este argumento, cuando los empleados revelan lo que sucede en una compañía a agentes externos, solamente están ejerciendo su derecho de libertad de expresión y, por lo tanto, su acto está justificado moralmente. No obstante, este argumento ignora que el derecho a la libertad de expresión, como todos los demás derechos, está limitado por los de otras personas; en particular, por los derechos del empleador y de otras partes. Debido al contrato de empleo, el empleador cuenta con el derecho de que sus empleados mantengan en secreto asuntos propios de la compañía, y de que trabajen para sus intereses, siempre y cuando no sean obligados a hacer algo inmoral. Además, otras partes, como los accionistas y compañeros de trabajo, que se podrían ver perjudicados por una denuncia externa, también están en su derecho a no ser sometidos a tales daños de forma innecesaria o sin una razón proporcionalmente grave. De este modo, la denuncia externa solo se justifica si se han probado otros medios para evitar una falta, como la denuncia interna, pero han fracasado, y solo si el daño que se desea evitar es mucho más grave que el daño que sufrirán otras partes.

La denuncia externa se justifica moralmente si

1. existen evidencias claras, fundamentadas y razonablemente globales de que la organización está implicada en alguna actividad que está perjudicando o perjudicará gravemente a otras partes;
2. se han hecho intentos razonables para evitar la falta por medio de la denuncia interna, pero se ha fracasado;
3. existe la certeza razonable de que la denuncia externa evitará la falta; y
4. la falta es lo suficientemente grave para justificar los daños que la denuncia externa probablemente infligirá al empleado, su familia y otras partes.

Decir que la denuncia externa está *justificada* no equivale a decir que es *obligatoria*. Aunque podría ser moralmente admisible que una persona denuncie a una compañía, esto no significa que también tenga la obligación moral de hacerlo.[56] ¿En qué condiciones no es solo admisible sino obligatorio que una persona formule una denuncia externa? La denuncia es solo un medio para un fin, el de corregir o evitar una falta; por lo tanto, una persona tiene la obligación de recurrir a estos medios solo en el grado en que exista una obligación para lograrlo. Es evidente que una persona está obligado moralmente de hacer una denuncia solo cuando existe la obligación moral de evitar una falta. ¿Cuándo una persona tiene la obligación de evitar una falta? Suponiendo que se cumplen las condiciones 1 a 4, de modo que la denuncia sea por lo menos admisible, una persona también tiene la obligación de denunciar cuando *a*) esa persona específica esté obligado moralmente de evitar la falta, ya sea porque forma parte de sus responsabilidades profesionales específicas (por ejemplo, como contador, agente ambiental, ingeniero profesional, abogado, etcétera) o porque nadie más cuenta con el poder de evitar la falta en que incurrió la compañía; y *b*) la falta implica un daño grave al bienestar general de la sociedad, una grave injusticia en contra de una persona o grupo, o una violación grave de los derechos morales básicos de uno o más individuos. Por ejemplo, cuando una compañía está involucrada en actividades que provocan lesiones importantes a la salud de muchas personas, las cuales tienen el derecho de ser protegidas, y nadie más en la compañía está dispuesto a detener dichas actividades, entonces, yo estoy obligado a evitar la falta, incluso si esto implica recurrir a la denuncia.

En muchas compañías, los empleados conscientes dben recurrir a la denuncia externa porque la empresa no les ha proporcionado una manera de dar a conocer sus preocupaciones de manera interna, o porque temen las represalias si lo hacen.[57] Para superar estos problemas, muchas compañías han puesto en marcha "líneas éticas directas", esto es, números telefónicos sin costo, al que cualquier empleado puede llamar para reportar sospechas de violaciones legales o éticas de manera anónima a un gerente superior o "funcionario de ética" cuya responsabilidad es la de investigar las acusaciones.[58]

El Congreso de Estados Unidos ha aprobado recientemente diversas leyes que protegen a quienes denuncian que sufren represalias. Por ejemplo, la Ley de Protección al Denunciante prohíbe las represalias en contra de *empleados del gobierno* que reporten violaciones a la ley o acciones administrativas que generen peligros sustanciales a la salud o seguridad pública. La Ley Sarbanes-Oxley protege a los *empleados de las compañías que cotizan en bolsa* que reporten malos actos a las autoridades públicas. Y la ley de reclamaciones falsas no solo prohíbe las represalias en contra de los denunciantes que reporten fraudes de las compañías en contra del gobierno, sino que los recompensa al darles entre el 15 y 30 por ciento de lo que recupera el gobierno. Sin embargo, a pesar de esas leyes, muchos denunciantes todavía pagan costos muy altos cuando denuncian a su empleador. Algunos gerentes ignoran estas leyes pensando que la compañía los protegerá de las sanciones legales, y los compañeros a menudo excluyen al denunciante porque sienten que es un "delator" o un "soplón" contra la compañía.

**El derecho de los empleados a participar en decisiones que les afecten**  Una tradición política democrática ha sostenido desde hace mucho tiempo que el gobierno debe estar sujeto al consentimiento de los gobernados porque los individuos tienen derecho a la libertad, y eso implica que tienen el derecho de participar en las decisiones políticas que les afectan. Por lo tanto, dentro de una democracia la toma de decisiones suele incluir dos características: *a*) las decisiones que afectan al grupo las toma una mayoría, y *b*) las decisiones se toman después de una discusión plena, libre y abierta.[59] O bien todos los miembros del grupo participan en ese proceso de toma de decisiones, o lo hacen por medio de representantes electos.

Varios autores han propuesto que estos ideales democráticos se deben incorporar a las organizaciones de negocios.[60] Algunos han argumentado que el hecho de permitir que cada empleado de la organización participe en el proceso de toma de decisiones es un "imperativo ético".[61] Como primer paso hacia una democracia de este tipo, algunos sugieren que, aunque las decisiones que afectan a los empleados no las deben tomar ellos mismos, sí se deben tomar solo después de discutirlas de forma plena, libre y abierta con ellos. Esto implica una comunicación abierta entre los empleados y sus supervisores, y el establecimiento de una atmósfera que fomente la consulta con los primeros. A los empleados se les permitiría expresar sus críticas abiertamente, recibir información precisa acerca de las decisiones que les afectarán, formular sugerencias y protestar en contra de las decisiones.

Un segundo paso hacia la "democracia de la organización" daría a los empleados no solo el derecho a ser consultados, sino también el de tomar decisiones acerca de sus propias actividades de trabajo inmediatas. Estas decisiones podrían incluir asuntos tales como horas de trabajo, periodos de descanso, organización de las tareas y el ámbito de responsabilidad de los empleados y los supervisores.

Un tercer paso hacia la extensión de los ideales de la democracia al lugar de trabajo permitiría a los empleados participar en las decisiones de política importantes que afectan las operaciones generales de la compañía. Por ejemplo, las empresas europeas, especialmente las de Alemania, han adoptado el concepto de *codeterminación*.[62] Las leyes alemanas exigen que cada compañía de la industria de productos básicos (carbón, hierro y acero) y las empresas con más de 2 mil empleados tengan un consejo de directores, una parte del cual es elegido por los accionistas y otra por los empleados (por lo general uno menos de la mitad). En la mayoría de las empresas alemanas, se mantienen informados a unos "consejos de trabajo" compuestos por empleados, a quienes se consulta sobre temas importantes que les afectarán, como el cierre o la reubicación de plantas, fusiones con otras compañías o la introducción de métodos de trabajo fundamentalmente nuevos. El consejo de directores nombra un "director de recursos humanos", que forma parte de la alta gerencia y que actúa como representante de los empleados en el equipo gerencial. Las relaciones entre la administración y la mano de obra por lo general son armoniosas y de cooperación, y las decisiones se suelen tomar con base en el consenso. La productividad es alta y la mayor parte de las decisiones toma un enfoque a largo plazo y global en los asuntos.

La democracia plena en las organizaciones no ha sido especialmente popular en Estados Unidos. Quizás esto se deba en parte a que los empleados no han mostrado gran interés por participar en las decisiones de política general de las compañías. Sin embargo, una razón más importante es que la ideología estadounidense distingue de forma clara entre el poder que ejercen las organizaciones políticas y el que se ejerce dentro de las organizaciones económicas: en las primeras el poder debe ser democrático, mientras que en las segundas debe quedar en manos de los gerentes y los propietarios.[63] Usted debe decidir si esta diferencia ideológica es válida.

Muchos autores sobre administración recomiendan a los gerentes que lleven procesos democráticos a las organizaciones de negocios en lo que se ha descrito como *liderazgo participativo*, argumentando que llevar estilos de liderazgo democrático a dichas organizaciones aumentará la satisfacción de los empleados y la productividad. Por lo tanto, debido a razones utilitaristas, se debe integrar más democracia en las organizaciones. Una de las

---

*Repaso breve 8.17*

**El derecho de participar**

- Se basa en el derecho de decidir con libertad cómo dirigiré mi vida y de participar en decisiones que me afecten.
- Tal vez implique la discusión abierta, consulta o participación plena en las decisiones sobre las políticas.
- Apoya el tipo de administración participativa que defienden la "Teoría X" de McGregor, los modelos de "relaciones humanas" y "recursos humanos" de Miles, y los sistemas de organización Sistema 3 "consultor" y Sistema 4 "participativo" de Likert.
- McGregor, Miles y Likert apoyaban sus puntos de vista con el argumento utilitario, al señalar que las organizaciones son más productivas si adoptan sus teorías.

primeras perspectivas, la de Douglas McGregor, describía dos "teorías" que los gerentes pueden tener acerca de los empleados.[64]

En una teoría, la teoría X, los gerentes suponen que los empleados son indolentes por naturaleza y que necesitan recompensas, castigos y control para lograr que alcancen objetivos organizacionales. Los gerentes que siguen la teoría X tienden a ser más autoritarios, directivos, controladores y, por lo tanto, menos democráticos. En la otra, la teoría Y, los gerentes suponen que los empleados desean y tienen el poder para desarrollar la capacidad de aceptar responsabilidades, y que se puede confiar en que lograrán hallar los mejores medios para alcanzar las metas por sí mismos. McGregor sostiene que la teoría Y es una descripción más precisa de la fuerza de trabajo moderna, y que los gerentes deberían usar un estilo gerencial participativo y democrático si quieren crear una organización más efectiva y productiva.

Una teoría posterior, la de Raymond Miles, coincidía en muchos puntos con la de McGregor, pero fue un paso más allá al distinguir no dos, sino tres "modelos" o conjuntos de supuestos mentales que los gerentes hacen acerca de los empleados.[65] El modelo "tradicional" como la teoría X de McGregor, o un modelo de "relaciones humanas" como la teoría Y de Miles. El tercero y más progresista de los modelos de trabajadores es el de "recursos humanos", que supone que los empleados desean contribuir con las metas significativas que ayudaron a establecer de manera democrática y que pueden ser más autodirectivos y autocontrolados de lo que la mayor parte de los gerentes piensan. Miles sostenía que si los gerentes tomaran una perspectiva de "recursos humanos" de los empleados, la satisfacción laboral y la eficacia de la organización aumentarían. Otra teoría, que desarrolló Rensis Likert, da un paso más allá de la teoría de Miles, para postular no tres sino cuatro "sistemas de organización", que servirían como base para operar una compañía: el sistema 1, el "explotador autoritario"; el sistema 2, el "benevolente autoritario"; el sistema 3, el "consultivo"; y el sistema 4, el "participativo".[66] Likert argumentaba que el sistema 4, que incorpora los niveles más altos de participación y autodirección democrática de los empleados, produciría los niveles más elevados de eficacia y productividad de la organización.

**gerencia participativa** Estilo gerencial que hace hincapié en la participación de los empleados en los procesos de evaluación y toma de decisiones.

Si los estilos de **gerencia participativa**, como los que recomiendan de diferentes maneras McGregor, Miles y Likert, realmente logran que las organizaciones sean más eficaces y productivas, entonces, según los principios utilitaristas, los gerentes deberían llevar esos elementos de democracia a sus organizaciones. Sin embargo, las investigaciones que se han realizado acerca de si un estilo gerencial participativo más democrático lleva a mayor satisfacción del personal y a una organización más eficaz y productiva no han llegado a conclusiones firmes. En algunos casos (por ejemplo, Semco, una compañía brasileña),[67] ha sido espectacularmente exitosa, permitiendo que plantas completas pasen de ser "desastres" improductivos a "dínamos" muy eficientes.[68] En otros casos, la gerencia participativa no ha producido efectos muy positivos sobre el desempeño y la productividad, aunque sí en la satisfacción laboral de sus empleados.[69] Además, los críticos del enfoque participativo han argumentado que las personas son diferentes y que no todas desean participar en la toma de decisiones gerenciales, que las organizaciones y sus tareas son diferentes y no todas son adecuadas para la gerencia participativa. Si esto es verdad, entonces, el argumento utilitarista a favor de la democracia como una "gerencia participativa" muestra, a lo sumo, que los gerentes la deben usar pero solo con las personas adecuadas y en los contextos correctos.[70] ¡La democracia organizativa no puede ser para todos! No obstante, muchos autores argumentan que, dado que las organizaciones de negocios ocupan gran parte de nuestra vida, la democracia tocará solo las áreas secundarias de nuestra vida si se restringe a las organizaciones políticas.[71]

**El derecho a un proceso justo en contraposición con el empleo a capricho** Cuando una investigación interna de General Motors reveló lo que la compañía consideró evidencia suficiente de un plan secreto de los empleados para cometer un fraude, la empresa entró en acción rápidamente, sin consultar a los involucrados. GM aplicó "una justicia corporativa casi brutal", según palabras de un periodista que describió los despidos subsecuentes en las oficinas de la compañía en Tarrytown, Nueva York. Solo faltaban unos cuantos días antes de sus vacaciones pagadas de Navidad, cuando sin previo aviso, se pidió a unos 25 empleados asalariados que pasaran uno por uno, por tres habitaciones: en la primera les dijeron que estaban despedidos, en la segunda les quitaron los automóviles de la compañía y otros beneficios, y en la tercera les dieron dinero apenas suficiente para que un taxi los llevara a su casa. Un empleado con más de 20 años de servicio recuerda "haber mirado con incredulidad cómo un funcionario de GM medía, con un mapa y una regla, la distancia a su casa y le daba $15 para el taxi". En pocas horas, los funcionarios de GM habían eliminado prácticamente a todo el personal de la oficina que supervisa a los concesionarios Chevrolet en el área de la ciudad de Nueva York.[72]

Hasta hace poco tiempo, las leyes estadounidenses del trabajo dieron un lugar prominente al principio del **empleo a capricho**, doctrina que establece que los empleadores "tienen el poder de despedir a sus empleados a capricho... por una buena razón, sin razón o, incluso, por causas moralmente incorrectas, sin que por ello sean culpables de una falta legal".[73] La doctrina del empleo a capricho ha sido defendida por muchas razones, cada una de las cuales apela a consideraciones éticas. Un argumento a favor de la doctrina es el argumento de los derechos de propiedad y se basa en el supuesto de que, como propietario de un negocio, el empleador tiene derecho a decidir de manera libre quién trabajará en él y quién no. Así como el propietario de una casa cuenta con el derecho de decidir quién entra en ella para vivir y puede basar su decisión en el criterio que desee, así también el propietario de un negocio tiene el derecho de decidir quién trabajará en él y puede basar su decisión en los criterios que crea oportunos. Los derechos de propiedad privada, como se ha visto, incluyen el derecho a decidir cómo se usará la propiedad de uno. Entonces, desde esa perspectiva, el empleado no posee el derecho de objetar o de oponerse a las decisiones del empleador, porque al no ser propietario, no tiene el derecho de determinar cómo se operará el negocio, mientras que el empleador cuenta con el derecho de contratar o despedir a voluntad.

Un segundo argumento en defensa de la doctrina del empleo a capricho se basa en la idea de la libertad de contrato. Este argumento afirma que todas las personas tienen el derecho de participar de forma libre en cualquier acuerdo que decida. Recordemos de capítulos anteriores los argumentos de Locke al señalar que todo el mundo cuenta con el derecho a la libertad y los de Kant que indica que todo el mundo tiene el derecho de ser tratado como un ser libre racional. Las perspectivas de Kant y de Locke se pueden tomar en cuenta para señalar que cada persona debe gozar de la libertad de hacer lo que desee, siempre y cuando no viole los derechos de los demás. En particular, todo el mundo debería tener la libertad de elegir si trabaja o deja de hacerlo con un empleador, por lo tanto, este debe ser libre de elegir si contrata o despide a un empleado. Entonces, el empleador está en su derecho a despedir o prescindir de un empleado a voluntad "por una buena razón, sin razón o, incluso, por causas moralmente incorrectas".

Un tercer argumento en apoyo del empleo a voluntad es el utilitario que a menudo enarbola la gente de negocios. Este argumento es, simplemente, que los negocios operarán con más eficiencia si los empleadores cuentan con la libertad de contratar y despedir a los empleados como crean conveniente sin tener que explicar sus acciones. El empleador es quien está en la mejor posición para saber si el negocio necesita de los servicios de un empleado en particular. Si no pudiera despedir a los empleados a menos que tuviera una buena razón, entonces, muchas veces se podría ver en la obligación de mantener a quienes no necesita porque sería difícil justificar su despido ante los demás. De hecho, en muchos países que no permiten que los empleadores contraten y despidan a voluntad, la gente de negocios se queja de que es difícil despedir a los empleados, sin importar qué tan mal estén realizando su trabajo. Para evitar esas ineficiencias, lo mejor es dejar que los empleadores contraten o despidan a voluntad.

La doctrina del empleo a capricho ha sido blanco de muchos ataques.[74] En primer lugar, los oponentes argumentan que con frecuencia los empleados no son libres de aceptar

**empleo a capricho**
Doctrina que establece que, a menos que los empleados estén protegidos por un contrato explícito (como los sindicalizados), los empleadores "tienen el poder de despedir a sus empleados a capricho... por una buena razón, sin razón o, incluso, por causas moralmente incorrectas, sin que por ello sean culpables de una falta legal."

*Repaso breve 8.18*

**Argumentos que apoyan el empleo a capricho**
- El empleador posee la compañía y la propiedad le da el derecho de decidir si un empleado trabajará en ella y por cuánto tiempo.
- Todo el mundo tiene el derecho de hacer lo que decida (siempre y cuando no viole los derechos de los demás) y, por lo tanto, cuenta con el derecho de participar en los acuerdos que decida, incluyendo el acuerdo con empleados para contratarlos y despedirlos a voluntad.
- Los negocios operarán de la manera más eficiente si los empleadores poseen la libertad de contratar o despedir a los empleados como crean conveniente.

o rechazar un empleo sin sufrir un daño considerable, porque a menudo no disponen de otro trabajo. Además, aun cuando sean capaces de encontrar un empleo alternativo, los trabajadores pagan los grandes costos que implica la búsqueda de empleo y de no recibir un salario mientras lo hacen. En consecuencia, uno de los supuestos fundamentales en que se basa el empleo a capricho —que los empleados aceptan "libremente" un empleo y que son "libres" de buscar trabajo en otra parte— es erróneo. En segundo lugar, por lo general, los empleados efectúan un gran esfuerzo por contribuir con la compañía, y lo hacen en el entendido de que esta a su vez los tratará con justicia. Sin duda, los individuos no elegirían libremente trabajar para una compañía si creyeran que esta los va a tratar de forma injusta. Por lo tanto, existe el acuerdo tácito de que la empresa tratará con justicia a los empleados y, por lo tanto, ellos tienen un derecho cuasi-contractual a este tipo de trato que excluye ser despedido "sin causa o por causas moralmente incorrectas". En tercer lugar, los empleados tienen el derecho de que se les trate con respeto, como personas libres e iguales. Parte de este derecho es el de un trato no arbitrario y el de no ser obligado a sufrir daños injustamente o con base en acusaciones falsas. Puesto que los despidos, las reducciones de sueldo, las degradaciones y las represalias dañan a los empleados, especialmente cuando no cuentan con otra alternativa de empleo, estos violan sus derechos cuando son arbitrarios o se basan en acusaciones falsas. Por estas razones, los empleados no pueden ser despedidos arbitrariamente como permitiría la doctrina del empleo a capricho. Finalmente, aunque puede ser cierto que la propiedad da al dueño el derecho de decidir cómo se usará esta, este derecho, como todos los demás, se debe equilibrar con, y está limitado por, los derechos de los demás. Por ejemplo, incluso el propietario de una casa no tiene derecho de tratar a sus ocupantes injustamente, y si el dueño les ha hecho creer que pueden confiar en él para encontrar albergue, el propietario no posee el derecho de echarles arbitrariamente a la calle. Por todas esas razones, ha surgido una nueva tendencia alejada de la doctrina del empleo a capricho, que gradualmente está siendo reemplazada por la perspectiva de que el derecho del empleador de despedir, degradar o castigar está limitado por el derecho de los empleados a un "proceso justo".[75]

Para muchas personas, el derecho crucial de los empleados es el de un proceso justo. Para nuestros propósitos, un *proceso justo* se refiere a la justicia del proceso mediante el cual aquellos que toman las decisiones imponen sanciones a sus subalternos. El derecho a un proceso justo se basa en la idea de que todo ser humano tiene el derecho de ser tratado de manera justa y que esto incluye el derecho a una aplicación justa e imparcial de las reglas, así como el derecho de poderse defender y de saber que le están sancionando por razones verdaderas y legítimas.

Un sistema ideal de proceso justo sería aquel en que los individuos reciben instrucciones previas de las reglas que deben seguir, en el que se escucha de forma justa e imparcial a los que se cree que violaron las reglas, en el que se aplican todas las reglas de forma consistente y sin favoritismos o discriminación, el que fue diseñado para determinar la verdad de la forma más objetiva posible y el que no responsabiliza a la gente de cosas sobre las que no posee ningún control.

Es obvio por qué muchas personas consideran que el derecho a un proceso justo es el derecho más importante de los empleados: si este no se respeta, es poco probable que se respeten los demás. Un proceso justo garantiza que los individuos no sean tratados de forma arbitraria, caprichosa o maliciosa por sus superiores en la aplicación de las normas de la compañía y fija un límite moral al ejercicio del poder de los superiores.[76] Si el derecho a un proceso justo no opera en la compañía, aun cuando sus normas protejan los otros derechos de los empleados, dichas protecciones se cumplirían de forma esporádica y arbitraria.

El área más importante en la que el proceso justo se debe aplicar es al escuchar las quejas. Al especificar con claridad un proceso justo para escuchar y procesar las quejas de los empleados, una compañía garantiza que el proceso justo se convertirá en una realidad

**proceso justo** El derecho a un proceso de toma de decisiones justo cuando quienes toman las decisiones imponen sanciones a sus subalternos.

institucional. Trotta y Gudenberg identifican las siguientes características de los componentes esenciales de un procedimiento eficaz para resolver quejas:

1. De tres a cinco pasos de solicitud, dependiendo del tamaño de la organización. Tres pasos suelen ser suficientes.
2. Una descripción escrita de la queja cuando pasa del primer nivel. Esto facilita la comunicación y define los problemas.
3. Rutas alternativas de solicitud para que el empleado pueda pasar por alto a su supervisor si así lo desea. El departamento de personal podría ser la ruta alternativa más lógica.
4. Un tiempo límite para cada paso de la solicitud para que el empleado tenga una idea de cuándo esperar una respuesta.
5. Permiso para que uno o dos compañeros del empleado lo acompañen en cada entrevista o audiencia. Esto ayuda a vencer el temor a las represalias.

**El derecho a trabajar** El artículo 23.1 de la Declaración Universal de los Derechos Humanos de las Naciones Unidas establece que "Todo el mundo tiene derecho a trabajar, a la libre elección de empleo, a condiciones de trabajo justas y favorables y a la protección frente al desempleo". El **derecho a trabajar**, según esta declaración entiende el concepto, es el derecho moral de ganarse la vida trabajando. No es, como algunas leyes estatales usan la frase, el derecho de rehusar unirse a un sindicato sin perder el empleo. En una época en Estados Unidos, los empleados de algunas compañías debían afiliarse al sindicato de la compañía o abandonar la empresa. Actualmente 22 estados de ese país tienen leyes que prohíben obligar a la afiliación de un sindicato de esta manera, y esas leyes por lo general se conocen como "leyes de derecho al trabajo". Pero la Declaración Universal de Derechos Humanos quiere decir algo muy diferente cuando expresa el "derecho a trabajar". Como dice Naciones Unidas en el artículo 6 de otro documento fundamental, el "Convenio internacional sobre los derechos económicos, sociales y culturales", el derecho a trabajar implica "el derecho de todo el mundo a ganarse la vida mediante el trabajo que libremente elija o acepte". La suposición aquí es que "ganarse la vida mediante el trabajo" es un valor tan fundamental para una persona que está rodeado con las protecciones que le confiere el estado de derecho.

¿Por qué alguien afirmaría que para una persona "ganarse la vida trabajando" es un valor fundamental que merece que se le otorgue el estatus de un derecho? Para muchas personas trabajar es solo un mal necesario: es una actividad que se caracteriza por ser pesada, agotadora, tediosa y difícil, y nada más que un medio necesario para tener el dinero que necesita para sobrevivir. En esta perspectiva común, el trabajo tiene solo un valor instrumental, algo que estamos obligados a hacer, y la pregunta es: ¿por qué alguien afirmaría que tenemos el "derecho" a algo que mejor evitaríamos? La respuesta es que incluso en esta comprensión muy limitada del trabajo, aun así es algo de enorme importancia precisamente porque es nuestro medio para sobrevivir. Tan importante es su valor instrumental como un medio de supervivencia que se debe proteger y garantizar mediante el estatus de derecho.

Pero hay una explicación más amplia de trabajo que lo considera como poseedor de un valor intrínseco. Primero, el trabajo es la contribución económica básica que cada persona hace a su sociedad. El trabajo que usted y yo realizamos para nuestro empleador en última instancia produce algo que beneficia a la sociedad y que constituye nuestra contribución económica a esta. Mediante el trabajo nos sentimos útiles, y nuestro reconocimiento de que el trabajo es una contribución a la sociedad se demuestra por el tipo de efectos negativos que su falta provoca en nosotros. Muchos estudios han demostrado que cuando las personas están desempleadas se deprimen, se sienten avergonzadas o ansiosas, tienen dudas sobre sí mismas y reportan que se sienten "sin valor" o "inútiles".[77] Tan profundos son estos sentimientos que incluso después de que encuentra trabajo, continuará sintiéndose estigmatizada por su periodo de desempleo y este estigma a menudo le acompañará toda su vida. Las respuestas psicológicas

**derecho a trabajar**
El derecho de cada individuo de ganarse la vida trabajando.

*Repaso breve 8.20*

**El derecho a trabajar**
- Se justifica por el interés que tenemos en el valor intrínseco e instrumental del trabajo.
- El trabajo posee un valor instrumental esencial porque es un medio para nuestra supervivencia.
- El trabajo tiene un valor intrínseco porque **1.** es nuestra contribución económica básica a la sociedad y nos ayuda a sentirnos valiosos y útiles, **2.** nos permite desarrollar nuestro potencial e identidad como un ser humano único, **3.** nos permite desarrollar nuestro carácter y virtudes, **4.** es una fuente de autoestima y respeto por uno mismo.
- El derecho a trabajar se ve amenazado por el desempleo [que en Estados Unidos] presenta muchas causas, entre ellas: recesiones, uso de nuevas tecnologías, subcontratación externa de empleos en países de bajos salarios, acuerdos de libre comercio, y el cambio de una economía de producción a una de servicios.
- Los despidos de las empresas también amenazan el derecho a trabajar y tienen muchas causas, incluyendo: disminución de la demanda, cambios en la demanda de los consumidores, obsolescencia de los productos, la búsqueda de mano de obra que implique menores costos, mala administración y la necesidad de consolidar operaciones.

al desempleo son la reacción natural a la creencia de que mediante el trabajo hacemos una contribución a la sociedad que ya no se puede hacer estando desempleado, de manera que nos sentimos avergonzados, sin valor e inútiles. Esos sentimientos de vergüenza e inutilidad quizá no sean apropiados en vista del hecho de que es posible que hagamos otras contribuciones no económicas a la sociedad. No obstante, son indicativos del hecho de que a niveles muy profundos reconocemos que nuestro trabajo, ya sea poco importante o humilde, tiene valor.

Segundo, el trabajo nos permite desarrollar nuestro potencial como el ser humano único que somos. En el trabajo ejercitamos y desarrollamos los talentos, habilidades y capacidades particulares que nos llegan a caracterizar y forman parte de lo que somos. La persona que enseña desarrolla las habilidades y actitudes hacia el aprendizaje que caracteriza a un profesor y se llega a identificar como tal; el camarero adquiere las habilidades y capacidades necesarias para servir comidas y poco a poco piensa en sí mismo como un camarero. Mediante el trabajo llegamos a ser mucho de quiénes somos y nuestro trabajo en gran medida determina lo que llegamos a ser. Por supuesto que no nos definimos solo en términos de nuestro trabajo, dado que también podemos llegar a ser un buen amigo, esquiador, guitarrista, budista, padre, o cualquiera de los miles de roles que nuestra sociedad pone a nuestra disposición. No obstante, el trabajo que realizamos es uno de los elementos constitutivos más importantes de lo que llegamos a ser.

A través del trabajo también desarrollamos nuestro carácter. Aprendemos a dedicarnos a algo, a perseverar y ser cumplidores, trabajadores y productivos, a ser dignos de confianza y responsables, a tener autodisciplina y ser creativos. Conforme pasamos de un trabajo a otro, aprendemos nuevas habilidades y nuevas formas de pensar y resolver problemas. Aprendemos a tratar con diferentes tipos de personas, a cooperar con ellas, a desarrollar nuevas amistades y a desarrollar un sentimiento de pertenencia.

Finalmente, el trabajo es una fuente fundamental de autoestima y respeto por sí mismo. El trabajo crea valor y, por esa razón, se remunera. El trabajo que hacemos produce en última instancia algo que cuenta con el suficiente valor para que alguien pague por ello. Nuestra capacidad de trabajar con los demás en la producción de valor es una fuente de la estima y el respeto que sentimos por nosotros mismos.

Por lo tanto, la razón por la que decimos que tenemos el derecho a trabajar es evidente. El trabajo es un medio para nuestra supervivencia, es nuestra principal contribución económica a la sociedad, llega a formar parte de nuestra propia identidad, permite el desarrollo de nuestro carácter, y es fuente de nuestra autoestima y respeto por uno mismo. Dado que el trabajo es de un valor tan esencial, merece la pena protegerlo con el estatus de derecho, incluso cuando a menudo lo encontremos aburrido, agotador y difícil.

Pero aunque podamos argumentar que todo el mundo tiene derecho a trabajar, la realidad es que a menudo los individuos se quedan sin empleo. Por ejemplo, a principios de 2010, más del 10 por ciento de la población estadounidense estaba desempleada, un total de 15 millones de hombres y mujeres. Entre los adolescentes estadounidenses, la tasa de desempleo era del 26 por ciento; entre los afroestadounidenses, del 16 por ciento; y entre los hispanos, del 12 por ciento. De manera similar, los altos niveles de desempleo se extendían por todo el mundo. En 2010, la tasa de desempleo en Portugal era del 11 por ciento; en Irlanda, del 14 por ciento; en España, del 20 por ciento; en Bosnia y Herzegovina, del 42 por ciento; en Sudáfrica, del 25 por ciento; en Mongolia, del 12 por ciento; en Letonia, del 20 por ciento; en Estonia, del 20 por ciento; y en República Dominicana, del 14 por ciento. No había habido unas tasas de desempleo tan altas desde principios de la década de 1980. Aunque el alto número de desempleados en todo el mundo en 2010 se debió en gran parte a una recesión prolongada y particularmente grave, el desempleo es una característica persistente de todas las economías modernas.[78]

Dejando a un lado los efectos de la recesión, diversos factores (al menos en Estados Unidos) han contribuido al desempleo que amenaza el derecho a trabajar. En primer lugar, los avances tecnológicos han causado que los obreros sean más productivos, lo que a su vez ha permitido que las compañías estadounidenses fabriquen más bienes con menos personal.

Un segundo factor importante, pero más polémico, es la transferencia de muchos empleos estadounidenses a otros países, en especial, aquellos en desarrollo.[79] Existen varias razones para esta "subcontratación". Primero, los salarios de los obreros tienden a ser mucho más bajos en esos países: los trabajadores estadounidenses del acero ganan $23 la hora, incluyendo las prestaciones, mientras que los latinoamericanos ganan $2 la hora. Por eso es más barato fabricar productos en el extranjero que en Estados Unidos. Segundo, los acuerdos de libre comercio, como los de la Organización Mundial de Comercio, el Tratado de Libre Comercio de América del Norte (TLCAN) y otros, han permitido que las compañías estadounidenses ubiquen sus operaciones en otros países en desarrollo, como México y China. Un tercer factor es el paso de Estados Unidos (y otros países industrializados) de una economía agrícola a una de producción y luego a una de servicios. A principios del siglo xx, Estados Unidos pasó de ser una economía agrícola (una en la que la mayoría de los trabajadores laboraban en la agricultura) a una **economía de producción**, en la que la mayoría de los empleados se dedican a la fabricación como automóviles, televisores y acero. Luego, a fines de ese mismo siglo, pasó de una economía de producción a una **economía de servicio**, es decir, una en la que la mayoría de los individuos laboran en las industrias bancaria, restaurantera, legal, educativa, de diseño de software, de diseño de modas y médica. Por otro lado, países en desarrollo como China, India y México apenas están pasando de una economía agrícola a una de producción, y en el proceso están absorbiendo muchos de los empleos de producción que estaban ubicados en Estados Unidos y en otros países avanzados, pero de los que prescindieron conforme pasaban de la producción a los servicios.[80]

La decisión de una compañía de despedir a algunos de sus empleados también puede ser una amenaza para el derecho a trabajar. Los negocios despiden a su personal por muchas razones. Los fabricantes también despiden a los empleados o cierran debido a los cambios en la demanda de consumo. Los productos de una compañía se vuelven obsoletos (por ejemplo, plantas que fabricaban lámparas de queroseno); disminuye la demanda del diseño de cierto producto antes de que la planta tenga tiempo de comprar equipo nuevo (por ejemplo, la escasez de gasolina desplaza rápidamente la demanda de los grandes automóviles estadounidenses hacia los automóviles pequeños que se fabrican en el extranjero); los consumidores canalizan una porción menor de su presupuesto a los productos manufacturados o agrícolas (en 1910 los estadounidenses gastaban el 60 por ciento de su ingreso en alimentos y ropa; en la actualidad solo gastan el 18 por ciento). Además, los fabricantes despiden a los empleados debido a una decisión gerencial para consolidar operaciones en pocas plantas de mayor tamaño (por ejemplo, una pequeña y redituable fábrica de acero tal vez cierre después de una fusión, y transfiera sus operaciones a otra planta más eficiente y con márgenes de utilidad más altos), o debido a la preferencia de utilidades a corto plazo en lugar de inversiones a largo plazo (por ejemplo, un equipo de gerentes decide posponer la compra de nuevo equipo para presentar mayores ganancias en su informe trimestral).

Cualquiera que sea la causa (desplazamiento de empleos a otros países, cambios en la demanda local, aumento en la productividad, una mala administración o la búsqueda de la empresa de mano de obra que implique menores costos), los despidos y los cierres de plantas son amenazas al derecho a trabajar e imponen altos costos a los individuos y a sus comunidades. Los ahorros de por vida de los empleados ya se agotaron. Muchos pierden sus casas porque no les es posible pagar la hipoteca, se ven obligados a aceptar empleos de servicio con salarios y estatus mucho más bajos, pierden sus derechos a recibir pensiones y padecen angustia mental aguda que resulta en sentimientos de inutilidad y poca confianza en sí mismos, enfermedades psicosomáticas, alcoholismo, problemas familiares, abuso de los hijos y el cónyuge, divorcio y suicidio. Las comunidades se dañan porque el cierre de plantas provoca la disminución de pago de impuestos, pérdidas en los negocios porque hay desempleo, y un aumento en los gastos para brindar servicios sociales a los individuos desempleados. En algunos casos, comunidades enteras se han visto reducidas a pueblos fantasmas cuando la planta de la que dependía la mayor parte de la fuerza de trabajo cerró.[81]

**economía de producción** Economía en la que una gran proporción de los empleados participa en trabajos dirigidos a fabricar productos, como las industrias automotriz y siderúrgica.

**economía de servicio** Economía en la que la mayoría de los empleados participa en las llamadas industrias de servicio, donde el trabajo consiste principalmente en proporcionar servicios a otros, como las industrias bancaria, restaurantera, legal, educativa, de diseño de *software*, de diseño de modas y médica.

No siempre es inevitable el cierre de plantas en una economía de mercado como la nuestra. No obstante, se pueden hacer muchas cosas para proteger el derecho al trabajo al ayudar a los individuos que se quedan sin empleo a encontrar otro o asegurándose de que no pierdan sus puestos laborales actuales. Algunos estudios sugieren que otros países hacen más por sus empleados que Estados Unidos. Por ejemplo, en un importante estudio de 10 naciones industrializadas, Peter J. Kuhn y sus colaboradores señalan que hay dos enfoques que los gobiernos adoptan para tratar los despidos.[82] El enfoque "paliativo" en el que los gobiernos brindan ayuda a los individuos solo *después* de que haya ocurrido el despido, como reentrenamiento, ayuda para traslados y apoyo económico. Los países que siguen ese enfoque son Estados Unidos, Canadá, Reino Unido, Australia y Dinamarca. Sin embargo, los gobiernos de otros países, no solo usan medidas paliativas, sino que además toman un "enfoque preventivo" que trata de impedir los despidos *antes* de que ocurran, al requerir, por ejemplo, "una asesoría extensa y la negociación" entre los empleados, las empresas y el gobierno para tratar de evitar el cierre de plantas. Si una compañía no puede evitar el cierre de alguna de sus plantas, entonces, estos países requieren que la organización transfiera a los empleados a otras plantas dentro de la compañía y que brinde servicios de desplazamiento para los que no pueda transferir, de manera que no se despida a nadie. Si los despidos son inevitables, entonces, las políticas preventivas tratan de evitar el desempleo exigiendo a la empresa que notifique los despidos con mucho tiempo de anticipación. Entre estos países están Japón, Francia, Alemania y Bélgica. La experiencia de este segundo grupo de países muestra que se puede hacer mucho más para ayudar a los empleados que lo que Estados Unidos y otras naciones realizan por su población económicamente activa.

Países como Suecia, Alemania y Gran Bretaña exigen notificaciones más anticipadas de inminentes cierres de plantas que Estados Unidos. En Alemania, Francia, Suecia y Holanda los empleados cuentan con el derecho a participar en las decisiones de los cierres de plantas (por ejemplo, a través de sus sindicatos) y en ocasiones, incluso, tienen la oportunidad de comprar la planta y operarla. Es significativo que todos estos países tienden a presentar menores tasas de desempleo que Estados Unidos.

Aun cuando los cierres sean necesarios, los derechos morales de los trabajadores implicados se deben seguir respetando. Entre estos se encuentra el derecho que requiere de que estén informados de cierres inminentes que les afectarán. Además, principios utilitaristas implican que se debe minimizar el daño que causan los despidos. Y si los individuos tienen derecho a trabajar, entonces, las empresas deben hacer lo que esté a su alcance para permitir que los despedidos se preparen para encontrar otros empleos; esto pueden lograrlo ofreciendo programas de reentrenamiento, transferencias de empleo y reubicación. Por último, las consideraciones de justicia implican que los empleados y las comunidades que han contribuido de manera sustancial a una planta durante su vida operativa, deben ser recompensados con garantías por parte de la compañía de que no abandonará de manera injusta los planes de pensiones, salud y retiro de su personal.

Estas consideraciones éticas se incorporan muy bien en las sugerencias que William Diehl, ex vicepresidente de la industria siderúrgica, hace con respecto a los ocho pasos que siguen las compañías para minimizar los efectos dañinos de los despidos, los cierres de plantas y las pérdidas involuntarias de empleo:[83]

1. *Notificación anticipada* Si la compañía notifica a los empleados de un cierre con 12 a 18 meses de anticipación, ellos contarán con tiempo para prepararse... Avisar del cierre unos días antes es totalmente injusto e inaceptable.
2. *Indemnización por despido* Una fórmula común que se sugiere es que cada empleado reciba una indemnización con pago equivalente a una semana de salario por cada año de servicio.
3. *Prestaciones médicas* La compañía debe cubrir las prestaciones médicas de los empleados durante al menos un año después de su despido.

---

**Repaso breve 8.21**

**Protección del derecho a trabajar**

- Estados Unidos y otros países protegen el derecho a trabajar con políticas "paliativas" que ayudan a los individuos a encontrar nuevos empleos después de haber perdido los suyos; otros países además usan políticas "preventivas" que, para empezar, tratan de asegurar que los individuos no pierdan sus empleos.
- Las compañías que tienen que despedir personal pueden respetar el derecho de sus empleados a trabajar, al notificarles con antelación su despido, y otorgarles una indemnización por despido, prestaciones de salud, jubilación anticipada, transferencias de puestos, reentrenamiento o la posibilidad de que ellos compren la planta, todo lo cual evita la repentina reducción de sus contribuciones fiscales locales.

4. *Jubilación anticipada* Los empleados que estén a menos de tres años de su retiro normal deben retirarse con una pensión completa, calculando los años de servicio como si hubieran trabajado hasta los 65 años de edad.

5. *Transferencia* Si se trata de una corporación con varias plantas, todos los trabajadores de las fábricas deben tener la oportunidad de ser transferidos a un empleo con la misma remuneración en otra planta, y el empleador deberá cubrir todos los gastos de mudanza.

6. *Reentrenamiento laboral* Se deben establecer programas de capacitación patrocinados por la compañía para capacitar y reubicar a los trabajadores en otros empleos en la comunidad. Estos programas también deben incluir orientación familiar para todos los empleados.

7. *Compra por empleados* Se debe dar la oportunidad al personal y a la comunidad de comprar la planta y operarla bajo el plan de propiedad accionario de empleados (Employee Stock Ownership Plan, ESOP)... [si es] viable...

8. *Eliminar de manera gradual los impuestos* Las compañías deben eliminar de forma gradual sus impuestos locales en un periodo de cinco años. Esto implica una contribución voluntaria a las autoridades fiscales locales si se deshace de la planta y del equipo de una manera que reduzca drásticamente los impuestos de propiedad.

**El derecho a sindicalizarse** Así como los propietarios cuentan con el derecho de asociarse de forma libre para establecer y operar un negocio, los empleados también tienen el **derecho de asociarse** de manera libre para establecer y operar sindicatos. Los mismos derechos de libertad de asociación que justifican la formación y existencia de corporaciones subyacen en el derecho de los empleados de formar organizaciones que denominamos *sindicatos*.[84]

El derecho de los empleados a organizarse en un sindicato deriva del derecho de todas las personas a ser tratadas como libres e iguales. Los empleadores corporativos, sobre todo durante periodos de alto desempleo o en regiones en las que hay una o pocas compañías, tienen mucho más poder en las negociaciones que los empleados. Por tradición, los sindicatos se han justificado como un medio para equilibrar el poder de las grandes corporaciones para que el empleado, en solidaridad con otros, pueda contar con un poder de negociación semejante frente a la corporación.[85] De este modo, los sindicatos logran una igualdad entre el trabajador y el empleador que el primero, por sí solo, no podría adquirir y, por lo tanto, aseguran su derecho a ser tratado como una persona libre e igual durante las negociaciones laborales.

No solo todos los empleados tienen el derecho a formar sindicatos, sino que los sindicatos también cuentan con el derecho a la huelga.[86] El derecho de huelga de los sindicatos deriva del derecho de cada empleado a renunciar a su empleo a voluntad, siempre y cuando esto no viole acuerdos previos o los derechos de otros. Por lo tanto, las huelgas de los sindicatos se justifican siempre que no violen un convenio previo negociado de forma legítima para no hacerlas (que la compañía pudo haber negociado con el sindicato), y cuando estas no violen los derechos morales legítimos de otros (como los ciudadanos, cuyo derecho a la protección y seguridad se podría quebrantar por huelgas de empleados públicos como bomberos o policías). Por lo tanto, las compañías están obligadas a respetar los derechos de los empleados a formar sindicatos y a declararse en huelga, y este derecho se extiende a los empleados de todas las naciones.

A pesar de la perspectiva bien aceptada de que los sindicatos y sus huelgas son legítimos, Estados Unidos ha mostrado una insatisfacción considerable hacia ellos. A pesar de que en 1947 los sindicatos representaban el 35 por ciento de la fuerza de trabajo, a principios de la década de 1990 representaban solo el 16 por ciento.[87] Para 2004, los sindicatos aún representaban solo alrededor de 14 por ciento de la fuerza laboral y para 2010, había disminuido al 12 por ciento. Después de haber establecido un récord al ganar el 75 por ciento de todas las elecciones sindicales, los sindicatos ahora se deben conformar con ganar solo aproximadamente el 45 por ciento de los votos de los empleados.[88] Existen diversos factores responsables de esta disminución del número de afiliados, incluyendo una

**derecho a sindicalizarse**
El derecho de los empleados a asociarse entre sí para establecer y operar un sindicato.

*Repaso breve 8.22*

**El derecho a sindicalizarse**

- Este deriva del mismo derecho de los dueños de unirse para formar una compañía, esto es, del derecho de libre asociación con otros para establecer y operar una organización, así como el derecho de ser tratado como igual en las negociaciones con la organización.
- Los sindicatos tienen el derecho de ir a la huelga que deriva del derecho de todo empleado de dejar de trabajar, en tanto que hacerlo no viole los derechos de los demás.
- La afiliación a los sindicatos disminuyó del 35 por ciento de los empleados en 1947 al 12 por ciento en 2010.
- Muchos países en desarrollo no protegen el derecho a sindicalizarse, pero las compañías estadounidenses a menudo permiten a su personal de esos países que se organicen en una estructura sindical.

mayor cantidad de mujeres y empleados de cuello blanco incorporados a la fuerza laboral, la transición de la industria de producción a la de servicios y la disminución de la confianza pública en los sindicatos. Una de las principales causas es la creciente oposición hacia los sindicatos por parte de los gerentes y un preocupante aumento del uso de prácticas ilegales para combatir las campañas de organización sindical.[89] Esto es lamentable y una visión miope, porque el menoscabo de la eficacia de los sindicatos se ha visto acompañado por un creciente llamado a las legislaturas y a los tribunales para que establezcan procedimientos legales rígidos en contra de los abusos contra los que los sindicatos protegían originalmente a los empleados. A medida que se reduce la eficacia de los derechos de los trabajadores para formar sindicatos y efectuar huelgas, podemos asegurar que proliferarán las leyes para proteger los derechos que a las organizaciones laborales les es imposible proteger.

Los empleados de muchos países en desarrollo enfrentan una restricción mucho mayor de sus derechos a organizarse en sindicatos que los trabajadores estadounidenses. De hecho, muchas compañías estadounidenses se trasladan a países en desarrollo como México, naciones de Centroamérica, Indonesia, Tailandia, China, India y otras naciones asiáticas, atraídas no solo por costos de producción más bajos, sino también porque sus sindicatos débiles encabezan demandas endebles de salarios y escasas protecciones para los empleados. El principal aspecto ético de las compañías que operan en países con derechos sindicales débiles es el siguiente: ¿qué obligación tiene una compañía de respetar el derecho de los trabajadores en sus fábricas de formar sindicatos, cuando el gobierno local no reconoce estos derechos o los impone débilmente? Es especialmente difícil responder la pregunta cuando una compañía establece un contrato con una empresa extranjera en un país en desarrollo. Como señalamos antes, compañías estadounidenses de ropa y calzado como Nike, Adidas, Reebok, Gap, Limited, Dress Barn, Lane Bryant, Wal-Mart, Tommy Hilfiger, Calvin Klein, Levi Strauss, Abercrombie & Fitch, Talbots, Brooks Brothers y muchas otras, no elaboran sus propios productos sino que encargan su manufactura a compañías de propiedad y operación extranjeras en países en desarrollo. ¿Qué responsabilidad, si acaso, tiene una compañía del respeto o la falta de respeto que estas fábricas extranjeras muestran hacia su personal? Como sugerimos antes, la responsabilidad de una compañía con respecto a la forma en que una fábrica contratada trata a sus empleados depende de si la compañía: **1.** puede y debe hacer algo para modificar la manera en que la fábrica trata a su personal, **2.** conoce el trato que la fábrica da a sus empleados, y **3.** no se ve impedida de actuar o es presionada por fuerzas externas o fuera de su control.

## Políticas en la organización

La exposición hasta ahora se ha enfocado principalmente en las relaciones de poder formales dentro de las organizaciones, es decir, las cuestiones éticas que se originan por el poder que la estructura formal permite que los gerentes ejerzan sobre sus subalternos. Estas relaciones de poder están autorizadas y son abiertas: se describen en el "organigrama" de la compañía, se asientan en los contratos y las descripciones de puestos que definen los deberes del empleado hacia la compañía, están reconocidas por la ley (de agencias), los superiores las utilizan de forma abierta y los subalternos las aceptan, en general, como legítimas.

Las limitaciones éticas del uso de este poder formal también se han abordado desde una perspectiva principalmente formal. El derecho a la privacidad, a un proceso justo, a la libertad de conciencia y el consentimiento tal vez se formalicen dentro de la organización (al formular y hacer cumplir reglas, códigos y procedimientos), de la misma manera que se formalizan las relaciones de poder limitantes.

Sin embargo, como ya vimos, las organizaciones también contienen reductos y canales de poder: fuentes de poder que no aparecen en los organigramas y usos encubiertos y quizás no reconocidos como legítimos. Ahora examinaremos esta parte oculta: las políticas en la organización.

**Tácticas políticas en la organización** No existe una definición establecida de las *políticas en la organización*. Sin embargo, para nuestros fines podemos adoptar la siguiente: los procesos por los cuales individuos o grupos dentro de una organización emplean tácticas de poder sin aprobación formal para alcanzar sus propias metas; a estas les llamamos *tácticas políticas*.[90] Es necesario hacer una advertencia para que usted no malinterprete la frase *sus propios fines* como "metas en conflicto con los intereses de la organización". Aun cuando las metas de una coalición en una compañía entren en conflicto con los intereses de la empresa, este problema no es inevitable y tal vez ni siquiera frecuente. Existen dos factores que tienden a eliminar tales conflictos: *a*) las carreras de los individuos a menudo dependen de la salud de sus organizaciones, y *b*) una relación prolongada con una organización tiende a generar vínculos de lealtad con ella. Por lo tanto, con frecuencia lo que una persona percibe como un conflicto entre las metas de cierto grupo y los intereses de la organización, de hecho es un conflicto entre las creencias de tal persona y las del grupo con respecto a qué es "lo que más conviene" a la empresa. El grupo quizá crea genuinamente que X es lo que más conviene tanto para la organización como para sí mismo, mientras que la persona quizá considere genuinamente que Y, que está en conflicto con X, es lo que más conviene a la empresa.

Puesto que la meta de las políticas en la organización es promover los intereses de un individuo o grupo (como obtener promociones; aumento de sueldo o de presupuesto, estatus, o incluso más poder) ejerciendo poder sin aprobación formal sobre otras personas o grupos, los individuos políticos tienden a ocultar sus intenciones o métodos.[91] Virginia E. Schein, por ejemplo, hizo la siguiente descripción del intento de una jefa de departamento por fortalecer su posición:

> La jefa de una unidad de investigación solicita permiso para revisar la propuesta de otro grupo de investigación con la finalidad de ver si es posible añadir información para mejorar el proyecto. Su intención oculta es la de mantener su poder actual, el cual estaría en peligro si el otro grupo lleva a cabo el proyecto. Utilizando su base de poder de información, sus medios encubiertos incluyen introducir información irrelevante y plantear más preguntas. Si logra confundir las cosas lo suficiente, podrá desacreditar al otro grupo de investigación y evitar que el proyecto se lleve a cabo. Ella oculta estas intenciones y usa medios encubiertos con las intenciones manifiestas de mejorar el proyecto y revisar su contenido.[92]

El hecho de que las tácticas políticas generalmente estén encubiertas implica que fácilmente se vuelven engañosas o manipuladoras. Esto se hace evidente si examinamos más ejemplos de tácticas políticas organizacionales. En un estudio reciente de un grupo de gerentes, se les pidió a los individuos que describieran las tácticas políticas que habían experimentado con mayor frecuencia en las compañías en las que habían trabajado.[93] Se reportaron los siguientes tipos de tácticas:

*Culpar o atacar a otros* Minimizar la propia relación con planes o resultados que están fracasando o que han fracasado, inculpando a los rivales del fracaso o "denigrar sus logros calificándolos de poco importantes, poco oportunos, interesados o afortunados".

*Controlar la información* Retener información que daña los fines propios o distorsionarla "para crear una impresión por medio de revelación selectiva, insinuaciones" o abrumando al sujeto con datos "objetivos" (gráficas, fórmulas, tablas, sinopsis) diseñadas para crear una impresión de racionalidad o lógica y para ocultar detalles importantes que dañan los intereses propios.

*Crear una base de apoyo para las ideas propias* Hacer que otros entiendan y apoyen las ideas propias antes de que se convoque a una reunión.

*Construcción de una imagen* Dar la impresión de ser considerado, honesto, sensible, interesado en actividades importantes, popular y confiado.

*Congraciarse* Elogiar a los superiores o a las personas poderosas, y hacerles creer que uno los admira o establecer buenas relaciones con ellos.

*Asociarse con gente influyente* Hacer sentir a los superiores o a los poderosos que uno es su amigo.

*Formar coaliciones de poder y conseguir aliados fuertes* Formar o unirse a grupos ya formados, que sirven para lograr los intereses propios.

*Crear compromisos* Lograr que otros se sientan comprometidos con uno al darles un servicio o hacerles un favor.

Algunos investigadores han argumentado que la fuente básica de poder es la creación de dependencia: A adquiere poder sobre B al lograr que este dependa de él para algo. Algunos autores identifican las siguientes dos categorías de tácticas políticas que abarcan los principales tipos de tácticas para crear esta clase de dependencias:[94]

*Obtener el control de recursos escasos que otros desean* Controlando a los empleados, los edificios, el acceso a personas influyentes, el equipo y la información útil.

*Establecer relaciones favorables* Lograr que otros se sientan comprometidos con uno, que piensen que uno es su amigo, crearse la reputación de ser un experto y animar a otros para que crean que uno tiene poder y que ellos dependen de él.

Las políticas en la organización pueden causar un efecto importante en la vigencia de sus metas. Gerentes y coaliciones a menudo las usan en luchas internas para lograr el control de la corporación, y los individuos atrapados en esas luchas pueden ver sus carreras destrozadas. Por ejemplo, cuando el dinámico director ejecutivo de Bendix Corporation, Bill Agee, comenzó a transformar Bendix de ser una compañía manufacturera aburrida a una empresa diversificada de alta tecnología, enojó a los gerentes cuyas organizaciones y presupuestos recortó. Muchos se quejaron en secreto con William Panny, el presidente de la compañía, quien no estaba de acuerdo con los planes de Agee para la empresa y quien, según los rumores, sería el sucesor de Agee. Ese año, el director ejecutivo contrató a Mary Cunningham, una recién egresada de Harvard Business School, para que fuera su asistente ejecutiva. Los amigos decían que era "brillante", "sofisticada" y "un genio de las finanzas". Cunningham usó sus extraordinarias habilidades financieras para identificar y analizar adquisiciones que estuvieran en línea con la nueva visión de Agee para la compañía, y él siguió su consejo, que siempre fue acertado. Al año siguiente, Agee la ascendió a vicepresidenta de planeación estratégica. El ascenso molestó a los gerentes, quienes pensaban que ella no llevaba suficiente tiempo en la empresa para merecerlo y dijeron a Panny que Agee ya solo escuchaba a Cunningham y que era inaccesible para los demás. Cuando más tarde Cunningham preparó un análisis de tres volúmenes de la división de autos de la compañía, Panny y los otros gerentes la criticaron duramente, diciendo que era inútil y que no decía nada que no supieran. A sus espaldas, se burlaban de ella y de su equipo llamándolos "Blancanieves y los siete enanos", y comenzaron a difundir rumores de que Agee la había ascendido solo porque sostenían una relación romántica. Cuando Agee se enteró de que Panny estaba a punto de pedir al consejo de directores que "investigara su relación", Agee lo despidió. Entonces los directores comenzaron a recibir cartas anónimas con insinuaciones maliciosas sobre Agee y Cunningham. Él solicitó una reunión especial con 600 empleados del personal corporativo. En una breve charla dijo: "Sé que corre el rumor por ahí de que el ascenso de Mary Cunningham en esta compañía… tiene algo que ver con una relación personal que tenemos". Pero esos rumores, afirmó, son completamente falsos: no había ninguna relación romántica con Cunningham y ella había ascendido por méritos propios. Pero después de su charla, alguien la filtró a los periódicos locales, que a la mañana siguiente publicaron una historia en primera plana sobre los "rumores románticos".

En la tarde, la historia estaba en las noticias nacionales. Cunningham fue obligada a renunciar y la posición de Agee en la compañía se debilitó de manera importante. Más tarde un director confió a Cunningham que la habían usado para acabar con Agee.[95]

**La ética de las tácticas políticas** Evidentemente, la conducta política en una organización puede volverse abusiva fácilmente. Como indica el incidente de Bendix, las tácticas políticas se utilizan para promover intereses privados a expensas de los intereses de la corporación y de otros grupos. Quizá sean manipuladoras y engañosas, y lesionen gravemente a aquellos que tienen poco o ningún poder o pericia política. Sin embargo, las tácticas políticas también se ponen al servicio de los objetivos de la empresa y de la sociedad. En algunas ocasiones, son necesarias para proteger a quienes carecen de poder, y en otras son la única defensa de una persona en contra de las tácticas manipuladoras y engañosas de otros. El dilema para el individuo dentro de una organización es saber dónde se ubica la línea que separa las tácticas políticas moralmente legítimas y necesarias de aquellas que carecen de ética.

Muy pocos autores han estudiado este dilema.[96] Esto es lamentable porque aun cuando pocas corporaciones están totalmente plagadas de conductas políticas, también es cierto que ninguna está completamente libre de ellas. Todos somos animales políticos, aun cuando nuestras campañas políticas se limiten casi por completo a la oficina. Aquí solo empezamos a analizar la diversidad y complejidad de problemas éticos que originan las maniobras políticas que ocurren de manera inevitable dentro de las organizaciones. Los problemas se abordan mejor al responder cuatro preguntas que enfocan nuestra atención en las características moralmente pertinentes del uso de las tácticas políticas: *a*) la pregunta utilitarista: ¿las metas que uno pretende lograr mediante las tácticas benefician o dañan a la sociedad? *b*) La pregunta sobre los derechos: ¿las tácticas políticas que se utilizan como medios para alcanzar esas metas tratan a otros de una forma congruente con sus derechos morales? *c*) La pregunta sobre la justicia: ¿las tácticas políticas conducen a una distribución equitativa de los beneficios y de las cargas?[97] *d*) La pregunta del cuidado: ¿qué efecto tendrán las tácticas sobre la red de relaciones dentro de la corporación?

*La utilidad de las metas* Los principios utilitaristas exigen que los gerentes trabajen para lograr las metas que produzcan los mayores beneficios y los menores daños sociales. Si suponemos que las organizaciones de negocios suelen desempeñar una función socialmente benéfica y que las actividades que las dañan probablemente disminuirán esos beneficios sociales, entonces, el utilitarismo implica que el gerente, como individuo, debe evitar el daño y debe trabajar para garantizar que la organización lleve a cabo sus funciones de beneficio social de la manera más eficiente posible. Por ejemplo, la función básica de la mayoría de los negocios es producir bienes y servicios para los consumidores. En la medida en que una corporación de negocios esté cumpliendo esta función de manera socialmente benéfica y no dañina, el empleado debe evitar dañar el negocio y se debe esforzar para que se asegure que este desempeñe su función productiva con un mínimo de desperdicio.

Dos tipos de tácticas políticas contradicen en forma directa esta norma y, por lo tanto, se les considera faltas de ética: las tácticas políticas que incluyen la búsqueda de metas personales a expensas de las metas productivas de la organización, y las tácticas políticas que deliberadamente producen ineficiencia y desperdicio. Suponga, por ejemplo, que la jefa de la unidad de investigación, en secreto, retiene información crucial de otras unidades de investigación de la misma compañía para que su propia unidad tenga una mejor imagen. Como resultado, sus ambiciones de carrera progresan y su unidad recibe un presupuesto más alto el siguiente año. ¿La táctica de retener información para destacar sobre las demás fue legítima desde el punto de vista moral? No. La táctica fue evidentemente incongruente con la búsqueda eficiente de las funciones productivas de la compañía.

Desde luego, los negocios no siempre cuentan con metas que beneficien y no dañen a la sociedad. La contaminación, la obsolescencia planeada, la fijación de precios y la fabricación de productos peligrosos son algunas de las metas organizacionales que el utilitarismo obviamente condenaría. En la medida en que una compañía trabaja para este tipo de metas, el empleado tiene la obligación de no cooperar (a menos, quizás, que sea amenazado con pérdidas personales de tal magnitud que, de hecho, sea coaccionado a obedecer). Los principios utilitaristas implican que trabajar o cooperar de forma voluntaria para alcanzar metas que son dañinas desde la perspectiva social es inmoral, sin importar cuáles sean las tácticas políticas utilizadas.

Por desgracia, las metas de las organizaciones no siempre son claras porque es probable que no exista un consenso acerca de cuáles son verdaderamente. Esto sucede sobre todo, por ejemplo, cuando una compañía se encuentra en proceso de cambio de directivos o de estructura y surge una negociación más o menos generalizada con respecto a cuáles deben ser las nuevas metas. Esta fue la situación en Bendix cuando Panny y los otros gerentes estuvieron en desacuerdo con la dirección en la que Agee estaba llevando a la compañía. Cuando las metas de las corporaciones están en un proceso de redefinición de este tipo, sus diversas coaliciones e individuos por lo general intentarán utilizar tácticas políticas para establecer las metas que cada uno desea, ya sea por medio del ejercicio unilateral del poder (por ejemplo, una nueva gerencia que trata de deshacerse del viejo personal y contrata a su propio equipo) o a través del compromiso político (por ejemplo, la nueva gerencia podría tratar de convencer al viejo personal para que acepte las nuevas metas). En situaciones tan fluidas, el individuo no tiene más opción que examinar las metas que proponen las diversas coaliciones y hacer un intento consciente para determinar cuáles benefician más a la sociedad a largo plazo. Mientras que el uso de tácticas políticas para instaurar metas organizacionales ilegítimas sería poco ético, las tácticas políticas se emplean para asegurar la instauración de metas moralmente legítimas, siempre y cuando dichas tácticas cumplan con los dos siguientes criterios.

***Derechos morales y medios políticos*** Algunas tácticas políticas son evidentemente engañosas, como cuando una persona da la impresión de que cuenta con una pericia que en realidad no posee. Otras son manipuladoras. Por ejemplo, es una manipulación fingir amor para obtener favores de una persona. El engaño y la manipulación son intentos por lograr que la gente haga (o crea) algo que no haría (o creería) si supiera lo que está sucediendo. Ese tipo de tácticas políticas carecen de ética en tanto que no respetan los derechos de la persona de ser tratada no solo como un medio, sino también como un fin; es decir, no respetan el derecho de la persona a ser tratada solo como ella libre y deliberadamente aceptó ser tratada. Tal falta de respeto moral se exhibe en muchas de estas tácticas políticas que se aprovechan de nuestras dependencias y vulnerabilidades emocionales, que son las dos palancas más asequibles y confiables que otros usan para adquirir poder sobre nosotros. Por ejemplo, un gerente hábil se podría acostumbrar a fingir amistad e interés y a hacer que los otros lo traten con afecto, respeto, lealtad, agradecimiento, confianza, gratitud, etcétera. Luego, el gerente podría explotar estos sentimientos para lograr que sus subalternos realicen cosas que normalmente no harían, en especial, si conocieran el engaño y los motivos ocultos de su conducta. Un gerente hábil también aprendería a aprovecharse de vulnerabilidades personales de los individuos, como vanidad, generosidad, sentido de responsabilidad, susceptibilidad a los halagos, ingenuidad o cualquier otra característica que ponga a la gente de forma involuntaria a merced de otros. Al aprovecharse en secreto de esas vulnerabilidades, el gerente tal vez logre que los empleados sirvan a sus metas, aun cuando ellos no lo harían si conocieran sus motivos ocultos. O, como ocurrió en Bendix, los gerentes pueden usar el ridículo, los falsos rumores o las insinuaciones engañosas para minar la posición de otra persona.

Sin embargo, ¿las tácticas políticas engañosas y manipuladoras son siempre incorrectas? ¿Qué sucedería si yo me viera obligado a trabajar en una organización en la que otros insisten en utilizar tácticas engañosas y manipuladoras en mi contra? ¿Debo permanecer indefenso? No necesariamente. Si los miembros de una corporación saben que ciertas tácticas políticas ocultas se suelen utilizar dentro de ella, y aun así eligen libremente permanecer dentro y volverse hábiles para utilizar y defenderse en contra de esas tácticas, entonces, podemos suponer que estos miembros han aceptado de manera tácita que se use este tipo de tácticas políticas ocultas en su contra. Es posible decir que esas personas han aceptado el juego dentro de la organización, en el que todo mundo sabe que engañar a los otros jugadores y maniobrar para sacarlos de las posiciones ganadoras forma parte del proceso. Tratar con ellos con base en este consentimiento tácito no violaría sus derechos a ser tratados como han consentido libre y en forma deliberada.

Sin embargo, el uso de tácticas políticas engañosas y manipuladoras evidentemente es poco ético cuando se utilizan en contra de personas que *a)* no saben o no esperan que este tipo de tácticas se use en contra de ellas, *b)* no son libres de abandonar la organización, o *c)* no tienen las habilidades para defenderse. El uso de una táctica engañosa o manipuladora en cualquiera de estos casos viola el respeto moral que debemos a las personas, en especial, si la táctica las lesiona al hacer que involuntariamente actúen en contra de sus propios intereses.

*La equidad de las consecuencias* Las tácticas políticas quizá provoquen injusticias o distorsionen la igualdad de trato que demanda la justicia. Por ejemplo, un individuo que controla el presupuesto o el sistema de información de una organización, lo administraría en secreto de forma injusta al mostrar favoritismo por las personas o grupos que pueden promover su carrera. Tales tácticas políticas violan abiertamente el principio básico de la justicia distributiva que analizamos con anterioridad: individuos similares en todos los aspectos pertinentes deben recibir un trato similar, y los individuos que son disímiles en aspectos pertinentes deben recibir tratos disímiles en proporción a su diferencia.

Las tácticas políticas también crean injusticias entre los empleados que tienen pocas habilidades políticas o ninguna. Los individuos que carecen de habilidad política quizá sean manipulados con facilidad para aceptar una porción más pequeña de los beneficios de la corporación de la que podrían merecer por sus capacidades o necesidades, en comparación con otros. De este modo, los beneficios ya no se distribuyen a estas personas con base en sus características pertinentes, por lo que se comete una injusticia contra ellas.

Las tácticas políticas no solo benefician o perjudican a otros más o menos de lo que merecen, sino que también se utilizan para obtener ventajas injustas. Por ejemplo, un ingeniero que está compitiendo con otro por una promoción a jefe de departamento, podría cultivar y elogiar a sus superiores, y al mismo tiempo usar insinuaciones para desacreditar a su rival. Como resultado, él podría conseguir la promoción, aun cuando el otro estuviera mejor calificado. Este uso de las tácticas políticas para adquirir ventajas con base en características no pertinentes también es injusto.

*El efecto sobre el cuidado* Además de estas desigualdades, la prevalencia prolongada de tácticas políticas dentro de una organización tal vez tenga efectos debilitantes a largo plazo sobre la calidad de las relaciones personales que existen en ella. Varios investigadores han encontrado que el abuso del poder en las organizaciones tiende a hacer rutinario un tratamiento deshumanizado de los individuos menos poderosos. David Kipnis, por ejemplo, encontró que los individuos que ejercen el poder se sienten cada vez más tentados a *a)* aumentar sus intentos por influir en la conducta de los individuos menos poderosos, *b)* devaluar el mérito del desempeño de estos, *c)* atribuir la causa de los esfuerzos de los menos poderosos al poder que ellos controlan, y no a los motivos que los otros tienen para

*Repaso breve 8.23*

**Enfoques a la ética de las tácticas políticas**
- Utilitarista: ¿las tácticas se usan con el propósito de lograr metas que benefician o dañan a la sociedad?
- De los derechos: ¿las tácticas que se emplean tratan a los demás de una manera congruente con sus derechos morales?
- De la justicia: ¿las tácticas conducen a una distribución equitativa de los beneficios y de las cargas?
- Del cuidado: ¿qué efecto tendrán las tácticas en las relaciones dentro de la organización?

actuar bien, *d*) ver a los menos poderosos como objetos de manipulación, y *e*) expresar una preferencia por mantener una distancia psicológica con respecto a los menos poderosos.[98] En conclusión, el poder corrompe.

Chris Argyris y otros sostienen que los individuos que son controlados por los poderosos "tienden a sentir frustración, conflicto y sentimientos de fracaso"; que ellos "se adaptan" abandonando la organización, tratando de subir en la jerarquía, refugiándose de la agresión, soñando despiertos, con regresión o simplemente apatía; y que la organización se empieza a caracterizar por la competencia, la rivalidad y la hostilidad.[99] Por consiguiente, al decidir el uso de tácticas políticas, debemos considerar seriamente las consecuencias a largo plazo que el ejercicio del poder de estas tácticas implica sobre uno y sobre las relaciones que uno tiene con los demás miembros de la organización.

## 8.3 La organización que ejerce el cuidado

Hasta ahora hemos considerado que las organizaciones presentan dos aspectos. Primero, las hemos considerado como conjuntos jerárquicos de individuos autónomos vinculados entre sí y con la organización mediante convenios contractuales y jerarquías de autoridad definidas de manera formal. Hemos llamado a este aspecto la organización *racional*. Entrecruzando las líneas formales de autoridad de esta hay un segundo sistema de poder al que hemos llamado la organización *política*: la red de relaciones de poder, coaliciones y líneas informales de comunicación a través de las cuales los individuos buscan alcanzar sus metas personales y las que ellos consideran como metas de la organización.

Es posible concebir que las organizaciones se forman de otro conjunto de relaciones muy diferentes. Pensadores modernos han sugerido que las organizaciones se pueden y se deben considerar redes de relaciones en las que "individualidades conectadas" forman redes de relaciones personales continuas con otras "individualidades conectadas". En este modelo de la corporación, el foco de los empleados no es la búsqueda de poder, utilidades y metas personales, sino el cuidado de las relaciones interpersonales que existen entre los individuos que conforman la organización y con los que esta interactúa. Encontramos este aspecto cuando nos hacemos amigos de las personas con quienes trabajamos, sentimos un interés por ellas, buscamos su bienestar y tratamos de profundizar y preservar esas relaciones de afecto. También los empleadores establecen vínculos con sus empleados, profundizan sus relaciones con ellos y buscan formas de atender las necesidades específicas de estos individuos particulares y de desarrollar todo su potencial. Por ejemplo, cuando un incendio destruyó la planta principal de Malden Mills, el director ejecutivo, Aaron Feuerstein, se negó a despedir a los empleados inactivos y continuó pagándoles de su propio bolsillo aunque no estaban trabajando, diciendo que ellos eran "parte de la empresa y no un centro de costos que se debía recortar. Ellos han estado conmigo desde hace mucho tiempo. Hemos sido buenos los unos con los otros y existe una profunda conciencia de ello". Los miembros de una organización incluso se hacen amigos de sus clientes, interesándose genuinamente por ellos y tratando de fomentar y mejorar el bienestar de los clientes específicos con los que tratan. Este interés por el bienestar de los clientes es más evidente, quizás, en organizaciones de profesionales que proporcionan servicios, como hospitales, escuelas, bufetes de abogados y empresas de consultoría que tienen relaciones continuas con ellos.

Este aspecto de la vida de las organizaciones no se describe de forma adecuada en el modelo contractual que subyace a la organización "racional", ni por el concepto de poder que subyace a la organización "política".

Tal vez la mejor forma de describirlo sea como la ***organización que ejerce el cuidado***, en la que los conceptos morales dominantes son los que surgen de una ética del cuidado:

**organización que ejerce el cuidado** La organización en la que los conceptos morales dominantes son aquellos que surgen de una ética del cuidado.

las relaciones interpersonales. Jeanne M. Liedtka describe a la organización que ejerce el cuidado como parte o aquella en la que el cuidado

a) se enfoca totalmente en las personas, no en la "calidad", "utilidades" o cualquiera de los otros tipos de ideas a las que se refieren gran parte de los actuales "discursos sobre el cuidado";

b) se considera como un fin en sí mismo y no simplemente como un medio para lograr calidad, utilidades, etcétera;

c) es básicamente personal, en cuanto a que en última instancia implica a individuos específicos interesados, a un nivel subjetivo, en cuidar de otros individuos específicos;

d) fomenta el crecimiento de aquellos a quienes cuida, en cuanto a que los dirige hacia el uso y el desarrollo de todas sus capacidades dentro del contexto de sus necesidades y aspiraciones autodefinidas.[100]

Se ha dicho que las organizaciones de negocios en las que florecen tales relaciones de cuidado muestran un mejor desempeño económico que aquellas que se restringen a las relaciones contractuales y de poder de la organización racional y política.[101] En la que ejerce el cuidado florece la confianza porque "uno necesita confiar si se considera a sí mismo un ser independiente y conectado".[102] Puesto que la confianza se desarrolla en la corporación que ejerce el cuidado, esta no tiene que invertir recursos para vigilar a sus empleados ni para tratar de asegurarse de que no violen sus convenios contractuales. De este modo, el cuidado disminuye los costos de operación y reduce los "costos de actos disciplinarios, robos, ausentismo, baja motivación y estado de ánimo".[103] (En la compañía genuinamente cuidadosa, obviamente el cuidado no está motivado por el deseo de reducir estos costos, sino que lo busca por sí mismo, como indica el apartado b).

También se ha argumentado que las organizaciones de negocios en las que florece el cuidado desarrollan un interés por servir al cliente y por crear valor para él, lo que a su vez permite que logren una ventaja competitiva sobre otras. En organizaciones de negocios de este tipo, el interés principal no es fabricar productos diferenciados o a bajo costo para mercados en crecimiento, sino crear valor para clientes específicos y permanecer conscientes de sus necesidades cambiantes. Se dice que tal enfoque en conocer y servir al cliente permite que la compañía se adapte continuamente a los rápidos cambios que caracterizan a la mayor parte de los mercados actuales. Además, el cuidado que origina un interés por el cliente también inspira y motiva a los empleados para que destaquen de una manera que las relaciones contractuales y de poder no permiten. Bartlett y Ghoshal, por ejemplo, afirman:

> Pero... las relaciones que se basan en contratos no inspiran el extraordinario esfuerzo y el compromiso sostenido que se necesita para mostrar un desempeño consistentemente superior. Para eso, las compañías necesitan empleados orientados al cuidado y que tengan un fuerte vínculo emocional con la organización.[104]

Tal vez existan pocas o ninguna organización que ejerza el cuidado de manera perfecta, pero algunas compañías reconocidas se acercan. Por ejemplo, W. L. Gore & Associates, Inc., compañía muy exitosa que inventó y ahora fabrica la reconocida línea de telas GORE-TEX, es un corporación que no tiene gerentes, títulos ni jerarquía.[105] En su lugar, confía tanto en cada empleado, que les otorga la libertad de definir en qué área están dispuestos a comprometerse, según en lo que cada uno considere que contribuye mejor. Los líderes surgen cuando los empleados están dispuestos a seguirlos porque están convencidos de que tienen una idea o un proyecto que vale la pena. Cada empleado cuenta con uno o más "patrocinadores" que trabajan estrechamente como entrenadores para

*Repaso breve 8.24*

**Características de la organización que ejerce el cuidado**
- El cuidado se enfoca de manera completa en las personas y no en las "utilidades" o la "calidad".
- El cuidado se considera un fin en sí mismo y no como un medio de productividad.
- El cuidado es en esencia personal.
- El cuidado fomenta el crecimiento de quien lo recibe.

ayudarlos a desarrollar todo su potencial, y que fungen como sus "abogados" cuando un equipo (constituido por compañeros de trabajo) revisa la contribución del empleado para decidir qué remuneración debe recibir el siguiente año. Las unidades de la compañía son pequeñas (menos de 200 personas) para que todos puedan conocerse entre sí y todas las comunicaciones sean abiertas, directas y de persona a persona. En una organización tan poco estructurada y controlada, todo el trabajo que se efectúa depende, en última instancia, de las relaciones que los empleados crean entre sí. Con el tiempo, los empleados llegan a interesarse unos en otros y en los clientes para quienes están tratando de crear valor.

A pesar de que organizaciones como W. L. Gore son raras, en mayor o menor grado la mayoría presenta aspectos de la organización que ejerce el cuidado. En algunas, como la que acabamos de mencionar, la organización que ejerce el cuidado domina sus aspectos racionales y políticos. Sin embargo, en la mayoría de las compañías los aspectos contractuales y políticos son más relevantes. No obstante, en muchas empresas ya existen al menos algunos empleados y gerentes que responden a las demandas del cuidado alimentando las relaciones que tienen entre sí y atendiendo sus necesidades concretas y particulares y las de sus clientes.

En el modelo contractual, los problemas éticos cruciales surgen del potencial para quebrantar ese tipo de relación. En el modelo político los problemas éticos cruciales se originan del potencial del abuso del poder. Desde la perspectiva de la organización que ejerce el cuidado, los principales problemas éticos son el potencial de ejercer un cuidado excesivo o de no ejercer el suficiente cuidado.

*Repaso breve 8.25*

**Problemas de la organización que ejerce el cuidado**

- Cuidar demasiado de los demás puede llevar a un "agotamiento emocional" cuando se da demasiado peso a las necesidades de los demás en comparación con las necesidades de uno mismo.
- No cuidar lo suficiente de los demás debido a fatiga, egoísmo o desinterés nos lleva a ignorar sus necesidades, o porque la organización elimina de forma sistemática la práctica del cuidado con despidos, burocracia, estilos gerenciales que ven a los empleados como desechables o recompensas que fomentan la competitividad y desalienta el cuidado.

***Los problemas morales de ejercer un cuidado excesivo***   Las necesidades de quienes nos interesan quizá demanden una respuesta que nos abrume, provocándonos a la larga un "agotamiento emocional".[106] Aquí el conflicto ocurre entre las necesidades de los demás y las de uno mismo. Varios autores han argumentado que la ética del cuidado requiere de un equilibrio maduro entre la atención de las necesidades de los demás y la atención a las propias.[107] Otros señalan que el "agotamiento emocional" ocurre no porque la gente se sienta abrumada por las necesidades de otros, sino porque las organizaciones imponen cargas burocráticas a los cuidadores, limitan su autonomía y afectan su toma de decisiones.[108] Además de los conflictos entre las necesidades de uno mismo y las de los demás, las demandas del cuidado producen distintos tipos de conflictos: las necesidades de quienes nos interesan tal vez demanden una respuesta que entre en conflicto con lo que consideramos que les debemos. Este es el problema de equilibrar la parcialidad hacia quienes nos interesan y las exigencias imparciales de otras consideraciones morales, como las demandas imparciales de la justicia o de los derechos morales.[109] Por ejemplo, una persona podría estar indecisa entre cuidar de un amigo que está violando las políticas de la compañía y la justicia hacia la empresa, que requiere que se reporten tales violaciones. ¿Qué demanda debe ser satisfecha: las demandas del cuidado por la parcialidad o las demandas de la moralidad imparcial?

***Los problemas morales de no ejercer el suficiente cuidado***   Sin embargo, el hecho de no estar a la altura de las demandas del cuidado produce más presión. Es posible que esto ocurra a nivel personal u organizacional. Podríamos ver que un compañero de trabajo o cliente tiene una necesidad, pero la fatiga, el egoísmo o el simple desinterés provoca que la ignoremos. A un nivel más amplio, la organización completa podría eliminar de forma sistemática la práctica del cuidado a través de despidos indiscriminados, de la creación de grandes burocracias impersonales, del uso de estilos gerenciales que ven a los empleados como costos desechables o del uso del sistema de recompensas que desalienta el sentimiento de cuidado y recompensa la competitividad.

¿Cómo se deben resolver ese tipo de problemas morales? Por desgracia en este momento las respuestas aún no son claras. Las investigaciones y el interés en la organización que ejerce el cuidado son tan recientes que todavía no existe un consenso claro sobre cómo se deben resolver. Aquí hemos llegado a las fronteras mismas del pensamiento moderno de la ética.

## Preguntas para repaso y análisis

✓•—[Estudie y repase en
**mythinkinglab.com**

1. Defina los siguientes conceptos: el modelo racional de la organización, las obligaciones que tiene el empleado con la compañía, la ley de agencia, el conflicto de intereses, los conflictos de intereses reales y potenciales, el soborno comercial, la extorsión comercial, la moralidad de aceptar regalos, la información privilegiada, el robo, el salario justo, OSHA, el modelo político de la organización, el poder, la analogía gobierno-gerencia, el derecho a la privacidad, la privacidad física y psicológica, la pertinencia, el consentimiento, los métodos extraordinarios, el derecho a la libertad de conciencia, las denuncias, el derecho a participar, el derecho a un proceso justo, la política de la organización, las tácticas políticas, la organización que ejerce el cuidado.

2. Relacione la teoría de las obligaciones del empleado con la compañía que estudiamos en este capítulo con el análisis de los derechos y obligaciones contractuales del capítulo 2. ¿Hay alguna inconsistencia entre ellos? Relacione los seis criterios para determinar salarios justos que revisamos en este capítulo, con las diversas normas de justicia que abordamos en el capítulo 2. ¿Son las normas de justicia congruentes con los diversos estándares? ¿Implican o sugieren las normas de justicia cualquier otro criterio que se deba usar al fijar salarios justos? Relacione el análisis de los derechos del empleado de este capítulo con la teoría de los derechos morales que presentamos en el capítulo 2. ¿Son estos dos análisis congruentes? Al analizar los derechos morales, ¿sugiere que existen otros derechos importantes de los empleados que no se analizaron en este capítulo? Si es así, ¿cuáles?

3. Compare y contraste el modelo racional de la organización con el modelo político y el del cuidado. ¿Estaría usted de acuerdo con la siguiente afirmación: "el modelo racional de la organización implica que la corporación se basa en el consentimiento, mientras que el modelo político implica que la corporación se basa en el poder, y el modelo del ejercicio del cuidado implica que la corporación se basa en relaciones interpersonales"? ¿Cuál de los dos modelos cree usted que ofrece la perspectiva más apropiada de las organizaciones con las que está familiarizado, como su universidad o las compañías en que ha trabajado? Explique sus respuestas.

4. En vista del convenio contractual que todo empleado establece y por el que se compromete a ser leal a su empleador, ¿cree usted que en algún caso se justifique moralmente el hecho de ser informante? Explique su respuesta.

5. ¿Está usted de acuerdo o no con la afirmación de que las gerencias corporativas son tan similares a los gobiernos que es necesario reconocer que los empleados tienen los mismos "derechos civiles" que los ciudadanos? Explique las razones de su respuesta.

6. Evalúe qué tan deseable es la "organización que ejerce el cuidado". ¿Deben los gerentes o empleados tratar de manera deliberada hacer que las organizaciones se parezcan más al modelo del cuidado?

## Recursos en Internet

Si usted está interesado en investigar el tema de cuestiones éticas relacionadas con los empleados y la vida en la organización, inicie con el sitio Web de la Occupational Safety and Health Association (*http://www.osha.gov*); el National Institute for Occupational Safety and Health (*http://www.cdc.gov/niosh*); los temas acerca de la ley del trabajo y el empleo se encuentran en HG.org (*http://www.hg.org/employ.html*) y en la 'Lectric Law Library (*http://www.lectlaw.com/temp.html*). La American Federation of Labor-Congress of Industrial Organizations (*http://www.aflcio.org*) proporciona información sobre sindicatos. La Campaign for Labor Rights ofrece información sobre temas laborales (*http://www.campaignforlaborrights.org/*). Se encuentra información acerca de la explotación de los empleados en todo el mundo en diversas páginas Web como *http://www.greenamerica.org/programs/sweatshops*; *http://www.globalexchange.org/campaigns/sweatshops*; *http://www.usas.org*; *http://www.behindthelabel.org* y *http://www.maquilasolidarity.org*.

# Muerte en Massey Energy Company

Ocurrió alrededor de las 3 de la tarde del lunes, 5 de abril [de 2010], en la mina de carbón de Upper Big Branch, en Montcoal, Virginia Occidental, una de las muchas minas propiedad de Massey Energy Company. El turno de la mañana de los mineros todavía estaba en el proceso de cambiar lugares con el turno de la tarde. Los miembros de cada grupo estaban siendo transportados desde y hacia la entrada en vehículos de transporte llamados "jaulas". Nueve de los mineros del turno de la mañana acababan de salir de una de las jaulas, y estaban saliendo de la mina cuando repentinamente sintieron una ráfaga de aire, tan fuerte que casi los tira. Todos supieron lo que significaba. Se dieron la vuelta y algunos regresaron corriendo a la mina, donde encontraron a siete de sus compañeros mineros muertos al lado de la jaula que los acababa de subir. Dos más estaban vivos pero heridos. Una explosión mortal había arrasado la mina de carbón subterránea, matando o atrapando en su interior a un número desconocido de hombres. En el momento de la explosión había 61 mineros trabajando bajo tierra.[1] Stanley Stewart, uno de ellos, describió más tarde la situación:

> El 5 de abril, yo estaba sentado en la jaula, aproximadamente a las 3 de la tarde, con otros mineros a unos 90 metros de profundidad. Ya estábamos listos para dirigirnos a la sección cuando sentí una brisa que provenía del interior de la mina. La intensidad creció y me di cuenta de que algo malo estaba ocurriendo, así que dejé la jaula y me encaminé a la salida. Antes de que pudiera llegar, la velocidad del aire se incrementó a lo que pensé que era "la fuerza de un huracán" y sentí que mis pies querían dejar el suelo. El aire estaba lleno de polvo y no podía ver nada. Aunque no me faltaba mucho, entré en pánico, y temí no lograr salir a salvo.[2]

Afortunadamente, Stewart logró salir. Otros mineros que intentaron bajar a la cueva para ayudar, se vieron detenidos por el humo y los gases tóxicos que salían de la mina. Muchos de los mineros que se encontraban bajo tierra encontraron de alguna manera la forma de salir a la superficie. Aunque el aire lleno de humo limitaba la visibilidad a aproximadamente dos pies (61 cm), alrededor de las 6 de la tarde el primer equipo de rescate había entrado ya a la mina, y cada uno de los rescatistas iba equipado con máscaras y tanques de oxígeno. Dado que el suministro de aire en los tanques era limitado, cada equipo solo podía buscar en una pequeña parte del enorme laberinto de pasadizos antes de que tuviera que salir y ser relevado por otro equipo. Su avance era lento porque la extraordinaria fuerza de la explosión había cubierto el suelo de la mina con desechos.

La onda expansiva había retorcido las vías de los vagones "como *pretzels*" y había hecho explotar maquinaria y arrojado sus partes por el suelo de la mina. Enormes pedruscos y rocas habían sido arrojados por todas partes. El primer equipo encontró un minero muerto, y los siguientes equipos siguieron encontrando cuerpos a lo largo de la tarde.

Para las 2 de la madrugada, los cuerpos que encontraron los equipos de rescate ascendían a 25. Aunque cuatro mineros aún seguían perdidos, el esfuerzo de rescate tuvo que detenerse media hora después. Los niveles de metano, un gas explosivo, y de monóxido de carbono, un gas tóxico, estaban aumentando dentro de la mina, y hacían muy peligroso que los rescatistas continuaran. Los trabajadores tendrían que perforar agujeros para ventilar la mina y liberarla de los peligrosos gases antes de que los rescatistas pudieran volver a entrar. La perforación continuó hasta las 4 de la tarde del martes. Las familias de los mineros desaparecidos esperaban que se las hubieran ingeniado para llegar a una de las "cámaras de refugio" de la mina, pequeñas habitaciones de emergencia equipadas con alimentos, agua y suficiente oxígeno para unas 90 horas. Había dos cámaras de refugio en el área de la explosión.[3]

Para el miércoles por la mañana, los taladros habían roto suficiente de la mina y comenzaron a bombear el metano, pero no fue sino hasta el día siguiente, el jueves por la mañana, cuando los equipos de rescate pudieron entrar de nuevo. Cuatro horas más tarde, se vieron obligados a volver a parar porque las muestras de aire señalaban que la mina todavía estaba saturada de metano. Otro equipo intentó entrar en la mina el viernes por la mañana, pero se vio obligado a salir cando los crecientes niveles de humo indicaban que todavía había incendios sin sofocar dentro de la mina. No obstante, el segundo equipo había llegado a una de las cámaras de refugio. Estaba vacía. Mientras tanto, los trabajadores habían estado bombeando nitrógeno a la mina mediante los agujeros perforados, con la esperanza de neutralizar el gas explosivo y el polvo. Esa tarde, cuando se permitió a los rescatistas volver a entrar en la mina, se dirigieron a la segunda cámara de refugio. No había nadie allí; en lugar de eso, los rescatistas encontraron los cuerpos sin vida de los cuatro desaparecidos yaciendo en los túneles. En total, murieron 29 mineros en el peor desastre minero de los últimos cuarenta años en Estados Unidos. La pregunta que todo el mundo tenía en mente era qué es lo que había causado la explosión dentro de la mina de Upper Big Branch.

Desde el primer día después de la explosión, los periódicos habían informado que las minas de Massey Energy, en general, y la mina Upper Big Branch, en particular, habían sido citadas miles de veces por violaciones a la seguridad por la U.S. Mine Safety and Health Administration (MSHA), una agencia del gobierno federal que se encarga de supervisar la seguridad de los empleados en la industria minera. De hecho, a esa mina la habían citado más de 50 veces por violaciones a la seguridad solo durante el mes anterior, y muchas de las otras minas de carbón de la compañía también tenían registros de seguridad igualmente deficientes.[4]

Massey Energy Company se fundó en 1920 en Richmond, Virginia, como un negocio de correduría de carbón, y adquirió su primera mina de ese material en 1945. En 1981, Fluor Corporation compró a la compañía, y con su respaldo el negocio de la minería creció rápidamente. En 1992, Don Blankenship, quien se había incorporado a la empresa en 1982, fue nombrado presidente y director ejecutivo de Massey. En el año 2000, supervisó la transformación de Massey en una compañía independiente cuando se separó de los negocios no relacionados con el carbón de Fluor Corporation. En los años siguientes, la compañía continuó creciendo y, para 2010, producía anualmente 40 millones de toneladas de carbón bituminoso bajo en azufre en 42 minas subterráneas y 14 minas de exterior dispersas por Virginia Occidental, Kentucky y Virginia. Massey procesaba y distribuía el carbón a través de 22 centros de procesamiento y envíos. La compañía tenía 5,851 empleados y en 2009 tuvo ganancias netas de $104 millones sobre un total de ingresos de $2,700 millones.[5]

Bajo el liderazgo de Don Blankenship, las operaciones de la compañía habían levantado controversias considerables, gran parte de ellas relacionadas con su impacto en el entorno natural. En 1984, cuando Blankenship era presidente de Rawl, una subsidiaria de Massey Energy Company, se enfrentó con los desechos de los millones de galones de lodo de carbón que las minas estaban produciendo. El lodo de carbón es un fango acuoso que sale cuando se lava el carbón para quitarle las impurezas. El lodo lleva con él muchas sustancias tóxicas que se encuentran por lo general en el carbón, como arsénico, plomo y cadmio. A Blankenship se le ocurrió la idea de desechar el lodo entubándolo en la profundidad de minas de carbón abandonadas. Pero había grietas que se extendían por las paredes y los suelos de las minas, y al parecer los tóxicos del lodo se filtraron por las grietas y terminaron contaminando los mantos acuíferos subterráneos que alimentaban los pozos de los que las comunidades de alrededor extraían su agua potable. La compañía se vio obligada a pagar $3.5 millones en multas por el desastre ambiental que había generado. Luego, en 2000, el dique de un pequeño lago lleno de lodo de carbón colapsó, soltando 250 millones de galones (más de 1,100 millones de litros) de lodo tóxico, que inundaron los ríos de Kentucky, y dejando tras de sí más de 100 millas (más de 160 kilómetros) de canales contaminados y destruyendo las fuentes de agua potable de los pueblos de alrededor. Ese mismo año, dos de sus otras minas de carbón tuvieron que pagar multas por contaminar los canales de Virginia Occidental. En 2006, la compañía pagó multas adicionales por valor de $1.4 millones para arreglar cinco demandas ambientales y 14 acciones ejecutorias ambientales. En 2008 pagó otros $20 millones para arreglar una demanda gubernamental que acusaba a la compañía de 4,000 violaciones a la ley de agua limpia.[6]

Pero, en 2010, la mayoría de las críticas que acusaban a Massey Energy Company se enfocaban en la falta de atención que la compañía prestaba a la seguridad de sus empleados. De hecho, en los días que siguieron a la explosión de la mina Upper Big Branch, Massey fue acusada una y otra vez de poseer el peor registro en seguridad de la industria. El número promedio de trabajadores heridos en las minas de Estados Unidos es de 4.03 lesionados por cada 200,000 mineros. Pero diez de las minas de carbón subterráneas de Massey Energy, incluyendo la de Upper Big Branch, tenía tasas de accidentes que oscilaban entre 4.49 y 9.78 lesionados por cada 200,000 trabajadores. Estas minas no solo presentaban más heridos que el promedio nacional, sino que al menos cuatro habían tenido el doble de ese promedio.[7] Rick Melberth, director de OMB Watch, un grupo regulador de control, señaló que Massey y su mina de Upper Big Branch eran inusualmente relajadas en el área de la seguridad de los trabajadores. "Hay minas enormes ahí fuera que producen mucho más carbón, tienen muchas más horas laboradas y pueden operar sin violaciones", dijo.[8]

Esta no era la primera vez que se culpaba a los problemas de seguridad de Massey Energy por la pérdida de vidas. En enero de 2006, se generó un incendio en una mina de carbón de Massey en el condado Logan, Virginia Occidental, y dos mineros murieron. Una investigación estatal concluyó que el fuego mortal se debió a diversas violaciones a la ley que la empresa no había corregido. Los fallos fueron muchos: una cinta transportadora que se prendió fuego, la acumulación de material combustible que alimentó el incendio, la ausencia de monóxido de carbono que hubiera alertado a los mineros del fuego, la ausencia de los extinguidores requeridos, y los controles inapropiados de ventilación. Unos pocos meses antes del incendio de 2006, el director ejecutivo Blankenship había escrito un memorando sugiriendo que los gerentes se debían concentrar en producir carbón y no perder tiempo respondiendo las peticiones de que arreglaran asuntos: "Si a alguno de ustedes le pidieran sus presidentes de grupo, sus supervisores, ingenieros o cualquier otro que haga algo que no sea sacar carbón… deben ignorarlos y sacar carbón. Este memorando es necesario solo porque parece que no entendemos que el carbón paga las cuentas". En 2009, Massey pagó $4.2 millones en multas civiles y penales para arreglar cargos federales de que la compañía había violado intencionalmente las normas federales de seguridad y que esas violaciones eran responsables de la muerte de los dos mineros.[9]

Las violaciones a la seguridad plagaron la mina de Upper Big Branch durante algún tiempo. Un año antes de la explosión de 2010, la mina fue citada ocho veces por violaciones "sustanciales" relacionadas con sus monitores de metano. La normativa requería que la mina tuviera este tipo de monitores para avisar de cualquier acumulación peligrosa de ese gas, el cual es inodoro y se acumula en los depósitos de carbón, siendo común que se filtre en las minas de este mineral, creando un peligro mortal dado que es un gas sumamente inflamable y explosivo. Se supone que el operador de la mina calibra los monitores de metano en los túneles una vez al mes para asegurarse de que funcionan bien y que son capaces de sentir de manera precisa cuando el gas ha llegado a niveles peligrosos. Pero dos veces, los inspectores federales hallaron que Massey calibraba sus monitores solo una vez cada tres meses generando el riesgo que de estos no pudieran detectar de manera apropiada niveles peligrosos de metano. Los reguladores federales también hallaron que la compañía no ventilaba la mina de manera adecuada. La ventilación previene la acumulación de gas metano, así como de polvo de carbón, el cual como el metano, es combustible y puede avivar una explosión. Los inspectores habían obligado a la compañía a detener temporalmente el trabajo en algunas secciones de la mina hasta que se hubieran corregido los problemas de ventilación. Aunque no estaba del todo claro qué había iniciado la explosión del 5 de abril, era casi seguro de que había sido provocada por la acumulación de metano y polvo de carbón.

Esos no eran los únicos asuntos de seguridad en la mina. El mes antes de la explosión, la U.S. Mine Safety and Health Administration (MSHA) había citado a la mina de Upper Big Branch por un total de 50 violaciones a la seguridad, 12 de las cuales se relacionaban con problemas de ventilación de la mina que hubieran prevenido la acumulación de gas metano y polvo de carbón.[10] Desde principios de año los inspectores habían emitido 68 citaciones por violaciones que denominaron de "gran negligencia" y tres de indiferencia "temeraria". Además de la mala ventilación de polvo de carbón y gas metano, la mina también había sido emplazada judicialmente por no mantener caminos de escape apropiados, por no controlar el polvo, por protección inadecuada ante la caída de los techos y por permitir que se acumularan materiales combustibles en la mina. Desde 2005, MSHA había emplazado judicialmente a la mina por un total de 1,342 violaciones a la seguridad, e impuso $7.6 millones en multas propuestas en contra de Massey Energy. Sin embargo, la compañía había objetado 422 de esas violaciones.[11] Impugnar las citaciones de MSHA le permitía a la compañía retrasar el pago de las multas durante años. De los más de $7.6 millones en multas que estaban pendientes desde 2005 contra Massey Energy, la compañía solo había pagado $2.3 millones para 2010.

En el centro de la tormenta de críticas que envolvieron a la compañía después de la explosión en la mina, estaba la revelación de que Blankenship, el director ejecutivo, había recibido $11.8 millones en salarios, bonos y otras prestaciones en 2008. Las familias de muchos mineros le acusaron de anteponer las ganancias a la seguridad. Nacido en 1950, Blankenship creció en Stopover, Kentucky, un pueblo pobre conformado en su mayoría por chozas y casas rodantes. Su madre se divorció de su padre poco después de que él naciera, y él acabó siendo criado por su madre. Un amigo

de la infancia dijo: "Era un niño muy competitivo, no le gustaba perder... Siempre estaba intentando descubrir cómo salirse con la suya". En la preparatoria, jugó béisbol y fue elegido presidente de su salón. Cuando se graduó, se inscribió en la Marshall University en Huntington, donde estudió contabilidad y se las arregló para titularse en tres años. Después de eso, trabajó como contador en Keebler Company, se casó y tuvo dos hijos. Entonces, en 1982, la Massey Energy Company se puso en contacto con él y le ofreció un puesto en una de sus subsidiarias, llamada Rawl. Aceptó la oferta y dos años más tarde fue nombrado presidente de Rawl. Blankenship continuó su ascenso por la jerarquía hasta que, en 1992, fue nombrado director ejecutivo y presidente de toda la compañía.

Las familias de los mineros muertos acusaron a Blankenship de "recortar siempre donde podía en seguridad, presionando para que sacaran más carbón".[12] Él lo negó con vehemencia:

> Desde el día en que entré a formar parte del equipo de liderazgo de Massey hace 20 años, hice de la seguridad la número uno de mis prioridades... El resultado ha sido una reducción del 90 por ciento en nuestra tasa de tiempo perdido por accidentes —a menudo notablemente mejor— que el promedio de la industria durante 17 de los últimos 19 años. Así que para que quede constancia: Massey no da preferencia a las ganancias sobre la seguridad. Nunca lo hemos hecho y nunca lo haremos.[13]

Aunque Blankenship reconocía que Massey había recibido un gran número de citaciones por cuestiones de seguridad, dijo que esto no era extraño para una compañía de carbón:

> Desafortunadamente las violaciones son una parte normal del proceso de minería... Hay violaciones en cada mina de carbón de Estados Unidos, y Upper Big Brach era una mina que las tenía... Creo que el hecho de que MSHA, el estado, nuestros jefes de bomberos y los mejores ingenieros que ustedes puedan encontrar estaban todos en la mina y sus alrededores, y todos creían que era segura en las circunstancias en las que estaba, habla por sí mismo alejando cualquier sospecha de que la mina era operada de manera inapropiada.[14]

Y, en un movimiento sorprendente, Blankenship también sugirió que la misma MSHA podría haber sido la responsable de las muertes de los 29 mineros:

> En contra del consejo de nuestros propios expertos, MSHA requirió diversos cambios desde septiembre de 2009 que hicieron que el plan de ventilación fuera mucho más complejo. Este cambio en la ventilación redujo de manera significativa el volumen de aire fresco ante la operación de minería de tajos largos durante este periodo...

Nos opusimos a los cambios porque nuestros propios ingenieros creían que esto convertía a la mina menos segura, no porque fuera más costosa o porque interfiriera con la producción.[15]

Sin embargo, durante las audiencias ante el Congreso los supervivientes de la explosión y los familiares de quienes habían fallecido testificaron que las condiciones de la mina no siempre se apegaban a las normas, y que los mineros se sentían demasiado amenazados como para presentar objeciones. Un superviviente, Stanley Stewart, declaró:

Mi nombre es Stanley Stewart. La mayoría de la gente me conoce como "Ganso". He trabajado en minas de carbón durante 34 años, y en la mina de Upper Big Branch por 15 de esos años. Trabajé ahí hasta el día del accidente y estaba a 300 pies de profundidad el día en que ocurrió la explosión... El área de la mina en la que nos encontrábamos estaba liberando mucho metano. La administración de la mina nunca trató del todo el problema del aire cuando los inspectores la cerraban. Lo arreglaban solo lo suficiente para que pudiéramos seguir cargando carbón otra vez, pero luego el negocio volvía a lo de siempre... Mi experiencia en las minas me demostró que el sistema de ventilación que tenían no funcionaba. Y con tanto metano que se liberaba, y sin aire para moverlo, me dio la sensación de que la zona era una bomba de tiempo. Me dijeron antes de la explosión del 5 de abril, que habían sufrido al menos dos bolas de fuego (pequeños estallidos de metano) en el tambor del esquilador. Esto me llevó a pensar que el metano se estaba acumulando en esa zona, que mostraba falta de aire y problemas de ventilación... Nadie sentía que podía ir con la administración y expresar sus temores o la falta de aire en nuestras secciones. Sabíamos que seríamos hombres marcados y que la administración buscaría formas de despedirnos. Quizá no ese día, o esa semana, pero en algún momento más adelante, desapareceríamos. Habíamos visto cómo eso había pasado y le dije a mi esposa que a veces sentía que trabajaba para la Gestapo.[16]

Un familiar de uno de los mineros fallecidos dijo:

Mi nombre es Alice Peters y soy la suegra de Edward Dean Jones. Dean murió en la explosión del 5 de abril en la mina de Upper Big Branch. Dean se casó con mi hija, Gina, y tienen un hijo, Kyle. Kyle padece fibrosis quística y presenta problemas médicos que requieren cuidados médicos constantes... Dean me dijo muchas veces que le preocupaba la ventilación de la mina Upper Big Branch. Con frecuencia me decía a mí y a su esposa que tenía miedo de ir a trabajar porque las condiciones de la mina eran muy malas. También me dijo, al menos siete veces, que los supervisores de Massey le habían dicho que si se cerraba la producción por problemas de ventilación (mal aire), perdería su trabajo. Ellos sabían de su hijo y que Dean necesitaba mantener ese empleo para asegurarse de que el niño recibiera el cuidado médico que necesitaba.[17]

El familiar de otro minero fallecido testificó:

Mi nombre es Leo Long. Tenía un nieto que murió en la mina de Upper Big Branch en Massey. Usted sabe, vivimos juntos durante muchos años. Yo le inscribí en la escuela, se graduó, fue a trabajar. Le veía todos los días, todas las noches. Después de que se casó, se fue a vivir justo al lado y yo le veía cuando él iba y volvía de trabajar en la mina por las noches... Y él me dijo algo [acerca]... del metano. Dijo que la compañía tenía una manera de puentear [el cableado de los monitores de metano] el minador continuo [una máquina que excava continuamente en busca de carbón] para mantenerla trabajando [incluso] si el metano asciende [mucho], cuando el metano asciende mucho, se supone que [el monitor] apaga todo. Pero Massey tenía una forma de mantener el minador continuo trabajando, sacando carbón. El dinero era antes que los hombres. Tú eras solo un número.[18]

Pero aunque muchas personas culpaban a la compañía por las muertes de los mineros, algunos críticos también acusaron a MSHA, la agencia federal supuestamente encargada de proteger a los mineros. En primer lugar, la agencia tenía poco personal y sus inspectores estaban sobrecargados de trabajo. Además, una auditoría del gobierno de la agencia emitida la semana anterior a la explosión dijo que más de la mitad de los inspectores de la agencia no asistía a los cursos de capacitación requeridos y que la agencia tampoco mantenía un registro de su asistencia ni los sancionaba.

Las críticas también señalaban que las regulaciones aprobadas en 2007 dificultaba la capacidad de MSHA de sancionar a las compañías mineras, las cuales (y en particular Massey Energy) por lo general impugnaban las citaciones de sus inspectores, un proceso que requería que esta remitiera la impugnación a un panel de jueces llamado la Comisión Federal de Revisión de Seguridad y Salud en las Minas (Federal Mine Safety and Health Review Commission, MSHRC). Pero como esta comisión no contaba con suficientes jueces para revisar las impugnaciones de manera oportuna, a menudo pasaban años antes de que las compañías se vieran obligadas a contestar las citaciones.[19]

Aunque MSHA poseía la autoridad para cerrar una mina si esta tenía un considerable número de citaciones, no había podido cerrar la de Upper Big Branch.[20] El 6 de diciembre de 2007, MSHA envió una carta a Rick Hodge, superintendente de la mina, en la que decía que la mina había acumulado tantas violaciones que la cerrarían si recibía alguna violación "significativa y sustancial" más. La carta decía:

> De acuerdo con la Sección 104(e) de la Ley Federal de Seguridad y Salud en las Minas de 1977 y del Código de Reglamentos Federales (CFR) título 30, parte 104, la Administración de Seguridad y Salud en las Minas ha realizado un análisis de patrones de violaciones (POV) de los registros de conformidad para la mina de Upper Big Branch... para los 24 meses que terminan el 30 de septiembre de 2007. Un análisis POV se usa para determinar si es aplicable la sección 104(e) a una mina en particular. Si se implementara, la sección 104(e) requiere que todas las violaciones subsiguientes denominadas como significativas y sustanciales sean emitidas como órdenes de cierre, retirando a todas las personas de la zona afectada, excepto aquellas necesarias para corregir la violación. Un operador puede salir de las sanciones de la sección 104(e) solo después de que una inspección de toda la operación dé como resultado que ya no hay violaciones significativas y sustanciales. Esta carta es su notificación de que existe un patrón de violaciones en la mina Upper Big Branch.[21]

Sin embargo, después de recibir la carta, los funcionarios de Massey Energy impugnaron algunas de las citaciones en las que se basaba, y corrigieron lo suficiente de las violaciones significativas y sustanciales que habían recibido durante los últimos 24 meses, para hacer que sus violaciones totales estuvieran por debajo del nivel necesario para obligarles a cerrar. En consecuencia, aunque MSHA había cerrado con frecuencia secciones de la mina cuando demandaba que la compañía remediara un problema en particular de ventilación, nunca había obligado a cerrar toda la mina para obligarles a hacer cambios significativos.

En octubre de 2009, MSHA revisó una vez más las citaciones que la mina había recibido. Pero más tarde, los reguladores descubrieron que el programa de cómputo que procesaba la revisión tenía un error en él. Según la secretaria del Trabajo, Hilda L. Solis: "Si se hubiera corregido el error en la computadora, la mina podría haber sido clasificada en el estatus de patrón potencial de violaciones en octubre de 2009". Pero el error no se corrigió sino hasta después de que los 29 mineros murieran en la explosión.[22]

Cecil Roberts, presidente de United Mine Workers of America (UMWA), el mayor sindicato minero de Estados Unidos, se enfocó en las críticas sindicales en Massey y relacionó su falta de representación sindical con su deficiente registro de seguridad. Él sentía que un sindicato hubiera luchado para hacer cumplir mejor las regulaciones de seguridad para proteger a los mineros. Pero el director ejecutivo, Blankenship, estaba en contra de los sindicatos. En 1996 había convencido a la compañía para que abandonara los

acuerdos colectivos con la UMWA que todas las demás compañías importantes del carbón habían aceptado. El mismo año Blankenship tuvo que testificar en una demanda federal durante la cual dijo: "Ningún operador [de carbón] en su sano juicio aceptaría un sindicato".[23] A instancias suyas, la compañía poco a poco fue abandonando y cerrando todas las minas que alguna vez hubieran estado sindicalizadas. Para 2009, solo 76 de los 5,851 empleados de la compañía estaban sindicalizados. La compañía había luchado especialmente para asegurarse que la mina Upper Big Branch no se sindicalizara. Cuando la UMWA organizó una campaña para sindicalizar a los trabajadores de la mina, la compañía amenazó con cerrarla, y en 1977 ganaron por poco una votación en contra del sindicato. Durante las audiencias ante el Congreso sobre el desastre de la mina, muchos mineros testificaron sobre la diferencia que hubiera conseguido un sindicato:

> Mi nombre es Gary Quarles. Soy padre de Gary Wayne Quarles quien murió como resultado de la explosión en la mina Upper Big Branch el 5 de abril de 2010. Gary Wayne era mi único hijo y mi mejor amigo... Yo también soy minero del carbón... Trabajé en minas sindicalizadas durante 23 años y he trabajado en minas no sindicalizadas el resto del tiempo... Las inspecciones de seguridad eran muy diferentes en las minas sindicalizadas en las que he trabajado que en las minas Massey que no lo están. Cuando un inspector de MSHA llega a una mina propiedad de Massey, salen las palabras clave "tenemos un hombre en la propiedad". Estas palabras son transmitidas por radio desde los guardias de las verjas y se van transmitiendo por todas las operaciones de trabajo de la mina... Cuando se oyen las palabras, se hacen todos los esfuerzos para corregir cualquier deficiencia o dirigir la atención del inspector lejos de esas deficiencias... Cuando yo trabajaba en minas sindicalizadas, los trabajadores de la mina acompañaban a los inspectores de MSHA durante sus inspecciones... Cuando el inspector MSHA llegaba a una mina Massey, los únicos que lo acompañaban eran gente de Massey. Ningún minero de carbón en la mina podía señalar áreas de preocupación al inspector MSHA... Estaba claro que la mina Upper Big Branch no era segura y como resultado murieron 29 mineros, entre ellos mi hijo. Alguien tiene que hacerse responsable de estas muertes.[24]

Otros mineros señalaron que en las minas sindicalizadas, los mineros no deben entrar en las zonas que no se consideran seguras:

> Mi nombre es Eddie Cook. Soy tío de Adam Morgan. Adam tenía 21 años cuando la explosión se lo llevó de entre nosotros. Trabajé en la mina Cleveland Cliffs Pinnacle [que está] sindicalizada...

Como persona afiliada, tengo el derecho a negarme a hacer un trabajo que considero inseguro. En las minas no sindicalizadas, no cuentas con eso. No tienes el derecho a negarte. Si lo haces, te dirán "agarra tus bultos y vete a casa", ya sabe. "Si no quieres trabajar aquí, tenemos gente en la calle que querría tu empleo. Y si no te gusta la forma en que lo llevamos, te puedes ir a tu casa".[25]

Stanley Stewart dijo algo parecido:

Trabajé casi 20 años en una mina sindicalizada y 15 más en otra que no lo estaba, así que he estado en los dos lados de la barrera el tiempo suficiente para saber la diferencia de cómo se sienten los mineros en ambos tipos de ambiente de trabajo. En el sindicato si tenías preocupaciones de seguridad contabas con el derecho de negarte a trabajar en condiciones inseguras sin miedo a perder tu trabajo. Te sentías a gusto y cómodo con tus derechos. Uno no siente esa comodidad trabajando en una mina no sindicalizada. Sabes que tienes que operar con falta de aire o en condiciones inseguras.[26]

El 15 de junio de 2010, los equipos de investigación que exploraban la mina descubrieron una gran grieta en el suelo de la mina. Hablando en nombre de su compañía, Blankenship dijo que era posible que la grieta hubiera filtrado el metano por el túnel antes de la explosión del 5 de abril, lo cual, entonces, habría sido un accidente impredecible e inevitable. Blankenship también publicó una carta que MSHA había escrito a la compañía el 15 de julio de 2004, en la que MSHA hacía notar que la mina había estado sujeta a diversos "ataques" de metano. Afirmó que el memorando mostraba que la mina debería haber tenido un sistema de ventilación que proporcionara más aire de lo normal para compensar los incrementos periódicos de metano, pero, también afirmó, MSHA había mandado instalar un sistema de ventilación que suministraba menos aire de lo habitual.[27] El 22 de julio de 2010, los investigadores anunciaron que un análisis de los datos del extractor de aire principal de ventilación de la mina había descubierto que el día del accidente había ocurrido un repentino y gran aumento de gas metano dentro de la mina. La misteriosa liberación del gas fue tan grande, dijeron los expertos, que pudo haber llenado rápidamente una gran parte del interior de la mina.[28] Los investigadores también encontraron cerca de los cuerpos de algunos mineros muertos, un monitor portátil de metano que mostraba que los niveles de este gas en el área habían pasado de cero al 5 por ciento en tres minutos. El metano no es explosivo hasta que alcanza concentraciones del 5 al 15 por ciento.[29] No estaba claro si hubo alguna relación entre la grieta del suelo de la mina y el aumento repentino del gas metano, y entre cualquiera de estas y la explosión del 5 de abril.

El viernes, 3 de diciembre de 2010, Massey Energy Company anunció que a finales del año, Blankenship dimitiría como presidente y director ejecutivo de la compañía. No estaba claro si el consejo de directores le había pedido que renunciara o si él se había decidido a hacerlo. En una declaración Blankenship solo dijo: "Después de casi tres décadas en Massey, es el momento para seguir adelante."

## Preguntas

1. A su juicio, y con los hechos descritos en el caso anterior, ¿debería ser considerada la administración de Massey Energy Company moralmente responsable de las muertes de los 29 mineros? Explique su respuesta.

2. Suponga que no se conoce nada más sobre la explosión que lo que se menciona en el caso, ¿cree usted que Blankenship debe ser considerado moralmente responsable de las muertes de los 29 mineros?

3. Considerando solo los hechos descritos en el caso anterior, ¿debería ser considerada la MSHA moralmente responsable (al menos en parte) de las muertes de los 29 mineros?

4. Parece ser que los mineros tenían alguna idea de los riesgos de trabajar en la mina de Upper Big Branch. ¿Deberían ser ellos considerados, al menos en parte, moralmente responsables de su propia muerte?

5. A la luz de las diferencias entre las minas sin sindicatos como las minas de Massey y las otras minas que tienen sindicatos, ¿cree que se debería obligar a todas las minas a tener sindicatos?

6. A los mineros de Upper Big Branch les pagaban $60 mil al año (en algunos casos menos y en otros más, dependiendo de la antigüedad y de otros factores) por un trabajo que requería no más que preparatoria. El salario promedio para todos los trabajos en Estados Unidos es de $43 mil. A la luz del análisis del capítulo sobre los riesgos en el trabajo, ¿diría usted que la compañía manejaba el riesgo laboral de manera ética y apropiada?

7. Elabore una lista de todas las obligaciones éticas que usted cree que la administración de Massey Energy Company NO cumplió. Explique las bases éticas de cada una de las obligaciones de su lista.

## Notas

1. Michael A. Fuoco, "A Timeline of Events at the Upper Big Branch Mine", *Pittsburgh Post-Gazette*, 7 de abril de 2010.
2. *The Upper Big Branch Mine Tragedy*, Audiencia del Congreso ante el Comité de educación y trabajo, Cámara de Representantes de los Estados Unidos, 111 avo. Congreso, Segunda Sesión, Audiencia realizada en Beckley, WV, 24 de mayo de 2010, Serie No. 111-65, (Washington, DC: U.S. Government Printing Office, 2010), p. 34.
3. Michelle James, "A Timeline Look at the Upper Big Branch Mine Disaster", *The Register Herald*, 11 de abril de 2010.
4. Phil Mattera, "Massey Energy", *Crocodyl, Collaborative Research on Corporations*, 12 de abril de 2010, fecha de acceso: 17 de enero de 2011 en *http://www.crocodyl.org/wiki/massey_energy*.

5. Phil Mattera, "Massey Energy", 12 de abril de 2010.

6. *Ibid.*

7. *National Public Radio* (NPR), 12 de abril de 2010, "Massey Energy's Other High-Injury Mines, acceso en *http://www.npr.org/templates/story/story.php?storyId=125864564.*

8. Peter Overby, "Documents Reveal Extensive Violations at Mine", *National Public Radio*, 9 de abril de 2010, fecha de acceso: 20 de enero de 2011 en *http://www.npr.org/templates/story/story.php?storyId=125788709&ps=rs.*

9. Christopher Maag, "Unacceptable Risk: The Real Price of Coal Mining", *Popular Mechanics*, 23 de agosto de 2010.

10. Steven Mufson, Jerry Markon y Ed O'Keefe, "West Virginia Mine Has Been Cited for Myriad Safety Violations", *The Washington Post*, 7 de abril de 2010.

11. Steven Mufson, "Massey Energy Has Litany of Critics, Violations", *The Washington Post*, 6 de abril de 2010.

12. Jeff Goodell, "The Dark Lord of Coal Country", *Rolling Stone*, 29 de noviembre de 2010.

13. Don L. Blankenship, presidente y director ejecutivo de Massey Energy, Testimonio ante el Subcomité sobre el Trabajo, Salud y Servicios Humanos y Educación y agencias relacionadas, Comité sobre apropiaciones, Estados Unidos, 20 de mayo de 2010.

14. Ian Urbina y Michael Cooper, "Deaths at West Virginia Mine Rise Issues About Safety", *The New York Times*, 6 de abril de 2010.

15. Don L. Blankenship, presidente y director ejecutivo de Massey Energy, Testimonio ante el Subcomité sobre el Trabajo, Salud y Servicios Humanos y Educación y agencias relacionadas, Senado de Estados Unidos, 20 de mayo de 2010.

16. *The Upper Big Branch Mine Tragedy*, Field Hearing, 24 de mayo de 2010, pp. 34-35.

17. *Ibid.*, p. 28.

18. *Ibid.*, p. 66.

19. Ed O'Keefe, "U.S. Mine Safety and Health Administration Faces Training and Ovsrsight Problems", *The Washington Post*, 7 de abril de 2010.

20. Mufson, Markon y O'Keefe, "West Virginia Mine Has Been Cited for Myriad Safety Violations".

21. Carta consultada el 25 de enero de 2011 en *http://www.msha.gov/MEDIA/PRESS/2007/POV12072007/Performance Coal Company.pdf.*

22. Declaración de la Secretaria para el Trabajo de Estados Unidos, Hilda L. Solis sobre Upper Big Branch Mine y el status de patrones de violaciones, 18 de enero de 2011, fecha de acceso: 30 de enero de 2011 en *http://www.msha.gov/Media/PRESS/2010/NR100413.asp.*

23. *Charleston Gazette*, 20 de abril de 1996.

24. *The Upper Big Branch Mine Tragedy*, Field Hearing, 24 de mayo de 2010, p. 23.

25. *Ibid.*, p. 27.

26. *Ibid.*, p. 36.

27. CNN Wire Staff, "Crack Found in Floor of West Virginia Mine Where 29 Men Died", *CNN*, 15 de junio de 2010.

28. CNN Wire Staff, "Investigators: W.V. Mine Filled Suddenly with Methane", *CNN*, 22 de julio de 2010.

29. Tim Huber, "MSHA: Methane Monitor Showing Explosive Level Found at UBB", *The Register-Herald*, 27 de agosto de 2010.

# CASOS

**✳ Explore** el concepto en
**mythinkinglab.com**

## ¿Quién debe pagar?[1]

Los riesgos eran elevados para Gene Elliot, cuyas lesiones de trabajo se consideraban tan graves como para ameritar al menos un arreglo de $2.4 millones. Pero, ¿quién debía pagar por sus lesiones: Turner Construction o B&C Steel? ¿O debía obligársele a pagar al menos parte de sus lesiones debido a su falta de cuidado?

Gene Elliot trabajaba para Mabey Bridge and Shore, una compañía pequeña que arrendaba puentes de acero peatonales temporales a otras empresas. El arrendador debía armar los puentes temporales, y el trabajo de Gene Elliot consistía en ir al lugar donde se instalaría un puente de acero, mostrarle al arrendador cómo unir las secciones, cómo instalarlo sobre un río o un canal, e inspeccionarlo para asegurarse de que se armara de forma correcta y de acuerdo con las altas normas de calidad de Mabey Bridge. Elliot era un empleado dedicado, que se esforzaba para asegurarse de que la instalación de un puente fuera exitosa y conforme con las normas de Mabey.

Turner Construction era un contratista general, que había sido contratado para construir Invesco Field en el estadio Mile High de Denver, Colorado. Parte del trabajo consistía en instalar un puente peatonal temporal sobre el río Platte, cerca del estadio. Turner Construction subcontrató (empleó) a B&C Steel para construir e instalar el puente, cuyos gastos serían pagados por Turner Construction. B&C Steel era una compañía pequeña que se especializaba en armar e instalar estructuras de acero, como las que Mabey Bridge arrendaba. B&C Steel recogería el puente, lo armaría y lo instalaría para Turner Construction. Turner Construction arrendó un largo puente de acero de Mabey Bridge, quien acordó que el arrendamiento incluía los servicios de Gene Elliot, quien le sería prestado para que dirigiera e inspeccionara el armado y la instalación del puente. Empleados de B&C Steel recogieron las secciones del puente en el almacén de Mabey Bridge y las llevaron al río, pero no las descargaron en el lugar donde debían armarse. Entonces, B&C tuvo que llevar las secciones al lugar correcto, pero sin prever la cerca, los barandales y las vías del tranvía que obstruían el camino, y después tuvo que arreglárselas para rodear estos obstáculos. B&C Steel empezó a fijar las secciones del puente y, cuando Elliot inspeccionó el trabajo, descubrió que el puente había sido armado de cabeza, por lo que pidió a B&C que armara el puente nuevamente, mientras él subía y bajaba de este, revisando y asegurándose de que los pernos quedaran firmes y que todas las piezas estuvieran en el lugar correcto para que la instalación fuera exitosa. Cuando terminaron el puente, los trabajadores de B&C Steel utilizaron un camión para mover la larga estructura de acero a la orilla del río. Por desgracia, sus empleados no habían verificado la ruta de forma adecuada y su camión golpeó un cable eléctrico colgante, provocando un incendio. El departamento de bomberos llegó y extinguió el fuego, y el trabajo de instalación continuó.

Los empleados de B&C colocaron una grúa al otro lado del río, cerca de un muro de contención; utilizaron una banda de nailon resistente que salía de la grúa, cruzaba el agua y llegaba a un extremo del puente, el cual había sido colocado sobre ruedas. La grúa de B&C debía levantar el puente y jalarlo sobre el río hasta el otro lado, mientras un grupo de trabajadores ubicados al otro lado empujarían el puente desde su otro extremo. El trabajo empezó, y mientras la grúa jalaba y mantenía el puente suspendido en el aire a una cuarta parte del ancho del río, Elliot notó que el muro de contención que soportaba la grúa al otro lado del río había empezado a colapsarse, provocando que la grúa se levantara del suelo. El operador de la grúa de B&C, al otro lado, comenzó a desatar la banda que sostenía el puente. Preocupado de que una vez que la banda se soltara el puente caería en el río y la instalación fracasara, Elliot subió rápidamente al puente y dio la señal estándar de alto de emergencia, establecida por OSHA, que todos los trabajadores de la construcción conocen y que significa que no deben mover nada. Sin embargo, el puente, aún amarrado a la grúa, se movió y Elliot cayó, sufriendo numerosas lesiones pélvicas y el rompimiento de la uretra (el tubo que transporta la orina). Nunca se pudo establecer la causa del movimiento.

Elliot demandó a Turner Construction y a B&C Steel por negligencia, lo que resultó en pérdidas económicas por $28.000, lesiones no económicas por $1,200,000 e invalidez permanente también por $1,200,000. Estas cifras las estableció un experto calificado en el campo de las lesiones de trabajo, y casi no se rebatieron.

Sin embargo, Turner Construction negó su responsabilidad al afirmar que solo había sido empleador temporal de Elliot, y que la ley de remuneración para los trabajadores obligaba a los empleadores a pagar únicamente las pérdidas económicas sufridas por los empleados, las cuales, en este caso, eran solo de $28,000. Turner Construction recurrió a la ley, que establecía: "Cualquier compañía que arriende o subcontrate cualquier parte del trabajo a cualquier arrendador o subcontratista se debe considerar un empleador y se debe responsabilizar de pagar [únicamente] las compensaciones por las lesiones que resulten de ello a los arrendadores o subcontratista antes mencionados y a sus empleados". Turner Construction argumentó que Mabey era su subcontratista en la medida en que proporcionó los servicios de Elliot a Turner, por lo que Turner debía considerarse el empleador temporal de Elliot. Además, la ley de remuneración para los trabajadores de Colorado, que

fue diseñada para asegurar que los empleadores corrieran siempre con los gastos de las lesiones de los trabajadores, "otorga a un empleado lesionado compensaciones por parte del empleador sin relación con la negligencia y, a cambio, se otorga inmunidad al empleador responsable de la obligación de la ley común de negligencia".

B&C también declaró que no era responsable, porque según la ley una compañía no es culpable de negligencia cuando no le es posible "predecir de forma razonable" una lesión. B&C aseveró que una persona razonable no podría haber anticipado que el hecho de colocar la grúa cerca del muro de contención y después intentar desatar la banda de nailon que sostenía el puente terminaría provocando que alguien subiera al puente para tratar de evitar que este cayera al río. Por otro lado, B&C declaró que, puesto que "Elliot decidió alejarse de un lugar seguro y colocarse en uno que él sabía era potencialmente inseguro", él era responsable de sus lesiones.

Elliot argumentó que en realidad no era empleado de Turner, ya que trabajaba para Mabey. También afirmó que B&C había mostrado un patrón de negligencia desde el momento en que recibió el puente, hasta el momento de instalarlo. Dijo que B&C y sus empleados no estaban preparados para el proyecto, y que no lo habían planeado de manera adecuada, tal como lo demostraba la secuencia de eventos que provocaron sus lesiones. Por lo tanto, B&C no ejerció el grado de cuidado que una persona razonablemente cuidadosa debía haber ejercido en circunstancias similares y, por ende, era responsable de sus lesiones. Elliot dijo no ser el responsable porque un empleado bueno y dedicado hubiera hecho todo lo posible para asegurarse de que la instalación del puente no fallara, y que estaría perfectamente sano si los empleados de B&C hubieran respetado la señal estándar de OSHA de detenerse, tal como él tenía el derecho de esperar que se hiciera.

## Preguntas

1. En su opinión, y desde un punto de vista ético, ¿deben pagar Turner Construction y/o B&C Steel todo o parte de los $2,428,000? (Si responde que una parte, indique cuál). Explique su respuesta.

2. En su opinión, y desde un punto de vista ético, ¿se debe considerar a Elliot completa o parcialmente responsable de sus lesiones y hacer que asuma una parte o el costo total de los $2,428,000 de sus lesiones? (Si responde que una parte, indique cuál). Explique su respuesta.

3. En su opinión, ¿es justa la ley de remuneración de los empleados de Colorado a la que apeló Turner Construction? Explique su opinión.

## Nota

1. Este caso se basa completamente en *Eugene Elliot* vs *Turner Construction Company and B&C Steel*. Tribunal de Apelación de Estados Unidos, Décimo Circuito, 24 de agosto de 2004, caso no. 03-1209.

# Notas

## Capítulo 1

1. P. Roy Vagelos, "Social Benefits of a Successful Biomedical Research Company: Merck", *Proceedings of the American Philosophical Society*, diciembre de 2001, v. 145, n. 4, p. 577. Se puede encontrar material adicional respecto a la historia de Merck sobre la ceguera de río en su sitio de Internet en *http://www.merck. com/corporate-responsibility/access/access-developing-emerging/mectizan-donation-riverblindness/home.html* y en *http://www. mectizan.org*.
2. P. Roy Vagelos y Louis Galambos, *The Moral Corporation: Merck Experiences*, (Cambridge University Press: Nueva York, 2006), p. 2.
3. *Wall Street Journal*, "Merck to Donate Drug for River Blindness", 22 de octubre de 1987, p. 42.
4. David Bollier, "Merck & Company" (Stanford, CA: The Business Enterprise Trust, 1991), p. 5.
5. *Ibid.*, p. 16; vea también, Vagelos y Galambos, *The Moral Corporation: Merck Experiences*.
6. Para consultar los informes de Merck sobre su desempeño en el área de la responsabilidad social, vea su página web en *http://www.merck.com/ corporate-responsibility*.
7. Thomas J. Peters y Robert H. Waterman, Jr., por ejemplo, trataron este punto en su popular libro *In Search of Excellence (En busca de la excelencia)* (Nueva York: Harper and Row, 1982).
8. "Ethic", *Webster's Third New International Dictionary*, completo (Springfield, MA: Merriam-Webster Inc., 1986), p. 780. Definiciones similares se pueden encontrar en cualquier diccionario reciente.
9. Kermit Vandivier, "Why Should My Conscience Bother Me?" en Robert Heilbroner, ed., *In the Name of Profit* (Garden City, NY: Doubleday & Co., Inc., 1972), p. 6; otra versión de este artículo es Kermit Vandivier, "The Aircraft Brake Scandal", *Harpers Magazine*, v. 244, abril de 1972, pp. 43–52.
10. Vandivier, "Why Should My Conscience Bother Me?" pp. 5 y 6.
11. U. S. Congress, *Air Force A-7D Brake Problem: Hearing before the Subcommittee on Economy in Government of the Joint Economic Committee, 91st Congress, 1a sesión*, 13 de agosto de 1969, p. 2.
12. Vandivier, "Why Should My Conscience Bother Me?", p. 4.
13. U. S. Congress, *Air Force A-7D Brake Problem*, pp. 5 y 6.
14. E. Turiel, *The Development of Social Knowledge: Morality and Convention*, (Cambridge: Cambridge University Press, 1983); E. Turiel, M. Killen y C. Helwig, "Morality: Its Structure, Functions, and Vagaries", en J. Kagan y S. Lamb, eds., *The Emergence of Morality in Young Children*, (Chicago: University of Chicago Press, 1987); J. Dunn y P. Munn, "Development of Justification in Disputes with Mother and Sibling", *Developmental Psychology*, v. 23 (1987), pp. 791–798; J. Smetana, "Preschool Children's Conceptions of Transgressions: Effects of Varying Moral and Conventional Domain-Related Attributes", *Developmental Psychology*, v. 21 (1985), pp. 18–29; J. Smetana, "Toddler's Social Interactions in the Context of Moral and Conventional Transgressions in the Home", *Developmental Psychology*, v. 25 (1989), pp. 499–508; J. Smetana y J. Braeges, "The Development of Toddlers' Moral and Conventional Judgments", *Merrill-Palmer Quarterly*, v. 36 (1990), pp. 329–346; L. Nucci, "Children's Conceptions of Morality, Social Conventions, and Religious Prescription", en C. Harding, ed., *Moral Dilemmas: Philosophical and Psychological Reconsiderations of the Development of Moral Reasoning*, (Chicago: Precedent Press, 1986).
15. Smetana y Braeges (1990), *Ibid.*; Dunn y Munn (1987), *Ibid.*; Smetana (1989), *Ibid.*
16. M. Hollos, P. Leis y E. Tureil, "Social Reasoning in Ijo Children and Adolescents in Nigerian Communities", *Journal of Cross-Cultural Psychology*, v. 17 (1986), pp. 352–374; L. Nucci, E. Turiel y G. Encarnacion-Gawrych, "Children's Social Interactions and Social Concepts: Analyses of Morality and Convention in the Virgin Islands", *Journal of Cross-Cultural Psychology*, v. 14 (1983), pp. 469–487; M. Song, J. Smetana y S. Kim, "Korean Children's Conceptions of Moral and Conventional Transgressions", *Developmental Psychology*, v. 23 (1987), pp. 577–582.
17. H. L. A. Hart, *The Concept of Law* (Londres: Oxford University Press, 1961), pp. 84–85. Vea también Charles Fried, *An Anatomy of Values* (Cambridge, MA: Harvard University Press, 1970), pp. 91–142.
18. Thomas E. Hill trata este punto en "Reasonable Self-Interest", *Social Philosophy and Policy*, v. 14, n. 1 (1997).
19. La fuente clásica de esta observación es Immanuel Kant, vea su *Groundwork of the Metaphysics of Morals*, [1785], traducida por Mary Gregor, (Cambridge, UK: Cambridge University Press, 1997). Más recientemente, la idea de que las normas morales deben ser universales ha sido fundamental para la obra de muchos filósofos incluyendo: Richard M. Hare, *The Language of Morals*, (Oxford University Press, 1952) y *Freedom and Reason*, (Oxford University Press, 1963); Marcus G. Singer, *Generalization in Ethics*, (Eyre and Spottiswoode, 1963); Alan Gewirth, "Categorical Consistency in Ethics", *Philosophical Quarterly*, (1967); Philip Pettit, "Non-Consequentialism and Universalizability", *The Philosophical Quarterly*, v. 50 (2000), pp. 175–190; Jurgen Habermas, *Moral Consciousness and Communicative Action*, traducido por Christian Lenhardt y Shierry Weber Nicholsen, (Cambridge, MA: The MIT Press, 1990).
20. Vea, por ejemplo, Rachels, *Elements of Moral Philosophy*, pp. 9–10.
21. Baier, *Moral Point of View* (Nueva York: Random House, 1965), p. 107.
22. Peter Singer establece este punto en *Practical Ethics*, 2a ed. (Nueva York: Cambridge University Press, 1993), pp. 10–11.
23. Richard B. Brandt, *A Theory of the Good and the Right* (Nueva York: Oxford University Press, 1979), pp. 166–169.

24. Jack Anderson, "Enron Blame Game Missing Real Target", *Laredo Morning Times*, 26 de marzo de 2002, p. 4A [la fecha 25 de marzo impresa en la página no es correcta] ; y Jack Anderson, "The Country's Corporations Can't Be Jailed", *Laredo Morning Times*, 23 de junio de 2002, p. 2D. (Ambos están archivados en *http://www. lmtonline.com/news/archive*).

25. Para obtener un criterio inicial , vea Peter A. French, *Collective and Corporate Responsibility* (Nueva York: Columbia University Press, 1984); Kenneth E. Goodpaster y John B. Matthews, Jr., "Can a Corporation Have a Conscience?", *Harvard Business Review*, 1982, v. 60, pp. 132–141; Thomas Donaldson, "Moral Agency and Corporations", *Philosophy in Context*, 1980, v. 10, pp. 51–70; David T. Ozar, "The Moral Responsibility of Corporations", en *Ethical Issues in Business*, Thomas Donaldson y Patricia Werhane, eds. (Englewood Cliffs, NJ: Prentice-Hall, 1979), pp. 294–300. Un segundo punto de vista se encuentra en John Ladd, "Morality and the Ideal of Rationality in Formal Organizations", *The Monist*, 1970, v. 54, n. 4, pp. 488–516, y "Corporate Mythology and Individual Responsibility", *The International Journal of Applied Philosophy*, primavera de 1984, v. 2, n. 1, pp. 1–21; Patricia H. Werhane, "Formal Organizations, Economic Freedom and Moral Agency", *Journal of Value Inquiry*, 1980, v. 14, pp. 43–50. Los puntos de vista del autor están desarrollados en forma más completa en Manuel Velasquez, "Why Corporations Are Not Morally Responsible for Anything They Do", *Business & Professional Ethics Journal*, primavera de 1983, v. 2, n. 3, pp. 1–18, y "Debunking Corporate Moral Responsibility", *Business Ethics Quarterly*, octubre de 2003, v. 13, n. 4, también similares a los puntos de vista del autor son los que aparecen en Michael Keeley, "Organizations as Non-Persons", *Journal of Value Inquiry*, 1981, v. 15, pp. 149–155.

26. Vea, por ejemplo, el veredicto de la Suprema Corte del estado de Wisconsin, *Milwaukee Toy Co. vs. Industrial Comm'n of Wis.*, 203 Wis. 493, 234 N.W. 748 (1931), donde el tribunal dijo que la ficción corporativa podría dejarse a un lado cuando "aplicar la ficción corporativa lograra algún propósito fraudulento, operara como un fraude constructivo o frustrara alguna reclamación muy equitativa".

27. Angelo Capuano, "The Realist's Guide to Piercing the Corporate Veil: Lessons from Hong Kong and Singapore", *Australian Journal of Corporate Law*, v. 23 (2009), pp. 1–38.

28. Vea, por ejemplo, la larga discusión de estos puntos en LaRue Tone Hosmer, *The Ethics of Management*, 3a ed. (Homewood, IL: McGraw-Hill/Irwin, 1995), pp. 34–55.

29. Para estas y otras críticas, vea Alan H. Goldman, "Business Ethics: Profits, Utilities, and Moral Rights", *Philosophy and Public Affairs*, primavera de 1980, v. 9, n. 3, pp. 260–286.

30. Vea Alex C. Michales, *A Pragmatic Approach to Business Ethics* (Thousand Oaks, CA: Sage Publications, 1995), p. 45.

31. Kati Cornell Smith, "Worldcon Gets 5; Testimony Wins Stoolie Sullivan Easy Jail Time", *New York Post*, 12 de agosto de 2005.

32. John Lehmann, "Two Former WorldCom Execs Admit They Cooked the Books", *New York Post*, 11 de octubre de 2002.

33. Vea Phillip I. Blumberg, "Corporate Responsibility and the Employee's Duty of Loyalty and Obedience: A Preliminary Inquiry", en *The Corporate Dilemma: Traditional Values Versus Contemporary Problems*, Dow Votaw and S. Prakash Sethi, eds. (Englewood Cliffs, NJ: Prentice Hall, 1973), pp. 82–113.

34. Citado en Blumberg, "Corporate Responsibility", p. 86.

35. Richard Wachman, "Greek Deal Puts Goldman Sachs in the Firing Line–Again", *The Observer*, 28 de febrero de 2010.

36. Vea John Finnis, *Natural Law and Natural Rights* (Oxford: Clarendon Press, 1980), pp. 295–350; John Rawls, *A Theory of Justice* (Cambridge, MA: Harvard University Press, 1971), pp. 108–114; Alan Donagan, *The Theory of Morality* (Chicago: University of Chicago Press, 1977), pp. 108–111.

37. Para una versión similar de este argumento, vea Alex C. Michalos, *A Pragmatic Approach to Business Ethics*, pp. 54–57.

38. Estas son algunas de las compañías mejor conocidas que aparecieron durante varios años en la lista anual "100 Best Corporate Citizens" publicada por *Corporate Responsibility Magazine*. Vea *Corporate Responsibility Magazine*, marzo de 2010.

39. Gran parte de esta investigación se resume y revisa en Manuel Velasquez, "Why Ethics Matters", *Business Ethics Quarterly*, v. 6, n. 2, (1996), pp. 201–222.

40. John M. Darley, "Morality in the Law: The Psychological Foundations of Citizens' Desires to Punish Transgressions", *Annual Review of Law and Social Science*, v. 5 (2009), pp. 1–23; vea también, D. T. Miller, "Disrespect and the Experience of Injustice", *Annual Review of Psychology*, v. 52 (2001), pp. 527–553.

41. Además de Velasquez, "Why Ethics Matters", que revisa literatura y la investigación en esta área, consulte Blair H. Sheppard, Roy J. Lewicki y John W. Minton, *Organizational Justice* (Nueva York: Lexington Books, 1992), pp. 101–103. Sobre los trabajadores de mayores salarios que solicitan trabajar para una empresa que consideran como socialmente responsable en comparación con una que consideran socialmente irresponsable, vea R. H. Frank, "Can Socially Responsible Firms Survive in a Competitive Environment?", en D. M. Messick and A. E. Tenbrunsel, eds., *Research on Negotiations in Organizations* (Greenwich, CT: JAI Press, 1997).

42. J. Brockner, T. Tyler y R. Schneider, "The higher they are, the harder they fall: The effect of prior commitment and procedural injustice on subsequent commitment to social institutions", documento presentado en la reunión anual de la academia de administración en Miami Beach, FL (agosto de 1991).

43. R. Folger y M. A. Konovsky, "Effects of Procedural and Distributive Justice on Reactions to Pay Raise Decisions", *Academy of Management Journal*, 1989, v. 32, pp. 115–130; S. Alexander y M. Ruderman, "The Role of Procedural and Distributive Justice in Organizational Behavior", *Social Justice Research*, 1987, v. 1, pp. 177–198; vea también T. R. Tyler, "Justice and Leadership Endorsement", en R. R. Lau and D. O. Sears, eds., *Political Cognition* (Hillsdale, NJ: Erlbaum, 1986), pp. 257–278.

44. T. R. Tyler y E. A. Lind, "A Relational Model of Authority in Groups", en M. Zanna, ed., *Advances in Experimental Social Psychology*, v. 25 (Nueva York: Academic Press, 1992); J. Greenberg, "Cultivating an Image of Justice: Looking Fair on the Job", *Academy of Management Executive*, 1988, v. 2, pp. 155–158; D. W. Organ, *Organizational Citizenship Behavior: The Good Soldier Syndrome* (Lexington, MA: Lexington Books, 1988).

45. Jean B. McGuire, Alison Sundgren y Thomas Schneewels, "Corporate Social Responsibility and Firm Financial Performance", *Academy of Management Journal*, diciembre de 1988, p. 869.

46. Para una revisión de estos estudios y un nuevo estudio que no encontró ninguna correlación de una u otra manera, vea Kenneth E. Alpperle, Archie B. Carroll y John D. Hatfield,

"An Empirical Examination of the Relationship Between Corporate Social Responsibility and Profitability", *Academy of Management Journal*, junio de 1985, pp. 460–461.

47. "Responsible Investing in a Changing World", *Business Ethics*, noviembre/diciembre de 1995, p. 48.

48. Milton Friedman, "The Social Responsibility of Business is to Increase its Profits", *The New York Times Magazine*, 13 de septiembre de 1970.

49. R. Edward Freeman y David L. Reed, "Stockholders and Stakeholders: A New Perspective on Corporate Governance", p. 91, *California Management Review*, v. 25, n. 3, (primavera de 1983), pp. 88–106.

50. Robert Phillips, *Shareholder Theory and Organizational Ethics*, (San Francisco, CA: Berrett-Koelher Publishers, Inc., 2003).

51. Archie Carroll, "Corporate Social Responsibility: Evolution of a Definitional Construct", *Business & Society*, (1999), v. 38, n. 3, septiembre de 1999, pp. 26–295; cita de p. 283.

52. Shaohua Chen y Martin Ravallion, "The Developing World is Poorer than We Thought, But No Less Successful in the Fight against Poverty", Policy Research Working Paper 4703, Banco Mundial, Development Research Group, septiembre de 2009. Fecha de acceso: 29 de mayo de 2010 en *http://go.worldbank.org/HAG6SG9G30*.

53. Branko Milanovic, "Global Inequality Recalculated", Policy Research Working Paper 5061, Banco Mundial, Development Research Group: Poverty and Inequality Team, agosto de 2008. Fecha de acceso: 29 de mayo de 2010 en *http://go.worldbank.org/ HR1M8IEX50*.

54. La ética en los negocios en el ámbito internacional es un tema que todavía no está muy desarrollado en la literatura de la ética en los negocios. Vea mi análisis de los problemas con los enfoques actuales en Manuel Velasquez, "International Business Ethics", *Business Ethics Quarterly*, octubre de 1995, v. 5, n. 4, pp. 865–882; y "International Business, Morality, and the Common Good", *Business Ethics Quarterly*, enero de 1992, v. 2., n. 1, pp. 27–40.

55. La importancia de señalar uno de los temas de desarrollo es un punto que toca Thomas Donaldson en *The Ethics of International Business*, pp. 102–103.

56. Arnold Berleant, "Multinationals and the Problem of Ethical Consistency", *Journal of Business Ethics*, agosto de 1982, v. 3, pp. 185–195.

57. Norman Bowie, "Business Ethics and Cultural Relativism", en Alan R. Malachowski, *Business Ethics: International and Environmental Business Ethics*, (Nueva York: Routledge, 2001), pp. 135–146.

58. James Rachels, "Can Ethics Provide Answers?, en *Can Ethics Provide Answers? and Other Essays in Moral Philosophy* (Rowman and Littlefield, 1997), pp. 33–39.

59. Los argumentos en pro y en contra del relativismo ético se investigan en Manuel Velasquez, "Ethical Relativism and the International Business Manager", *Studies in Economic Ethics and Philosophy* (Berlin: Springer-Verlag, 1997); un argumento extraordinario ampliado en contra del relativismo ético se encuentra en John W. Cook, *Morality and Cultural Differences* (Nueva York: Oxford University Press, 1999).

60. Thomas Donaldson y Thomas Dunfee, *Ties that Bind: A Social Contracts Approach to Business Ethics*, (Cambridge, MA: Harvard University Press, 1999).

61. Vea Donald R. C. Reed, *Following Kohlberg: Liberalism and the Practice of Democratic Community* (Notre Dame, IN: University of Notre Dame Press, 1997), que proporciona un resumen útil y un análisis crítico de la teoría de Kohlberg, de qué manera esa teoría se desarrolló con los años y los tipos de críticas a las que ha estado sujeta. Otro resumen esencial y útil de un grupo de investigadores que son básicamente favorables a Kohlberg es James Rest *et al.*, *Postconventional Moral Thinking: A Neo-Kohlbergian Approach* (Mahwah, NJ: Lawrence Erlbaum Associates, Publishers, 1999).

62. Este resumen se basa en Lawrence Kohlberg, "Moral Stages and Moralization: The Cognitive-Developmental Approach", en Thomas Lickona, ed., *Moral Development and Behavior: Theory, Research, and Social Issues* (Nueva York: Holt, Rinehart and Winston, 1976), pp. 31–53.

63. Vea Reed, *Following Kohlberg*, para una exhaustiva visión general de las críticas en contra de la teoría y la investigación de Kohlberg.

64. Vea Carol Gilligan, *In a Different Voice: Psychological Theory and Women's Development* (Cambridge, MA: Harvard University Press, 1982).

65. Para revisiones de la literatura que rodea a Kohlberg y la crítica de Gilligan, vea Norman Sprinthall y Richard Sprinthall, *Educational Psychology*, 4a ed. (Nueva York: Random House, 1987), pp. 157–177; y Nancy Eisenberg, Richard Fabes y Cindy Shea, "Gender Differences in Empathy and Prosocial Moral Reasoning: Empirical Investigations", en Mary M. Brabeck, *Who Cares? Theory, Research, and Educational Implications of the Ethic of Care* (Nueva York: Praeger, 1989).

66. Entre los estudios que no han logrado hallar diferencias significativas entre los géneros en el razonamiento moral están Robbin Derry, "Moral Reasoning in Work Related Conflicts", en *Research in Corporate Social Performance and Policy*, v. 9, William Frederick, ed. (Greenwich, CT: JAI, 1987), pp. 25–49; Freedman, Robinson y Freedman, "Sex Differences in Moral Judgment? A Test of Gilligan's Theory", *Psychology of Women Quarterly*, 1987, v. 37.

67. William Damon, "Self-Understanding and Moral Development from Childhood to Adolescence", en W. M. Kurtines & J. L. Gewirtz (eds.), *Morality, Moral Behavior, and Moral Development*, pp. 109–127, (Nueva York: Wiley, 1984), p. 116.

68. Anne Colby y William Damon, *Some Do Care: Contemporary Lives of Moral Commitment*, (Nueva York: The Free Press, 1992), p. 300; vea también, Anne Colby y William Damon, "The Uniting of Self and Morality in the Development of Extraordinary Moral Commitment, in G. G. Noam and T. E. Wren (eds), *The Moral Self*, pp. 149–174, (Cambridge, MA: MIT Press, 1994).

69. Augusto Blasi, "The Moral Personality: Reflections for Social Science and Education, in W. M. M. W. Berkowitz and F. Oser, (eds.), *Moral Education: Theory and Application*, pp. 433–444, (Hillsdale, NJ: Lawrence Erbaum Associates, 1985), p. 438.

70. Augusto Blasi, "Emotions and Moral Motivation", *Journal for the Theory of Social Behavior*, v. 29, (1999), pp. 1–19; la cita es de la p. 11.

71. Nancy Eisenberg, "Emotion, Regulation, and Moral Development", *Annual Reviews of Psychology*, v. 51 (2000), pp. 665–697.

72. Joshua Greene y Jonathan Haidt, "How (and Where) Does Moral Judgment Work?", *Trends in Cognitive Science*, v. 6, n. 12, pp. 517–523; vea también Antonio Damasio, *Descartes' Error: Emotion, Reason, and the Human Brain*, (Nueva York: Penguin, 2005).

73. Antonio Damasio, *op. cit.*, p. 8.

74. Este párrafo es una versión actualizada y parafraseada de un párrafo similar que aparece en Edward J. Stevens, *Making Moral Decisions* (Nueva York: Paulist Press, 1969), pp. 123–125.

75. Para un análisis más detallado de este enfoque, vea Stephen Toulmin, Richard Rieke y Allan Janik, *An Introduction to Reasoning* (Nueva York: Macmillan Inc., 1979), pp. 309–337.

76. Vea Richard M. Hare, *Freedom and Reason* (Nueva York: Oxford University Press, 1965), pp. 30–50, 86–111.

77. Las dificultades se analizan en John R. Searle, *Speech Acts* (Nueva York: Cambridge University Press, 1969), pp. 182–188.

78. Un relato excelente y concreto de estas características se puede encontrar en Lawrence Habermehl, "The Susceptibility of Moral Claims to Reasoned Assessment", en *Morality in the Modern World*, Lawrence Habermehl, ed. (Belmont, CA: Dickenson Publishing Co., Inc., 1976), pp. 18–32.

79. Vea Marcus G. Singer, *Generalization in Ethics* (Nueva York: Alfred A. Knopf, Inc., 1961), p. 5; Hare, *Freedom and Reason*, p. 15.

80. James Rest, *Moral Development: Advances in Research and Theory*, (Nueva York: Praeger, 1986).

81. T. M. Jones, "Ethical Decision Making by Individuals in Organizations: An Issue-Contingent Model", *Academy of Management Review*, v. 16 (1991), pp. 366–395.

82. Albert Bandura, G. V. Caprara y L. Zsolnai, "Corporate Transgressions Through Moral Disengagement", *Journal of Human Values*, v. 6 (2000), pp. 57–63; vea también, Albert Bandura, "Moral Disengagement in the Perpetration of Inhumanities", *Personality and Social Psychology Review*, v. 3 (1999), n. 3, pp. 193–209; Albert Bandura, "Selective Moral Disengagement in the Exercise of Moral Agency", *Journal of Moral Education*, v. 31 (2002), n. 2, pp. 101–119.

83. David Messick y Michael Bazerman, "Ethical Leadership and the Psychology of Decision Making", *Sloan Management Review*, v. 37 (1996), pp. 9–22.

84. Jeff Donn y Seth Borenstein, "AP Investigation: Blowout Preventers Known to Fail", *ABC News*, 8 de mayo de 2010, fecha de acceso: 8 de mayo de 2010 en *http://abcnews.go.com/Business/ wireStory?id=10591505*.

85. Richard Mauer y Anna M. Tinsley, "Gulf Oil Spill: BP Has a Long Record of Legal, Ethical Violations", *The Miami Herald*, 8 de mayo de 2010, fecha de acceso: 8 de mayo de 2010 en *http:// www.miamiherald.com/2010/05/08/1620292/ gulf-oil-spill-bphas-a-long-record.html*.

86. Don Moore, Philip Tetlock, Lloyd Tanlu y Max Bazerman, "Conflicts of Interest and the Case of Auditor Independence: Moral Seduction and Strategic Issue Cycling", *Academy of Management Review*, v. 31 (2006), n. 1, pp. 10–29.

87. B. Victor y J. B. Cullen, "The Organizational Bases of Ethical Work Climates", *Administrative Science Quarterly*, v. 33 (1988), pp. 101–125; L. Trevino, K. Butterfield y D. McCabe, "The Ethical Context in Organizations: Influences on Employee Attitudes and Behaviors", *Business Ethics Quarterly*, v. 8 (1998), n. 3, pp. 447–476.

88. *Ibid.*, p. 17.

89. Aristóteles, *Nichomachean Ethics*, Bk. 7, capítulos 1–10.

90. Richard Holton, "How is Strength of Will Possible?" en S. Stroud and C. Tappolet, eds., *Weakness of Will and Practical Rationality*, (Oxford: Oxford University Press, 2003), pp. 39–67.

91. Stanley Milgram, "Behavioral Study of Obedience", *Journal of Abnormal and Social Psychology*, v. 67 (1963).

92. Una persona también puede ser moralmente responsable por actos buenos. Pero como nos ocupamos de determinar cuándo se excusa a una persona de hacer lo incorrecto, analizamos la responsabilidad moral sólo en lo que concierne a lo incorrecto y su justificación.

93. "Job Safety Becomes a Murder Issue", *Business Week*, 6 de agosto de 1984; "3 Executives Convicted of Murder for Unsafe Workplace Conditions", *The New York Times*, 15 de junio de 1985; "Working Them to Death", *Time*, 15 de julio de 1985; "Murder Case a Corporate Landmark", parte I, *Los Angeles Times*, 15 de septiembre de 1985; "Trial Makes History", parte II, *Los Angeles Times*, 16 de septiembre de 1985. Más tarde su condena fue anulada.

94. Este acuerdo se remonta a Aristóteles, *Nicomachean Ethics*, Martin Ostwald, trans. (Nueva York: The Bobbs-Merrill Company, 1962), libro. III, cap. 1. Discusiones recientes sobre responsabilidad moral han cuestionado este acuerdo, pero también han generado aspectos demasiado complejos para examinarlos aquí. Si usted está interesado puede consultar los ensayos que reunen John Martin Fischer y Mark Ravizza, eds., *Perspectives on Moral Responsibility* (Ithaca, NY: Cornell University Press, 1993), especialmente lo que escriben los editores "Introduction" y su ensayo "Responsibility for Consequences." La teoría de la responsabilidad moral que he adoptado se extrae en gran parte de John Martin Fischer y Mark Ravizza, *Responsibility and Control: A Theory of Moral Responsibility* (Nueva York: Cambridge University Press, 1998), en particular, con mi caracterización de actuar "libremente por voluntad propia" que pretende ser equivalente al "actuar por razones y mecanismos de respuesta propios" (vea pp. 28–91).

95. Jim Jubak, "They Are the First", *Environmental Action*, febrero de 1983; Jeff Coplon, "Left in the Dust", *Voice*, 1 de marzo de 1983; George Miller, "The Asbestos Cover-Up", *Congressional Record*, 17 de mayo de 1979.

96. Vea el análisis al respecto en Hare, *Freedom and Reason*, pp. 50–60.

97. "Overdriven Execs: Some Middle Managers Cut Corners to Achieve High Corporate Goals", *Wall Street Journal*, 8 de noviembre de 1979.

98. Alan Donagan, *The Theory of Morality* (Chicago: University of Chicago Press, 1977), pp. 154–157, 206–207.

99. Singer, *Practical Ethics*, p. 152.

100. Vea W. L. LaCroix, *Principles for Ethics in Business* (Washington, DC: University Press of America, 1976), pp. 106–107; Thomas M. Garrett, *Business Ethics*, 2a ed. (Englewood Cliffs, NJ: Prentice Hall, 1986), pp. 12–13; Henry J. Wirtenberger, S. J., *Morality and Business* (Chicago: Loyola University Press, 1962), pp. 109–114; Herbert Jone, *Moral Theology*, Urban Adelman, trad. (Westminster, MD: The Newman Press, 1961), p. 236.

101. Peter A. French, "Corporate Moral Agency", en Tom L. Beauchamp y Norman E. Bowie, eds. *Ethical Theory and Business* (Englewood Cliffs, NJ: Prentice Hall, 1979), pp. 175–186; vea también en Christopher D. Stone, *Where the Law Ends* (Nueva York: Harper & Row, Publishers, Inc., 1975), pp. 58–69, las bases legales de este punto de vista.

102. Vea Manuel Velasquez, "Debunking Corporate Moral Responsibility", *Business Ethics Quarterly*, octubre de 2003, v. 13, n. 4, pp. 531–562, y "Why Corporations Are Not Morally Responsible for Anything They Do", *Business & Professional Ethics Journal*, primavera de 1983, v. 2, n. 3, pp. 1–18; vea también los dos comentarios a este artículo que aparecieron en la misma revista y escribió Kenneth E. Goodpaster, 2, n. 4, pp. 100–103; y Thomas A. Klein, v. 3, n. 2, pp. 70–71.

103. David Sylvester, "National Semi May Lose Defense Jobs", *San Jose Mercury News*, 31 de mayo de 1984.

## Capítulo 2

1. Investor Responsibility Research Center, Inc., *U.S. Corporate Activity in South Africa, 1986*, Analysis B, 28 de enero de 1986.
2. Timothy Smith, "South Africa: The Churches vs. the Corporations", *Business and Society Review*, 1971, pp. 54, 55, 56.
3. *Texaco Proxy Statement*, 1977, punto 3.
4. Los detalles de este caso bien conocido se derivan de los hechos que estableció el tribunal en *Grimshaw v. Ford Motor Co.*, App., 174 Cal. Rptr. 348. Grimshaw era un joven adolescente cuando la mayor parte de su cuerpo y cara sufrió trauma por quemaduras en un incendio de un Pinto, resultado de una colisión en la parte posterior del auto en San Bernardino, California. Los detalles del estudio de costo-beneficio están basados en Ralph Drayton, "One Manufacturer's Approach to Automobile Safety Standards", *CTLA News*, febrero de 1968, v. VIII, n. 2, p. 11; y Mark Dowie, "Pinto Madness", *Mother Jones*, septiembre/octubre de 1977, p. 28. Un tratamiento ampliado del caso es Lee P. Strobel, *Reckless Homicide? Ford's Pinto Trial* (South Bend, IN: And Books, 1980).
5. Thomas A. Klein, *Social Costs and Benefits of Business* (Englewood Cliffs, NJ: Prentice-Hall, 1977).
6. Entre los moralistas utilitarios más conocidos están Peter Singer, *Practical Ethics*, 2a ed. (Londres: Cambridge University Press, 1993); y Richard B. Brandt, *A Theory of the Good and the Right* (Nueva York: Oxford University Press, 1979).
7. Jeremy Bentham, *The Principles of Morals and Legislation* (Oxford, 1789); Henry Sidgwick, *Outlines of the History of Ethics*, 5a ed. (Londres, 1902) investiga la historia del pensamiento utilitario hasta los predecesores de Bentham.
8. Henry Sidgwick, *Methods of Ethics*, 7a ed. (Chicago: University of Chicago Press, 1962), p. 413.
9. John Stuart Mill, *Utilitarianism* en John Stuart Mill, *Utilitarianism, Liberty, and Representative Government*, (Londres: J. M. Dent & Sons, Ltd., 1910), p. 16.
10. Richard Brandt, *Ethical Theory* (Englewood Cliffs, NJ: Prentice-Hall, 1959), p. 386; vea también Dan W. Brock, "Utilitarianism", en Tom Regan y Donald Van DeVeer, eds., *And Justice for All* (Totowa, NJ: Rowman and Littlefield, 1982), pp. 217–240.
11. Por ejemplo, William Stanley Javons, *Theory of Political Economy* (1871); Alfred Marshall, *Principles of Economics* (1890); Cecil Arthur Pigou, *Wealth and Welfare* (1912); una defensa contemporánea del utilitarismo en economía se encuentra en J. A. Mirrlees, "The Economic Uses of Utilitarianism", en Sen y Williams, eds., *Utilitarianism and Beyond*, pp. 63–84.
12. Vea Paul Samuelson, *Foundations of Economic Analysis* (Cambridge, MA: Harvard University Press, 1947). Un sistema es "óptimo según Pareto" si nadie en el sistema puede mejorar sin que alguna otra persona empeore; una "curva de indiferencia" indica las cantidades de bienes que una persona estaría dispuesta a cambiar por mayores o menores cantidades de otro bien.
13. E. J. Mishan, *Economics for Social Decisions: Elements of Cost-Benefit Analysis* (Nueva York: Praeger Publishers, Inc., 1973), pp. 14–17. Vea también E. J. Mishan, ed., *Cost-Benefit Analysis*, 3a ed. (Londres: Cambridge University Press, 1982).
14. Por ejemplo, Wesley C. Mitchell, "Bentham's Felicific Calculus", en *The Backward Art of Spending Money and Other Essays* (Nueva York: Augustus M. Kelley, Inc., 1950), pp. 177–202; pero vea las respuestas a estas objeciones sobre mediciones en Paul Weirch, "Interpersonal Utility in Principles of Social Choice", *Erkenntnis*, noviembre de 1984, v. 21, pp. 295–318.
15. Vea una discusión de este problema en Michael D. Bayles, "The Price of Life", *Ethics*, octubre de 1978, v. 89, n. 1, pp. 20–34; Jonathan Glover, *Causing Death and Saving Lives* (Nueva York: Penguin Books, 1977); Peter S. Albin, "Economic Values and the Value of Human Life", en Sidney Hook, ed., *Human Values and Economic Policy* (Nueva York: New York University Press, 1967).
16. G. E. Moore, *Principia Ethica*, 5a ed. (Cambridge: Cambridge University Press, 1956), p. 149.
17. Alastair MacIntyre, "Utilitarianism and Cost-Benefit Analysis: An Essay on the Relevance of Moral Philosophy to Bureaucratic Theory", en Kenneth Syre, ed., *Values in the Electric Power Industry* (Notre Dame, IN: University of Notre Dame Press, 1977).
18. Por ejemplo, Mark Sagoff, "Some Problems with Environmental Ethics", y Steven Kelman, "Cost-Benefit Analysis: An Ethical Critique", ambos en Christine Pierce y Donald VanDeVeer, eds., *People, Penguins, and Plastic Trees*, 2a ed. (Belmont, CA: Wadsworth, 1995).
19. Raymond A. Bauer y Dan H. Fenn, Jr., *The Corporate Social Audit* (Nueva York: Sage Publications, Inc., 1972), pp. 3–14; John J. Corson y George A. Steiner, *Measuring Business's Social Performance: The Corporate Social Audit* (Nueva York: Committee for Economic Development, 1974), p. 41; Thomas C. Taylor, "The Illusions of Social Accounting", *CPA Journal*, enero de 1976, v. 46, pp. 24–28; Manuel A. Tipgos, "A Case Against the Social Audit", *Management Accounting*, agosto de 1976, pp. 23–26.
20. Tom L. Beauchamp, "Utilitarianism and Cost-Benefit Analysis: A Reply to MacIntyre", en Beauchamp y Bowie, eds., *Ethical Theory*, pp. 276–282; y Herman B. Leonard y Richard J. Zeckhauser, "Cost-Benefit Analysis Defended", *QQ-Report from the Center for Philosophy and Public Policy*, verano de 1983, v. 3, n. 3, pp. 6–9.
21. Vea Amitai Etzioni y Edward W. Lehman, "Dangers in 'Valid' Social Measurements", *Annals of the American Academy of Political and Social Sciences*, septiembre de 1967, v. 373, p. 6; también William K. Frankena, *Ethics*, 2a ed. (Englewood Cliffs, NJ: Prentice-Hall, 1973), pp. 80–83.
22. Vea Kenneth Arrow, *Social Choice and Individual Values*, 2a ed. (Nueva York: John Wiley & Sons, Inc., 1951), p. 87; y Norman E. Bowie, *Towards a New Theory of Distributive Justice* (Amherst, MA: The University of Massachusetts Press, 1971), pp. 86–87.
23. Steven Edwards, "In Defense of Environmental Economics" y William Baster, "People or Penguins", ambos en Christine Pierce y Donald VanDeVeer, eds., *People, Penguins, and Plastic Trees*, 2a ed. (Belmont, CA: Wadsworth, 1995). Vea también las técnicas listadas en Mishan, *Economics for Social Decisions*.
24. E. Bruce Frederickson, "Noneconomic Criteria and the Decision Process", *Decision Sciences*, enero de 1971, v. 2, n. 1, pp. 25–52.
25. Bowie, *Towards a New Theory of Distributive Justice*, pp. 20–24.

26. See J. O. Ormson, "The Interpretation of the Philosophy of J. S. Mill", *Philosophical Quarterly*, 1953, v. 3, pp. 33–40; D. W. Haslett, *Equal Consideration: A Theory of Moral Justification* (Newark, DE: University of Delaware Press, 1987).

27. David Lyons, *Forms and Limits of Utilitarianism* (Oxford: Oxford University Press, 1965). Algunos éticos sostienen, sin embargo, que el utilitarismo de acciones y el utilitarismo de reglas no son en realidad equivalentes; vea Thomas M. Lennon, "Rules and Relevance: The Act Utilitarianism–Rule Utilitarianism Equivalence Issue", *Idealistic Studies: An International Philosophical Journal*, mayo de 1984, v. 14, pp. 148–158.

28. China.org.cn, "Disney in Child Labor Storm", fecha de acceso: 18 de mayo de 2010 en *http://www.china.org.cn/china/news/2009-05/17/content_17787852.htm*.

29. U. S. State Department, *Country Reports on Human Rights Practices for 2002* (febrero de 2003).

30. Vea Peter DeSimone, "2004 Company Report—C1, Walt Disney Human Rights in China", 9 de febrero de 2004, © 2004 por el Investor Responsibility Research Center; y Carolyn Mathiasen, "2004 Background Report—C1 Human Rights in China", 9 de febrero de 2004, © 2004 Investor Responsibility Research Center (ambos en *http://www.irrc.org*).

31. Timesonline, "Disney Toys Made in 'Sweatshops'", *Sunday Times*, 23 de diciembre de 2007, fecha de acceso: 19 de mayo de 2010 at *http://www.timesonline.co.uk/tol/news/world/asia/article3087300.ece*.

32. David Barboza, "U.S. Group Accuses Chinese Toy Factories of Labor Abuses", *The New York Times*, 22 de agosto de 2007; David Barboza, "In Chinese Factories, Lost Fingers and Low Pay", *The New York Times*, 5 de enero de 2008.

33. National Labor Committee, "Toys of Misery Made In Abusive Chinese Sweatshops".

34. H. J. McCloskey, "Rights", *The Philosophical Quarterly*, 1965, v. 15, pp. 115–127; hay disponibles varios análisis ampliados de los derechos, entre ellos Alan R. White, *Rights* (Oxford: Clarendon Press, 1984); Samuel Stoljar, *An Analysis of Rights* (Nueva York: St. Martin's Press, 1984); y Henry Shue, *Basic Rights* (Princeton, NJ: Princeton University Press, 1981); vea una revisión de la literatura respecto a derechos en Jeremy Waldron, "Rights", en Robert E. Goodin y Philip Pettit, eds., *A Companion to Contemporary Political Philosophy* (Oxford: Blackwell, 1995); un recuento histórico sobresaliente de la evolución del concepto de derecho aparece en Richard Tuck, *Natural Rights Theories, Their Origin and Development* (Nueva York: Cambridge University Press, 1979).

35. Para una clasificación más técnica, pero ahora ampliamente aceptada, de los derechos legales, vea Wesley Hohfeld, *Fundamental Legal Conceptions* (New Haven, CT: Yale University Press, 1919, rpt. 1964), pp. 457–484.

36. Hay diferentes formas de caracterizar la relación entre derechos y obligaciones, no todas igualmente sólidas. Por ejemplo, algunos autores dicen que una persona recibe derechos sólo si acepta ciertas obligaciones hacia la comunidad que le otorga esos derechos. Otros autores dicen que todos los derechos se pueden definir por completo en términos de las obligaciones de otros. Tal vez ambos argumentos están equivocados pero ninguno se defiende en este párrafo. El punto de vista de este párrafo es que los derechos morales, del tipo identificado en los párrafos anteriores, siempre se puede definir, al menos en parte, en términos de las obligaciones que tienen otros hacia el poseedor del derecho. Tener un derecho moral de este tipo implica que otros tienen ciertas obligaciones morales hacia

mí; pero no se deduce si otros tienen esas obligaciones, entonces, yo tengo el derecho correspondiente. Así, se dice que la imposición de ciertas obligaciones morales correlativas sobre otros es una condición necesaria pero no suficiente para la posesión personal de un derecho moral.

37. Vea Richard Wasserstrom, "Rights, Human Rights, and Racial Discrimination", *The Journal of Philosophy*, 29 de octubre de 1964, v. 61, pp. 628–641.

38. *Ibid.*, p. 62.

39. Feinberg, *Social Philosophy*, pp. 59–61.

40. *Ibid.*

41. Vea, por ejemplo, Milton Friedman, *Capitalism and Freedom* (Chicago, IL: The University of Chicago Press, 1962), pp. 22–36; Friedrich Hayek, *The Road to Serfdom* (Chicago, IL: The University of Chicago Press, 1944), pp. 25–26.

42. Peter Singer, "Rights and the Market", en John Arthur y William Shaw, eds., *Justice and Economic Distribution* (Englewood Cliffs, NJ: Prentice-Hall, 1978), pp. 207–221.

43. H. L. A. Hart, "Are There Any Natural Rights", *Philosophical Review*, abril de 1955, v. 64, p. 185.

44. J. R. Searle, *Speech Acts* (Cambridge: The University Press, 1969), pp. 57–62.

45. Thomas M. Garrett, *Business Ethics*, 2a ed. (Englewood Cliffs, NJ: Prentice-Hall, 1986), pp. 88–91.

46. *Ibid.*, p. 75. Vea también John Rawls, *A Theory of Justice* (Cambridge, MA: Harvard University Press, The Belknap Press, 1971), pp. 342–350.

47. Un enfoque kantiano a la ética en los negocios se encuentra en Norman E. Bowie, *Business Ethics: A Kantian Perspective*, (Londres: Blackwell Publishers, 1999); Una excelente explicación de la teoría moral de Kant aparece en Roger J. Sullivan, *Immanuel Kant's Moral Theory* (Nueva York: Cambridge University Press, 1989); Onora O'Neill recientemente expuso una refrescante y clara interpretación de Kant en una serie de ensayos que recopila Onora O'Neill, en *Constructions of Reason: Explorations of Kant's Practical Philosophy* (Cambridge: Cambridge University Press, 1989); si desea una revisión accesible de la filosofía de Kant, vea Paul Guyer, ed., *The Cambridge Companion to Kant* (Nueva York: Cambridge University Press, 1992).

48. Immanuel Kant, *Groundwork of the Metaphysics of Morals*, H.J. Paton, trad. (Nueva York: Harper & Row, Publishers, Inc., 1964), p. 70.

49. *Ibid.*, p. 91.

50. *Ibid.*, p. 96.

51. Vea Feldman, *Introductory Ethics* (Englewood Cliffs, NJ: Prentice-Hall, 1978), pp. 119–128; y Rawls, *A Theory of Justice*, pp. 179–180.

52. Kant, *Groundwork*, p. 105. Respecto a la equivalencia de las dos versiones del imperativo categórico, vea Sullivan, *Immanuel Kant's Moral Theory*, pp. 193–194.

53. Página 93 en Gregory Vlastos, "Justice and Equality", p. 48 en Richard Brandt, ed., *Social Justice* (Englewood Cliffs, NJ: Prentice Hall, 1964), pp. 31–72. Vea, por ejemplo, A. K. Bierman, *Life and Morals: An Introduction to Ethics* (Nueva York: Harcourt Brace Jovanovich, Inc., 1980), pp. 300–301; Charles Fried, *Right and Wrong* (Cambridge, MA: Harvard University Press, 1978), p. 129; Dworkin, *Taking Rights Seriously*, p. 198; Thomas E. Hill, Jr., "Servility and Self-Respect", *The Monist*, enero de 1973, v. 57, n. 21, pp. 87–104; Feinberg, *Social Philosophy*.

54. Vea John Stuart Mill, *On Liberty* [1860], capítulo II.

55. Un argumento similar basado en la primera formulación de Kant del imperativo categórico aparece en Marcus Singer,

*Generalization in Ethics* (Nueva York: Alfred A. Knopf, Inc., 1961), pp. 267–274; uno basado en la segunda formulación de Kant se encuentra en Alan Donagan, *The Theory of Morality* (Chicago, IL: The University of Chicago Press, 1977), p. 85; vea también I. Kant, *Metaphysical Elements of Justice* (Nueva York: Bobbs-Merrill Co., Inc., 1965), pp. 91–99.

56. Vea Alan Gewirth, *Reason and Morality* (Chicago, IL: The University of Chicago Press, 1978), con base en un principio que, aunque diferente en algunos aspectos importantes de la primera formulación de Kant, es muy parecido: "Todo agente debe reclamar que él tiene los derechos de libertad y bienestar por la razón de que él es un agente propositivo potencial... de donde, si se usa el principio de universalidad se puede decir que, todos los agentes propositivos potenciales tienen derechos de libertad y bienestar" (p. 133); Donagan, *The Theory of Morality*, pp. 81–90, argumenta esto basándose en la segunda formulación de Kant.

57. Vea en Singer, *Generalization in Ethics*, pp. 255–257, un análisis de cómo la primera formulación de Kant proporciona las bases de la obligación que tiene cada uno de cumplir sus promesas y la veracidad al hacerlas; en Donagan, *Theory of Morality*, pp. 90–94, encuentre un análisis del mismo tema en términos de la segunda formulación.

58. Vea Jonathan Harrison, "Kant's Examples of the First Formulation of the Categorical Imperative", en Robert Paul Wolff, ed., *Kant, A Collection of Critical Essays* (Garden City, NY: Doubleday & Co., Inc., 1967), pp. 228–245; vea también en el mismo trabajo la respuesta de J. Kemp y la contrarrespuesta de J. Harrison, ambos con un enfoque en el significado de "está dispuesto".

59. Fred Feldman, *Introductory Ethics*, pp. 123–128; Robert Paul Wolff, *The Autonomy of Reason* (Nueva York: Harper Torch Books, 1973), p. 175.

60. Por ejemplo, J. B. Mabbott, *The State and the Citizen* (Londres: Arrow, 1958), pp. 57–58.

61. Feldman, *Introductory Ethics*, pp. 116–117.

62. Por ejemplo, Richard M. Hare, *Freedom and Reason* (Nueva York: Oxford University Press, 1965), quien usa la primera formulación de Kant (p. 34), se defiende a sí mismo contra el ejemplo del "fanático" en esta forma.

63. Robert Nozick, *Anarchy, State, and Utopia* (Nueva York: Basic Books, Inc., Publishers, 1974), p. ix.

64. *Ibid.*, pp. 30–31.

65. *Ibid.*, p. 160; vea también pp. 160–162.

66. Kant, *The Metaphysical Elements of Justice*, p. 93.

67. U.S. Congress, Senate, *Brown Lung: Hearing Before a Subcommittee of the Committee on Appropriations, 95th Congress*, 1a sesión, 9 de diciembre de 1977, pp. 3, 52, 53, 54, 59 y 60.

68. John Rawls, "Justice as Fairness", *The Philosophical Review*, 1958, v. 67, pp. 164–194; R. M. Hare, "Justice and Equality", yn Arthur and Shaw, eds., *Justice and Economic Distribution*, p. 119.

69. Rawls, *A Theory of Justice*, pp. 3–4.

70. Vea, por ejemplo, Rawls, *A Theory of Justice*, p. 542, y Joel Feinberg, "Rawls and Intuitionism", pp. 114–116 en Norman Daniels, ed., *Reading Rawls* (Nueva York: Basic Books, Inc., Publishers, n.d.), pp. 108–124; y T. M. Scanlon, "Rawls' Theory of Justice", pp. 185–191, *ibid.*

71. Vea, por ejemplo, Vlastos, "Justice and Equality."

72. Rawls, *A Theory of Justice*, pp. 126–130.

73. William K. Frankena, "The Concept of Social Justice", en Brandt, ed., *Social Justice*, pp. 1–29; C. Perelman, *The Idea of*

*Justice and the Problem of Argument* (Nueva York: Humanities Press, Inc., 1963), p. 16.

74. Feinberg, *Social Philosophy*, pp. 100–102; Perelman, *Idea of Justice*, p. 16.

75. Christopher Ake, "Justice as Equality", *Philosophy and Public Affairs*, otoño de 1975, v. 5, n. 1, pp. 69–89.

76. Kai Nielsen, "Class and Justice", en Arthur y Shaw, eds., *Justice and Economic Distribution*, pp. 225–245; vea también Gregory Vlastos, *Justice and Equality*. Vlastos interpreta "igualdad" en un sentido muy diferente del que se propone aquí.

77. Morton Deutsch, "Egalitarianism in the Laboratory and at Work", en Melvin J. Lerner y Riel Vermunt, eds., *Social Justice in Human Relations*, v. 1 (Nueva York: Plenum Publishing Corporation, 1991); Morton Deutsch, "Equity, Equality, and Need: What Determines Which Value Will Be Used as the Basis of Distributive Justice?", *Journal of Social Issues*, 1975, v. 31, pp. 221–279.

78. K. Leung y M. H. Bond, "How Chinese and Americans Reward Task-Related Contributions: A Preliminary Study", *Psychologia*, 1982, v. 25, pp. 32–39; K. Leung y M. H. Bond, "The Impact of Cultural Collectism on Reward Allocation", *Journal of Personality and Social Psychology*, 1984, v. 47, pp. 793–804; Kwok Leung y Saburo Iwawaki, "Cultural Collectivism and Distributive Behavior", *Journal of Cross-Cultural Psychology*, marzo de 1988, v. 19, n. 1, pp. 35–49.

79. Bernard Williams, "The Idea of Equality", en Laslett and Runciman, eds., *Philosophy and Society*, 2a serie (Londres: Blackwell, 1962), pp. 110–131.

80. Feinberg, *Social Philosophy*, pp. 109–111.

81. Sin embargo, la evidencia no apoya este punto de vista. Vea Lane Kenworthy, *In Search of National Economic Success* (Thousand Oaks, CA: Sage Publications, 1995), quien muestra que las sociedades con mayores grados de igualdad perecen ser más productivas que las otras; vea en Morton Deutsch, "Egalitarianism in the Laboratory and at Work", *ibid.*, evidencias de que aun en pequeños grupos de trabajo la igualdad no parece dar como resultado menor productividad.

82. Vea Bowie, *A New Theory of Distributive Justice*, pp. 60–64.

83. Vea D. D. Raphael, "Equality and Equity", *Philosophy*, 1946, v. 21, pp. 118–132. Vea también, Bowie, *A New Theory of Distributive Justice*, pp. 64–65.

84. Vea Manuel Velasquez, "Why Ethics Matters", *Business Ethics Quarterly*, abril de 1996, v. 6, n. 2, p. 211.

85. *Ibid.*

86. Vea K. Leung y M. H. Bond, "How Chinese and Americans Reward Task-Related Contributions", y K. Leung y S. Iwawaki, "Cultural Collectivism and Distributive Behavior".

87. Vea Francis X. Sutton, Seymour E. Harris, Carl Kaysen y James Tobin, *The American Business Creed* (Cambridge, MA: Harvard University Press, 1956), pp. 276–278; la fuente clásica es Max Weber, *The Protestant Ethic and the Spirit of Capitalism*, Talcott Parsons, trad. al inglés (Londres: 1930); vea también, Perry Miller, *The New England Mind: From Colony to Province* (Cambridge, MA: Harvard University Press, 1953), pp. 40–52.

88. Vea A. Whitner Griswold, "Three Puritans on Prosperity", *The New England Quarterly*, septiembre de 1934, v. 7, pp. 475–488; vea también Daniel T. Rodgers, *The Work Ethic in Industrial America* (Chicago, IL: The University of Chicago Press, 1978).

89. John A. Ryan, *Distributive Justice*, 3a ed. (Nueva York: The Macmillan Co., 1941), pp. 182–183; Nicholas Rescher, *Distributive Justice* (Nueva York: The Bobbs-Merrill Co., Inc., 1966), pp. 77–78.

90. Rescher, *Distributive Justice*, pp. 78–79; Ryan, *Distributive Justice*, pp. 183–185.

91. Rescher, *Distributive Justice*, pp. 80–81; Ryan, *Distributive Justice*, pp. 186–187.

92. Karl Marx, *Critique of the Gotha Program* (Londres: Lawrence and Wishart, Ltd., 1938), pp. 14 y 107; Louis Blanc, *L'Organization du Travail* (París, 1850), citado en D. O. Wagner, *Social Reformers* (Nueva York: The Macmillan Co., 1946), p. 218; Nikolai Lenin, "Marxism on the State", pp. 76–77; sobre la pregunta de que si Marx tiene una teoría de justicia distributiva, vea Ziyad I. Husami, "Marx on Distributive Justice", en Marshall Cohen, Thomas Nagel y Thomas Scanlon, eds., *Marx, Justice, and History* (Princeton, NJ: Princeton University Press, 1980), pp. 42–79.

93. Marx, *Critique of the Gotha Program*; vea también John McMurtry, *The Structure of Marx's World View* (Princeton, NJ: Princeton University Press, 1978), cap. I.

94. Bowie, *A New Theory of Distributive Justice*, pp. 92–93. Vea también Norman Daniels, "Meritocracy", en Arthur and Shaw, eds., *Justice and Economic Distribution*, pp. 167–178. Un examen interesante de los datos internacionales que sugieren que la igualdad no menoscaba los incentivos de trabajo, se encuentra en Kenworthy, *In Search of National Economic Success*, pp. 48–49.

95. Bowie, *ibid.*, pp. 96–98.

96. Robert Nozick, *Anarchy, State, and Utopia*, p. 160.

97. Rawls, *A Theory of Justice*, pp. 65–75.

98. *Ibid.*, pp. 577–587.

99. *Ibid.*, pp. 298–303.

100. *Ibid.*, p. 61.

101. *Ibid.*, pp. 108–114 y 342–350.

102. *Ibid.*, pp. 75–83 y 274–284.

103. *Ibid.*, pp. 83–90.

104. *Ibid.*, pp. 17–22.

105. *Ibid.*, pp. 136–142.

106. *Ibid.*, pp. 46–53.

107. El núcleo del argumento aparece en Rawls, *A Theory of Justice*, pp. 175–183, pero también se pueden encontrar partes en pp. 205–209, 325–332, 333–350, 541–548.

108. Vea los artículos recopilados en *Reading Rawls*, Daniels, ed.; vea también Brian Barry, *The Liberal Theory of Justice* (Oxford: Clarendon Press, 1973); Robert Paul Wolff, *Understanding Rawls* (Princeton, NJ: Princeton University Press, 1977).

109. Rawls, *A Theory of Justice*, pp. 105–108.

110. *Ibid.*, p. 276.

111. Sobre la relación entre justicia y tratamientos justos, vea David Resnick, "Due Process and Procedural Justice", en J. Roland Pennock y John W. Chapman, eds., *Due Process* (Nueva York: New York University Press, 1977), pp. 302–310.

112. Respecto a la relación entre justicia y la congruencia en la aplicación de las reglas, vea Perelman, *The Idea of Justice*, pp. 36–45; la proporcionalidad en el castigo se analiza en John Kleinig, *Punishment and Desert* (The Hague: Martinus Nijoff, 1973), pp. 110–133; y C. W. K. Mundle, "Punishment and Desert", *Philosophical Quarterly*, 1954, v. IV, pp. 216–228.

113. Henry J. Wirtenberger, *Morality and Business* (Chicago, IL: Loyola University Press, 1962), pp. 109–119; vea también Herbert Jone, *Moral Theology*, Urban Adelman, trad. (Westminster, MD: The Newman Press, 1961), pp. 225–247.

114. Este recuento del incidente en Malden Mills está basado en historias en *Parade Magazine*, 8 de septiembre de 1996; *The Boston Globe*, 5 de diciembre de 1995, 13 de diciembre de 1995, 12 de enero de 1996, y 16 de enero de 1996; *Sun* (Lowell, MA), 17 de diciembre de 1995 y 5 de noviembre de 1995; *The New York Times*, 2 de julio de 1994, 16 de diciembre de 1995, 14 de julio de 1996; y Penelope Washbourn, "'When All Is Moral Chaos, This Is the Time for You to Be a Mensche': Reflections on Malden Mills for the Teaching of Business Ethics", trabajo no publicado, presentado en The Society for Business Ethics Annual Meeting, 10 de agosto de 1996, Ciudad de Quebec, Quebec.

115. Vea, por ejemplo, Cottingham, "Ethics and Impartiality", *Philosophical Studies*, 1983, v. 43, pp. 90–91.

116. Vea William Godwin, en K. Codell Carter, ed., *Enquiry Concerning Political Justice* (Oxford: Clarendon House, 1971), 71; y Peter Singer, *Practical Ethics*, 2a ed. (Cambridge: Cambridge University Press, 1993), pp. 10–12, 21.

117. Vea Lawrence Blum, *Moral Perception and Particularity* (Cambridge: Cambridge University Press, 1994); Lawrence Blum, *Friendship, Altruism, and Morality* (Londres: Routledge & Kegan Paul, 1980); John Kekes, "Morality and Impartiality", *American Philosophical Quarterly*, octubre de 1981, v. 18.

118. N. Lyons, "Two Perspectives: On Self, Relationships and Morality", *Harvard Educational Review*, 1983, v. 53, n. 2, p. 136.

119. Lawrence A. Blum, *Moral Perception and Particularity* Cambridge: Cambridge University Press, 1994), p. 12; Robin S. Dillon, "Care and Respect", en Eve Browning Cole y Susan Coultrap-McQuin, eds., *Explorations in Feminist Ethics: Theory and Practice* (Bloomington and Indianapolis, IN: Indiana University Press, 1992), pp. 69–81; vea también Mary C. Raugust, "Feminist Ethics and Workplace Values", en Eve Browning Cole and Susan Coultrap-McQuin, eds., *ibid.*, p. 127.

120. Nell Noddings, *Starting at Home: Caring and Social Policy*, (Berkeley: University Of California Press, 2002).

121. Vea los ensayos recopilados en Shlomo Avineri y Avner deShalit, eds., *Individualism and Communitarianism* (Oxford: Oxford University Press, 1992).

122. Michael Sandel, *Liberalism and the Limits of Justice* (Cambridge: Cambridge University Press, 1982) p. 150.

123. Vea Sandel, *Liberalism*, p. 179; MacIntyre, *After Virtue* (Notre Dame, IN: University of Notre Dame Press), pp. 204–205.

124. Nell Noddings, *Caring* (Berkeley, CA: University of California Press, 1984), distingue entre cuidar a algo, a alguien y de algo en pp. 21–22; ella se refiere a lo que yo he llamado "cuidar de" como el cuidado "institucional" en pp. 25–26.

125. Vea Sara Ruddick, *Maternal Thinking* (Nueva York: Ballantine Books, 1989).

126. Lawrence Walker, "Sex Differences in the Development of Moral Reasoning: A Critical Review", y Catherine G. Greeno y Eleanor E. Maccoby, "How Different is the 'Different Voice'?", ambos en Mary Jeanne Larrabee, ed., *An Ethic of Care: Feminist and Interdisciplinary Perspectives* (Nueva York: Routledge, 1993); vea evidencias de algunas diferencias entre el hombre y la mujer y cómo responden a los dilemas morales en T. White, "Business Ethics and Carol Gilligan's 'Two Voices,'" *Business Ethics Quarterly*, 1992, v. 2, 1, pp. 51–59. White proporciona sugerencias provocativas respecto a las implicaciones de una ética del cuidado sobre la ética en los negocios.

127. Vea Joan C. Tronto, "Beyond Gender Difference to a Theory of Care", en *ibid.*; y Debra Shogan, *Care and Moral Motivation* (Toronto: The Ontario Institute for Studies in Education Press, 1988).

128. Vea Alan Gewirth, "Ethical Universalism and Particularism", *Journal of Philosophy*, junio de 1988, v. 85; John Cottingham, "Partiality, Favoritism, and Morality", *Philosophical Quarterly*, 1986, v. 36, n. 144.

129. Equilibrar el cuidado por sí mismo y el cuidado por los demás es un tema central en Carol Gilligan, *In a Different Voice: Psychological Theory and Women's Development* (Cambridge, MA: Harvard University Press, 1982).

130. Ivan F. Boesky en Jeffrey Madrick, ed., *Merger Mania* (Nueva York: Holt, Rinehart and Winston, 1985), p. v.

131. Tim Metz y Michael W. Miller, "Boesky's Rise and Fall Illustrate a Compulsion to Profit by Getting Inside Track on Market", *The Wall Street Journal*, 17 de noviembre de 1986, p. 28.

132. *Ibid.*

133. Peter Carlson, "High and Mighty Crooked: Enron is Merely the Latest Chapter in the History of American Scams", *The Washington Post*, 10 de febrero de 2002, p. F01.

134. S. Prakash Sethi y Paul Steidlmeier, *Up Against the Corporate Wall: Cases in Business and Society* (Upper Saddle River, NJ: Prentice-Hall, 1997), p. 47.

135. Alasdair MacIntyre, *After Virtue* (Notre Dame, IN: University of Notre Dame Press, 1981), p. 204.

136. Vea Edmund L. Pincoffs, *Quandaries and Virtues* (Lawrence, KS: University Press of Kansas, 1986). Todas las citas de los párrafos siguientes pertenecen a este trabajo.

137. Gilbert Harmon, "Moral Philosophy Meets Social Psychology: Virtue Ethics and the Fundamental Attribution Error", *Proceedings of the Aristotelian Society*, New Series, v. 99 (1999), pp. 315–331; vea también, John Doris, *Lack of Character: Personality and Moral Behavior*, (Cambridge, U.K.: Cambridge University Press, 2002); P. Railton, "Made in the Shade: Moral Compatibilism and the Aims of Moral theory", *Canadian Journal of Philosophy*, Material complementario V. 21 (1997).

138. J. M. Darley y C. D. Batson, "From Jerusalem to Jerico: A Study of Situational and Dispositional Variables in Helping Behavior", *Journal of Personality and Social Psychology*, v. 27 (1973).

139. Craig Haney, Curtis Banks y Philip Zimbardo, "Interpersonal Dynamics in a Simulated Prison", *Interpersonal Journal of Criminology and Penology*, v. 1 (1973), pp. 69–97. Artículos y material adicional sobre el experimento de Zimbardo de la prisión se pueden encontrar en *http://www.prisonexp.org/psychology/42.*

140. Philip Zimbardo, *The Lucifer Effect: Understanding How Good People Turn Evil*, (Nueva York: Random House, 2007)

141. Daniel Lapsley y Darcia Narvaez, "A Social-Cognitive Approach to the Moral Personality", en D. K. Lapsley y D. Narvaez, eds., *Moral Development, Self and Identity*, pp. 189–212, (Mahwah, NJ: Erlbaum, 2004)

142. L. E. Bolton y A. H. Reed, "Sticky Priors: The Perseverance of Identity Effects on Judgment", *Journal of Marketing Research*, v. 41 (2004), n. 4, pp. 397–441.

143. A. Blasi, "Moral Character: A Psychological Approach", en D. K. Lapsley & F. C. Power eds., *Character Psychology and Character Education*, 67–100, (Notre Dame: University of Notre Dame Press, 2005); A. Blasi, "Moral Functioning: Moral Understanding and Personality", en D. K. Lapsley & D. Narvaez, eds., *Moral Development, Self, and Identity*, pp. 335–348, (Mahwah, N.J.: Lawrence Erlbaum, 2004); K. Aquino & A. Reed, "The Self-Importance of Moral Identity", *Journal of Personality and Social Psychology*, v. 83, n. 6, pp. 1423–1440.

144. G. R. Weaver, "Virtue in Organizations: Moral Identity as a Foundation for Moral Agency", *Organization Studies*, v. 27 (2006), n. 3, pp. 341–368.

145. Scott Reynolds, "A Neurocognitive Model of the Ethical Decision-Making Process: Implications for Study and Practice", *The Journal of Applied Psychology*, v. 91 (2006), n. 4, pp. 737–748. Para una revisión de la extensa literatura sobre el modelo de "dos sistemas" de razonamiento, vea: Jonathan St. B. T. Evans, "Dual-Processing Accounts of Reasoning, Judgment, and Social Cognition," *Annual Review of Psychology*, v. 59 (2008), pp. 255–278; J. A. Bargh y T. L. Chartrand, "The Unbearable Automaticity of Being", *American Psychologist*, v. 54 (1999), pp. 462–4–79; J. A. Bargh y E. L. Williams, "The Automaticity of Social Life", *Current Directions in Psychological Science*, v. 15 (2006), pp. 1–4.

146. Eleanor Rosch, "Natural Categories", *Cognitive Psychology*, v. 4 (1973), pp. 328–350; Eleanor Rosch, "Prototype Classification and Logical Classification: The Two Systems", pp. 73–86 en E. K. Scholnick, ed., *New Trends in Conceptual Representation: Challenges to Piaget's Theory?*, (Hillsdale: Lawrence Erlbaum Associates, Publishers, 1983); Eleanor Rosch, "Principles of Categorization", pp. 27–48 en E. Rosch y B. B. Lloyd, eds., *Cognition and Categorization*, (Hillsdale: Lawrence Erlbaum Associates, Publishers, 1978); G. Lakoff, *Women, Fire and Dangerous Things: What Categories Reveal About the Mind*, (Chicago: Chicago University Press, 1987); U. Hahn and M. Ramscar, *Similarity and Categorization*, (Nueva York: Oxford University Press, 2001); Darcia Narvaez & Tonia Bock, "Moral Schemas and Tacit Judgment or How the Defining Issues Test is Supported by Cognitive Science", *Journal of Moral Education*, v. 31 (2002), n. 3, pp. 297–314.

147. Albert R. Jonsen y Stephen Toulmin, *The Abuse of Casuistry: A History of Moral Reasoning*, (Berkeley, CA: University of California Press, 1988).

148. F. Schauer, "Precedent", *Stanford Law Review*, v. 39 (1987), pp. 571–605.

149. Agnar Aamodt y Enric Plaza, "Case-Based Reasoning: Foundational Issues, Methodological Variations, and System Approaches", *Artificial Intelligence Communications*, v. 7 (1994), n. 1, 39–52.

150. Muchos psicólogos emplean el término *intuición* para incluir no sólo el tipo de conocimiento sin mediación del que hablamos aquí, sino también cualquier tipo de conocimiento adquirido de forma no consciente incluyendo el que se adquiere mediante el uso de prototipos. Aquí usamos el término intuición en un sentido más estrecho que excluye el tipo de conocimiento que adquirimos a través del uso de prototipos.

151. Jonathan Haidt, "The Emotional Dog and Its Rational Tail: A Social Intuitionist Approach to Moral Judgment", *Psychological Review*, v. 108 (2001), pp. 814–834.

152. Fiery Cushman, Liane Young y Marc Hauser, "The Role of Conscious Reasoning and Intuition in Moral Judgment", *Psychological Science*, v. 17 (2006), n. 12, pp. 1082–1089.

153. Vea James Rachaels y Peter Singer.

## Capítulo 3

1. Vea Banco Mundial, *Globalization, Growth and Poverty* (Nueva York: Oxford University Press, 2002), fecha de acceso: 20 de junio de 2004 en *http://www.econ.worldbank.org/prr/globalization/text-2857.*

2. Vivian S. Toy, "The End of the Line; As the Swingline Factory in Queens Closes, Veteran Workers Wonder What's Next for them", *The New York Times*, 17 de enero de 1999.

3. Judy Temes, "Giant Sucking Sound Heard in Queens Factory: Moving to Mexico Would Let Swingline Cut wages by 85%; 450 would Lose Jobs", *Crain's New York Business*, 26 de mayo de 1997.

4. Tom Robbins, "Swingline Takes Jobs to Mexico", *Daily News (NuevaYork)*, 6 de julio de 1997; Joel Millman, "Fortune Brands Seeks Savings in Mexico", *The Globe and Mail (Canadá)*, 7 de agosto de 2000.

5. Elizabeth Becker, "U.S. Corn Subsidies Said to Damage Mexico", *The New York Times*, 27 de agosto de 2003.

6. Jim Toedtman y Letta Taylor, "Jobs Move Again: Factory Work Shifted to Mexico after NAFTA Now Goes to Asia", *Newsday*, 28 de diciembre de 2003.

7. Associated Press Financial Wire, 14 de marzo de 2007.

8. Donald G. McNeil, Jr., "Indian Company Offers to Supply AIDS Drugs at Low Cost in Africa", *New York Times*, 7 ed., febrero de 2001.

9. AVERT, "AIDS, Drug Prices and Generic Drugs", fecha de acceso: 10 de junio en *http://www.avert.org/generic.htm*.

10. Joseph A. DiMasi, Ronald W. Hansen, Henry G. Grabowski, "The Price of Innovation: New Estimates of Drug Development Costs" *Journal of Health Economics*, v. 22 (2003), pp. 151–185.

11. Robert Weissman, "A Long Strange TRIPS: the Pharmaceutical Industry Drive to Harmonize Global Intellectual Property Rules and the Remaining WTO Legal Alternatives Available to Third World Countries", *University of Pennsylvania Journal of International Economic Law*, v. 17 (1996), n. 4, pp. 1069–1125.

12. *Ibid.*

13. Associated Press, 22 de marzo de 2007.

14. Nicholas Zamiska, "Abbott Escalates Thai Patent Rift: Firm Pulls Plans to Offer New Drugs In Spat with Regime", *Wall Street Journal*, 14 de marzo de 2007.

15. Robert L. Heilbroner, *The Economic Problem*, 3a ed. (Englewood Cliffs, NJ: Prentice-Hall, 1972), pp. 14–28; vea también Paul A. Samuelson, *Economics*, 9a ed. (Nueva York: McGraw-Hill Book Company, 1973), pp. 17–18.

16. Vea Charles E. Lindblom, *Politics and Markets* (Nueva York: Basic Books Inc., Publishers, 1977), capítulos 2, 3, 5 y 6 para un análisis que contrasta las dos abstracciones y para una conveniente crítica sutil.

17. Vea Martin Schnitzer, *Comparative Economic Systems*, 8a ed. (Cincinnati, OH: South-Western College Publishing, 2000), pp. 113ff.

18. *Ibid.*, pp. 21ff.

19. Vea "Economic Systems", *The New Encyclopedia Britannica*, v. 17 (Chicago, IL: Encyclopedia Britannica, Inc., 1993), p. 913.

20. Joseph Schumpeter, *A History of Economic Analysis* (Nueva York: Oxford University Press, 1954), pp. 370–372 y 397–399. Un tratamiento de las controversias del siglo xx se encuentra en Otis Graham, *Toward a Planned Society: From Roosevelt to Nixon* (Nueva York: Oxford University Press, 1976).

21. Milton Friedman, *Capitalism and Freedom* (Chicago, IL: The University of Chicago Press, 1962), p. 14; vea también John Chamberlain, *The Roots of Capitalism* (Nueva York: D. Van Nostrand Company, 1959), pp. 7–42.

22. Vea una útil introducción al concepto de ideología y una introducción a las ideologías más significativas en Andrew Heywood, *Political Ideologies: An Introduction*, 3a ed. (Nueva York: MacMillan, 2003).

23. George C. Lodge, *Perestroika for America: Restructuring Business-Government Relations for World Competitiveness* (Boston, MA: Harvard Business School Press, 1990), pp. 15, 16, 17.

24. La literatura sobre Locke es amplia, vea Richard I. Aaron, *John Locke*, 3a ed. (Londres: Oxford University Press, 1971), pp. 352–376 contiene material bibliográfico.

25. John Locke, *Two Treatises of Civil Government*, (Londres: George Routledge and Sons, 1887), pp. 192, 193, y 194.

26. *Ibid.*, p. 240.

27. *Ibid.*, pp. 204.

28. *Ibid.*, p. 256.

29. *Ibid.*, p. 258.

30. C. B. Macpherson, sin embargo, argumenta que Locke trataba de establecer la moralidad y racionalidad de un sistema capitalista, vea su *The Political Theory of Possessive Individualism: Hobbes to Locke* (Oxford: The Clarendon Press, 1962).

31. Friedrich A. Hayek, *The Road to Serfdom* (Chicago, IL: University of Chicago Press, 1944); Murray N. Rothbard, *For a New Liberty* (Nueva York: Collier Books, 1978); Gottfried Dietz, *In Defense of Property* (Baltimore, MD: The Johns Hopkins Press, 1971); Eric Mack, "Liberty and Justice", en John Arthur and William Shaw, eds., *Justice and Economic Distribution* (Englewood Cliffs, NJ: Prentice-Hall, 1978), pp. 183–193; John Hospers, *Libertarianism* (Los Angeles, CA: Nash, 1971); T. R. Machan, *Human Rights and Human Liberties* (Chicago, IL: Nelson-Hall, 1975).

32. Nicholas Zamiska, *op. cit.*

33. Nicholas Zamiska, "Thai Move to Trim Drug Costs Highlights Growing Patent Rift", *Wall Street Journal*, 30 de enero de 2007.

34. Ministerio de Salud Pública y Oficina de Seguridad de Salud Nacional, Tailandia, "Facts and Evidences on the Ten Burning Issues Related to the Government Use of Patents on Three Patented Essential Drugs in Thailand: Document to Support Strengthening of Social Wisdom on the Issue of Drug Patent", febrero de 2007.

35. Cynthia M. Ho, "Unveiling Competing Patent Perspectives", *Houston Law Review*, v. 3 (2009), pp. 1047–1114.

36. Locke, *Two Treatises*, p. 311; un tratamiento completo de los puntos de vista de Locke respecto a la ley de la naturaleza se encuentra en John Locke, W. von Leyden, ed., *Essays on the Law of Nature* (Oxford: The Clarendon Press, 1954).

37. William K. Frankena, *Ethics*, 2a ed. (Englewood Cliffs, NJ: Prentice-Hall, 1973), pp. 102–105.

38. Robert Nozick, *Anarchy, State, and Utopia* (Nueva York: Basic Books, Inc., 1974).

39. Para consultar otras versiones de este argumento, vea Lindblom, *Politics and Markets*, pp. 45–51.

40. Arthur M. Okun, *Equality and Efficiency* (Washington, DC: The Brookings Institution, 1975), pp. 1–4.

41. U.S. Census Bureau, Current Population Reports, P60-236, *Income, Poverty, and Health Insurance Coverage in the United States: 2008*, (Washington, DC: U.S. Government Printing Office, 2009), Tabla 4, "People and Families in Poverty by Selected Characteristics: 2007 and 2008", y Tabla A-3, "Selected Measures of Household Income Dispersion: 1967–2008".

42. U.S. Census Bureau, 2008 American Community Survey 1-Year Estimates, Tabla B19081, "Mean Household Income of Quintiles–Universe: Households", septiembre de 2009.

43. Mark Nord, Margaret Andrews y Steven Carlson, "Household Food Security in the United States, 2008", United States Department of Agriculture, Food and Nutrition Service, 2009. Economic Research Report No. 83 (ERS-83), noviembre de 2009.

44. U.S. Census Bureau, Current Population Reports, P60-236, *Income, Poverty, and Health Insurance Coverage in the United States: 2008*, Tabla 7, "People without Health Insurance Coverage by Selected Characteritistics: 2007–2008."

45. National Coalition for the Homeless, "How Many People Experience Homelessness?" (Washington, DC: National Coalition for the Homeless, julio de 2009).

46. Edward N. Wolff, "Recent Trends in Household Wealth in the United States: Rising Debt and the Middle-Class Squeeze—An Update to 2007", Working Paper, Levy Economics Institute of Bard College, Annandale-on-Hudson, NY, marzo de 2010, Tabla 2 y Tabla 4; fecha de acceso: 4 de junio de 2010 en *http://www.levyinstitute.org/pubs/wp_589.pdf.*

47. Vea Patricia Werhane, *Adam Smith and His Legacy for Modern Capitalism* (Nueva York: Oxford University Press, 1991); S. Hollander, *The Economics of Adam Smith* (Toronto: University of Toronto Press, 1973).

48. Adam Smith, *An Inquiry into the Nature and Causes of the Wealth of Nations* [1776] (Nueva York: The Modern Library, n.d.), p. 423.

49. *Ibid.*, p. 55.

50. *Ibid.*, p. 14.

51. *Ibid.*, pp. 55–58.

52. *Ibid.*, p. 651.

53. Friedrich A. Hayek, "The Price System as a Mechanism for Using Knowledge" y Ludwig von Mises, "Economic Calculation in Socialism", los dos en Morris Bornstein, ed., *Comparative Economic Systems: Models and Cases* (Homewood, IL: Richard D. Irwin, Inc., 1965), pp. 39–50 and 79–85.

54. Tomás de Aquino, *Summa Theologica*, II–II, q. 66, a. 2.

55. Por ejemplo, David Hume, Ensayo XLI, *An Inquiry Concerning the Principles of Morals*, part II, pp. 423–429, en *Essays, Literary, Moral, and Political* por David Hume, Esq. (Nueva York: Ward, Lock, & Co., Warwick House, sin fecha).

56. Estas críticas se pueden encontrar en cualquier libro de texto estándar de economía, pero vea especialmente Frank J. B. Stilwell, *Normative Economics* (Elmsford, NY: Pergamon Press, 1975).

57. Pero vea Werhane, *Adam Smith and His Legacy*, quien argumenta que Smith no sostenía que los individuos estuvieran motivados sólo por el interés propio. En lugar de eso, argumenta ella, los puntos de vista de Smith en *La riqueza de las naciones* se deben complementar con los puntos de vista sobre la "compasión", la "aprobación", la "propiedad", la "virtud" y el "sentimiento", que se explican con detalle en su tratado anterior, *Teoría de los sentimientos morales.*

58. Vea, por ejemplo, J. Philip Wogaman, *The Great Economic Debate: An Ethical Analysis* (Philadelphia, PA: The Westminster Press, 1977), pp. 61 and 85.

59. Vea Vaclav Holesovsky, *Economic Systems, Analysis, and Comparison* (Nueva York: McGraw-Hill Book Company, 1977), caps. 9 y 10.

60. Oskar Lange, "On the Economic Theory of Socialism", en Bornstein, ed., *Comparative Economic Systems*, pp. 86–94.

61. El trabajo estándar sobre Keynes es Alvin H. Hansen, *A Guide to Keynes* (Nueva York: McGraw-Hill Book Company, 1953).

62. John Maynard Keynes, *The General Theory of Employment, Interest, and Money* (Londres: Macmillan & Co., Ltd., 1936). Un resumen accesible de los puntos de vista de Keynes se encuentra en su artículo "The General Theory of Employment", *Quarterly Journal of Economics*, septiembre de 1937, v. 51, pp. 209–223.

63. Para una revisión general de la así llamada "escuela pos-keynesiana", vea la colección de documentos en J. Pheby, ed., *New Directions in Post Keynesian Economics* (Aldershot, UK: Edward Elgar, 1989), y M. C. Sawyer, *Post Keynesian Economics, Schools of Thought in Economics Series 2* (Aldershot, UK: Edward Elgar, 1988).

64. Vea Sheila C. Dow, "The Post-Keynesian School", en Douglas Mair y Anne G. Miller, eds., *A Modern Guide to Economic Thought* (Aldershot, UK: Edward Elgar, 1991).

65. John Hicks, *The Crisis in Keynesian Economics* (Oxford: Basil Blackwell, 1974), p. 25.

66. Charles Darwin, *The Origin of Species by Means of Natural Selection* (Nueva York: D. Appleton and Company, 1883), p. 63.

67. Herbert Spencer, *Social Statics, Abridged and Revised* (Nueva York: D. Appleton and Company, 1893), pp. 204–205; vea una relación del spencerismo en América en Richard Hofstadter, *Social Darwinism in American Thought* (Boston, MA: Beacon Press, 1955).

68. Adam Smith, *The Wealth of Nations*, p. 424.

69. David Ricardo, *On the Principles of Political Economy and Taxation*, (Georgetown, DC: Joseph Milligan, 1819), pp. 115–116.

70. J. Michael Finger y Philip Schuler, eds., *Poor People's Knowledge: Promoting Intellectual Property in Developing Countries*, (Washington, DC: The World Bank, 2004), p. 4.

71. Este y otros ejemplos citados por Marx se encuentran en su *Capital*, v. I, Samuel Moore y Edward Aveling, trad. al inglés (Chicago, IL: Charles H. Kerr & Company, 1906), pp. 268–282.

72. Karl Marx, "Estranged Labor", en Dirk Struik, ed., *The Economic and Philosophic Manuscripts of 1844*, Martin Milligan, trad. al inglés (Nueva York: International Publishers, 1964), pp. 106–119.

73. *Ibid.*, pp. 110–111.

74. *Ibid.*, pp. 108–109.

75. *Ibid.*, p. 116.

76. Karl Marx y Friedrich Engels, *Manifesto of the Communist Party* (Nueva York: International Publishers, 1948), p. 9.

77. "Estranged Labor", p. 150.

78. *Ibid.*, p. 150.

79. Marx y Engels, pp. 37–38.

80. Marx y Engels, p. 48.

81. Marx y Engels, p. 49.

82. *Ibid.*

83. La expresión clásica de esta disinción es Karl Marx, *A Contribution to the Critique of Political Economy*, N. I. Stone, ed. (Nueva York: The International Library Publishing Co., 1904), pp. 11–13.

84. Marx y Engels, *Manifesto*; vea también Karl Marx, *The German Ideology*, (Amherst, NY: Prometheus Books, 1998 [1845]), parte I: Feuerbach, sección C. "The Real Basis of Ideology".

85. Karl Marx, *The German Ideology*, (Amherst, NY: Prometheus Books, 1998 [1845]).

86. Vea McMurtry, *Structure of Marx's World-View*, pp. 72–89.

87. Marx, *Capital*, v. I, pp. 681–89.

88. Marx, *Capital*, v. II, pp. 86–87.

89. Marx, *Capital*, v. I, pp. 689 ff.

90. Marx y Engels, *Manifesto*, p. 30.

91. Karl Marx, *The German Ideology*.
92. Irving Kristol, "A Capitalist Conception of Justice", en Richard T. DeGeorge y Joseph A. Pickler, eds., *Ethics, Free Enterprise and Public Policy* (Nueva York: Oxford University Press, 1978), p. 65; vea también H. B. Acton, *The Morals of Markets* (Londres: Longman Group Limited, 1971), pp. 68–72.
93. John Bates Clark, *The Distribution of Wealth* (Nueva York: The Macmillan Co., 1899), pp. 7–9, 106–107; una crítica de este argumento se encuentra en Okun, *Equality and Efficiency*, pp. 40–47.
94. Milton Friedman, *Capitalism and Freedom*, pp. 168–172.
95. Vea, por ejemplo, los argumentos en John Rawls, *Political Liberalism* (Nueva York: Columbia University Press, 1993), pp. 37–43; y *A Theory of Justice* (Boston, MA: Harvard University Press, 1971).
96. Vea *Work in America: Report of the Special Task Force to the Secretary of Health, Education and Welfare* (Cambridge, MA: MIT Press, 1973).
97. Vea Thomas E. Weisskopf, "Sources of Cyclical Downturns and Inflation" y Arthur MacEwan, "World Capitalism and the Crisis of the 1970s", en Richard C. Edwards, Michael Reich y Thomas E. Weisskopf, eds., *The Capitalist System*, 2a ed. (Englewood Cliffs, NJ: Prentice-Hall, 1978), pp. 441–461.
98. Herbert Marcuse, *One Dimensional Man* (Boston, MA: Beacon Press, 1964), pp. 225–246.
99. Frank Ackerman y Andrew Zimbalist, "Capitalism and Inequality in the United States", en Edwards, Reich y Weisskopf, eds., *The Capitalist System*, pp. 297–307; y Michael Reich, "The Economics of Racism", *ibid.*, pp. 381–388.
100. Vea Robert Hunter Wade, "Winners and Losers: The Global Distribution of Income Is Becoming More Unequal; That Should Be a Matter of Greater Concern than It Is", *The Economist*, 28 de abril de 2001, pp. 79–81; "The Rising Inequality of World Income Distribution", *Finance and Development*, diciembre de 2001, v. 38, n. 4; y "Globalization, Poverty and Income Distribution: Does the Liberal Argument Hold?", fecha de acceso: 20 de junio de 2004 en *http://www.brookings. edu/gs/research/projects/glig/worldshort inequalityjune02.pdf*.
101. Vea, por ejemplo, Richard Rorty, "For a More Banal Politics", *Harper's*, mayo de 1992, v. 284, pp. 16–21.
102. Vea Lodge, *ibid.*
103. Vea, por ejemplo, Paul Samuelson, *Economics*, 9a ed. (Nueva York: McGraw-Hill Book Company, 1973), p. 845.
104. Vea "List of Countries by Income Equality", Wikipedia, fecha de acceso: 20 de junio de 2010 en *http://en.wikipedia. org/wiki/List_of_countries_by_income_equality#cite_note-3* ; vea también U.S. Central Intelligence Agency, "Guide to Country Comparisons", *The World Factbook*, 2010, fecha de acceso: 20 de junio de 2010 en *https://www.cia.gov/library/ publications/the-world-factbook/rankorder/rankorderguide.html*.
105. Paul Steidlmeier, "The Moral Legitimacy of Intellectual Property Claims: American Business and Developing Country Perspectives", *The Journal of Business Ethics*, diciembre de 1993, pp. 161–162.
106. Con más exactitud, la U.S. Copytirght Term Extension Act (CTEA) de 1998 establece que el copyright individual dura el tiempo de vida del autor más 70 años, mientras que si los derechos pertenecen a una empresa duran por lo menos 95 años a partir de su fecha de publicación o 120 años a partir del año de creación, la que sea más corta.
107. Con más exactitud, las patentes en artículos manufacturados y procesos expiran en 20 años, mientras que la patente de diseño expira después de 14 años. Las patentes se otorgan sólo cuando la invención es nueva, útil y no obvia.
108. Vea Francis Fukuyama, *The End of History and The Last Man* (Nueva York: The Free Press, 1992).

## Capítulo 4

1. Grant Gross, "LG Display Executive Pleads Guilty in LCD Price-fixing Case", *PCWorld*, 28 de abril de 2009.
2. Departamento de Justicia, "President of Iowa Ready-mix Concrete Company Pleads Guilty to Price-fixing and Bid Rigging", comunicado de prensa con fecha 24 de mayo de 2010, fecha de acceso: 15 de junio de 2010 1n *http://www. justice.gov/atr/public/press_releases/2010/258984.htm*.
3. Departamento de Justicia, "Former Qantas Airline Executive Agrees to Plead Guilty to Participating in Price-Fixing Conspiracy on Air Cargo Shipments", comunicado de prensa, 8 de mayo de 2008, fecha de acceso: 10 de junio de 2010 en *http:// washingtondc.fbi.gov/ dojpressrel/pressrel08/wf050808.htm*.
4. Departamento de Justicia, "Former Executive Indicted for His Role in Color Display Tube Price-Fixing Conspiracy", comunicado de prensa, 30 de marzo de 2010, fecha de acceso: 9 de junio de 2010 en *http://www. justice.gov/atr/public/ press_releases/2010/257277.htm*.
5. Sharen D. Knight, ed., *Concerned Investors Guide*, NYSE Volumen 1983 (Arlington, VA: Resource Publishing Group, Inc., 1983), pp. 24–25.
6. Ralph Nader y Mark J. Green, "Crime in the Suites", *New Republic*, 29 de abril de 1972, pp. 17–21.
7. Vikas Anand, Blake E. Ashforth y Mahendra Joshi, "Business as Usual: The Acceptance and Perpetuation of Corruption in Organizations", *Academy of Management Executive*, v. 19 (2005), n. 4.
8. El recuento elemental que sigue se puede encontrar en cualquie libro de texto estándar de economía, por ejemplo, Paul A. Samuelson, *Economics*, 11a ed. (Nueva York: McGraw-Hill Book Company, 1980), pp. 52–62.
9. Daniel B. Suits, "Agriculture", en Walter Adams, ed., *The Structure of American Industry*, 5a ed. (Nueva York: Macmillan Inc., 1977), pp. 1–39.
10. Usted puede recordar que una de las principales críticas hechas al concepto capitalista de justicia dice que se debe pagar a las personas el valor exacto de las cosas con que ellas contribuyen, aunque no da ningún criterio para determinar ese "valor". Como diferentes personas dan diferentes valores a las cosas, esta indeterminación parece hacer que la concepción capitalista de la justicia sea desesperantemente vaga: un precio que es "justo" en términos del valor que una persona asigna a una cosa, puede ser "injusto" en términos del valor que otra persona da a la misma. Sin embargo, el valor dado a las cosas por un mercado perfectamente competitivo es justo desde el punto de vista de cualquier participante porque en el punto de equilibrio, todos los participantes (tanto compradores como vendedores) ponen el mismo valor a los artículos y los precios convergen en ese valor justo único.
11. Vea Robert Dorfman, *Prices and Markets*, 2a ed. (Englewood Cliffs, NJ: Prentice-Hall, 1972), pp. 170–226.
12. Russell G. Warren, *Antitrust in Theory and Practice* (Columbus, OH: Grid, Inc., 1975), pp. 58–59.
13. Milton Friedman, *Capitalism and Freedom* (Chicago, IL: The University of Chicago Press, 1962), p. 14.
14. Warren, *Antitrust*, pp. 76–77.

15. Se ha argumentado, sin embargo, que una compañía en la cual florece el cuidado tendrá una ventaja económica competitiva sobre una compañía en la que no se ha obtenido ese cuidado. Vea Jeanne M Liedtka, "Feminist Morality and Competitive Reality: A Role for an Ethic of Care?", *Business Ethics Quarterly*, abril de 1996, v. 6, n. 2, pp. 179–200.

16. De nuevo, estas ideas elementales se pueden consultar en cualquier libro de texto estándar, por ejemplo, H. Robert Heller, *The Economic System* (Nueva York: Macmillan Inc., 1972), p. 109.

17. Dean Takahashi, "Why Vista Might Be the Last of Its Kind", *Seattle Times*, 4 de diciembre de 2006.

18. C. W. DeMarco, "Knee Deep in Technique: The Ethics of Monopoly Capital", *Journal of Business Ethics*, 2001, v. 31, pp. 151–164.

19. Una revisión excelente y sencilla de la teoría y de la evidencia empírica sobre las ganancias de los monopolios se encuentran en Thomas Karier, *Beyond Competition: The Economics of Mergers and Monopoly Power* (Nueva York: M. E. Sharpe, Inc., 1993).

20. Vea George J. Stigler, "Monopoly and Oligopoly by Merger", *The American Economic Review*, v. 40 (Proceedings of the American Economic Association, 1950), pp. 23–34; una revisión más reciente de la literatura sobre los oligopolios se encuentra en Karier, *Beyond Competition*.

21. Warren, *Antitrust*, p. 271.

22. Los numerosos estudios que confirman esta relación se analizan en Douglas F. Greer, *Industrial Organization and Public Policy*, 2nd ed. (Nueva York: Macmillan, Inc., 1984), pp. 407–414; Greer hace también una evaluación crítica de los pocos estudios que parecen demostrar que no existe esa relación.

23. Greer, *Industrial Organization*, pp. 416–417.

24. Anne Szustek, "Hitachi Will Plead Guilty in LCD Price-Fixing Case", *Finding Dulcinea*, 11 de marzo de 2009, fecha de acceso: 28 de junio de 2010 en *http://www.findingdulcinea.com/news/business/2009/march/Hitachi-Agrees-to-Plead-Guilty-In-LCD-Price-FisingCase.html*; y Kevin Cho, "LG Display, Sharp Shares Fall on Price-Fixing Fine", *Bloomberg*, 13 de noviembre de 2008.

25. Almarin Phillips, *Market Structure, Organization, and Performance* (Cambridge, MA: Harvard University Press, 1962), pp. 138–160.

26. Warren, *Antitrust*, pp. 233–235.

27. Newman S. Peery, Jr., *Business, Government, & Society: Managing Competitiveness, Ethics, and Social Issues* (Englewood Cliffs, NJ: Prentice-Hall, 1995), pp. 400–401.

28. *Eastman Kodak Company, Petitioner, v. Image Technical Services, Inc., et. al.*, Suprema Corte de Estados Unidos, (90-1029), 504 U.S. 451 (1992).

29. Malcom Burns, "Predatory Pricing and the Acquisition Costs of Competitors", *Journal of Political Economy*, v. 94 (1986), p. 266.

30. Citado en Leslie D. Manns, "Dominance in the Oil Industry: Standard Oil from 1865 to 1911", p. 11, en David I. Rosenbaum, ed., *Market Dominance: How Firms Gain, Hold, or Lose It and the Impact on Economic Performance*, (Westport, Connecticut: Praeger, 1998), pp. 11–37.

31. Walter Adams y James W. Brock, "Tobacco: Predation and Persistent Market Power", en David I. Rosenbaum, *op. cit.*, pp. 39–53.

32. Siri Schubert y T. Christian Miller, "At Siemens, Bribery Was Just a Line Item", *The New York Times*, 21 de diciembre de 2008.

33. Neil H. Jacoby, Peter Nehemkis y Richard Fells, *Bribery and Extortion in World Business* (Nueva York: Macmillan Inc., 1977), p. 183.

34. Donald Cressey, *Other People's Money: A Study in the Social Psychology of Embezzlement*, (Montclair, NJ: Patterson Smith, 1973).

35. Jeffrey Sonnenfeld y Paul R. Lawrence, "Why Do Companies Succumb to Price-Fixing?" *Harvard Business Review*, julio-agosto de 1978, v. 56, n. 4, pp. 145–157.

36. *Ibid.*, p. 75.

37. Jesse W. Markham, "The Nature and Significance of Price Leadership", *The American Economic Review*, 1951, v. 41, pp. 891–905.

38. *United States v. Topco Assocs., Inc.*, 405 U.S. 596, 610 (1972).

39. Vea J. M. Clarm, "Toward a Concept of Workable Competition", *American Economic Review*, 1940, v. 30, pp. 241–256.

40. John Kenneth Galbraith, *American Capitalism: The Concept of Countervailing Power*, ed. rev. (Cambridge, MA: The Riverside Press, 1956), pp. 112–113.

41. Robert H. Bork, *The Antitrust Paradox: A Policy at War with Itself* (Nueva York: Basic Books, 1978), pp. 20–58, 405.

42. Richard Posner, "The Chicago School of Antitrust Analysis", *University of Pennsylvania Law Review*, 1979, v. 925.

43. Vea el resumen de la investigación que sostiene que el tamaño y la eficiencia están correlacionados en Douglas F. Greer, *Business, Government, and Society*, 3a ed. (Nueva York: Macmillan Publishing Company, 1993), pp. 175–178.

44. J. Fred Weston, "Big Corporations: The Arguments For and Against Breaking Them Up", *Business and Its Changing Environment*, publicación de trabajos de una conferencia celebrada por Graduate School of Management de UCLA, 24 de julio–3 de agosto de 1977, pp. 232–233; vea también John M. Blair, *Economic Concentration: Structure, Behavior, and Public Policy* (Nueva York: Harcourt Brace Jovanovich, 1972).

45. J. A. Schumpeter, *Capitalism, Socialism, and Democracy* (Nueva York: Harper, 1943), pp. 79ff.

46. L. Von Mises, *Planned Chaos* (Nueva York: Foundations for Economic Education, 1947).

## Capítulo 5

1. Energy Information Administration, "United States of America Country Analysis Brief, 2004", fecha de acceso: 22 de junio de 2004, en *http://www.eia.doe.gov/emeu/cabs/usa.html*.

2. "Programa para el Medio Ambiente de Naciones Unidas, *Global Environment Outlook, GEO4: Summary for Decision Makers*, (Valletta, Malta: Progress Press Company Limited, 2007), extractos de pp. 8–12.

3. William G. Pollard, "The Uniqueness of the Earth", en Ian G. Barbour, ed., *Earth Might Be Fair* (Englewood Cliffs, NJ: Prentice-Hall, 1972), pp. 95–96.

4. Mihalis Lazaridis y Ian Colbeck, eds., *Human Exposure to Pollutants via Dermal Absorption and Inhalation*, (Nueva York: Springer, 2010); vea una visión general completa de los efectos de la contaminación del aire en la salud en World Resources Institute, *World Resources 1998–1999: Environmental Changes and Human Health* (Nueva York: Basic Books, 1998).

5. C. See D. S. Arndt, M. O. Baringer y M. R. Johnson, eds., State of the Climate in 2009, *Bull. Amer. Medeor Soc.*, v. 91, (2010), n. 6, pp. S1–S224.

6. Vea Arndt, Baringer y Johnson, eds., State of the Climate in 2009; vea también la página web de EPA sobre

calentamiento global en *http://www.epa.gov/globalwarming/index.html*.

7. Los informes del IPCC están disponibles en *http://www.ipcc.ch*; los extractos también están disponibles en *http://www.epa.gov/globalwarming/publications/reference/ipcc/index.html*.

8. Paul R. Epstein, "Is Global Warming Harmful to Health?", *Scientific American*, agosto de 2000, v. 283, n. 2, pp. 50–57.

9. Lester R. Brown, ed., *State of the World, 2000* (Nueva York: W.W. Norton & Company, 2000), p. 200; vea en términos más generales, World Meteorological Organization, *Scientific Assessment of Ozone Depletion: 1994*, WMO Global Ozone Research and Monitoring Project—Reporte N. 37, Ginebra, 1995; el resumen ejecutivo del informe de la WMO está disponible en *http://www.al.noaa.gov/WWWHD/pubdocs/Assessment94/executive-summary.html#A*.

10. U.S. Environmental Protection Agency, "Ozone Science Fact Sheet", 1997, disponible en *http://www.epa.gov/ozone/science/sc_fact.html*.

11. United States Environmental Protection Agency, "What You Should Know about Refrigerants When Purchasing or Repairing a Residential A/C System or Heat Pump", 26 de abril de 2000, disponible en *http://www.epa.gov/ozone/title6/phaseout/22phaseout.html*.

12. U.S. Environmental Protection Agency, "Environmental Effects of Acid Rain", abril de 1999, disponible en *http://www.epa.gov/acidrain/effects/envben.html*.

13. Vea B. J. Mason, *Acid Rain: Its Causes and Effects on Inland Waters* (Oxford: Clarendon Press, 1992).

14. Environmental Protection Agency, *National Air Quality and Emissions Trends Report, 1998* (EPA 454/R-00–003), marzo de 2000, p. 81.

15. Citado en Huey D. Johnson, ed., *No Deposit—No Return* (Reading, MA: Addison-Wesley Publishing Co., Inc., 1970), pp. 166–167.

16. "Bad Air's Damage to Lungs Is Long-lasting, Study Says", *San Jose Mercury News*, 29 de marzo de 1991, p. 1f; vea también Philip E. Graves, Ronald J. Krumm y Daniel M. Violette, "Issues in Health Benefit Measurement", en George S. Tolley, Philip E. Graves y Alan S. Cohen, eds., *Environment Policy*, v. II (Cambridge, MA: Harper & Row, Publishers, Inc., 1982).

17. U.S. Environmental Protection Agency, *Our Nation's Air: Status and Trends Through 2008*, Contrato Núm. EP-D-05004, Work Assignment No. 5-07, Office of Air Quality Planning and Standards, Research Triangle Park, North Carolina, EPA-454/R-09-002, febrero de 2010.

18. Lester Lave y Eugene Seskind, *Air Pollution and Human Health* (Baltimore, MD: Johns Hopkins University Press, 1977).

19. *Ibid.*, pp. 723–733.

20. Freeman, *Air and Water Pollution Control*, p. 69.

21. Office of Management and Budget, "Informing Regulatory Decisions: 2003 Report to Congress on the Costs and Benefits of Federal Regulations", p. 9, fecha de acceso: 23 de junio de 2004 en *http://www.whitehouse.gov/omb/inforeg/2003_cost-ben_final_rpt.pdf*.

22. United States Environmental Protection Agency, "Water Quality Conditions in the United States: A Profile from the 1998 National Water Quality Inventory Report to Congress", julio de 2000, resumen del *National Water Quality Inventory: 1998 Report to Congress*, disponible en *http://www.epa.gov/305b/98report/98summary.html*.

23. Vea U.S. Environmental Protection Agency, *National Air Pollutant Emission Trends, 1900–1998*, EPA-454/R-00-002.

24. Council on Environmental Quality, *Environmental Trends*, p. 31.

25. X. M. Mackenthun, *The Practice of Water Pollution* (Washington, DC: U.S. Government Printing Office, 1969), Cap. 8.

26. Wagner, *Environment*, pp. 102–107.

27. J. H. Ryther, "Nitrogen, Phosphorus, and Eutrophication in the Coastal Marine Environment", *Science*, 1971, v. 171, n. 3975, pp. 1008–1013.

28. L. J. Carter, "Chemical Plants Leave Unexpected Legacy for Two Virginia Rivers", *Science*, 1977, v. 198, pp. 1015–1020; J. Holmes, "Mercury Is Heavier Than You Think", *Esquire*, mayo de 1971; T. Aaronson, "Mercury in the Environment", *Environment*, mayo de 1971.

29. F. S. Sterrett y C. A. Boss, "Careless Kepon", *Environment*, 1977, v. 19, pp. 30–37.

30. L. Friberg, *Cadmium in the Environment* (Cleveland, OH: C.R.C. Press, 1971).

31. Vea Presson S. Shane, "Case Study-Silver Bay: Reserve Mining Company", en Thomas Donaldson y Patricia H. Werhane, eds., *Ethical Issues in Business* (Englewood Cliffs, NJ: Prentice-Hall, 1979), pp. 358–361.

32. Infoplease, "Oil Spills and Disasters", fecha de acceso: 25 de julio de 2010 en *http://www.infoplease.com/ipa/A0001451.html*; vea también Joshua E. Keating, "The World's Ongoing Ecological Disasters", *Foreign Policy*, 16 de julio de 2010, fecha de acceso: 30 de marzo de 2010 en *http://www.foreignpolicy.com/articles/2010/07/16/the_world_s_worst_ongoing_disasters*.

33. D. Burnham, "Radioactive Material Found in Oceans", *New York Times*, 312 de mayo de 1976, p. 13.

34. Council on Environmental Quality, *Environmental Trends*, p. 47.

35. *Ibid.*

36. Organización Mundial de la Salud, *Progress on Sanitation and Drinking Water: 2010 Update*, (Ginebra, Suiza: Organización Mundial de la Salud, 2010), pp. 7 y 18.

37. United Nations World Water Assessment Programme, *The United Nations World Water Development Reporte 3: Water in a Changing World*, (París: The United Nations Educational, Scientific and Cultural Organization, 2009).

38. Freeman, *Air and Water Pollution Control*, p. 159.

39. Para estos y otros informes sobre las comunidades afectadas por fugas o sustancias tóxicas enterradas, consulte el blog "Contaminated Nation" en *http://contaminatednation.blogspot.com/*.

40. U.S. Environmental Protection Agency Office of Solid Waste, *Coal Combustion Waste Damage Case Assessments*, 9 de julio de 2007; fecha de acceso: 26 de julio de 2010 en *www.publicintegrity.org/ assets/pdf/CoalAsh-Doc1.pdf*; vea también, Kristen Lombardi, "Coal Ash: The Hidden Story: How Industry and the EPA Failed to Stop a Growing Environmental Disaster", 19 de febrero de 2009, en la página web del The Center for Public Integrity, fecha de acceso: 27 de julio en *http://www.publicintegrity.org/articles/entry/1144/*.

41. Shaila Dewan, "Hundreds of Coal Ash Dumps Lack Regulation", *The New York Times*, 6 de enero de 2009.

42. Paul Keith Conkin, *The State of the Earth: Environmental Challenges on the Road to 2100*, (Lexington, KY: University Press of Kentucky, 2006) p. 107.

43. Council on Environmental Quality, *Environmental Trends*, p. 139.

44. *Ibid.*, p. 140.

45. *Ibid.*

46. Scott M. Kaufman, Nora Goldstein, Karsten Millrath y Nickolas J. Themelis, "State of Garbage in America", *Bio-Cycle*, enero de 2004, v. 45, n. 1, pp. 31–42.

47. Vea U.S. Environmental Protection Agency, "National Priorities List", fecha de acceso: 25 de junio de 2004 en *http://www.epa.gov/superfund/sites/query/queryhtm/nplfin.htm.*

48. Vea U.S. Environmental Protection Agency, "Industrial Waste Management", fecha de acceso: 25 de junio de 2004 en *http://www. epa.gov/industrialwaste.*

49. Council on Environmental Quality, *Environmental Trends*, p. 139.

50. *Ibid.*

51. *Ibid.*

52. Council on Environmental Quality, *Environmental Quality 1983* (Washington, DC: U.S. Government Printing Office, 1984), p. 62.

53. Vea U.S. Nuclear Regulatory Commission, "NRC Statement on Risk Assessment and the Reactor Safety Study Report in Light of the Risk Assessment Review Group Report", 18 de enero de 1979.

54. U.S. Nuclear Regulatory Commission, "Final Generic Environmental Statement on the Use of Plutonium Recycle in Mixed Oxide Fuel in Light Water Cooled Reactors", NU-REG-0002, v. 1, de agosto de 1976.

55. Vea Theodore B. Taylor y Mason Willrich, *Nuclear Theft: Risks and Safeguards* (Cambridge, MA: Ballinger Publishing Co., 1974).

56. Thomas O'Toole, "Glass, Salt Challenged as Radioactive Waste Disposal Methods", *The Washington Post*, 24 de diciembre de 1978.

57. U.S. General Accounting Office, GAO Report to Congress B-164052, "Cleaning Up the Remains of Nuclear Facilities— A Multibillion Dollar Problem", EMD-77–46 (Washington, DC: U.S. Government Printing Office, 1977).

58. Sam H. Schurr *et. al.*, *Energy in America's Future* (Baltimore, MD: The Johns Hopkins University Press, 1979), p. 35.

59. Ellen Winchester, "Nuclear Wastes", *Sierra*, julio/agosto de 1979.

60. Charles Officer y Jake Page, *Earth and You: Tales of the Environment* (Portsmouth, NH: Peter E. Randall Publisher, 2000); vea también Harry Goodwin y J.M. Goodwin, "List of Mammals which have Become Extinct since 1600: An Extension and Updating of the List Drawn Up by the Late James Fisher in 1968", International Union for Conservation of Nature, Morges, Suiza, 1973, fecha de acceso en línea: 26 de julio de 2010 en *http://data. iucn.org/dbtw-wpd/commande/downpdf.aspx?id=8547&url=http:// www.iucn.org/dbtw-wpd/edocs/OP-008.pdf.*

61. C. S. Wong, "Atmospheric Input of Carbon Dioxide from Burning Wood", *Science*, 1978, v. 200, pp. 197–200.

62. G. M. Woodwell, "The Carbon Dioxide Question", *Scientific American*, 1978, v. 238, pp. 34–43.

63. International Union for Conservation of Nature, "Table 1: Numbers of threatened species by major groups of organisms (1996–2010)", *IUCN Red List of Threatened Species. Versión 2010.2.*, Summary Statistics, fecha de acceso: 28 de julio de 2010 en *http://www.iucnredlist.org/about/summary-statistics.*

64. Boris Worm *et. al.*, "Rebuilding Global Fisheries", *Science*, 31 de julio de 2009, v. 325, n. 5940, pp. 578–585.

65. Mindy Selman y Suzie Greenhalgh, *Eutrophication: Sources and Drivers of Nutrient Pollution*, WRI Policy Note, Water Quality: Eutrophication and Hypoxia, n. 2, (Washington, DC: World Resources Institute, junio de 2009), 8 pp.

66. El reporte del Club de Roma supone una relación exponencial de agotamiento; Donella H. Meadows, Dennis L. Meadows, Jergen Randers y William W. Behrens, III, *The Limits to Growth* (Nueva York: Universe Books, 1972).

67. U.S. Congress Office of Technology Assessment, *World Petroleum Availability: 1980–2000* (Washington, DC: U.S. Government Printing Office, 1980).

68. M. K. Hubbert, "U.S. Energy Resources: A Review as of 1972", Documento No. 93–40 (92–72) (Washington, DC: U.S. Government Printing Office, 1974).

69. *Ibid.*

70. Vea una revisión excelente y de fácil lectura de este tema en Tim Appenzeller, "The End of Cheap Oil?", *National Geographic*, junio de 2004, pp. 80–109.

71. Vea Colin Cambell, "The End of Cheap Oil?", *Scientific American*, marzo de 1998; Jean H. Laherrère, "Future Sources of Crude Oil Supply and Quality Considerations", DRI/McGraw-Hill/French Petroleum Institute, junio de 1997; L. F. Ivanhoe, "Get Ready for Another Oil Shock!" *The Futurist*, enero/febrero de 1997; las estimaciones de David Greene se encuentran en Appenzeller, "The End of Cheap Oil?", p. 90.

72. Davis, *The Seventh Year*, p. 128.

73. *Ibid.*, pp. 131–132.

74. Paul R. Portney, ed., *Current Issues in Natural Resource Policy* (Washington, DC: Resources for the Future, 1982), pp. 80–81.

75. Robert B. Gordon, Tjalling C. Koopmans, William D. Nordhaus y Brian J. Skinner, *Toward a New Iron Age?* (Cambridge, MA: Harvard University Press, 1987).

76. *Ibid.*, p. 153.

77. U.S. Geological Survey, *Mineral Commodity Summaries*, febrero de 2000, p. 23.

78. David Cohen, "Earth's Natural Wealth: An Audit", *New Scientist*, publicación n. 2605, (23 de mayo de 2007), pp. 34–41.

79. El término es de Garrit Hardin; vea su artículo "The Tragedy of the Commons", *Science*, 13 de diciembre de 1968, v. 162, n. 3859, pp. 1243–1248.

80. Richard M. Stephenson, *Living with Tomorrow* (Nueva York: John Wiley & Sons, Inc., 1981), pp. 205–208.

81. *Ibid.*, p. 204.

82. United Nations Population Fund, Stan Bernstein y William F. Ryan, eds., *State of the World Population 2003* (Nueva York: United Nations Population Fund, 2003), p. 74.

83. Carl J. George y Daniel McKinely, *Urban Ecology: In Search of an Asphalt Rose* (Nueva York: McGraw-Hill Book Company, 1974).

84. L. Gari, "Arabic Treatises on Environmental Pollution Up to the End of the Thirteenth Century", *Environment and History*, v. 8 (2002), n. 1, pp. 475–488.

85. La cita de Aristóteles es de su *Politics*, libro 1, cap. 8; la cita de Aquino es de su *Summa Contra Gentiles*, libro 3, parte 2, cap. 112; y la cita del Antiguo Testamento es de *Génesis* 1:28.

86. Barry Commoner, *The Closing Circle* (Nueva York: Alfred A. Knopf, Inc., 1971), Ch. 2.

87. Vea Kenneth E. F. Watt, *Understanding the Environment* (Boston, MA: Allyn & Bacon, Inc., 1982).

88. Matthew Edel, *Economics and the Environment* (Englewood Cliffs, NJ: Prentice-Hall, 1973); para entender el término *nave espacial tierra*, vea Kenneth Boulding, "The Economics of the Coming Spaceship Earth", en Henry Jarret, ed.,

*Environmental Quality in a Growing Economy* (Baltimore, MD: Johns Hopkins Press for Resources for the Future, 1966).

89. George Perkins *Man and Nature*, [1864] (Cambridge, MA: Harvard University Press, 1965), p. 76.

90. Vea los análisis que favorecen este punto de vista, así como algunas críticas en los ensayos contenidos en Donald Scherer y Thomas Attig, eds.,*Ethics and the Environment* (Englewood Cliffs, NJ: Prentice-Hall, 1983).

91. Citado en Bill Devall, *Simple in Means, Rich in Ends, Practicing Deep Ecology* (Salt Lake City, UT: Peregrine Smith Books, 1988), pp. 14–15.

92. Routley, R. y Routley, V., 1980. "Human Chauvinism and Environmental Ethics", en Mannison, D., McRobbie, M. A., y Routley, R. (eds.) *Environmental Philosophy*, Canberra: Australian National University, Research School of Social Sciences, pp. 96–189.

93. Ted Gup, "Owl vs. Man", *Time*, 25 de junio de 1990, pp. 56–62; Catherine Caufield, "A Reporter at Large: The Ancient Forest", *New Yorker*, 14 de mayo de 1990, pp. 46–84.

94. Devall, *Simple in Means, Rich in Ends*, p. 138.

95. Peter Singer, *Animal Liberation* (Nueva York: Random House, Inc., 1975).

96. Tom Regan, *The Case for Animal Rights* (Berkeley, CA: University of California Press, 1983); de un modo similar, Joel Feinberg argumenta que los animales tienen intereses y, en consecuencia, tienen derechos en "The Rights of Animals and Unborn Generations", en William T. Blackstone, ed., *Philosophy and Environmental Crisis* (Athens, GA: University of Georgia Press, 1974).

97. Vea William Aiken, "Ethical Issues in Agriculture", en Tom Regan, ed., *Earthbound: New Introductory Essays in Environmental Ethics* (Nueva York: Random House, Inc., 1984), pp. 247–288.

98. People for the Ethical Treatment of Animals, "Companies that Do Test on Animals", fecha de acceso: 28 de julio en *http://search. caringconsumer.com/*.

99. Kenneth Goodpaster, "On Being Morally Considerable", *Journal of Philosophy*, 1978, v. 75, pp. 308–325; vea también Paul Taylor, "The Ethics of Respect for Nature", *Environmental Ethics*, 1981, v. 3, pp. 197–218; Robin Attfield, "The Good of Trees", *The Journal of Value Inquiry*, 1981, v. 15, pp. 35–54; y Christopher D. Stone, *Should Trees Have Standing? Toward Legal Rights for Natural Objects* (Boston, MA: Houghton Mifflin, 1978).

100. Aldo Leopold, "The Land Ethic", en *A Sand County Almanac* (Nueva York: Oxford University Press, 1949), pp. 201–226; vea también J. Baird Callicott, "Animal Liberation: A Triangular Affair", *Environmental Ethics*, invierno de 1980, v. 2, n. 4, pp. 311–338; John Rodman, "The Liberation of Nature?", *Inquiry*, 1977, v. 20, pp. 83–131; K. Goodpaster argumenta que la "biosfera" como un todo tiene un valor moral en "On Being Morally Considerable"; Holmes Rolston, III, sostiene una posición similar en "Is There an Ecological Ethic", *Ethics*, 1975, v. 85, pp. 93–109; vea diferentes puntos de vista sobre este tema en Bryan G. Norton, ed., *The Preservation of Species* (Princeton, NJ: Princeton University Press, 1986).

101. Albert Schweitzer, *Out of My Life and Thought*, trad. al inglés A. B. Lemke (Nueva York: Holt, 1990), p. 130.

102. *Ibid.*, p. 131.

103. Paul Taylor, *Respect for Nature* (Princeton, NJ: Princeton University Press, 1986), p. 80.

104. *Ibid.*, pp. 121–122.

105. W. K. Frankena, "Ethics and the Environment", en K. E. Goodpaster y K. M. Sayre, eds., *Ethics and Problems of the 21st Century* (Notre Dame, IN: University of Notre Dame Press, 1979), pp. 3–20.

106. Otras críticas a estos argumentos se encuentran en Edward Johnson, "Treating the Dirt: Environmental Ethics and Moral Theory", en Tom Regan, ed., *Earthbound: New Introductory Essays in Environmental Ethics* (Nueva York: Random House, 1984), pp. 336–365; vea también la discusión entre Goodpaster y Hunt en W. Murray Hunt, "Are Mere Things Morally Considerable?", *Environmental Ethics*, 1980, v. 2, pp. 59–65; y Kenneth Goodpaster, "On Stopping at Everything: A Reply to W. M. Hunt", *Environmental Ethics*, 1980, v. 2, pp. 281–284.

107. Vea, por ejemplo, R. G. Frey, *Interests and Rights: The Case Against Animals* (Oxford: Clarendon Press, 1980), y Martin Benjamin, "Ethics and Animal Consciousness", en Manuel Velasquez y Cynthia Rostankowski, eds., *Ethics: Theory and Practice* (Englewood Cliffs, NJ: Prentice-Hall, 1985).

108. Vea manejos útiles de los temas de ética del medio ambiente en Dale Jamison, ed., *A Companion to Environmental Ethics* (Nueva York: Blackwell Publishers, 2000); y Robin Attfield, *The Ethics of Environmental Concern* (Nueva York: Columbia University Press, 1983).

109. William T. Blackstone, "Ethics and Ecology", en William T. Blackstone, ed., *Philosophy and Environmental Crisis* (Athens, GA: University of Georgia Press, 1974); vea también su último artículo, "On Rights and Responsibilities Pertaining to Toxic Substances and Trade Secrecy", *The Southern Journal of Philosophy*, 1978, v. 16, pp. 589–603.

110. *Ibid.*, p. 31; vea también William T. Blackstone, "Equality and Human Rights", *Monist*, 1968, v. 52, n. 4; y William T. Blackstone, "Human Rights and Human Dignity", en Laszlo and Grotesky, eds., *Human Dignity*.

111. Citado en Keith Davis y William C. Frederick, *Business and Society* (Nueva York: McGraw-Hill Book Company, 1984), pp. 403–404.

112. Alon Rosenthal, George M. Gray y John D. Graham, "Legislating Acceptable Cancer Risk from Exposure to Toxic Chemicals", *Ecology Law Quarterly*, v. 19 (1992), n. 2, pp. 269–362.

113. Robert H. Haveman y Greg Christiansen, *Jobs and the Environment* (Scarsdale, NY: Work in America Institute, Inc., 1979), p. 4.

114. Richard Kazis y Richard L. Grossman, "Job Blackmail: It's Not Jobs or Environment", p. 260, en Mark Green, ed., *The Big Business Reader* (Nueva York: The Pilgrim Press, 1983), pp. 259–269.

115. Vea U.S. Department of Labor, *Mass Layoffs in 1987–1990*, Bureau of Labor Statistics Bulletins 2395, 2375, 2310; vea también E. B. Goodstein, "Jobs or the Environment? No Trade-off", *Challenge*, enero/febrero de 1995, pp. 41–45.

116. Consulte un análisis del impacto de esta orden ejecutiva, en el ensayo recopilado en V. Kerry Smith, ed., *Environmental Policy Under Reagan's Executive Order* (Chapel Hill, NC: The University of North Carolina Press, 1984).

117. Existen varios textos que describen este enfoque. Un texto elemental es Tom Tietenberg, *Environmental and Natural Resource Economics* (Glenview, IL: Scott, Foresman & Company, 1984); un título más resumido es Edwin S. Mills, *The Economics of Environmental Quality* (Nueva York: W. W. Norton & Co., Inc., 1978), cap. 3; varios puntos de vista se encuentran en Robert Dorfman y Nancy Dorman, eds., *Economics of the Environment* (Nueva York: W. W. Norton & Co., Inc., 1977).

118. Una revisión de la literatura de costos externos que todavía es útil se encuentra en E. J. Mishan, "The Postwar Literature on Externalities: An Interpretative Essay", *Journal of Economic Literature*, marzo de 1971, v. 9, n. 1, pp. 1–28.

119. No sólo la mayor parte de la industria generadora de electricidad está monopolizada, sino también, al menos en el corto plazo, la demanda es relativamente inelástica. A largo plazo, la demanda puede tener características elásticas como suponemos en el ejemplo.

120. Vea E. J. Mishan, *Economics for Social Decisions* (Nueva York: Praeger Publishers, Inc., 1973), pp. 85ff.; also E. J. Mishan, *Cost-Benefit Analysis*, 3a ed. (Londres: Allen & Unwin, 1982).

121. S. Prakesh Sethi, *Up Against the Corporate Wall* (Englewood Cliffs, NJ: Prentice-Hall, 1977), p. 21.

122. Vea Mishan, "The Postwar Literature on Externalities", p. 24.

123. William J. Baumal y Wallace E. Oates, *Economics, Environmental Policy, and the Quality of Life* (Englewood Cliffs, NJ: Prentice-Hall, 1979), p. 177.

124. *Ibid.*, pp. 180–182.

125. *Ibid.*, pp. 182–184.

126. Mishan, "The Postwar Literature on Externalities", p. 24.

127. Mills, *Economics of Environmental Quality*, pp. 111–112.

128. *Ibid.*, pp. 83–91.

129. Se aplican las técnicas en casos que aparecen en Yusuf J. Ahmad, Partha Dasgupta, and Karl-Goran Maler, eds., *Environmental Decision-Making* (Londres: Hodder and Stoughton, 1984).

130. Thomas A. Klein, *Social Costs and Benefits of Business* (Englewood Cliffs, NJ: Prentice-Hall, 1977), p. 118.

131. *Ibid.*, p. 119; la literatura sobre contabilidad social para empresas de negocios fue muy amplia, vea U.S. Department of Commerce, *Corporate Social Reporting in the United States and Western Europe* (Washington, DC: U.S. Government Printing Office, 1979); Committee on Social Measurement, *The Measurement of Corporate Social Performance* (Nueva York: American Institute of Certified Public Accountants, Inc., 1977).

132. Vea Boyd Collier, *Measurement of Environmental Deterioration* (Austin, TX: Bureau of Business Research, The University of Texas at Austin, 1971).

133. Vea Michael D. Boyles, "The Price of Life", *Ethics*, octubre de 1978, v. 89, n. 1, pp. 20–34; vea otros problemas que usan el análisis costo-beneficio en áreas ambientales en Mark Sagoff, "Ethics and Economics in Environmental Law", en Regan, ed., *Earthbound*, pp. 147–178, y Rosemarie Tong, *Ethics in Policy Analysis* (Englewood Cliffs, NJ: Prentice-Hall, 1986), pp. 14–29.

134. La mayor parte del material en este párrafo y los siguientes está basado en el excelente análisis en Robert E. Goodwin, "No Moral Nukes", *Ethics*, abril de 1980, v. 90, n. 3, pp. 417–449.

135. Committee on Social Measurement, *The Measurement of Corporate Social Performance* (Nueva York: American Institute of Certified Public Accountants, Inc., 1977).

136. U.S. General Accounting Office, *The Nation's Nuclear Waste* (Washington, DC: U.S. Government Printing Office, 1979), p. 12. Una crítica de este tipo de análisis de política se encuentra en Tong, *Ethics in Policy Analysis*, pp. 39–54.

137. Murray Bookchin, *Defending the Earth: A Dialogue Between Murray Bookchin and Dave Foreman*, Steve Chase, ed. (Boston: South End Press, 1991), p. 58.

138. Karen J. Warren, "The Power and Promise of Ecological Feminism", *Environmental Ethics*, verano de 1990, v. 12, p. 126.

139. Val Plumwood, "Current Trends in Ecofeminism", *The Ecologist*, enero/febrero de 1992, v. 22, n. 1, p. 10.

140. Nell Noddings, *Caring, A Feminine Approach to Ethics and Moral Education* (Berkeley, CA: University of California Press, 1984), p. 14.

141. Karen J. Warren, "The Power and the Promise of Ecological Feminism", en Christine Pierce and Donald VanDeVeer, eds., *People, Penguins, and Plastic Trees, Basic Issues in Environmental Ethics*, 2a ed. (Belmont, CA: Wadsworth, 1995), pp. 218 y 223.

142. Martin Golding, "Obligations to Future Generations", *Monist*, 1972, v. 56, n. 1, pp. 85–99; Richard T. DeGeorge, "The Environment, Rights, and Future Generations," en K. E. Goodpaster y K. M. Sayre, eds., *Ethics and Problems of the 21st Century*, pp. 93–105.

143. DeGeorge, "The Environment, Rights, and Future Generations", pp. 97–98.

144. *Ibid.*

145. Martin Golding, "Obligations to Future Generations", *Monist*, 1972, v. 56, n. 1, Gregory Kavka argumenta que no se necesita un conocimiento total de las necesidades de la gente del futuro para conferirles un estatus moral, en "The Futurity Problem", en Ernest Partridge, *Responsibilities to Future Generations* (Nueva York: Prometheus Books, 1981), pp. 109–122; vea también Annette Baier, "For the Sake of Future Generations", en Regan, ed., *Earthbound*, pp. 214–246.

146. John Rawls, *A Theory of Justice* (Cambridge, MA: Harvard University Press, 1971), p. 289.

147. *Ibid.*, pp. 285 and 288.

148. Entre los autores que están de acuerdo con Rawls en su tratamiento de nuestras obligaciones con las generaciones futuras están R. y V. Routley, "Nuclear Energy and Obligations to the Future", *Inquiry*, 1978, v. 21, pp. 133–179; K. S. Shrader-Frechette, *Nuclear Power and Public Policy* (Dordecht, Boston, and Londres: Reidel, 1980); F. Patrick Hubbard, "Justice, Limits to Growth, and an Equilibrium State", *Philosophy and Public Affairs*, 1978, v. 7, pp. 326–345; Victor D. Lippit y Koichi Hamada, "Efficiency and Equity in Intergenerational Distribution", en Dennis Clark Pirages, ed., *The Sustainable Society* (Nueva York y Londres: Praeger Publishers, Inc., 1977), pp. 285–299. Sin embargo, cada uno de estos autores introduce variaciones a la posición de Rawls.

149. Attfield adopta el "principio de Locke" a partir de G. Kavka, "The Futurity Problem".

150. Attfield, *The Ethics of Environmental Concern*, pp. 107–110.

151. J. Brenton Stearns, "Ecology and the Indefinite Unborn", *Monist*, octubre de 1972, v. 56, n. 4, pp. 612–625; Jan Narveson, "Utilitarianism and New Generations", *Mind*, 1967, v. 76, pp. 62–67.

152. Robert Scott, Jr., "Environmental Ethics and Obligations to Future Generations", en R. I. Sikora y Brian Barry, eds., *Obligations to Future Generations* (Philadelphia, PA: Temple University Press, 1978), pp. 74–90; pero vea Kavka, "The Futurity Problem", quien argumenta contra eliminar las consecuencias.

153. Joan Robinson, *Economic Philosophy* (Londres: Penguin Books, 1966), p. 115.

154. William G. Shepherd y Clair Wilcox, *Public Policies Toward Business*, 6a ed. (Homewood, IL: Richard D. Irwin, Inc., 1979), pp. 524–525.

155. Susan Murcott, Sustainable Development: A Meta-Review of Definitions, Principles, Criteria Indicators, Conceptual Frameworks and Information Systems. Annual Conference

of the American Association for the Advancement of Science. IIASA Symposium on "Sustainability Indicators." Seattle, Wa. 13-18 de febrero de 1997; Barbar Becker, "Sustainability Assessment: A Review of Values, Concepts, and Methodological Approaches", *Agricultural Issues*, v. 10, (Washington, D.C.: Secretariat of the Consultative Group on International Agricultural Research, The World Bank, febrero de 1997).

156. World Commission on Environment and Development, *Our Common Future*, (Londres: Oxford University Press, 1987).

157. Herman E. Daly, "Sustainable Growth: An Impossibility Theorem", en Herman E. Daly y Kenneth N. Townsend, eds., *Valuing the Earth: Economics, Ecology, Ethics*, (Boston, MA: The MIT Press, 1993), pp. 267-274.

158. E. F. Schumacher, *Small Is Beautiful* (Londres: Blond and Briggs, Ltd., 1973).

159. Herman E. Daly, ed., *Toward a Steady-State Economy* (San Francisco, CA: W. H. Freeman & Company, Publishers, 1974), p. 152.

160. Vea, por ejemplo, Wilfred Beckerman, *In Defense of Economic Growth* (Londres: Jonathan Cape, 1974); Rudolph Klein, "The Trouble with Zero Economic Growth", *New York Review of Books*, abril de 1974; Julian L. Simon, *The Ultimate Resource* (Princeton, NJ: Princeton University Press, 1981).

161. E. J. Mishan, *The Economic Growth Debate: An Assessment* (Londres: George Allen & Unwin Ltd., 1977).

162. Vea Heilbroner, *An Inquiry into the Human Prospect*, Updated for the 1980s.

163. Varios de estos escenerios se revisan en James Just y Lester Lave, "Review of Scenarios of Future U.S. Energy Use", *Annual Review of Energy*, 1979, v. 4, pp. 501-536; y en Hughes, *World Futures*.

164. Meadows, Meadows, Randers y Behrens, *The Limits to Growth* (Nueva York: Universe Books, 1974).

165. Meadows *et al.* revisaron sus modelos pero llegaron a resultados muy similares en D. H. Meadows, D. L. Meadows y J. Randers, *Beyond the Limits: Confronting Global Collapse, Envisioning a Sustainable Future* (Post Mills, VT: Chelsea Green, 1992); vea otros ejemplos en los trabajos más recientes y más deprimentes reunidos en *http://www.dieoff. org/index.html*.

166. *Ibid.*, p. 132.

167. H. S. D. Cole, Christopher Freeman, Marie Jahoda y K. L. R. Pavitt, eds., *Models of Doom: A Critique of the Limits to Growth* (Nueva York: Universe Books, 1973); William Nordhaus, "World Dynamics: Measurement Without Data", *Economic Journal*, diciembre de 1973, v. 83, pp. 1156-1183; Herman Kahn, William Brown y Leon Martel, *The Next 200 Years* (Nueva York: William Morrow & Company, Inc., 1976); Charles Maurice y Charles W. Smithson, *The Doomsday Myth* (Stanford, CA: Hoover Institution Press, 1984); y Piers Blaikie, "The Use of Natural Resources in Developing and Developed Countries", en R. J. Johnston y P. J. Taylor, *A World in Crisis* (Cambridge, MA: Basil Blackwell, 1989), pp. 125-150.

168. En un estudio posterior, el Club de Roma moderó sus predicciones pero confirmó lo esencial; vea D. H. Meadows *et al.*, *Beyond The Limits*; vea también los trabajos reunidos en *http:// www.dieoff.org/index.html*.

169. Heilbroner, *The Human Prospect*.

170. Acerca del vínculo entre el uso de los recursos ambientales y la distribución desigual de la riqueza en el mundo consulte Willy Brandt, *North-South: A Program for Survival* (Cambridge, MA: MIT Press, 1980).

## Capítulo 6

1. National Highway Traffic Safety Administration, *Fatality Analysis Reporting System Encyclopedia (FARS)*, fecha de acceso: 19 de enero de 2011 en *http://www-fars.nhtsa.dot.gov*; y Centers for Disease Control and Prevention. *Web-based Injury Statistics Query and Reporting System (WISQARS)*, fecha de acceso: 19 de enero de 2011 en *http://www.cdc.gov/injury/wisqars/index. html*; National Highway Traffic Safety Administration, Traffic Safety Facts Research Note, "Highlights of 2009 Motor Vehicle Crashes", (DOT HS 811 363), fecha de acceso: 30 de enero de 2011 en *http://www-nrd.nhtsa.dot.gov/Pubs/811363.pdf*.

2. Jiaquan Xu, Kenneth D. Kochanek, Sherry L. Murphy, Betzaida Tejada-Vera, *National Vital Statistics Reports*, v. 58 (2010), n. 19, pp. 18-19 y Firearm and Injury Center en Penn, *Firearm Injury in the U.S.* (2009 version), fecha de acceso: 21 de enero de 2011 en *www.uphs.upenn.edu/ficap/resourcebook/ pdf/monograph.pdf*.

3. Centers for Disease Control and Prevention, "Tobacco Use Targeting the Nation's Leading Killer: At A Glance, 2010", fecha de acceso: 12 de agosto de 2010 en *http://www.cdc.gov/ chronicdisease/ resources/publications/aag/osh.htm*.

4. Centers for Disease Control and Prevention, "Unintentional Drug Poisonings in the United States", julio de 2010, fecha de acceso: 15 de enero de 2011 en *http://www.cdc.gov/ HomeandRecreationalSafety/Poisoning/brief_full_page.htm*.

5. Centers for Disease Control and Prevention, "Playground Injuries: Fact Sheet", fecha de acceso: 15 de enero de 2011 en *http://www.cdc.gov/HomeandRecreationalSafety/Playground-Injuries/ playgroundinjuries-factsheet.htm*.

6. U.S. Consumer Product Safety Commission. *2009 Annual Report of ATV Deaths and Injuries*. Diciembre de 2010.

7. Denise Chow, "What Were the Worst Product Recalls in History?", *Life's Little Mysteries* (página web), 27 de mayo de 2010, fecha de acceso: 13 de agosto de 2010 en *http://www.lifeslittlemysteries.com/ what-were-the-worst-product-recalls-in-history—0681/*.

8. U.S. Consumer Product Safety Commission, *2011 Performance Budget Request, Saving Lives and Keeping Families Safe*, publicado por el Congreso febrero de 2010, p. 9.

9. Los hechos que se resumen en el párrafo se obtuvieron de Penny Addis, "The Life History Complaint Case of Martha and George Rose: 'Honoring the Warranty'", en Laura Nader, ed., *No Access to Law* (Nueva York: Academic Press, Inc., 1980), pp. 171-189.

10. Citado en Ed Pope, "PacBell's Sales Quotas", *San Jose Mercury News*, 24 de abril de 1986, p. 1C; vea también "PacBell Accused of Sales Abuse", *San Jose Mercury News* 24 de abril de 1986, p. 1A; "PacBell Offers Refund for Unwanted Services", *San Jose Mercury News*, 17 de mayo de 1986, p. 1A.

11. Larry D. Hatfield, "PUC Fines Pac Bell Millions for Sales Tactics", *San Francisco Examiner*, jueves, 23 de diciembre de 1999; Thomas Long, Mindy Spatt, "Debate on Phone Company Sales Practices CON, Wakeup Call Over Deceit", *San Francisco Chronicle*, 20 de enero de 2000; la información sobre la demanda de Guardian es de la reclamación titulada *The Guardian Corporation et. al. v. AT&T Services, Inc.*, United States District Court, Southern District of California, caso n. 10 CV 1846 WQH CAB, 3 de septiembre de 2010.

12. Varias de estas críticas se investigan en Stephen A. Greyser, "Advertising: Attacks and Counters", *Harvard Business Review*, 10 de marzo de 1972, v. 50, pp. 22-28.

13. U.S. Consumer Product Safety Commission's National Electronic Injury Surveillance System, *NEISS Data Highlights–2009*, fecha de acceso: 21 de agosto de 2010 en *http://www. cpsc.gov/neiss/2009highlights.pdf.*

14. Basado en las cifras que proporciona el National Center for Statistics and Analysis, *2002 Annual Assessment of Motor Vehicle Crashes*, fecha de acceso: 23 de julio de 2004 en *http://www-nrd.nhtsa.dot.gov/2002annual_assessment/long_term_trends.htm.*

15. National Highway Traffic Safety Administration, Traffic Safety Facts Research Note, "Highlights of 2009 Motor Vehicle Crashes", (DOT HS 811 363), fecha de acceso: 30 de enero de 2011 en *http://www.nrd.nhtsa.dot.gov/Pubs/811363. pdf*, y Naumann, Rebecca B., Dellinger, Ann M., Zaloshnja, Eduard, Lawrence, Bruce A. y Miller y Ted R. "Incidence and Total Lifetime Costs of Motor Vehicle–Related Fatal and Nonfatal Injury by Road User Type, United States, 2005", *Traffic Injury Prevention*, v. 11 (2010), n. 4, 353–360.

16. Paul A. Samuelson y William D. Nordhaus, *Macroeconomics*, 13a ed. (Nueva York: McGraw-Hill Book Company, 1989), p. 41.

17. Vea Robert N. Mayer, *The Consumer Movement: Guardians of the Marketplace* (Boston, MA: Twayne Publishers, 1989), p. 67; y Peter Asch, *Consumer Safety Regulation* (Nueva York: Oxford University Press, 1988), p. 50.

18. Encuentre una revisión de la investigación sobre la irracionalidad en la toma de decisiones en Max Bazerman, *Judgment in Managerial Decision Making*, 3a ed. (Nueva York: John Wiley & Sons, Inc., 1994), pp. 12–76.

19. Asch, *Consumer Safety Regulation*, pp. 74, 76.

20. *Ibid.*

21. Vea referencias respecto a estos estudios en Asch, *Consumer Safety Regulation*, pp. 70–73.

22. Vea Thomas Garrett y Richard J. Klonoski, *Business Ethics*, 2a ed. (Englewood Cliffs, NJ: Prentice-Hall, 1986), p. 88.

23. Immanuel Kant, *Groundwork of the Metaphysic of Morals*, H. J. Paton, ed. (Nueva York: Harper & Row Publishers, Inc., 1964), pp. 90, 97; vea también, Alan Donagan, *The Theory of Morality* (Chicago, IL: The University of Chicago Press, 1977), p. 92.

24. John Rawls, *A Theory of Justice* (Cambridge, MA: Harvard University Press, Belknap Press, 1971), pp. 344–350.

25. *Crocker v. Winthrop Laboratories, Division of Sterling Drug, Inc.*, 514 Southwestern 2d 429 (1974).

26. Vea Donagan, *Theory of Morality*, p. 91.

27. Frederick D. Sturdivant, *Business and Society*, 3a ed. (Homewood, IL: Richard D. Irwin, Inc., 1985), p. 392.

28. *Ibid.*, p. 393.

29. La U. S. Consumer Products Safety Commission avisa de productos peligrosos para el consumidor en el sitio de Internet de la Comisión en *http://www.cpsc.gov.*

30. Una discusión un poco anticuada pero incisiva de este tema se encuentra en Vance Packard, *The Wastemakers* (Nueva York: David McKay Co., Inc., 1960).

31. Citado de un discurso de S. E. Upton (vicepresidente de Whirlpool Corporation) ante la American Marketing Association en Cleveland, OH, 11 de diciembre de 1969.

32. National Commission on Product Safety, Final Report, citado en William W. Lowrance, *Of Acceptable Risk* (Los Altos, CA: William Kaufmann, Inc., 1976), p. 80.

33. Vea Louis Stern, "Consumer Protection via Increased Information", *Journal of Marketing*, abril de 1967, v. 31, n. 2.

34. Lawrence E. Hicks, *Coping with Packaging Laws* (Nueva York: AMACOM, 1972), p. 17.

35. Vea el estudio en Richard Posner, *Economic Analysis of Law*, 2a ed. (Boston, MA: Little, Brown and Company, 1977), p. 83; y R. Posner, "Strict Liability: A Comment", *Journal of Legal Studies*, enero de 1973, v. 2, n. 1, p. 21.

36. Vea, por ejemplo, los múltiples casos que cita George J. Alexander, *Honesty and Competition* (Syracuse, NY: Syracuse University Press, 1967).

37. *Henningsen v. Bloomfield Motors, Inc.*, 32 Nueva Jersey 358, 161 Atlantic 2d 69 (1960).

38. Vea Friedrich Kessler y Malcolm Pitman Sharp, *Contracts* (Boston, MA: Little, Brown and Company, 1953), pp. 1–9.

39. *Codling v. Paglia*, 32 Nueva York 2d 330, 298 Northeastern 2d 622, 345 New York Supplement 2d 461 (1973).

40. Edgar H. Schein, "The Problem of Moral Education for the Business Manager", *Industrial Management Review*, 1966, v. 8, pp. 3–11.

41. Vea W. D. Ross, *The Right and the Good* (Oxford: The Clarendon Press, 1930), Ch. 2.

42. Donagan, *Theory of Morality*, p. 83.

43. Rawls, *Theory of Justice*, pp. 114–117, 333–342.

44. Los análisis de los requisitos para el debido cuidado se pueden encontrar en una variedad de textos, sin embargo, todos ellos tienen enfoques de estos aspectos desde una perspectiva de la responsabilidad legal: Irwin Gray, *Product Liability: A Management Response* (Nueva York: AMACOM, 1975), cap. 6; Eugene R. Carrubba, *Assuring Product Integrity* (Lexington, MA: Lexington Books, 1975); Frank Nixon, *Managing to Achieve Quality and Reliability* (Nueva York: McGraw-Hill Book Co., 1971).

45. Vea, por ejemplo, Michael D. Smith, "The Morality of Strict Liability in Tort", *Business and Professional Ethics*, diciembre de 1979, v. 3, n. 1, pp. 3–5; una revisión de la rica literatura legal sobre este tema se encuentra en Richard A. Posner, "Strict Liability: A Comment", *The Journal of Legal Studies*, enero de 1973, v. 2, n. 1, pp. 205–221.

46. George P. Fletcher, "Fairness and Utility in Tort Theory", *Harvard Law Review*, enero de 1972, v. 85, n. 3, pp. 537–573.

47. Posner, *Economic Analysis of Law*, pp. 139–142.

48. Vea "Unsafe Products: The Great Debate Over Blame and Punishment", *Business Week*, 30 de abril de 1984; Stuart Taylor, "Product Liability: The New Morass", *The New York Times*, 10 de marzo de 1985; "The Product Liability Debate", *Newsweek*, 10 de septiembre de 1984.

49. "Sorting Out the Liability Debate", *Newsweek*, 12 de mayo de 1986.

50. Ernest F. Hollings, "No Need for Federal Product-Liability Law", *Christian Science Monitor*, 20 de septiembre de 1984; vea también Harvey Rosenfield, "The Plan to Wrong Consumer Rights", *San Jose Mercury News*, 3 de octubre de 1984.

51. Irvin Molotsky, "Drive to Limit Product Liability Awards Grows as Consumer Groups Object", *The New York Times*, 6 de marzo de 1986.

52. Television Advertising Bureau, Ad Revenue Track, "Historical Cross-Media Ad Expenditures", fecha de acceso: 10 de agosto de 2010 en *http://www.tvb.org/rcentral/adrevenue-track/crossmedia/2006_2008.asp.*

53. *Ibid.*

54. Raymond A. Bauer y Stephen A. Greyser, *Advertising in America: The Consumer View* (Cambridge, MA: Harvard University Press, 1968), p. 394.

55. Walter Weir, *Truth in Advertising and Other Heresies* (Nueva York: McGraw-Hill Book Company, 1963), p. 154.

56. Vea también J. Robert Moskin, ed., *The Case for Advertising* (Nueva York: American Association of Advertising Agencies, 1973), passim.

57. Vea "Ads Infinitum", *Dollars & Sense*, mayo/junio de 1984. Un análisis ético del contenido informativo de la publicidad se encuentra en Alan Goldman, "Ethical Issues in Advertising", pp. 242–249 en Tom Regan, ed., *New Introductory Essays in Business Ethics* (Nueva York: Random House, Inc., 1984), pp. 235– 270; la idea de que la publicidad se justifica por la información "indirecta" que proporciona se desarrolla en Phillip Nelson, "Advertising and Ethics", en Richard T. DeGeorge y Joseph A. Pichler, eds., *Ethics, Free Enterprise, and Public Policy* (Nueva York: Oxford University Press, 1978), pp. 187–198.

58. Vea Stephen A. Greyser, "Irritation in Advertising". *Journal of Advertising Research*, febrero de 1973, v. 13, n. 3, pp. 7–20.

59. Vea Michael Schudson, *Advertising, the Uneasy Persuasion* (Nueva York: Basic Books, Inc., Publishers, 1984), p. 210; David M. Potter, *People of Plenty* (Chicago, IL: The University of Chicago Press, 1954), p. 188; International Commission for the Study of Communication Problems, *Many Voices, One World* (Londres: Kogan Page, 1980), p. 110.

60. Mary Gardiner Jones, "The Cultural and Social Impact of Advertising on American Society", en David Aaker y George S. Day, eds., *Consumerism*, 2a ed. (Nueva York: The Free Press, 1974), p. 431.

61. Stephen A. Greyser, "Advertising: Attacks and Counters", *Harvard Business Review*, 10 de marzo de 1972, v. 50, pp. 22–28.

62. Un panorama general de la literatura económica sobre este tema aparece en Mark S. Albion y Paul W. Farris, *The Advertising Controversy, Evidence on the Economic Effects of Advertising* (Boston, MA: Auburn House Publishing Company, 1981), pp. 69–86, 153–70; vea un análisis informal del tema en Jules Backman, "Is Advertising Wasteful?", *Journal of Marketing*, enero de 1968, pp. 2–8.

63. Phillip Nelson, "The Economic Value of Advertising", en Yale Brozen, *Advertising and Society* (Nueva York: New York University Press, 1974), pp. 43–66.

64. Richard Caves, *American Industry: Structure, Conduct, Performance* (Englewood Cliffs, NJ: Prentice-Hall, Inc., 1972), p. 101.

65. David M. Blank, "Some Comments on the Role of Advertising in the American Economy—A Plea for Reevaluation", en L. George Smith, ed., *Reflections on Progress in Marketing* (Chicago, IL: American Marketing Association, 1964), p. 151.

66. Vea el análisis en Thomas M. Garrett, *An Introduction to Some Ethical Problems of Modern American Advertising* (Roma, GA: The Gregorian University Press, 1961), pp. 125–130.

67. *Ibid.*, p. 177.

68. Vea E. F. Schumacher, *Small Is Beautiful* (Londres: Blond and Briggs, Ltd., 1973); y Herman E. Daly, ed., *Toward a Steady-State Economy* (San Francisco, CA: W. H. Freeman, 1979), "Introduction".

69. Nicholas H. Kaldor, "The Economic Aspects of Advertising", *The Review of Economic Studies*, 1950–51, v. 18, pp. 1–27; vea también William S. Comanor y Thomas Wilson, *Advertising and Market Power* (Cambridge, MA: Harvard University Press, 1975).

70. Vea L. G. Telser, "Some Aspects of the Economics of Advertising", *Journal of Business*, abril de 1968, pp. 166–173.

71. Vea John Kenneth Galbraith, *The Affluent Society* (Boston, MA: Houghton Mifflin Company, 1958).

72. John Kenneth Galbraith, *The New Industrial State* (Nueva York: New American Library, 1967), p. 211.

73. *Ibid.*, p. 215.

74. Vea el análisis sobre la manipulación en la publicidad en Tom L. Beauchamp, "Manipulative Advertising", *Business & Professional Ethics Journal*, primavera/verano de 1984, v. 3, n. 3 & 4, pp. 1–22; vea también en el mismo volumen la respuesta crítica de R. M. Hare, "Commentary", pp. 23–28.

75. Vea George Katova, *The Mass Consumption Society* (Nueva York: McGraw-Hill Book Company, 1964), pp. 54–61.

76. F. A. von Hayek, "The Non Sequitur of the 'Dependence Effect'", *Southern Economic Journal*, abril de 1961.

77. Vance Packard, "Subliminal Messages: They Work; Are They Ethical?", *San Francisco Examiner*, 11 de agosto de 1985; vea también W. B. Key, *Media Sexploitation* (Englewood Cliffs, NJ: Prentice-Hall, 1976).

78. "Ads Aimed at Kids Get Tough NAD Review", *Advertising Age*, 17 de junio de 1985.

79. Cynthia Kooi, "War Toy Invasion Grows Despite Boycott", *Advertising Age*, marzo de 1986, v. 3.

80. Howard LaFranchi, "Boom in War Toys Linked to TV", *Christian Science Monitor*, enero de 1986, v. 7. LaFranchi señala que un niño promedio observa 800 comerciales sobre juguetes bélicos y 250 segmentos de televisión con juguetes bélicos en un año, o el equivalente a 22 días en el salón de clase. Vea también Glenn Collins, "Debate on Toys and TV Violence", *The New York Times*, 12 de diciembre de 1985.

81. Vea el estudio sobre la manipulación en la publicidad en Tom L. Beauchamp, "Manipulative Advertising", *Business & Professional Ethics Journal*, primavera/verano de 1984, v. 3, n. 3 & 4, pp. 1–22; y en el mismo volumen la respuesta crítica de R. M. Hare, "Commentary", pp. 23–28; vea también Alan Goldman, "Ethical Issues in Advertising", pp. 253–260; y Robert L. Arrington, "Advertising and Behavior Control", pp. 3–12, en *Journal of Business Ethics*, febrero de 1982, v. 1, n. 1.

82. Un análisis crítico de las diferentes definiciones del engaño de la publicidad se encuentra en Thomas L. Carson, Richard E. Wokutch y James E. Cox, "An Ethical Analysis of Deception in Advertising", *Journal of Business Ethics*, 1985, v. 4, pp. 93–104.

83. Greg Hadfield y Mark Skipworth, "Firms Keep 'Dirty Data' on Sex Lives of Staff", *Sunday Times* (Londres), 25 de julio de 1993; citado en John Weckert y Douglas Adeney, *Computer and Information Ethics* (Westport, CT: Greenwood Press, 1997), p. 75.

84. Jeffrey Rothfeder, *Privacy for Sale* (Nueva York: Simon & Schuster, 1992).

85. Richard A. Spinello, *Case Studies in Information and Computer Ethics* (Upper Saddle River, NJ: Prentice-Hall, 1997), pp. 108–109.

86. Vea Charles Fried, *An Anatomy of Values: Problems of Personal and Social Choice* (Cambridge, MA: Harvard University Press, 1970), p. 141.

87. Vea Garrett, *Business Ethics*, pp. 47–49, quien distingue esos dos tipos de privacidad (así como también una tercera clase, privacidad "social").

88. Los análisis en este párrafo y los siguientes se obtuvieron de Fried, *Anatomy of Values*, pp. 137–152; Richard A. Wasserstrom, "Privacy", en Richard A. Wasserstrom, ed., *Today's Moral Problems*, 2a ed. (Nueva York: Macmillan, Inc., 1979); Jeffrey H. Reiman, "Privacy, Intimacy and Personhood", *Philosophy and Public Affairs*, 1976, v. 6, n. 1, pp. 26–44; y James Rachels, "Why Privacy Is Important", *Philosophy and Public Affairs*, 1975, v. 4, n. 4, pp. 295–333.

## Capítulo 7

1. *Fisher v. the University of Texas.*
2. *Grutter v. Bollinger*, 539 U.S. (2003) Docket Number: 02241; este caso y los documentos relacionados con él están disponibles en *http://www.umich.edu/~urel/admissions/legal/grutter.*
3. 18 de febrero de 2003 Informe *amici curiae* de 3M y otras Empresas Líderes, fecha de acceso: 1 de agosto de 2004 en *http://www.umich.edu/~urel/admissions/legal/gratz/amici.html.*
4. *Grutter v. Bollinger*, 539 U.S. (2003) Docket Number: 02-241.
5. ABC, *Prime-Time Live*, 7 de octubre de 1993.
6. Por ejemplo: Joanna Lahey, "Age, Women and Hiring: An Experimental Study", (2005) NBER Documento de trabajo #11435, National Bureau of Economic Research, Cambridge, MA; Una revisión del llamado "estudios de auditoría" se encuentra en Devah Pager, "The Use of Field Experiments for Studies of Employment Discrimination: Contributions, Critiques, and Directions for the Future", *The Annals of the American Academy of Political and Social Science*, (2007), v. 609, n. 1, pp. 104–133; una revisión más breve e informal de los estudios de auditoría se encuentra en la entrada, "Audits for Discrimination", de John Yinger, en W. Darity, ed., *International Encyclopedia of the Social Sciences*, 2a ed., (Macmillan Reference USA, 2007).
7. Devah Pager, *Marked: Race, Crime, and Finding Work in an Era of Mass Incarceration*, (Chicago: University of Chicago Press, 2007); James Heckman y Peter Siegelman, "The Urban Institute Audit Studies: Their Methods and Findings", pp. 187–258 en Michael Fix and Raymond J. Strucyk, eds., *Clear and Convincing Evidence: Measurement in America* (Washington, DC: Urban Institute Press, 1993); Devah Pager, "The Mark of a Criminal Record", *American Journal of Sociology*, marzo de 2003, v. 108, n. 5, pp. 937–975; Marianne Bertrand y Sendhil Mullainathan, "Are Emily and Greg More Employable than Lakisha and Jamal? A Field Experiment on Labor Market Discrimination", *American Economic Review*, v. 94 (2004), n. 4, 991–1013; John Yinger, "Measuring Racial Discrimination with Fair Housing Audits: Caught in the Act", *The American Economic Review*, v. 76 (2001), n. 5, pp. 881–893; Jan Ondrich, Stephen Ross y John Yinger, "Now You See It, Now You Don't: Why Do Real Estate Agents Withhold Houses from Black Customers?", *Review of Economics and Statistics*, v. 85 (2003), n. 4, pp. 854–873.
8. Este significado cargado de moral, tal vez, ahora sea el significado dado al término *discriminación* y se encuentra en cualquier diccionario relativamente reciente; vea, por ejemplo, *Webster's New Collegiate Dictionary* (Springfield, MA: G. & C. Merriam Company, 1974), p. 326, donde el significado principal atribuido al término *discriminar* es "hacer diferencias en un tratamiento o beneficio con base en algo que no es el mérito individual", y donde un significado atribuido a *discriminación* es un "punto de vista, acción o tratamiento prejuiciado o prejuicioso".
9. Joe R. Feagin y Clairece Booker Feagin, *Discrimination American Style*, 2a ed. (Malabar, FL: Robert E. Krieger Publishing Company, 1986), pp. 23–33.
10. U.S. Congress, Senate, Subcommittee on Labor of the Committee on Labor and Public Welfare, *Compilation of Selected Labor Laws Pertaining to Labor Relations*, Parte II, 93o Congreso, 2a Sesión, 6 de septiembre de 1974, p. 610.
11. U.S. Equal Employment Opportunity Commission, *Affirmative Action and Equal Employment: A Guidebook for Employers*, II (Washington, DC: Government Printing Office, 1974), p. D-28.
12. La necesidad de basar el análisis de discriminación en estadísticas y lo inútil de intentar un procedimiento individual caso por caso se analizan en Lester Thurow en "A Theory of Groups and Economic Redistribution", *Philosophy and Public Affairs*, otoño de 1979, v. 9, n. 1, pp. 25–41.
13. Walter B. Connolly, Jr., *A Practical Guide to Equal Employment Opportunity*, 2 vols. (Nueva York: Law Journal Press, 1975), v. 1, pp. 231–42; vea un estudio de la relevancia de la estadística en Tom Beauchamp, "The Justification of Reverse Discrimination", en W. T. Blackstone and R. Heslep, *Social Justice and Preferential Treatment* (Athens, GA: The University of Georgia Press, 1977), pp. 84–110.
14. U.S. Census Bureau, Tabla A-1, "Households by Total Money Income, Race, and Hispanic Origin of Householder: 1967 to 2008", *Income, Poverty, and Health Insurance Coverage in the United States: 2008*, Current Population Reports, P60236(RV) publicado en septiembre de 2009.
15. William J. Carrington y Kenneth R. Troske, *Gender Segregation in Small Firms* (Washington, DC: Center for Economic Studies of the U.S. Census Bureau, octubre de 1992) [CES Report No. 92–13]; una versión corta de este informe está disponible en el Bureau of the Census como un resumen estadístico llamado "Two Different Worlds: Men and Women From 9 to 5" (SB/94–24), publicado en febrero de 1995.
16. Jessica Semega, "Men's and Women's Earnings by State: 2008 American Community Survey", U.S. Census Bureau, American Community Survey Reports, ACSBR/08-3, publicado en septiembre de 2009.
17. Barbara Reskin e Irene Padavic, *Women and Men at Work* (Thousand Oaks, CA: Pine Forge Press, 1994), p. 106.
18. Judy Goldberg Dey y Catherine Hill, *Behind the Pay Gap*, (Washington, DC: the American Association of University Women Educational Foundation, 2007).
19. Robert Pear, "Women's Pay Lags Further Behind Men's", *The New York Times*, 16 de enero de 1984, p. 1; vea también, "Gender Gap/Dollar Gap", *Los Angeles Times*, 25 de enero de 1984.
20. Los datos del nivel de pobreza son del U.S. Census Bureau en *http://www.census.gov/hhes/www/poverty/data/threshld/*; los costos de la universidad son del National Center for Education Statistics, U.S. Department of Education Institute of Education Sciences at *http://nces.ed.gov/fastfacts/display.asp?id=76.*
21. Esta relación la han demostrado diversos estudios. Vea, por ejemplo, Stephanie Boraas y William M. Rodgers III, "How Does Gender Play a Role in the Earnings Gap? An Update". *Monthly Labor Review*, marzo de 2003, pp. 9–15.
22. Barbara Reskin e Irene Padavic, *Women and Men At Work* (Thousand Oaks, CA: Pine Forge Press, 1994), pp. 82–84 y U.S. Department of Labor, Office of Federal Contract Compliance Programs, Glass Ceiling Commission, *Good for Business: Making Full Use of the Nation's Human Capital* (Washington, DC: Government Printing Office, 1995), pp. 11–12.
23. Vea Bradley R. Schiller, *The Economics of Poverty & Discrimination*, 6a ed. (Englewood Cliffs, NJ: Prentice-Hall, 1995), pp. 193–194, y U.S. General Accounting Office, "Women's Earnings: Work Patterns Partially Explain Difference Between Men's and Women's Earnings", GAO-0435, octubre de 2003, p. 2.
24. Reskin y Padavic, *Women and Men at Work*, pp. 39–43; vea también U.S. General Accounting Office, "Women's Earnings", p. 2.
25. Jacob Mincer y Solomon W. Polachek, "Family Investments in Human Capital: Earnings of Women", *Journal of Political*

*Economy*, marzo/abril de 1982, Parte II, v. 82, pp. s76–s108; vea también Reskin y Padavic, *Women and Men at Work*, pp. 39–43.

26. Vea Mary Corcoran, Greg J. Duncan y Martha S. Hill, "The Economic Fortunes of Women and Children", en Micheline R. Malson, Elisabeth Mudimbe-Boyi, Jean F. O'Barr, y Mary Wyer, eds., *Black Women in America* (Chicago, IL: The University of Chicago Press, 1988), pp. 97–113; Mary Corcoran, "A Longitudinal Approach to White Women's Wages", *Journal of Human Resources*, otoño de 1983, v. 18, n. 4, pp. 497–520; y Paula England, "The Failure of Human Capital Theory to Explain Occupational Sex Segregation", *Journal of Human Resources*, verano de 1982, v. 17, n. 3, pp. 358–370.

27. "Study Blames Barriers, Not Choices, For Sex Segregation", *San Jose Mercury News*, 20 de diciembre de 1985, p. 21E.

28. Randall K. Filer, "Sexual Differences in Earnings: The Role of Individual Personalities and Tastes", *The Journal of Human Resources*, invierno de 1983, v. 18, n. 1.

29. Mary Corcoran y Greg J. Duncan, "Work History, Labor Force Attachment, and Earnings Differences Between the Races and Sexes", *The Journal of Human Resources*, invierno de 1979, v. 19, n. 1, pp. 3–20; vea también Gerald Jaynes y Robin Williams, eds., *A Common Destiny: Blacks and American Society* (Washington, DC: National Academy Press, 1989), pp. 319–323.

30. Goldberg Dey y Catherine Hill, *Ibid.*, pp. 17–18.

31. Los datos que aparecen en el párrafo se obtuvieron de William B. Johnston y Arnold E. Packer, *Workforce 2000: Work and Workers for the Twenty-first Century* (Indianapolis, IN: Hudson Institute, 1987).

32. Todos los estudios mencionados en el párrafo están citados en Clint Bolick y Susan Nestleroth, *Opportunity 2000* (Indianapolis, IN: Hudson Institute, 1988), pp. 21–22.

33. *Ibid.*, p. 67.

34. U.S. Census Bureau, Current Population Reports, Educational Attainment in the United States: 2007, Series P20-550.

35. *Ibid.*

36. Gary Orfield, Daniel Losen, Johanna Wald y Christopher Swanson, *Losing Our Future: How Minority Youth are Being Left Behind by the Graduation Rate Crisis*, (Cambridge, MA: The Civil Rights Project at Harvard University, 2004).

37. Dick Lilly, "City Staff Survey Finds Harassment", *Seattle Times*, 8 de octubre de 1991, p. B3; "Female Execs See Marketing as Fastest Track", *Sales & Marketing Management*, agosto de 1993, p. 10; "Survey Finds Most Women Rabbis Have Been Sexually Harassed on Job", *United Press International*, 28 de agosto de 1993; "Female Jail Guards Fight Against Harassment by Male Colleagues", *Houston Chronicle*, 17 de octubre de 1993, p. A5.

38. Reportado en Terry Halbert y Elaine Inguilli, eds., *Law and Ethics in the Business Environment* (St. Paul, MN: West Publishing Co., 1990), p. 298.

39. Eliza G. C. Collins y Timothy B. Blodgett, "Sexual Harassment . . . Some See It . . . Some Won't", *Harvard Business Review*, marzo/abril de 1981, v. 59, n. 2.

40. *Charlotte Lynn Rawlins Yates and Cheryl Jenkins Mathis v. Avco Corporation*, 814 F. 2d 630 (1987), U.S. Court of Appeals, Sixth Circuit.

41. Gretchen Voss, "Women Harassing Men", *Marie Claire*, fecha de acceso: 21 de agosto de 2010 en *http://www.marieclaire.com/ sex-love/relationship-issues/articles/women-harassing-men-1*.

42. Thomas Jefferson, *Declaración de Independencia*.

43. *Dred Scott v. Sanford*, 60 U.S (19 How) (1857) en 407 y 421. Vea Don E. Fehrenbacher, *The Dred Scott Case* (Nueva York: Oxford University Press, 1978).

44. *Bradwell v. Illinois*, 83 U.S. (16 Wall) (1873). Vea Leo Kanowitz, *Women and the Law* (Albuquerque, NM: University of New Mexico Press, 1969), p. 36.

45. Norman Daniels, "Merit and Meritocracy", *Philosophy and Public Affairs*, primavera de 1978, v. 7, n. 3, pp. 208–209.

46. Un análisis económico de los costos y beneficios asociados con la discriminación aparece en Gary S. Becker, *The Economics of Discrimination*, 2a ed. (Chicago, IL: The University of Chicago Press, 1971); Janice Fanning Madden, *The Economics of Sex Discrimination* (Lexington, MA: D.C. Heath and Company, 1973). Vea una revisión crítica de esta literatura en Annette M. LaMond, "Economic Theories of Employment Discrimination", en Phyllis A. Wallace y Annette M. LaMond, eds., *Women, Minorities, and Employment Discrimination* (Lexington, MA: D.C. Heath and Company, 1977), pp. 1–11.

47. *Ibid.*, p. 214.

48. Vea el análisis de este aspecto en Sharon Bishop Hill, "Self-Determination and Autonomy", en Richard Waserstrom, eds., *Today's Moral Problems*, 2a ed. (Nueva York: Macmillan, Inc., 1979), pp. 118–133.

49. Acerca de este tema, vea Janet S. Chafetz, *Masculine, Feminine, or Human?: An Overview of the Sociology of Sex Roles* (Itasca, IL: Peacock, 1974); y Joyce Trebilcot, "Sex Roles: The Argument from Nature", *Ethics*, abril de 1975, v. 85, n. 3, pp. 249–255.

50. Vea, por ejemplo, Thomas Nagel, "Equal Treatment and Compensatory Discrimination", *Philosophy and Public Affairs*, 1973, v. 2, p. 360; y Ronald Dworkin, *Taking Rights Seriously* (Cambridge, MA: Harvard University Press, 1977), pp. 232–237.

51. Susan Haack, "On the Moral Relevance of Sex", *Philosophy*, 1974, v. 49, pp. 90–95; Jon J. Durkin, "The Potential of Women", en Bette Ann Stead, ed., *Women in Management* (Englewood Cliffs, NJ: Prentice-Hall, 1978), pp. 42–46.

52. Richard Wasserstrom, "Rights, Human Rights, and Racial Discrimination", *The Journal of Philosophy*, 29 de octubre de 1964, v. 61, pp. 628–641.

53. Richard Wasserstrom, "Racism, Sexism, and Preferential Treatment: An Approach to the Topics", *UCLA Law Review*, 1977, v. 24, pp. 581–622.

54. Esto es, por ejemplo, el punto de vista fundamental en John C. Livingston, *Fair Game?* (San Francisco: W. H. Freeman and Company, 1979), pp. 74–76.

55. Richard M. Hare, *Freedom and Reason* (Nueva York: Oxford University Press, 1963), pp. 217–219.

56. John Rawls, *A Theory of Justice* (Cambridge, MA: Harvard University Press, Belknap Press, 1971), pp. 83–90.

57. Feagin y Feagin, *Discrimination American Style*, pp. 43–77.

58. Charles Perelman, *The Idea of Justice and the Problem of Argument* (Londres: Routledge and Kegan Paul, 1963).

59. Equal Employment Opportunity Commission, Título 29 Code of Federal Regulations, Sección 1604.11, Sexual Harassment.

60. *Rabidue v. Osceola Refining Company*, 805 F. 2d 611 (1986), U.S. Court of Appeals, Sexto Circuito, Circuit Judge Keith, Dissenting in Part, citado en Terry Halbert y Elaine Inguilli, eds., *Law and Ethics in the Business Environment* (St. Paul, MN: West Publishing Co., 1990), p. 301.

61. Ésta era, por ejemplo, la posición de la opinión mayoritaria en *Rabidue v. Osceola Refining Company*.

62. Gretchen Morgenson, "Watch That Leer, Stifle That Joke", *Forbes*, 15 de mayo de 1989, p. 72.

63. Barbara Lindemann Schlei y Paul Grossman, *Employment Discrimination Law*, 1979 Supplement (Washington, DC: The Bureau of National Affairs, Inc., 1979), pp. 109–120.

64. John Lawrie, "Subtle Discrimination Pervades Corporate America", *Personnel Journal*, enero de 1990, pp. 53–55.

65. Vea *Smith v. Liberty Mutual Insurance Company*, 395 F. Supp., 1098 (1975), y *Sommers v. Budget Marketing Inc.*, 667 F. 2d 748 (1982).

66. Terence Roth, "Many Firms Fire AIDS Victims, Citing Health Risk to Co-Workers", *Wall Street Journal*, 12 de agosto de 1985; Dorothy Townsend, "AIDS Patient Sues Kodak Over Firing, Claims Bias", *Los Angeles Times*, 2 de abril de 1986; Jim Dickey, "Firing Over AIDS Test Claimed", *San Jose Mercury News*, 11 de octubre de 1985, p. 1B.

67. Centers for Disease Control and Prevention. Cases of HIV infection and AIDS in the United States, by race/ethnicity, 1998–2002. HIV/AIDS Surveillance Supplemental Report, 10 (Núm.1), Tablas 8 y 9, fecha de acceso: 10 de agosto de 2004 en *http://www.cdc.gov/hiv/stats/hasrlink.htm*.

68. Robert N. Webner, "Budding Movement Is Seeking to Stop Fat Discrimination", *Wall Street Journal*, 8 de ocubre de 1979, p. 33.

69. Vea Richard D. Mohr, "Gay Rights", en Patricia H. Werhane, A. R. Gini y David Ozar, eds., *Philosophical Issues in Human Rights* (Nueva York: Random House, Inc., 1986), pp. 337–341; David Margolick, "Court Blocks Job Denials for Obesity", *The New York Times*, 8 de mayo de 1985, p. 18; Cris Oppenheimer, "A Hostile Marketplace Shuts Out Older Workers", *San Jose Mercury News*, 9 de diciembre de 1985.

70. Margaret Beale Spencer, "CNN Pilot Demonstration", fecha "4-28-10"; fecha de acceso: 20 de agosto de 2010 at *http://i2.cdn. turner.com/cnn/2010/images/05/13/expanded_results_methods_ cnn.pdf*.

71. Walter B. Connolly, *A Practical Guide to Equal Employment Opportunity*, 2 vols. (Nueva York: New York Law Journal Press, 1975), v. 1, pp. 359–373.

72. *United Steelworkers of America v. Weber*, 99 S. Ct. 2721 (1979).

73. Rogene A. Buchholz, *Business Environment and Public Policy* (Englewood Cliffs, NJ: Prentice-Hall, 1982), pp. 287–288.

74. Citado en "High Court Dumps Quotas in Labor Case", *Washington Times*, 13 de junio de 1984, p. 1.

75. "A Right Turn on Race?", *Newsweek*, 25 de junio de 1984, pp. 29–31; Stuart Taylor, "Reagan Attack on Quotas in Jobs Goes to High Court", *The New York Times*, 6 de agosto de 1985, p. 17.

76. Aaron Epstein, "Layoffs Can't Favor Minority Workers", *San Jose Mercury News*, 20 de mayo de 1986, p. 1a.

77. Vea, por ejemplo, "The New Politics of Race" y "A Crisis of Shattered Dreams", en *Newsweek*, 6 de mayo de 1991, pp. 22–26, 28–31.

78. Vea, por ejemplo, Barry R. Gross, *Discrimination in Reverse: Is Turnabout Fair Play?*; vea un punto de vista contrario en Alan H. Goldman, *Justice and Reverse Discrimination* (Princeton, NJ: Princeton University Press, 1979).

79. Vea, por ejemplo, los artículos recopilados en Barry R. Gross, ed., *Reverse Discrimination* (Buffalo, NY: Prometheus Books, 1977).

80. Theodore V. Purcell y Gerald F. Cavanagh, *Blacks in the Industrial World* (Nueva York: The Free Press, 1972), p. 164.

81. Vea Bernard Boxill, *Blacks and Social Justice* (Totowa, NJ: Rowman & Allanheld, 1984), pp. 147–172; vea también los artículos reunidos en Marshall Cohen, Thomas Nagel y Thomas Scanlon, eds., *Equality and Preferential Treatment* (Princeton, NJ: Princeton University Press, 1977); y William T. Blackstone y Robert D. Heslep, eds., *Social Justice & Preferential Treatment* (Athens, GA: The University of Georgia Press, 1977).

82. George Sher, "Reverse Discrimination, the Future, and the Past", en *Ethics*, octubre de 1979, v. 90, pp. 81–87; y George Sher, "Preferential Hiring", en *Just Business*, Tom Regan, ed. (Nueva York: Random House, Inc., 1984), pp. 32–59. Un excelente análisis de los programas de acción afirmativa se da en Robert K. Fullinwider, *The Reverse Discrimination Controversy* (Totowa, NJ: Rowman and Littlefield, 1980).

83. Paul W. Taylor, "Reverse Discrimination and Compensatory Justice", *Analysis*, 1973, v. 33, pp. 177–182; vea también Anne C. Minas, "How Reverse Discrimination Compensates Women", *Ethics*, octubre de 1977, v. 88, n. 1, pp. 74–79.

84. Bernard Boxhill, "The Morality of Reparations", *Social Theory and Practice*, 1972, v. 2, n. 1, pp. 113–122.

85. Alan H. Goldman, "Limits to the Justification of Reverse Discrimination", *Social Theory and Practice*, 1975, v. 3, n. 3, pp. 289–306.

86. Vea Karst y Horowitz, "Affirmative Action and Equal Protection", *Virginia Law Review*, 1974, v. 60.

87. Existen innumerables estudios de esta objeción a la justificación de la compensación; vea, por ejemplo, la serie Michael Bayles, "Reparations to Wronged Groups", *Analysis*, 1973, v. 33, n. 6; L. J. Cowan, "Inverse Discrimination", *Analysis*, 1972, v. 33, n. 10; Roger Shiner, "Individuals, Groups, and Inverse Discrimination", *Analysis*, junio de 1973, v. 33; Paul Taylor, "Reverse Discrimination and Compensatory Justice", *Analysis*, junio de 1973, v. 33; James W. Nickel, "Should Reparations Be to Individuals or Groups?", *Analysis*, abril de 1974, v. 34, n. 9, pp. 154–160; Alan Goldman, "Reparations to Individuals or Groups?", *Analysis*, abril de 1975, v. 35, n. 5, pp. 168–70.

88. Judith Jarvis Thomson, "Preferential Hiring", *Philosophy and Public Affairs*, verano de 1973, v. 2, n. 4, p. 381; un argumento similar acerca de los negros aparece en Graham Hughes, "Reparation for Blacks?", *New York University Law Review*, 1968, v. 43, pp. 1072–1073.

89. Martin H. Redish, "Preferential Law School Admissions and the Equal Protection Clause: An Analysis of the Competing Arguments", *University of California at Los Angeles Review*, 1974, p. 389; vea también Bernard R. Boxill, "The Morality of Preferential Hiring", *Philosophy and Public Affairs*, primavera de 1978, v. 7, n. 3, pp. 246–268.

90. Robert Simon, "Preferential Hiring: A Reply to Judith Jarvis Thomson", *Philosophy and Public Affairs*, primavera de 1974, v. 3, n. 3, pp. 312–320; Gertrude Ezorsky, "It's Mine", *Philosophy and Public Affairs*, primavera de 1974, v. 3, n. 3, pp. 321–330; Robert K. Fullinwider, "Preferential Hiring and Compensation", *Social Theory and Practice*, primavera de 1975, v. 3, n. 3, pp. 307–320.

91. Encuentre ejemplos de argumentos utilitarios en Thomas Nagel, "Equal Treatment and Compensatory Discrimination", *Philosophy and Public Affairs*, primavera de 1973, v. 2, n. 4, pp. 348–363; James W. Nickel, "Preferential Policies in Hiring and Admissions", *Columbia Law Review*, v. 1975, 75, pp. 534–558; Ronald Dworkin, "The De Funis Case: The Right to Go to Law School", *New York Review of Books*, 5 de febrero de 1976, v. 23, n. 1, pp. 29–33.

92. Owen M. Fiss, "Groups and the Equal Protection Clause", *Philosophy and Public Affairs*, invierno de 1976, v. 5, n. 2, pp. 150–151.

93. James W. Nickel, "Classification of Race in Compensatory Programs", *Ethics*, 1974, v. 84, n. 2, pp. 146–150.

94. Virginia Black, "The Erosion of Legal Principles in the Creation of Legal Policies", *Ethics*, 1974, v. 84, n. 3; William T. Blackstone, "Reverse Discrimination and Compensatory Justice", en Blackstone and Heslep, eds., *Social Justice and Preferential Treatment* (Athens, GA: University of Georgia Press, 1977).

95. Robert K. Fullinwider, "On Preferential Hiring", en Mary Vetterling-Braggin, Frederick A. Elliston y Jane English, eds.,*Feminism and Philosophy* (Totowa, NJ: Littlefield, Adams and Company, 1978), pp. 210–224.

96. Vea Nickel, "Preferential Policies."

97. Nagel, "Equal Treatment and Compensatory Discrimination".

98. Lawrence Crocker, "Preferential Treatment", en *Feminism and Philosophy*, Vetterling-Braggin *et al.*, eds., pp. 190–204.

99. George Sher, "Justifying Reverse Discrimination in Employment", *Philosophy and Public Affairs*, invierno de 1975, v. 4, n. 2, pp. 159–170.

100. Carl and Callahan, "Negroes and the Law", *Journal of Legal Education*, 1965, v. 17, p. 254.

101. Kaplan, "Equal Justice in an Unequal World", *N.W.U. Law Review*, 1966, v. 61, p. 365.

102. Theodore V. Purcell y Gerald F. Cavanagh, *Blacks in the Industrial World* (Nueva York: The Free Press, 1972), pp. 30–44. Vea también los artículos sobre futuros alternativos feministas, reunidos en Carol Gould, ed., *Beyond Domination* (Totowa, NJ: Rowman and Allenheld, 1983).

103. Carl Cohen, "Race and the Constitution", *The Nation*, 8 de febrero de 1975; Lisa H. Newton, "Reverse Discrimination as Unjustified", *Ethics*, 1973, v. 83, pp. 308–312.

104. Ronald Dworkin, "Why Bakke Has No Case."

105. *Ibid.*

106. Por ejemplo, Glenn C. Loury, "Performing Without a Net", en Curry, ed., *Affirmative Action Debate.*

107. Shelby Steele, *The Content of Our Character: A New Vision of Race in America* (Nueva York: St. Martin's Press, 1990), pp. 112–118.

108. Sonia L. Nazario, "Many Minorities Feel Torn by Experience of Affirmative Action", *Wall Street Journal*, 27 de junio de 1989, pp. A1, A7.

109. *Ibid.*

110. Roper Center for Public Opinion, Question ID: USGALLUP.950317.R31; vea también M.C. Taylor, "Impact of Affirmative Action on Beneficiary Groups: Evidence from the 1990 General social Survey", *Basic and Applied Social Psychology*, v. 15 (1994), pp. 143–178.

111. Sidney Hook, "Discrimination Against the Qualified?", *The New York Times*, 1971.

112. Vea Nickel, "Preferential Policies", p. 546.

113. Por ejemplo, Gross, *Discrimination in Reverse*, p. 108; una contestación a Gross se encuentra en Boxill, "The Morality of Preferential Hiring."

114. Theodore V. Purcell, "A Practical Way to Use Ethics in Management Decisions", trabajo preparado para el Drew-Allied Chemical Workshop, 26 y 27 de junio de 1980; y Nickel, "Preferential Policies."

115. Felice N. Schwartz, "Management Women and the New Facts of Life", *Harvard Business Review*, enero-febrero de 1989, pp. 65–76.

116. Bolick y Nestleroth, *Opportunity 2000*, pp. 28–50.

117. *Ibid.*, pp. 65–94; vea también, Beverly Geber, "Managing Diversity", *Training*, pp. 23–30.

118. Citado en Investor Responsibility Research Center, "Equal Employment Opportunity, 1990 Analysis E", (Washington, DC: Investor Responsibility Research Center, Inc., 1990.), pp. 3–4.

## Capítulo 8

1. Studs Terkel, *Working: People Talk About What They Do All Day and How They Feel About What They Do* (Nueva York: Pantheon Books, Inc., 1979), pp. 159, 160, 161.

2. *Ibid.*, pp. 178, 179.

3. *Ibid.*, pp. 405, 406.

4. Vea James D. Thompson, *Organizations in Action* (Nueva York: McGraw-Hill Book Company, 1967), pp. 4–6; vea también John Ladd, "Morality and the Ideal of Rationality in Formal Organizations", *Monist*, 1970, v. 54.

5. E. H. Schein, *Organizational Psychology* (Englewood Cliffs, NJ: Prentice-Hall, 1965), p. 8.

6. El análisis clásico sobre los delitos de ejecutivos aparece en, *White Collar Crime* (Nueva York: Holt, Rinehart and Winston, Inc., 1949); vea también Marshall B. Clinard, Peter C. Veager, Jeanne Brissette, David Petrashek y Elizabeth Harries, *Illegal Corporate Behavior* (Washington, DC: U.S. Government Printing Office, 1979).

7. Vea Philip I. Blumberg, "Corporate Responsibility and the Employee's Duty of Loyalty and Obedience: A Preliminary Inquiry", en Dow Votaw and S. Prakash Sethi, eds., *The Corporate Dilemma* (Englewood Cliffs, NJ: Prentice-Hall, 1973), pp. 82–113.

8. Citado en *Ibid.*, pp. 87 and 88.

9. Thomas M. Garrett y Richard J. Klonoski, *Business Ethics*, 2a ed. (Englewood Cliffs, NJ: Prentice-Hall, 1986), p. 55.

10. Vincent Barry, *Moral Issues in Business* (Belmont, CA: Wadsworth Publishing Company, Inc., 1986), pp. 237–238.

11. Vea Lawrence C. Becker, *Property Rights* (Londres: Routledge & Kegan Paul, 1977), p. 19.

12. Vea un estudio más extenso de la ética del secreto industrial, DeGeorge, *Business Ethics*, pp. 292–298.

13. Este caso se relata en Michael S. Baram, "Trade Secrets: What Price Loyalty?", *Harvard Business Review*, noviembre/diciembre de 1968.

14. Vea, por ejemplo, Patricia H. Werhane, "The Ethics of Insider Trading", *Journal of Business Ethics*, noviembre de 1989, v. 8, n. 11, pp. 841–845.

15. Vea Robert W. McGee, "Applying Ethics to Insider Trading", *Journal of Business Ethics*, v. 77 (2008), n. 2, pp. 205– 217; Bill Shaw, "Should Insider Trading Be Outside the Law?", *Business and Society Review*, verano de 1988, pp. 34–37; y Tibor R. Machan, "What Is Morally Right with Insider Trading?", *Public Affairs Quarterly*, v. 10 (abril de 1996), pp. 135–142; el principal defensor de la información privilegiada, de acuerdo con lo expuesto es Henry G. Manne, *Insider Trading and the Stock Market* (Nueva York: The Free Press, 1966) y "In Defense of Insider Trading", *Harvard Business Review*, noviembre/diciembre de 1966, v. 113, pp. 113–122. Un defensor de la información privilegiada que también proporciona una útil bibliografía del trabajo de Manne es Robert W. McGee, "Insider Trading: An Economic and Philosophical Analysis", *The Mid-Atlantic Journal of Business*, noviembre de 1988, v. 25, n. 1, pp. 35–48.

16. Vea H. Mendelson, "Random Competitive Exchange: Price Distributions and Gains from Trade", *Journal of Economic Theory*, diciembre de 1985, pp. 254–280.

17. Vea L. R. Glosten y P. R. Milgrom, "Bid, Ask, and Transaction Prices in a Specialist Market with Heterogeneously Informed Traders", *Journal of Financial Economics*, marzo de 1985, pp. 71–100; T. Copeland y D. Galai, "Information Effects on the Bid-Ask Spread", *Journal of Finance*, diciembre de 1983, pp. 1457–1469; G. J. Bentson y R. Hagerman, "Determinants of Bid-Ask Spreads in the Over-the-Counter Market", *Journal of Financial Economics*, enero-febrero de 1974, pp. 353–364; P. Venkatesh y R. Chiang, "Information Asymmetry and the Dealer's Bid-Ask Spread: A Case Study of Earnings and Dividend Announcements", *Journal of Finance*, diciembre de 1986, pp. 1089–1102.

18. Gary L. Tidwell y Abdul Aziz, "Insider Trading: How Well Do You Understand the Current Status of the Law?", *California Management Review*, verano de 1988, v. 30, n. 4, pp. 115–123.

19. El siguiente análisis de salarios y condiciones de trabajo se obtuvo de Garrett, *Business Ethics*, pp. 53–62.

20. Vea Garrett, *Business Ethics*, pp. 38–40; y Barry, *Moral Issues in Business*, pp. 174–175.

21. *Statistical Abstract of the United States, 2010*, Tabla No. 641, "Workers Killed or Disabled on the Job: 1970 to 2001".

22. National Safety Council, "Summary from Injury Facts, 2010 Edition", fecha de acceso: 18 de agosto de 2010 en *http://www.nsc.org/news_resources/injury_and_death_statistics/Pages/InjuryDeathStatistics.aspx*.

23. William W. Lowrance, *Of Acceptable Risk* (Los Altos, CA: William Kaufmann, Inc., 1976), p. 147.

24. Occupational Safety and Health Act of 1970, Public Law, 91-596.

25. Peter J. Sheridan, "1970–1976: America in Transition—Which Way Will the Pendulum Swing?", *Occupational Hazards*, septiembre de 1975, p. 97.

26. Las cifras del año 2009 son del U.S. Department of Labor, Bureau of Labor Statistics, Tabla A-1. "Fatal Occupational Injuries by Industry and Event or Exposure, All United States, 2009", Census of Fatal Occupational Injuries– Current and Revised Data, fecha de acceso: 20 de agosto de 2010 en *http://stats.bls.gov/iif/oshcfoi1.htm#charts*, y las cifras para los otros años son del U.S. Department of Labor, "Worker Fatalities in Charts to 2009", Bureau of Labor Statistics, Census of Fatal Occupational Injuries Charts,1992–2009 en *http://stats.bls.gov/iif/oshcfoi1.htm#charts*.

27. *Statistical Abstract of the United States, 2010*, Tabla Núm. 641, "Workers Killed or Disabled on the Job: 1970 to 2007", fecha de acceso: 17 de agosto de 2010 en *http://www.census.gov/compendia/ statab/cats/labor_force_employment_earnings/injuries_and_ fatalities.html*; las cifras para el año 2008 son del National Safety Council, "Summary from Injury Facts, 2010 Edition", fecha de acceso: 18 de agosto de 2010 en *http://www.nsc.org/news_resource/injury_and_death_statistics/Pages/InjuryDeathStatistics.aspx*.

28. Vea Russell F. Settle y Burton A. Weisbrod, "Occupational Safety and Health and the Public Interest", en Burton Weisbrod, Joel F. Handler y Neil K. Komesar, eds., *Public Interest Law* (Berkeley, CA: University of California Press, 1978), pp. 285–312.

29. Una comparación resumida de los comportamientos racional y político se encuentra en Robert Miles, *Macro Organizational Behavior* (Santa Monica, CA: Good Year Publishing, 1980), pp. 156–161. Un análisis histórico más completo de los enfoques "racional" y "político" de la organización es

30. Un análisis más reciente de la empresa basada en el modelo "político" aparece en Mintzberg, *Power In and Around Organizations*; Samuel B. Bacharach y Edward J. Lawler, *Power and Politics in Organizations* (San Francisco, CA: Jossey-Bass, Inc., Publishers, 1980); James G. March, "The Business Firm as a Political Coalition", *Journal of Politics*, 1962, v. 24, pp. 662–668; Tom Burns, "Micropolitics: Mechanisms of Institutional Change", *Administrative Science Quarterly*, VI, 1962, pp. 255–281; Michael L. Tushman, "A Political Approach to Organizations: A Review and Rationale", *Academy of Management Review*, abril de 1977, pp. 206–216; Jeffrey Pfeffer, "The Micropolitics of Organizations", en Marshall W. Meyer *et al.*, eds., *Environments and Organizations* (San Francisco, CA: Jossey-Bass, Inc., Publishers, 1978), pp. 29–50.

31. Vea R. M. Cyert y J. G. March, *A Behavioral Theory of the Firm* (Englewood Cliffs, NJ: Prentice-Hall, 1963); H. Kaufman, "Organization Theory and Political Theory", *The American Political Science Review*, 1964, v. 58, n. 1, pp. 5–14.

32. Walter R. Nord, "Dreams of Humanization and the Realities of Power", *Academy of Management Review*, julio de 1978, pp. 674–679.

33. Respecto al predominio de autoridad en las organizaciones, vea Abraham Zaleznik, "Power and Politics in Organizational Life", *Harvard Business Review*, mayo/junio de 1970, pp. 47–60. La definición de *poder* en el libro se deriva de Virginia E. Schein, "Individual Power and Political Behaviors in Organizations: An Inadequately Explored Reality", *Academy of Management Review*, enero de 1977, pp. 64–72. Las definiciones de poder crean, desde luego, una controversia.

34. Terkel, *Working*, p. 349. Muchos más ejemplos de comportamiento político se pueden encontrar en Samuel A. Culbert y John J. McDonough, *The Invisible War* (Nueva York: John Wiley & Sons, Inc., 1980).

35. Por ejemplo, Richard Eells, *The Government of Corporations* (Nueva York: The Free Press of Glencoe, 1962); y Arthur Selwyn Miller, *The Modern Corporate State* (Westport, CT: Greenwood Press, 1976).

36. Vea Earl Latham, "The Body Politic of the Corporation", en Edward S. Mason, ed., *The Corporation in Modern Society* (Cambridge, MA: Harvard University Press, 1960).

37. Vea, por ejemplo, David W. Ewing, *Freedom Inside the Organization* (Nueva York: McGraw-Hill Book Company, 1977), pp. 3–24; Garrett, *Business Ethics*, pp. 27–30.

38. David W. Ewing, "Civil Liberties in the Corporation", *New York State Bar Journal*, abril de 1978, pp. 188–229.

39. Este argumento sobre la propiedad y la contratación se basa en los puntos de vista legales tradicionales de las obligaciones del empleado de obedecer y ser leal a su empleador. Vea Blumberg, "Corporate Responsibility", pp. 82–113.

40. Donald L. Martin, "Is an Employee Bill of Rights Needed?", en M. Bruce Johnson, ed., *The Attack on Corporate America* (Nueva York: McGraw-Hill Book Company, 1978).

41. *Ibid.*

42. La exposición clásica de este punto de vista está en Adolf Berle y Gardner Means, *The Modern Corporation and Private Property* (Nueva York: Macmillan, 1932).

43. Jack Stierber, "Protection Against Unfair Dismissal", en Alan F. Westin and Stephen Salisbury, eds., *Individual Rights in the Corporation* (Nueva York: Pantheon Books, Inc., 1980).

Henry Mintzberg, *Power In and Around Organizations* (Englewood Cliffs, NJ: Prentice-Hall, 1983), pp. 8–21.

44. David W. Ewing, *Freedom Inside the Organization* (Nueva York: McGraw-Hill Book Company, 1977), pp. 36–41.

45. Varios de estos argumentos se resumen en Patricia H. Werhane, *Persons, Rights, and Corporations* (Englewood Cliffs, NJ: Prentice-Hall, 1985), pp. 108–122.

46. Vea John Hoerr, "Privacy in the Workplace", *Business Week*, 28 de marzo de 1988, pp. 61–65, 68; Susan Dentzer, "Can You Pass the Job Test?", *Newsweek*, 5 de mayo de 1986; Sandra N. Hurd, "Genetic Testing: Your Genes and Your Job", *Employee Responsibilities and Rights Journal*, 1990, v. 3, n. 4, pp. 239–252; U.S. Congress, Office of Technology Assessment, *Genetic Monitoring and Screening in the Workplace*, OTA-BA-455 (Washington, DC: U.S. Government Printing Office, octubre de 1990); Arthur R. Miller, *The Assault on Privacy: Computers, Data Banks and Dossiers* (Ann Arbor, MI: University of Michigan Press, 1971).

47. Vea Garrett, *Business Ethics*, pp. 47–49, quien distingue entre estos dos tipos de privacidad (así como una tercera la privacidad "social").

48. Las observaciones que siguen están basadas en parte en Garrett, *Business Ethics*, pp. 49–53; para un punto de vista más estricto, que concluye, por ejemplo, que se deben usar detectores de mentiras en todos los empleados, vea George G. Brenkert, "Privacy, Polygraphs, and Work", *Business and Professional Ethics Journal*, otoño de 1981, v. 1, n. 1, pp. 19–35.

49. Vea ejemplos en Alan F. Westin, *Whistle Blowing, Loyalty and Dissent in the Corporation* (Nueva York: McGraw-Hill Book Company, 1981); y Frederick Elliston, John Keenan, Paula Lockhart y Jane van Schaick, *Whistleblowing, Managing Dissent in the Workplace* (Nueva York: Praeger Publishers, Inc., 1985).

50. Por ejemplo, Ewing, *Freedom Inside the Organization*, pp. 115–127.

51. Vea John Rawls, *A Theory of Justice* (Cambridge, MA: Harvard University Press, 1971), pp. 205–211.

52. Vea Blumberg, "Corporate Responsibility."

53. Por ejemplo, Ralph Nader, Peter J. Petkas y Kate Blackwell, *Whistle Blowing* (Nueva York: Grossman Publishers, 1972); y Charles Peters y Taylor Branch, *Blowing the Whistle: Dissent in the Public Interest* (Nueva York: Praeger Publishers, Inc., 1972); un estudio general detallado sobre denunciantes aparece en Frederick Elliston, John Keenan, Paula Lockhart y Jane van Schaick, *Whistleblowing Research, Methodological and Moral Issues* (Nueva York: Praeger Publishers, Inc., 1985).

54. *Mackowiak v. University Nuclear Systems, Inc.*, 753 F. 2d 1159 (9th Cir. 1984).

55. C. H. Farnsworth, "Survey of Whistleblowers Finds Retaliation but Few Regrets", *The New York Times*, 21 de febrero de 1988.

56. Richard T. DeGeorge, *Business Ethics*, 3a ed. (Nueva York: Macmillan Publishing Company, 1990), p. 211; vea también Richard DeGeorge, "Whistleblowing: Permitted, Prohibited, Required", en F. A. Elliston, ed., *Conflicting Loyalties in the Workplace* (Notre Dame, IN: University of Notre Dame Press, 1985). El análisis de este libro se basa fuertemente en DeGeorge.

57. Vea Rowe y Baker, "Are You Hearing Enough Employee Concerns?", *Harvard Business Review*, mayo/junio de 1984.

58. Una descripción de estos y otros programas efectivos de ética corporativa se encuentra en Manuel G. Velasquez, "Corporate Ethics: Losing It, Having It, Getting It", pp. 228–244, en Peter Madsen y Jay M. Shafritz, eds., *Essentials of Business Ethics* (Nueva York: Meridian Books, 1990).

59. Robert G. Olson, *Ethics* (Nueva York: Random House, Inc., 1978), pp. 83–84.

60. Martin Carnoy y Derek Shearer, *Economic Democracy, the Challenge of the 1980s* (White Plains, NY: M. E. Sharpe, Inc., 1980); Warren G. Bennis y Philip E. Slater, *The Temporary Society* (Nueva York: Harper & Row, Publishers, Inc., 1968); Vincent P. Mainelli, "Democracy in the Workplace", *America*, 15 de enero de 1977, pp. 28–30; vea también los artículos en Ichak Adizes and Elizabeth Mann Borgese, eds., *Self-Management: New Dimensions to Democracy* (Santa Barbara, CA: Clio Books, 1975).

61. Marshall Sashkin, "Participative Management Is an Ethical Imperative", *Organizational Dynamics*, 1984, v. 12, n. 4, pp. 4–22.

62. David P. Baron, *Business and Its Environment*, 3a ed. (Upper Saddle River, NJ: Prentice-Hall, Inc., 2000) p. 472.

63. Vea Robert A. Dahl, *After the Revolution? Authority in a Good Society* (New Haven, CT: Yale University Press, 1970), pp. 117–118.

64. Douglas McGregor, *The Human Side of Enterprise* (Nueva York: McGraw-Hill, 1960).

65. Raymond E. Miles, *Theories of Management: Implications for Organizational Behavior and Development* (Nueva York: McGraw-Hill, 1975), p. 35.

66. Rensis Likert, "From Production- and Employee-Centeredness to Systems 1–4", *Journal of Management*, 1979, v. 5, pp. 147–56.

67. Vea David Vanderburg, "The Story of Semco: The Company that Humanized Work", *Bulletin of Science Technology and Society*, v. 24 (octubre de 2004), n. 5, pp. 430–434; Gary Hamel y Bill Breen, "Building an Innovation Democracy: W. L. Gore: Management Innovation in Action", en Gary Hamel, *The Future of Management*, (Boston: Harvard Business School Press, 2007); vea también William F. Dowling, "At General Motors: System 4 Builds Performance and Profits", *Organizational Dynamics*, 1975, v. 3, n. 3, pp. 26–30.

68. Vea estudios que han medido resultados positivos de la administración participativa en Soonhee Kim, "Participative Management and Job Satisfaction: Lessons for Management Leadership", *Public Administration Review*, v. 62 (marzo-abril de 2002), n. 2, pp. 231–241.

69. Vea una evaluación 2010 de investigación sobre la participación en la toma de decisiones en John W. Budd, Paul J. Gollan y Adrian Wilkinson, "New Approaches to Employee Voice and Participation in Organizations", Human Relations, v. 63 (marzo de 2010) n. 3, pp. 303–310.

70. J. L. Kerr, "The Limits Of Organizational Democracy", *Academy of Management Executive*, v. 18 (2004), n. 3, pp. 81–95.

71. R. L. Daft, (2004). "Theory Z: Opening the Corporate Door for Participative Management", *Academy of Management Executive* v. 18 (2004) n. 4, pp. 117–121; Does Participative Leadership Enhance Work Performance by Inducing Empowerment or Trust? The differential effects on managerial and non-managerial subordinates", *Journal of Organizational Behavior*, v. 31 (enero de 2010) n. 1, pp. 122–143; vea también C. Pateman, "A Contribution to the Political Theory of Organizational Democracy", *Administration and Society*, v. 7 (1975), pp. 5–26.

72. Greg Conderacci, "Motorgate: How a Floating Corpse Led to a Fraud Inquiry and Ousters by GM", *Wall Street Journal*, 24 de abril de 1982, pp. 1, 16.

73. Citado en Lawrence E. Blades, "Employment at Will versus Individual Freedom", *Columbia Law Review*, 1967, v. 67, p. 1405.

74. Vea, por ejemplo, Patricia H. Werhane, *Persons, Rights, and Corporations*, pp. 81–93; Richard DeGeorge, *Business Ethics*, pp. 204–207.

75. Robert Ellis Smith, *Workrights* (Nueva York: E. P. Dutton, 1983), pp. 209–215.

76. Vea T. M. Scanlon, "Due Process", en J. Roland Pennock y John W. Chapman, eds., *Due Process* (Nueva York: New York University Press, 1977), pp. 93–125.

77. Esme E. Deprez, "Study Shows Psychological Impact of Unemployment", *Businessweek*, 3 de septiembre de 2009; Margaret W. Linn, Richard Sandifer y Shayna Stein, "Effects of Unemployment on Mental and Physical Health", *American Journal of Public Health*, v. 75 (mayo de 1985), n. 5, pp. 502–506; Arthur H. Goldsmith, Jonathan R. Veum y William Darity, Jr., "Unemployment, Joblessness, Psychological Well-Being and Self-Esteem: Theory and Evidence", *Journal of SocioEconomics*, v. 26 (1997), n. 2, pp. 133–158.

78. Estas estadísticas internacionales sobre el trabajo (y muchas otras estadísticas internacionales) se pueden encontrar en el artículo de *Wikipedia*, "Lists of Countries and Territories at *http://en.wikipedia.org/wiki/Lists_of_countries_and_territories*; en Naciones Unidas, *Monthly Bulletin of Statistics Online*, en *http://unstats.un.org/unsd/mbs*, y para un grupo de países determinado en el Bureau of Labor Statistics, International Labor Comparisons en *http://stats.bls.gov/fls/home.htm#laborforce*.

79. Josh Bivens, "Shifting Blame for Manufacturing Job Loss", Economic Policy Institute Briefing Paper.

80. Robert H. McGuckin, "Can Manufacturing Survive in Advanced Countries?", *Executive Action*, no. 93, marzo de 2004, publicada por la Conference Board, fecha de acceso: 17 de agosto de 2004, en *http://www.conference-board.org/pdf_free/EAReports/ A-0093-04-EA.pdf*.

81. Don Stillman, "The Devastating Impact of Plant Relocations", en *The Big Business Reader*, Mark Green, ed. (Nueva York: The Pilgrim Press, 1983), pp. 137–148.

82. Vea Peter J. Kuhn, ed., *Losing Work, Moving On: International Perspectives on Worker Displacement* (Kalamazoo, MI: W. E. Upjohn Institute for Employment Research, 2003).

83. William E. Diehl, *Plant Closings* (Nueva York: Division for Mission in North America, Lutheran Church in America, 1985), pp. 14–16. Vea un análisis de los aspectos éticos involucrados en el cierre de fábricas en Judith Lichtenberg, "Workers, Owners, and Factory Closings", *Philosophy and Public Policy*, enero de 1985.

84. Richard DeGeorge, *Business Ethics*, p. 192.

85. J. K. Galbraith, *American Capitalism: The Concept of Countervailing Power* (Boston, MA: Houghton Mifflin, 1952).

86. Douglas Fraser, "Strikes: Friend or Foe of American Business and the Economy?", *Los Angeles Times*, 3 de noviembre de 1985.

87. John Wright, ed., *The Universal Almanac* (Kansas City, MO: Andrews McMeel Publishing, 1996), p. 260.

88. "Beyond Unions", *Business Week*, 8 de julio de 1985.

89. *Ibid.* 8.5

90. Politics", *Academy of Management Review*, octubre de 1977, pp. 672–678; vea una revisión popular sobre los puntos planteados por política organizacional en "Playing Office Politics", *Newsweek*, 16 de septiembre de 1985, pp. 54–59.

91. Miles, *Macro Organizational Behavior*, pp. 161–164.

92. Schein, "Individual Power and Political Behaviors", p. 67.

93. Robert W. Allen, Dan L. Madison, Lyman W. Porter, Patricia A. Renwick y Bronston T. Mayes, "Organizational Politics", *California Management Review*, otoño de 1979, v. 22, n. 1, pp. 77–83.

94. Estos fueron extraídos de las páginas de John P. Kotter, *Power in Management* (Nueva York: American Management Association, 1979), un libro donde se argumenta que "un comportamiento orientado al poder ejecutado en forma diestra" es la marca del "gerente exitoso".

95. Este relato del incidente Agee-Cunningham se basa en las siguientes fuentes: Peter W. Bernstein, "Upheaval at Bendix", *Fortune*, 3 de noviembre, pp 52 ff., S. Freedberg, G. Storch, y C. Teegartin, "Two At the Top", *The Detroit News*, 5 de octubre de 1980; Gail Sheehy, "Cunningham Encounters the Mildew of Envy", *Detroit Free Press*, Gail Sheehy, "Cunningham's Idealism Gets Lost in Corporate Jungle", *Detroit Free Press*, 14 de octubre de 1980, p. 3B.

96. Vea John R. S. Wilson, "In One Another's Power", *Ethics*, julio de 1978, v. 88, n. 4, pp. 299–315; L. Blum, "Deceiving, Hurting, and Using", en A. Montefiore, ed., *Philosophy and Personal Relations* (Londres: Routledge and Kegan Paul, 1973).

97. Gerald F. Cavanagh, Dennis J. Moberg y Manuel Velasquez, "The Ethics of Organizational Politics", *Academy of Management Review*, julio de 1980; Manuel Velasquez, Dennis J. Moberg y Gerald F. Cavanagh, "Organizational Statesmanship and Dirty Politics: Ethical Guidelines for the Organizational Politician", *Organizational Dynamics*, otoño de 1983, pp. 65–80.

98. David Kipnis, "Does Power Corrupt?", *Journal of Personality and Social Psychology*, 1972, v. 24, n. 1, p. 33.

99. Chris Argyris, *Personality and Organization* (Nueva York: Harper & Brothers, 1957), pp. 232–237.

100. Jeanne M. Liedtka, "Feminist Morality and Competitive Reality: A Role for an Ethic of Care?", *Business Ethics Quarterly*, abril de 1996, v. 6, n. 2, p. 185. Jeanne M. Liedtka, "Feminist Morality and Competitive Reality: A Role for an Ethic of Care?", *Business Ethics Quarterly*, abril de 1996, v. 6, n. 2, p. 185.

101. Thomas I. White, "Business Ethics" y Carol Gilligan's "Two Voices", *Business Ethics Quarterly*, enero de 1992, v. 2, n. 1.

102. John Dobson y Judith White, "Toward the Feminine Firm: An Extension to Thomas White", *Business Ethics Quarterly*, julio de 1995, v. 5, n. 3, p. 466.

103. *Ibid.*

104. C. Bartlett y S. Ghoshal, "Changing the Role of Top Management: Beyond Strategy to Purpose", *Harvard Business Review*, noviembre/diciembre de 1994, p. 81.

105. Estos son ejemplos de los casos estudiados por W. L. Gore & Associates. Vea, por ejemplo, Frank Shipper y Charles C. Manz, "W. L. Gore & Associates, Inc.—1993", en Alex Miller y Gregory G. Dess, *Strategic Management*, 2a ed. (Nueva York: McGraw-Hill, 1996).

106. Vea Nell Noddings, *Caring*, pp. 73ff.

107. Por ejemplo, Carol Gilligan, *In a Different Voice: Psychological Theory and Women's Development* (Cambridge, MA: Harvard University Press, 1982), Caps. 3 y 4.

108. R. Scott, A. Aiken, D. Mechanic y S. Moravcsik, "Organizational Aspects of Caring", *Milbank Quarterly*, 1995, v. 73, n. 1, pp. 77–95.

109. Una revisión de la literatura sobre este tema se encuentra en Marilyn Friedman, *What Are Friends For?* (Ithaca, NY: Cornell University Press, 1993), cap. 3, titulado "The Social Self and the Partiality Debates".

# Créditos de las fotografías

Página 1: Glowimage; pp. 2-3: Glowimage; p. 42 Newscom; p.43 (arriba) Newscom, (abajo) Newscom; pp.72-73: Glowimage; p. 80 (abajo derecha) Newscom, (izquierda) Scott J. Ferrell/Congressional Quarterly/Newscom; p. 81: (arriba) Glowimage, (centro) Newscom, (abajo) Newscom; p.149 Newscom; 150-151: Newscom; p. 178: (derecha) Robert Harding, (izquierda) Newscom; p. 179: (arriba) Newscom, (centro) Rahat Dar/epa/Corbis, (abajo) Philippe Lissac/Godong/Corbis; p. 196: Newscom; p. 212: (arriba)Newscom, (abajo) Glowimage; p. 213: (arriba) Glowimage (centro) Glowimage, (abajo) Glowimage; p. 241: Michael Dwyer/Alamy; pp. 242-243: Newscom; p. 254: (primera) Gregory Kramer/Shutterstock, (segunda) ARENA Creative/Shutterstock, (tercera) Veronika Vasilyuk/Shutterstock, (cuarta) Stefan Redel/Shutterstock, (quinta) Comstock/Thinkstock Images, (sexta) Amy Nichole Harris/Shutterstock; p. 264-265: p. 264: (abajo) Newscom, (arriba) Glowimage; p. 265: (arriba) p. Glowimage, (centro) Glowimage; p. 265: (abajo) Glowimage; pp. 302-303: Lou-Foto/Newscom; pp. 316-317: (transfondo) Advertising Archive/Courtesy Everett Collection; p. 316: (arriba) Handout/MCT/Newscom, (abajo) Bubbles Photolibrary/Alamy; p. 324: (arriba) John Powell/Bubbles Photolibrary/Alamy, (abajo) Glowimage; 325 p. (arriba) Glowimage, (abajo) Enzio Petersen/Newscom p. 345: Newscom; pp. 346-347: Glowimage; p. 376: Newscom, p. 377: (arriba) Newscom, (centro) Newscom, (abajo) Glowimage; pp. 398-399: Glowimage; p. 410: (abajo izquierda) Newscom, (abajo derecha) Newscom; p. 411 Newscom, (centro) Newscom, (abajo) Newscom.

# Créditos de los textos

Página 5: *There was a potential downside for me, personally.* Extracto de P. Roy Vagelos y Louis Galambos. The Moral Corporation: Merck Experiences, p. 2. Copyright 2006 Cambridge University Press. Reimpreso con permiso.

Página 9: *I just can't believe this is really happening.* Adaptado de Kermit Vendivier, "Why should my conscience bother me?", en Robert Heilbroner IN THE NAME OF THE PROFIT. Copyright 1972 Doubleday, una división de Random House Inc. Usado con permiso.

Página 10: *My job paid well, it was pleasant and challenging.* Adaptado de Kermit Vendivier, "Why should my conscience bother me?", en Robert Heilbroner IN THE NAME OF THE PROFIT. Copyright 1972 Doubleday, una división de Random House Inc. Usado con permiso.

Página 19: *A second kind of argument. Adapted from Alex C. Michaels.* A Pragmatic Approach to Business Ethics. Copyright © 1995 Sage Publications, Inc.

Página 23: *In a free enterprise, private-property system.* Adaptado de Milton Friedman, "The social responsibility of business is to increase its profits", New York Times Magazine, 13 de septiembre de 1970.

Página 34: *The fact that different societies. James Rachels.* "Can ethics provide answers?", en Can Ethics Provide Answers and Other Essay in Moral Philosophy, pp. 33-39. Copyright ©1997 Rowman and Littlefield. Reimpreso con permiso.

Página 63: *On the Edge: Gun Manufacturers and Responsibility.* Adaptado de Chris McGann, "Families of 2 Sniper Victims Sue Arms Dealer, Manufacturer", Seattle Post-Intelligence, 17 de enero de 2003, p. 1A.

Página 68: *I was a rock star.* Aaron Beam, "Auditor's Get an Insider's View of Corporate Fraud", University of Texas News, 12 de abril de 2010. Copyright © 2010. Reimpreso con permiso de Aaron Beam.

Página 69: *I just didn't have the courage.* Aaron Beam, "Auditor's Get an Insider's View of Corporate Fraud", University of Texas News, 12 de abril de 2010. Copyright © 2010. Reimpreso con permiso de Aaron Beam.

Página 70: *There are a lot of sociopaths heading major corporations.* Reimpreso con permiso de Aaron Beam.

Página 74: *Nonwhites in South Africa are rightless persons.* Extracto de Timothy Smith. "South Africa: The churches vs. the corporations", BUSINESS AND SOCIETY REVIEW, Copyright ©1971. Reimpreso con permiso de John Wiley & Sons, Inc.

Página 75: *Texaco believes.* Cortesía de Texaco, Inc.

Página 80: *Should countries dump their waste into poor countries?* Adaptado de "Let Them Eat Pollution", The Economist, 8 de febrero de 1992.

Página 91: *Principles.* Peter DeSimone, "2004 Company Report-C1, Walt Disney Human Rights in China", 9 de febrero de 2004. © 2004 por el Investor Responsibility Research Center; y Carolyn Mathiasen, "2004 Background Report. C1 Human Rights in China", 9 de febrero de 2004 © 2004 Investor Responsibility Research Center, *www.irrc.org*.

Página 92: *On the Edge: Working for Eli Lily and Company.* Adaptado de Laurie P. Cohen, "Stuck for Money", Wall Street Journal, 14 de noviembre de 1996, p. 1.

Página 113: *From each according to what he chooses.* Extracto de Robert Nozick. ANARCHY, STATE AND UTOPIA, Copyright © 1977 Robert Nozick. Reimpreso con permiso de Basic Books, miembro de Perseus Book Group.

Página 127: *He was driven by work.* S. Prakash Sethi *et al.*, Up Against the Corporate Wall: Cases in Business and Society. (Englewood Cliffs, NJ: Prentice-Hall) Copyright © 1997 S. Prakash Sethi. Reimpreso con permiso del autor.

Página 130: *The Virtues are to be understood.* Alasdair McIntyre. After Virtue, 3/e. Copyright © University of Notre Dame Press. Reimpreso con permiso.

Página 140: *Julie and Mark are brother and sister.* Jonathan Haidt. "The Emotional Dog and the Rational Tail: A Social Intuitionist Approach to Moral Judgement", Psychological Review, 108, 814-834. Copyright © American Psychological Association. Adaptado con permiso.

Página 140: *The action principle.* James S. Adelman, Gordon D.A. Brown, José F. Quesada. "Contextual diversity, not word frequency, determines word-naming and lexical decision times", Psychological Science, 12, 1082-1089. Copyright © 2006 Sage Publications, Inc. Reimpreso con permiso.

Página 143: *We will...* Cortesía de Triodos Bank.

Página 143: *Our results placed the company in the best.* Cortesía de Triodos Bank.

Página 143: *Roche received the Public Eye Award.* Cortesía de Triodos Bank.

Página 143: *Up to 90% of all transplanted organs in China.* Cortesía de Triodos Bank.

Página 144: *Dr. Schwan and that CellCept.* Minutas de la 92nd General Meeting of Roche Holding, Ltd, 2 de marzo de 2010.

Página 147: *An extensive, multimillion dollar socioeconomic development program.* Background: The Yadana Project and The Activist Lawsuits 12/2/2003. Unocal.

Página 157: *A state of perfect freedom.* Extracto de John Locke. Two Treatises of Government (rev.) Peter Laslett (ed.) p. 309. Copyright © 1963 Cambridge University Press. Reimpreso con permiso.

Página 158: *Every man has a property in his own person.* Extracto de John Locke. Two Treatises of Government (rev.) Peter Laslett (ed.) p. 309. Copyright © 1963 Cambridge University Press. Reimpreso con permiso.

Página 161: *Table 3.1 Distribution of Income and Wealth Among Americans, 2007.* Adaptado de Edward N. Wolff. "Recent trends in household wealth in the United States: Rising debt and the middle-class squeeze—An update to 2007", documento de trabajo 589 en Jerome Levy Economics Institute Series, marzo de 2010.

Página 173: *England may be so circumscribed that to produce.* David Ricardo. On the Principles of Political Economy and Taxation, 1871, ed. Piero Sraffa Copyright 1951. Reimpreso con permiso de Liberty Fund, Inc.

Página 178: *You sweat. You walk until your feet hurt. You have blisters.* Reimpreso con permiso de Human Rights Watch. Copyright © 2010. Todos los derechos reservados.

Página 177: *In what, then, consists the alienation of labor?* Manuscritos económicos y filosóficos de 1844 por MARX, KARL, Copyright 1964. Reproducido con permiso de INTERNATIONAL PUBLISHERS COMPANY (NY) en el formato de libro de texto y otro libros, a través Copyright Clearance Center.

Página 177: *Labor, to be sure.* Manuscritos económicos y filosóficos de 1844 por MARX, KARL. Copyright 1964 Reproducido con permiso de INTERNATIONAL PUBLISHERS COMPANY (NY) en el formato de libro de texto y otro libros, a través de Copyright Clearance Center.

Página 180: *You are horrified.* Manuscritos económicos y filosóficos de 1844 por MARX, KARL, Copyright 1964 Reproducido con permiso de INTERNATIONAL PUBLISHERS COMPANY (NY) en el formato de libro de texto y otro libros, a través de Copyright Clearance Center.

Página 180: *It has been objected.* Manuscritos económicos y filosóficos de 1844 por MARX, KARL. Copyright 1964. Reproducido con permiso de INTERNATIONAL PUBLISHERS COMPANY (NY) en el formato de libro de texto y otro libros, a través de Copyright Clearance Center.

Página 192: *It was clear to us.* Steven Ratner. "The auto bailout: How we did it", FORTUNE, 21 de octubre de 2009. Copyright © 2009 Time, Inc. Usado bajo licencia.

Página 193: *There are only two economic systems in the world.* Extracto de Michael R. Winther. "Five principles that are violated by the bailouts", Mckinac Center for Public Policy, 13 de marzo de 2009. Copyright © 2009. Reimpreso con permiso del autor.

Página 194: *Accolade vs Sega.* SPINELLO, RICHARD, A. CASE STUDIES IN INFORMATION AND COMPUTER ETHICS, © 1997, pp. 142-145. Reimpreso con permiso de Pearson Education, Inc., Upper Saddle River, NJ.

Página 198: *A South Korean executive.* Extracto de Grant Gross, "LG display executive pleads guilty in LCD price fixing case", PC WORLD, 28 de abril de 2009. Copyright © 2009. Reimpreso con permiso de PC World Communications, Inc.

Página 217: *Table 4.2 dominant brands and companies in oligopoly markets, 2010.* Basado en Robert S. Lazich, Market Share Reporter, 2001 (Detroit, MI: Gale Research, 2001).

Página 224: *I think we are particularly vulnerable.* Jeffrey Sonnenfeld y Paul R. Lawreence. "Why do companies succumb to price-fixing?", Harvard Business Review, julio/agosto de 1978, 56(4), 145-157. Copyright © 1978. Reimpreso con permiso.

Página 235: *For the first few years.* Extracto de Mark Whitacre. "My Life as a corporate Mole for the FBI", FORTUNE, 4 de septiembre de 1995. Copyright © 1995 Time, Inc. Bajo licencia. Reimpreso con permiso.

Página 235: *When we started selling.* Extracto de Mark Whitacre. "My Life as a corporate Mole for the FBI", FORTUNE, 4 de septiembre de 1995. Copyright © 1995 Time, Inc. Bajo licencia. Reimpreso con permiso.

Página 235: *It was during my first year.* Extracto de Mark Whitacre. "My Life as a corporate Mole for the FBI", FORTUNE, 4 de septiembre de 1995. Copyright © 1995 Time, Inc. Bajo licencia. Reimpreso con permiso.

Página 244: *We now have evidence.* United Nations Environment Programme (UNEP).

**Página 245:** *My own view is that.* BARBOUR, EARTH MIGHT BE A FAIR REFLECTION ON ETHICS, RELIGION, AND ECOLOGY, primera edición, © 1972, pp. 95-96. Reimpreso con permiso de Pearson Education, Inc., Upper Saddle River, NJ.

**Página 267:** *The Deep Echology Platform.* Arne Ness and George Sessions, "The Deep Echology Platform", *www.deepecology.org/platform.htm.*

**Página 269:** *The man who has become a thinking being.* Extracto de Albert Schweitzer, OUT OF MY LIFE AND THOUGHTS (trad.) A. B. Lemke Copyright © 1990. Reimpreso con permiso de Henry Holt & Company.

**Página 271:** *Surveys conducted along the lower Columbia river.* Extracto de Keith Davis y William C. Frederick, BUSINESS AND SOCIETY. Copyright © 1984. Reimpreso con permiso de McGraw-Hill Companies.

**Página 282:** *We must look into the cultural forms.* Extracto de Murray Bookchin y Dave Foreman, DEFENDING THE EARTH: A Dialogue Between Murray Bookchin and Dave Foreman, Steve Chase (ed.) Copyright © 1991. Reimpreso con permiso.

**Página 285:** *Ask what is reasonable.* Reimpreso con permiso del editor de THEORY OF JUSTICE de John Rawls, p. 289, Cambridge, Mass.: The Belknap Press of Harvard University Press, Copyright © 1971, 1999 por el Presidente y asociados del Harvard College.

**Página 310:** *During your first year of ownership.* Citado en el discurso por S.E. Upton (vicepresidente de Whirpool Corporation) ante la American Marketing Association en Cleveland, OH, 11 de diciembre de 1969.

**Página 324:** *Advertising death to kids?* Adaptado de Meg Riordan, "Tobacco Industry Continues to Market to Kids", Campaña para niños libres de tabaco.

**Página 331:** *The Midland Bank has approval to hold details.* Adaptado de Greg Hadfield y Mark Shipworth. "Firms keep dirty data on sex lives of staff", Sunday Times, Londres, 25 de junio de 1993.

**Página 341:** *I lost my job.* http://www.consumeraffairs.com/debt_counsel/credit_solutions.html.

**Página 341:** *I used Credit Solutions.* http://www.consumeraffairs.com/debt_counsel/credit_solutions.html

**Página 341:** *When I was in college.* http://www.consumeraffairs.com/debt_counsel/credit_solutions.html

**Página 381:** *But it is absurd to suppose that the young blacks.* Judith Jarvis Thompson, "Preferential hiring", Philosophy and Public Affairs, vol. 2, núm. 4, p. 381 Copyright © 1973. Reimpreso con permiso de John Wiley & Sons, Inc.

**Página 381:** *It may also be argued that.* Extracto de Martin. H Redish, Preferential law school admissions and the equal protection clause: An analysis of the competing arguments. UCLA LAW REVIEW Copyright © 1974. Reimpreso con permiso.

**Página 401:** *An organization is.* E.H. Schein, Organizational Psychology, p. 8 Copyright © 1965 Pearson Education, Inc. Reimpreso con permiso.

**Página 407:** *The value of a gift.* Basado en Vincent Barry, Moral Issues in Business, 1986 (Belmont, CA: Wadsworth).

**Página 425:** *On the Edge: Sergeant Quon's Text messages.* Adaptado de Erwin Chemerinsky, "Does the 4th Amendment's Right to Privacy Protect Personal Communications over a Government-Issued Pager?", disponible en línea en *www.abnet.org/publiced/preview/Quon.pdf.*

**Página 441:** *The head of a research unit.* The Academy of Management Review por ACADEMY OF MANAGEMENT REVIEW. Copyright 1977. Reproducido con permiso de ACADEMY OF MANAGEMENT REVIEW (NY) en los formatos de texto y otros libros, a través de Copyright Clearance Center.

**Página 442:** *Getting control over.* John P. Kotter. Power in Management. Copyright © 1979 American Management Association. Usado con permiso.

**Página 447:** *The caring organization.* Jeanne M. Liedtka "Feminist Morality and competitive Reality: A role for an Ethic of Care?", Business Ethics, publicación trimestral, vol. 6, núm. 2 (abril de 1996), p. 185. Copyright © 1996. Usado con permiso.

**Página 447:** *But... contractually based relationships.* C. Bertlett y S. Ghosal. "Changing the role of top management: Beyond strategy to purpose", Harvard Business Review, N/D, 1994, p. 81. Copyright © 1984. Usado con permiso de Harvard Business Review.

**Página 452:** *Violations are, unfortunately, a normal part of the mining process.* Extracto de Ian Urbina y Michael Cooper, "Death at West Virginia Mine Raises Issues About Safety", NEW YORK TIMES, 6 de abril de 2010. Copyright © 2010 The New York Times Company. Reimpreso con permiso. Todos los derechos reservados.

# Índice analítico